Menschensohn und historischer Jesus

Volker Hampel

Menschensohn und historischer Jesus

Ein Rätselwort als Schlüssel
zum messianischen
Selbstverständnis Jesu

Neukirchener

© 1990 Neukirchener Verlag des Erziehungsvereins GmbH
Neukirchen-Vluyn
Alle Rechte vorbehalten
Umschlaggestaltung: Hans-Jürgen Kind, Darmstadt
Gesamtherstellung: Breklumer Druckerei Manfred Siegel KG
Printed in Germany
ISBN 3-7887-1287-2

Gedruckt mit freundlicher Unterstützung
des Erziehungsvereins Neukirchen-Vluyn
der Evangelischen Kirche des Rheinlands
der Raiffeisenbank Neukirchen-Vluyn
der Sparkasse Neukirchen-Vluyn

CIP-Titelaufnahme der Deutschen Bibliothek

Hampel, Volker:
Menschensohn und historischer Jesus: ein Rätselwort als
Schlüssel zum messianischen Selbstverständnis Jesu / Volker
Hampel. – Neukirchen-Vluyn: Neukirchener, 1990
    ISBN 3-7887-1287-2

Meinen Eltern

Vorwort

»Der historische Jesus ist letztlich ein gescheiterter Zimmermann aus Nazareth!« Dieser Ausspruch eines älteren Kommilitonen, der mich auf diese Weise gleich in den ersten Tagen meines Theologiestudiums in die ›Geheimnisse der theologischen Forschung‹ einweihen wollte, bewirkte bei mir folgendes: Ich war schockiert. Zwar konnte ich damals mit dem Begriff »historischer Jesus« noch nicht viel anfangen, wußte aber, daß der Jesus, an den ich glaubte, nicht nur ein Zimmermann aus Nazareth war, sondern zugleich der auferstandene und lebendige Herr. Da ich jedoch keineswegs die Absicht hegte, eine ›Jesusidee‹ zu verfechten, blieb es nicht beim Schockiertsein darüber, daß man so von Jesus reden konnte, vielmehr beschloß ich, der Sache auf den Grund zu gehen. Seitdem beschäftigte ich mich vor allem mit historischen Fragen, mit dem historischen Jesus und dem messianischen Selbstverständnis Jesu. Ich wollte wissen, wie Jesus selbst sein Wirken in Israel, das am Kreuz endete, verstand, wie er sein gewaltsames Sterben deutete, ob er mit seiner Auferstehung und seiner Parusie rechnete, inwieweit die urchristliche Rede von Jesus als dem Christus (Messias) in Jesus selbst verankert ist oder lediglich das Ergebnis urchristlicher Reflexion auf dem Hintergrund des Alten Testaments darstellt. Ein Ergebnis jener Studien war zunächst die 1982 von der Evangelisch-theologischen Fakultät der Universität Tübingen angenommene Dissertation »Menschensohn und historischer Jesus«, in der ich die gestellten Fragen zu beantworten suchte.
Das nun vorliegende Buch gleichen Titels wiederum ist keineswegs eine lediglich überarbeitete Fassung meiner Dissertation, sondern eine auf dieser aufbauende Untersuchung, in der ich meine damaligen Ergebnisse fortführe und – in der Diskussion mit der in jüngster Zeit erschienenen Literatur – neu darlege und begründe.

Mein Dank gilt all denen, die mir den Zugang zur biblischen Überlieferung erschlossen, mich zu ihrem vertieften Verständnis führten und mich dazu anleiteten, den Gott, um den es hier geht, um so mehr zu erkennen. Neben den Herren Professoren Dr. Martin Hengel, Dr. Gert Jeremias, Dr. Friedrich Lang und Dr. Peter Stuhlmacher möchte ich an dieser Stelle Herrn Prof. Dr. Otto Betz eigens erwähnen, dem ich danke für all das, was er mir während des Studiums an grundlegender Kenntnis des Judentums und des Neuen Testaments vermittelt hat, zugleich für alle Impulse, Anregungen und korrigierenden Anmerkungen, die er mir als Doktorvater

VIII

während der Promotionszeit in vielen und langen Gesprächen zuteil werden ließ, wie auch für alle Hilfen beim Abschluß dieser Studie. Ebenso ist hier vor allem Gunther Roßmüller zu nennen, der mich als Freund und Theologe begleitete und mir half, die vielen exegetischen Einzelbeobachtungen systematisch zu ordnen sowie den Zusammenhang zwischen theologischer Wissenschaft und Kirche im Auge zu behalten. Ich danke zugleich allen, die zur Drucklegung dieser Untersuchung mit beigetragen haben: dem Neukirchener Verlag für die Aufnahme der Studie in sein Verlagsprogramm, den Kollegen im Verlag für alle Unterstützung und Mithilfe, den im Impressum Genannten für beträchtliche Druckkostenzuschüsse, ohne die eine Publikation überhaupt nicht möglich gewesen wäre.

Mein ganz besonderer Dank gilt meiner Frau Antje, ohne deren ›Mithilfe‹ ich es niemals geschafft hätte, das nun vorliegende Buch fertigzustellen. Die vielen Abende, Wochenenden und Urlaubstage, die sie und unsere Kinder über Jahre hin ohne mich verbringen mußten, sind kaum zu zählen.

Schließlich – und dies nicht zuletzt – danke ich meinen Eltern, die mich während meines Studiums unterstützten, wo sie nur konnten. Ihnen widme ich diese Untersuchung – im dankbaren Gedenken an meinen Vater.

Meine Bitte zu Gott besteht darin, daß auch die vorliegende Studie dazu beiträgt: »Dein Name werde geheiligt!«

Neukirchen-Vluyn, im März 1990   Volker Hampel

Inhalt

Einleitung 1

Erster Hauptteil
Die alttestamentlich-jüdische Menschensohnüberlieferung .. 5

A) Die alttestamentliche Menschensohnüberlieferung 7

I. Daniel 7 7
    1. Vorüberlegungen 7
    2. Dan 7 allgemein 8
    3. Die Vier-Tiere-Vision 9
       a) Die Vier-Tiere-Vision und die V. 7bβ–8 9
       b) Der ursprüngliche Abschluß der Vier-Tiere-Vision 10
       c) Die sekundären Zusätze innerhalb der V. 2aβ–7bα.11b .. 10
       d) Die ursprüngliche Vier-Tiere-Vision 11
       e) Die Vier-Tiere-Vision in ihrem neuen Kontext 12
       f) Zur Einheitlichkeit der Zusätze zur Vier-Tiere-Vision ... 13
    4. Der sogenannte Menschensohnpsalm 16
       a) Dan 7,9f 16
       b) Dan 7,13f 21
    5. Die Heiligen, die Heiligen des Höchsten und das Volk
       der Heiligen des Höchsten (Der Menschensohn und
       seine Deutung in Dan 7,15–28) 23
       a) קַדִּישִׁין bzw. קְדוֹשִׁים in Israel allgemein 24
       b) קַדִּישִׁין bzw. קְדוֹשִׁים im heutigen Danielbuch 24
       c) קַדִּישִׁין in Dan 7,15–28 25
    6. Zur Deutung des Menschensohns in Dan 7,13f ... 27
       a) Der Menschensohn – ein Engel? 27
       b) Der Menschensohn – eine Richtergestalt? 30
       c) Die Funktion des Menschensohns in Dan 7 und im aramäischen
       Danielbuch insgesamt 31
    7. Der Menschensohn aus Dan 7,13f und mögliche
       Assoziationen im Alten Testament 33
       a) בֶּן־אָדָם bei Ezechiel 34
       b) בֶּן־אָדָם in Ps 80,18 35
    8. Zusammenfassung und abschließende Folgerungen 36
II. Exkurs: Jesus – Apokalyptik, Daniel, Dan 7 (unter vorläu-
      figer Ausklammerung der Menschensohnworte) 37

B)   Die jüdische Menschensohnüberlieferung 41

I.   Die Bilderreden des äthiopischen Henochbuches 41
II.   Die verbleibende jüdische Menschensohnüberlieferung . 47

Zweiter Hauptteil
Die synoptische Menschensohnüberlieferung 49

**A)   Die Logien von der zukünftigen Hoheit des Menschen-
       sohns** 51

I.   Einleitung 51
II.   Die Menschensohnlogien des eschatologischen Abschnitts
      Lk 17,20–37 par (Lk 17,22; Lk 17,24 par Mt 24,27; Lk
      17,26f.30 par Mt 24,37–39) 52
      1. Vorfragen 52
      2. Lk 17,22 58
      3. Lk 17,24 par Mt 24,27 59
      4. Lk 17,26–27.30 par Mt 24,37–39 63
III. Exkurs: Der verborgene Messias im Judentum 70
IV.   Lk 11,29–30 par Mt 12,38–40 par Mk 8,11–12 par ... 79
      1. Der bei Markus und Q gemeinsame Wortbestand . 79
      2. δυνάμεις und σημεῖα im Wirken Jesu 81
      3. Der historische Hintergrund der Zeichenforderung 83
      4. εἰ μὴ τὸ σημεῖον Ἰωνᾶ – ursprünglich oder sekundär? 85
      5. Das Jonazeichen in der neutestamentlichen For-
         schung 86
      6. Mt 12,40 – der matthäische Deutespruch 89
      7. Lk 11,30 – der lukanische Deutespruch 90
      8. Lk 11,29 und 30 (in ihrer ursprünglichen Form) – eine
         Einheit? 93
      9. Der ursprüngliche Sinn des Jonazeichens 94
      10. Der Menschensohn und das erneuerte Jonazeichen 96
      11. Abschließende Bemerkungen 98
V.   Exkurs: »Menschensohn« als Chiffre für »Messias« im
      Neuen Testament 98
      1. Die markinischen Belege 98
      2. Die matthäischen Belege 99
      3. Die lukanischen Belege 99
      4. Die johanneischen Belege 100
      5. Das übrige Neue Testament 100

VI.   Exkurs: Das messianische Selbstverständnis Jesu in der Spannung zwischen Designation und Inthronisation – unabhängig von der Menschensohntradition 101
1. Jesu Zug nach Jerusalem 105
2. Jesu Einzug in Jerusalem (Mk 11,1–11 par) 105
3. Mk 10,37 par Mt 20,21 106
4. Mk 8,29 par 110
5. Mk 12,9 par 110
6. Das Tempelwort (Mk 14,58 par; Joh 2,19) 112
7. Mt 8,11–12 par Lk 13,28–29 114
8. Lk 13,31–32 118
9. Mk 9,1 par 122
10. Der ›Verrat‹ des Judas 125
11. Zusammenfassung 126

VII.   Exkurs: Die Inthronisation (Aufstellung) des Messias .. 128
1. Die Inthronisation (Aufstellung) des Messias als alttestamentlich-jüdische Erwartung 128
2. Gott selbst stellt seinen Messias auf 130
3. Die Inthronisation (Aufstellung) des Messias erfolgt auf dem Zion 132
4. Die eschatologische Völkerwallfahrt zum Zion ... 135

VIII. Lk 22,28–30 par Mt 19,28 140
IX.   Mt 10,32–33 par Lk 12,8–9 (par Mk 8,38 par) 152
X.   Exkurs: בַּר אֱנָשָׁא – ein anderer als Jesus oder Umschreibung für »ich«? 159
1. בַּר אֱנָשָׁא – ein anderer als Jesus? 159
2. בַּר אֱנָשָׁא – eine Umschreibung für »ich«? 160

XI.   Mk 13,26 par 165
XII.   Mt 10,23 168
XIII. Exkurs: Zum Verhältnis von Menschensohn bzw. Messias und Gottesherrschaft in der Verkündigung Jesu 168
1. Menschensohn und Gottesherrschaft 168
2. Messias und Gottesherrschaft 170

XIV. Mk 14,61b–62 par Mt 26,63b–64 par Lk 22,67a.69–70 174
XV.   Statt einer Zusammenfassung: Zur Einordnung der Menschensohnlogien 185

B)   **Die Logien von der gegenwärtigen Hoheit des Menschensohns** 188

I.   Einleitung 188
II.   Mk 2,10 par 188
III.   Mk 2,28 par 189

IV.   Lk 19,10   203
V.   Exkurs: Die ἦλθον-Worte Jesu   208
VI.   Zusammenfassung   210

C)   **Die Logien von der gegenwärtigen Niedrigkeit des
      Menschensohns**   212

I.   Einleitung   212
II.   Mt 11,19 par Lk 7,34   214
      1. Das Gleichnis Mt 11,16f par Lk 7,31f   215
      2. Mt 11,18f par Lk 7,33f - eine nachösterliche Bildung?   215
      3. Mt 11,16-19 par Lk 7,31-35 - eine ursprüngliche
         Einheit   217
      4. Zur Deutung von Mt 11,16-19 par Lk 7,31-35 ..   218
      5. Zur Deutung des Terminus Menschensohn in Mt
         11,19a.b par Lk 7,34   220
III. Exkurs: ὁ ἐρχόμενος und ὁ ἰσχυρότερος im Mund Johan-
      nes des Täufers   222
IV.   Mt 8,19-20 par Lk 9,57-58   226
V.   Exkurs: Das messianische Leiden - ein Offenbarungs-
      fortschritt in der Erwartung Jesu   234
VI.   Zusammenfassung und Ausblick   242

D)   **Die Logien vom Leiden und von der Auferstehung des
      Menschensohns**   246

I.   Einleitung   246
      1. Jesus rechnete mit seinem gewaltsamen Tod   246
      2. Das Kollektivleiden der Jünger   249
         a) Lk 22,36   250
         b) Mt 6,13a par Lk 11,4b   252
         c) Mk 14,38a par   253
      3. Zur Struktur der Logien vom Leiden und von der
         Auferstehung des Menschensohns   255
      4. Die von vornherein als sekundäre Bildungen wahr-
         scheinlichen Logien vom Leiden und von der Aufer-
         stehung des Menschensohns   256
II.   Exkurs: Kannte das vorchristliche Judentum einen lei-
      denden und sterbenden Messias?   260
III. Mk 8,31 par   269
      1. Der ursprüngliche Wortlaut   269
      2. Mk 8,31 - eine Bildung des hellenistischen Juden-
         christentums   273
IV.   Mk 9,12b par   282

V. Mk 9,31 par 288
VI. Exkurs: Zur Traditionsgeschichte der Logien vom Leiden
     und von der Auferstehung des Menschensohns   300
VII. Mk 10,45 par – die Deutung des Todes des Menschensohns   302
   1. Einleitung 302
   2. Mk 10,45 – eine ursprüngliche Einheit? 304
     a) Die beiden Möglichkeiten 304
     b) Mk 10,45 und der Kontext Mk 10,32-44 305
     c) Mk 10,45a und b – ursprünglich selbständige Einzellogien? .. 308
     d) Die Gegenprobe: Wie kam es zur lukanischen Textfassung? .. 310
   3. Zur sprachlichen Herkunft von Mk 10,45 313
   4. Mk 10,45 – eine Bezugnahme auf Jes 52,13 – 53,
     12 MT? 317
   5. Mk 10,45 und die alttestamentlich-jüdische Löse-
     geldkonzeption 326
   6. Der philologische Nachweis: Mk 10,45 – eine Bezug-
     nahme auf Jes 43,3-4(-7) 331
   7. Die inhaltliche Aussage von Mk 10,45b (Konkretion
     des bisherigen Ergebnisses) 333
   8. Der traditionsgeschichtliche Hintergrund von Mk
     10,45a 335
   9. Mk 10,45 – ein authentisches Jesuslogion 339
   10. Zur Einordnung von Mk 10,45 in den Duktus der au-
     thentischen Menschensohnlogien und der bisherigen
     Untersuchung als ganzer 340

E) **Jesu Zukunftserwartung im Anschluß an seinen Tod** .. 343

I. Einleitende Vorbemerkungen 343
II. Der eschatologische Ausblick Mk 14,25 (Mt 26,29) par
     Lk 22,15-18 345
   1. Lk 22,15-18 – von Markus unabhängige Sonder-
     tradition 345
   2. Der ursprüngliche (semitische) Wortlaut des eschato-
     logischen Ausblicks 347
   3. Die urchristliche Entfaltung der traditionsgeschicht-
     lichen ›Urform‹ des eschatologischen Ausblicks .. 352
   4. Die Intention des eschatologischen Ausblicks 353
   5. Die Authentie des eschatologischen Ausblicks 356
III. Die Zukunftserwartung Jesu im Anschluß an seinen Tod   357
IV. Die Zukunftserwartung Jesu in der Theologie der Urkirche   365

Schluß 369

Literatur 373

Stellenregister (Auswahl) 404
Stichwortregister (Auswahl) 416

Einleitung

Liegen die Grundlagen des christlichen Glaubens in der Person und Botschaft Jesu begründet? Wurzeln die zentralen biblischen Aussagen über den Messias (Christus) Jesus in ihm selbst? Das urchristliche Kerygma bejaht diese Frage, indem es permanent hinter sich zurückverweist auf das historische Ereignis der abschließenden Offenbarung des Heilshandelns Gottes im Kommen seines eschatologischen Gesandten Jesus von Nazareth. Dabei stellt es den Anspruch, dessen untrennbar an seine Person gebundene Botschaft in nachösterlich veränderter Situation lediglich aktualisierend weiterzutragen[1].

Doch eben dies ist in der neutestamentlichen Wissenschaft umstritten. Infolge der weitverbreiteten Skepsis gegenüber den Quellentexten der Evangelien kam es zur Unterscheidung zwischen dem historischen Jesus und der urchristlichen Jesusdarstellung. Man entdeckte den »garstigen Graben« zwischen Jesu ureigener Verkündigung und deren späterer Ausgestaltung im Licht von Kreuz und Auferstehung. Wenn aber bereits in den Evangelien jene erst nachösterliche Jesusdeutung zum Tragen kommt, die Jesus über sein eigenes Anliegen hinaus als Messias verkündigt, während er sich selbst lediglich als Botschafter der nahen Gottesherrschaft verstand, dann basiert der christliche Glaube nur im uneigentlichen Sinn auf Jesus, dem jüdischen Propheten, sondern in seinem letzten und eigentlichen Grund auf dem Kerygma der Urkirche. Dann wurde Jesus erst nach Ostern vom Verkündiger zum Verkündigten, entgegen seiner eigenen Intention. Zum Glauben an die Messianität Jesu kam es aus der Sicht solcher Jesusdeutung dadurch, daß die junge Christenheit, die mit den Ostererfahrungen ihre Geburtsstunde erlebte, die Sendung des Auferstandenen im Licht und auf der Reflexionsgrundlage des Alten Testaments als Sendung des dort längst verheißenen Messias Israels erkannte. Dieser kam im Auftrag Gottes, um Israel und darüber hinaus die Welt zu retten: über den Weg des Glaubens an ihn, den Messias und Sohn Gottes, in dem sich Gottes Heilswille und damit Gott selbst letztgültig offenbart.

Eine derart übertriebene Skepsis gegenüber der historischen Glaubwürdigkeit der Jesustradition, die ihrerseits ohne fragwürdige Hypothesen nicht auskommt und auf zum Teil willkürlichen Postulaten gründet, ist

---

1 Vgl. stellvertretend Joh 14,26; 15,26; Röm 1,1-5; 1Kor 11,23a; 15,3b-5; 2Kor 4,5 und Hebr 1,1f.

jedoch aus theologischen wie aus historischen Gründen untragbar: aus theologischen, weil der Gott Jesu Christi, der der Gott des Alten Testaments ist, vom geschichtsmächtigen Gegenüber zur bloßen Idee degradiert und so letztlich nicht mehr ernst genommen wird; aus historischen, weil sonst bei exakter historischer Fragestellung und bei Anwendung adäquater Methoden nicht erklärt werden kann, wie es – für den Historiker nachvollziehbar – vom unmessianischen Jesus zum Christuskerygma und zum Urchristentum kommen konnte. Denn sollte ausgerechnet einem nebulösen Urchristentum all das möglich sein, was Jesus selbst unmöglich war? Ist es überhaupt denkbar, daß aufgrund einer Auferstehung von den Toten, die ihrerseits nicht als historisches Ereignis anzusehen sein soll, aus einem unmessianischen Verkündiger der Gottesherrschaft der Messias Israels wurde, von dem es nur wenige Jahre nach seinem Verbrechertod hieß, vor ihm müßten sich einst alle Knie beugen und alle Zungen bekennen, daß er, Jesus Christus, der κύριος sei (Phil 2,10f), der Erstgeborene vor aller Schöpfung, der Weltherrscher, durch den und auf den hin das All erschaffen wurde (Kol 1,15–20)? Und dies alles, obwohl im Alten Testament und im Judentum zur Zeit Jesu eine individuelle Auferstehung des Messias von den Toten nirgendwo belegt ist?

Die neutestamentliche Forschung der letzten Jahre hat deshalb weithin erkannt, daß sich Jesus selbst als Messias gewußt haben muß, als den messianischen Verkündiger der kommenden Gottesherrschaft, die sich nicht nur in seiner Person und Botschaft proleptisch vorwegereignet, sondern darüber hinaus exklusiv an ihn selbst gebunden ist und von ihm nicht abgelöst werden kann. Die nachösterliche Entwicklung des Urchristentums setzt ein solches Selbstverständnis Jesu voraus. Dieses ist von den Quellen her, obwohl sie selbstverständlich im Licht von Kreuz und Auferstehung gestaltet wurden und nicht einfach eine Biographie Jesu darstellen, gefordert. Gerade auch der Tod Jesu als ὁ βασιλεὺς τῶν Ἰουδαίων nötigt zur Annahme des messianischen Selbstverständnisses Jesu.

Unter den sogenannten christologischen Hoheitstiteln eignet ὁ υἱὸς τοῦ ἀνθρώπου die größte Wahrscheinlichkeit, auf Jesus selbst zurückzugehen. Die folgende Untersuchung sucht darum anhand dieses vieldeutigen Rätselbegriffs den Nachweis zu führen, daß Jesus unter dem einzigartigen Anspruch, der von Gott gesandte messianische Heilbringer zu sein, seine Wirksamkeit begann, wobei er seinen Anspruch mit der Chiffre Menschensohn bewußt rätselhaft andeutete und dabei zugleich im dunkeln ließ. Dieser Aufweis erfolgt bei ausdrücklicher Berücksichtigung der Hoheit des Menschensohns einerseits und seiner Niedrigkeit andererseits. Die Studie will zeigen, daß Jesus als Menschensohn der zunächst noch verborgen wirkende Messias ist, der jedoch zuletzt von Gott als solcher legitimiert und damit vor aller Welt anerkannt werden wird: Der Menschensohn wird als Messias inthronisiert. Ein besonderer Akzent liegt auf der Fragestellung, wie Jesus diese Verborgenheit, die in seinem gewaltsamen Tod ihre letzte Tiefe erreicht, mit seiner einstigen Hoheit zusammendenkt, die manchmal bereits während seines irdischen Wirkens bruchstückhaft aufleuchtet. Wenn Jesus selbst seinen Tod als stellvertretenden Sühnetod verstand und dabei zugleich an seinem Wissen um seine schließliche ἀνάστασις (Aufstellung) durch Gott unbeirrt festhielt, ist der Nachweis erbracht, daß das urchristliche Kerygma in der Tat die aktualisierte, aufgrund der nachösterlichen Situation notwendig gewordene, jedoch sachlich legitime Weiterführung der Verkündigung Jesu darstellt. Dann ist das Kerygma der Apostel in seinen spezifischen Kernaussagen in der Person und Botschaft des Menschensohns selbst begründet und durch diesen abgedeckt.

Im Rahmen dieser Untersuchung richtet sich alles Interesse auf diejenigen Menschensohnlogien, die – im Gegenüber zu nachösterlichen (Um-, Weiter-, Neu-)Bildungen – als authentische Jesusworte verifiziert werden können. Damit ist das methodische Vorgehen vorgegeben. Zunächst gilt es, jene aus der Vielzahl aller synoptischen Menschensohnworte zu erheben. Daß dies nur unter besonderer Berücksichtigung der alttestamentlich-jüdischen Menschensohnüberlieferung geschehen kann, braucht kaum eigens erwähnt zu werden; deren Analyse erfolgt deshalb gleich zu Anfang. Im folgenden neutestamentlichen Teil finden die johanneischen Menschensohnlogien keine Beachtung, da sie ausnahmslos in reflektierender Weiterbildung der synoptischen entstanden sind und daher als Worte des historischen Jesus nicht in Frage kommen[2].

Wegen der dennoch verbleibenden Stoffülle verzichte ich außerdem auf einen eigenständigen Überblick über den derzeitigen Stand der Menschensohnforschung. Ein solcher wurde in jüngeren Untersuchungen wiederholt in umfassender Form dargeboten[3], zudem ist die Diskussion mit der Forschung im Verlauf der Arbeit permanent gegeben.

---

2 Dies haben in jüngerer Zeit vor allem *J.-A. Bühner*, Der Gesandte, 385–399 und *R. Schnackenburg*, Johannes I, 411–423 sowie *ders.*, Johannes I–III, jeweils z.St. gezeigt.

3 Vgl. etwa *E. Jüngel*, Paulus, 215–234; *F. Hahn*, Hoheitstitel, 13–22; *I.H. Marshall*, Son of Man Sayings, 327–371; *G. Haufe*, Menschensohnproblem, 130–141; *R. Maddox*, Methodenfragen, 143–160; *M. Müller*, Ausdruck, 67–74 (zum Menschensohnverständnis bei R. Leivestad und B. Lindars); *S. Ruager*, Reich Gottes, 196–207; *W.G. Kümmel*, Der persönliche Anspruch Jesu, 340–374; *C. Colpe*, Neue Untersuchungen, 353–372; *D. Jackson*, Survey, 67–78; *G. Schwarz*, Menschensohn, 16–70 und *C.C. Caragounis*, Son of Man, 11–33.

Erwähnt sei an dieser Stelle auch die eigenwillige und alternative Deutung des Menschensohnproblems, die *G. Gerleman*, Menschensohn, 1–74 vorgelegt hat. Gerleman möchte בַּר in בַּר אֲנָשָׁא nicht mit »Sohn« wiedergeben, sondern als »abgesondert von« verstanden wissen, womit sich für בַּר אֲנָשָׁא die Bedeutung »der vom Menschlichen Verschiedene« bzw. »der Andersartige« ergibt. Dieser »Andersartige« ist laut Gerleman in der alttestamentlich-jüdischen Tradition kein anderer als David, der dort als einmalige Ausnahme

erscheint und über das Normal-Menschliche emporragt (14-19.64-72). Von dieser Prämisse her ergibt sich für בַּר אֱנָשָׁא im Mund Jesu folgende Arbeitshypothese: »Die Bezeichnung ›Menschensohn‹ signalisiert eine Bezugnahme auf David, und die Menschensohnaussagen sollen auf dem Hintergrund der Davidüberlieferungen untersucht werden« (20).
Gerleman überprüft nun die Jesusüberlieferung des Neuen Testaments und gelangt zu
dem Schluß, daß sich in ihr - speziell innerhalb der Menschensohnlogien - immer wieder
Ereignisse des Lebens Davids widerspiegeln (20-63), an die Jesus anknüpft und sich so als
der eschatologische Davidide erweist.
Trotz mancher guter Einzelbeobachtungen läßt sich dieser Lösungsversuch insgesamt
nicht verifizieren, wie *W. G. Kümmel,* Jesus, 155, Anm. 25 (»willkürlich und gewaltsam«);
O. Betz, Jesus und das Danielbuch, 16, Anm. 2 und *G. Schwarz,* Menschensohn, 64 aus
philologischen und sachlichen Gründen zu Recht betonen.

Erster Hauptteil

Die alttestamentlich-jüdische
Menschensohnüberlieferung

A
Die alttestamentliche Menschensohnüberlieferung

I. Daniel 7

1. Vorüberlegungen

»Der intensive Zusammenhang der synoptischen mit der spätjüdisch-apokalyptischen Menschensohnvorstellung kann heute nicht mehr ernstlich bestritten werden.«[1] Mit diesem Urteil eröffnet Heinz Eduard Tödt seine Untersuchung über die synoptischen Menschensohnworte, fragt jedoch nur wenig später: »Aber ist es so sicher, daß Jesus selbst sich auf Dan 7 gestützt hat?«[2] Wie immer man diese Frage beantwortet, Dan 7 ist sowohl für die gesamte jüdische Menschensohnüberlieferung konstitutiv als auch für das Neue Testament von erheblicher Bedeutung. Inwieweit Dan 7 ebenso für Jesus selbst von Belang war, wenn er vom Menschensohn sprach, soll im Verlauf der Arbeit geklärt werden. Dazu ist jedoch eine vorausgehende Exegese von Dan 7 – und anschließend der jüdischen Menschensohnkonzeption – unerläßlich, fallen doch bereits hier wichtige Vorentscheidungen für die Beantwortung dieser Frage.

Ganz sicher ist es die erste Aufgabe des Exegeten, die ihm vorliegende Schrift auszulegen, und erst dann, wenn innerhalb dieser Schrift in Bild, Ausdruck und Inhalt Widersprüche zutage treten, spezielle literarkritische Untersuchungen anzustellen, um herauszufinden, was denn die eigentliche Meinung ihres Verfassers ist, wo er Tradition verwendet, die er in seinem Sinn gestaltet, und wo er selbst eigenständig zu Wort kommt. Eine solche Analyse des in der Forschung umstrittenen und in sich als vielschichtig behaupteten Kapitels 7 ist nun aber gerade im Blick auf die V. 13f, wo vom Menschensohn die Rede ist, unumgänglich. Liegt nämlich vorgegebene Tradition vor, so besteht in der Tat die Frage, wie die vordanielische Menschensohnüberlieferung konkret aussah, welche traditionsgeschichtlichen Wurzeln sie hat und ob sie in ihrem heutigen Kontext adäquat gedeutet wurde. Zugleich gilt es zu prüfen, ob möglicherweise auch Jesus von einer bereits vordanielischen Menschensohnüberlieferung beeinflußt und geprägt sein könnte.

In der heutigen Bibelwissenschaft wird die Hypothese einer vordanielischen Menschensohntradition mehrheitlich vertreten, so verschieden

---

1   H.E. *Tödt*, Menschensohn, 19.
2   Ebd., 20, Anm. 2.

und zum Teil einander ausschließend die traditionsgeschichtlichen Herleitungsversuche und Deutungen im einzelnen auch sein mögen[3].

2. Dan 7 allgemein

Die beiden Teile des Kapitels, die Vision (V. 2aα-14) und ihre Deutung (V. 17-27), sind durch die Rahmenverse am Anfang (V. 1-2aα) und am Schluß (V. 28) zu einer Einheit verbunden, zudem stellen die überleitenden V. 15f einen fließenden Übergang her.

Formal auffallend ist die Wendung חָזֵה הֲוֵית, die außer in V. 21 allein siebenmal im Visionsteil begegnet (V. 2.4.6.7.9.11.13) und dort »als Struktursignal zur Gliederung der Visionsschilderung dient«[4]. Dabei ist der Ausdruck in zweifacher Funktion belegt, wie sein Gebrauch in zwei verschiedenen Formen zeigt: Einerseits steht er in den V. 2, 6, 7 und 13 in Verbindung mit וַאֲרוּ als »Eröffnung der Visionsschilderung«[5], als Einleitung des Visionsbildes, als Visionsanzeige. Die gleiche Funktion nimmt in V. 5 allein וַאֲרוּ ohne vorausgehendes חָזֵה הֲוֵית wahr. Andererseits dient die Wendung ohne folgendes וַאֲרוּ, jedoch in Verbindung mit der Nebensatzeinleitung עַד דִּי in den V. 4, 9 und 11, als Anzeige für den Beginn »des das Visionsbild abschließenden Visionsvorganges«[6].

Damit liegt eine doppelt gestufte Ordnung der Visionsschilderung in

---

3 Vgl. die Zusammenstellung bei *C. Colpe*, Art. ὁ υἱὸς τοῦ ἀνθρώπου, 408-422; *U.B. Müller*, Messias, 30-36 und *K. Koch*, Buch Daniel, 228-234, zudem schematisch bei *J. Theisohn*, Richter, 4. In jüngerer Zeit hat vor allem *R. Kearns* (Vorfragen I-III; Traditionsgefüge, 55-194) in umfangreichen Untersuchungen die seiner Meinung nach lange Vorgeschichte des Terminus Menschensohn im altsemitischen Raum aufzuzeigen versucht, seine zum Teil phantastischen Herleitungsversuche (in der Gestalt des ursprünglich himmlischen Menschensohns möchte er speziell Züge des Gottes Baal-Hadad erkennen) und Folgerungen (vgl. *ders.*, Vorgeschichte I, 9, Anm. 1: »Es muß betont werden, daß die vorliegende Studie letztlich nur eine Hypothese aufstellt.«) können meines Erachtens jedoch nicht überzeugen, wie bereits *W.G. Kümmel*, Anspruch, 351-353 betont: ». . . die Annahme, daß ein aus einer nicht semitischen Sprache übernommenes ugaritisches Wort ins Aramäische übernommen und dort durch Dissimilation dem genuin aramäischen brnš gleichgestaltet wurde, ist völlig unbeweisbar, ›es läßt sich m. E. nicht der geringste Beweis für eine Kontinuität dieses Begriffs vom Ugaritischen bis in das zeitlich um einige Jahrhunderte später einsetzende Aramäische erbringen‹ (W.W. Müller)« (352), um seine Ausführungen schließlich so zusammenzufassen: »Für das Verständnis des sprachlichen Hintergrunds für den synoptischen Gebrauch des Ausdrucks ›der Sohn des Menschen‹ trägt daher diese Arbeit schwerlich etwas bei« (353). *H.S. Kvanvig*, Roots, 442-613 wiederum vermutet den traditionsgeschichtlichen Ursprung der in Dan 7 vorliegenden Menschensohntradition in der mesopotamischen Mythologie und unternimmt zugleich den Versuch, die tiefgehenden Modifikationen herauszuarbeiten, die jener Tradition im Zuge ihrer Umgestaltung von einer mythischen zu einer visionär-apokalyptischen Fassung widerfuhr. Die folgende Untersuchung zeigt, daß auch diese hypothetische Herleitung das Problem des danielischen Menschensohns letztlich nicht löst.

4 *P. Weimar*, Daniel 7, 15.

5 Ebd., 17.

6 Ebd., 16.

Form einer konsequenten »Satzsyntaxe und Reihung der genera verbi«
vor[7]. Erkennt man gleichzeitig den Tatbestand, daß in der Beschreibung
der Tiere jeweils der mit וַאֲרוּ . . . חָזֵה הֲוֵית bzw. allein mit וַאֲרוּ eingeleitete
Visionsteil (V. 2.5.6.7) »die äußere Erscheinung des Tieres (schildert),
ohne daß eine Aktion stattfände«, sodann, daß der mit חָזֵה הֲוֵית עַד דִּי eingeleitete Teil »die Veränderungen im Bild . . ., die Handlung also, jeweils
in einer passiven Formulierung« anzeigt[8], dann sind folgende Schlußfolgerungen naheliegend:
a)   Die V. 7bβ–8 fallen aus der aufgezeigten Strukturlinie heraus.
b)   Die entsprechende Fortsetzung des V. 7bα liegt in V. 11b vor, nicht
aber in den V. 9f.
c)   Die unter a und b genannten Thesen, die im folgenden näher zu begründen sind, lassen vermuten, daß es eine vordanielische Vier-Tiere-
Vision gab, die mit V. 11b endete und somit unter Absehung der V. 7bβ–
11a ursprünglich die V. 2aβ–7bα.11b umschloß.

3.   Die Vier-Tiere-Vision

a)   Die Vier-Tiere-Vision und die V. 7bβ- 8
V. 7bα (»es war verschieden von allen Tieren vor ihm«) greift deutlich zurück auf den Abschluß der ersten Hälfte des einleitenden Visionsbildes in
V. 3b (»eines verschieden vom anderen«) und bildet so eine »stilistische
Verklammerung der ersten und vierten Vision«, wobei V. 3b und V. 7bα
»jeweils die erste Szenenhälfte abschließen«[9]. Ist damit im Anschluß an
V. 7bα eine Fortsetzung analog der von V. 3b in V. 4bα zu erwarten, so
kann diese nicht in den V. 7bβ–8 vorliegen. Allein schon die Fortsetzung
mit dem neuartigen Ausdruck מִשְׂתַּכַּל הֲוֵית . . . וַאֲלוּ (V. 8aα) fällt aus der
oben aufgezeigten Visionsstruktur heraus. Zudem ist die äußere Beschreibung des vierten Tieres mit V. 7bα ja bereits abgeschlossen und hat
in der Aussage seiner Andersartigkeit gegenüber den drei ersten Tieren
ihre Klimax erreicht. V. 7bβ ist somit eine »nachklappende Notiz«[10], die
inhaltlich mit V. 8 zusammengehört und dort konkretisiert und ausgeweitet wird; die in V. 7bα längst vorliegende Klimax wird dabei nivelliert[11].
Indem die Beschreibung des vierten Tieres in den V. 7bβ–8 erneut aufgenommen wird, geschieht dies dergestalt, daß mit וַאֲלוּ nicht wie bisher der
Beginn eines neuen Visionsbildes angekündigt, sondern ein Nachtrag
von Visionsbildern geliefert wird, der V. 7bα ausweitet. Die V. 7bβ–8
sind deshalb als ein einheitlicher Zusatz zur ursprünglichen Vier-Tiere-
Vision anzusehen.

---

7   Vgl. *K. Müller*, Danielzyklus, 62.
8   *J. Theisohn*, Richter, 6.
9   Vgl. *P. Weimar*, Daniel 7, 22.
10   Ebd., 22.
11   Vgl. *K. Müller*, Danielzyklus, 64.

b)   Der ursprüngliche Abschluß der Vier-Tiere-Vision

Entsprechend der Eingangsvision ist gemäß der erkannten Strukturge-
setze auch für die vierte Vision im Anschluß an V. 7bα ein zweiter, mit
דִּי עַד הֲוֵית חָזֵה eingeleiteter Gliedsatz mit den oben genannten formalen
Charakteristika zu erwarten. Bieten sich als Fortsetzung – und damit als
Visionsabschluß – zunächst die V. 9f wie V. 11b an, so kommt bei ge-
nauem Hinsehen nur V. 11b in Frage. Nur hier findet sich die charakteristische durchgängige Reihung von Passiva, in den V. 9f hingegen nicht.
Dort tauchen mit רְמִיו und פְּתִיחוּ lediglich zwei Passiva auf, zugleich jedoch eine größere Zahl Aktiva[12]. Zudem liegt in den V. 9f eine völlig andere Situation vor als in V. 7a.bα. Jegliche sachliche Bezugnahme fehlt,
während V. 11b inhaltlich ausgezeichnet zu V. 7a.bα paßt, so daß hier der
sinnvolle Abschluß der Vier-Tiere-Vision, ja deren eigentlicher Skopus
vorliegt: die Vernichtung des besonders schrecklichen vierten Tieres[13].
Mit diesem Ergebnis ist nicht nur strukturell, sondern auch sachlich eine
Entsprechung zur ersten Vision gegeben, indem sich die Entmachtung
des ersten (V. 4bα) und die Vernichtung des vierten Tieres gegenüberstehen[14].

c)   Die sekundären Zusätze innerhalb der V. 2aβ– 7bα.11b

Diese seien im Anschluß an Peter Weimar, auf dessen ausführliche Erörterungen zu diesem Punkt ich im einzelnen verweise, lediglich kurz
referiert[15]:

V. 4 reichte ursprünglich nur bis »bis daß seine Flügel ausgerissen wurden« (V. 4bα), der Rest ist Zusatz, dessen Klimax in der Erwähnung des
»menschlichen Herzens« als Hinweis auf Dan 4,13 besteht. In V. 5 fehlte
anfänglich »halb war es aufgerichtet« (V. 5aβ), in V. 6 »Macht wurde ihm
gegeben«(V. 6bβ). Innerhalb des V. 7a.bα schließlich muß »es fraß und
zermalmte und zerstampfte den Rest mit seinen Füßen« (V. 7aβ) als
sekundär ausgeschieden werden.

Dies gilt ebenso für die Wendung בְּחֶזְוֵי לֵילְיָא, die innerhalb der Visionsschilderung dreimal (V. 2.7.13) zwischen חָזֵה הֲוֵית und וַאֲרוּ eingeschoben
wurde. Wie die genannten Zusätze stammt auch sie aus der Hand dessen,
der die ursprüngliche Vier-Tiere-Vision ihrem heutigen Kontext einfügte. Dies zeigt die wichtige Funktion der Wendung innerhalb der
heutigen Visionsschilderung:

α)   Sie steht jeweils am Anfang, in der Mitte und am Ende der Visionsschilderung und dient so zur Akzentuierung.

β)   Sie bewirkt, daß aus einer ursprünglich reinen Vision sekundär ein
Traumgesicht wurde.

---

12   Vgl. ebd., 64.
13   Vgl. *U.B. Müller*, Messias, 23 und *H. Haag*, Art. בֶּן־אָדָם, 687f.
14   Vgl. *P. Weimar*, Daniel 7, 24.
15   Vgl. ebd., 18–22.

γ) Da אֶלְיָא לֵֽילְיָא בְּחֶזְוֵי im übrigen Danielbuch nur noch in Dan 2,19 vorkommt, werden aufgrund dieser Wendung Dan 2 und 7 in Beziehung gesetzt. Von hierher sollte die Möglichkeit erwogen werden, daß die jeweiligen Endverfasser der Visionsschilderungen bzw. der Traumgesichte in Dan 2 und 7 identisch sind[16].

d) Die ursprüngliche Vier-Tiere-Vision
Nach all diesen Beobachtungen bleibt festzuhalten, daß mit der Vier-Tiere-Vision ein ursprünglich selbständiges Traditionsstück vorliegt, das vom Verfasser des Traumgesichts in Dan 7 aufgegriffen und sekundär erweitert wurde[17]. Klaus Koch hat sie zutreffend interpretiert, wenn er in den vier Tieren das babylonische, medische, persische und griechische Reich symbolisiert sieht[18]. Da der Skopus der Vision in der Vernichtung des vierten Tieres besteht, liegt es nahe, ihre Entstehungszeit in die erste Hälfte des 2. Jahrhunderts v.Chr. zu datieren[19]. Noch ist der Höhepunkt der Auseinandersetzung des Seleukiden Antiochus IV. Epiphanes mit dem Judentum nicht erreicht, im Verlauf dessen die ursprüngliche Vision mit Hilfe von Zusätzen aktualisiert und in Gestalt des »kleinen Horns« (V. 7bβ-8) auf Antiochus IV. bezogen wird. Die alte Vier-Tiere-Vision zielte somit allgemein auf die Überwindung des vierten Tieres, das bald vernichtet werden würde, die Erweiterung wie auch die Deutung derselben beziehen sich hingegen aufgrund der veränderten zeitgeschichtlichen Situation auf das kleine Horn und die Heiligen des Höchsten, übergehen so das meiste der ursprünglichen Vision und stellen lediglich das in der neuen Lage Maßgebliche heraus[20].

Anders als im genannten Sinn möchte Friedrich Lang bereits die Verbindung der Vier-Tiere- und der Menschensohnvision, also ein *Fünf*-Reiche-Schema, als vordanielische Einheit annehmen. Wenn Juden nämlich die Vernichtung gottfeindlicher Reiche aussagten, sei die Intention immer die, den positiven Ersatz herauszustellen, der diese ablöst. Von daher gehöre die Menschensohnvision von Anfang an notwendig zur Vier-Tiere-Vision hinzu[21].
Dagegen ist folgendes festzuhalten:
α) Solche Argumentation ist nur dann nachvollziehbar, wenn sowohl die Vier-Tiere-Vision als auch die Menschensohnvision nicht nur vordanielischen Ursprungs wären, sondern ebenso von vornherein als Einheit zusammengehört hätten; zu keiner Zeit dürfte die Vier-Tiere-Vision für sich existiert haben. Daß sie jedoch zunächst als selbständige, in sich

---

16 Vgl. ebd., 16f.
17 Der Wortlaut der ursprünglichen Vier-Tiere-Vision findet sich in deutscher Übersetzung ebd., 29f.
18 Vgl. *O. Plöger*, Daniel, 108f und *K. Koch*, Bedeutung, 202-207.
19 Terminus ante quem ist die Zeit Alexanders des Großen, Terminus post quem sind die ersten Jahre der Herrschaft Antiochus' IV. Epiphanes (vgl. *M. Noth*, Komposition, 24 und *U.B. Müller*, Messias, 21).
20 Vgl. *O. Plöger*, Daniel, 116f und *U.B. Müller*, Messias, 21.
21 Mündlich am 15.11.1978, vgl. auch *H. Gese*, Bedeutung, 378.

geschlossene Vision vorlag, ist in der Forschung nicht umstritten. In Anlehnung an das Vier-Weltzeiten- bzw. Vier-Weltreiche-Schema[22] entstand sie als *Vier-Tiere-Vision.* Gleiches gilt von der inhaltlich entsprechenden Vision von den vier Metallen in Dan 2. Hervorgegangen aus der altorientalisch-iranischen Vorstellung von den Weltzeitperioden, existierte auch diese als vordanielische Vision zunächst unabhängig von der Vision vom Stein, der die Metalle schließlich zerschmettert. Letztere geht erst auf das Konto des aramäischen Daniel, der für deren Zufügung ebenso verantwortlich zeichnet wie für die Menschensohnvision in Kapitel 7[23].

β)   Zudem wäre kaum einsichtig, warum die Vision dann Dan 7,9f enthält, denn durch die V. 9f wird nicht nur die Vier-Tiere-Vision aufgesprengt, sondern auch die stringente Abfolge des Geschehens unnötig unterbrochen.

γ)   Selbstverständlich besteht für einen Juden das Ziel der Geschichte nicht in der Vernichtung der gottfeindlichen Mächte. Diese ist vielmehr Voraussetzung für die folgende Aufrichtung der Gottesherrschaft. Deshalb muß letzteres aber doch nicht immer eigens betont werden. Auch heute verweist man angesichts der bedrängenden Weltprobleme nicht andauernd auf das ewige Leben, obwohl dieses im christlichen Glauben immer mitbedacht ist.

δ)   Speziell die ursprünglich selbständige Vier-Tiere-Vision hat ihren besonderen Sitz im Leben. Als Hoffnungsbild ist sie Trost in unheilvoller Gegenwart, indem sie die bedrängende gegenwärtige Größe, das vierte Tier, als bereits vernichtet vor Augen malt. Für den Visionär war gerade damit die Erlösung für das Judentum seiner Zeit gegeben. Daß am Ende die Gottesherrschaft stehen würde, mußte nicht erst erwähnt werden.

e)   Die Vier-Tiere-Vision in ihrem neuen Kontext

Die ursprüngliche Vier-Tiere-Vision wurde aber nicht nur durch Zusätze ergänzt, sondern sogar auseinandergerissen. Indem die V. 9f eingefügt werden, wo von einer Gerichtsverhandlung die Rede ist, die ja logischerweise der Urteilsvollstreckung vorausgehen muß, kommt V. 11b jetzt hinter den V. 9f zu stehen. Diese treten gleichzeitig in starken Kontrast zu V. 8, als nun den Lästerreden des kleinen Horns die ungeheuer ruhige Reaktion der V. 9f gegenübertritt. Nachdem in V. 11b die Vernichtung des vierten Tieres erfolgt[24], überträgt Gott schließlich in den V. 13f die Königsherrschaft an einen Menschenähnlichen, der die Stelle der Tiere einnimmt.

Hat man dies erst einmal erkannt, ist damit auch die Funktion des V. 11a deutlich. Nachdem der Verfasser des Traumgesichts die V. 9f vor V. 11b einfügte, mußte ein passender Übergang von den V. 7f zu den V. 9f geschaffen werden. Das geschieht mit V. 9aα, der mit דִּי עַד הֲוֵית חָזֵה die poetische Struktur der V. 9aβ-10 empfindlich stört[25]. Der Verfasser brachte

---

22   Vgl. *J. W. Swain,* Theory, 1-21; *M. Noth,* Geschichtsverständnis, 250-259; *O. Plöger,* Daniel, 55; *H. R. Balz,* Art. τέσσαρες, 129f und *K. Koch,* Bedeutung, 201-202(-209).

23   Vgl. *O. Plöger,* Daniel, 55. Zu Daniel 7,9f.13f s. unten S. 16-23.

24   Mit dem vierten Tier wird im Sinne des Verfassers des Traumgesichts auch das kleine Horn vernichtet, denn das kleine Horn ist ein Teil des vierten Tieres (vgl. bereits *A. Bentzen,* Daniel, 59).

25   Vgl. *P. Weimar,* Daniel 7, 23.

diese Visionsabschlußeinleitung im Anschluß an dieselbe in den V. 4bα und 11b sowie in Dan 2,34[26] hier ein, um so das fehlende Pendant zur Visionseinleitung in V. 7aα – ursprünglich war dieses in der Verbindung der V. 7aα, 7bα und 11b ja vorhanden – zu ergänzen. Insofern stellt die Wendung in V. 9aα eine frei gebildete Verklammerung dar[27]. Damit hängt nun aber die Visionsabschlußeinleitung in V. 11b ohne vorausgehende Visionseinleitung in der Luft, denn den Abschluß von V. 7bα bilden jetzt die V. 9f. Hier springt nun sekundär V. 11a ein und trägt das fehlende Strukturelement nach[28].

V. 12 wurde bisher übergangen. Dort wird im Anschluß an die Schilderung der Vernichtung des vierten Tieres das Schicksal der übrigen erzählt. Der Vers ist als »Notiz zum definitiven Ergehen der ersten drei Tiere im Sinne informativer Symmetrie zwischen Vision und Auslegung« von V. 27 her sekundär hinzugekommen[29]. Damit ist gleichzeitig gesagt, daß V. 12 keineswegs älter ist als V. 27 und wohl von demselben Verfasser stammt.

f) Zur Einheitlichkeit der Zusätze zur Vier-Tiere-Vision[30]

Unter der Voraussetzung, daß der Verfasser des Traumgesichts, der zumindest für die im großen und ganzen literarisch einheitliche Visionsdeutung Dan 7,15–28[31] verantwortlich zeichnet[32], zugleich identisch ist mit

---

26 Dies zeigt, daß der Verfasser sie auch unabhängig von der Vier-Tiere-Vision kennt, eine Visionseinleitung וַאֲרוּ . . . חָזֵה הֲוֵית hingegen nicht.

27 Anders *P. Weimar*, Daniel 7, 23 mit der Vermutung, die Wendung habe ein ursprüngliches וַאֲרוּ verdrängt.

28 Vgl. *K. Müller*, Danielzyklus, 65.

29 Vgl. ebd., 54.

30 Die V. 9f.13f bleiben vorerst noch ausgeklammert.

31 Der Verfasser der V. 17–28 ist auch verantwortlich für die V. 15f, den Übergang von der Vision zur Deutung. Nicht nur, daß dieser Übergang stark anlehnt an Dan 4,16 (vgl. *O. Plöger*, Daniel, 114), auch die Rahmenverse des 7. Kapitels, 1–2aα und 28, die – abgesehen von den Nachträgen 1b und 28bβ, die später um des Zusammenhangs mit dem hebräischen Teil des Buches Daniel willen zugesetzt wurden (vgl. *P. Weimar*, Daniel 7, 15) – deutlich die Handschrift des Verfassers der V. 17–28 tragen, beweisen es. Die V. 1a, 2aα, 15 und 28a.bα stehen nämlich in engem Zusammenhang: Ihre Aussagen, in Dan 4,2 noch miteinander verbunden, sind in Dan 7 planvoll auf die genannten Verse verteilt. Dan 4,2 gab also das Modell ab für die bewußte Stilisierung der Rahmenaussagen von Dan 7, die vorgenommen wurde, um Kapitel 7 mit dem Voranstehenden zu verknüpfen (vgl. ebd., 14).

32 Mit *O. Plöger*, Daniel, 115 und *A. Deissler*, Menschensohn, 84 sehe ich lediglich in den V. 21f eine nachträgliche Einfügung. Nicht überzeugen kann dagegen die komplizierte Scheidung verschiedener Schichten innerhalb der Visionsdeutung, wie sie von *K. Müller*, Danielzyklus, 50–80 vorgelegt wurde. Diese beruht letztlich darauf, daß Müller eine mehrstufige Neuinterpretation eines ursprünglichen Engelwesens Menschensohn über die Heiligen und die Heiligen des Höchsten bis hin zur Deutung des Volkes der Heiligen des Höchsten auf das eschatologische Israel glaubhaft machen möchte.

dem Verfasser des aramäischen Danielbuches[33] – das dann nur wenig
später, um seinen hebräischen Teil ergänzt, zum heutigen Buch Daniel
wurde[34] –, ist im folgenden zu fragen, ob der neue Kontext und die Erwei-

33   Wenn ich hier wie im folgenden vom »aramäischen Daniel« oder vom »Verfasser
des aramäischen Danielbuches« spreche, ist jeweils vom Endverfasser bzw. -redaktor des
aramäischen Buchteils die Rede. Ich setze also für das heutige Buch Daniel einen Wachs-
tumsprozeß voraus, der von der überwiegenden Mehrzahl der Exegeten grob so skizziert
wird: a) Aus ursprünglich selbständigen Einzelerzählungen entstanden zunächst die
Danielerzählungen Dan 2,4b - 6,29, wobei Dan 2 auf dieser Stufe die Ankündigung der
Ablösung der vier Reiche durch ein ewiges Reich ausdrücklich noch nicht enthielt, die
Danielerzählungen in sich also noch »keine eschatologischen Aussageziele aufweisen«
(*O.H. Steck*, Weltgeschehen, 263, vgl. ferner stellvertretend *O. Plöger*, Daniel, 54–57).
b) In einem zweiten Schritt erwuchs dann das aramäische Danielbuch aufgrund der Ver-
knüpfung der Danielerzählungen mit dem bis dahin fehlenden und auf das Endgeschehen
bezogenen Teil aus Dan 2 sowie mit Dan 7 durch den »aramäischen Daniel« bzw. den
»Verfasser des aramäischen Danielbuches«. c) Schließlich entstand durch die Anfügung
der hebräischen Kapitel 8-12 an das aramäische Danielbuch das heutige (masoretische)
Buch Daniel. Inwieweit dabei zugleich eine hebräische Einleitung Dan 1,1 - 2,4a diesem
vorangestellt oder eine bereits vorhandene aramäische Einleitung lediglich überarbeitet
und in hebräischer Sprache abgefaßt wurde, kann in diesem Zusammenhang offenbleiben
(vgl. dazu insgesamt neben *O.H. Steck*, Weltgeschehen, 263f vor allem *K. Koch*, Buch Daniel, 61–77; *J. Lebram*, Art. Daniel/Danielbuch, 334–336 und *O. Kaiser*, Einleitung,
316–320). Im Zusammenhang des Wachstumsprozesses des Danielbuches sei an dieser
Stelle aber auch *R. Albertz*, Gott, bes. 157–193 mehr als nur erwähnt, eine beachtenswerte
Studie, die in der Erzählsammlung Dan 4-6, wie sie heute in etwa durch die Septuaginta repräsentiert wird, eine überlieferungsgeschichtliche Vorstufe zum aramäischen Danielbuch
nachweisen möchte. Damit betont Albertz im Unterschied zu den oben genannten Exegeten: »Die Vorstufe einer Sammlung nichtapokalyptischer Erzählungen (Dan 2-6), wie sie
häufig postuliert wurde, ist nicht nachweisbar« (178). Zugleich hebt er positiv hervor:
»Die Komposition des aramäischen Danielbuches umfaßt ursprünglich Kap. 2-7. Es ist
von vornherein ein apokalyptisches Buch, das als solches nur in Kapitel 2 eine geringe und
in Kapitel 7 eine etwas tiefergreifende Aktualisierung erfahren hat. In 2,1-4a wurde es –
im Zusammenhang der Vorfügung von Kapitel 1 – nachträglich ins Hebräische übersetzt,
um den Sprachübergang zu mildern. Das jetzige Kapitel 1 ist, wie schon die Diskrepanz zur
Datierung in 2,1 zeigt, kein ursprünglicher Bestandteil des aramäischen Danielbuches. Ob
dieses je eine andere Einleitung besessen hat oder nicht, kann hier offen bleiben« (178).
Gerade im Blick auf Kapitel 7 gelangt Albertz damit zu Konsequenzen, die mit meinen
eigenen, im folgenden entfalteten Ergebnissen übereinstimmen – obwohl Albertz' Fragestellung nicht speziell auf die Menschensohnproblematik zielt – und diese zusätzlich untermauern. Ohne eine Vorgeschichte etwa der Vier-Tiere-Version zu bestreiten, hebt Albertz zu Recht hervor, daß Dan 7 in seiner heutigen Form von demselben Verfasser
stammt, der Dan (1.)2-6 zusammenfügte (zu den Querbezügen und den Beziehungen vgl.
ausführlich ebd., 171-193).
34   Fragt man nach der Entstehungszeit des Buches Daniel und seiner Vorstufen, bleibt
festzuhalten: Die Endredaktion des Danielbuches ist nach allgemeiner Auffassung in die
Zeit des Höhepunkts der Religionsverfolgung unter Antiochus IV. Epiphanes (167-164
v.Chr.) zu datieren, genauer: in den Zeitraum zwischen dem Verbot des Kults und der
Wiedereinweihung des Tempels durch Judas Makkabäus. Als konkrete Jahresangabe hat
165 v.Chr. die größte Wahrscheinlichkeit für sich (vgl. in jüngerer Zeit etwa *M. Hengel*,

terungen der ursprünglichen Vier-Tiere-Vision innerhalb des heutigen
Traumgesichts von einer Hand stammen. Ist dies der Fall, gehen sie auf
das Konto des Verfassers des Traumgesichts, denn dieser erwies sich
bereits als verantwortlich für die Rahmenverse 1a, 2aα und 28a.bα
einschließlich der V. 15f, für die V. 9aα, 11a und 12 wie auch für die
Wendung בְּחֶזְוֵי לֵילְיָא in den V. 2, 7 und 13.
Der Nachtrag in V. 4bβ mit seiner Klimax des »menschlichen Herzens«
wurde im Blick auf Dan 4,13 eingefügt, also wegen des Erzählzusammen-
hangs der Kapitel 2–7[35]. Er verweist ebenso auf den Verfasser des
Traumgesichts wie V. 5aβ, wo Stichwortassoziation zu V. 4bβ vorliegt[36].
Auf denselben Verfasser geht V. 6bβ zurück, denn diese Bemerkung ist
eingetragen unter Bezugnahme sowohl auf das Traumgesicht selbst, wo
die Macht innerhalb der Visionsschilderung dem Menschensohn (V.
13f), innerhalb der Visionsdeutung den Heiligen des Höchsten (V.
18.22.27) gegeben wird, nachdem sie den Tieren genommen wurde, als
auch auf die Kapitel 2–6, da Anklänge an Dan 3,33; 4,31b und 6,27b
nicht zu überhören sind[37]. Gleiches gilt für V. 7aβ, das Zitat aus V. 19, das
deutlich Bezug nimmt auf Dan 2,39f.44f. In den V. 7bβ–8 verweist in formaler Hinsicht וַאֲלוּ auf den Verfasser des aramäischen Danielbuches[38],
der vor allem auch aus inhaltlichen Gründen für den konkretisierenden
Zusatz verantwortlich zeichnet, wie seine folgende Visionsdeutung zeigt.
Denn diese übergeht nahezu alle Details der ursprünglichen Vier-Tiere-
Vision und deutet vor allem das für die neue Situation Maßgebliche. Und
maßgeblich ist abgesehen von der Menschensohnvision der Zusatz V.
7bβ–8, der das vierte Tier im Blick auf die veränderte zeitgeschichtliche

Sühnetod, 4; *H. Gese,* Bedeutung, 374.377 und *B.S. Childs,* Theologie, 15). Da nun aber
die eschatologisch ausgerichteten Teile des aramäischen Danielbuches, speziell Dan 7 –
sieht man von der ursprünglich selbständigen Vier-Tiere-Vision einmal ab (zu deren Entstehungszeit s. oben S. 11 mit Anm. 19) –, und der hebräische Teil des Buches nahezu
dieselbe zeitgeschichtliche Situation vor Augen haben, ist das aramäische Danielbuch *in
seiner Endgestalt* meines Erachtens nur wenig früher und gewiß ebenso erst in den
Verfolgungsjahren 167–164 v.Chr. entstanden (wie auch die folgenden Ausführungen
bestätigen). Wenn zahlreiche Exegeten demgegenüber eine frühere Entstehungszeit geltend machen möchten, liegt dies darin begründet, daß sie die vor allem in Dan 7 zweifellos
vorliegenden Bezugnahmen auf Antiochus IV. Epiphanes erst einer späteren makkabäi-
schen Überarbeitung zuschreiben möchten, während das übrige aramäische Danielbuch
zur Zeit Antiochus' III. entstanden sei, vermutlich anfangs des 2. Jahrhunderts v.Chr. (vgl.
vor allem *P. Weimar,* Daniel 7, 33–35). Daß wesentliche Teile des aramäischen Danielbuches übernommen und folglich weitaus älter sind als der aramäische Daniel, ist mit alldem
unbestritten, wie immer man die Vorgeschichte der Danielerzählungen und damit deren
Entstehungszeit auch beurteilt.

35 Vgl. ebd., 18f.
36 Hieß es in V. 4bβ: »es wurde aufgerichtet«, so hier: »es wurde halb aufgerichtet«.
37 Vgl. *P. Weimar,* Daniel 7, 20f.
38 Vgl. ihr Vorkommen in Dan 2,31; 4,7.10 und 7,8.

Situation aktualisiert und so die folgende Deutung ermöglicht[39]. Der Verfasser des Traumgesichts hat die V. 7bβ–8 somit geschaffen, um sie anschließend deuten zu können.

Zusammenfassend bedeutet dies, daß sämtliche[40] Zusätze zur ursprünglichen Vier-Tiere-Vision aus der Hand des Verfassers des Traumgesichts stammen, der seinerseits mit dem Verfasser des aramäischen Danielbuches identisch ist. Sie wurden eingetragen, um die Vier-Tiere-Vision einerseits enger mit Dan 7, ihrem neuen Kontext, zu verknüpfen, andererseits, um das Traumgesicht als ganzes noch stärker in den Erzählzusammenhang des aramäischen Danielbuches einzubinden, als dies ohnehin schon der Fall ist. Die V. 7bβ–8 schließlich haben die besondere Funktion, im Blick auf die folgende Deutung überhaupt erst entstanden zu sein.

4.   Der sogenannte Menschensohnpsalm

Wie selbstverständlich wird in der neueren Exegese fast ausnahmslos die ursprüngliche Einheit der V. 9f und 13f[41] vorausgesetzt[42], zumeist als vordanielische Tradition postuliert[43] und jüngst sogar als Menschensohnpsalm bezeichnet[44]. Die folgenden Ausführungen verfolgen das Ziel, diese exegetischen Fehlurteile zu korrigieren.

a)   Dan 7,9f
Die hier geschilderte Thronszene hebt sich nach Form[45] und Inhalt von der Vier-Tiere-Vision ab. Dennoch sind beide mehr oder weniger deutlich aufeinander bezogen. Es ist vor allem die letzte Zeile des V. 10, die den entscheidenden Bezug zur Vier-Tiere-Vision herstellt, indem sie das

---

39   S. bereits oben S. 11. Nicht umsonst beziehen sich in der Deutung der Vision lediglich die V. 17 und 23 in ganz allgemeiner Form auf die ursprüngliche Vier-Tiere-Vision, wobei V. 23 mehr noch den Zusatz 7aβ innerhalb des V. 7a.bα im Blick hat. Dagegen nehmen die V. 19, 20, 21, 24 und 25 konkret Bezug auf 7bβ–8. Die V. 18, 22 und 27 schließlich deuten 13f, V. 26 bezieht sich auf 9f.

40   Mit Ausnahme des späteren Zusatzes V. 1b (s. oben Anm. 31).

41   Unterschiedlich fallen die Urteile darüber aus, ob V. 14 gar nicht, nur in seiner ersten Hälfte oder ganz zur postulierten ursprünglichen Einheit Dan 7,9f.13 hinzugehörte.

42   Vor allem *U.B. Müller*, Messias, 23 geht davon aus, daß die V. 9f.13(f) nicht als ursprüngliche Einheit zusammengehörten. *A. Deissler*, Menschensohn, 82f vernachlässigt diese Frage, da er sich bewußt mit dem heute vorliegenden Text beschäftigt.

43   Im Blick auf die V. 13f anders *U.B. Müller*, Messias, im Blick auf V. 14 anders *K. Müller*, Danielzyklus, 42f (dort weitere Literatur). *O. Plöger*, Daniel, 114 formuliert hinsichtlich der V. 9f sowie 13f vorsichtig und zugleich unscharf: »Den entscheidenden Anteil an der Ausformung des Kapitels wird man vielleicht doch dem Verfasser selbst zuschreiben dürfen«.

44   Vgl. *P. Weimar*, Daniel 7, 30–32.

45   Die Sprache der Vier-Tiere-Vision ist prosaisch, die der V. 9f poetisch.

göttliche Gericht andeutet, das dann in V. 11b am vierten und in V. 12 an den drei ersten Tieren vollzogen wird. Insofern zielen die V. 9f exakt auf die V. 11b–12. Daß im Anschluß an die Vernichtung der Tiere notwendig ein Neueinsatz der Vision zu erwarten wäre, wie er in den V. 13f vorliegt, wird durch nichts nahegelegt; mit den V. 11b–12 ist die um die V. 9f erweiterte Vision im Grunde abgeschlossen.

Da die V. 9f aber sekundär in die Vier-Tiere-Vision eingeschoben wurden, könnte(n die) V. 13(f) nur dann deren ursprüngliche Fortsetzung darstellen, wenn sich die V. 9f wie (die) V. 13(f) als dem aramäischen Daniel traditionell vorgegebene Überlieferungseinheiten aufzeigen lieβen und sie zugleich als aufeinander bezogene Sachaussagen leichter zu verstehen wären als zwei zunächst isoliert voneinander tradierte Einzelüberlieferungen.

Zunächst zu den V. 9f, in denen eine Visionsschilderung vorliegt, die, wie sich zeigen wird, in einer bestimmten Traditionslinie steht:

In seiner Untersuchung zur Form und Tradition der Prophetenberufungen hat Walther Zimmerli dem Typus der Berufungsgeschichte im strengen Sinn, in der das Wort Jahwes in einer Art persönlichen Zwiesprache (Audition) an den Propheten selbst ergeht, einen zweiten, erweiterten Typus gegenübergestellt. Dieser ist geprägt vom Wissen um die Distanz zwischen Gott und Mensch und hat zur Folge, daß jetzt »das an den Propheten ergehende Wort . . . als das Ergebnis einer Beratung Jahwes mit seinem . . . Thronrat sichtbar gemacht (wird).« Diesem zweiten Typus rechnet Zimmerli 1Kön 22,19; Jes 6,1–13 und Ez 1,4–28 zu[46].

In Aufnahme dieser Beobachtungen Zimmerlis erkannte Matthew Black Dan 7,9f.13f als Weiterführung und Verlängerung jener Traditionslinie. Grundsätzlich neu bei Daniel ist, daß die besagten Verse keineswegs von der Berufung eines Propheten handeln. Aus diesem Grund spricht Black konsequenterweise auch nicht von der Tradition der Prophetenberufung, sondern im übergreifenden Sinn vom Traditionsstrang einer »theophanischen Thronvision«, der sich von 1Kön 22,19 über Jes 6,1–13 und Ez 1,4–28 bis hin zur Verarbeitung solcher Traditionen in Dan 7 immer neu weiterentwickelt habe[47]. Nun kann man darüber streiten, ob die Bezeichnung »theophanische Thronvision« sinnvoll ist, gleichwohl bleibt festzuhalten: Dan 7,9f bedient sich nicht einfach völlig neuer Bilder und Vorstellungen, sondern knüpft im Rahmen der genannten Traditionslinie an Bekanntes an. Letztlich sind – von der Gottesbezeichnung עַתִּיק יוֹמִין einmal abgesehen – alle Motive traditionell vorgegeben und im Grunde bereits in Ez 1 da: der feurige Räderthron (V. 4.13), der Feuerstrom (V. 13.27) , das Theophanieinventar (V. 5.15 u.ö.), dem der danielische

---

46 Vgl. *W. Zimmerli*, Ezechiel I, 1–85, bes. 16–21 (Zitat 18f).
47 Vgl. *M. Black*, Apotheose, 96f, außerdem *W.J. Bittner*, Gott, 346f.354f.

Hofstaat entspricht, sowie der Lichtglanz der Erscheinung (V. 4.26f), der im danielischen »weiß wie Schnee« und »rein wie Wolle« enthalten ist[48]. Bereits in Jes 6 ist die Rede vom Thron Jahwes (V. 1), vom Hofstaat (V. 2) und vom Feuer (V. 4), von Thron und Hofstaat auch in 1Kön 22,19[49]. Sind in Dan 7,9f dennoch fremde, gegenüber jener Traditionslinie ›überschießende‹ Elemente nachweisbar?

Die knappe »Beschreibung« des Gerichtsherrn wird man dafür nicht anführen dürfen, denn sie »will lediglich den strahlenden Glanz seiner Erscheinung andeuten«[50] und entspricht insofern den Visionen in Jes 6,1–13 und Ez 1,4–28.

Die Vorstellung von Büchern, die geöffnet werden, stimmt ebenso mit geläufigen alttestamentlichen wie jüdischen Motiven überein[51]; im Zusammenhang der V. 9f wie des weiteren Kontexts sind Gerichtsbücher gemeint. Die Ratsversammlung ist zum Gericht zusammengetreten, deshalb hat דִּינָא hier die engere Bedeutung »Gerichtsgremium«. Daß das Gerichtsgremium auf Thronen sitzt, ist ebenfalls typisch[52] und entspricht dem Gesamtbild: Inmitten seines Hofstaats hält Gott Gericht.

Friedrich Lang möchte nun für den »Feuerstrom« persischen Hintergrund annehmen[53]. In der Tat ist das Feuerstrom-Motiv für persische Traditionen charakteristisch, wo es als Strom, der im Läuterungsgericht das δοκιμάζειν, die Scheidung von Guten und Bösen betreffs der eschatologischen Läuterung, selbst vollzieht, belegt ist[54]. Dagegen hat das Feuer im alttestamentlich-jüdischen Denken eine ganz andere Ausprägung erfahren. Hier ist es vor allem – ebenso wie Schnee, Glanz usw. – Ausdruck zur Beschreibung der transzendenten himmlischen Wirklichkeit, der Materie des Himmels; erst in zweiter Linie ist es als Vernichtungsmittel gedacht[55]. Vergleicht man nun die Feuer-Vorstellung von Dan 7,9f mit der persischen einerseits und der israelitischen andererseits, so kommt als

---

48   Feuer, Schnee und Glanz sind im Alten Testament und im Judentum unter anderem Ausdruck der übermächtigen transzendenten Wirklichkeit, die irgendwie ins Phänomenologische übertragen werden muß.

49   Vgl. etwa auch Ps 50,1–3 und 97,1–9, wo diese Elemente vereinzelt bereits da sind.

50   *O. Plöger,* Daniel, 111. Weißes Gewand und weißes Haar sind als Veranschaulichung der Doxastrahlung zu verstehen (vgl. *H. Gese,* Messias, 138).

51   Dabei ist zunächst gleichgültig, ob in den Büchern die guten oder die bösen Taten der Menschen aufgezeichnet sind. Als biblische Belege vgl. etwa Ex 32,32f; Ps 69,29; 139,16; Dan 12,1; Lk 10,20; Offb 3,5; 17,8 und 20,12.15, betreffs jüdischer Belege *Bill.* II, 169–176.

52   Zum Zusammenhang von Gericht und (Richter-)Thron vgl. Ps 9,8f; äthHen 47,3; 55,4; 61,8; 62,2; 69,27; Mt 19,28; Röm 14,10; 2Kor 5,10; Offb 4,10b und 5,1. Selbst in der profanen Rechtsprechung ist dieser Sachverhalt belegt, vgl. Mt 27,19; Joh 19,13 und Apg 18,12.

53   Mündlich am 15.11.1978.

54   Vgl. *F. Lang,* Art. πύρ, 932f.

55   Vgl. ebd., 933–939.

Entsprechung nur letztere in Frage. Das Feuer-Motiv bezeichnet in V. 9 die himmlische Wirklichkeit, die jetzt ins Phänomenologische übertragen wird, nicht aber ein Mittel, das irgendwelche Scheidung vollzieht, und erst recht kein Läuterungsmittel. Es ist in ganz ähnlicher Weise wie in Ez 1,4.13f.27 und bereits in Jes 6,4 (der Rauch setzt Feuer voraus) gebraucht, dazu in deutlicher Parallele zu Theophanieschilderungen wie etwa Ex 19,18; Ps 18,9; 50,3 oder 97,3f; und Theophanievorstellungen sind ebensowenig aus Persien entlehnt, sondern sind ein in den Jahweglauben integriertes Erbe Kanaans[56]. Als mögliches wirklich ›überschießendes‹ Element verbleibt somit einzig die Gottesbezeichnung יוֹמִין עַתִּיק. Sie ist in Dan 7 dreimal belegt: in V. 9, dazu in der determinierten Form עַתִּיק יוֹמַיָּא in den V. 13 und 22. Dem übrigen Alten Testament ist sie unbekannt. Und doch paßt auch diese Bezeichnung zum Ganzen des Kapitels 7 wie zu V. 9 im besonderen. Denn die Vorstellungen, die hier auftauchen, verweisen in auffällig starkem Maß auf die Ziontradition, d.h. ins vordavidische Jerusalem, nach Kanaan.

Es sind folgende Vorstellungen, die traditionsgeschichtlich in Kanaan beheimatet sind:

α) Die Hofstaatvorstellung, wie sie in V. 10 auftaucht, ist typisch kanaanäisch, denn dort ist El als oberster Gott einer umfangreichen Götterfamilie bekannt[57]. In den Jahweglauben übernommen, werden die ursprünglichen Götter depotenziert und zu Jahwes Hofstaat[58].

β) Entsprechend bezeugt die Rede vom Königtum Gottes Kulturlandeinfluß, denn dort galt El als König der Götter[59]. Auf Jahwe bezogen[60], kann die Königsherrschaft Gottes an von ihm erwählte Funktionäre delegiert werden, wie etwa in Dan 7,14.18.22.27 an den Menschensohn bzw. die Heiligen des Höchsten.

γ) Die räumliche und zeitliche Universalität dieses Königtums in Dan 7,13f.17f.23.27, die schon in Ex 15,18; Ps 29,10; 145,13; 146,10; Dan 3,33; 4,31 u.ö. betont wird, ist ein Charakteristikum kanaanäischen Glaubens und von dort übernommen[61].

δ) עֶלְיוֹן bzw. אֵל עֶלְיוֹן ist der vordavidische Stadtgott Jerusalems[62]. Dieses Gottesprädikat (aramäisch עִלָּיָא oder עֶלְאָה bzw. אֱלָהָא עִלָּאָה), auf Jahwe übertragen[63], ist etwa auch in Dan 7,25 aufgegriffen, so daß prompt in den V. 22 und 25 von den Heiligen des Höchsten und in V. 27 vom Volk der Heiligen des Höchsten die Rede sein kann.

ε) Die Vorstellung vom Feuer um Gottes Thron in Dan 7,9f entspricht den Begleiterscheinungen Gottes in den sogenannten Naturtheophanien[64], die Israel aus Kanaan entlehnte[65].

56 Vgl. *W.H. Schmidt*, Glaube, 190–193.
57 Vgl. ebd., 170–174.
58 Vgl. etwa Ex 15,11; Dtn 32,8f; Hi 1,6; Ps 29,1f; 89,7; 97,7.9 und 103,19–22.
59 Vgl. *W.H. Schmidt*, Glaube, 170f.
60 Vgl. etwa Ps 96,10; Mi 2,13; 4,7 und Sach 14,9.16.
61 Vgl. *W.H. Schmidt*, Glaube, 170–178.
62 Vgl. ebd., 252f.
63 Vgl. etwa Gen 14,19.22; Ps 46,5; 48,2f; Dan 3,33 und 4,31.
64 Vgl. etwa Ps 50,2.
65 Vgl. *W.H. Schmidt*, Glaube, 190–193.

ζ)   Auch der Seedrache, der im Alten Testament nicht mehr das Meer selbst verkörpert, sondern ein Tier, das im Meer haust[66], hat seine Wurzeln im kanaanäischen Mythos[67]. Von hier ist möglicherweise die Charakterisierung der Weltreiche als Tiere, die aus dem Meer kommen (Dan 7,2f), entnommen.

η)   Vielleicht kann man sogar die Vorstellung des Völkerkampfes als ursprünglich kanaanäisches Element[68] anführen[69], das in Dan 7,21f.23.25 womöglich aufgegriffen ist.

Entsprechendes gilt vermutlich auch für den Terminus עַתִּיק יוֹמִין bzw. עַתִּיק יוֹמַיָּא, der am ehesten als kanaanäische Gottesbezeichnung zu erklären ist. In ugaritischen Texten findet sich öfter[70] die Wendung 'ab šnm (Vater der Jahre) als Prädikat für El, der dort in seiner Eigenschaft als oberster Gott des Pantheons »König, Vater an Jahren« genannt wird. Diese Gottesbezeichnung, im Alten Testament sachlich bereits in Ps 102,13.28 auf Jahwe übertragen, erweist sich nach wie vor als beste Parallele, wahrscheinlich als traditionsgeschichtliche Wurzel des danielischen »(der) Alte(r) der Tage«[71]. Damit ist jedoch auch עַתִּיק יוֹמִין als durchaus nicht ›überschießendes‹ Element jener Traditionslinie bestimmt, in der Dan 7,9f steht, vielmehr als ein solches, das sich ohne weiteres in seinen Kontext einfügt.

Es findet sich also letztlich nicht ein einziges zwingendes inhaltliches Argument für die beliebte Hypothese, Dan 7,9f sei einer dem Verfasser vorgegebenen Überlieferung entnommen.

Damit verbleibt als letzter Hinweis für eine mögliche vordanielische Tradition allenfalls die poetische Form der V. 9f, die sich von der prosaischen des Kontexts abhebt. Drei verschieden gewichtige Gegenargumente erweisen jedoch auch hier das Gegenteil dessen, was bewiesen werden soll, als richtig:

α)   Auch in einem weiteren Text der Gattung theophanische Thronvision, nämlich in Jes 6,1–13, wechseln prosaisch und poetisch formulierte Verse einander ab, so daß bereits dort der entsprechende Sachverhalt begegnet.

---

66   Vgl. etwa Ps 104,26 und Jes 27,1.
67   Vgl. *W.H. Schmidt*, Glaube, 196f.
68   Vgl. ebd., 256f.
69   Vgl. im Alten Testament bereits Ps 48,5–9; Mi 4,11 und Sach 12,1–9.
70   Textbelege bei *O. Plöger*, Daniel, 110, Anm. 8 und *C. Colpe*, Art. ὁ υἱὸς τοῦ ἀνθρώπου, 419f.
71   Zugegeben ist »Vater der Jahre« keine philologisch zwingende Parallele zum »Alten der Tage« und insofern auch schon anders gedeutet worden (vgl. ebd., 419f), dennoch ist diese kanaanäische Parallele nach wie vor die am besten abgesicherte. Vor allem wird sie dadurch gestützt und als wahrscheinlich erwiesen, daß beide Wendungen sowohl in Ugarit als auch bei Daniel eindeutig im Zusammenhang mit dem kanaanäischen Pantheon stehen bzw. mit Jahwes Hofstaat, der israelisierten Form der kanaanäischen Vorstellung. Einen weiteren Beleg für die genannte Ableitung liefert Ps 102,13.28, wo »Vater der Jahre« mit לְעוֹלָם תֵּשֵׁב bzw. וּשְׁנוֹתֶיךָ לֹא יִתָּמּוּ . שְׁנוֹתֶיךָ deutlich auf Jahwe bezogen, also längst vor Daniel israelisiert worden ist. Für die Ableitung des »Alten der Tage« aus der El-Tradition plädiert ebenso *R. Kearns*, Vorfragen III, 101.168–194.

β) Der Verfasser des aramäischen Danielbuches hat eine Vorliebe dafür, an Erzählhöhepunkten von prosaischer in poetische Form überzugehen[72], so daß gerade dieses für ihn typische Stilmittel dahin drängt, auch die V. 9f seiner Hand zuzuordnen. Genau der gleiche Tatbestand liegt innerhalb der Visionsdeutung in den V. 18 und 27 vor[73], ohne daß man für sie ihrer poetischen Struktur wegen einen anderen Verfasser annehmen müßte als für die prosaischen V. 15–17, 19–26 und 28.

γ) Speziell in Dan 7,9f hat dieser Stilwechsel seine besondere Funktion: Schon formal wird hier zum Ausdruck gebracht, daß jetzt der Unruhe und dem Unfrieden der gottlosen Weltreiche die göttliche Ruhe und Erhabenheit gegenübertritt.

Zusammenfassung: Der Verfasser des aramäischen Danielbuches, der mit dem Verfasser des Traumgesichts in Dan 7 identisch ist, übernahm in den V. 9f, die er selbst redaktionell formulierte, zwar ihm vorgegebene und ursprünglich vor allem in Kanaan beheimatete Vorstellungen, solche jedoch, die zu seiner Zeit längst schon in den Jahweglauben eingepaßt waren und ihren Niederschlag unter anderem in einer bestimmten Gattung gefunden hatten, die auch in Dan 7,9f vorliegt: der theophanischen Thronvision. Die V. 9f verweisen also – einschließlich ihrer poetischen Form – auf die schöpferische Hand des aramäischen Daniel[74]. Sie zielen auf die V. 11b–12 und bereiten das göttliche Gericht vor, das dort vollzogen wird; aus diesem Grund wurden sie nachträglich in die Vier-Tiere-Vision eingefügt.

Mit Dan 7,9f liegt insofern eine in sich abgeschlossene, den Gerichtsbeschluß über die Tiere begründende (Thron-)Szene vor, die durchaus nicht von vornherein nach Dan 7,13f als folgerichtiger Weiterführung verlangt, im Gegenteil: Die V. 13f sind keinesfalls als die ursprüngliche Fortsetzung der V. 9f anzusehen, sondern stellen im Anschluß an die Vernichtung der Tiere einen Neueinsatz dar, während die V. 9f im Blick auf jene Vernichtung – die hier im göttlichen Urteil als rechtmäßig herausgestellt wird – überhaupt erst konzipiert wurden.

Die Bezeichnung »Menschensohnpsalm« für Dan 7,9f.13f, die die ursprüngliche Einheit der genannten Verse voraussetzt und darauf aufbaut, ist daher um so mehr als unsachgemäß abzulehnen.

b) Dan 7,13f
Mit diesem Ergebnis zu den V. 9f ist insofern bereits faktisch über den Verfasser der V. 13f mitentschieden, als die V. 13f die V. 9f deutlich voraussetzen und daher nicht älter sein können als diese. Dreifach beziehen

---

72 Auffällig ist dies vor allem in den Kapiteln 2 und 4, vgl. vor allem *A. Bentzen,* Daniel, 23 (zu Dan 2,20–23), 39 (zu Dan 4) und 56 (zu Dan 7), ferner *W. Baumgartner,* Danielforschung, 214 und *O. Plöger,* Daniel, 50.73.
73 Vgl. ebd., 107 und *O. Michel,* Art. υἱὸς τοῦ ἀνθρώπου, 1154.
74 Vgl. *H. Haag,* Art. בֶּן־אָדָם, 688 sowie früher bereits indirekt *O. Plöger,* Daniel, 114.

sie sich eindeutig auf die V. 9f zurück, ein weiteres Mal auf die Vier-Tiere-Vision insgesamt:

α) Im Blick auf V. 9, wo vom Alten der Tage indeterminiert die Rede ist, kann V. 13 (wie auch V. 22) determiniert an das Voranstehende anknüpfen.

β) Das וְקָדָמוֹהִי des V. 13 verweist auf das קָדָמוֹהִי des V. 10 und läßt den Menschensohn in der gleichen Position erscheinen wie den göttlichen Hofstaat.

γ) Die poetische Form der V. 13f ist zwar nicht so kunstvoll und metrisch einheitlich wie die der V. 9f[75], dennoch ist auch hier die gehobene Sprache unverkennbar. Dies zeigt, daß die V. 13f nicht nur inhaltlich die V. 9f voraussetzen und dort anknüpfen, sondern auch formal im Blick auf sie gestaltet wurden.

δ) Das Präfix כְּ vor בַּר אֱנָשׁ hat seine Entsprechung in der Beschreibung der Tiere in den V. 4, 6 und 8. Da V. 8 aber bereits als sekundärer Zusatz zur Vier-Tiere-Vision nachgewiesen werden konnte, setzt jenes Präfix vermutlich nicht nur die ursprüngliche Vier-Tiere-Vision voraus, an die es angleichend anknüpft, sondern auch deren Zusätze. Damit verweist es auf denselben Verfasser, der schon für V. 8 verantwortlich zeichnete: den aramäischen Daniel.

Die Verfasserschaft der V. 13f durch den aramäischen Daniel läßt sich zudem mit weiteren Gründen belegen:

α) Sachlich wie terminologisch können die V. 13f, 18 und 27 nur von ein und derselben Hand stammen[76]; als Verfasser der V. 18 und 27 erwies sich jedoch bereits der aramäische Daniel.

β) Der gesamte V. 14 hat unübersehbare, oft wörtliche Parallelen im übrigen aramäischen Danielbuch[77], so daß er als Nachbildung der dort

---

75 Weder das Metrum in V. 13 noch der (von V. 13 abweichende) metrische Aufbau des V. 14 sind eindeutig beschreibbar, erst recht nicht im Zusammenhang beider Verse (vgl. *M. Noth*, Komposition, 13 und *K. Müller*, Danielzyklus, 42). Anders *Friedrich Lang* (mündlich am 15.11.1978) mit folgender Möglichkeit: V. 13: 3 + 3, 3 + 3; V. 14: 3 + 2, 3 + 2, 3 + 2, 3 + 2.

76 Die göttliche Herrschaft wird jeweils delegiert: an den Menschensohn (V. 14), die Heiligen des Höchsten (V. 18) und das Volk der Heiligen des Höchsten (V. 27). Diese Herrschaft währt jeweils ewig. Jeweils werden zuvor beschriebene gottlose Herrscher abgelöst. Terminologisch entsprechen sich jeweils שָׁלְטָן und מַלְכוּ. Speziell zu den V. 14 und 27 vgl. *W.J. Bittner*, Gott, 356f, der die dortigen Parallelaussagen synoptisch nebeneinanderstellt.

77 Die Wortfolge שָׁלְטָן וִיקָר וּמַלְכוּ aus V. 14aα taucht in dieser Reihenfolge zwar nirgends sonst im aramäischen Danielbuch auf, dennoch sind alle Begriffe in den Kapiteln 2–7 belegt: Die beiden letzten finden sich jeweils in den sachlich gleichen Reihungen Dan 2,37 und 5,18, יְקָר allein außerdem in Dan 2,6; 4,27.33 und 5,20, מַלְכוּ in Dan 2,39.41. 44; 4,28; 6,5 und 7,17.18.27, שָׁלְטָן in Dan 3,33; 4,19.31 und 7,6.12.26.27. Die Dreiheit עַמְמַיָּא אֻמַיָּא וְלִשָּׁנַיָּא aus V. 14aβ erscheint wörtlich in Dan 3,4.31; 5,19a und 6,26. Dan 7,14bα wiederum hat deutliche Parallelen in 3,33b; 4,31b; 6,27bכּ und 7,18.27, V. 14bβ

üblichen Beschreibung irdischer Weltmacht angesehen werden muß. Was hier vorliegt, sind die für den aramäischen Daniel gängigen Prädikationen des rechtmäßigen Inhabers der Weltherrschaft[78].

Damit läßt sich das Ergebnis der bisherigen Untersuchung so zusammenfassen:

Dan 7 bietet im großen und ganzen eine literarische Einheit und stammt von demselben Verfasser, der auch für die Endredaktion der Kapitel 2–6 und damit für das aramäische Danielbuch insgesamt verantwortlich zeichnet. Lediglich die ursprünglich selbständige Vier-Tiere-Vision erweist sich innerhalb des Kapitels 7 als ihm vorgegebene Überlieferung. Alles andere geht auf sein Konto, sieht man einmal von den V. 21f einerseits und den V. 1b.28bβ andererseits ab, die erst von späterer Hand nachgetragen wurden.

Im Rahmen dieser Studie ist vor allem die Tatsache entscheidend, daß die V. 13f und die Deutung des Traumgesichts – die V. 21f.28bβ ausgenommen – auf einen einzigen Verfasser zurückzuführen sind, den aramäischen Daniel. Damit ist der Nachweis erbracht, daß der fragliche Begriff Menschensohn innerhalb der Visionsschilderung von vornherein nicht anders zu interpretieren ist, als dies in der Visionsdeutung geschieht, wenn dort von den Heiligen, den Heiligen des Höchsten und vom Volk der Heiligen des Höchsten die Rede ist, denn die Trennung zwischen einer ursprünglichen Vision und deren sekundärer Deutung erwies sich als methodisch unhaltbare Simplifizierung eines in Wahrheit komplizierteren Sachverhalts. Zugleich ist die übliche hypothetische Unterscheidung zwischen einer ursprünglichen Menschensohngestalt und deren sekundärer Auslegung hinfällig[79].

5. Die Heiligen, die Heiligen des Höchsten und das Volk der Heiligen des Höchsten
(Der Menschensohn und seine Deutung in Dan 7,15–28)

Auf Martin Noth geht die bis heute vertretene Hypothese zurück, innerhalb der Visionsdeutung in Dan 7,15–28 ließe sich eine ursprüngliche Schicht erheben, in der die Heiligen (des Höchsten) Engelwesen bezeichneten; erst eine spätere Neuinterpretation (V. 21f) habe sie auf das wahre Israel, das in den Verfolgungen der Endzeit treu gebliebene Gottesvolk,

---

in 2,44 und 6,27bβא. In diesem Zusammenhang sei schließlich auch auf Dan 4,14b verwiesen, wo bereits eine Art Vorverweis auf das Geschehen in 7,(13-)14 vorliegt (vgl. *R. Albertz*, Gott,186f), sowie vor allem auf 2,44, wo implizit vorweggenommen ist, was dort explizit entfaltet wird (s. unten S. 33 mit Anm. 125).

78 Vgl. *K. Müller*, Danielzyklus, 43.
79 Vgl. *U.B. Müller*, Messias, 26 und *H. Haag*, Art. בֶּן־אָדָם, 688.

bezogen[80]. Da diese Hypothese zur Folge hatte, auch im Menschensohn ein Engelwesen zu vermuten, soll sie zunächst einer kritischen Prüfung unterzogen werden.

a) קַדִּישִׁין *bzw.* קְדוֹשִׁים *in Israel allgemein*
Unabhängig voneinander haben Chris H.W. Brekelmans und Heinz-Wolfgang Kuhn anhand zahlreicher Belege den Nachweis erbracht, daß der Begriff »die Heiligen« in Israel sowohl Engel als auch Menschen bezeichnet, wobei in bezug auf Menschen an einzelne Fromme wie auch an das Volk als ganzes im Gegensatz zu den Heidenvölkern gedacht sein kann[81]. Besonders in nachexilischer Zeit, wo man die Deutung auf den einzelnen Frommen und auf das Volk kombinierte, erhielt der Ausdruck einen spezifisch eschatologischen Sinn und bezeichnete diejenigen, »die zum eschatologischen Gottesvolk gehören«; die Heiligen sind jetzt als »die Glieder des eschatologischen Israel . . . der fromme Rest des Volkes.«[82] Wenn der Terminus zur Zeit des aramäischen Daniel somit für Menschen wie für Engel belegt ist, dann ist jeweils im Einzelfall zu entscheiden, welche Bedeutung vorliegt.

b) קַדִּישִׁין *bzw.* קְדוֹשִׁים *im heutigen Danielbuch*
Innerhalb des aramäischen Danielbuches ist der fragliche Begriff außer in Kapitel 7 nur noch in Dan 4,10.14.20 belegt und bezeichnet dort himmlische Wesen. Für die Deutung der Heiligen (des Höchsten) in Kapitel 7 trägt Kapitel 4 jedoch nicht viel aus, da es sich jeweils um völlig verschiedene Sachverhalte handelt: In Dan 4 geht es um ein Geschehen um Nebukadnezar, in Dan 7 hingegen um das Endzeitgeschehen schlechthin. Sobald קַדִּישִׁין aber im eschatologischen Sinn gebraucht ist, liegt eine Deutung auf das endzeitliche Gottesvolk mindestens ebenso nahe. Bestätigt wird diese Beurteilung durch die Bedeutung der קְדוֹשִׁים im hebräischen Teil des Danielbuches, wo ein Nebeneinander der Deutung auf Engel (Dan 8,13) und gleichzeitig auf den eschatologischen Rest des Volkes (Dan 8,24 und 12,7) eindeutig bezeugt ist. Dieser Befund erhärtet das

---

80   Vgl. *M. Noth*, Heiligen, 274–290. In neuerer Zeit haben sich im Sinne Noths vor allem *C. Colpe*, Art. ὁ υἱὸς τοῦ ἀνθρώπου, 424f; *L. Dequekker*, Saints, 111–133 und *J.J. Collins*, Son of Man, 50–66 geäußert.

81   *M. Noth,* Heiligen, 282 ging davon aus, das zur Verfügung stehende Vergleichsmaterial deute so stark auf himmlische Wesen, daß auch in Dan 7 diese Deutung »überaus wahrscheinlich« sei. Diese falsche Voraussetzung haben *C.H.W. Brekelmans,* Saints, 305–328, bes. 328: »In the time of Daniel קְדוֹשִׁים was used of both angels and men« und *H.-W. Kuhn,* Enderwartung, 90–93 zu Recht korrigiert.

82   Ebd., 92. Kuhn verweist zudem auf zahlreiche entsprechende Belege (92f), ebenso *C.H.W. Brekelmans,* Saints, 327. Vgl. darüber hinaus *U.B. Müller,* Messias, 25f; *A. Deissler,* Menschensohn, 85f und *H. Gese,* Messias, 138. An Belegen seien stellvertretend Ps 34,10; Dtn 33,3 und 1QH 11,11f genannt.

obige Ergebnis, daß eine sichere Entscheidung über den jeweiligen
Gebrauch nur im konkreten Einzelfall zu treffen ist.

c) קַדִּישִׁין *in Dan 7,15–28*
Hier ist zunächst in einer Vorbemerkung festzuhalten, daß die Benen-
nungen קַדִּישִׁין und קַדִּישֵׁי עֶלְיוֹנִין, die in den V.
18–25 nebeneinander be-
gegnen[83], inhaltlich »völlig synonym zu bewerten sind«[84]. Die zweite bietet lediglich die vollständigere Wendung. Auch die konkret deutende
Langform עַם קַדִּישֵׁי עֶלְיוֹנִין in V. 27 ist nicht anders zu verstehen.

Dan 7,21f: Bezüglich der Interpolation V. 21f[85] herrscht Einstimmig-
keit unter den Exegeten. Die Heiligen bzw. die Heiligen des Höchsten
bezeichnen das eschatologische Gottesvolk, das vom kleinen Horn,
Antiochus IV. Epiphanes, bekriegt und geknechtet wird, dem Gott aber
zuletzt Recht verschafft und das Königtum übergibt[86].

Dan 7,25: Entsprechend eindeutig ist V. 25 zu deuten, der ebenso auf
das eschatologische Israel verweist. Noth hat zwar versucht, V. 25a als
synonymen Parallelismus zu interpretieren und in den Heiligen des
Höchsten himmlische Wesen zu sehen[87], doch ist diese Deutung des V.
25aβ allein schon terminologisch verwehrt, denn das Verb בלי (pa.), das
wie sein hebräisches Äquivalent בלה (pi.) »aufreiben« bedeutet[88], läßt
sich »in keiner Weise auf Engelmächte beziehen.«[89] Auch inhaltlich ge-
stattet V. 25 diese Deutung nicht[90]: Während sich die Aktivitäten des elf-
ten Königs des vierten Reiches in V. 25aα gegen Gott richten, richten sie
sich ab V. 25aβ gegen das irdische Volk Gottes, wie der Fortgang des
Textes zeigt. Dort geht es um das Einhalten der Festzeiten und Gesetze in
Israel[91]. Auch V. 25b hat die Frommen Israels im Auge, wenn es dort

---

83 קַדִּישִׁין in den V. 21 und 22, קַדִּישֵׁי עֶלְיוֹנִין in 18, 22 und 25.

84 *O. Plöger,* Daniel, 115.

85 Die V. 21f bilden eine zusammengehörige Einheit, wie die in V. 22a mit עַד דִּי weiter-
geführte Formel חָזֵה הֲוֵית aus V. 21a zeigt (vgl. *K. Müller,* Danielzyklus, 53). Damit gehört
nicht nur V. 22b als Kontrastaussage zu V. 21, sondern auch V. 22a (gegen *P. Weimar,*
Daniel 7, 27).

86 So bereits *M. Noth,* Heiligen, 286–290 selbst, der aber in den V. 21f eine nachträgliche Umdeutung des Begriffs erkennen will.

87 Vgl. ebd., 285f.

88 Vgl. nur die ähnliche Stelle 1Chr 17,9, wo es heißt: »Frevler sollen es [= mein Volk]
in Zukunft nicht mehr aufreiben« (zitiert nach der Übersetzung von *A. Deissler,* Menschensohn, 86, Anm. 17).

89 Ebd., 86.

90 In jüngeren Untersuchungen wie etwa *N.W. Porteous,* Daniel, 92.95; *O. Plöger,*
Daniel, 117; *C.H.W. Brekelmans,* Saints, 329; *R. Hanhart,* Heiligen, 93; *U.B. Müller,*
Messias, 26, Anm. 26; *P. Weimar,* Daniel 7, 28 und *A. Deissler,* Menschensohn, 86 wird
dies kaum noch bestritten.

91 Hier liegt eine deutliche Anspielung auf die Politik Antiochus' IV. Epiphanes vor,
der unter anderem die jüdischen Feste und die Beachtung des Sabbats verbot, wie etwa
1Makk 1,41–52 bezeugt.

heißt, die Heiligen des Höchsten würden eine bestimmte Zeit in die Hand jenes gottlosen Herrschers gegeben. Engel werden keinem irdischen Gewaltherrscher überliefert, sondern immer nur irdische Wesen; hier: das Gottesvolk.

Dan 7,27:   Da עַם das »Volk« und nicht einfach die »Schar« bezeichnet[92], wobei das Genitivverhältnis zwischen עַם und קַדִּישֵׁי עֶלְיוֹנִין als Genitivus epexegeticus aufzufassen ist, kann aufgrund der »heute eindeutig geklärten Terminologie« mit dem Volk der Heiligen des Höchsten nur das eschatologische Israel gemeint sein[93].

Dan 7,18:   Ich habe die Exegese von V. 18 bewußt an den Schluß gestellt, weil dieser Vers, von seinem Kontext – und vor allem von V. 17 – gelöst, wegen seiner dann allgemein gehaltenen Aussage noch am ehesten offen wäre für eine Deutung auf himmlische Wesen[94]. Dennoch ist eine solche aus zwei Gründen nicht möglich: Da die V. 18, 25 und 27 von demselben Verfasser stammen und zudem wenigstens die V. 18 und 27 deutliche sachliche wie terminologische Parallelaussagen enthalten[95], ist von vornherein zu erwarten, daß auch mit den Heiligen des Höchsten bzw. dem Volk der Heiligen des Höchsten dasselbe gemeint ist: das Gottesvolk der Endzeit. Ebenso bilden die V. 17 und 18 als erste Visionsdeutung eine Einheit[96]. Die vier Tiere aus V. 17, die auf der Erde herrschen, gehören fraglos dem irdischen Bereich an. Weshalb soll dies dann aber für die Heiligen des Höchsten aus V. 18, deren Reich das der Tiere ablöst, nicht mehr gelten? Auch ist das ewige Königtum der Heiligen des Höchsten in die irdische Geschichtslinie einzuweisen und kann nicht als Königtum irgendwelcher Engelmächte verstanden werden, sondern allein als »Ausblick auf das eschatologische ›Königtum‹ Israels«[97].

Zusammenfassend bleibt festzuhalten: Die Heiligen (des Höchsten) aus der Visionsdeutung Dan 7,15–28 bezeichnen das eschatologische Israel, d.h. die in den Verfolgungen der Endzeit treu gebliebenen Glieder des Gottesvolkes, den geläuterten Rest, die מַשְׂכִּילִים. Ihnen wird das ewige Königtum zugesprochen, die Herrschaft über die gesamte Erde. Weil

---

92   So fälschlich M. Noth, Heiligen, 284f.

93   Vgl. O. Plöger, Daniel, 118 (Zitat ebd.); U.B. Müller, Messias, 26, Anm. 26; P. Weimar, Daniel 7, 29; K. Müller, Danielzyklus, 59 und A. Deissler, Menschensohn, 86.

94   So fälschlich M. Noth, Heiligen, 284; C. Colpe, Art. ὁ υἱὸς τοῦ ἀνθρώπου, 424f und P. Weimar, Daniel 7, 26.

95   S. oben Anm. 76.

96   Mit dem Hinweis, der Zusammenhang von Dan 7,17 und 18 sei ein gewaltsamer, denn in V. 18 fehle jeder Bezug zur Vier-Tiere-Vision, vielmehr werde ausschließlich auf die V. 13f rekurriert, behauptet K. Müller, Danielzyklus, 56 aus unerfindlichen Gründen das Gegenteil. Gerade als Einheit deutet Dan 7,17f die voranstehende Vision insgesamt: V. 17 die Vier-Tiere-Vision, V. 18 die Menschensohnvision.

97   Vgl. A. Deissler, Menschensohn, 86f (Zitat 87) und U.B. Müller, Messias, 26, Anm. 26.

diese Machtübertragung an sie bei Gott schon feststeht – der Seher durfte das Zukünftige bereits schauen – können sie in allen Verfolgungen der Endzeit getrost ausharren.

Diese Herrscherrolle des eschatologischen Israel, die hier stark akzentuiert herausgestellt wird, ist im Alten Testament keineswegs singulär bezeugt. Was in zahlreichen Ankündigungen[98] zunächst nur angedeutet und schließlich immer stärker entfaltet wird, ist in Dan 7 lediglich zu seiner alttestamentlichen Spitzenaussage gebracht: die eschatologische Herrschaft des Jahwevolkes über alle Welt[99].

6. Zur Deutung des Menschensohns in Dan 7,13f

a) Der Menschensohn – ein Engel?

Ein erster Versuch, den Menschensohn als Engel zu erweisen, führt über das Präfix כְּ vor בַּר אֱנָשׁ sowie über den Ausdruck כְּבַר אֱנָשׁ insgesamt. Die Richtigkeit dieser Hypothese versucht man anhand des danielischen Kontexts zu begründen, denn innerhalb des Buches Daniel werden an einigen Stellen Engel mit Hilfe des vergleichenden Präfixes כְּ als menschenähnlich beschrieben. In Dan 8,15f wird Gabriel mit den Worten כְּמַרְאֵה־גָבֶר vorgestellt. Der אִישׁ־אֶחָד aus Dan 10,5, von Dan 9,21 her bereits als הָאִישׁ bekannt, wird in Dan 10,16 mit der Wendung כִּדְמוּת בְּנֵי אָדָם gekennzeichnet, in V. 18 mit כְּמַרְאֵה אָדָם. Wenn aber dort jeweils von Engeln die Rede sei, dann doch wohl auch in Dan 7,13, zumal der כְּבַר אֱנָשׁ dort genauso als vor Gott stehend beschrieben werde wie der göttliche Hofstaat aus V. 10, der nun einmal aus Engeln bestehe[100].

Ein zweiter Versuch, die Engelhypothese zu erhärten, verläuft so, daß man den danielischen Menschensohn im Rahmen des Entsprechungsdenkens zwischen Himmel und Erde[101] als Engelwesen interpretiert. Dabei soll sich der Verfasser des Menschensohnvision speziell der Ar-

---

98   A. *Deissler*, Menschensohn, 87-90 nennt Ob 17-21; Sach 12,1-7; Mi 4,11-13; Mal 3,19-21; Jes 14,1-4a und 26,1-6.

99   Im hebräischen Teil des Danielbuches wird darüber hinaus noch betont, daß schließlich auch die gerechten Toten auferstehen, um ebenso am Königtum der Heiligen des Höchsten teilzuhaben (Dan 12,2).

100   Vgl. *K. Müller*, Danielzyklus, 48f.

101   Die Vorstellung, daß himmlische und irdische Ereignisse einander entsprechen, ist Israel von seiner orientalischen Umwelt her vorgegeben (vgl. *B. Meissner*, Babylonien und Assyrien I, 110), doch hat der Jahweglaube dieses ursprünglich mythisch-spekulative Analogiedenken umgewandelt in eine geschichtlich-eschatologische Typologie und im Sinne eines zeitlichen Nacheinanders verstanden: Zukünftige irdische Ereignisse sind jetzt schon im Himmel präfigurativ vorhanden (vgl. *G. von Rad*, Theologie II, 298f.388). Wie nicht anders zu erwarten, hat vor allem die Apokalyptik dieses Entsprechungsdenken aufgegriffen: Der Apokalyptiker weiß um das zukünftige irdische Geschehen im voraus, indem er bereits in der Gegenwart dessen himmlisches Gegenüber schaut.

chontenidee[102] bedient haben, um mit der Figur des Menschensohns das himmlische Gegenbild des irdischen Gottesvolkes darzustellen[103]. Der Menschensohn wäre somit der himmlische Doppelgänger Israels, der in »der Gestalt von dessen Völkerengel auf den Plan (tritt)«[104]. Seine Inthronisation vor dem versammelten Hofstaat wäre dann Abbild für Israels baldige Inthronisation auf der Erde, d.h. für Israels zukünftige Herrschaft über die Völker.

Beide Deutungsversuche führen meines Erachtens in die Irre. Zunächst bleibt festzuhalten, daß dieses Verständnis des Menschensohns letztlich auf der Fehldeutung der Heiligen des Höchsten auf Engel beruht, die sodann auf den Menschensohn rückprojiziert wird[105]. Ist aber jene Deutung falsch, dann auch jeder aus ihr herauswachsende Schluß.

Sodann kann der Ausdruck כְּבַר אֱנָשׁ die ihm auferlegte Beweislast nicht nur nicht tragen, sondern bezeugt das Gegenteil: Im gesamten Alten Testament, nicht nur in den genannten Stellen aus dem Buch Daniel, werden Engel zwar als menschenähnlich beschrieben[106], die Bezeichnung כְּבַר אֱנָשׁ bzw. ihr hebräisches Äquivalent כִּבֶן־אָדָם begegnet dabei aber gerade nicht. Umgekehrt zeigen sämtliche alttestamentlichen Belege, daß בֶּן־אָדָם bzw. בְּנֵי־אָדָם immer ausdrücklich Menschen meint. Ein בֶּן־אָדָם ist ein Angehöriger der Gattung Mensch, wobei בֶּן־ das zur Gattung gehörige Individuum kennzeichnet[107]. Die einzige כְּבַר אֱנָשׁ in Dan 7,13 wirklich entsprechende sprachliche Wendung im Danielbuch findet sich mit בֶּן־אָדָם in Dan 8,17, und hier wird Daniel ausgerechnet von Gabriel, der zuvor in V. 15 als כְּמַרְאֵה־גָבֶר und wohlweislich nicht als כִּבֶן־אָדָם beschrie-

---

102   Als »Archontenidee« oder auch »Völkerengeltheorie« bezeichnet man die Anschauung, nach der den Völkern Engel zugeordnet sind: die Völkerengel. Jedes Volk hat seinen Engel. Der Engel Israels ist Michael (vgl. *R. Meyer*, Art. λαός, 39–41 und *K.G. Kuhn*, Sifre zu Numeri, 514f, Anm. 83; 698–700.

103   Vgl. *P. Weimar*, Daniel 7, 26.36; *K. Müller*, Danielzyklus, 58–61 und *H. Merklein*, Jesu Botschaft, 158–161. Ausdrücklich anders *A. Deissler*, Menschensohn, 90; *H. Gese*, Messias, 139 und *G. Schwarz*, Menschensohn, 7.

104   *K. Müller*, Danielzyklus, 60.

105   Vgl. *H. Gese*, Messias, 138f.

106   Vgl. außer den genannten Danielstellen etwa Ri 13,6 (כְּמַרְאֵה מַלְאַךְ הָאֱלֹהִים) oder Ez 8,2 (דְּמוּת כְּמַרְאֵה־אִישׁ). In Ez 1,26 kann aber auch der (V. 28) als כְּבוֹד יְהוָה (דְּמוּת כְּמַרְאֵה אָדָם) bezeichnet werden. Daß bei der Beschreibung eines Engels als menschenähnlich das Präfix כְּ nicht notwendig dazugehört, zeigen Belege wie Ri 13,8.10.11 (אִישׁ, הָאִישׁ, אִישׁ הָאֱלֹהִים), Gen 18,2 (שְׁלֹשָׁה אֲנָשִׁים) oder Gen 18,22 (הָאֲנָשִׁים).

107   Zum Vorkommen des hebräischen בֶּן־אָדָם im Alten Testament vgl. neben *H. Haag*, Art. בֶּן־אָדָם, 683–685 vor allem *G. Schwarz*, Menschensohn, 3–6: Die 14 vorliegenden Belege – sieht man einmal von den 93 Belegen des Ezechielbuches ab, in denen jeweils Gott den Propheten so anredet – haben folgende unterschiedliche Bedeutung: »der Mensch« (Ps 8,5; 80,18; Hi 25,6 und Jes 56,2), »ein Mensch« (Num 23,19; Ps 146,3; Hi 35,8 und Jes 51,12), »Mensch« (Dan 8,17), »jemand« (Jer 49,18.33; 50,40 und 51,43) und »ich« (Hi 16,21). Erwähnt sei an dieser Stelle auch das inhaltlich entsprechende בֶּן־אֱנוֹשׁ (Ps 144,3) in der Bedeutung »der Mensch«.

ben wurde, so angeredet[108]. Ebensowenig wie בֶּן־אָדָם läßt sich בַּר אֱנָשׁ auf einen Engel deuten.

Auch das Präfix כְּ ist anders zu verstehen, denn das vergleichende כְּ, seit Ezechiel apokalyptisches Stilmittel und eine Ausdrucksweise, die das Visionale andeutend wiedergibt, ist ein Charakteristikum der Visionsschilderungen[109]. Als solches ist es bereits in Dan 7,4.6.8 belegt, also innerhalb der Vier-Tiere-Vision: in bezug auf Menschen[110]. Entsprechend wird es in Angleichung an die Vier-Tiere-Vision auch in Dan 7,13 gebraucht: ebenso in bezug auf Menschen.

Da der Menschenähnliche aus Dan 7,13 nach alldem kein Engelwesen darstellt, ist auch eine diesbezügliche Deutemöglichkeit mit Hilfe der Archontenidee (Völkerengeltheorie) ausgeschlossen. Zu Recht wurde er in der Visionsdeutung in Dan 7,15-28 nicht als Engel verstanden.

Zusätzlich zum bereits Gesagten zeigen außerdem die V. 13f selbst wie auch ihr Kontext, daß die hypothetische Identifikation des Menschensohns mit einem Engelwesen nicht möglich ist:

α) Es läge keine wirkliche Entsprechung zu den Tieren vor, wenn ein Engel gemeint wäre. Eine solche ist aber vom Text her gefordert, denn der Menschensohn tritt an die Stelle der Tiere.

β) Zudem bedeutete »Die Deutung des Menschensohnes auf das wahre Israel ... eine völlige Sinnverschiebung«, wäre ursprünglich von einem Engel die Rede[111].

γ) Die »Himmelswolken«, die den Menschensohn zu Gott »bringen«, weisen auf ein menschliches Wesen, denn beim Verkehr der Himmlischen untereinander spielen Wolken in der alttestamentlich-jüdischen Literatur nirgendwo eine Rolle und sind dementsprechend bei Engelerscheinungen nicht belegt[112].

δ) Als der Menschensohn zu Gott gebracht wird, stehen die Engel bereits um den Thron herum (V. 9f).

ε) ÄthHen 70-71 erweist sich als interessante Parallele: Henoch ist Menschensohn gerade im Unterschied zu den Engeln.

---

108 Vgl. *H.R. Balz*, Probleme, 62. Eine deutliche Parallele liegt zudem in Ez 8 vor. Der Engel, der dort in V. 2 als דְּמוּת כְּמַרְאֵה־אִישׁ beschrieben wird, nennt den Propheten im folgenden בֶּן־אָדָם.

109 Vgl. *W. Bousset / H. Greßmann*, Religion, 366f; *C.H. Kraeling*, Anthropos, 142f; *P. Volz*, Eschatologie, 11f; *W. Baumgartner*, Danielforschung, 216f; *H.R. Balz*, Probleme, 62 und *C. Colpe*, Art. ὁ υἱὸς τοῦ ἀνθρώπου, 423.

110 Daß die Tiere – ebenso wie die Metalle in Kapitel 2 – irdische Reiche symbolisieren, ist deutlich. Es sind jeweils die gottlosen Völker gemeint, d.h. Menschen. In ihrer Gottlosigkeit verhalten sich diese Menschen (Völker) aber nicht menschlich, sondern tierisch.

111 Vgl. *H. Gese*, Messias, 138f (Zitat 139), ferner *ders.*, Bedeutung, 378f und *H. Haag*, Art. בֶּן־אָדָם, 688.

112 Vgl. *A. Feuillet*, Fils de l'homme, 187; *A. Deissler*, Menschensohn, 85 und *W.J. Bittner*, Gott, 349f.

ζ) Daß der Menschensohn kein Engel sein kann, zeigt auch V. 14, wo
bereits die Völker im Blick sind, die ihm dienen. So ist seine Herrschaft
in den V. 13f schon von Anfang an Synonym für die Herrschaft der
Heiligen des Höchsten[113].

b) Der Menschensohn - eine Richtergestalt?

Mit Verweis auf den angeblichen Dual כָּרְסָוָן in Dan 7,9 hat man immer
wieder versucht, im Menschensohn eine Richtergestalt im Sinne des
äthiopischen Henochbuches zu sehen, die im - vermeintlich vordanielischen - sogenannten Menschensohnpsalm an der Seite des Alten der
Tage Platz genommen habe[114]. In gewisser Modifikation dieser Hypothese betont nun Karlheinz Müller, jene ursprüngliche Funktion des
Menschensohns sei ihm - traditionsgeschichtlich sekundär - erst in Dan
7, und dies schon innerhalb der Visionsschilderung, genommen worden,
indem er zum Endzeitherrscher ›umfunktioniert‹ worden sei[115].
Diese Hypothese läßt sich nicht aufrechterhalten: Zum einen gab es zu
keiner Zeit, wie deutlich wurde, einen vordanielischen Menschensohnpsalm, zum anderen schließen sowohl die V. 9f.13f als auch deren
Kontext eine Deutung des כָּרְסָוָן als Dual aus. Der Menschensohn erhält
gerade keinen Thronsessel zugewiesen, der dann als Richterstuhl zu verstehen wäre. Mit כָּרְסָוָן liegt vielmehr ein Plural vor. Die Throne sind für
das Gerichtsgremium bestimmt, das in V. 10 prompt Platz nimmt
(דִּינָא יְתִב)[116]. Während das Gericht abgehalten wird, ist vom Menschensohn noch gar nicht die Rede. Dieser tritt nicht nur erst *nach* der Rechtsprechung auf, sondern auch erst *nach* dem Vollzug des Gerichts (V.
11b-12). Beides geschieht vollkommen ohne ihn. Dem entspricht die
auffällige Passivität des Menschensohns, die keineswegs zu einem Richter paßt[117]. Aus alledem wird deutlich, daß der Menschensohn bei Daniel -
und damit ursprünglich - keine Richterfunktion ausübt[118]. Er wird nicht
als Welt*richter*, sondern als Welt*herrscher* inthronisiert. Dabei erfolgt die
Delegation der endzeitlichen Herrschergewalt an den Menschensohn
durch Gott selbst. Entsprechendes gilt für die Visionsdeutung Dan 7,
15-28: Die Heiligen des Höchsten haben mit der Rechtsfindung und mit
dem Gerichtsvollzug überhaupt nichts zu tun, sie empfangen aber im
Anschluß an beides von Gott die Weltherrschaft.

---

113 S. unten S. 31f.

114 Vgl. vor allem *S. Mowinckel,* Cometh, 348-351.

115 Vgl. *K. Müller,* Menschensohn und Messias I, 162-179.

116 Vgl. *R.H. Charles,* Daniel, 181; *J. Theisohn,* Richter, 11 und *K. Müller,* Danielzyklus, 46. Nicht möglich ist es, כָּרְסָוָן mit *J.A. Montgomery,* Daniel, 296f als Pluralis maje-
statis zu deuten.

117 Vgl. *J. Theisohn,* Richter, 11f und *K. Müller,* Danielzyklus, 58.

118 Zu einer eschatologischen Richtergestalt wird der Menschensohn erstmals in den
Bilderreden des äthiopischen Henochbuches (s. unten S. 42-44).

c) Die Funktion des Menschensohns in Dan 7 und im aramäischen Danielbuch insgesamt

Zum rechten Verständnis des Menschensohns aus Dan 7,13 ist die oben gewonnene Einsicht grundlegend, daß V. 13 von demselben Verfasser stammt, der bereits für die Visionsdeutung Dan 7,15–28 sowie für die redaktionelle Verknüpfung der zunächst nicht eschatologisch konzipierten Danielerzählungen mit den eschatologischen Aussagezielen der Kapitel 2–6 verantwortlich zeichnet. Damit sind der Menschensohn der Vision und seine folgende Deutung zwangsläufig sinnvoll aufeinander bezogen, zugleich bilden die Kapitel 2–6 einerseits und 7 andererseits eine planmäßige Einheit.

Die Heiligen des Höchsten sind mit dem eschatologischen Gottesvolk Israel identisch, entsprechend eignet auch dem Menschensohn diese Bedeutung. Der Visionär hat die V. 13f überhaupt erst im Blick auf die folgende Visionsdeutung geschaffen, wie zu zeigen ist:

Dem Verfasser des Traumgesichts war lediglich die Vier-Tiere-Vision vorgegeben, die er dazu benutzt, die Unterdrückung der Frommen in der gegenwärtigen Situation auszusagen. Gleichzeitig kündigt er in den V. 9–12 das Ende der vier gottlosen Reiche und damit das Ende der Unterdrückung an. Dieses Ende der tierischen Herrscher, das Gott selbst bewirkt, ist jedoch nicht das Ziel der Geschichte Gottes, sondern lediglich Voraussetzung für deren letzten Akt: das Kommen der Gottesherrschaft und ihre Delegation an die Heiligen des Höchsten, also an die Frommen Israels. In der ursprünglichen Vier-Tiere-Vision wurde diese eschatologische Herrschaft des Gottesvolkes nicht erwähnt. Deshalb trägt der Verfasser jenen für ihn entscheidenden Gesichtspunkt mit den V. 13f innerhalb der Visionsschilderung nach, indem er den Tieren einen Menschen gegenüberstellt, den Menschensohn[119], so daß jetzt aus dem Vier-Reiche-Schema ein Fünf-Reiche-Schema wird. Somit gehören die V. 13f und die folgende Deutung ganz eng zusammen, denn deren eigentliche Intention, die Herrschaft Israels zu weissagen, ist in den V. 13f bereits visionär vorweggenommen. Ulrich B. Müllers Urteil trifft exakt den Kern der Sache: »Die Deutung interpretiert die Vision in V. 13f nicht in neuer Weise, sondern hat von Anfang an diese beiden Verse für ihre Deutung geschaffen.«[120] Es ist höchst beachtenswert, daß sich das gleiche Ergebnis bereits für die V. 7bβ–8 ergab. Auch sie wurden von demselben Verfasser in die Vision eingetragen, um ihre folgende Deutung zu ermöglichen. In

---

119 Vgl. nicht nur die Gegenüberstellung »Mensch« – »Tier«, sondern ebenso die vom Kommen mit den »Wolken« des »Himmels« einerseits und aus dem »(Chaos-)Meer«, das von »Winden« aufgewühlt wurde, andererseits. Der Ursprung des Menschensohns aus Gott ist damit ausgesagt. Dabei wird nicht seine irdische Herkunft bestritten, vielmehr auf die Erwählung Israels durch Gott hingewiesen, auf die einzigartige Sonderstellung Israels, die es von allen anderen Völkern trennt.

120 *U.B. Müller*, Messias, 26.

Dan 7,13 hat der Verfasser darum keinerlei eigenständiges Interesse an der Figur des Menschensohns, erst recht führt er keine mythologische Größe in die Vision ein. Denn nachdem er in V. 13 ein einziges Mal im Gegenüber zu den Tieren vom Menschen(sohn) gesprochen hat, redet er im folgenden nur noch von den Heiligen, den Heiligen des Höchsten oder vom Volk der Heiligen des Höchsten. Der Terminus כְּבַר אֱנָשׁ ist also lediglich durch das Bild von den Tieren bedingt und beschreibt in metaphorischer Rede, was anschließend expressis verbis gekennzeichnet wird: das endzeitliche Gottesvolk Israel[121]. Die in den V. 13f geschilderte Machtübertragung an den Menschensohn ist Bild für die göttliche Machtübertragung an Israel[122]. Mit anderen Worten: Der Menschensohn ist mit dem eschatologischen Jahwevolk identisch.

Der Terminus hat somit kein Eigengewicht, ist kein Titel, bezeichnet auch keine individuelle Gestalt und hat insofern keine messianische Bedeutung[123], sondern ist von Anfang an Bild für das Gottesvolk der Endzeit.

---

121   Vgl. etwa auch *J.A. Emerton*, Origin, 229; *U.B. Müller*, Messias, 24–26; *H. Haag*, Art. בֶּן־אָדָם, 688; *P.M. Casey*, Son of Man, 24f; *H. Bietenhard*, Menschensohn, 317; *P. Stuhlmacher*, Jesus von Nazareth und die neutestamentliche Christologie, 92; *G. Schwarz*, Menschensohn, 7 und *R. Albertz*, Gott, 193.

122   *H. Haag*, Art. בֶּן־אָדָם, 688 verweist in diesem Zusammenhang auf 1Sam 10,20f.24, wo Israel vor Gott geführt wird, um das Königtum entgegenzunehmen. Im Unterschied zu Dan 7,13f wird das Königtum dort jedoch einem Repräsentanten des Volkes übertragen, hier dem Volk als ganzem.

123   Ebenso begegnet im übrigen Buch Daniel nirgendwo eine messianische Gestalt als endzeitlicher Heilbringer (in Dan 9,25 Theod. und Dan 9,26 LXX sind mit χριστός geschichtliche Gesalbte gemeint), obwohl Dan 2,31–45; 7,1–28; 8,19–26 und 12,1–3 das Geschehen der Endzeit schildern. In Dan 2,34.45 und 8,25 (»ohne Zutun von Menschenhand«) ist jedoch allein Gott der Handelnde, jeglicher messianische Heilbringer fehlt (vgl. *H.R. Balz*, Probleme, 68). Auch der הַשַּׂר הַגָּדוֹל aus Dan 12,1 ist nicht der Messias, sondern Michael, der Engel Israels. Der Menschensohn aus Dan 7,13f darf, wie bereits deutlich wurde, ebensowenig messianisch gedeutet werden (so fälschlich etwa *P. Volz*, Eschatologie, 12f.186–188 und *C.C. Caragounis*, Son of Man, 71–81. Auch *W.J. Bittner*, Gott, 357–371, der einerseits zu Recht die oft übersehenen Bezüge von Dan 7,13f und 27 zur königlichen Tradition des Alten Testaments hervorhebt [357–370], gelangt andererseits zu weit überzogenen Schlußfolgerungen, wenn er zwar betont: »der Menschensohn wird explizit nicht als Davidide bezeichnet«, dann jedoch zugleich formuliert: »Entscheidend ist, daß in der Gestalt des Menschensohns von Daniel 7 Gott selbst sich – in der Erscheinungsform seiner Thron-Herrlichkeit – als der eschatologische davidische Messias ankündigt. Das im Neuen Testament in geschichtlicher Konkretion hervortretende Geheimnis, daß Gott selbst ›Mensch‹ und zwar ›Davidide‹ wird, ist schon in Daniel 7 ausgesagt« [371]).

Die grundsätzlich wichtige und richtige Erkenntnis, daß der Messias im Judentum nicht ohne sein Volk gedacht werden kann (vgl. etwa *O. Betz*, Rolle Israels, 6), ist mit alldem nicht bestritten. Umgekehrt aber gilt zugleich, daß zum Volk nicht notwendig der Messias hinzugehört, vielmehr überall fehlen muß, wo Gott ohne einen irdischen Repräsentanten *unmittelbar* herrscht. Sofern der aramäische Daniel wie auch der Endredaktor des maso-

Dieses Ergebnis wird durch den Zusammenhang des aramäischen Danielbuches, konkret aber durch Dan 2,31–45 noch einmal bestätigt. Denn trotz der vielfältigen Verbindungen des Kapitels 7 zu den Kapiteln 2–6 insgesamt[124] liegt sein Hauptbezugspunkt deutlich in Kapitel 2, hier vor allem im ersten Traumgesicht Daniels in den V. 31–45[125]. Dabei knüpft Dan 7,13f unübersehbar an Dan 2,44 an. Was dort im Anschluß an die Vernichtung der Weltreiche lediglich negativ gesagt wird, daß Gott sein ewiges Königtum, das er selbst errichtet, keinem »anderen« Volk übergeben werde, wird nun in Dan 7,13f positiv erweitert, indem das ›nicht andere‹ Volk konkret genannt wird: Dieses von Gott erkorene und aus den Völkern herausgerufene Volk ist Israel, das aufgrund seiner Erwählung mit keinem anderen vergleichbar ist. Dan 7,13f expliziert somit, was in Dan 2,44 nur implizit enthalten ist. Der aramäische Daniel hat also bereits in 2,44 jene Größe vor Augen, die dann in Kapitel 7 als Menschensohn bzw. als die Heiligen (des Höchsten) in den Vordergrund tritt[126].

7. Der Menschensohn aus Dan 7,13f und mögliche Assoziationen im Alten Testament

Gerade angesichts der Erkenntnis, daß der Menschensohn Daniels als metaphorische Bezeichnung des endzeitlichen Israel verstanden werden muß – den gottlosen Tieren steht der von Gott erwählte Mensch gegenüber –, ist nun zu fragen, ob dem Verfasser irgendwelche Anknüpfungspunkte für jene Bezeichnung vorlagen, die bei seinen Zeitgenossen automatisch bestimmte Assoziationen auslösen mußten. Solche Anknüpfungspunkte sucht der Fromme der damaligen Zeit im Alten Testament. Lediglich deren zwei kommen ernsthaft in Betracht: בֶּן־אָדָם als Anrede

---

retischen Danielbuches nicht sowieso an ein Reich ohne menschliches Oberhaupt gedacht haben sollten, war ihnen dieses Oberhaupt als solches so nebensächlich, daß sie kein Wort über es verloren (vgl. *H.H. Rowley*, Apokalyptik, 29).

124   S. oben S. 15f sowie Anm. 77.

125   Neben allen formalen Gemeinsamkeiten ist auch die inhaltliche Beziehung der Vier-Tiere-Vision zu der Vision von den vier Metallen unübersehbar. Hier wie dort wird die gleiche Sache nur in anderen Bildern und Vorstellungen dargestellt: jeweils als Traumgesicht mit folgender Deutung. Während Kapitel 2 aber mehr eine Einführung in das Problem des Endes der Geschichte entbietet – dies in eher andeutender Form –, führt Kapitel 7 das Problem in zugespitzter Weise aus, wobei vor allem auch die konkrete zeitgeschichtliche Situation stärker beachtet ist. Dan 2 nimmt also die Problematik einführend vorweg, die in Dan 7 erst recht im Mittelpunkt steht (vgl. *O. Plöger*, Daniel, 56). Über diese enge inhaltliche Beziehung beider Traumgesichte darf man sich nicht wundern, da beide in ihrer heutigen Form trotz einiger vorgegebener Motive auf denselben Verfasser zurückgehen (vgl. ebd., 55). Zudem ist das Bild jeweils »konstruiert im Blick auf die Deutung« (ebd., 52).

126   Vgl. ebd., 112f; *A. Deissler*, Menschensohn, 83 und *H. Gese*, Bedeutung, 376f.

des Propheten Ezechiel durch Gott, zudem der Gebrauch dieses Terminus in Ps 80,18[127].

a) בֶּן־אָדָם *bei Ezechiel*

Diese erste Assoziation verweist auf בֶּן־אָדָם als Anrede des Propheten durch Gott oder einen Boten Gottes. Sieht man aber, daß der Ausdruck gerade auf die Schwäche und Niedrigkeit Ezechiels vor Gott zielt und so die Distanz zwischen Gott und Mensch betont[128], dann ergibt sich von hierher keine Brücke zum danielischen בַּר אֱנָשׁ, der dort eindeutig eine Hoheitsgestalt ist und zudem im Gegensatz zur individuellen Bedeutung bei Ezechiel ein Kollektiv bezeichnet.

Nun hat allerdings Otto Procksch auf die Möglichkeit einer Abhängigkeit des danielischen Menschensohns von דְּמוּת כְּמַרְאֵה אָדָם in Ez 1,26 hingewiesen und von einer »Versichtbarung Gottes« gesprochen, aus der der danielische Menschensohn »herausgetreten« sei[129]. In Wahrheit ist die Gestalt des Menschensohns bei Daniel auch nicht aus Ez 1,26 ableitbar. Nicht einmal die Bezeichnung ist dieselbe. Ezechiel spricht hier ausdrücklich nicht vom בֶּן־אָדָם, sondern vom כְּבוֹד יְהוָה, den er sich menschengestaltig vorstellt[130]. Der Priester Ezechiel weiß um die Tradition von Jahwe, der über den Keruben thront[131]. Diese Vorstellung greift er auf, wenn er als erster den Kerubenwagen zu beschreiben sucht, wobei die Menschengestaltigkeit Gottes keineswegs als Vermenschlichung aufgefaßt werden darf[132]. Eine Verbindung zu Dan 7,13 ergibt sich von hierher

---

127   Die alttestamentlichen Belege für בֶּן־אָדָם (bzw. in Ps 144,3 בֶּן־אֱנוֹשׁ), die sich meist in poetischen Texten, hier vor allem im synonymen Parallelismus als Parallelaussage zu אָדָם bzw. אֱנוֹשׁ finden (vgl. vor allem Ps 8,5; Hi 25,6; Jes 51,12 und 56,2 sowie [den בֶּן־אֱנוֹשׁ-Beleg] Ps 144,3) und dabei im kollektiv-generischen Sinn vom Menschen schlechthin reden, kann man an dieser Stelle als explizite Bezugspunkte vernachlässigen. Zum Vorkommen und zur Bedeutung von בֶּן־אָדָם im Alten Testament insgesamt s. bereits oben Anm. 107.

128   Vgl. *P. Fiebig,* Menschensohn, 67; *C. Colpe,* Art. ὁ υἱὸς τοῦ ἀνθρώπου, 409f und *W. Zimmerli,* Ezechiel I, 70f.

129   Vgl. *O. Procksch,* Theologie, 416f. *H.R. Balz,* Probleme, 80–85 hat nun, die Anregung Prockschs weiterführend, einen phantastischen Ableitungsversuch des danielischen Menschensohns aus Ez 1,26 konstruiert: Im Rahmen bestimmter Hypostasenvorstellungen habe Daniel aufgrund einer Absplitterung von der göttlichen Herrlichkeitserscheinung in Ez 1,26 zwei himmlische Herrlichkeitswesen gebildet, nämlich neben Gott selbst die Gestalt des Menschensohns als des Funktionärs des göttlichen Endgerichts. Ganz abgesehen davon, daß der danielische Menschensohn keine Richtergestalt ist (s. oben S. 30), hat *U.B. Müller,* Messias, 34f alles Nötige dazu bereits gesagt.

130   Vgl. *G. von Rad,* Art. δόξα, 244.

131   Vgl. etwa Ex 25,8.17–22; 1Sam 4,4; 2Sam 6,2; 2Kön 19,15; Ps 80,2 und 99,1. Zur Vorstellung von Jahwe, der über den Keruben thront – und eben nicht über der Lade, die ihrerseits das »Symbol der Präsenz Jahwes« darstellt –, vgl. vor allem *M. Metzger,* Königsthron, 309–367 und *B. Janowski,* Sühne, 281–290.339–346 (Zitat 340).

132   Vgl. *L. Köhler,* Theologie, 6.

nicht. Denn dort geht es weder um die Menschengestaltigkeit Gottes noch allgemein um Gott, sondern um die Heiligen des Höchsten, die der Menschensohn bildhaft repräsentiert. In Ez 1,26 dagegen ist weder vom Menschensohn noch von einem Bild für die Heiligen des Höchsten noch von einer Bewegung zu Gott hin die Rede, sondern vom Thronen des כְּבוֹד יְהוָה[133], den der Prophet bei dem Versuch, die geschaute Transzendenz phänomenologisch auszusagen, als menschengestaltig beschreibt.

b) בֶּן־אָדָם *in Ps 80,18*
In Ps 80, der von der Erneuerung und Wiederherstellung Gesamtisraels[134] in seinen Idealgrenzen (V. 12) handelt, wird Israel allegorisch als גֶּפֶן bezeichnet[135], den sich Jahwe aus Ägypten holte. Eben dieser Weinstock samt dem Garten, in den ihn Jahwe eingepflanzt hatte (V. 9–12), liegt nun schutzlos brach, seinen Feinden preisgegeben (V. 5–7.13f). Deshalb erfolgt die drängende Bitte an Jahwe, er möge doch sein Volk neu als seine Pflanzung vor den Völkern erweisen (V. 3f.15f), seine Schmach beenden und seine Feinde überwinden (V. 17). In diesem Zusammenhang kommt es sodann zur Bitte für den König, den אִישׁ יְמִינֶךָ und בֶּן־אָדָם, den Jahwe sich erstarken ließ, um durch ihn seine Macht zu erweisen (V. 18). Auf ihm ruhen alle Hoffnungen, denn die Erwartung Israels ist die, daß Jahwes Kraft in ihm wirksam werden wird, so daß es zur erneuten Blüte Israels und zur Wiederherstellung des davidischen (Groß-)Reichs kommt[136]. Israel wird seinem Gott nach dessen rettendem Eingreifen sein Lob nicht versagen (V. 19f)[137].

---

133 Offb 4,2f, wo Ez 1,26 aufgegriffen wird, handelt allein von Gott, nicht vom Menschensohn.

134 Daß der Psalm auch das Nordreich einbezieht, zeigen die V. 2f, zudem erwähnt die Septuaginta in der Überschrift (V. 1) die Assyrer.

135 Das Bild vom Weinstock als Bezeichnung für Israel ist bei den Propheten häufiger belegt, vgl. nur Hos 10,1; Jer 2,21; 6,9; 12,10; Ez 17,3–24 und 19,10–14.

136 Die vermutliche Glosse V. 16b – von V. 18 her im Anschluß an V. 16a eingetragen –, die Israel kollektiv als Sohn (Gottes) bezeichnet, legt es durchaus nahe, auch V. 18 kollektiv zu verstehen. Nach solcher Deutung wären der »Mann deiner Rechten« und der »Menschensohn« aus V. 18 wie schon der Weinstock aus den V. 5.15–16a und der Sohn aus V. 16b Synonyma für das Jahwevolk, das Jahwe sich aus Ägypten berief (so im Blick auf den heutigen Text *C. Colpe*, Art. ὁ υἱὸς τοῦ ἀνθρώπου, 410). Die Identifizierung des Weinstocks mit dem Sohn hat für den Beter ihren Grund vielmehr darin, daß Gott in Hos 11,1 seinen Sohn aus Ägypten ruft, in Ps 80,9 den Weinstock. Von daher paßt V. 16b mit seiner auch sonst im Alten Testament geläufigen Bezeichnung Israels als Sohn (Gottes) als Abschluß der Weinstock-Allegorie (V. 9–16) ausgezeichnet (vgl. *J. Bowman*, Background, 283–288, der sogar V. 16b als ursprünglichen Bestandteil des Ps 80 charakterisiert). Ob V. 16b also eine Glosse darstellt oder nicht, V. 18 handelt vom König Israels (vgl. *H.-J. Kraus*, Psalmen II, 721.724f und *W.J. Bittner*, Gott, 368). Entsprechend deutet TPs 80,18 auf den Messias (vgl. *Bill.* I, 486).

137 Zu Ps 80 insgesamt vgl. *H.-J. Kraus*, Psalmen II, 717–725. Die Fürbitte für den König in V. 18 bezieht er auf Josia (724).

Trotz der terminologischen Übereinstimmung des hebräischen בֶּן־אָדָם in Ps 80,18 mit dem aramäischen בַּר אֱנָשׁ in Dan 7,13 liegt folglich eine sachliche Beziehung zwischen dem Königsprädikat einerseits und dem Kollektivbegriff Mensch(ensohn) im Gegenüber zu den Tieren andererseits und damit eine wirkliche Entsprechung nicht vor.

Fazit: Das Bildwort כְּבַר אֱנָשׁ in Dan 7,13f, Kollektivbegriff für das eschatologische Jahwevolk Israel, erweist sich damit endgültig als originale Schöpfung des aramäischen Daniel, für die sich eine traditionsgeschichtliche Vorstufe nicht nachweisen läßt.

8.   Zusammenfassung und abschließende Folgerungen

a)   Die Hypothese einer vordanielischen Menschensohntradition ist abzulehnen, denn Dan 7,13f stellt eine Schöpfung des aramäischen Daniel dar.

b)   Der umstrittene Begriff Menschensohn hat keine titulare oder gar messianische Bedeutung, sondern ist lediglich ein Bild, entstanden im Anschluß an die Vier-Tiere-Vision in Gegenüberstellung zu den Tieren. Er bezeichnet von vornherein ein Kollektiv: das eschatologische Gottesvolk, das in den Wirren der Endzeit im Glauben treu gebliebene wahre Israel.

c)   Die Menschensohnvision wurde vom aramäischen Daniel geschaffen, um die folgende Deutung auf das eschatologische Israel überhaupt erst zu ermöglichen. Eine Diskrepanz zwischen Vision und Deutung ist deshalb ausgeschlossen.

d)   Zunächst im Bild, dann aber in sachlicher Entfaltung dieses Bildes verheißt der Verfasser von Dan 7 das baldige Kommen der Gottesherrschaft und deren Delegation an das Jahwevolk der Endzeit. Damit verkündigt er die zukünftige Herrschaft Israels über die Völkerwelt.

e)   Mithin erweist sich der Menschensohn aus Dan 7,13f als der traditionsgeschichtliche Ausgangspunkt der jüdisch-apokalyptischen Menschensohnüberlieferung. Jüngere Apokalypsen übernehmen den Terminus, verwenden ihn aber in anderer Bedeutung, so daß Dan 7,13f in der Tat »nicht im strengen Sinn zur jüdischen Menschensohnvorstellung, sondern zu ihrer Vorgeschichte (gehört). Erst die Exegese späterer Apokalyptiker schafft den eschatologischen Menschensohn als individuelle Richtergestalt.«[138]

f)   Ob Jesus selbst den danielischen Menschensohn im Blick hatte, wenn er von sich als Menschensohn sprach, ist im weiteren Verlauf der Arbeit zu prüfen. Wenn er ihn als Kollektivbezeichnung für das wahre Israel verstand, ist eine solche Beziehung zu Dan 7,13f eher nicht zu erwarten.

---

138   *U.B. Müller*, Messias, 33, s. außerdem unten S. 42–44.

Andererseits ist jedoch zu beachten, daß bereits das Judentum Dan 7,13f messianisch interpretieren konnte, so daß Jesus womöglich diese Deutung übernahm.

II. Exkurs: Jesus – Apokalyptik, Daniel, Dan 7 (bei vorläufiger Ausklammerung der Menschensohnworte)

1. Obwohl sich Jesus neben anderen Denkformen seiner Zeit auch apokalyptischer Vorstellungen bediente, war er kein Apokalyptiker im eigentlichen Sinn. Zu sehr stand seine Botschaft im Widerspruch zu mancherlei charakteristischen apokalyptischen Topoi[139]. Mt 11,25–27 par Lk 10,21f zeigt, daß Jesu Verkündigung der gesamten Apokalyptik in deren Grundüberzeugung widersprach; speziell Daniel ist hiervon betroffen. Werner Grimm konnte zeigen, daß Jesus in Mt 11,25–27 par vor allem auf das Dankgebet Daniels in Dan 2,19–23 zurückgreift[140] und dabei »ganz offensichtlich . . . gegen die Anmaßung solchen apokalyptischen Wissens«, wie es dort in typischer Weise zum Ausdruck kommt, »polemisiert«[141]. Es gab nämlich zur Zeit Jesu in bestimmten Kreisen des Judentums eine Beurteilung des Danielbuches, nach der Daniel nicht als gewöhnlicher Prophet, sondern als der Weise schlechthin galt, der die Stationen und Zeiten des Geschichtsplans Gottes besonders genau kennt[142]. Jesus hingegen dankt Gott dafür, daß gerade nicht die Weisen und Ver-

---

139 Um nur die wichtigsten charakteristischen Unterschiede kurz zu nennen: (a) Jesus liefert keine Ausmalung und keine Berechnung der Endereignisse (vgl. *W. Grimm*, Jesus, 38–41); (b) in Jesu Verkündigung wird das Ende nicht einfach nur angekündigt, sondern schon im voraus Ereignis (vgl. Mk 1,15 par; Lk 11,20 par und 17,20f, zudem *W. Pannenberg*, Grundzüge, 56); (c) das apokalyptische Zwei-Äonen-Schema spielt bei Jesus keine tragende Rolle (vgl. *L. Goppelt*, Theologie, 122); (d) der Zentralbegriff der Verkündigung Jesu, die Gottesherrschaft, kann keineswegs als Leitbegriff der Apokalyptik gelten, erst recht nicht in dem eschatologisch-dynamischen Sinn, wie Jesus von ihr spricht (vgl. ebd., 100f); (e) Jesu Weltoffenheit mit all ihren Konsequenzen spricht für sich; (f) einen Ruf zur Umkehr im Blick auf die Sünder kennt die Apokalyptik so nicht, entsprechend spielt die Restitution ganz Israels letztlich keine Rolle, während die Evangelientradition für Jesus das Gegenteil erweist; (g) von jeglicher Art von Apokalyptik unterscheidet sich Jesus grundsätzlich durch die unbedingte Verknüpfung seiner Verkündigung mit seiner eigenen Person, sind doch die Gottesherrschaft und ihr Kommen von seiner Person nicht zu trennen (s. vor allem unten S. 84.118.128–133.138–140.168–174.362–367).

140 Vgl. neben Dan 2,19–23 etwa noch äthHen 39,9–11; 69,26; 1QH 7,26f und JosBell 3,353f.

141 Vgl. *W. Grimm*, Verkündigung, 171–177 (Zitat 173) und vor allem *ders.*, Jesus, 1–69.95–97. Zur Authentie vgl. ferner *J. Jeremias*, Theologie, 33.185f; *R. Riesner*, Jesus, 335–337 und *G. Schwarz*, Und Jesus sprach, 266–270 (zu den V. 25f par) sowie *J. Jeremias*, Theologie, 63–67 und *R. Riesner*, Jesus, 220–222 (zu V. 27 par).

142 Vgl. JosAnt 10,186–281, hier bes. 200f und 266–269, zudem *W. Grimm*, Verkündigung, 173 und *ders.*, Jesus, 22.38.95f.

ständigen, also laut eigenem Anspruch die Apokalyptiker, den Ge-
schichtsplan Gottes kennen – diesen ist ausdrücklich verborgen, was Gott
will –, sondern die Unmündigen[143]. Ihnen, nicht den Apokalyptikern mit
ihrem esoterischen Geheimwissen, wurde das Geheimnis der Gottesherrschaft offenbart. Und dieses Geheimnis wird allein durch den Sohn
vermittelt. Damit lehnt Jesus jedes Geheimwissen, das Charakteristikum
der Apokalyptik, ab und verweist auf seine eigene Person[144].
Wie Joachim Jeremias dennoch behaupten kann, die apokalyptischen
Worte Daniels seien für den historischen Jesus von großer Bedeutung, ist
kaum einsichtig. Denn von den fünf Bezugnahmen, die er – über die auf
Dan 7,13f rekurrierenden Menschensohnworte hinaus – anführt (Mk
13,14 par / Dan 9,27; 11,31 und 12,11; Mk 13,19 par / Dan 12,1; Mt
19,28 par Lk 22,28–30 / Dan 7,9f; Lk 12,32 / Dan 7,27; Lk 20,18 par /
Dan 2,34f.44f)[145], fallen vier sogleich aus: In Mt 19,28 par Lk 22,28–30
steht nicht Daniel, sondern das äthiopische Henochbuch im Hintergrund
– und dies auch nur in der sekundären matthäischen Fassung[146]. Mk
13,14 par wiederum läßt sich ebensowenig auf Jesus zurückführen wie
Mk 13,19 par[147]. Und Lk 20,18 (par Mt 21,44 varia lectio, fehlt bei Markus im Anschluß an Mk 12,11) schließlich wurde als verallgemeinernde
Wendung, als exegetische Bemerkung sekundär in den ursprünglichen
Überlieferungsstoff der Parabel von den bösen Weingärtnern eingefügt[148].
Sieht man daher zunächst noch von den auf Dan 7,13f rekurrierenden
Menschensohnlogien ab, verbleibt als einziges Logion der (authenti-
schen) Jesustradition, das sich im positiven Sinn[149] allein[150] auf Daniel

---

143   Zur zeitgenössischen Abwertung der Unmündigen bzw. der Unwissenden und zugleich ihrer Hochachtung durch Jesus vgl. ebd., 29–31.42–50.
144   Vgl. *J. Zmijewski*, Eschatologiereden, 371–378. Ähnliche Polemik findet sich
in Mk 13,32 par, wo Jesus mit der Wendung οὐδὲ δὲ ἄγγελοι auf die apokalyptischen
Deuteengel abzielt (vgl. *W. Grimm*, Jesus, 38–41).
145   Vgl. *J. Jeremias*, Theologie, 198f mit Anm. 10.
146   S. unten S. 47 mit Anm. 33 sowie S. 146f.
147   Vgl. im einzelnen *R. Pesch*, Markus II, 289–296 und *J. Gnilka*, Markus II, 193–
199, ferner *F. Hahn*, Parusie, 259f.
148   Vgl. *J. Jeremias*, Gleichnisse, 107.109f. Mit diesem an Jes 8,14f und Dan 2,34f.44f
anklingenden Vers, der sprichwortartigen Charakter hat (vgl. EstR 3,6 [94b], zitiert bei
Bill. I, 877: »Fällt der Stein auf den Topf, wehe dem Topf! Fällt der Topf auf den Stein,
wehe dem Topf; so oder so, wehe dem Topf!«), wird noch einmal unterstrichen: ». . . der
von den Bauleuten verworfene, von Gott zum Eckstein . . . gemachte Stein wird seinen
Widersachern zum unentrinnbaren Gericht« (*G. Bornkamm*, Art. λικμάω, 284).
149   Polemische Anspielungen wie etwa Mt 11,25–27 par sind dabei nicht mitgerechnet.
150   Nicht mitgerechnet sind ferner solche Stellen, die vermeintlich auf Daniel Bezug
nehmen, in Wirklichkeit aber wie schon die entsprechende Danielstelle einen anderen alttestamentlichen Text als (gemeinsamen) Hintergrund haben. So liegt etwa in Mk 4,32 par
ebenso wie in Dan 4,9.18 eine Anspielung auf Ez 17,23 vor.

zurückbezieht und dessen Authentie zugleich ernsthaft in Frage kommt, lediglich Lk 12,32.

2. Der aramäische Tradition widerspiegelnde Wortlaut[151] des ursprünglich isoliert tradierten Logions Lk 12,32[152] verweist mit der ungewöhnlichen Konstruktion δοῦναι τὴν βασιλείαν bei absolutem Gebrauch von βασιλεία auf eine Vorlage[153]. Als solche kommt im Alten Testament lediglich Dan 7,14.18.22.27 in Frage[154]. Aus terminologischen Gründen sollte V. 18 jedoch wegen קבל statt יהב, dem tatsächlichen aramäischen Äquivalent für δοῦναι[155], besser ausscheiden. Dan 7,14.22.27 hingegen bieten sich mit יְהִיב מַלְכוּ(תָא), der korrekten aramäischen Entsprechung von δίδοται ἡ βασιλεία (δοῦναι τὴν βασιλείαν), ausgezeichnet an[156]. Auch τὸ μικρὸν ποίμνιον bestätigt als inhaltlich richtige Wiedergabe von »Menschensohn« bzw. »Heiligen des Höchsten« Dan 7 als Bezugspunkt von Lk 12,32 und deutet gleichzeitig das eschatologische Israel auf die messianische Heilsgemeinde, die Jesus sammelt.

Im Aramäischen lautete das Logion etwa so:

לָא יִדְחוֹל עַדְרָא זְעֵירָא

דִי רְעוּתָא דַאֲבוּכוֹן לְמֵיהַב לְכוֹן מַלְכוּתָא

---

151 Vgl. *M. Black,* Approach/Muttersprache, 168; *R. Pesch,* Sei getrost, 95–97 und *J. Jeremias,* Theologie, 234 mit Anm. 20. Zur Wiedergabe des semitischen Vokativs durch den Nominativ mit Artikel in τὸ μικρὸν ποίμνιον vgl. ebenso *F. Blass / A. Debrunner / F. Rehkopf,* Grammatik, § 147.

152 Der dem lukanischen Sondergut entstammende Vers Lk 12,32 (vgl. etwa *W. Pesch,* Formgeschichte, 35; *H.J. Degenhardt,* Lukas, 85f; *R. Pesch,* Sei getrost, 88.94–96; *J. Ernst,* Lukas, 404 und *G. Schneider,* Lukas II, 286) wurde erst sekundär ad vocem βασιλεία (V. 31.32) und ὁ πατὴρ ὑμῶν (V. 30b.32), also per Stichwortverbindung, mit der aus Q übernommenen Einheit Lk 12,22–31 par Mt 6,25–34 kombiniert.

153 Absolutes βασιλεία mit Bezug auf das Endgeschehen ist unlukanisch. Solcher Gebrauch (»das Reich, das Gott bereitet hat«) findet sich im lukanischen Schrifttum nur noch ein einziges Mal – vorlukanisch – in Lk 22,29 (s. unten S. 143f). Weist die Wendung schon von daher über Lukas hinaus, ist sie in Verbindung mit δοῦναι erst recht singulär.

154 Sämtliche anderen alttestamentlichen Belege (1Sam 15,28; 28,17; 1Kön 11,11. 13.35; 1Chr 28,5 und 2Chr 2,13) handeln beim Gebrauch von δοῦναι τὴν βασιλείαν von der Thronfolge in Israel. In Lk 12,32 dagegen geht es wie in Dan 7 um das endzeitliche Geschehen. Zum Rückbezug auf Dan 7 vgl. entsprechend auch *R. Pesch,* Sei getrost, 97 (Hinweis speziell auf V. 27) und *P. Stuhlmacher,* Jesus von Nazareth und die neutestamentliche Christologie, 93 (Hinweis speziell auf V. 18: »Der kleinen Herde seiner Nachfolger hat er [sc. Jesus] in Lk 12,32 die Übergabe der Gottesherrschaft gemäß Dan 7,18 zugesagt«).

155 In der griechischen Übersetzung der aramäischen Teile des Alten Testaments gibt δοῦναι bei Esra 7mal יהב, 1mal נתן und 1mal שוב wieder, bei Daniel (LXX/Theod.) 11mal/18mal יהב, 2mal/3mal נתן und 0mal/1mal קום.

156 Da in Lk 12,32 ausdrücklich ὁ πατὴρ ὑμῶν als Subjekt genannt ist, steht dort das aktivische δοῦναι, während der aramäische Daniel wegen seiner Verwendung des Passivum divinum passivisch formuliert. Die inhaltliche Aussage ist jeweils identisch.

Geht Lk 12,32 auf Jesus selbst zurück? Es gibt meines Erachtens keinen Grund, dies zu bezweifeln[157]: Das ursprünglich selbständige Logion war zunächst aramäisch konzipiert, ist also sehr alt. Das messianische Herdenmotiv ist auch sonst im Mund des historischen Jesus belegt[158]. Ebenso steht die vorliegende Kollektivdeutung des danielischen Menschensohns der nachösterlichen Theologie entgegen, da diese ihn als Individuum verstand und auf Jesus bezog. Schließlich bestätigt das im Kern authentische und sachlich entsprechende Logion Lk 22,28-30 par[159] die Authentie auch von Lk 12,32.

Jesus selbst deutet in Lk 12,32 den danielischen Menschensohn, zumindest jedoch die dortigen Heiligen des Höchsten im Sinne des aramäischen Daniel und des Danielbuches kollektiv und bezieht ihn/sie auf das wahre Gottesvolk der Endzeit, was für ihn konkret heißt: auf seine messianische Heilsgemeinde[160].

Interpretiert Jesus damit auch sonst das Bildwort כְּבַר אֱנָשׁ aus Dan 7,13 als Kollektivbegriff oder aber doch eher – entgegen der ursprünglichen danielischen Intention – als individuelle und zugleich messianische Gestalt? Der weitere Verlauf der Arbeit wird zeigen, inwieweit die jesuanische Selbstbezeichnung Menschensohn zum danielischen Menschensohn oder etwa dessen Interpretation (Wirkungsgeschichte) im Judentum in Beziehung steht.

157   Vgl. etwa auch *W. Pesch,* Formgeschichte, 32-34.39; *R. Pesch,* 96-102.109 und *P. Stuhlmacher,* Jesus von Nazareth und die neutestamentliche Christologie, 93. Anders *R. Bultmann,* Geschichte, 116; *H. Braun,* Radikalismus II, 102, Anm. 1 und *H. Schürmann,* Zeugnis, 111f.

158   Von den zahlreichen Belegen der Evangelientradition, die von Jesus als dem messianischen Hirten und vom Volk des Messias als seiner Herde reden (Mt 2,6; 10,5b-6; 15,24; 25,32; Mk 6,34 par; 14,27f par; Lk 12,32; 19,10 und Joh 10,1-18), gehen neben Lk 12,32 wenigstens Mt 10,5b-6; 15,24 und Lk 19,10 auf Jesus selbst zurück. Zu den beiden erstgenannten Logien vgl. *J. Jeremias,* Jesu Verheißung, 16f.22-24, zu Lk 19,10 s. unten S. 203-208.

159   S. unten S. 140-151.

160   An dieser Stelle entsprechen sich – trotz aller Unterschiede im einzelnen – Jesus und die Qumrangemeinde zunächst einmal im Grundsatz. Denn bezeichnenderweise fehlt der Terminus Menschensohn in den Qumranschriften, obwohl das Buch Daniel dort eine wichtige Rolle spielte. Diese Tatsache läßt sich meines Erachtens nur so erklären, daß man den danielischen Menschensohn im Sinne des Verfassers von Dan 7,13f auf die Heiligen des Höchsten deutete, d.h. auf das Gottesvolk der Endzeit. In ihrem Selbstverständnis stellte die Qumrangemeinde selbst jene Heiligen Gottes dar, das eschatologische Israel (vgl. nur 1QH 11,11f), erkannte im Menschensohn also sich selbst (vgl. *O. Betz,* Was wissen wir von Jesus, 73). Damit steht der Menschensohn aus Dan 7,13f in Qumran wie auch in Lk 12,32 bei Jesus für die Heilsgemeinde der Endzeit, wobei die jeweilige Vorstellung von dieser Heilsgemeinde allerdings eine ganz verschiedene ist. In der pharisäischen Eschatologie, etwa in den Psalmen Salomos, dürfte aus ähnlichen Gründen wie in Qumran vom Menschensohn keine Rede sein (vgl. ebd., 73).

B
Die jüdische Menschensohnüberlieferung

I. Die Bilderreden des äthiopischen Henochbuches

Die Gestalt des Menschensohns taucht innerhalb des äthiopischen Henochbuches[1] ausschließlich in den Bilderreden auf, genauer: in der zweiten und dritten Bilderrede (äthHen 45–57 und 58–69) sowie im Anhang (äthHen 70–71). Er ist damit nur in der jüngsten Schicht des Buches belegt, die gegen Ende des 1. Jahrhunderts v.Chr. bzw. – eher – zu Beginn des 1. Jahrhunderts n.Chr. entstanden sein dürfte[2].

Die Bilderreden stellen keine literarische Einheit dar. Man muß mit einigen wenigen Vorlagen, vor allem aber mit sekundären Überarbeitungen rechnen. Mit äthHen 70–71 sind sogar zwei Nachtragskapitel angefügt[3]. Christliche Zusätze lassen sich jedoch nicht nachweisen.

---

1   Im Anschluß an *E. Sjöberg*s Standardwerk »Der Menschensohn im äthiopischen Henochbuch« sind in den letzten Jahren viele weiterführende Untersuchungen zum Problem des Menschensohns im äthiopischen Henochbuch erschienen. Von grundlegender Bedeutung ist dabei *J. Theisohn*s Dissertation »Der auserwählte Richter«. Wichtig sind ferner *H.R. Balz*, Probleme, 64–67.74–79.96–112; *C. Colpe*, Art. ὁ υἱὸς τοῦ ἀνθρώπου, 425–429; *U.B. Müller*, Messias, 36–60; *K. Müller*, Menschensohn und Messias I, 162–179; *C.C. Caragounis*, Son of Man, 84–119 und *G. Schimanowski*, Weisheit, 153–194.204f.

2   Ob man mit *C. Colpe*, Art. ὁ υἱὸς τοῦ ἀνθρώπου, 425, Anm. 180 als Terminus ante quem 70 n.Chr. angeben kann, weil sonst die Zerstörung Jerusalems sicher erwähnt wäre, sei dahingestellt. Als Terminus post quem nennt er 40–38 v.Chr., weil der Panthereinfall dieser Jahre in äthHen 56,6 erwähnt werde. Wie wenig sicher auch diese Angabe ist, sieht man daran, daß äthHen 56,5–8 doch wohl als Traditionsstück bereits vorgegeben war (vgl. *U.B. Müller*, Messias, 36, Anm. 1; 53f und *J. Jeremias*, Theologie, 257, Anm. 59). Fest steht, daß in Qumran Stücke der übrigen vier Teile des äthiopischen Henochbuches gefunden worden sind, nicht aber die Bilderreden, was einer Frühdatierung entgegensteht. Obgleich in letzter Zeit die nachjesuanische Entstehung der Bilderreden verstärkt vertreten wird — vgl. etwa *R. Leivestad*, Exit, 246; *ders.*, Menschensohn, 52f; *C.F.D.* Moule, Features, 416; *B. Lindars*, Re-Enter, 58; *H. Bietenhard*, Menschensohn, 338–346, bes. 345: Die Bilderreden sind »mit überwiegender Wahrscheinlichkeit, wenn nicht mit Sicherheit, in die Zeit nach Jesus zu datieren« (Bietenhard erkennt in der Menschensohngestalt der Bilderreden und anderer apokalyptischen Schriften dieser Zeit eine Art jüdischer »Antwort« auf die christliche Rede vom Menschensohn); *S. Kim*, Son of Man, 19 mit Anm. 25 und *W.J. Bittner*, Gott, 344 mit Anm. 2 (zweite Hälfte des 1. Jahrhunderts n.Chr). Demgegenüber plädieren für ihre Entstehung im 1. vorchristlichen Jahrhundert z.B. *K. Müller*, Menschensohn und Messias I, 174 und *M. Black*, Barnāshā, 201 —, erscheint mir die Datierung um die Zeitenwende (vgl. etwa auch *M. Hengel*, Jesus als messianischer Lehrer, 177 und *W.G. Kümmel*, Jesus, 162f) bzw. in die erste Hälfte des 1. Jahrhunderts n.Chr. nach wie vor angemessen.

3   Gegen *H.R. Balz*, Probleme, 47–99, der die Kapitel 70f noch vor 69,26–29 einordnen will, vgl. zu Recht *C. Colpe*, Art. ὁ υἱὸς τοῦ ἀνθρώπου, 428f; *U.B. Müller*, Messias,

Der literarischen Uneinheitlichkeit der Bilderreden entsprechen die unterschiedlichen Bezeichnungen der Menschensohngestalt[4], die jedoch alle auf äthHen 46,1f fußen, wo der Menschensohn zum ersten Mal genannt wird, und von hier abhängig sind[5]. Doch gerade die Grundstelle äthHen 46,1f macht deutlich, daß bei der Einführung des Menschensohns Dan 7,13f im Hintergrund steht und daß in den Bilderreden eine Weiterentwicklung des danielischen Menschensohns »bis in die Einzelheiten hinein«[6] vorliegt, wobei das Kollektivverständnis Daniels jedoch nicht übernommen wurde. Dies nachgewiesen zu haben ist das Verdienst von Johannes Theisohn. Wichtig im Zusammenhang meiner Arbeit ist dabei vor allem, daß sich die Menschensohnüberlieferung des äthiopischen Henochbuches gerade nicht auf eine ›Danielvorlage‹ gründet, sondern das Buch Daniel in seiner heutigen Form voraussetzt[7]. Die Bilderreden greifen also keineswegs eine ältere, über Daniel hinausreichende Menschensohntradition auf, vielmehr handelt es sich hier um einen reinen Interpretationsvorgang, der den danielischen Menschensohn unter Verschmelzung mit anderen jüdischen Traditionssträngen radikal umgestaltet und so zu einer völlig neuen Menschensohnkonzeption führt[8]. Jene

58-60; *K. Müller*, Menschensohn und Messias I, 172-174; *J. Theisohn*, Richter, 32, Anm. 4 und *H. Bietenhard*, Menschensohn, 320-322.

4   Diese sind aufgeführt und kommentiert bei *H.R. Balz*, Probleme, 64f und *C. Colpe*, Art. ὁ υἱὸς τοῦ ἀνθρώπου, 426f.

5   Dies zeigen die stereotyp auf äthHen 46,1 rückverweisenden Pronomina »dieser Menschensohn« oder »jener Menschensohn« in äthHen 46,2-4; 48,2; 62,5.9.14; 63,11; 69,26.29; 70,1 und 71,17. »Menschensohn« ist in den Bilderreden also kein fester Titel, sonst stünde jeweils »der Menschensohn«. Überall bleibt der Terminus Bildwort mit fortwährendem Rückbezug auf äthHen 46,1 (zu den drei Scheinausnahmen äthHen 62,7; 69,27 und 71,14 vgl. *H.R. Balz*, Probleme, 66); dies gilt trotz der messianischen Züge, die der Gestalt des Menschensohns anhaften (s. unten S. 44f). Dan 7,13f steht ungeachtet aller Unterschiede im Hintergrund. Von dort kommt die Bezeichnung Menschensohn, obwohl sie bei Daniel als Metapher für die Heiligen des Höchsten steht, also für das Gottesvolk der Endzeit, während der Menschensohn der Bilderreden ein Himmelswesen ist, »eine durch die Ferne zur Geschichte bestimmte Gestalt« (*E. Jüngel*, Paulus, 248). Dies zeigt schon in äthHen 46,1 die Bemerkung »sein Antlitz war voll Anmut gleichwie eines von den heiligen Engeln«, die den Gegensatz zum »Menschen« ausdrückt. Vgl. grundsätzlich *H.R. Balz*, Probleme, 66f.76f; *C. Colpe*, Art. ὁ υἱὸς τοῦ ἀνθρώπου, 425f.428 und *U.B. Müller*, Messias, 40-43).

6   *H. Gese*, Messias, 142f.

7   Vgl. *J. Theisohn*, Richter, 23-30.44-47.51f.99, ferner etwa auch *M.D. Hooker*, Son of Man, 46f; *U.B. Müller*, Messias, 40-43.46; *C.F.D. Moule*, Features, 416; *B. Lindars*, Re-Enter, 58 und *P.M. Casey*, Son of Man, 99-112, bes. 112.

8   Eine ganz andere Menschensohnkonzeption verficht *K. Müller*: Im ursprünglichen Menschensohn habe man sich eine präexistente und transzendente eschatologische Richtergestalt zu denken, die von Gott schon vor der Weltschöpfung zum endzeitlichen Strafrichter berufen worden sei. Diese Gestalt, die Müller aus bestimmten Traditionen der zweiten Bilderrede, vor allem äthHen 46,1 - 47,4 und 48,2-7, rekonstruieren will, sei dann seit der ersten Hälfte des 2. Jahrhunderts v.Chr. in den Horizont innerweltlicher Erwartungen integriert worden, wobei sich der himmlische Menschensohn und der irdisch-na-

anderen Traditionsstränge kulminieren in der Gestalt des »Erwählten«, einer Gestalt, deren auffälligstes Merkmal ihre eschatologische Richterfunktion ist, die sie anstelle Jahwes und in dessen Auftrag ausübt[9]. Traditionsgeschichtlich verbinden sich im Erwählten in erster Linie davidischkönigliche Traditionen mit einer Ebed-Jahwe-Tradition, die sich vor allem aus Jes 49,1–6 speist[10], sowie einer bestimmten, auf Spr 8,22–36 bezogenen Weisheitsüberlieferung. Aus der Ebed-Jahwe-Tradition ist dem Erwählten vor allem das Motiv seiner vorläufigen Verborgenheit (äthHen 48,6; 62,7 u.ö.) zugeflossen, das aus Jes 49,2 übernommen wurde[11]. Die Bezeichnung »der Erwählte« könnte aus Jes 42,1 stammen[12], doch ist diese Ableitung nicht zwingend[13]. Aus weisheitlichen Überlieferungen, hier speziell aus Spr 8, 22–36, haben die Bilderreden das Motiv von der vorzeitigen Erwählung

tionale Messias immer mehr miteinander verbunden hätten; dies immer stärker auf Kosten des ersteren zugunsten des letzteren. Jene Neuinterpretation habe mit Dan 7 begonnen und habe sich in der Folgezeit derart weiterentwickelt, daß letztendlich eine im Grunde irdische Gestalt übriggeblieben sei, die lediglich noch Züge der ursprünglichen Menschensohnvorstellung mit sich gezogen habe (Menschensohn und Messias I, 159–187 und II, 52–66).
Obwohl Müllers Arbeit viele richtige und weiterführende Einzelbeobachtungen keinesfalls abzusprechen sind, muß sein Rekonstruktionsversuch im großen und ganzen als gescheitert gelten: Weder wurde in der zweiten Bilderrede oder in den Bilderreden insgesamt eine vordanielische Menschensohntradition verarbeitet, noch hat es eine solche jemals gegeben. Denn zum einen stammt Dan 7,13f aus der Hand desselben Verfassers, der auch für die folgende Deutung zuständig ist, d.h. aus der Hand des aramäischen Daniel, zum anderen ist für die Menschensohnkonzeption der Bilderreden das Buch Daniel in seiner heutigen Form vorauszusetzen.
9   Diese eschatologische Richtergestalt ist ausschließlich jüdischer Herkunft. Als eine Gestalt jüdischer Heilserwartung neben andcren ist sie in weiteren jüdischen Schriften belegt (vgl. *J. Theisohn*, Richter, 100–113).
10   Vgl. *E. Sjöberg*, Henochbuch, 121–128; *U.B. Müller*, Messias, 39.43–47 und *J. Theisohn*, Richter, 114–126. Demgegenüber halte ich es gegen *U.B. Müller*, Messias, 43–47 nicht für möglich, die gesamte Konzeption der Menschensohngestalt der Bilderreden aus der Ebed-Jahwe-Tradition Deuterojesajas abzuleiten. Zu diesem Versuch ist alles Nötige bereits gesagt bei *J. Theisohn*, Richter, 117f. Wichtig ist vor allem aber auch dies, daß der Schluß, aufgrund der hier erstmals vollzogenen Kombination von Gottesknecht und Menschensohn sei jener Ansatz vorgegeben, den Jesus nur noch aufzunehmen und weiterzuführen brauchte, unhaltbar ist (gegen *J. Jeremias*, Art. παῖς θεοῦ, 686f und *ders.*, Theologie, 259). Die Leidenszüge des Gottesknechts wurden gerade nicht auf den Erwählten bzw. den Menschensohn übertragen (vgl. ausführlich *M. Rese*, Überprüfung, 28–33, ferner *H. Bietenhard*, Menschensohn, 323f und *O. Betz*, Jesus und das Danielbuch, 104). Dennoch lassen sich andererseits Parallelen zwischen den Menschensohnaussagen der Bilderreden und TJon Jes 52,13 - 53,12 aufzeigen (vgl. *H. Bietenhard*, Menschensohn, 322–327 und *O. Betz*, Jesus und das Danielbuch, 105–108).
11   Vgl. *J. Theisohn*, Richter, 123f.
12   Vgl. *U.B. Müller*, Messias, 39.
13   Die Rede von der »Erwählung« oder von dem »Erwählten« ist kein Spezifikum der Ebed-Jahwe-Tradition, sondern ein Grundzug in Israels Denken überhaupt.

und der Präexistenz entlehnt und auf den Erwählten übertragen[14]. Die traditionsgeschichtliche Grundlage für die Gestalt des Erwählten bilden jedoch königlich-messianische Traditionen, vor allem Jes 11,1-5 und Ps 110,1[15].

Die besondere Beziehung der Bilderreden zum danielischen Menschensohn besteht nun darin, daß der Erwählte und der danielische Menschensohn zu einer einzigen Gestalt verschmelzen; die Konzeption des Erwählten und das danielische Bildwort werden identifiziert. Dabei wird aus Dan 7,13f lediglich der Terminus übernommen. Diese Identifikation führt zu einer völlig neuen Menschensohnkonzeption[16]. Von hierher erklärt sich, weshalb die Bilderreden trotz nachgewiesener literarischer Abhängigkeit von Dan 7,13f in ihrer Deutung der Menschensohngestalt keine sachliche Übereinstimmung mit Dan 7 erkennen lassen[17].

Die Menschensohnvorstellungen aus Dan 7 und den Bilderreden haben also inhaltlich letztlich nichts miteinander gemeinsam. Damit ist auch ersichtlich, weshalb die danielische Kollektivdeutung in den Bilderreden nicht beibehalten wird, denn der Erwählte ist von vornherein eine individuelle Gestalt.

Ist der Menschensohn/Erwählte der Bilderreden mit dem Messias gleichzusetzen? Diese Frage ist insofern nicht pauschal zu beantworten, als man kaum von *der* jüdischen Messiasdogmatik wird reden können, da diese vielschichtig ist und keine einheitliche Größe darstellt. Sicherlich ist der Menschensohn/Erwählte - ebenso wie die entsprechenden eschatologischen Richtergestalten anderer jüdischer Schriften[18] - nicht einfach der Messias schlechthin[19], dennoch aber eine messianische Gestalt. Man geht wohl nicht zu weit, wenn man die genannte Frage letztlich positiv beantwortet und dieses Urteil so präzisiert: Der Menschensohn/Erwählte der Bilderreden verkörpert eine bestimmte Richtung der jüdischen Messiaserwartung neben anderen. So ist er nicht umsonst »der Gesalbte« (äthHen 48,10; 52,4). Man könnte diesen Hinweis dadurch zu entkräften

---

14   Vgl. *J. Theisohn,* Richter, 130-135 und *H. Gese,* Messias, 143.

15   Aus Jes 11 ist eine ganze Motivgruppe übernommen: die besondere Geistbegabung des Erwählten überhaupt, speziell aber das Motiv von der Nutzlosigkeit des Lügenwortes, das Attribut der Gerechtigkeit, das Gegenüber zu den Sündern (vgl. *J. Theisohn,* Richter, 54-68). Ps 110,1 steht im Hintergrund, wenn vom Sitzen auf dem Thron der Herrlichkeit die Rede ist (vgl. ebd., 68-98). Von hier stammt also die Begründung für die Macht und die Herrschaftsgewalt des Erwählten.

16   Die Bilderreden kennen nur *eine* eschatologische Richtergestalt. Von daher sind sämtliche Aussagen, die mit dem Menschensohn einerseits und mit dem Erwählten andererseits verbunden sind, nahezu völlig deckungsgleich (vgl. ebd., 48-52.203). Quellenscheidungshypothesen, die auf jener terminologischen Differenz aufbauen, sind deshalb von vornherein abwegig.

17   Vgl. ebd., 51f.202f.

18   Vgl. ebd., 100-110.

19   Vgl. ebd., 110-113.

suchen, daß man einerseits auf den möglicherweise sekundären Charakter der Wendung an beiden Stellen verweist[20] – eine Hypothese, die sich jedoch literarkritisch kaum wirklich begründen läßt –, andererseits darauf, daß der Titel »Gesalbter« zur Zeit der Entstehung der Bilderreden nicht allein dem endzeitlichen Davididen vorbehalten war, sondern zugleich allgemein als Bezeichnung göttlicher Legitimation galt. Doch ist auch dieser Einwand angesichts des eindeutigen »der Gesalbte« nicht geeignet, die messianische Funktion des Menschensohn/Erwählten zu bestreiten. Diese wird im Gegenteil – von der Verwurzelung des Erwählten in davidisch-messianischen Traditionen einmal abgesehen – dadurch gesichert, daß er in äthHen 48,4 unabhängig vom bisher Gesagten mit messianischer Terminologie verbunden wird, als er hier der »Stab« der Gerechten ist. Und שֵׁבֶט ist im Alten Testament wie im Judentum eindeutig Messiasprädikat[21].

Für den (die) Verfasser der Bilderreden ist der Menschensohn/Erwählte somit eine messianische Gestalt, die entsprechende Züge trägt und ebensolche Funktionen ausübt.

Hat diese neue Menschensohnkonzeption Spuren in den neutestamentlichen Evangelien hinterlassen oder gar Jesus selbst beeinflußt? Da es insgesamt fraglich ist, ob die Bilderreden Jesus und seiner Umgebung überhaupt geläufig waren[22], sind mögliche Bezugnahmen am ehesten in späten Traditionsschichten zu erwarten. Eben dies bestätigt die Evangelientradition. Denn fragt man nach Belegen, so verweist die neutestamentliche Forschung auf deren drei: Mt 13,40–43.49f; 19,28 und 25,31. Weitere kommen kaum in Betracht[23].

Die Einzeluntersuchung dieser drei Belege ergibt für den erstgenannten einen negativen Befund: Mt 13,40–43.49f ist von den Bilderreden weder abhängig noch beeinflußt.

Das erste Motiv, das hypothetisch in Frage käme, ἡ κάμινος τοῦ πυρός, ist im Alten Testament in Verbindung mit dem Endgeschehen lediglich in Mal 3,19 und Ps 21,10 belegt[24].

20 Vgl. *U.B. Müller*, Messias, 52f.
21 Vgl. Num 24,17b; CD 7,18–20; 1QM 11,6; 4QFlor 1,9–13 und TestJud 24,5f.
22 Vgl. *L. Goppelt*, Problem, 71. Sehr eindeutig formuliert *Ch. H. Dodd*, Grundlagen, 448: Die Bilderreden »können daher nicht mit dem geringsten Zutrauen benutzt werden, um das Neue Testament zu erhellen«.
23 Vgl. als unverdächtigen Zeugen *J. Theisohn*, Richter, 149–201, der über diese drei Belege nicht hinauskommt. Eine direkte Abhängigkeit nicht nur des V. 31, sondern auch einzelner Züge des gesamten Gleichnisses Mt 25,31–46 von den Bilderreden liegt trotz entsprechender Andeutungen bei *J. Friedrich*, Gott, 111–173 nicht vor. Daß hier und dort gemeinsam vorgegebene Traditionen verarbeitet sind, ist damit nicht bestritten, doch ist dies etwas anderes als eine direkte (literarische) Abhängigkeit.
24 Sämtliche sonstigen alttestamentlichen Belegstellen, die (wie etwa Dan 3,6–23) nicht auf das Endgeschehen bezogen sind, werden auch in der jüdischen Tradition nie eschatologisch interpretiert.

Allerdings ist dort Jahwe selbst der Handelnde. In Verbindung mit Engeln begegnet die Wendung sonst nur in äthHen 54,6, was jedoch aus zwei Gründen nicht bedeutet, daß Matthäus an dieser Stelle von den Bilderreden abhängig sei: Erstens haben diese den Ausdruck als Topos des eschatologischen Gerichts ihrerseits bereits übernommen[25], zweitens ist οἱ ἄγγελοι αὐτοῦ in bezug auf den Menschensohn eine typisch matthäische Bildung, die Matthäus auch in 16,37 und 24,31 in seine markinische Vorlage redaktionell eingetragen hat. Somit wird man auf äthHen 54,6 als Vorlage des matthäischen ἡ κάμινος τοῦ πυρός nicht zurückgreifen wollen, erst recht nicht, wenn man erkennt, daß die Vorstellung vom Engel aussendenden Menschensohn Matthäus von Mk 13,27 her bereits vorgegeben war. Die für ἡ κάμινος τοῦ πυρός bei Bezugnahme auf das Endgericht zugrundeliegende Stelle innerhalb des alttestamentlich-jüdischen Schrifttums ist insofern nach wie vor am ehesten Mal 3,19, in zweiter Linie Ps 21,10. Auch äthHen 54,6 wird die Wendung von dort übernommen haben.

Das zweite hypothetisch in Frage kommende Motiv ist οἱ δίκαιοι ἐκλάμψουσιν ὡς ὁ ἥλιος. Da es keinesfalls von Dan 12,3 herzuleiten ist, auch nicht von einer Theodotion nahestehenden Textform[26] – dort findet sich weder οἱ δίκαιοι als Subjekt noch ὡς ὁ ἥλιος –, ist in der Tat eher äthHen 104,2 zu vergleichen, wo es statt um die danielischen Weisen tatsächlich um die Gerechten geht, die wie die Lichter des Himmels leuchten. Doch scheidet auch dieser Beleg als möglicher Bezugspunkt aus[27], denn die deutlichste und wirkliche Parallele stellt 4Esr 7,97 dar[28], wo es heißt, daß die Gerechten leuchten werden wie die Sonne. In DevR 11 (207c)[29] wird von Mose ähnliches gesagt, und schließlich betont auch Mt 17,2 vom Angesicht Jesu: ἔλαμψεν ὡς ὁ ἥλιος. Die Wendung »leuchten wie die Sonne« ist also bei Matthäus ein weiteres Mal belegt. Die alttestamentliche Grundlage wenigstens der beiden letztgenannten Stellen ist in Ex 34,29–35 zu suchen, wo im Zusammenhang der Begegnung Moses mit Jahwe vom Leuchten (Glänzen) seiner Haut die Rede ist. Dieses Leuchten hat seinen ursprünglichen Ort in der Tradition vom כְּבוֹד יְהוָה. Die Frommen, die an diesem כָּבוֹד teilhaben dürfen, strahlen. Galt dies schon für Mose, so erst recht für Jesus, der jetzt (Mt 17,2) noch mehr strahlt als Mose, nämlich wie die Sonne, d.h. wie Gott selbst (Ps 84,12). Laut Ri 5,31 werden bereits die, die Gott lieben, sein wie die Sonne. Von hierher ist es nicht mehr weit bis zu der Aussage vom Leuchten der Gerechten wie die Sonne. Nun hat Theisohn die These aufgestellt, daß die Bilderreden insgesamt, d.h. in ihren vielen verschiedenartigen und überall im Text zerstreuten Aussagen gleichsam extraktartig den Hintergrund der gesamten kleinen Apokalypse Mt 13,40–43.49f bilden[30]. Diese Vermutung ist nicht nur aufgrund der obigen Erwägungen abzulehnen. Man kann wohl kaum von einem Extrakt der Bilderreden als dem traditionsgeschichtlichen Herkunftsort einer neutestamentlichen Überlieferung reden. Dies wäre im Blick auf Mt 13,40–43.49f allenfalls dann hypothetisch möglich, wenn die Bilderreden bei Matthäus durchgängig als bekannt vorauszusetzen wären und er auch sonst immer wieder an sie anknüpfen würde. Dies ist jedoch nicht der Fall. Bei Theisohn scheinen hier gemeinsam vorgegebene Tradition und literarische Abhängigkeit miteinander verwechselt zu sein.

Nach alldem läßt sich bezüglich der kleinen Apokalypse nur wiederholen, was Joachim Jeremias längst erkannte: Mt 13,40–43.49f »fußt auf judenchristlicher apokalyptischer Überlieferung«[31]. Ebenso spricht Georg Strecker ganz allgemein von »apokalyptische(r) Terminologie«[32]. Konkreteres über den traditionsgeschichtlichen Hintergrund dieser

25 Vgl. *J. Theisohn*, Richter, 192–195, bes. 194.
26 So fälschlich *A. Oepke*, Art. λάμπω, 26.
27 Vgl. *J. Theisohn*, Richter, 196.
28 Vgl. noch 4Esr 7,125 und slHen 66,7.
29 Zitiert bei *Bill.* I, 146.
30 Vgl. *J. Theisohn*, Richter, 196–200.
31 *J. Jeremias*, Deutung, 265.
32 *G. Strecker*, Weg, 160f, Anm. 2.

Überlieferung festhalten zu wollen, verbietet sich aus methodischen Gründen, will man sich nicht Spekulationen hingeben.

In Mt 19,28 und in Mt 25,31 geht die Wendung ὅταν καθίσῃ ὁ υἱὸς τοῦ ἀνθρώπου (bzw. ὅταν ... ὁ υἱὸς τοῦ ἀνθρώπου ... καθίσει) ἐπὶ θρόνου δόξης αὐτοῦ jeweils auf Matthäus selbst zurück: In Mt 19,28bα hat er sie sekundär in die ihm vorgegebene Überlieferung eingetragen, Mt 25,31 erweist sich insgesamt als matthäisch-redaktionelle Bildung[33]. Wenn hier also Einfluß der Bilderreden vorliegt, ist er auf die Schicht der matthäischen Redaktion einzugrenzen. Umgekehrt bedeutet dies, daß Jesus selbst die Menschensohnkonzeption der Bilderreden entweder nicht kannte oder sie bewußt nicht zur Kenntnis nahm. Seine eigene Rede vom Menschensohn hat also mit jener gleichlautenden Gestalt aus den Bilderreden im Grunde nichts zu tun.

Im Blick auf die genannte Wendung aus Mt 19,28bα und 25,31 aber wird Theisohn im Recht sein, wenn er äthHen 51,3; 61,8 und 62,2 – der Herr der Geister setzte den Menschensohn/Erwählten auf den Thron der/seiner Herrlichkeit – als deren Ursprungsort vermutet[34], denn eine ähnlich deutliche Parallele ist im alttestamentlich-jüdischen Schrifttum nicht nachweisbar. Daß dabei matthäische Übernahme infolge mündlich zugekommener Tradition wahrscheinlicher ist als eine direkte (literarische) Abhängigkeit, wird auch von Theisohn nicht bestritten[35].

II. Die verbleibende jüdische Menschensohnüberlieferung

Neben Dan 7 und den Bilderreden des äthiopischen Henochbuches ist auch in weiteren jüdischen Schriften vom Menschensohn die Rede, wobei dieser aber kaum mehr wie in Dan 7 als Kollektivgestalt, sondern nahezu immer, wie in den Bilderreden, als Individuum begegnet, nämlich als messianische Gestalt. Für das vierte Buch Esra (4Esr 13,1-51) etwa gilt dies ebenso wie für die wenigen Anklänge in der rabbinischen Literatur[36].

---

33 Zu Mt 19,28bα s. unten S. 146f. Im Blick auf Mt 25,31 ist dieses Ergebnis ebenso eindeutig, vgl. nur *J. Jeremias*, Gleichnisse, 204; *H.E. Tödt*, Menschensohn, 68; *Ph. Vielhauer*, Gottesreich, 63f; *I. Broer*, Israel, 151; *J. Theisohn*, Richter, 175-182; *U. Wilckens*, Gottes geringste Brüder, 374f; *B. Lindars*, Jesus, 131.166f; *E. Brandenburger*, Recht, 45-55 und *J. Gnilka*, Matthäus II, 368f. Sie alle erkennen in V. 31 insgesamt – und damit speziell auch in der Wendung vom Sitzen des Menschensohns auf dem Thron seiner Herrlichkeit – die redaktionelle Hand des Matthäus. *J. Friedrich*, Gott, 14-20.134-137 schreibt zwar nicht den ganzen V. 31 auf das Konto des Evangelisten, wohl aber in Übereinstimmung mit den zuvor genannten Exegeten jene hier entscheidende Wendung.
34 Vgl. *J. Theisohn*, Richter, 152-182, ferner *J. Friedrich*, Gott, 124-137.
35 Vgl. *J. Theisohn*, Richter, 160f.
36 Zu den jüngeren Apokalypsen insgesamt vgl. *C. Colpe*, Art. ὁ υἱὸς τοῦ ἀνθρώπου, 429-433; *U.B. Müller*, Messias, 107-155; *K. Müller*, Menschensohn und Messias I, 179-187; II, 52-58 und *S. Kim*, Son of Man 20-26, speziell zu 4Esr 13,1-51 *H. Bietenhard*,

Da sich für alle diese Texte keine Abhängigkeit von den Bilderreden, sondern allein von Dan 7 nachweisen läßt, ist jener Tatbestand auffällig, aber nicht erstaunlich. Denn zur Individualisierung der Menschensohngestalt kommt es überall aufgrund ihrer Identifikation mit dem Messias. Mit anderen Worten: Ein Interesse am Menschensohn als solchem ist nirgendwo nachweisbar. Vielmehr ist es der Messias, der jetzt unter anderem mit Hilfe der Menschensohnterminologie aus Dan 7 beschrieben wird, ohne daß die dortige Menschensohnkonzeption darüber hinaus auch sachlich aufgegriffen oder gar expliziert wäre. In seiner inhaltlichen Abfolge spielt Dan 7 keine Rolle. Eben dieser Tatbestand ergab sich bereits für die Bilderreden selbst, so daß man festhalten muß: /

Eine explizite Menschensohndogmatik als eine eigenständige Konzeption ist der jüdischen Theologie im tiefsten fremd. Man kann im Grunde lediglich von einer auf Dan 7,13f aufbauenden Menschensohnexegese sprechen[37].

Betreffs meiner Arbeit erübrigt es sich, auf diese jüngeren Schriften, in denen vom Menschensohn die Rede ist, näher einzugehen. Sie alle sind ausnahmslos so spät nach Jesus entstanden – frühestens unmittelbar im Anschluß an die Katastrophe des Jahres 70, wahrscheinlicher aber erst um die Jahrhundertwende –, daß sie ihn nicht beeinflußt haben können; dies gilt auch für die dort verarbeiteten und damit älteren Traditionen[38].

Menschensohn, 327–332.338 und *C.C. Caragounis,* Son of Man, 119–131, zur rabbinischen Literatur *K. Müller,* Menschensohn und Messias II, 57.59–65; *H. Bietenhard,* Menschensohn, 332–337 und *C.C. Caragounis,* Son of Man, 131–136.

37   Vgl. dazu ausführlich *R. Leivestad,* Menschensohn, 49–105 und *ders.,* Exit, 243–267, ferner *M. Müller,* Ausdruck, 66f mit Anm. 3.

38   Aus diesem Grund scheidet von vornherein auch der singuläre Beleg Test Abr A 13 aus, auf den mich *Friedrich Lang* aufmerksam machte (mündlich am 15.11.1978). Dort wird Abel, der Sohn Adams, mit dem Menschensohn identifiziert und erscheint als eschatologische Richtergestalt. Für diese Rolle ist er in der Tat prädestiniert. Er ist ausdrücklich von Gott selbst als gerecht erwiesen, denn dieser sah sein Opfer gnädig an (Gen 4,4), außerdem ist er Märtyrer, d.h. er partizipiert auch insofern am ganzen Menschsein, als er – anders als z.B. Henoch – den Tod durchlitten hat. Da das Judentum eine solche eschatologische Gestalt im Rahmen des Urzeit-Endzeit-Schemas mit Vorliebe in der Urzeit sucht, bietet sich Abel wie kaum ein anderer an. Er erfüllt alle Bedingungen eines gerechten Richters, zudem ist er im wahrsten Sinne des Wortes בֶּן־אָדָם.

Für diese Herleitung des Menschensohns gibt es im Judentum jedoch keine Parallele, und man wird schlecht argumentieren können, hier sei ältere Tradition aufgegriffen, denn in Rezension B 11, der älteren Parallelstelle zu Rezension A 13, ist von Abel als Menschensohn keine Rede. Wenn es also darum geht, den traditionsgeschichtlichen Hintergrund der jesuanischen Selbstbezeichnung Menschensohn zu erhellen, kommt Test Abr A 13 bereits aufgrund seines Alters nicht in Betracht. Zudem scheitert dieser Deutungsversuch letztlich auch aus philologischen Gründen, denn Abel ist zwar בֶּן־אָדָם, nicht jedoch בַּר אֱנָשָׁא. Das heißt: Wenn Jesus von sich als בַּר אֱנָשָׁא sprach, lag eine Assoziation zum בֶּן־אָדָם Abel nicht vor.

Zweiter Hauptteil

Die synoptische
Menschensohnüberlieferung

A
Die Logien von der zukünftigen Hoheit des Menschensohns

I. Einleitung

Bevor ich die Logien von der zukünftigen Hoheit des Menschensohns, deren Authentie ernsthaft in Frage kommt, im einzelnen untersuche, möchte ich gleich zu Anfang jene sechs ausscheiden, die sich mit hoher Wahrscheinlichkeit als nachösterliche Bildungen zu erkennen geben: Mt 13,41; Mt 16,28; Mt 24,44 par Lk 12,40; Mt 25,31; Lk 18,8b und Lk 21,36.

Mt 13,41 und 25,31 erwiesen sich bereits im Zusammenhang der Untersuchung der alttestamentlich-jüdischen Menschensohnüberlieferung als Produkte der nachösterlichen Gemeinde[1].

In Mt 16,28 hat Matthäus den Menschensohn sekundär in seine Vorlage Mk 9,1 eingetragen[2].

Mit Mt 24,44 par Lk 12,40 erhält das voranstehende und wohl authentische kleine Gleichnis vom nächtlichen Einbrecher (Mt 24,43 par Lk 12,39) eine sekundäre Ausweitung und »wird von der Urkirche auf ihre veränderte Situation bezogen, die durch das Ausbleiben der Parusie gekennzeichnet ist, und erhält dadurch einen etwas anderen Akzent«: Das ursprüngliche Krisisgleichnis, »der Weckruf an die Menge wird zur Mahnung an die Gemeinde und ihre Führer; die Ankündigung der bevorstehenden Katastrophe wird zur Weisung für das Verhalten angesichts der sich verzögernden Parusie; mit Hilfe allegorischer Deutung erhält das Gleichnis eine christologische Spitze«. Der Einbrecher wird zu einem Bild für den Menschensohn, d.h. für den in Kürze zu Heil und Gericht wiederkommenden Jesus[3].

Mit Lk 18,8b beschließt Lukas in eigener Formulierung das Gleichnis vom ungerechten Richter. In Übereinstimmung mit dem ebenso lukanischen Einleitungsvers 1 fordert er die Christen zur Wachsamkeit auf. Er empfiehlt ihnen, immer wieder zu überprüfen, ob sie noch den wahren

---

1 S. oben S. 47 mit Anm. 33.

2 Vgl. *E. Gräßer*, Parusieverzögerung, 131; *C. Colpe*, Art. ὁ υἱὸς τοῦ ἀνθρώπου, 444, Anm. 297; 463; *E. Schweizer*, Matthäus, 226; *A.J.B. Higgins*, Son of Man, 106 und *J. Gnilka*, Matthäus II, 86.

3 Vgl. *J. Jeremias*, Gleichnisse, 45–47 (Zitate 47); *C. Colpe*, Art. ὁ υἱὸς τοῦ ἀνθρώπου, *E. Schweizer*, Matthäus, 301f; *H. Schürmann*, Beobachtungen, 169f; *A.J.B. Higgins*, Jesus, 141 und *G. Schwarz*, Menschensohn, 127–131.

Glauben besitzen, jene Treue, die allein vor dem Menschensohn Bestand hat[4].

Lk 21,36 schließlich, der Schlußvers der Perikope Lk 21,34–36, mit der der Evangelist anstelle von Mk 13,33–37 seine apokalyptische Rede beendet, gibt sich ebenso als lukanische Bildung zu erkennen. Lukas hat ihn auf dem Hintergrund der Parusieverzögerung in der paränetischen Absicht geschaffen, die Christen in der Zeit zwischen Auferstehung und Parusie Jesu zu anhaltender Wachsamkeit aufzurufen, um in der Tat vor dem Menschensohn bestehen zu können, wenn er kommt[5].

II. Die Menschensohnlogien des eschatologischen Abschnitts Lk 17,20–37 par (Lk 17,22; Lk 17,24 par Mt 24,27; Lk 17,26f.30 par Mt 24,37–39)

1. Vorfragen

Alles Interesse der folgenden Untersuchung richtet sich auf die Menschensohnlogien der eschatologischen Rede; anderweitige Fragen spielen nur insofern eine Rolle, als sie zu deren Verständnis von unmittelbarer Bedeutung sind. So übergehe ich die V. 31–37 mit Ausnahme des V. 37b, der womöglich ursprünglich hinter V. 24 stand, wie die matthäische Parallele vermuten läßt, von vornherein.

Für die sachgemäße Exegese der einzelnen Menschensohnlogien ist es jedoch notwendig, sich über die Quellenzugehörigkeit der Verse insgesamt im klaren zu sein. Denn nur so ist eine Entscheidung darüber möglich, ob die Menschensohnworte als ursprünglich isoliert tradierte Einzellogien zu verstehen sind oder mit ihrem jeweiligen Kontext eine nicht auflösbare Einheit bilden. Ein vorläufiger Überblick ergibt folgenden Befund: Q-Tradition liegt vor in den V. 24, 26f, 30 und 37b, lukanisches Sondergut in den V. 20f[6], 22 und 28f[7]. In V. 25 wiederum, den der Evangelist

---

4 Vgl. *H.E. Tödt*, Menschensohn, 92f; *G. Schneider*, Parusiegleichnisse, 75f; *ders.*, Menschensohn, 277; *J. Ernst*, Lukas, 492.294f; *H. Zimmermann*, Gleichnis, 79–81.92–94 und *H. Binder*, Gleichnis, 22–25.

5 Vgl. *H.E. Tödt*, Menschensohn, 90f; *E. Schweizer*, Menschensohn, 63 und *G. Schneider*, Menschensohn, 269f.

6 V. 20a, die einleitende Rahmenbemerkung, die Situation und Thema angibt, geht in ihrer heutigen Formulierung auf Lukas selbst zurück. Mit dieser allgemein anerkannten Beurteilung ist jedoch nicht bestritten, daß tatsächlich Pharisäer mit einer Frage nach dem Kommen der Gottesherrschaft die folgende Antwort Jesu auslösten. In den V. 20b–21 liegt vorlukanische Tradition vor: (a) Obwohl sich οὐκ in V. 20b auf μετὰ παρατηρήσεως bezieht, steht es *vor* ἔρχεται. Diese typisch semitische Konstruktion verweist auf eine semitische Vorlage. (b) Der Terminus παρατήρησις ist Hapaxlegomenon im Neuen Testament, also Lukas eher vorgegeben. (c) Als Semitismus gibt sich ἰδού ohne die Kopula ἐστίν zu erkennen. (d) Ganz unlukanisch ist die Wendung ἐντὸς ὑμῶν, weil Lukas,

aus Mk 8,31 par Lk 9,22 übernahm und zwischen V. 24 und V. 26 einfügte[8], findet sich markinische Tradition. Hingegen kann die Quellenzugehörigkeit des V. 23 nur aufgrund einer ausführlichen Einzeluntersuchung bestimmt werden. Diese zu erkennen ist jedoch speziell im Blick auf das Menschensohnwort V. 24 wichtig. Denn bildet V. 23 die lukanische Parallele zu Mt 24,26, liegt Q-Tradition vor und die V. 23f sind als Einheit konzipiert. Stellt V. 23 hingegen die Parallele zu Mt 24,23 par Mk 13,21 dar, hat man es mit markinischer Überlieferung zu tun, was wiederum beinhaltet, daß die Q-Tradition erst mit V. 24 beginnt, dieser somit als ursprüngliches Einzellogion anzusehen ist. Wenn deshalb zunächst die Quellenzugehörigkeit des V. 23 überprüft werden soll, ist außerdem dessen große Ähnlichkeit mit Lk 17,21a zu beachten.

Seit Rudolf Bultmann ist die Parallelität von Lk 17,23 und Mt 24,26 nahezu unbestritten[9]; Lk 17,23 par Mt 24,26 gilt als Q-Dublette zu Mk 13,21 par Mt 24,23 par Lk 17,21a.
Die Argumente sind folgende:
a)   Lk 17,23 und Mt 24,26 lesen je zweimal ἰδού, Mk 13,21 zweimal ἴδε.
b)   Lk 17,23 nennt zwei Verbote (μὴ ἀπέλθητε, μηδὲ διώξητε), ebenso Mt 24,26 (μὴ ἐξέλθητε, μὴ πιστεύσητε), Mk 13,21 hingegen nur eins (μὴ πιστεύετε).
c)   Die lukanische Parallele zu Mk 13,21 ist Lk 17,21a.
d)   Dem Plural ἐροῦσιν in Lk 17,23 entspricht der Plural εἴπωσιν in Mt 24,26, während Mk 13,21 den Singular εἴπῃ aufweist.
e)   In Lk 17,23 entspricht die Reihenfolge ἐκεῖ – ὧδε sachlich genau ἐν τῇ ἐρήμῳ – ἐν τοῖς ταμείοις in Mt 24,26. Lk 17,21a und Mk 13,21 notieren umgekehrt ὧδε – ἐκεῖ.

---

wenn es um das Kommen der Gottesherrschaft geht, andere Vokabeln bevorzugt, z.B. ἐγγίζειν. Statt ἐντός hätte er ἐν μέσῳ mit folgendem Genitiv notiert (vgl. *J. Zmijewski,* Eschatologiereden, 386).
In der exegetischen Forschung beurteilen vor allem *A. Strobel,* Passa-Erwartung, 164–171.176–180 und *D. Lührmann,* Redaktion, 72–75 Jesu Antwort in den V. 20b–21 insgesamt als lukanische Bildung. Die immer wiederkehrenden diesbezüglichen Argumente hat jedoch bereits *N. Perrin,* Jesus, 69–77.223f, der zu Recht ein ursprünglich aramäisch konzipiertes Logion voraussetzt, kritisch gesichtet. Dabei gelangt er zu dem Schluß: »Es gibt also eigentlich keine stichhaltigen Gründe gegen seine Echtheit, und tatsächlich besteht in der historischen Forschung ein weiterer Konsensus darüber, daß es ein echtes Jesuswort ist« (75). Dieses Urteil wird bestätigt von *J. Jeremias,* Theologie, 103f und *J. Zmijewski,* Eschatologiereden, 384–387.390, vor allem jedoch von *W. Grimm,* Jesus, 70–90 (vgl. ferner noch *H. Binder,* Gleichnis, 59). Meines Erachtens liegt allerdings nur in den V. 20b.21b authentische Jesustradition vor, während V. 21a von Haus aus einem anderen Zusammenhang zugehört (vgl. auch *J. Zmijewski,* Eschatologiereden, 385f und *H. Binder,* Gleichnis, 41–43), aus dem auch Mk 13,21 par hervorging.
  7   S. unten Anm. 51.
  8   S. unten S. 258f.
  9   Vgl. *R. Bultmann,* Geschichte, 128. Anders *D. Lührmann,* Redaktion, 72.

f)   Matthäus bietet in V. 23 und V. 26 zwei Warnungen vor Verführern.
Die erste steht parallel zu Mk 13,21, die zweite wurde vom Evangelisten
nur deshalb nicht getilgt, weil er sie zusammen mit V. 27 in Q vorfand, wie
Lk 17,23f beweist.

Alle genannten Argumente erweisen sich als nicht haltbar:
So scheidet zunächst a) aus, denn ἰδού ist ein ausgesprochenes lukanisches wie matthäisches Vorzugswort. Lukas fügt es immer wieder in die
ihm vorgegebene Tradition ein[10], während er umgekehrt durch Markus
überkommenes ἴδε an keiner Stelle übernimmt. Desgleichen Matthäus,
der das markinische ἴδε entweder ersatzlos streicht oder es durch ἰδού ersetzt; dies ohne jede Ausnahme[11]. Dagegen erscheint ἰδού in Q nur fünf-
mal[12], so daß es die ihm auferlegte Beweislast kaum tragen kann. Das
Vorkommen von ἰδού ist also kein Hinweis auf vorliegende Q-Tradition,
sondern umgekehrt auf die Redaktionsarbeit des Matthäus und erst recht
des Lukas. Zudem ist ἰδού in Lk 17,23 aus Lk 17,21a übernommen, wie
unten zu zeigen ist.

Ebensowenig sollte man b) anführen, da ἀπέλθητε μηδέ (Lk 17,23) gerade in ältesten und besten Handschriften fehlt[13] und vermutlich eine
Glosse darstellt. Nennt Lk 17,23 jedoch ursprünglich nur ein Verbot,
liegt eine Parallele zu Mk 13,21 vor, nicht aber zu Mt 24,26. Doch selbst
wenn ἀπέλθητε μηδέ zum ältesten Textbestand hingehörte, stünden
beide Verbote im Anschluß an ἰδοὺ ἐκεῖ, [ἤ ·] ἰδοὺ ὧδε direkt hintereinander am Ende des Verses, während Mt 24,26 das erste Verbot bereits
hinter ἰδοὺ ἐν τῇ ἐρήμῳ ἐστίν und das zweite hinter ἰδοὺ ἐν τοῖς
ταμείοις notiert. Zudem ist bei Matthäus anders von μὴ ἐξέλθητε und μὴ
πιστεύσητε die Rede.

Argument c) will sagen: Weil bereits Lk 17,21a die lukanische Parallele
zu Mk 13,21 par Mt 24,23 darstellt, kann Lk 17,23 nur zu Mt 24,26 in
Parallele stehen. Hier ist das Verhältnis von Lk 17,21a und 23 jedoch ver-
kannt, denn es ist kaum zu bestreiten, daß beide Verse literarisch voneinander abhängig sind: Jeweils begegnet das futurische ἐροῦσιν, jeweils
ἰδού in Verbindung mit ὧδε und ἐκεῖ, dazu lauten beide sachlich gleich.
Umgekehrt fallen vier formale Unterschiede auf: V. 21a entbietet im Anschluß an V. 20b eine negative Aussage, während V. 23a positiv formuliert; die Reihenfolge ὧδε – ἐκεῖ ist in V. 23 vertauscht; statt ἰδού . . . ἤ
liest V. 23 zweimal ἰδού; V. 21a ist allgemeiner gehalten als V. 23, der mit

---

10   Lukas hat ἰδού allein 14mal sekundär in seine markinische Vorlage eingetragen (Lk
5,12.18; 8,41; 9.30.38.39; 10,25; 13,30; 17,23; 22,10.21.47; 23,50 und 24,4), dazu 2mal
gegenüber Matthäus in vorgegebene Q-Tradition (Lk 6,33 und 19,20).
11   Ausgelassen in Mt 21,20; 24,1; 27,13.47 und 28,6, ersetzt in Mt 12,2.49 und 24,23.
12   Vgl. Mt 10,16 par Lk 10,3; Mt 11,8.10.19 par Lk 7,25.27.34 und Mt 23,38 par Lk
13,35.
13   Vgl. P[75] f[13] B sa.

ὑμῖν die Jünger direkt anspricht. Aus diesem Sachverhalt schließt Josef Zmijewski, V. 21a sei eine sekundäre Fassung des V. 23, der seinerseits auf Q zurückginge[14]. Nachweislich sind hier jedoch Ursache und Wirkung verwechselt. Zwar stellt der eine Vers in der Tat die sekundäre Fassung des anderen dar, doch kann nur V. 23 aus V. 21a heraus entstanden sein: Erstens hat Lukas die allgemeinere Fassung aus V. 21a in V. 23 durch ὑμῖν präzisiert und konkret auf die Jünger bezogen, womit die Priorität des V. 21a wahrscheinlicher ist. Zweitens spricht der auf eine semitische Vorlage hinweisende und nur im Griechischen schwerfällige Anschluß des V. 21a an V. 20b – negativ an die ebenfalls negative Antwort in V. 20b angeschlossen – für die Ursprünglichkeit des V. 21a gegenüber der positiven und griechisch glatten Konstruktion in V. 23[15]. Drittens darf man keinesfalls die Reihenfolge ἐκεῖ – ὧδε für die Priorität des V. 23 geltend machen mit der Begründung, die umgekehrte Reihenfolge in V. 21a sei unter dem Einfluß von Mk 13,21 entstanden. Denn in allen mir bekannten Sprachen ist die Voranstellung von ὧδε vor ἐκεῖ zunächst einmal üblich; immer heißt es »hier und dort«, nicht »dort und hier«. Wenn Lukas nun gern, um bloße Wiederholungen zu vermeiden, zwei gleichlautende Gedanken sprachlich variiert[16], dann hat er in V. 23 umgestellt; V. 23 ist also aus V. 21a entstanden. Eben dies zeigt viertens auch die philologische Beobachtung, daß ἰδού . . . ἤ älter und ursprünglicher ist als ἰδού . . . ἰδού. Nicht nur, daß ἰδού . . . ἤ als Hapaxlegomenon seinen unlukanischen Charakter zur Genüge unter Beweis stellt, zudem ersetzt Lukas ἰδού nie durch einen anderen Terminus, während sich der umgekehrte Vorgang, wie deutlich wurde, häufig nachweisen läßt. Als Ergebnis bleibt nach alldem festzuhalten: Lk 17,23 stellt die jüngere, auf den Evangelisten zurückgehende Neufassung von Lk 17,21a dar[17]. V. 21a seinerseits war Lukas im Zusammenhang der Sondertradition Lk 17,20b–21 vorgegeben, ist also nicht einfach aus Mk 13,21 übernommen. Gleichwohl ist ein gemeinsamer traditionsgeschichtlicher Hintergrund von Mk 13,21 und Lk 17,21a durchaus wahrscheinlich, denn als authentisch-jesuanischen Kern der V. 20f nannte ich bereits die V. 20b und 21b, während V. 21a diesem Zusammenhang zwar vorlukanisch, aber dennoch sekundär zugefügt wurde.

Nach diesen Ausführungen bedarf es hinsichtlich d) und e) kaum noch vieler Worte: Der Plural ἐροῦσιν (Futur) in Lk 17,23 verweist nicht auf Mt 24,26 – dort steht außerdem εἴπωσιν (Aorist) –, sondern ist aus Lk

---

14 Vgl. *J. Zmijewski*, Eschatologiereden, 385.

15 Die zweimalige Negation οὐ . . . οὐδέ in den V. 20b.21a entspricht dem hebräischen לֹא . . . לֹא bzw. dem aramäischen וְלָא . . . לָא, die einfache Reihung der Aussagen dem semitischen Satzbau.

16 Vgl. *J. Zmijewski*, Eschatologiereden, 369, Anm. 39.

17 Zur Funktion des (der) V. (22–)23 innerhalb der lukanischen Komposition s. unten S. 59.

17,21a übernommen. Ebenso hat Lukas die Reihenfolge ἐκεῖ - ὧδε in V.
23 gegenüber ὧδε - ἐκεῖ in V. 21a aus stilistischen Gründen geändert.
Doch nicht nur von daher ist die postulierte Parallelität zu Mt 24,26 auszuschließen, auch müßte erst noch nachgewiesen werden, daß einerseits
ἔρημος in Entsprechung zu ἐκεῖ die »Ferne« bezeichnet und andererseits
ταμεῖον in Entsprechung zu ὧδε die »Nähe«. Ist schon ersteres nicht
belegt, so bezeichnet ταμεῖον - wie auch die ältere unkontrahierte Form
ταμεῖον - ebensowenig die unmittelbare Nähe im Sinne von »hier«,
sondern, den »geheimen, versteckten Raum« im Sinne von »irgendwo«.
Denn ταμεῖον - und wiederum entsprechend ταμιεῖον - hat neben
der engeren Bedeutung »Vorratskammer« die allgemeinere »innerster
Raum« im Sinne von »Versteck«, »geheimer Ort«[18]. Der Begriff zielt somit nicht im Gegensatz zur entfernten Wüste auf die lokale Nähe, sondern steht hier in der Bedeutung: Er (der Messias) hält sich irgendwo
versteckt.

Damit bin ich im Grunde längst bei f): Redet Matthäus in Mt 24,26 wirklich von einer zweiten, mit jener ersten in Mt 24,23 letztlich gleichlautenden und inhaltlich identischen Verführerwarnung, die er lediglich beibehalten hat, weil sie die Q-Variante zu Mk 13,21 par Mt 24,23 darstellt?
Nachdem sich Lk 17,23 als sekundäre lukanische Bildung erwies, ist diese
Erklärung abgewiesen. Denn jetzt ist Mt 24,26 zwangsläufig als matthäische Sondertradition anzusehen, was wiederum bedeutet, daß Matthäus
das Logion aus einem anderen als dem immer wieder genannten Grund
überliefert haben muß. Den exegetischen Schlüssel zu seinem rechten
Verständnis liefern die Termini ἔρημος und ταμεῖον. Beide Begriffe um-
schreiben nämlich zwei der zeitgeschichtlich vorherrschenden und aktu-
ellsten Formen jüdischer Messiaserwartung: die des Messias aus der Wüste[19] und die des unerkannten, verborgenen Messias[20]. Mt 24,26 ist somit

18   Vgl. *W. Bauer*, Wörterbuch, 1602f, dazu innerhalb der Jesustradition bes. Lk 12,2f.

19   Vor allem im Anschluß an die hoseanische Wüstentypologie (Hos 2,16 und 12,10)
entwickelte sich im nachalttestamentlichen Judentum die Vorstellung von der Wüste als
dem Ort des Heils (vgl. *G. Kittel*, Art. ἔρημος, 655f und *O. Böcher*, Art. ἔρημος, 1442, zur
Bedeutung der Wüstentradition allgemein *W.R. Farmer*, Maccabees, 116-121 und *M.
Hengel*, Zeloten, 255-261). In Verbindung mit der entscheidenden Stelle Jes 40,3 führte
dies dazu, daß man das eschatologische Heil aus der Wüste kommend erwartete. Neben
(hier weniger wichtigen) rabbinischen Belegen wie RutR 2,14 (132b); bPes 49b und QohR
1,9 (9b) (zitiert bei *Bill.* I 86f bzw. II 284f) zeigen dies die Qumrangemeinde, die ja gerade
mit dem Ziel der eschatologischen Wegbereitung Gottes bzw. des Messias (der beiden
Messiasse) in die Wüste zog (1QS 8,13f und 9,19f) sowie Johannes der Täufer, der aus
dem gleichen Grund in der Wüste wirkte (Mk 1,2-5 par; Mt 11,7-14 par und JosAnt
18,116-119), ferner der Eremit Bannus (JosVit 11) und laut MartJes 2,8-11 einige Propheten. Vor allem sind aber auch jene revolutionär-messianisch ausgerichteten Bewegungen zu nennen, die auf die Wüste ausgerichtet waren, weil sie von dort das messianische
Heil erwarteten. Die wichtigsten dieser Bewegungen, von denen wir meist durch Josephus
wissen, sind folgende: »Goeten« traten in Jerusalem auf und forderten dazu auf, mit ihnen
in die Wüste zu ziehen, um die messianischen Zeichen und Wunder mitzuerleben (JosAnt

keineswegs einfach bloße Wiederholung dessen, was in V. 23 längst gesagt ist, sondern im Gegenteil der Höhepunkt, die Klimax der matthäischen Verführerwarnung. Sinngemäß betont Matthäus in den V. 23–26: Laßt euch in der kommenden Notzeit nicht irreführen! Nicht von denen, die den Messias gesehen haben wollen (V. 23), und nicht von Pseudopropheten sowie -messiassen, die σημεῖα μεγάλη καὶ τέρατα vollbringen, um die Glaubenden irrezuführen (V. 24f). Selbst wenn Messiasprätendenten auftreten, die der traditionellen Messiaserwartung entsprechen und sich zu ihrer Legitimation auf die Schriften berufen – glaubt ihnen nicht (V. 26).

Ist Lk 17,23 damit endgültig als lukanische Bildung im Anschluß an V. 21a abgesichert, so folgt daraus im Blick auf V. 24: Das Menschensohnlogion erweist sich als eine gegenüber V. 23 ursprünglich selbständige Tradition.

Um Lk 17,24 auch nach vorn sachgemäß abzugrenzen, bleibt noch zu fragen, ob V. 37b (par Mt 24,28) in Q ursprünglich direkt hinter dem Menschensohnwort stand, wie Matthäus vermuten läßt, oder ob dieses Sprichwort am Ende des eschatologischen Abschnitts seinen Ort hat, wie Lukas bezeugt.

Die Differenzen zwischen der matthäischen und der lukanischen Fassung des Logions sind nicht sehr groß, so daß sich ὅπου τὸ πτῶμα, ἐκεῖ ἐπισυναχθήσονται οἱ ἀετοί als ältester Text nahelegt[21]. Bei Lukas ist er in V. 37a

---

20,168 und entsprechend JosBell 2,259f, vgl. ferner 4Esr 13,50: »Dann wird er [sc. der Messias] ihnen noch viele große Wunder zeigen«). Mit der gleichen Absicht führte der Weber Jonathan die Juden aus Kyrenaika in die Wüste (JosBell 7,437f). Auch sammelte »der Ägypter« in der Wüste Anhänger um sich, um dann mit ihnen zum Ölberg zu ziehen, wo er per messianischem Zeichen das Jerichowunder überbieten wollte, indem er vorgab, die Mauern Jerusalems zum Einsturz zu bringen (JosBell 2,161–163, vgl. Apg 21,38). Schließlich sei auch auf JosBell 6,351f verwiesen, obwohl dort nicht im eigentlichen Sinn von einer messianischen Bewegung die Rede ist: Als der Tempel in Flammen aufging, baten die Juden um freien Abzug mit Frauen und Kindern in die Wüste; die Stadt wollten sie ohne weiteres den Römern überlassen. Der unausgesprochene Sinn dieser Bitte ist der, daß man sich Gott in der Wüste besonders nahe weiß, denn von dort würde ja der Messias kommen. Von daher ist ebenso Offb 12,6.14 zu verstehen: Die Frau – sie steht im Bild für die Gemeinde des Messias – flieht in die Wüste, den Ort der Geborgenheit und der besonderen Nähe Gottes. Dort wartet sie auf das Kommen des Messias, hier: auf die Wiederkunft Jesu. Zu den revolutionär-messianischen Bewegungen der damaligen Zeit insgesamt vgl. die unten Anm. 84 genannte Literatur.

20 S. ausführlich unten S. 70–79.

21 πτῶμα und σῶμα sind Übersetzungsvarianten von פִּגְרָא; als die vulgärere Variante dürfte πτῶμα ursprünglich sein. Entsprechend ist mit ἀετός wie in Lev 11,13 und Dtn 14,12 der Aasgeier gemeint, der über den Leichnam herfällt, während der Adler lebende Beute jagt. Insofern wäre das griechische γύψ der bessere Ausdruck, da das aramäische נִשְׁרָא beides meint: γύψ und ἀετός (vgl. *J. Jeremias*, Gleichnisse, 162, Anm. 6). Weil man somit eine aramäische Vorlage voraussetzen darf, wird das lukanische ὅπου ursprüng-

mit einem Einleitungssatz versehen, wobei sehr auffällig ist, daß der
Evangelist in V. 37a das Präsens historicum benutzt, das er sonst nahezu
nie verwendet, selbst dann nicht, wenn er es in einer Vorlage vorfindet[22].
Diese Tatsache ist um so bemerkenswerter, da sofort anschließend der
Aorist εἶπεν steht. Zudem ist die Konstruktion λέγειν mit Dativ für Lukas
ungewöhnlich, denn er selbst notiert sonst λέγειν πρός mit Akkusativ[23].
Trotz des bei ihm häufigen κύριε ist es daher methodisch unstatthaft, den
Einleitungssatz V. 37a dem Evangelisten zuzuschreiben[24], der hier vielmehr Tradition aufgreift. Die Einleitung V. 37a erweist sich zugleich als
gewichtiges Indiz für die Priorität des lukanischen Zusammenhangs.
Inhaltliche Gesichtspunkte verifizieren diese Vermutung, denn als Droh-
wort stellt V. 37b das ursprüngliche Abschlußlogion der eschatologischen Rede dar und besagt: Dem Gericht des Menschensohns entgeht
niemand, so wenig, wie dem Aasgeier der Leichnam entgeht. Daß die lukanische Stellung die richtige ist, wird auch dadurch deutlich, daß in V. 37
das Unverständnis der Jünger unzweideutig erhalten ist und in keiner
Weise beschönigt wird. Mit ihrer Frage ποῦ, κύριε; zeigen sie nämlich,
daß sie das Voranstehende letztlich nicht verstanden haben.
Indem Matthäus sekundär umstellt, tilgt er das ihm ärgerliche Jüngerunverständnis und interpretiert das Sprichwort gleichzeitig im Sinne seiner
eigenen Auslegung des Menschensohnlogions Mt 24,27 par Lk 17,24 so:
».. . so gewiß, wie das Aas von den Geiern erspäht wird, wird der Messias
von allen geschaut.«[25]
Im Blick auf Lk 17,24 par Mt 24,27 ergibt sich damit folgendes Fazit:
Das Menschensohnwort ist losgelöst von seinem heutigen Kontext als
ursprünglich selbständiges Einzellogion zu interpretieren.

2. Lk 17,22

Betreffs Lk 17,22 bedarf es im Rahmen dieser Untersuchung kaum vieler
Worte. Zwar ist man sich in der Forschung nicht einig darüber, ob mit den
»Tagen des Menschensohns«, die die Jünger zu sehen wünschen, die Zeit
der irdischen Gegenwart Jesu[26] oder die Zeit nach dem Kommen des

---

licher sein als das matthäische ὅπου ἐὰν ᾖ, während umgekehrt der matthäischen Voranstellung des Verbs Priorität zukommt. Lukas scheint mit dem selteneren ἐπισυνάγειν den
besseren Text bewahrt zu haben gegenüber dem sachlich gleichen, von Matthäus bevor-
zugten συνάγειν.

22 92mal ändert Lukas ein vorgegebenes Präsens historicum ab. Nur in Lk 8,49 (par
Mk 5,35) und hier behält er es bei (vgl. *F. Rehkopf,* Sonderquelle, 99).

23 Vgl. *J. Jeremias,* Sprache, 33.

24 So fälschlich *J. Zmijewski,* Eschatologiereden, 507f. Richtig hingegen *J. Jeremias,*
Sprache, 270.

25 *J. Schniewind,* Matthäus, 242.

26 Vgl. *H. Conzelmann,* Mitte, 96, Anm. 3; *F. Hahn,* Hoheitstitel, 37, Anm. 4; *R.
Maddox,* Function, 51 und *C. Colpe,* Art. ὁ υἱὸς τοῦ ἀνθρώπου, 461, Anm. 396.

Menschensohns[27] gemeint ist. Es besteht jedoch Einigkeit darüber, daß das Logion nicht auf Jesus selbst zurückgeht, sondern eine nachösterliche Bildung darstellt[28].

Mit den V. 22f verknüpft Lukas die unterschiedlichen Traditionen Lk 17,20f und 24–30: Damals wie jetzt ist die Gemeinde von der gleichen Gefahr bedroht: Sie will genau wissen, wann die Gottesherrschaft bzw. der Menschensohn kommt. Dabei soll sie sich doch allein auf Jesus und seine Verheißung verlassen. Hatte bereits Jesus diese Frage ab- und auf seine Person hingewiesen, in deren Gegenwart sich die Gottesherrschaft proleptisch vorwegereignet (V. 20f), so gilt dies auch in der jetzigen notvollen Situation der Gemeinde, in der Jesus nicht mehr sichtbar anwesend ist, man sich aber nach sichtbaren Zeichen für den baldigen Anbruch der vollendeten Gottesherrschaft sehnt. Nun gilt es, weder im nostalgischen Sinn zurückzuschauen auf die Tage des irdischen Jesus bzw. von der Zukunft des Menschensohns zu träumen (V. 22) noch auf falsche Propheten zu vertrauen, die ihn hier und dort gesehen haben wollen (V. 23), sondern im Glauben an Jesu Wort und in der rechten ethischen Haltung auszuharren, bis der Menschensohn tatsächlich kommt. Denn wenn er kommt, kommt er für alle sichtbar, ohne daß man nach ihm suchen muß (V. 24–30). Lukas ruft seine Gemeinde zur wahren eschatologischen Haltung auf und verweist dabei auf das Vorbild Jesu selbst (V. 25): Wie bei ihm geht auch jetzt das Leiden der Vollendung notwendig voraus.

3. Lk 17,24 par Mt 24,27

Matthäus versteht das Logion als Aussage über die Parusie des Menschensohns. Dies geht aus dem Nominativ ἡ παρουσία hervor, der den Menschensohn in den Genitiv drängt und zu der für Matthäus typischen Redeweise ἡ παρουσία τοῦ υἱοῦ τοῦ ἀνθρώπου führt[29]. In der griechischsprachigen Urkirche ist παρουσία Terminus technicus für das Kommen Jesu, das als »Wiederkunft« gedeutet wird; ein semitisches Äquivalent ist bislang nicht nachgewiesen. Matthäus trägt diesen Begriff redaktionell in seine eschatologische Rede ein. Wie der Blitz für alle sichtbar ist, so wird auch die Parusie des Menschensohns für alle sichtbar erfolgen. Der Christus kommt nicht verborgen (V. 26: ἐν τοῖς ταμείοις), sondern allen so deutlich sichtbar wie dem Aasgeier der Leichnam (V. 28).

Anders Lukas, bei dem weniger das Parusiemotiv als solches im Blick ist. Er interpretiert das Logion vielmehr als Aussage über den Menschen-

---

27 Vgl. *W.G. Kümmel*, Verheißung, 23; *R. Schnackenburg*, Abschnitt, 234–237; *G. Schneider*, Menschensohn, 274f und *J. Ernst*, Lukas, 488.

28 Vgl. etwa *W.G. Kümmel*, Verheißung, 23; *C. Colpe*, Art. ὁ υἱὸς τοῦ ἀνθρώπου, 461, Anm. 396; *R. Schnackenburg*, Abschnitt, 234–237; *J. Zmijewski*, Eschatologiereden, 417–419 und *G. Schneider*, Menschensohn, 274f.

29 So in Mt 24,27.37.39. Der Terminus παρουσία, den Matthäus auch noch in Mt 24,3 notiert, ist sonst nirgendwo in den Evangelien belegt, hingegen weitere 20mal in der Briefliteratur des Neuen Testaments. Allein schon vom wortstatistischen Befund her erweist sich παρουσία, der Terminus technicus der urchristlichen Theologie für die »Wiederkunft« Jesu, als typisch hellenistischer Begriff, der bereits deshalb im Mund Jesu kaum vorstellbar ist, weil sich ein semitisches Äquivalent nicht aufzeigen läßt.

sohn in seiner Herrlichkeit[30]. Insofern verbleibt ὁ υἱὸς τοῦ ἀνθρώπου im Nominativ. Das lukanische Verständnis des Menschensohnwortes tritt mit dem Bild vom Blitz in V. 24a deutlich zutage, denn dieses wird bei Lukas auch sonst[31] dazu verwendet, die Herrlichkeit Jesu hervorzuheben[32]. Es geht ihm also nicht einfach darum, die Plötzlichkeit des Kommens des Menschensohns auszusagen, sondern um eine Aussage über den Menschensohn selbst.

Welches der beiden Motive erweist sich als das ursprünglichere? Zunächst zur Bildhälfte: Die lukanische Formulierung ἐκ τῆς . . . λάμπει stellt praktisch nichts anderes als eine Erläuterung zu ἡ ἀστραπὴ ἀστράπτουσα ohne weiterführende Komponente dar. Sie geht wohl auf das Konto des Lukas, denn diese Vorstellung ist, wie Apg 2,5 beweist, dem Evangelisten in ähnlicher Form auch anderweitig geläufig[33]. Aber auch »die figura etymologica ἀστραπὴ ἀστράπτουσα verrät eine Eigenart lukanischen Stils«[34], so daß Lukas ein vorgegebenes Bild von einem Blitz in eigener Formulierung sekundär ausgestaltet haben wird. Entsprechend ist in der neutestamentlichen Forschung das relativ höhere Alter der matthäischen Bildhälfte nicht umstritten[35].

Die dortige Wendung ἀπὸ ἀνατολῶν καὶ . . . δυσμῶν wiederum, in Mt 8,11 par Lk 13,29 ein weiteres Mal in der Q-Tradition belegt, wurde dort ohne weiteres von beiden Evangelisten übernommen. Wieso nicht auch hier? Die einfachste und beste Lösung ist immer noch die, daß Lukas sie in seiner Vorlage gar nicht erst vorfand, denn ein einsichtiger Grund zu ihrer Streichung ist nicht in Sicht. So ist umgekehrt damit zu rechnen, daß Matthäus sie sekundär in das Menschensohnlogion einfügte. Eine wenigstens indirekte Bestätigung erfährt diese These durch Mt 2,1, wo der Evangelist eine weitere ›Himmelserscheinung‹, nämlich den Stern, ebenfalls mit ἀπὸ ἀνατολῶν in Verbindung brachte. Bedenkt man zudem, daß in Mt 24,27a auch ἐξέρχεται ohne weiteres redaktionell eingetragen sein könnte, um ganz bewußt einen starken Kontrast zu μὴ ἐξέλθητε (V. 26) zu bilden, ferner, daß φαίνειν sowieso eine matthäische Vorzugswendung

---

30 Vgl. *J. Zmijewski*, Eschatologiereden, 405.

31 Das Substantiv ἀστραπή begegnet bei Lukas in Lk 10,18 (zur Bedeutung dieses für Jesu Selbstverständnis und speziell für sein eschatologisches Wissen wichtigen Logions sowie seiner Authentie vgl. *H. Merklein*, Jesu Botschaft, 60–62); 11,36 und 17,24, ansonsten im Neuen Testament nur noch 2mal bei Matthäus und 4mal in der Offenbarung des Johannes. Das Verb ἀστράπτειν kennt nur Lukas in Lk 17,24 und 24,4. Hinzu kommt noch das Hapaxlegomenon ἐξαστράπτειν in Lk 9,29 sowie περιάπτειν in Apg 9,3 und 22,6.

32 Vgl. Lk 9,29; 17,24; Apg 9,3 und 22,6. In Lk 24,4 ist entsprechend vom Glanz der beiden Engel, die die Auferstehung Jesu bezeugen, die Rede.

33 Vgl. *J. Zmijewski*, Eschatologiereden, 413.

34 *E. Jüngel*, Paulus, 253 (mit Verweis auf *A. von Harnack*, Sprüche, 74.82).

35 Vgl. *H.E. Tödt*, Menschensohn, 45; *F. Hahn*, Hoheitstitel, 36; *C. Colpe*, Art. ὁ υἱὸς τοῦ ἀνθρώπου, 435; *E. Jüngel*, Paulus, 253 und *J. Zmijewski*, Eschatologiereden, 413.

darstellt[36], dann ergibt sich folgerichtig: Auch die matthäische Bildhälfte geht weithin auf die gestaltende Hand des Evangelisten zurück. Damit verbleibt als bei Matthäus und Lukas gemeinsamer und so sicher auch ursprünglicher Wortlaut in Q[37] der schlichte Vergleich ὥσπερ ἡ ἀστραπή. Diese Grundaussage wurde von beiden Evangelisten jeweils verschieden redaktionell erweitert.

Bezüglich des zweiten Teils des Logions, der Sachhälfte, erwies sich die matthäische Fassung bereits als sekundär. Umgekehrt dürfte Lukas den ihm vorgegebenen Wortlaut korrekt übernommen haben, sofern man das schon vom handschriftlichen Befund her verdächtige ἐν τῇ ἡμέρᾳ αὐτοῦ als Glosse ausscheidet[38]. Die gemeinsame Q-Vorlage lautete somit:

ὥσπερ ἡ ἀστραπή, οὕτως ἔσται ὁ υἱὸς τοῦ ἀνθρώπου.

Die Rückübersetzung dieses Logions ins Aramäische führt zu folgendem Wortlaut[39]:

כְּמָה בַּרְקָא הָכֵין יְהֵוא בַּר אֱנָשָׁא

Der Nachsatz οὕτως ἔσται ὁ υἱὸς τοῦ ἀνθρώπου ist offenbar »eine formelhafte Redewendung . . ., mit der Jesus seine dem Menschensohn geltenden Vergleiche auf diesen bezog«[40]. Hier ist der Vergleichspunkt ἡ ἀστραπή. Dieses Bild steht gerade wegen seiner Knappheit verschiedenen Deutungen offen, wobei in der Forschung durchweg entweder das Motiv von der unerwarteten Plötzlichkeit des Blitzes[41] oder das seiner unzweideutigen Sichtbarkeit[42] hervorgehoben wird. Jeweils geht es, wie

36   13mal bei Matthäus, 2mal bei Markus, 2mal bei Lukas, 12mal im übrigen Neuen Testament.

37   Die das Menschensohnlogien mit dem Voranstehenden verknüpfende und darum wohl sekundäre Partikel γάρ bleibt dabei unberücksichtigt.

38   Die Wendung fehlt in P[75] B D it sa, sie wird gelesen von א A L R W Θ Ψ f[1.13] M lat sy bo. Vergleicht man die besten und ältesten Handschriften, so kommt man von der äußeren Bezeugung her zu einem Unentschieden. Weshalb jedoch sollte die Wendung sekundär ausgefallen sein? Stichhaltige Gründe lassen sich nicht vorbringen. Der umgekehrte Vorgang läßt sich hingegen plausibel erklären, denn ἡμέρα ist ein thematischer Leitbegriff innerhalb der Komposition Lk 17,20–37; 10mal ist er dort belegt. So wird man die Glosse ἐν τῇ ἡμέρᾳ αὐτοῦ in V. 24 als einen Versuch zu verstehen haben, das Logion fester in seinen heutigen Kontext einzubinden (vgl. *R. Kearns,* Traditionsgefüge, 9, Anm. 9; 52f [mit identischer Rekonstruktion des ursprünglichen Wortlauts des Nachsatzes] und *H. Binder,* Gleichnis, 33).

39   Ob das aramäische Original das ἔσται entsprechende יְהֵוא eigens notierte oder möglicherweise auch nicht, kann hier offenbleiben. Ersteres scheint mir wahrscheinlicher, doch auch im zweiten Fall gibt das futurische ἔσται die vorliegende Sachaussage exakt richtig wieder.

40   *E. Jüngel,* Paulus, 253.

41   Vgl. *R. Bultmann,* Geschichte, 128; *W.G. Kümmel,* Verheißung, 31; *H. Conzelmann,* Mitte, 115 und *A. Strobel,* Nacht, 18.

42   Vgl. *Bill.* I, 954; *A. Schlatter,* Matthäus, 709; *H.E. Tödt,* Menschensohn, 46 und *D. Lührmann,* Redaktion, 73.

ἔσται (יִהְוֶא) zeigt, um ein Ereignis der Zukunft, ohne daß man mit Matthäus gleich an die Parusie Jesu denken muß.

Welche Aussagen sind im Alten Testament und im Judentum mit dem Blitz verbunden? Im Alten Testament wird die Theophanie als Blitzphänomen dargestellt[43], so daß das Bild vom Blitz traditionell für den כְּבוֹד יְהוָה steht, die Erscheinungsform Jahwes vor Israel schlechthin[44]. Zum anderen ist der Blitz in syrBar 53,1.8–11 Bild für eine endzeitliche Erlöserfigur, die in syrBar 72,1f den Titel »der Gesalbte« trägt. In 53,9–11 nimmt der Blitz die ganze Erde in Besitz und herrscht über sie. Hier geht es um die Herrschaft des Messias, der bei seinem Erscheinen seine Herrschaft eindeutig sichtbar vor aller Welt aufrichtet[45]. Der Akzent liegt dabei auf der unzweideutigen Sichtbarkeit des Blitzes bzw. des Messias bei seinem Herrschaftsantritt und auf der sich allen aufdrängenden Sichtbarkeit seiner Macht. Das Bild vom Blitz ist also Bild für das sichtbare Erscheinen himmlischer Wirklichkeit, für das Sichtbarwerden eines Geschehens vom Himmel her[46].

Von hierher ist auch Lk 17,24 par nach seinem ursprünglichen Wortlaut zu verstehen, wenn jetzt der Menschensohn mit dem Bild vom Blitz zusammensteht. Auch er wird einst aller Welt in sich aufdrängender Sichtbarkeit offenbar, und dies nicht von sich aus, sondern von Gott her. Welches Ereignis mit jenem Handeln Gottes am Menschensohn konkret im Blick ist, ist an dieser Stelle noch nicht zu klären. Nur dies kann als wahrscheinlich gelten: Es geht nicht einfach um die Parusie des Menschensohns, wie sie Matthäus aus dem Logion herausliest; dafür fehlt schon das entsprechende traditionelle Vokabular. Lukas dagegen hat die ursprüngliche Aussage wohl richtig verstanden, nämlich als Aussage über den Menschensohn in seiner zukünftigen Herrlichkeit.

Damit bleibt abschließend die Frage zu beantworten, ob das Logion auf Jesus selbst zurückgeht. Es gibt keinen Grund, dies zu bezweifeln[47]. Formal entspricht das Bildwort in seiner knappen Art der Redeweise Jesu und verweist als Maschal auf die ipsissima vox des Mannes aus Naza-

43 Vgl. etwa Ex 24,17 und Ez 1,4.13.
44 Vgl. G. von Rad, Theologie I, 252–254.
45 Entsprechend wird auch in syrBar 72–74 die für alle unübersehbare Herrschaft des Messias in Gestalt des Gerichts an seinen Feinden, vor allem aber der Durchsetzung des Paradiesesfriedens sowie der Erfüllung des Tierfriedens aus Jes 11,6–8 beschrieben.
46 Vgl. ebenso Ps 97,4; WaR 31 (129b) (zitiert bei Bill. I, 954, Anm. 2); TanB בהעלותך § 7 (24b) (zitiert bei A. Schlatter, Matthäus, 709 [dort mit der Seitenzahl als Belegangabe: TanB בהעלותך 7.48]) und AgShir 6,10 (zitiert bei Bill. I, 954) sowie Mt 28,3.
47 Selbst Ph. Vielhauer, Gottesreich, 75f und ders., Jesus, 108–110 kann gegen die Authentie des Logions nur seine angeblich enge Zusammengehörigkeit mit Lk 17,23 anführen und plädiert allein aufgrund der in den V. 23f vorausgesetzten Identität von Messias und Menschensohn für eine Gemeindebildung.

reth[48]. Zudem ergibt sich mit בַּר אֱנָשָׁא - בַּרְקָא ein für Jesus charakteristisches Wortspiel[49]. Diese formalen Charakteristika unterstreichen die nur angedeutete und nicht weiter explizierte inhaltliche Aussage des Logions, das geheimnisvoll-rätselhaft von Jesu Zukunftserwartung handelt: von der Inthronisation des Menschensohns[50]. Das Logion, das weder aus der jüdischen noch aus der urchristlichen Tradition ableitbar ist, verweist auf den historischen Jesus.

4. Lk 17,26–27.30 par Mt 24,37–39

In der folgenden Untersuchung von Lk 17,26f.30 par setze ich voraus, daß in Lk 17,28f nicht Q-Tradition, vielmehr lukanisches Sondergut vorliegt[51]. Miteinander zu vergleichen ist daher lediglich die bei beiden Evangelisten gemeinsam vorhandene Textüberlieferung.

Bei gleicher Satzkonstruktion – jeweils folgt auf einen vergleichenden Vordersatz ein mit οὕτως ἔσται eingeleiteter Nachsatz, der vom Menschensohn handelt – weisen Matthäus und Lukas formale wie sachliche Differenzen auf. Wenig wichtig ist dabei der Unterschied zwischen ὥσπερ (Matthäus) und καθώς (Lukas) als Vergleichseinleitung; entsprechend Lk 17,24 par gebe ich ὥσπερ den Vorzug[52]. Ansonsten jedoch unterscheiden sich beide Evangelisten sowohl im Vergleichsmoment als auch in der Anwendung. Sind bei Matthäus (αἱ ἡμέραι τοῦ Νῶε) die Tage Noahs selbst Vergleichsmoment für die »Parusie« des Menschensohns, so ist es bei Lukas das Geschehen in den Tagen Noahs (ἐγένετο ἐν ταῖς ἡμέραις Νῶε) für »die Tage« des Menschensohns.

Bei der Rekonstruktion des ursprünglichen Wortlauts ist ἡ παρουσία wie schon in Mt 24,27 auch in V. 37 der matthäischen Redaktion zuzurech-

48 Dies bestätigt auch die Untersuchung der zudem sachlich exakt entsprechenden Bildworte Lk 17,26 par Mt 24,37 und Lk 11,30 par Mt 12,40, deren Rekonstruktion bei unterschiedlichem Vergleichspunkt im Mund Jesu zu jeweils identischen Nachsätzen führt. S. unten S. 63–66 und 90–92.

49 Zu Jesu Vorliebe für Wortspiele vgl. bes. *M. Black*, Approach/Muttersprache, 160–185.

50 Was darunter konkret zu verstehen ist, wird der Fortgang der Arbeit zeigen.

51 Da die Zusammenstellung von Sintflut- und Sodomgeneration in der jüdischen wie in der christlichen Literatur des öfteren begegnet (vgl. die Materialsammlung bei *D. Lührmann*, Redaktion, 75–83) und von daher Matthäus wie Lukas mit hoher Wahrscheinlichkeit bekannt war, wäre es verwunderlich, wenn Matthäus einen vorgegebenen Vergleich mit Lot an dieser Stelle ausgelassen hätte. Aus Q stammen die V. 28f also kaum. Ebenso erweist ein inhaltlicher Vergleich der V. 26f und 28f trotz allen Gemeinsamkeiten zugleich deutliche Unterschiede zwischen beiden Traditionen (vgl. *J. Zmijewski*, Eschatologiereden, 435–444.460–463), so daß auch von hierher mit verschiedenen Verfassern zu rechnen ist.

52 Zwar ist ὥσπερ ein matthäisches und καθώς ein lukanisches Vorzugswort, da Lukas καθώς jedoch von V. 28 her auch in V. 26 eingetragen haben wird, läßt sich für Q jeweils ὥσπερ – οὕτως voraussetzen.

nen, ebenso der Artikel τοῦ vor ἐγένετο ἐν ταῖς ἡμέραις Νῶε, eine für den Evangelisten typische Verdeutlichung, sowie die Partikel γάρ hinter ὥσπερ, die das Logion mit dem Voranstehenden verknüpft. Ob »Menschensohn« jedoch von Anfang an im Genitiv stand, erscheint eher zweifelhaft, obgleich diesmal auch in der lukanischen Parallele Lk 17,26 zwar nicht von der Parusie, aber doch von den Tagen des Menschensohns die Rede ist. Denn in Lk 17,30 ist »Menschensohn« wiederum im Nominativ belegt. Die Vermutung ist daher nicht von der Hand zu weisen, daß wie in Mt 24,27 auch in V. 37 ein vorgegebener Nominativ erst durch die sekundäre Einfügung von ἡ παρουσία zu einem Genitiv wurde, womit sich folgende von Matthäus her rekonstruierte Q-Vorlage nahelegt: ὥσπερ αἱ ἡμέραι Νῶε, οὕτως ἔσται ὁ υἱὸς τοῦ ἀνθρώπου.

Dieser auf den ersten Blick unverständliche Text muß sich nun auch von Lukas her verifizieren lassen:

Hinsichtlich des Vordersatzes ergeben sich dabei keine Schwierigkeiten, da sich ἐγένετο ἐν ταῖς ἡμέραις gegenüber αἱ ἡμέραι deutlich als sekundär erweist, denn ἐγένετο mit temporalem ἐν ist als lukanische Vorzugswendung in den Evangelien nahezu ausschließlich bei Lukas belegt[53] und trägt dessen Handschrift. Da ἐν mit dem Dativ konstruiert wird, kommen die Tage Noahs notwendig im Dativ zu stehen. Sachlich entspricht diese redaktionelle Änderung dem lukanischen Anliegen, nicht die Tage Noahs selbst, sondern das Geschehen in diesen zum Vergleichspunkt zu machen, wie sich zeigen wird. Gleichzeitig erreicht Lukas damit einen stilistisch glatten Zusammenhang zwischen V. 26 und V. 27, während Matthäus in den V. 37f sprachlich unschön den Nominativ αἱ ἡμέραι (V. 37), den er bereits in Q vorfand, neben dem folgenden Dativ ἐν ταῖς ἡμέραις (V. 38) stehenläßt.

Geht aber der Dativ Plural im Vordersatz zu Lasten der lukanischen Redaktion, verstärken sich automatisch auch die Bedenken gegen den in der Forschung sowie umstrittenen Dativ Plural im Nachsatz. Tatsächlich wird dieser Plural auf Lukas selbst zurückgehen, der im Anschluß an den Vordersatz entsprechend dem lukanischen »Zweiheitsgesetz«[54] parallel formuliert[55]. Damit ist jedoch die Frage nicht beantwortet, ob der Evangelist einen ursprünglichen Singular in einen Plural änderte oder ob der Plural eine freie lukanische Schöpfung darstellt. Der Nachsatz, rekonstruiert nach dem lukanischen Text, lautete somit entweder οὕτως ἔσται ἡ ἡμέρα τοῦ υἱοῦ τοῦ ἀνθρώπου oder οὕτως ἔσται ὁ υἱὸς τοῦ ἀνθρώπου.

---

53   30 Belegen bei Lukas stehen 3 bei Markus und jeweils keine bei Matthäus und Johannes gegenüber.

54   *E. Jüngel*, Paulus, 255 (mit Hinweis auf *R. Morgenthaler*, Geschichtsschreibung I, 11–133, der im »Zweiheitsgesetz« ein stilistisches Kunstmittel des Lukas erkannte).

55   Vgl. *H.E. Tödt*, Menschensohn, 47; *E. Jüngel*, Paulus, 255; *D. Lührmann*, Redaktion, 73; *C. Colpe*, Art. ὁ υἱὸς τοῦ ἀνθρώπου, 436, Anm. 255 und *J. Zmijewski*, Eschatologiereden, 449f.

Um diese Alternative entscheiden zu können, ist zunächst eine Untersuchung von Lk 17,27. 30 par Mt 24,38f allgemein und von Lk 17,30 par Mt 24,39b speziell unumgänglich, wobei sogleich auffällt, daß Matthäus das Menschensohnlogion V. 39b in Übereinstimmung mit seiner Vorlage direkt im Anschluß an den Vergleich mit den Tagen Noahs notiert, während Lukas sekundär seine V. 28f dazwischen einfügt.

In Lk 17,27 par Mt 24,38–39a haben beide Evangelisten das Reden von Flut und allgemeiner Vernichtung, das zweifache Wortpaar »essen – trinken« und »heiraten – geheiratet werden« sowie das mit ἄχρι ἧς ἡμέρας eingeleitete Zitat aus Gen 7,13 gemeinsam. Daß Lukas anders als Matthäus das vorgegebene τρώγειν durch das üblichere ἐσθίειν ersetzt, ist demgegenüber ebensowenig von Belang wie die Differenz zwischen ἦρεν ἅπαντες (Matthäus) und ἀπώλεσεν πάντας (Lukas), wobei der ungebräuchlicheren matthäischen Fassung Priorität zukommt, und dem bei Matthäus notierten, bei Lukas jedoch fehlenden und wohl redaktionell ausgelassenen ἐκείναις in der Wendung ἐν ταῖς ἡμέραις ἐκείναις[56]. Wichtiger erscheint hingegen, daß bei Matthäus zweimal zwei durch καί verbundene Partizipien an ἦσαν angeschlossen sind, während Lukas imperfektisch aneinanderreiht. Deutlich gebührt der altertümlichen Konstruktion des Matthäus der Vorzug vor der stilistisch geglätteten und griechisch besseren lukanischen Formulierung. Umgekehrt ist bei Matthäus die bei Lukas fehlende Wendung ταῖς πρὸ τοῦ κατακλυσμοῦ redaktionell. Matthäus trägt sie von V. 39 her schon in V. 38 ein und bringt so seine Tendenz zum Ausdruck, die Ahnungslosigkeit der Menschen selbst unmittelbar vor dem Gericht zu betonen. Gleiches gilt für die gegenüber Lukas überschießenden Worte οὐκ ἔγνωσαν ἕως. Wieder wird das Nichtwissen um das kommende Gericht herausgestellt.
Die entscheidende Differenz besteht jedoch im matthäischen Neueinsatz in V. 38 mit ὡς γάρ. Matthäus präzisiert damit den vorausgehenden Vergleich durch eine ausführliche Erläuterung und Konkretion dessen, was zuvor in V. 37a mit dem knappen ἡμέραι τοῦ Νῶε eigentlich längst gesagt ist. Bei Lukas hingegen liegt kein Neueinsatz vor. Er sieht in seinem V. 27 die Fortsetzung von V. 26, nicht dessen Präzisierung. Mit diesem Neueinsatz folgt Matthäus seiner Vorlage. Dies zeigt das im Nachsatz V. 39b folgende οὕτως, denn nur hier findet sich bei Matthäus die Kombination ὡς – οὕτως, die für ihn ganz untypisch ist, da er selbst ὥσπερ anstatt ὡς verwenden würde. Zudem stehen in Mt 24,27.37.38f drei Sätze der Form ὥσπερ (ὡς) – οὕτως in einem Dreierschema zusammen, das gewiß keine matthäische Stilisierung darstellt, da Matthäus dieses Schema zwischen V. 27 und V. 37 redaktionell unterbricht und die vorgegebene Verbindung auseinanderreißt, indem er markinische Überlieferung und eigenes Sondergut einfügt[57].

In Lk 17,30 par Mt 24,39b wiederholt Matthäus seinen V. 37b wörtlich. Lukas hingegen überliefert V. 30 abweichend von seinem V. 26b; da er aber bereits V. 26b dem unmittelbaren Kontext anglich, ist dies wohl auch in V. 30 zu erwarten. Damit hat jedoch die These einige Gewißheit für sich, daß beide Menschensohnlogien schon in Q im Nachsatz den gleichen Wortlaut notierten und also bereits die Vorlage der Evangelisten den ersten οὕτως-Satz am Ende des Vergleichs mit den Tagen Noahs lediglich wiederholte. Lk 17,30 seinerseits bestätigt die Richtigkeit dieser

---

56 Von Gen 7,13 her gehört ἐκείναις dazu, denn ἐν ταῖς ἡμέραις ἐκείναις entspricht בְּעֶצֶם הַיּוֹם הַזֶּה. Der Plural ist durch αἱ ἡμέραι in Mt 24,37 bedingt.
57 Vgl. *D. Lührmann*, Redaktion, 72f.

Vermutung: Wieder paßt Lukas seinen Wortlaut dem Kontext an und redet analog zu V. 29 von ᾗ ἡμέρᾳ – hier wie dort im Dativ, zudem ohne ἐν (anders noch in V. 26b, wo es von V. 26a her vorgegeben war), da auch V. 29 ἐν nicht enthält und Lukas es folglich ebensowenig in V. 30 zu Papier bringt. Fernerhin steht diesmal, dem Zweiheitsgesetz folgend, wie in V. 29 der Singular. Aus ähnlichem Grund notiert Lukas ἀποκαλύπτειν, einen Terminus technicus der Urkirche für das Kommen des κύριος, das für die Glaubenden Heil, für die Nichtglaubenden Gericht bedeutet. Um beides geht es nämlich in den V. 28f, folglich redet der Evangelist in V. 30 in sachlicher Entsprechung zum Voranstehenden von ἀποκαλύπτεται. Die Wendung κατὰ τὰ αὐτά schließlich, im gesamten Neuen Testament nur viermal bei Lukas belegt[58], ersetzt sekundär οὕτως.

Entscheidend ist jedoch vor allem die Tatsache, daß sich Lukas von den V. 28f her nicht genötigt sieht, »Menschensohn« im Genitiv auftreten zu lassen, und dies prompt auch nicht tut. Er verändert ihm vorgegebene Tradition eben nur dort, wo dies der Kontext nahelegt. »Menschensohn« stand also ursprünglich im Nominativ, womit zugleich die noch fragliche Alternative aus Lk 17,26b entschieden ist, denn der der Nachsatz des Menschensohnwortes Lk 17,26b.30 par Mt 24,37b.39b lautete somit in Q: οὕτως ἔσται ὁ υἱὸς τοῦ ἀνθρώπου.

Diese Rekonstruktion, die sich sowohl vom matthäischen als auch vom lukanischen Wortlaut her ergab, ist zugleich identisch mit dem ursprünglichen Wortbestand des Nachsatzes des Blitzlogions Lk 17,24b par Mt 24,27b.

Die älteste griechische Fassung des Menschensohnlogions Lk 17,26 par Mt 24,37, wie sie Q überlieferte[59], ist damit erreicht:

ὥσπερ αἱ ἡμέραι Νῶε, οὕτως ἔσται ὁ υἱὸς τοῦ ἀνθρώπου.
Dahinter steht folgendes aramäische Original[60]:

כְּמָה יוֹמֵי נֹחַ הָכֵין יְהְוֵא בַּר אֱנָשָׁא

Dieser von Haus aus aramäische Maschal läßt sich nun als ein ursprüngliches Einzellogion wahrscheinlich machen, das in seinem heutigen Kontext – und dies bereits in Q – eine sekundäre Explikation erfuhr.

Es wurde bereits deutlich, daß bei Matthäus in Übereinstimmung mit seiner Vorlage mit ὡς γάρ in V. 38 ein nicht zu übersehender Neueinsatz gegenüber dem voranstehenden V. 37 vorliegt. Was mit ὥσπερ αἱ ἡμέραι Νῶε eigentlich schon gesagt ist, wird anschließend in

58   Vgl. Lk 6,23.26; 17,30 und Apg 14,1.
59   Wie schon im Blitzlogion (s. oben Anm. 37) lasse ich auch hier die Partikel γάρ, die das Menschensohnwort vermutlich sekundär mit dem Voranstehenden verknüpft, außer acht.
60   Zur bereits im entsprechenden Logion vom Blitz begegnenden Frage, ob das aramäische Original das ἔσται entsprechende יְהְוֵא eigens notierte oder möglicherweise auch nicht, s. oben Anm. 39.

paränetischer Zuspitzung breit erläutert. Der sekundäre Neueinsatz zeigt sich ebenso darin, daß ein zunächst rätselhaft knapper Vergleich jetzt so breit ausladend kommentiert wird, daß er selbst sich als nahezu überflüssig erweist und im Grunde wegfallen könnte, ohne daß der Inhalt der heutigen Gesamtaussage dadurch verändert würde. Die Differenzierung zwischen dem ursprünglichen Vergleich und seiner späteren Kommentierung und Auslegung wird nochmals bestätigt durch die Parallelität des Maschals mit dem formal entsprechenden Blitzlogion Lk 17,24 par Mt 24,27. Wird der Menschensohn hier den Tagen des Noah, so dort dem Blitz gegenübergestellt. Zugleich wird sich zeigen, daß noch an einer weiteren verwandten Stelle, in Lk 11,30 par Mt 12,40 (im Zusammenhang des Jonazeichens), wiederum derselbe Nachsatz als formelhafte Abschlußwendung eines dritten Vergleichs dieser Art begegnet[61]. Umgekehrt erscheint es nur allzu verständlich, wenn die urchristliche Überlieferung ein derart dunkles Rätselwort – mit Hilfe eines Zeitabschnitts soll eine Aussage darüber gemacht werden, wie es sich einst mit dem Menschensohn verhalten wird – nur im Zusammenhang einer kommentierenden Auslegung tradiert. Dabei ist es charakteristisch, schwer verständliche Traditionen paränetisch zu deuten[62].

Im Rahmen dieser Studie ist nun entscheidend, wie der rekonstruierte Maschal ursprünglich zu verstehen ist.

Die älteste Fassung des Logions ergibt ein Bildwort, das zu dem vom Blitz parallel steht; dort wird der Menschensohn mit ἡ ἀστραπή, hier mit αἱ ἡμέραι Νῶε verglichen. Daß ein solcher Vergleich, so unpassend er zunächst auch scheinen mag, ohne weiteres möglich ist, beweist die matthäische Fassung des Logions, die statt vom Menschensohn lediglich von der Parusie des Menschensohns spricht. Wird bei Matthäus ein Zeitabschnitt mit einem bestimmten Ereignis verglichen, so wird hier ein Zeitabschnitt dem Menschensohn selbst gegenübergestellt. Ein vergangener Zeitabschnitt soll zur Erläuterung dessen dienen, was der Menschensohn einst sein wird.

Der Ausdruck αἱ ἡμέραι Νῶε begegnet im Alten Testament in Jes 54,9,

---

61 S. unten S. 90-92.

62 Vgl. dazu im Blick auf die Gleichnisse Jesu ausführlich *J. Jeremias*, Gleichnisse, 29-88. Im vorliegenden Fall geschieht diese paränetische Kommentierung bei Lukas und Matthäus durchaus mit unterschiedlicher Akzentuierung: *Lukas* vergleicht das Geschehen in den Tagen Noahs mit den Tagen des Menschensohns. Damit hebt er ab auf das kommende Gericht, wie die Einfügung V. 28f bestätigt. Es geht ihm weniger um die Nichtchristen, die sorglos dahinleben und die das Gericht völlig überraschend trifft, er wendet sich vielmehr an die christliche Gemeinde. Sie will er vor falscher Gleichgültigkeit warnen und zur Wachsamkeit aufrufen. Die Christen sollen nicht der Haltung der Sintflutgeneration verfallen, sondern in der wahren eschatologischen Haltung dem Kommen des Menschensohns entgegengehen. Die Intention des Lukas ist Warnung und Trost zugleich, sein Anliegen entspricht dem in den V. 22-24. *Matthäus* wiederum zielt auf die Nichtchristen. Er bezieht die Tage Noahs auf die Parusie des Menschensohns. Sein Bestreben zeigt sich am deutlichsten in seinen redaktionellen Zusätzen ταῖς πρὸ τοῦ κατακλυσμοῦ und οὐκ ἔγνωσαν ἕως. Es geht ihm darum, die Ahnungslosigkeit der Menschen selbst unmittelbar vor dem Hereinbrechen der Sintflut hervorzuheben und dieses ahnungslose Nichtwissen der Zeitgenossen Noahs der Ahnungslosigkeit der gegenwärtigen Generation gegenüberzustellen. Diese wird von der Parusie des Menschensohns jäh überrascht werden und genauso dem Gericht verfallen wie die Menschen damals.

im jüdischen Schrifttum zudem in TanB בלק § 14 (70b), wo es heißt[63]: הַגְּבוּלִין הַלָּלוּ שֶׁנִּקְבְּעוּ מִימֵי נֹחַ. Hier ist die Rede von etwas, was seit den Tagen Noahs geschah. Jes 54,9 wiederum vergleicht mit כִּי־מֵי נֹחַ זֹאת לִי die gegenwärtige Zeit mit den Tagen Noahs. Beide Belege zeigen, daß die Rede von den Tagen Noahs traditionell ist, bezüglich Lk 17,26 par Mt 24,37 führen sie jedoch inhaltlich kaum weiter.

Aber auch das Neue Testament spricht in 1Petr 3,19–20a von den Tagen Noahs, und hier ist die Wendung interessanterweise verbunden mit ἡ τοῦ θεοῦ μακροθυμία: Gott wartete in den Tagen Noahs in Langmut auf die Geister, die jetzt ἐν φυλακῇ sind[64]. Zu vergleichen ist mAv V,2 als jüdische Parallele: »Zehn Geschlechter waren von Adam bis Noah, um kundzutun, wie groß die Langmut אֶרֶךְ אַפַּיִם vor ihm (Gott) ist; denn alle Geschlechter hatten vor ihm Zorn erregt, bis er die Wasser der Flut über sie brachte.«[65]

2Petr 2,5 zeigt, wie diese Traditionen zu verstehen sind. Noah wird hier als κῆρυξ δικαιοσύνης bezeichnet, als Herold der Gerechtigkeit. Noah ist derjenige, der zum gerechten Leben auffordert; als Gerechter[66] mahnt er zur Gerechtigkeit[67], indem er zur Umkehr aufruft. Von diesem Amt ist in Gen 6 noch nicht die Rede, die spätere Überlieferung betont es jedoch um so deutlicher: Noah ist der Rufer zur Umkehr schlechthin[68]. Genau in diesem Sinn ist er Jesus vergleichbar, der in seinen Tagen ebenfalls zur Umkehr einlud. Auf diese Gemeinsamkeit zwischen beiden ist in Lk 17,26 par Mt 24,37 angespielt, und im Gegensatz zu uns heute war dieser Vergleichspunkt für die damaligen Hörer vermutlich ohne weiteres herauszuhören. Dann zielt αἱ ἡμέραι Νῶε auf die Tage, in denen Noah seinen Zeitgenossen Umkehr predigte. Wo liegt jedoch der Vergleichspunkt zwischen diesen Tagen und dem Menschensohn?

Wieder hilft das Neue Testament weiter, wenn in Hebr 11,7 gesagt wird,

---

63 Vgl. *A. Schlatter*, Matthäus, 714 (dort mit der Seitenzahl als Belegangabe: TanB בלה 14.140).

64 Zu 1Petr 3,19–20a und der Predigt Jesu vor den »Geistern im Gefängnis« vgl. vor allem *N. Brox*, Der erste Petrusbrief, 169–175, ferner *J. Jeremias*, Zwischen Karfreitag und Ostern; *K.H. Schelkle*, Petrus/Judas, 104–106 und *L. Goppelt*, Der erste Petrusbrief, 246–250.

65 *Bill.* III, 766.

66 Zu Noah als dem »Gerechten« vgl. Gen 6,9; Weish 10,4; Sir 44, 17; Sib 1,726 und Philo, Congr 90 sowie Migr 125.

67 »Gerechtigkeit« ist hier verstanden als »vor Gott wohlgefälliges Verhalten« (vgl. *K.H. Schelkle*, Petrus/Judas, 207f und *O. Michel*, Hebräer, 388).

68 Vgl. neben 2Petr 2,5 etwa JosAnt 1,74, wo Noah die Nachkommen der Göttersöhne und Menschentöchter aus Gen 6,1–4 zur Umkehr mahnt. In Sib 1,128f.150–198 und ähnlich in Jub 7,20–39 wird Noah eine lange Bußpredigt in den Mund gelegt. Laut BerR 38 (18b) ist er ebenfalls כָּרוֹז (κῆρυξ). Es heißt dort: »Ein Herold ward Gotte im Flutgeschlecht, das war Noah« (*Bill.* III, 769). Auch die Kirchenväter sehen in ihm den Bußprediger (vgl. z.B. 1Clem 7,6 und 9,4).

Noah habe einen Gottesspruch über zukünftige Dinge erhalten, die für ihn noch keineswegs absehbar waren. Im Gehorsam gegenüber diesem Gottesspruch habe er die Arche gebaut. Das Zukünftige, nämlich die Sintflut, wird von Noah nicht geglaubt, weil es sich um eine Katastrophe handelt, sondern wird im Gehorsam zu Gott erwartet[69]. Sein Motiv ist also nicht Angst, sondern Vertrauen zu Gott. Durch diesen Glauben, aus dem heraus der Bau der Arche folgte, verurteilt er die Welt, die Gott nicht glaubt. Er verurteilt sie, indem er sich von ihr löst und Gott gehorsam ist[70]; dies im Gegensatz zu seinen Zeitgenossen, die seinen Umkehrruf nicht als Ruf Gottes akzeptieren. So meint αἱ ἡμέραι Νῶε konkreter die Zeit der Bußpredigt Noahs im Blick auf die Flut bis hin zu ihrem Eintreffen. Durch die Flut wurde sein Ruf zur Umkehr, der in seinem Anspruch zuvor zweideutig war und von seinen Zeitgenossen als nicht ernst zu nehmen abgelehnt werden konnte, auch für sie von Gott als unbezweifelbar richtig nachgewiesen.

Dieses Bild läßt sich nun auf die Situation Jesu übertragen: Wie die Bußpredigt Noahs ist auch Jesu Umkehrruf zweideutig, mißverständlich und abweisbar. Doch ebenso, wie Noahs Verkündigung durch das Eintreffen der Flut schließlich weltweit als von Gott kommend beglaubigt wurde, so wird einst auch die Verkündigung Jesu vor aller Welt als Botschaft Gottes erwiesen werden. Wenn der Menschensohn verherrlicht wird, und das heißt doch, wenn Jesus von Gott selbst als Bote Gottes legitimiert wird, dann auch seine jetzt noch im Unglauben abweisbare Predigt. In diesem Sinn hat Jesus den Vergleich zwischen αἱ ἡμέραι Νῶε und dem kommenden Sein des Menschensohns meines Erachtens formuliert[71].

Wie schon mit dem parallelen Blitzlogion liegt damit ein weiterer wichtiger Beleg dafür vor, daß Jesus seiner zukünftigen Verherrlichung durch Gott selbst entgegensah, mit der ihn Gott als seinen Gesandten ausweisen würde. Wieder geht es um die Legitimation des Menschensohns, der er selbst ist.

Erneut drängt sich die Frage auf, welches Ereignis der Zukunft Jesus meint, durch das er seine göttliche Legitimation erwartet. Seine Parusie (so Matthäus) doch wohl nicht. Dazu fehlt allein schon – wie im Blitzlogion – das entsprechende Vokabular, das traditionell zur Beschreibung der Parusie dient, vor allem aber ist eine solche Deutung überhaupt erst aus der nachösterlichen Situation heraus möglich, unter der Erfahrung von Kreuz und Auferstehung. Hier jedoch, und ebenso im parallelen Vergleich mit dem Blitz, ist ein dieser Legitimation vorausgehendes Lei-

---

69 Vgl. *O. Michel*, Hebräer, 387f.

70 Vgl. ebd., 388.

71 Dies bestätigt auch die Fortsetzung des Logions in Q. Die Sintflutgeneration konnte so lange Noahs Ruf zur Umkehr gleichgültig gegenüberstehen, bis die Flut tatsächlich kam und sein Wort als Gottes Wort erwies.

den und Sterben des Menschensohns nicht einmal andeutungsweise in Sicht. Von daher ist zugleich die hypothetische Möglichkeit einer Deutung auf die Auferstehung Jesu abgewiesen. Umgekehrt liegen in beiden Logien wichtige Belege dafür vor, daß Kreuz und Auferstehung zumindest nicht von vornherein im Blickfeld Jesu lagen. Ebenso bestätigt sich die Annahme, daß Jesus mit dem Hinweis auf seine zukünftige Legitimation nicht einfach das vor Augen hatte, was wir in nachösterlicher Perspektive als Parusie (im Sinne von »Wiederkunft«) bezeichnen. Rechnete er gemäß der alttestamentlich-jüdischen Messiaserwartung mit seiner Inthronisation als Messias? Glaubte er, daß der Menschensohn einst als Messias aufgestellt, inthronisiert würde? Dann wäre »Menschensohn« verhüllende Chiffre für seinen messianischen Sendungsauftrag.

Mit alldem sind Fragen aufgeworfen, die speziell für das Selbstverständnis Jesu von entscheidender Bedeutung sind, die sich jedoch aufgrund der bisherigen Untersuchung nicht hinreichend beantworten lassen; die Analyse der übrigen Menschensohnlogien bleibt abzuwarten.

Nach den voranstehenden Ausführungen bedarf es meines Erachtens keiner Frage mehr: Lk 17,26 par Mt 24,37 in seinem ursprünglichen Wortlaut geht auf Jesus selbst zurück. Angesichts der Originalität des Vergleichs, seiner Rätselhaftigkeit, seiner inhaltlichen Parallelität zum auch formal genau entsprechenden Wort vom Blitz sowie seiner Unableitbarkeit aus der jüdischen und der urchristlichen Tradition ist dieses Urteil kaum zu bezweifeln.

III.   Exkurs: Der verborgene Messias im Judentum

Die Vorstellung des vor seinem Offenbarwerden verborgenen Messias ist in der jüdischen Überlieferung in zweifacher Gestalt belegt:
1. Der Messias ist zunächst im Himmel verborgen und erscheint erst in der Endzeit.
2. Der Messias ist schon geboren und lebt bis zu seinem Auftreten unerkannt auf der Erde.

Die erste, im Zusammenhang dieser Arbeit weniger wichtige Grundform ist fast ausschließlich in der apokalyptischen Literatur bezeugt, findet sich dann aber im Anschluß an diese auch in wenigen späten rabbinischen Texten[72]. Sie entstand auf dem Hintergrund der

---

72   Im Blick auf die apokalyptische Literatur sei hier nur auf äthHen 39,7; 48,6 und 62,7 verwiesen. Diese und zahlreiche weitere Belege sind aufgeführt und kommentiert bei *E. Sjöberg*, Der verborgene Menschensohn, 44–54. Für die rabbinischen Schriften nennt er vor allem PesR 36 (161a–162b), darüber hinaus stellt er die wichtigsten zusätzlichen Belege zusammen (60–68).

jüdisch-apokalyptischen Vorstellung vom bei Gott längst festgelegten und später nur noch determiniert ablaufenden Weltplan: Was einst sein wird, ist bereits präexistent im Himmel vorhanden und wartet lediglich auf die von Gott gesetzte Stunde seines Erscheinens auf der Erde. Dieser Weltplan Gottes schließt selbstverständlich und erst recht den Messias ein, der präexistent bei Gott im Himmel verborgen gedacht ist. Er existiert dort als eine Art übermenschliches, zum Teil mit göttlichen Zügen ausgestattetes Wesen und wartet darauf, zu Gottes festgesetzter Stunde offenbar zu werden[73].

Im Zusammenhang der Jesustradition ist jedoch speziell die zweite der genannten Grundformen von Belang:
Explizite Belege dafür, daß der Messias irgendwo verborgen auf der Erde lebt, unbekannt bis zur Stunde seiner Offenbarung, sind in der jüdisch-apokalyptischen Literatur nicht nachweisbar, sieht man einmal von der Ausnahme 4QMess ar ab. Dennoch ist die dort bezeugte Vorstellung, wie sich zeigen wird, der Sache nach auch sonst bekannt[74]. In der rabbinischen Literatur hingegen, bei Justin wie auch im Neuen Testament insgesamt und vor allem in der Jesustradition ist dieses Motiv in breiter Streuung belegt.
Die Vorstellung vom auf der Erde verborgenen Messias existiert nun ihrerseits in zweierlei Gestalt[75]:
1. Der Messias lebt vor seinem Auftreten irgendwo verborgen und unerkannt auf der Erde. Niemand weiß, daß er der Messias ist, auch er selbst nicht.
2. Er selbst weiß, daß er der Messias ist, aber weil er von Gott erst für die Zukunft bestimmt ist, wartet er in Verborgenheit die Stunde seiner Offenbarung durch Gott ab.

Von der hier vorausgesetzten Vorstellung von der Präexistenz des Messias ist die von der Präexistenz des Namens des Messias zu unterscheiden (vgl. ebd., 58-60). Als Sonderform der Vorstellung vom im Himmel bereits verborgenen Messias hat die zu gelten, nach der er bis zu seinem Offenbarwerden als Verstorbener im Paradies weilt (vgl. ebd., 68-72, ferner *Bill.* II, 335-337).

73 Zur Präexistenz des Messias vgl. *A. von Harnack,* Dogmengeschichte I, 755-765; *G. Dalman,* Worte Jesu, 104-108.245-248; *Bill.* II, 333-352; *E. Sjöberg,* Der verborgene Menschensohn, 56-68; *W. Pannenberg,* Grundzüge, 64f.150-158; *R. Schnackenburg,* Johannes I, 290-302; *U. Wilckens,* Art. σοφία, 497-510; *K. Haacker,* Stiftung, 116-128; *G. Schneider,* Präexistenz, 399-412; *L. Goppelt,* Theologie, 399-405; *M. Hengel,* Sohn Gottes, 104-120; *H. Gese,* Johannesprolog, 173-190; *H. Merklein,* Entstehung, 247-276 und *G. Schimanowski,* Weisheit, bes. 1-11.21f.25f.34f.43f.58-61.66-68.73f.84f.92-95.103-106.134f.141-143.152f.171-173.192-344.

74 S. unten S. 77f. Als zusätzlicher Beleg ließe sich darüber hinaus allenfalls noch äthHen 70f vergleichen. Henoch wird dort aber erst als Menschensohn, der er vorher bezeichnenderweise noch nicht war, eingesetzt, und zwar nach seiner Entrückung von der Erde.

75 Auf die Sonderform der erneuten kurzen Verborgenheit des Messias nach seiner Offenbarung sei wenigstens verwiesen (vgl. *E. Sjöberg,* Der verborgene Menschensohn, 90-96).

Während im Neuen Testament ausschließlich die zweite Form auf Jesus bezogen wird, vertritt das Judentum mehrheitlich die erste. Einen Beleg für diese jüdische Erwartung liefert bereits Joh 7,27f.41f.

Hier geht es weder um eine Bestreitung der Davidssohnschaft Jesu noch darum, daß Bethlehem als Geburtsort Jesu geleugnet werden soll, vielmehr argumentieren die jüdischen Gegner Jesu so: Weil niemand um die Herkunft des Messias wissen kann und niemand weiß, wer er ist, auch er selbst nicht, kann Jesus nicht der Messias sein; erstens weiß er um seine angebliche Messianität, zweitens ist bekannt, daß er aus Galiläa kommt. Somit erfüllt er die messianischen Bedingungen nicht. Indem Jesus ihnen daraufhin zeigt, daß sie seine Herkunft gerade nicht kennen, erfüllt er die traditionelle Forderung in einem höheren Sinn.

Was einige Juden hier schon als selbstverständlich voraussetzen, findet sich in Justins Dialog mit dem Juden Tryphon als allgemeine jüdische Überzeugung belegt. JustDial 8,4; 49,1 und 110,1[76] sind die entscheidenden Stellen[77]. Tryphon bestreitet die Messianität Jesu und behauptet im gleichen Zusammenhang: Entweder ist der Messias noch nicht gekommen, oder aber er lebt schon, seine Messianität vor sich selbst wie vor der Welt verborgen, als ganz gewöhnlicher Mensch irgendwo auf der Erde. Das also sind die jüdischen Alternativen: Entweder ist der Messias noch nicht gekommen, oder er ist schon da, dann allerdings in Verborgenheit. Als Messias offenbar wird er erst, wenn Elia kommt und ihn salbt[78].

Der rabbinischen Literatur war die Erwartung des verborgenen Messias offenbar längst so vertraut, daß sie gar nicht mehr ausdrücklich hervorgehoben werden mußte. Wenn davon die Rede ist, daß der Messias kommt (בוא, אתא) bzw. offenbar wird (גלה [ni.]), ist impliziert, daß seine Person wie sein gegenwärtiger Aufenthaltsort unbekannt sind[79]. Deshalb wird zunächst einmal überhaupt keine lokale Angabe gemacht, wenn man von seiner Verborgenheit spricht[80]. Darüber hinaus versuchten die Rabbinen aber dennoch, seinen verborgenen Aufenthaltsort zu ermitteln. So befindet er sich zwar auch einmal in unpräziser Formulierung im Norden[81], vor allem jedoch weilt er vor den Toren Roms, so daß Rom als Aufenthaltsort

76   Zitiert bei *Bill.* IV/2, 797, vgl. *Bill.* II, 489.
77   Vgl. noch 4 Esr 13,52, wo niemand den Messias (Knecht) schauen kann außer in der »Stunde seines Tages«. Ebenso ist in diesem Zusammenhang LibAnt 42,10 zu nennen, wo der Messias an seiner Verborgenheit als himmlischer Gesandter erkannt wird, weil jeder, der »vom Himmel« kommt, zunächst eine verborgene Identität besitzt und als solcher unerkannt bleibt (vgl. *K. Berger*, Messiastraditionen, 36, Anm. 134).
78   Weitere Belege für die Offenbarung des Messias durch Elia bei *Bill.* IV/2, 798.
79   Vgl. *Bill.* II, 489.
80   Vgl. yBer II,12,5a (zitiert bei *Bill.* I, 83, vgl. *Bill.* II, 339) und EkhaR 1,16 (58b).
81   Vgl. WaR 9 (111a) (zitiert bei *Bill.* I, 160f).

des Messias vor seinem öffentlichen Auftreten vorausgesetzt ist[82]. Dieser Befund verwundert nicht, wird hier doch der zweite Erlöser in Analogie zum ersten, Mose, gedacht. Wie der erste vor Beginn seiner Wirksamkeit am Hof in Ägypten lebte, so der zweite in der Hauptstadt der jetzigen Weltmacht, in Rom. Die Erlösung aus Ägypten ist zum Vorbild für die messianische Erlösung geworden[83].

Wie kam es zum Glauben an die absolute Verborgenheit des Messias? Erik Sjöberg sieht im Auftreten falscher Messiasse wie (aus jüdischer Sicht) Jesus oder Simon bar Kosiba den Grund dafür, daß die Rabbinen im Gegenschlag zu den zahlreichen messianischen Bewegungen, die alle tragisch endeten[84], jetzt die absolute Verborgenheit des Messias betonten[85]. Damit wäre die Lehraussage: Der Messias weiß zunächst selbst nicht, wer er ist, die rabbinische Antwort auf die andere: Der Messias selbst weiß um seine Bestimmung, aber bis Gott ihn als seinen Messias offenbart, bleibt er als solcher verborgen. Die Vorstellung des *Messias designatus*[86] erweist sich somit als die ältere.

Wie es zu diesem Umschlag von der einen zur anderen Lehrform kam, kann die Legende aus yBer II,12,5a verdeutlichen, die eine Art Mittelstellung zwischen beiden einnimmt: Einerseits sind der Messias und seine Mutter bekannt – sogar der Name des Messias wird genannt –, andererseits wird er, kurz nachdem er geboren wurde, von Wind und Sturm in die Verborgenheit entrückt. Wichtig ist an dieser Stelle die Erwartung, daß die Zerstörung des Tempels und die Geburtsstunde des Messias zusammenfallen[87]: Wenn die Not am größten ist, greift Gott ein und wird der eschatologische Retter geboren. Spätestens bei der Tempelzerstörung, der allergrößten Bedrängnis, denn hier wird Gott selbst angegriffen, würde der Messias endlich kommen. Und wenn er wider Erwarten schon nicht unmittelbar aufstand, um die gottlosen Bedränger zu vernichten, dann mußte er folgerichtig wenigstens bereits verborgen da sein und die von Gott gesetzte Stunde seines Eingreifens abwarten. Aus der Sicht eines größeren zeitlichen Abstands zur Tempelzerstörung spricht die besagte Legende schließlich von der Geburt des Messias während der Katastrophe: Der Erlöser ist bereits da, auch wenn keiner weiß, wer er ist, auch er selbst nicht.

82 Vgl. bSan 98a (zitiert bei *Bill.* II, 86 e); ShemR 1,31 (67b) zu 2,10 (zitiert bei *Bill.* II, 340); Tan שמות 61b (zitiert bei *Bill.* IV/2, 875f); AgBer 23 (20a) (zitiert bei *Bill.* I, 957); BHM II,54,19 ספר זרבבל) (zitiert bei *Bill.* II, 291) und LeqT 2 (129b) zu Num 24,17 (zitiert ebd., 298f).
83 Vgl. *J. Jeremias*, Art. Μωυσῆς, 864–867.
84 Vgl. *O. Betz / W. Grimm*, Wesen, 73–75; *M. Hengel*, Gewalt, 27–34 und *O. Betz*, Probleme des Prozesses Jesu, 583–588.
85 Vgl. *E. Sjöberg*, Der verborgene Menschensohn, 97.
86 Als »Messias designatus« bezeichne ich im folgenden nur denjenigen Messiasprätendenten, der sich als Messias designiert weiß und als solcher seiner Offenbarung und seiner Inthronisation durch Gott entgegensieht.
87 Das Zusammenfallen von Tempelzerstörung und Messiasgeburt suchte man später auch noch durch die Kombination von Jes 10,34 und 11,1 per Schriftbeweis zu begründen (vgl. *E. Sjöberg*, Der verborgene Menschensohn, 75f).

Wenn aber die jüngere Form dieser Erwartung in der ersten Hälfte des 2. Jahrhunderts n.Chr. (Justin), ja bereits Ende des 1. Jahrhunderts (Joh 7,27f.41f) und schon um 80 n.Chr. (Mt 24,26)[88] schriftlich fixiert werden konnte, dann wird historisch die Tempelzerstörung im Jahr 70 n.Chr. in der Tat das auslösende Moment gewesen sein, die Erwartung des Messias designatus durch die der absoluten Verborgenheit des Messias zu ersetzen[89]. Damit ist zugleich gesagt, daß die Erwartung des Messias designatus älter sein muß als 70 n.Chr. Die Jesustradition zeigt, daß sie schon um 30 n.Chr., zu Beginn der öffentlichen Wirksamkeit Jesu, so deutlich ausgeprägt vorlag, daß Jesus sie aufgreifen und explizierend übernehmen konnte.

Die nun folgende Untersuchung führt den Nachweis, daß das Schema von Designation und Inthronisation des Messias der messianischen Erwartung bereits von Anfang an beigegeben war und von dieser nicht zu trennen ist:
1. Die erste Wurzel der Vorstellung des Messias designatus liegt in David selbst begründet, dem Prototyp des Messias: In 1Sam 16,1–13 wird David von Samuel zum König gesalbt, obwohl Saul noch König ist. Hier geschieht nichts anderes als die Designation des zukünftigen Herrschers, der ab jetzt schon ist, was er einst sein wird, der aber als solcher noch nicht inthronisiert ist. Die Einsetzung (Inthronisation) in dieses Amt erfolgte erst viel später, zunächst zum König des Südreichs (2Sam 2,1–4) und schließlich auch des Nordreichs (2Sam 5,1–3).
2. Dieses Schema von Designation und Inthronisation des Königs blieb in der Folgezeit im Rahmen der dynastischen Thronfolge des davidischen Königshauses als konstitutives Element erhalten[90]. Denn infolge des Nathanorakels ist jeder davidische König schon vor seiner Amtsübernahme als König designiert, da jetzt in der Herrscherfolge der Davididen der jeweilige Davidssohn rechtmäßiger Thronfolger wird. Als solcher gesalbt und aufgestellt wird er jedoch erst am Tag seiner Thronbesteigung; erst dann tritt er öffentlich als Stellvertreter Jahwes auf Erden, als dessen Mandatar in Erscheinung[91]. Die Designation, bei David selbst noch aus-

---

88   Zu Mt 24,26 s. oben S. 56f.

89   Vgl. Josephus, der in »De Bello Judaico« deutlich machen will, daß die Katastrophe des Jahres 70 n.Chr. im Grunde allein durch die revolutionär-messianische Bewegung allgemein und durch die Zeloten speziell verursacht wurde.

90   Gleiches gilt auf etwas andere Art für das Nordreich. Hier erfolgt die Designation bei folgender Akklamation durch das Volk immer wieder neu, denn das Nordreich kennt keine dynastische Thronfolge. Im Rahmen der späteren messianischen Erwartung ist jedoch ausschließlich die davidische Dynastie des Südreichs von Interesse.

91   Dies zeigt deutlich das »heute« in Ps 2,7: Die göttliche Deklaration erfolgt am Tag der Thronbesteigung. Erst dann tritt der König seine Mitregentschaft mit Gott an, wie auch Ps 110,1f zeigt. Wie eng ab diesem Zeitpunkt die Gottesherrschaft mit der Herrschaft des Davididen verbunden ist, beweisen Stellen wie etwa Ps 2,2.6f; 89,27–30; 1Chr 17,14;

drücklich per Salbung vollzogen, ist nun an die Davidssohnschaft gebunden und wird jeweils vererbt. Dennoch bleiben dem König von 2Sam 7,11b-16 her sowohl Designation als auch Inthronisation beigegeben, auch wenn erstere nicht mehr in einem ausdrücklichen Akt vollzogen werden muß. Sie bleibt nun in der späteren Übertragung des Königsbildes auf den Messias[92] auch an diesem haften und mit ihm verbunden, solange man einen Davididen als Messias erwartet. Insofern ist die schließliche Entfaltung dieses Schemas in der Vorstellung des Messias designatus be-

28,5f; 29,23; 2Chr 9,8 und 13,8. Auch Jes 9,5f ist in diesem Sinne zu verstehen (vgl. *H. Donner*, Adoption, 113f). Wenn in bestimmten alttestamentlichen Traditionen das Königtum unter Vorbehalt gesehen wird und geradezu in Konkurrenz zum Königtum Jahwes tritt (vgl. z.B. Ri 8,22f; 1Sam 8,6f; 10,19; 12,12.17.19 und Hos 13,11 [im Unterschied etwa zu 1Sam 9,15-17; 10,1 und 11,12-15 sowie den oben genannten Belegen als auch den ›messianischen‹ Verheißungen überhaupt]), ist mit *W.H. Schmidt*, Kritik, 440-461 festzuhalten, daß die Kritik am Königtum nicht in der Ablehnung dieser Institution als solcher begründet ist, sondern im fehlenden Glaubensgehorsam des Königs. »Der König hat mit seinem Volk Jahwe zu fürchten und auf seine Stimme zu hören« (443). In diesem Fall verwirklicht er den Willen und die Herrschaft Gottes, so daß Gottesherrschaft und Königsherrschaft nahezu identisch sind (vgl. auch *ders.*, Glaube, 212-218). Zum Werden des Königtums in Israel insgesamt vgl. *S. Herrmann*, Geschichte, 169-177; *W.H. Schmidt*, Glaube, 210-220; *H.J. Boecker*, Anfänge, 38-47 und *E. Zenger*, Jesus, 26-36(-38), speziell zum Königsbild im Deuteronomistischen Geschichtswerk (sowie zur Diskrepanz zwischen dessen positiver und negativer Bewertung) *H.J. Boecker*, Beurteilung, 1-99 und *L. Schmidt*, Deuteronomistisches Geschichtswerk, 105-110.

92 Wie so oft im israelitischen Denken ist auch für das Aufkommen der messianischen Erwartung die Diskrepanz zwischen hoher Zusage und enttäuschender Empirie verantwortlich. Vor allem in der Verkündigung der Propheten wird das Königtum der Gegenwart an den großen Hoffnungen gemessen; dies mit der Folge, daß die Erfüllung der göttlichen Zusagen in die Zukunft verlagert und erst von ihr erwartet wird: Der eigentliche Herrscher ist nicht der gegenwärtige, sondern der kommende. Die für die messianische Erwartung entscheidende Schriftgrundlage liefert die Nathanweissagung 2Sam 7,8-16 (vgl. *G. von Rad*, Theologie I, 323: » . . . hier liegt der geschichtliche Ursprung und die Legitimation auch aller messianischen Erwartungen«), die, im Alten Testament bereits in Ps 89 und Ps 132 aufgegriffen — gegen *H. Gese*, Davidsbund, 116-121, der das umgekehrte Abhängigkeitsverhältnis betont, halte ich mit *L. Perlitt*, Bundestheologie, 51f; *W.H. Schmidt*, Kritik, 444-448 und *H.-J. Hermisson*, Bund, 231f Ps 89 (speziell die V. 20-38) und Ps 132 für abhängig von 2Sam 7,8-16 und also für traditionsgeschichtlich jünger, ohne damit zu verkennen, daß auch für 2Sam 7,8-16 ein komplexer Entstehungsprozeß vorauszusetzen ist, wobei allerdings der Grundbestand (meines Erachtens zumindest die V. 8-10. 11b.12b.14a und 16) auf die salomonische Zeit zurückgeht (vgl. die Literaturangaben bei *W.H. Schmidt*, Kritik, 444f, Anm. 12 sowie bei *N. Lohfink*, Beobachtungen, 288, Anm. 55; wichtig sind vor allem *S. Herrmann*, Königsnovelle, 133-142, bes. 134; *E. Kutsch, Dynastie*, 109-123(-126) und neuerdings *N. Lohfink, Orakel*, 147-149.152f) —, nach dem Exil speziell in 1Chr 17,7-14 aktualisiert und damit als bleibend gültig vorausgesetzt wird. Zudem wird die Nathanweissagung in der nachalttestamentlichen jüdischen Literatur vor allem in 4QFlor 1,1-13 aufgenommen (vgl. auch PsSal 17,4, ferner 1Makk 2,57 und Sir 45,25). Auch für die Christen wie schon für Jesus selbst wird sie zu einer der Kernstellen für das messianische Selbstverständnis Jesu (vgl. *O. Betz*, Frage, 144-157; *ders.*, Was wissen wir von Jesus, 59-68 und *ders.*, Probleme des Prozesses Jesu, 625-628.633-635).

reits im Moment der Davidssohnschaft enthalten und vorprogrammiert. Damit hat die Unterscheidung zwischen Designation und Inthronisation des Messias in Davids Salbung zum König Israels bei erst viel späterer faktischer Übernahme der Königswürde ihre erste, in 2Sam 7,11b–16 (par 1Chr 17,10b–14) ihre zweite entscheidende Wurzel[93].

3.   Hinzu kommt drittens die messianische Erwartung bei Haggai und Sacharja: Unmittelbar im Anschluß an das babylonische Exil, als Israel wieder zu Hause ist, erfolgt durch die beiden genannten Propheten die Designation des Davididen Serubbabel zum Messias[94]. Haggai stellt ihn als »Statthalter von Juda« vor, als Jahwes »Knecht« und »Siegelring«, »denn ich habe dich auserwählt« (Hag 2,21–23). Sacharja nennt ihn im Spruch Jahwes »meinen Knecht«, »Sproß« und »Gesalbter«, und er bezeichnet ihn als den messianischen Tempelbauer, der die Königshoheit tragen, auf Jahwes Thron sitzen und als Mandatar Gottes dessen Herrschaft übernehmen und ausüben wird (Sach 3,8; 4,14 und 6,12f). Serubbabel erfüllt die in ihn gesetzten messianischen Erwartungen jedoch nicht. Seine Designation seitens der Propheten Haggai und Sacharja war erfolgt, er war als Messias designatus ausgewiesen. Was nicht eintrat, was seine schließliche Inthronisation. Wie immer dieser ›prophetische Irrtum‹ auch zu deuten sein mag, folgendes bleibt festzuhalten: Mit der Proklamation des Serubbabel zum Messias designatus (bei ausbleibender Inthronisation durch Gott) liegt ein weiterer entscheidender Beleg für das messianische Schema von Designation und Inthronisation vor.

4.   Eine vierte Wurzel für dieses Schema und damit für die Erwartung eines Messias designatus liegt im Daseinsverständnis des Gerechten begründet, für das die weisheitliche Konzeption von Erniedrigung und Erhöhung konstitutiv ist. Der Fromme wird um seiner Treue zum Gesetz Gottes willen verfolgt und erniedrigt, verspottet und verhöhnt, ja sogar ins Martyrium getrieben. Erst am Ende wird er von Gott erhöht, indem er

---

93   Die Analogie dieses königlich-messianischen Schemas zur Vorstellung vom Königtum Jahwes bei Deuterojesaja ist offenkundig: Jahwe ist bereits König, aber noch verborgen. Als solcher offenbar wird er erst mit dem neuen Exodus Israels zum Zion. Zuvor ist er gleichsam designierter König.

94   Daß hier neben dem davidischen (Serubbabel) zugleich ein priesterlicher Messias (Josua) erwähnt wird, sei nur angedeutet: »Das sind die beiden Gesalbten, die vor dem Herrn der ganzen Erde stehen« (Sach 4,14); »Und Rat des Friedens (d.h. friedliches Einvernehmen) wird zwischen beiden herrschen« (Sach 6,13). Zur dynarchischen Messiaserwartung im Alten Testament (vgl. neben den genannten Belegen aus Sacharja vor allem Num 24,15–17 sowie Dtn 33,8–11, die wirkungsgeschichtlich bedeutsam wurden) und im Judentum vgl. *U. Kellermann*, Messias, 91–97, speziell für Qumran *K. Schubert*, Messiaslehre, 342–363; *R. Deichgräber*, Messiaserwartung, 332–347; *A.S. van der Woude*, Art. χρίω, 508–511; *R. Riesner*, Jesus, 307f und *R. Leivestad*, Jesus, 229f. Zur Messiaserwartung bei Haggai und Sacharja insgesamt vgl. *K. Seybold*, Königserwartung, 243–252 und *W. Werner*, Jes 9,1–6, 258–263.

seinen gegenwärtigen Feinden als wahrhaft Gerechter offenbar wird[95]. Der Herrlichkeit der Gottesherrschaft geht also eine Drangsalszeit voraus, und bis zu seiner Erhöhung muß der Gerechte leidend ausharren. Wie stark dieses Schema das Königs- und damit das Messiasbild bestimmte, hat Klaus Berger aufgezeigt[96].

5. In den bis heute bekannten Qumranschriften schließlich findet sich mit 4QMess ar zwar nur ein einziger ausdrücklicher Beleg für die Unterscheidung zwischen dem designierten und erst später inthronisierten Messias, doch ist diese auch sonst unausgesprochen vorausgesetzt: Wenn nämlich in Qumran der Vorläufer des Messias (bzw. der beiden Messiasse), der messianische Prophet, auftritt[97], ist angesichts der akuten Naherwartung der Mönche vom Toten Meer auch der Messias, obgleich noch verborgen, bereits da und bereitet sich auf sein baldiges Offenbarwerden und seine Inthronisation vor. Sollte Johannes der Täufer seine Wurzeln unter anderem in der qumranischen Theologie haben[98], dann ist von hierher zum einen um so verständlicher, warum er als Vorläufer des Messias wie selbstverständlich um dessen verborgene Anwesenheit in Israel – er selbst kennt ihn noch nicht – weiß, zum anderen entbieten dann die entsprechenden weiter unten genannten Täuferbelege indirekt weitere ›qumranische‹ neben 4QMess ar.

In 4QMess ar[99] liegt nicht zufällig unter bewußter Aufnahme der oben erwähnten Davidtradition 1Sam 16,1–13, wo erstmals die Unterscheidung zwischen der Designation des Herrschers und seiner späteren Inthronisation (2Sam 2,1–4 bzw. 5,1–3) begegnete, ein weiterer expliziter Beleg für die Erwartung einer Zeit der Verborgenheit des Messias vor, während der er als Messias designatus im verborgenen verharrt und sich auf sein zukünftiges Amt vorbereitet. Denn 4QMess ar zeichnet, wie Otto Betz aufgezeigt hat, einen »theologischen Steckbrief des Messias« im Blick auf seine körperlichen und geistigen Eigenschaften, die für seine Jugendzeit gemäß dem Bild des jungen, soeben designierten David, für seine Funktion als inthronisierter, regierender Messias auf dem Hintergrund vor al-

---

95   Vgl. nur Ps 22; 34,18–23; Hi 42,10–17; Jes 52,13 – 52,12; Dan 11,33–35; 12,1–3; Weish 2,12–20; 5,1–7; 4Makk 18,3.20–24; äthHen 62,10–16; 104,1–6; syrBar 48,49f; Offb 7,9–17; 20,4–6 und 21,1–7. Zum Problem des leidenden Gerechten, seiner Erniedrigung und seiner schließlichen Erhöhung insgesamt vgl. vor allem *K.Th. Kleinknecht*, 19–166 (Altes Testament und antikes Judentum), 167–177 (Jesusüberlieferung), 177–192 (zwischen Jesus und Paulus), 193–376 (Paulus) und 377–390 (Paulusschule).

96   Vgl. *K. Berger*, Messiastraditionen, 28–37 sowie 43, Anm. 165.

97   Vgl. 4QTest 5–13 und 1QS 9,11, dazu *K. Schubert*, Messiaslehre, 342–346.358–363 und *F. Hahn*, Hoheitstitel, 366–369.

98   Zur Verbindung des Täufers mit Qumran vgl. *J.A. Fitzmyer*, Luke I, 388f und *O. Betz*, Bedeutung, 319–321.

99   Dieses Fragment, dessen Sprache das Aramäische und dessen Thema der Messias ist, wurde 1964 durch *J. Starcky*, Texte messianique, 51–66 veröffentlicht (vgl. ferner *J. Carmignac*, Texte messianique, 206–217).

lem der messianischen Weissagung Jes 11,2–4 gestaltet sind. Dabei wird unter anderem gesagt, daß er erst mit dem »Studium der drei Bücher« die Klugheit, das Wissen und die Geistbegabung erwirbt, die den Messias kennzeichnen (Zeile 5). Jetzt erweist er sich als der Messias, der alle Geheimnisse kennt, als der Erwählte Gottes, der als der von Gott Gezeugte die Herrschaft über die gesamte Welt übernimmt (Zeilen 6–10). Vorher, als Messias designatus, verfügt er bereits wie David über Löwenkräfte (1Sam 17,34–37); überhaupt werden seine körperlichen Merkmale im Anschluß an die Davids nach 1Sam 16,12 beschrieben. Das für den inthronisierten Messias konstitutive Charisma besitzt er allerdings noch nicht und bleibt deshalb als Messias zunächst verborgen (Zeilen 1–4). Ausdrücklich befindet er sich während der Zeit seiner messianischen Verborgenheit auf der Erde und nicht im Himmel, lebt als Mensch unter Menschen, in seiner zukünftigen Funktion so lange unerkannt, bis ihn Gott als Messias offenbart[100].

6.   In der Erwartung der Psalmen Salomos erscheint die Vorstellung des Messias designatus nicht expressis verbis, ist aber stillschweigend mitbedacht[101].

7.   Dennoch ist sie gerade für die Zeit unmittelbar vor dem Auftreten Jesu explizit bezeugt, und dies ausgerechnet bei dem Mann, der Jesus entscheidend prägte: Johannes dem Täufer. So zunächst überall dort, wo Johannes mit ὁ ἐρχόμενος (Mt 3,11; 11,3 par; Joh 1,15.27.30 und Apg 13,25) sowie ὁ ἰσχυρότερος (Mk 1,7 par) auf den Messias weist, den er als unmittelbar nach ihm kommend ankündigt[102]. Noch ist er verborgen, auch dem Täufer selbst, doch bald tritt er auf. Die Täuferfrage Mt 11,2f par mit ihrem Zweifel an Jesu Messianität weist ebenso deutlich in diese Richtung, denn entgegen der Erwartung des Täufers ist Jesus immer noch nicht als Messias inthronisiert, immer noch als solcher verborgen, obwohl er sich doch längst – seit seiner Taufe – als Messias designatus weiß und seine öffentliche Wirksamkeit in Israel begonnen hat.

8.   Obwohl mit Apg 5,36 kein vorjesuanischer Beleg vorliegt, möchte ich diese Stelle wegen ihrer Eindeutigkeit doch aufgreifen. Gamaliel sagt dort vom Messiasprätendenten Theudas: λέγων εἶναί τινα ἑαυτόν. Theudas wollte endlich als der offenbar werden, der er verborgen bereits zu sein glaubte. Mit seinem Aufstand beabsichtigte er, das Μεσσίας ἔρχεται (Joh 4,25) von sich aus zu verwirklichen[103].

9.   Sind damit die vorjesuanischen Belege für die Vorstellung des Mes-

---

100   Vgl. insgesamt *O. Betz,* Kann denn aus Nazareth, 389f (Zitat 389).

101   S. unten S. 129.

102   S. unten S. 122–126.

103   Vgl. *O. Betz,* Probleme des Prozesses Jesu, 584f und *ders.,* Jesus und das Danielbuch, 18–22. In der letztgenannten Studie verweist Betz auf den Tatbestand, daß sich für eine Entsprechung des εἶναί τινα im Aramäischen בַּר אֱנָשׁ bzw. im Hebräischen בֶּן־אָדָם (indeterminiert) am ehesten anbiete (20).

sias designatus genannt, so beweisen zwei weitere Sachverhalte, daß sie längst vor Jesu Auftreten vorgelegen haben muß:

Da ist (a) zunächst der aus der alttestamentlich-jüdischen Tradition vorgegebene Tatbestand, daß der legitime, von Gott erwählte Messiasprätendent abwartend im verborgenen bleibt, weil er sich nicht selbst als Messias ausweisen darf, denn dieser Ausweis steht allein Gott zu. Jeder vermeintliche Messiasprätendent, der dies nicht beachtet und von sich aus aktiv wird, erweist sich als Pseudomessias, der Gott versucht. Jeder, der sich als Messias weiß, muß seinen Anspruch vor seiner Inthronisation somit geheimhalten, bis Gott ihn offenbart[104]. Messiaslehre ist zur Zeit Jesu und bereits vorher notwendig Geheimlehre.

Sodann ist (b) auf die furchtbare Geschichte der messianischen Bewegungen und der mit ihnen verbundenen Aufstände zu verweisen, die von den Römern in grausamster Weise niedergeschlagen wurden[105]. Die brutale Verfolgung aller Messiasprätendenten zwang diese geradezu, zunächst im verborgenen zu wirken und ihre ›von Gott gesetzte Stunde‹ abzuwarten[106].

Zusammenfassend bleibt festzuhalten: Die Erwartung des Messias designatus war Jesus zeitgeschichtlich vorgegeben. Indem er sie aufgreift und auf sich bezieht, d.h. sich selbst als Messias designatus weiß, der seiner Inthronisation durch Gott entgegengeht, expliziert er seinen Anspruch auf dem Hintergrund alttestamentlich-jüdischer Messiasdogmatik.

IV. Lk 11,29-30 par Mt 12,38-40 par Mk 8,11-12 par

1. Der bei Markus und Q gemeinsame Wortbestand

Lk 11,29f und Mt 12,38-40 sind Q entnommen, wobei die V. 30 und 40 die Begründung des jeweils Voranstehenden darstellen. Dieses hat eine weitere Parallele in Mk 8,11f par Mt 16,1.4[107], jedoch ohne folgende Begründung. Jeweils geht es um eine Zeichenforderung: Man verlangt von Jesus ein ihn legitimierendes σημεῖον. Jesus lehnt diese Forderung ab, er

104 S. unten S. 130-132.
105 Vgl. die oben Anm. 84 genannte Literatur.
106 Vgl. in der Jesustradition Joh 2,4; 7,30 und 8,20: »Meine Stunde ist noch nicht gekommen«. Unausgesprochen liegt das gleiche Motiv in Lk 4,25-27 vor (vgl. *O. Betz*, Problem des Wunders, 415). Im Gegenüber zu den genannten Belegen ist auf Mk 14,35 par; 14,41 par; Joh 13,1 und 17,1 zu verweisen, wo Jesus Gottes Stunde schließlich nahe bzw. gekommen sieht.
107 Mt 16,1.4 - die besten Handschriften lesen die V. 2f nicht - ist die eigentliche Parallele zu Mk 8,11f. Da Matthäus den Wortlaut des V. 4 aber nahezu wörtlich an Mt 12, 39 angeglichen hat (anders ist nur das Fehlen von τοῦ προφήτου hinter Ἰωνᾶ), scheidet Mt 16,4 als eigenständiger Beleg aus.

gibt diesem Geschlecht kein Zeichen. Aber nur Markus endet mit der grundsätzlichen Ablehnung eines Beglaubigungszeichens, während Lk 11,29 und Mt 12,39 fortfahren: εἰ μὴ τὸ σημεῖον Ἰωνᾶ. Auch hier verweigert Jesus ein Zeichen, gewährt jedoch – das ist die einzige Ausnahme – τὸ σημεῖον Ἰωνᾶ, das in Lk 11,30 und Mt 12,40 sodann näher erläutert wird, wobei die jeweilige Erläuterung eine verschiedene ist.

In der ursprünglich selbständigen Perikope vom Jonazeichen[108] überliefert Markus im bei allen drei Evangelisten sachlich übereinstimmenden Teil der Antwort Jesu den ältesten Wortlaut, enthält dieser doch mehrere Semitismen, die in Q sekundär gräzisiert wurden: Semitismus ist die Frageeinleitung τί in Mk 8,12, die einen Ausruf der Entrüstung einleitet[109]; τί ist Äquivalent des aramäischen אֵיךָ. Deshalb gebührt τί ἡ γενεὰ αὕτη ζητεῖ σημεῖον; der Vorzug gegenüber dem nicht als Frage formulierten Wortlaut der Q-Tradition, den wiederum Matthäus bewahrt haben wird[110]. Für die Ursprünglichkeit des Markus auch im folgenden Satz

---

108   Mit dem voranstehenden Text war die Perikope ursprünglich nicht verbunden; bei Markus, Matthäus und Lukas ist er nicht zufällig ein jeweils anderer. Fraglich ist allein der Zusammenhang mit den Folgeversen, die bereits in Q mit der Überlieferung vom Jonazeichen verbunden waren. Im Anschluß an die Deutesprüche Lk 11,30 und Mt 12,40 folgt bei beiden Evangelisten der Doppelspruch von der Südkönigin und den Niniviten, der vom Gericht über »dieses Geschlecht« handelt und bei beiden, was den Wortbestand betrifft, nahezu gleichlautend überliefert wird. Doch während bei Lukas der Niniviten- auf den Südköniginspruch folgt, ist die Reihenfolge bei Matthäus umgekehrt. Lukas bietet die ursprüngliche, da schwierigere Reihenfolge, denn die Stichwortverbindung der V. 29f mit dem Südköniginspruch (V. 31) ist wesentlich schwächer als mit dem Ninivitenspruch (V. 32): Ist V. 31 mit den V. 29f lediglich ad vocem ἡ γενεὰ αὕτη verbunden, so wäre dies V. 32 ad vocem ἡ γενεὰ αὕτη, οἱ Νινευῖται und Ἰωνᾶς. Mt 12,38–40 ist demgegenüber mit dem Ninivitenspruch ad vocem Ἰωνᾶς verknüpft, während eine Stichwortverbindung zum Südköniginspruch nicht vorliegt. Aus diesem Grund stellte Matthäus sekundär um, Lukas hingegen überliefert die ihm vorgegebene und zudem chronologisch richtige Reihenfolge (vgl. A. Vögtle, Spruch, 116–199). Gerade aufgrund der Reihenfolge Südköniginspruch – Ninivitenspruch, die trotz inhaltlich gleicher Aussage beider Logien den Ninivitenspruch nicht unmittelbar im Anschluß an den Deutespruch Lk 11,30 bringt, ist die ursprüngliche Selbständigkeit des Doppelspruchs – der laut R. Riesner, Jesus, 330–332; A.J.B. Higgins, Son of Man, 101–104 und J. Gnilka, Matthäus I, 469 ein authentisches Jesuswort darstellt, während D. Lührmann, Redaktion, 37f.64.98f in ihm eine urkirchlichen Bildung erkennen möchte – wahrscheinlich. Die sekundäre Verbindung von Lk 11,29f und 31f in Q erfolgte erstens im Blick auf die Stichwortassoziation ad vocem ἡ γενεὰ αὕτη, zweitens, weil außer in Lk 11,29f par und 31f par nirgendwo sonst in der Jesusüberlieferung von Jona die Rede ist. Die Perikope vom Jonazeichen, eine in sich geschlossene Einheit, wie auch ein Vergleich mit Mk 8,11f und dem dortigen Textzusammenhang zeigt, ist daher unabhängig vom Kontext zu interpretieren.

109   Vgl. M. Black, Approach/Muttersprache, 89 und A. Vögtle, Spruch, 109.

110   πονερὰ καὶ μοιχαλίς ist Erläuterung für ἡ γενεὰ αὕτη, womit der negative Sinn dieser Wendung richtig umschrieben wird; μοιχαλίς bezieht sich auf das alttestamentliche Bild für die Abwendung Israels von Gott. Lukas hat diese Erläuterung wegen ihrer Mißverständlichkeit für griechische Ohren nicht übernommen. Auch das Fehlen der Kopula ἐστιν, ein Semitismus, erweist Matthäus als ursprünglicher.

spricht der in Q fehlende Semitismus ἀμὴν λέγω ὑμῖν, der ein Kennzeichen der ipsissima vox Jesu darstellt[111]. Jesus weist also den Pharisäerwunsch nach einem Zeichen entrüstet zurück, um einen mit ἀμὴν λέγω ὑμῖν eingeleiteten Satz anzuschließen. Die jüngere Q-Fassung dagegen gleicht nach der Streichung des ἀμὴν λέγω ὑμῖν beide Satzteile einander an. Im zweiten Satzteil verdient das ablehnende εἰ (aramäisch לָא [möglich wäre auch אִין]) vor δοθήσεται als »stärkste Form der Beteuerung«[112] den Vorzug vor dem im Griechischen üblichen οὐ als erleichternder Übersetzungsvariante. In beiden Überlieferungen verweist das Passivum divinum δοθήσεται auf semitischen Hintergrund. Ursprünglicher ist Markus ebenso mit der Wendung τῇ γενεᾷ ταύτῃ, die Q, um Wiederholungen zu vermeiden, im Blick auf γενεὰ πονερὰ καὶ μοιχαλίς durch αὐτῇ ersetzt. Die ursprüngliche Antwort Jesu, bezogen auf die bei Markus und Q gemeinsam vorliegende Tradition, lautete also im Griechischen und – rückübersetzt – im Aramäischen:

> τί ἡ γενεὰ αὕτη ζητεῖ σημεῖον;
> ἀμὴν λέγω ὑμῖν,
> εἰ δοθήσεται τῇ γενεᾷ ταύτῃ σημεῖον.

> אֵיךְ אָתָא בְּעָא דָּרָא הָדֵין
> אָמֵין אָמַרְנָא לְכוֹן
> דְּלָא אָתָא יִתְיְהֵיב לְדָרָא הָדֵין[113]

2. δυνάμεις und σημεῖα im Wirken Jesu

Um die Perikope vom Jonazeichen sachgemäß zu verstehen, muß zunächst einmal unterschieden werden zwischen δυνάμεις und σημεῖα. Jesu Wunder sind δυνάμεις, keine σημεῖα[114]; was die Pharisäer von ihm verlangen, ist ein σημεῖον.

Das griechische δυνάμεις, Ausdruck für die Heilstaten in der alten Zeit wie im Eschaton, ist Äquivalent des aramäischen Plurals גְּבוּרָן (gebräuchlich sind auch גְּבוּרָתָא und גִּיבָּרְוָתָא) bzw. des hebräischen Plurals גְּבוּרוֹת[115].

---

111 Vgl. die unten Anm. 327 genannte Literatur.

112 *A. Vögtle,* Spruch, 110, vgl. *V. Taylor,* Mark, 362f.

113 *C. Colpe,* Art. ὁ υἱὸς τοῦ ἀνθρώπου, 452, Anm. 348 erkennt in Zeile 3 zu Recht einen anakoluthisch konstruierter Schwursatz, womit gerade kein griechischer Potentialis vorliegt, der durch einen angeblichen Eventualis εἰ μὴ τὸ σημεῖον Ἰωνᾶ bedingt wäre.

114 Die Synoptiker unterscheiden deutlich zwischen beiden Begriffen, erst Johannes hält sie nicht mehr auseinander, so daß dort von Jesu σημεῖα die Rede ist (vgl. *O. Betz / W. Grimm,* Wesen, 120-151 und *W.J. Bittner,* Zeichen, 45-53.55f). Zwar nennt Lukas in Apg 2,22 δυνάμεις und σημεῖα in einem Zusammenhang, doch schützt auch er Jesu δυνάμεις sonst ausdrücklich gegen das Mißverständnis, es lägen σημεῖα vor (vgl. *O. Betz,* Problem des Wunders, 409f).

115 Vgl. *O. Betz,* Art. δύναμις, 922-924 und *ders.,* Problem des Wunders, 409 (in Anm. 47 mit Hinweis auf 1QM 13,8; 14,13 und CD 4,28f. Aramäische Belege nennt *M. Jastrow,* Dictionary I, 205).

Die δυνάμεις sollen und wollen keinen Glauben wecken wie die σημεῖα, sondern setzen diesen voraus; sie sollen helfen, nicht beglaubigen. Jesu δυνάμεις sind Ausdruck verwirklichter Gottesherrschaft (Lk 11,20 par), Hinweis auf die Zerstörung der Satansherrschaft, die sich in jeder Dämonenaustreibung proleptisch vorwegereignet[116]; sie legen Zeugnis ab für die mit Jesu Wirken angebrochene Heilszeit. Für Jesus sind seine δυνάμεις Taten, die Gottes helfende Macht erweisen, und damit Hilfe für die Glaubenden. Nie sind sie für das Volksganze, sondern immer nur für einzelne bewirkt, denen sie das angebrochene Heil Gottes signalisieren[117]. So tritt die Person Jesu hinter seine δυνάμεις zurück, und Gott selbst wird gelobt[118].

Einen ganz anderen Charakter haben die σημεῖα. Das σημεῖον (aramäisch אָתָא, hebräisch אוֹת) will Glauben wecken, und zwar Glauben an die göttliche Sendung eines Boten. Der Gottesbote bedarf der Legitimation, und diese kann das σημεῖον liefern[119].

Im Anschluß an die alttestamentliche Bedeutung des Begriffs[120] wird σημεῖον von Josephus, Johannes und den Rabbinen annähernd gleich gebraucht. Bei Josephus erweist es »den von Gott gesandten Propheten und Befreier des Volkes«, der sich per σημεῖον als solcher ausweist[121]. Auch bei Johannes steht σημεῖον dort, wo Jesus seine göttliche Sendung legitimieren soll[122]. Dabei ist das σημεῖον bei Josephus und Johannes »auf den Glauben angewiesen«[123]: Es wird geschaut, muß dann aber geglaubt werden. Erst durch die von ihm angezeigte Zukunft wird es letztgültig verifiziert oder widerlegt, erst die Zukunft, die von Gott gelenkte Geschichte, erweist den Wundertäter eindeutig als Gottesboten oder Pseudoboten. Aber schon in der Gegenwart galt den Rabbinen als Indiz für ein echtes, von Gott gewirktes Zeichen die uneigennützige Haltung des Wundertäters, dem es nicht um die eigene, sondern um Gottes Ehre geht[124]. Von hierher ist klar, daß ein σημεῖον von Gott ausgehen muß und nicht eigenmächtig gefordert werden kann. Nur das von Gott befohlene und vom Gottesboten ausgeführte σημεῖον ist legitim, die Forderung eines Zeichens Ausdruck des Unglaubens. War dies schon bei Mose so, ist dies in der jüdischen Tradition nicht anders. Auch bei Josephus wird im Gegensatz zum Not wendenden Wunder ein Zeichen nie erbeten (Ausnahme:

116   Vgl. *J. Jeremias,* Theologie, 96–99.
117   Vgl. *O. Betz,* Problem des Wunders, 409.
118   Vgl. etwa Mk 2,12 par; Lk 7,17 und 17,15.
119   Vgl. *W.J. Bittner,* Zeichen, 24–27.57–70.136–150.
120   Vgl. etwa Ex 4,27–31 und 7,1–13 sowie insgesamt *O. Betz / W. Grimm,* Wesen, 11–25 und *W.J. Bittner,* Zeichen, 22–27.
121   *O. Betz,* Problem des Wunders, 403, vgl. *W.J. Bittner,* Zeichen, 30–32.57–70.
122   Vgl. etwa Joh 2,18 und 6,30 sowie insgesamt ebd., 90–290.
123   Vgl. *O. Betz,* Problem des Wunders, 410f (Zitat 410).
124   Vgl. ebd., 399 (dort Belege).

JosAnt 10,28) oder gar gefordert, sondern »befehlsgemäß vorgeführt und auch den Unwilligen, wie etwa dem Pharao, aufgedrängt.«[125] Dieses Verständnis eines σημεῖον gilt auch für Jesus. Die fordernde Frage nach einem σημεῖον ist für ihn die Frage des Unglaubens, der zuerst etwas sehen will und dann glauben. Ausdrücklich lehnt Jesus solchen Glauben ab. Er will nicht per σημεῖον die Aufmerksamkeit der Menschen auf sich lenken, um diese so zum Glauben zu bringen. Erweist also schon die Zeichenforderung den Unglauben der Fragesteller, so ist es für Jesus zudem undenkbar, zu seiner eigenen Verherrlichung von Gott ein Zeichen zu verlangen. Dies wird besonders deutlich in der Antrittspredigt Jesu in Lk 4,16-27: Was Jesus in Kapernaum getan hat, soll er auch in Nazareth tun; man verlangt σημεῖα. Er jedoch entspricht dem Wunsch der Leute nicht, auch wenn er sich damit nach deren Meinung nicht als Bote Gottes ausweisen kann. Doch ist ihm ein solches Handeln von seinem Selbstverständnis her unmöglich, denn er ist Bote, steht unter höherem Befehl und ist allein dem ihn sendenden Gott verpflichtet. Ein eigenmächtig zu seiner persönlichen Legitimation und um seiner eigenen Ehre willen gewährtes σημεῖον wäre darum in Jesu Augen mit das schlimmste Vergehen, dessen er sich als Bote schuldig machen könnte; er wäre dann nicht mehr der Bote des ihn sendenden Gottes. Ihn als solchen zu legitimieren ist und bleibt ausschließlich Gottes Sache.

Dieser Sachverhalt, der für die Jesustradition von fundamentaler Wichtigkeit ist, liefert auch den entscheidenden Schlüssel zum Verständnis der Perikope vom Jonazeichen.

3. Der historische Hintergrund der Zeichenforderung

Da der Hinweis auf seinen Beruf als Gesandter Gottes charakteristisch für Jesus ist, wird er folgerichtig jedes σημεῖον ablehnen, solange ihm Gott nicht ein solches befiehlt. Eine Zeichenforderung ist somit von vornherein illegitim, eine Versuchung Jesu und eine Versuchung Gottes. Die Antwort Jesu auf das Ansinnen der Pharisäer kann deshalb nur ein striktes Nein sein oder aber ein Hinweis auf ein zukünftiges, von Gott gewirktes σημεῖον, wobei auch im zweiten Fall jenes zukünftige Ja mit dem gegenwärtigen Nein verbunden bliebe. Diesen Hinweis auf ein zukünftiges Handeln Gottes hätte Jesus dann mit εἰ μὴ τὸ σημεῖον Ἰωνᾶ und dessen folgender Erläuterung ausgesprochen.

Damit stellt sich die Frage, was die Pharisäer konkret mit σημεῖον meinen und welche Vorstellungen sie an Jesus herantragen. Sie können dabei nur an ein Beglaubigungszeichen gedacht haben, das der Legitimation Jesu dient und ihn von Gott her beglaubigen soll[126]. Mit diesem wollen sie Jesu

---

125 Ebd., 403.
126 Vgl. *H. Patsch*, Abendmahl, 203.

Anspruch testen. Gewährt er ein Zeichen, d.h. ist er in der Lage dazu, will man ihm Glauben schenken, gewährt er es nicht, d.h. ist er nicht in der Lage dazu, wird man sich von ihm abwenden.

Bislang ist allerdings offen, ob die Pharisäer aufgrund der Verkündigung Jesu vom Anbruch der Gottesherrschaft den Nachweis verlangen, er möge sich als Prophet Gottes ausweisen[127], oder ob sie in ihm einen Messiasprätendenten sehen, der sich jetzt als solcher zu erkennen geben soll[128]. Beides hängt bei Jesus von vornherein zusammen. Die Gottesherrschaft und seine Person sind derart eng miteinander verknüpft, daß Jesu Verkündigung von der Gottesherrschaft von seinem messianischen Selbstverständnis, seinem Sendungs- und Erfüllungsbewußtsein nicht abgetrennt werden kann[129]. Nirgends ist deshalb innerhalb der Evangelientradition eine Auseinandersetzung Jesu mit seinen Gegnern allein wegen seiner Botschaft von der Gottesherrschaft belegt, immer geht es um deren Verknüpfung mit seiner eigenen Person, die damit für die Pharisäer automatisch messianische Implikationen wecken muß, weshalb Jesus sich folglich in diesem Sinn legitimieren soll. Das zeigt in der Perikope vom Jonazeichen bereits die Wendung (σημεῖον) ἀπὸ τοῦ οὐρανοῦ (Mk 8,11). Sie ist nicht einfach nur Synonym zu »von Gott«, sondern ist Ausdruck für das vom Himmel ausgehende Vollendungshandeln Gottes[130] und verweist hier konkret auf das Kommen des von Gott dazu Bevollmächtigten, d.h. auf den Messias.

Die Pharisäer sehen in Jesus somit einen potentiellen Messiasprätendenten, der sich als solcher ausweisen soll. Zu seiner Legitimation verlangen sie ein ihn eindeutig beglaubigendes σημεῖον. Dieses Begehren lehnt Jesus ab. Erstens ist er Bote Gottes und verfügt deshalb nicht eigenmächtig über sich selbst; Gott allein bestimmt die Stunde seiner Legitimation. Zweitens kann Jesus nicht einfach von sich behaupten: »Ich bin der Messias«, denn nach alttestamentlich-jüdischer Tradition setzt Gott den Messias ein bzw. stellt ihn auf[131]; zugleich hätte er damit sein Leben leichtfertig aufs Spiel gesetzt, sowohl seitens des Herodes als auch erst recht scitens der Römer[132]. Drittens ist ein im Unglauben gefordertes

---

127   Vgl. etwa bBM 59b Bar und SifDev 177 (108a) zu 18,19 (zitiert bei *Bill.* I, 127f.727) sowie *W.J. Bittner*, Zeichen, 24–27.

128   Zu den Versuchen einzelner Messiasprätendenten, dem Volk ein Zeichen zu gewähren, s. oben Anm. 19 und vgl. die oben Anm. 84 genannte Literatur sowie *W.J. Bittner*, Zeichen, 136–150.

129   S. vor allem unten S. 118.128–133.138–140.168–174.362–367.

130   Vgl. *E. Lohmeyer*, Markus, 155; *H. Traub*, Art. οὐρανός, 531; *R. Pesch*, Markus II, 407 und *J. Gnilka*, Markus II, 306f.

131   S. unten S. 130–132.

132   Das übliche Vorgehen der Römer gegen Messiasprätendenten spricht eine überdeutliche Sprache (vgl. die oben Anm. 84 genannte Literatur). Im Blick auf Herodes wiederum zeigt dies unmißverständlich die Ermordung des Täufers. Laut JosAnt 18,116–119 sah Herodes Antipas im Täufer einen Revolutionär (vgl. Lk 3,15). Er befürchtete, wegen

σημεῖον, das die Menschen vom Schauen zum Glauben führt, nicht im Sinne Jesu. Er verkündigt vielmehr die Umkehr zu Gott als die allein mögliche und angemessene Haltung gegenüber seinem Wirken. Nur der Umkehrwillige und Glaubende erkennt – bereits jetzt – in Jesu Wort und seinem entsprechenden Handeln den proleptisch-sichtbaren Erweis seiner eschatologischen Sendung. Weil ihm die Pharisäer keinen Glauben schenken, sind sie jedoch blind gegenüber Gottes Reden und werden so zu »diesem Geschlecht« als die Gesamtheit derer, die sich gegen Gottes Offenbarung stellen. Hier liegt ihre Schuld. Allein die Zeichenforderung beweist, daß sie umzukehren und zu glauben in Wahrheit nicht bereit sind.

4. εἰ μὴ τὸ σημεῖον Ἰωνᾶ – ursprünglich oder sekundär?

Hätte Jesus der Zeichenforderung der Pharisäer ein bloßes Nein entgegengeschleudert, wäre die besagte Wendung sekundär. Hat er dagegen sein gegenwärtiges Nein mit einem Hinweis auf ein zukünftiges Handeln Gottes verbunden, durch das er zuletzt doch als der messianische Gesandte Gottes offenbar wird, dann enthält εἰ μὴ τὸ σημεῖον Ἰωνᾶ diesen Hinweis und gehört daher zum Voranstehenden hinzu.
Die Wendung ist sicher ursprünglich[133]. Zwar fehlt sie bei Markus, doch läßt sich zeigen, weshalb er sie sekundär tilgte[134]. Zudem ist die schließliche Bestätigung Jesu durch Gott ein unaufgebbares Charakteristikum neutestamentlicher Zukunftserwartung, und es erscheint höchst unwahrscheinlich, daß eine solche Erwartung nicht in Jesus selbst ihren Ansatzpunkt haben sollte. Diese allenfalls hypothetisch mögliche Vermutung wird ebenso durch die Tatsache ad absurdum geführt, daß die Inthronisation des Messias auch innerhalb der alttestamentlich-jüdischen Messiaserwartung der unverzichtbare Topos schlechthin ist. Hier knüpft Jesus an, wie sich zeigen wird[135].
Neben diesen allgemeinen Erwägungen führt aber auch die konkrete Situation zum gleichen Ergebnis: Ein bloßes Nein hätte Jesu Gegnern den totalen Triumph ermöglicht, zugleich hätte sich Jesus vor dem Volk bloßgestellt. Umgekehrt entlarvt sein gegenwärtiges Nein, verbunden

---

dessen Popularität könne es zu einem Aufstand kommen. Die Drohung gegenüber Jesus, Antipas wolle ihn töten (Lk 13,31), ist deshalb sehr ernst zu nehmen, denn in seinem Herrschaftsbereich besaß Antipas das ius gladii. Anders in Judäa, wo sich Rom dieses Recht für sich vorbehalten hatte, so daß keineswegs die Synhedristen, sondern allein der Statthalter die entsprechende Verfügungsgewalt ausübte (vgl. *J. Jeremias*, Geschichtlichkeit, 139–144; *A. Strobel*, Stunde, 18–41; *O. Betz*, Probleme des Prozesses Jesu, 642f; *J. Gnilka*, Prozeß, 28–31 und *K. Müller*, Möglichkeit, 52–58.66–74).
133 Vgl. *H.F. Bayer*, Predictions, 124–126.
134 S. unten S. 98.
135 S. unten S. 128–140.

mit einem Hinweis auf ein zukünftiges, von Gott gewirktes σημεῖον, die Zeichenforderung der Pharisäer als Forderung des Unglaubens, die die Einladung zum Glauben und zur Umkehr aufgrund des Wirkens Jesu in der Gegenwart aufheben und statt dessen den Glauben vom Schauen abhängig machen will. Damit droht Jesus ihnen ein solches Zeichen an, das ihren Unglauben aufdecken und verurteilen wird. Insofern gehören Jesu Nein und der gleichzeitige Hinweis auf das Jonazeichen als Einheit zusammen und bedingen einander. Im für ihn charakteristischen Rätselspruch kündigt Jesus seine zukünftige Legitimation als messianischer Gesandter Gottes an.

5. Das Jonazeichen in der neutestamentlichen Forschung

Anton Vögtle weist nachdrücklich darauf hin, daß es beim Jonazeichen ebenso um ein Beglaubigungszeichen zur Legitimation Jesu gehen müsse, wie es in Lk 11,29a par um ein solches ging. Plötzlich eine andere Bedeutung hineinlesen zu wollen, sei methodisch nicht gerechtfertigt, weder durch den Zusatz Ἰωνᾶ noch die jetzt fehlenden Worte ἀπὸ τοῦ οὐρανοῦ. Von hierher kommen laut Vögtle die Deutungen des Jonazeichens auf die Buß- und die Gerichtspredigt Jesu, die beide dem Begriff σημεῖον nicht gerecht würden, von vornherein nicht in Frage[136].
Die Deutung auf die Bußpredigt Jesu[137], die sich auf die Bußpredigt Jonas in der alttestamentlichen Jonaerzählung beruft, dabei aber meist aufgrund einer methodisch ungerechtfertigten Kontextexegese vom Ninivitenspruch her bewußt oder unbewußt eingetragen wird, scheidet in der Tat aus, weil eine Bußpredigt als solche kein σημεῖον darstellt; für sie wird ein solches ja gerade gefordert. Zudem spricht das futurische ἔσται in Lk 11,30 gegen diese Auslegung.
Auch die Deutung auf die bloße Gerichtsdrohung[138] ist abzulehnen. Man kann sie – oft ebenso vom folgenden Ninivitenspruch her eingetragen – bei gleicher inhaltlicher Aussage formal unterteilen in die direkte Drohung mit dem nahen Gericht und in die Drohung mit der Parusie des Menschensohns zum Gericht. Sie ist damit zwar konkreter als der Verweis auf den Bußruf, doch geht es auch hier nicht um ein Beglaubigungs-, sondern um ein Warnungszeichen[139]. Außerdem bleibt in der Jonaerzählung das Gericht Gottes wegen der Umkehr der Niniviten gerade aus. Es gibt somit keine diesbezügliche Entsprechung zwischen Jona und Jesus.

136 Vgl. *A. Vögtle*, Spruch, 113.
137 Vgl. *W.G. Kümmel*, Verheißung, 62; *E. Schweizer*, Menschensohn, 73 und *Ph. Vielhauer*, Jesus, 128.
138 Vgl. *R. Bultmann*, Geschichte, 124; *F. Hauck*, Lukas, 158; *E. Klostermann*, Matthäus, 114; *H.E. Tödt*, Menschensohn, 49f und *E. Jüngel*, Paulus, 256–258.
139 Vgl. *J. Weiß*, Evangelien, 318 und *A. Vögtle*, Spruch, 127.

Phantastisch ist ein dritter Erklärungsversuch, der im Jonazeichen die Bußpredigt des Täufers erkennen will, indem sie יוֹנָה zur Abkürzung von יוֹחָנָן erklärt[140]. Nicht nur wegen ihres spekulativen Charakters ist diese Interpretation abzulehnen, auch philologisch ist sie kaum nachvollziehbar. Zugleich läßt sich kein einleuchtender Grund für eine derartige Namensverwechslung aufzeigen.

Nach einer vierten Deutung bezieht sich das Jonazeichen auf Jesus selbst[141]. Damit ist Jesus in der »Besonderheit seiner geschichtlichen Erscheinung«[142] die Bestätigung für seine Botschaft und sein Handeln. »Der Gottgesandte und seine Botschaft (bestätigen) sich selbst«[143]. So umschreibt Vögtle das Tertium comparationis dieser Auslegung, um sich dann kritisch mit ihr auseinanderzusetzen: Während Jona »nur predigte, Jesus aber predigte und handelte«, wobei der Zusammenhang von Wort und Tat für Jesus gerade charakteristisch ist und »ihn von allen bisherigen Gottesboten, Jonas nicht ausgenommen, unterscheidet, ... ist wirklich nicht einzusehen, daß Jesus sein Auftreten und Wirken in Israel als die Erneuerung des Auftretens des Jonas unter den Niniviten bezeichnen soll, und dies unter dem Gesichtspunkt der sich selbst legitimierenden Botschaft. Von einer Selbstbestätigung seiner Person und Botschaft kann man bei Jonas sicher nicht im selben Sinn reden wie bei Jesus.«[144] Zudem ist nicht einsichtig, warum Jesus dann ausgerechnet auf Jona verweisen und sich ihn als Gegenüber aussuchen sollte, der doch im Jonabuch als der ungehorsame Prophet geschildert wird und als solcher im Judentum weiterlebt. Deshalb scheidet auch diese Lösung aus, die im Grunde nicht mehr aussagt als das bloße markinische Nein. Mit dem futurischen ἔσται aus Lk 11,30 ist sie ebensowenig in Einklang zu bringen.

Eine fünfte und letzte Erklärung deutet das Jonazeichen auf die Errettung des Gottgesandten aus dem Tod[145]. Wohl von Mt 12,40 her entwickelt, interpretiert sie so: Wie Jona den Niniviten als wunderbar aus dem Tod Erretteter zum eindeutigen Zeichen wurde, so wird es auch der Menschensohn für dieses Geschlecht, wenn es ihn bei seiner Parusie (bzw. Auferstehung) als wunderbar aus dem Tod Erretteten erleben wird. Damit stehen sich die Errettung Jonas aus dem Bauch des Fisches und die Errettung Jesu aus dem Tod als Tertium comparationis gegenüber, durch die beide als Gottgesandte ausgewiesen wurden bzw. werden. Das Jesus legitimierende Zeichen ist das sichtbare Erscheinen des (auferstandenen)

140 Vgl. *J.H. Michael*, Sign, 149–151.
141 Vgl. *T.W. Manson*, Sayings, 90f; *V. Taylor*, Mark, 363 und *W. Grundmann*, Lukas, 242.
142 *H. Patsch*, Abendmahl, 203.
143 *A. Vögtle*, Spruch, 128.
144 Ebd., 128.
145 Dieser Deutung, die *J. Jeremias*, Art. Ἰωνᾶς, 411–413 erarbeitete, folgen *K.H. Schelkle*, Passion, 82; *A. Vögtle*, Spruch, 130–134 und *H. Patsch*, Abendmahl, 203.

Menschensohns vor aller Welt. Für ἡ γενεὰ αὕτη und speziell für die, die jetzt ein Zeichen fordern, bedeutet dies Gericht, denn zur Umkehr ist es dann zu spät.

So überzeugend diese Deutung auf den ersten Blick zu sein scheint, letztlich ist auch sie nicht haltbar: Nach dieser Erklärung läge hier erstens der einzige Beleg vor, in dem ein Logion aus Q vorausschauend von Jesu Tod und Auferstehung redet. Zweitens steht der Errettung Jesu aus dem Tod keine wirkliche Entsprechung im Leben des Jona gegenüber, denn während seines Aufenthaltes im Bauch des Fisches war Jona nicht tot, ist also auch nicht aus dem Tod errettet worden. Aus diesem Grund erscheint es wenig sinnvoll, daß Jesus seine Errettung aus dem Tod ausgerechnet als Erneuerung derjenigen Jonas bezeichnet haben soll; schließlich war Jesus nicht scheintot. Drittens wäre die Errettung Jesu aus dem Tod in der Tat ein σημεῖον, die Errettung Jonas aus dem Fisch hingegen nicht. Wie könnte diese auch als Beglaubigung seiner göttlichen Sendung gelten. Nichts und niemand wird dadurch legitimiert, weder Jona selbst noch seine Botschaft. Im Alten Testament ist die Errettung Jonas die Folge seines Gebets zu Gott (Jon 2,2–11), woraufhin Gott Jonas Umkehrbereitschaft ebenso akzeptiert wie die später berichtete Umkehr der Niniviten (Jon 3,10). Von daher ist es nur folgerichtig, daß jüdische oder christliche Belege dafür, in Jonas Errettung ein seine Botschaft beglaubigendes σημεῖον zu erkennen, fehlen[146]. Die Niniviten erfahren überhaupt nichts von Jonas Errettung. Wie kann sie ihnen dann zum Zeichen werden? Da in Lk 11,30 aber von einem Zeichen für die Niniviten die Rede ist, muß etwas anderes mit τὸ σημεῖον Ἰωνᾶ gemeint sein. Angesichts dieses Tatbestands ist es mir nicht möglich, den letztgenannten Deutungsversuch aufrechtzuerhalten. Jesu Hörer konnten aufgrund seiner Worte gar nicht an die in Jon 2 geschilderte Rettung des Propheten denken. Speziell für die exegetisch geschulten Pharisäer war solches undenkbar, ist doch im Alten Testament oder auch in späterer Zeit in diesem Zusammenhang von אוֹת oder אָתָא nicht die Rede. Erst recht für Jesus selbst ist ein derart

---

146 Vgl. *Bill.* I, 644–648. Laut 3Makk 6,8 erfahren die Angehörigen des Propheten von seiner wunderbaren Errettung, nicht die Niniviten; mit einem σημεῖον hat diese Kunde jedoch nichts zu tun. Die Legende des 9. Jahrhunderts n.Chr. hingegen berichtet, die Schiffsleute seien durch Jonas Errettung zum Übertritt zum Judentum veranlaßt worden (PRE 10 [zitiert bei *Bill.* I, 644–646]). Lediglich hier wird Jonas Errettung tatsächlich zu einem Zeichen, doch geht es wiederum nicht um die Niniviten. Zudem sollte eine so späte Schrift als (singulärer) Beleg nicht unbedingt bemüht werden. Im christlichen Schrifttum setzt JustDial 107,2 möglicherweise voraus, daß die Niniviten von Jonas Errettung Kenntnis erhielten, doch ist dieser nachlukanische Beleg erstens kein Ersatz für ein fehlendes jüdisches Zeugnis, zweitens will Justin ausdrücklich nicht darauf hinaus, die Niniviten seien aufgrund dieses Geschehens umgekehrt; auch er versteht die Errettung Jonas somit nicht als σημεῖον.

unpassender Vergleich kaum vorstellbar. In Umkehrung des Urteils
Vögtles[147] bleibt somit festzuhalten: Jeder Erklärungsversuch, der das
Gleichniswort vom Jonazeichen von der Errettung des Propheten aus
dem Bauch des Fisches herleiten will, ist bereits im Ansatz verfehlt.
Sämtliche bisherigen Deutungen des Jonazeichens befriedigen nicht,
keine ließ sich am Text verifizieren. Im folgenden ist deshalb ein eigener
Lösungsversuch zu entwickeln.

6. Mt 12,40 – der matthäische Deutespruch

Schon jetzt lassen sich zwei Argumente gegen die Priorität des matthäischen Deutespruchs anführen, die a priori durch ein drittes ergänzt
werden:
Erstens entspricht die lukanische Reihenfolge des folgenden Doppelspruchs, wie deutlich wurde, der Q-Vorlage[148]. Nimmt man nun auch die
lukanische Fassung des Deutespruchs als ursprünglich an, bestand in Q
eine vorgegebene Stichwortverbindung ad vocem ἡ γενεὰ αὕτη. Fragt
man sich daher, welcher Grund Matthäus bewogen haben könnte, den
Niniviten- und den Südköniginspruch umzustellen, fällt die Antwort
nicht schwer: Bedingt durch den sekundär veränderten Wortlaut des
matthäischen Deutespruchs entfiel die zuvor bestehende Stichwortverbindung, weshalb Matthäus nicht umhinkonnte, zugleich auch die Reihenfolge des Doppelspruchs zu ändern, weil er so auf einfache Weise eine
neue herbeiführen konnte: ad vocem Ἰωνᾶς. Da die matthäische Fassung
zweitens auf Jesu Tod und Auferstehung hinweist, die lukanische aber
nicht, gebührt Lukas der Vorzug, da eine solche Ankündigung in Q sonst
nirgendwo belegt ist. Drittens stellt Lk 11,30 im Gegensatz zu Mt 12,40
ein dunkles, schwer verständliches Logion dar. Eine nachträgliche Verdeutlichung ist ohne weiteres vorstellbar, eine sekundäre Verdunklung
eines ursprünglich verständlichen Wortes hingegen nicht.
Diese Argumente gegen die Priorität des matthäischen Deutespruchs
werden durch die Einzelanalyse von Mt 12,40 bestätigt:
In V. 40a liegt ein wörtliches Zitat aus Jon 2,1 vor, das dem Wortlaut der
Septuaginta entspricht, die allerdings ihrerseits den hebräischen Text exakt wiedergibt. V. 40b stellt dem Aufenthalt Jonas im Bauch des Fisches
den des Menschensohns ἐν τῇ καρδίᾳ τῆς γῆς gegenüber, und zwar mit
derselben Zeitangabe τρεῖς ἡμέρας καὶ τρεῖς νύκτας. Dann muß der Aufenthalt Jesu im Grab das Gegenstück zu dem Jonas im Bauch des Fisches

---

147 Vgl. *A. Vögtle*, Spruch, 114: »Jeder Erklärungsversuch, der das Gleichniswort
vom Jonazeichen nicht von diesem wunderbaren Geschehen an Jonas genommen sein
läßt, dürfte deshalb im Ansatzpunkt verfehlt sein.«
148 S. oben Anm. 108.

sein; das erneuerte Jonazeichen wäre somit die Rückkehr aus diesem Zustand, d.h. seine Auferstehung aus dem Tod[149].

Diese Auslegung ist jedoch wegen der fehlenden wirklichen Entsprechung im Leben Jonas nicht haltbar, wie bereits deutlich wurde, denn die Errettung Jonas aus dem Bauch des Fisches ist kein σημεῖον. Setzt Mt 12,38f par zudem voraus, daß das Jonazeichen »diesem Geschlecht« gegeben wird, so wird es in V. 40 losgelöst davon gedeutet. Jetzt geht es nur noch um das Jonazeichen als solches, das im Schicksal des Menschensohns seine Parallele hat, so daß der Spruch als ganzer die Gewährung des Jonazeichens überhaupt nicht in seine Deutung einbezieht[150]. Es geht gar nicht mehr um ein Zeichen, das der Menschensohn sein wird; was vorliegt, ist ein Hinweis auf Jesu Aufenthalt im Grab[151], d.h. auf Jesu Tod und Auferstehung.

Der hypothetisch mögliche Schluß, V. 40 könne ursprünglich ein isoliert tradiertes Einzellogion gewesen sein, das sekundär von Matthäus hier eingetragen wurde, wird durch den Vergleich mit Lk 11,30 widerlegt, wie sich zeigen wird.

Der matthäische Deutespruch stellt daher eine sekundär-redaktionelle Variante des lukanischen dar.

7.   Lk 11,30 – der lukanische Deutespruch

Es liegt ein Vergleich vor, in dem im Vorder- und Nachsatz jeweils parallele Wendungen einander gegenüberstehen: καθώς – οὕτως, ἐγένετο – ἔσται, Ἰωνᾶς – ὁ υἱὸς τοῦ ἀνθρώπου, τοῖς Νινευίταις – τῇ γενεᾷ ταύτῃ. Lediglich σημεῖον fällt aus diesem Schema heraus, will man den Terminus nicht als Entsprechung zum καί des Nachsatzes ansehen. Die Frage drängt sich auf, ob die heutige lukanische Fassung identisch ist mit ihrer Q-Vorlage oder ob Anzeichen für lukanische Redaktion nachweisbar sind.

Ein Vergleich mit dem Wortlaut des matthäischen Deutespruchs führt zu einem sehr interessanten gemeinsamen Wortbestand[152]:
ὥσπερ (Matthäus) / καθὼς (Lukas) Ἰωνᾶς, οὕτως ἔσται ὁ υἱὸς τοῦ ἀνθρώπου.

---

149   A. *Schlatter*, Matthäus, 416; J. *Schniewind*, Matthäus, 162; W. *Grundmann*, Matthäus, 334 und E. *Schweizer*, Matthäus, 190.

150   Vgl. A. *Vögtle*, Spruch, 122.

151   Die von der neutestamentlichen Chronologie abweichende Zeitangabe »drei Tage und drei Nächte« ist von Jon 2,1 her formuliert, also von dort übernommen und entsprechend zu erklären.

152   Wie in den Logien vom Blitz und von den Tagen Noahs (s. oben Anm. 37.59) vernachlässige ich auch hier die bei Matthäus und Lukas bezeugte Partikel γάρ. Sollte sie als Verbindungspartikel dennoch zum ursprünglichen Wortbestand hinzugehören, ist dies für die folgenden Überlegungen ohne Belang.

Der Nachsatz entspricht exakt dem ursprünglichen Wortlaut von Lk 17,24.26 par Mt 24,27.37. Dienten dort ἡ ἀστραπή und αἱ ἡμέραι Νῶε als Vergleich, so hier Ἰωνᾶς. Die auf diese Weise hypothetisch ermittelte Fassung des Logions in Q läßt sich durch die Einzelanalyse verifizieren.

Während ὥσπερ und καθώς wie schon in Lk 17,26 par Mt 24,37 miteinander konkurrieren, wobei καθώς wie bereits dort auch hier auf die lukanische Redaktion zurückgehen wird, erweisen sich sämtliche über den bei Matthäus und Lukas gemeinsamen Wortlaut hinausgehenden Termini als sekundäre lukanische Zusätze:
Für die hypothetische Ursprünglichkeit von ἐγένετο darf man keinesfalls das matthäische ἦν geltend machen, da es bereits zum Zitat aus Jon 2,1 hinzugehört. Zugleich stand das kaum rückübersetzbare ἐγένετο nicht nur nicht in der vorauszusetzenden semitischen Vorlage, sondern ebensowenig im griechischen Text von Q. Denn für Q ist ἐγένετο untypisch[153], während der unverkennbar hellenistische Begriff umgekehrt ein lukanisches Vorzugswort darstellt[154], das Lukas viermal sekundär in seine Q-Vorlage eingetragen hat[155]. Mit diesem Zusatz schafft der Evangelist eine parallele Entsprechung zum ἔσται des Nachsatzes und verdeutlicht insofern den ihm vorgegebenen Vergleich Jona - Menschensohn, als ἐγένετο den einstigen Vorgang um Jona genauer als solchen bezeichnet und ihn mit jenem zukünftigen vergleicht, der den Menschensohn diesem Geschlecht zum erneuerten Jonazeichen werden läßt.
Die beiden Dative τοῖς Νινευίταις und τῇ γενεᾷ ταύτῃ präzisieren sekundär den ursprünglich dunklen Vergleich, indem sie - sachlich richtig - die Betrachter des alten bzw. des erneuerten Jonazeichens kennzeichnen. Zwar ist τοῖς Νινευίταις als unsemitische und typisch griechische Abstraktbildung in einer aramäischen oder hebräischen Vorlage kaum denkbar[156], andererseits jedoch zur Verdeutlichung der Aussageintention des Evangelisten für seine hellenistischen Leser sehr gut geeignet, denn Jona hatte es in der alttestamentlichen Erzählung ausdrücklich mit den Niniviten zu tun. War aber erst einmal der Vordersatz um τοῖς Νινευίταις ergänzt, verlangte auch der Nachsatz nach einem Betrachter für das erneuerte Jonazeichen und wurde um τῇ γενεᾷ ταύτῃ erweitert. Dies verwundert nicht, ist es doch bereits in V. 29 »dieses Geschlecht«, dem kein Zeichen gegeben und das im folgenden Doppelspruch von Heiden gerichtet wird. Die hypothetisch mögliche Alternative, daß τῇ γενεᾷ ταύτῃ bereits vorgegeben war und τοῖς Νινευίταις nach sich zog, ist abzulehnen. Ein schon in Q überliefertes τῇ γενεᾷ ταύτῃ hätte sich Matthäus keinesfalls entgehen lassen; nur weil er die Wendung dort nicht vorfand, mußte er den Doppelspruch sekundär umstellen, um eine Stichwortverbindung ad vocem Ἰωνᾶς zu schaffen. Andernfalls hätte eine solche ad vocem τῇ γενεᾷ ταύτῃ bereits vorgelegen.
Man kann, wenn man will, im καί des Nachsatzes die Entsprechung zu σημεῖον im Vordersatz finden, doch ist καί sicherlich erst mit Bezug auf σημεῖον in den ursprünglichen

---

153   Einziger Beleg ist Mt 11,26 par Lk 10,21.
154   Im Lukasevangelium ist ἐγένετο 67mal belegt, bei Markus 13mal (in Mk 9,6 lesen die besseren Handschriften ἦσαν), bei Matthäus 12mal.
155   Außer in Lk 11,30 noch in Lk 6,49; 17,26 und 19,15. Für die umstrittene Stelle Lk 6,49 zeigen dies *J. Jeremias*, Gleichnisse, 193 mit Anm. 4; *G. Jeremias*, Lehrer, 193 und *H.-T. Wrege*, Bergpredigt, 154.
156   Dem Semitischen sind solche Abstrakta als Bezeichnung für die Bewohner einer Stadt unbekannt. Die Einwohner der jeweiligen Stadt werden vielmehr beschrieben mit »N.N. יֹשְׁבֵי« (etwa Jon 3,5), »N.N. יֹשְׁבֵי« (etwa Sach 12,10) oder werden einfach mit dem Stadtnamen selbst bezeichnet (etwa Jes 3,9). Anders dagegen im hellenistischen Sprachraum, wo meist das Abstraktum verwendet wird. So bezeichnet Plato die Athener als (οἱ) Ἀθηναῖοι, ebenso das Neue Testament z.B. in Apg 17,21.

Text eingetragen worden und steht anstelle einer Wiederholung dieses Begriffs. Daß aber bereits σημεῖον nicht zum Wortbestand der Q-Vorlage gehörte, sondern von Lukas eingefügt wurde, beweist der folgende Tatbestand: Ohne Verbindung mit ἐγένετο und τοῖς Νινευίταις wirkt σημεῖον nicht nur überflüssig, sondern innerhalb des Gesamtlogions sogar sinnlos. Da ἐγένετο und τοῖς Νινευίταις jedoch schon als sekundäre Zusätze nachgewiesen sind, ist σημεῖον erst recht sekundär. Umgekehrt hat es im heutigen Textzusammenhang eine zweckmäßige Funktion, denn jetzt wird von V. 29 her noch einmal unterstrichen, daß das Jonageschehen für die Niniviten in der Tat ein Zeichen war.

Alle diese redaktionellen Ergänzungen präzisieren einen Vergleich, der als Rätselwort zu Verdeutlichungen drängte. Matthäus und Lukas fanden demnach einen gemeinsamen Wortbestand des Deuteverses vor, den sie dann aber jeweils verschieden erweiterten. Der ursprüngliche Wortlaut des Logions lautet im Griechischen:

ὥσπερ Ἰωνᾶς, οὕτως ἔσται ὁ υἱὸς τοῦ ἀνθρώπου.

Rückübersetzt ergibt sich folgender aramäische Wortlaut[157]:

כְּמָה יוֹנָה הָכֵין יְהְוֵא בַּר אֶנָשָׁא

Dieser Vergleich stellt keinesfalls eine nachträgliche Explikation des voranstehenden Spruchs vom Jonazeichen dar, denn bereits jetzt läßt sich der Nachweis führen, daß das Logion auf Jesus selbst zurückgeht.
Zunächst einmal sind sämtliche Argumente, die für eine nachösterliche Bildung geltend gemacht werden, ohne weiteres zu widerlegen: Wenn Anton Vögtle und Carsten Colpe im Blick auf τοῖς Νινευίταις behaupten, die Niniviten hätten nichts von Jonas Errettung erfahren, weshalb Jesus ein exegetisch so unsicheres Argument gegenüber den schriftkundigen Pharisäern niemals hätte anbringen können[158], so ist dem entgegenzuhalten: Erstens erwies sich τοῖς Νινευίταις als redaktioneller Zusatz, zweitens hat der Hinweis auf das Jonazeichen mit Jonas Errettung aus dem Bauch des Fisches überhaupt nichts zu tun. Wenn Colpe des weiteren gegen ein authentisches Jesuswort geltend macht, Jesus habe nicht unterschieden zwischen Auferstehung und Parusie[159], so lautet die Antwort: In besagtem Logion ist weder von Jesu Auferstehung noch von seiner Parusie die Rede.
Hingegen stellt es selbst in seiner heutigen Gestalt Lk 11,30 ein Rätselwort dar, das »den Menschensohn in irgendeine Entsprechung zu Jona setzte« und »sich nur mühsam der Auslegung erschließt.«[160] Ist das Logion in seiner ursprünglichen Fassung nun aber noch weniger verständlich, ist nicht einzusehen, daß eine Gemeinde ein bestimmtes Wort zur

157   Zur bereits in den entsprechenden Logien vom Blitz und von den Tagen Noahs begegnenden Frage, ob das aramäische Original das ἔσται entsprechende יְהְוֵא eigens notierte oder möglicherweise auch nicht, s. oben Anm. 39 und vgl. Anm. 60.
158   Vgl. *A. Vögtle*, Spruch, 132–136 und *C. Colpe*, Art. ὁ υἱὸς τοῦ ἀνθρώπου, 452.
159   Vgl. ebd., 452.
160   *H.E. Tödt*, Menschensohn, 195.

Erklärung eines anderen bildet und auf Jesus rückprojiziert, um es anschließend selbst nicht mehr zu verstehen. Schon von daher scheidet die Hypothese einer urchristlichen Bildung aus[161]. Die nachösterliche Theologie aktualisiert vielmehr nur dunkle, ihr vorgegebene Worte; wie eine solche Aktualisierung aussieht, zeigt beispielhaft Mt 12,40. Außerdem liegt auch in Lk 11,30 wie schon in Lk 17,24.26 par Mt 24,27.37 (jeweils nach dem ursprünglichen Wortlaut) mit Maschal und Wortspiel (hier יוֹנָה – בַּר אֱנָשָׁא) charakteristische Redeweise Jesu vor, die so weder aus der jüdischen noch aus der urchristlichen Tradition ableitbar ist. Dreimal begegnet in diesen Logien die formelhafte Redeweise הָכֵין יְהֵוא בַּר אֱנָשָׁא, auf die Jesus mit כְּמָה יוֹמֵי נֹחַ, כְּמָה בַּרְקָא und כְּמָה יוֹנָה seine dem Menschensohn geltenden Vergleiche bezieht[162]. Hier wie dort kommt der historische Jesus zu Wort.

8.   Lk 11,29 und 30 (in ihrer ursprünglichen Form) – eine Einheit?

Laut Q interpretiert und deutet V. 30 den voranstehenden V. 29, vornehmlich die Wendung εἰ μὴ τὸ σημεῖον Ἰωνᾶ. Es ist nun hypothetisch möglich, daß V. 30 ursprünglich – ähnlich wie Lk 17,24.26 par Mt 24,27.37 – als isoliert tradiertes Einzellogion umlief, bevor es der Perikope vom Jonazeichen angegliedert wurde. Wer so argumentiert, darf sich dabei jedoch nicht auf die verkürzte Textgestalt von Mk 8,11f berufen. Dies wäre nur möglich, wenn sich bereits εἰ μὴ τὸ σημεῖον Ἰωνᾶ als Zusatz erwiesen hätte. Da diese Wendung zur Ablehnung der Zeichenforderung aber schon von Anfang an hinzugehört, hat Markus (bzw. die vormarkinische Tradition) sie ausgelassen. Wurde jedoch εἰ μὴ τὸ σημεῖον Ἰωνᾶ sekundär getilgt, dann erst recht die dazugehörige Deutung. Wegen der Rätselhaftigkeit dieser Redeweise sowie vor allem aus theologischen Gründen ist die Streichung bei Markus naheliegend[163]. Ein sonstiger Anlaß, V. 29 und V. 30 auseinanderzureißen, liegt nicht vor. Umgekehrt ist es von vornherein sinnvoll, eine ursprüngliche Einheit anzunehmen. Jesus hat auch Lk 17, 24.26 par Mt 24,27.37 nicht einfach beziehungslos ausgesprochen, sondern in eine konkrete Situation hinein. Während man die dortige Situation aus dem unmittelbaren Kontext nicht eindeutig erheben kann, sie vielmehr mühsam rekonstruieren muß, um beide Sprüche im Sinne Jesu deuten zu können, hat uns die neutestamentliche Überlieferung diese Arbeit hier erspart, denn sie hat den Vergleich Jona – Menschensohn nicht isoliert überliefert, sondern in seiner histori-

---

161   Vgl. ebenso *B. Lindars,* Jesus, 40–43; *A.J.B. Higgins,* Son of Man, 99–107 und *H.F. Bayer,* Predictions, 124–126.

162   Zu Lk 17,24 par Mt 24,27 s. oben S. 59–61, zu Lk 17,26 par Mt 24,37 oben S. 63–66.

163   S. unten S. 98.

schen Situation bewahrt. Zudem wäre im Mund Jesu ein Vergleich des Menschensohns mit Jona abgesehen von der Situation der Zeichenforderung unwahrscheinlich, denn wegen Jonas Ungehorsam gegen Gott bot sich der alttestamentliche Prophet ansonsten wirklich nicht dafür an. Im vorliegenden Zusammenhang hingegen ist ein solcher Vergleich gut möglich, denn hier werden nicht einfach Jona und der Menschensohn als Personen, sondern das Zeichen des Jona und das erneuerte Jonazeichen, das der Menschensohn sein wird, einander gegenübergestellt.

Die Perikope vom Jonazeichen stellt somit eine ursprüngliche Einheit dar, die in ihrer aramäischen Originalfassung auf den historischen Jesus zurückgeht.

Sie lautet griechisch und – rückübersetzt – aramäisch:

> τί ἡ γενεὰ αὕτη ζητεῖ σημεῖον;
> ἀμὴν λέγω ὑμῖν,
> εἰ δοθήσεται τῇ γενεᾷ ταύτῃ σημεῖον
> εἰ μὴ τὸ σημεῖον Ἰωνᾶ.
> ὥσπερ Ἰωνᾶς, οὕτως ἔσται ὁ υἱὸς τοῦ ἀνθρώπου.

> אֵיךְ אָתָא בְּעָא דָּרָא הָדֵין
> אָמֵין אָמַרְנָא לְכוֹן
> דְּלָא אָתָא יִתְיְהֵיב לְדָרָא הָדֵין
> לָא אָתָא אֶלָּא דְּיוֹנָה
> כְּמָה יוֹנָה הָכֵין יְהֵוא בַּר אֱנָשָׁא

9. Der ursprüngliche Sinn des Jonazeichens

Nach der Ablehnung aller bisherigen Lösungsversuche sehe ich nur eine einzige Möglichkeit, Jesu Rede vom Jonazeichen auf dem Hintergrund der alttestamentlichen Jonaerzählung zu deuten:

Jona trat auf als Bußprediger, der die Niniviten im Namen Gottes zur Umkehr rief und für den Fall der verweigerten Umkehr Gottes Gericht androhte. Doch verkörperte Jonas Bußruf wirklich den Ruf Gottes? Als Bußpredigt war Jonas Botschaft zweideutig, als solche überhörbar und im Unglauben abweisbar. Es gab jedoch eine Möglichkeit, diese zweideutige Rede als eindeutige zu erkennen, und diese Möglichkeit ist mit τὸ σημεῖον Ἰωνᾶ gemeint: die Anerkenntnis Jonas als wahren Boten Gottes seitens der Angeredeten. Die Annahme seines Bußrufs war ebenso die Bestätigung für Jonas vollmächtige Predigt, durch die Gott selbst zu den Niniviten redete, wie andernfalls bei ausgeschlagener Buße das Gericht Gottes zum Jona legitimierenden Zeichen geworden wäre: Ninive kehrte um und erkannte in Jonas Wort Gottes Wort; das war das Zeichen.

Auf diese Umkehr spielt Jesus an, wenn er auf dem Hintergrund des Alten Testaments vom Zeichen des Jona redet. Damit ist deutlich, was er mit seinem Verweis auf das erneuerte Jonazeichen meint. Auch er ruft zur

Umkehr, obwohl er weit über Jona steht, denn sein Ruf ist verwurzelt in seiner Predigt von der Gottesherrschaft, die mit seinem Kommen und Wirken in Israel bereits angebrochen ist. Schließlich ist er der messianische Bote Gottes, der Sohn, der die Gottesherrschaft in Macht heraufführen wird.

Ich führte bereits aus, daß die Pharisäer in ihm einen potentiellen Messiasprätendenten sehen, der sich durch ein entsprechendes Zeichen als solcher ausweisen soll. Jesus antwortet ihnen nun nicht einfach mit einem ihn kompromittierenden Nein, sondern verweist auf das Jonazeichen, also auf das sich Einlassen auf seine Person und Verkündigung über den Weg der Umkehr und des Glaubens. Wie die Niniviten in Jona, so können auch sie in ihm den Gesandten Gottes erkennen, wenn sie nur wollen.

Diese Deutung des Jonazeichens wird bestätigt durch Mk 4,11f par in seinem ursprünglich-jesuanischen Sinn, wie ihn Joachim Jeremias aufgezeigt hat: »Euch hat Gott das Geheimnis der Gottesherrschaft geschenkt; denen aber, die draußen sind, ist alles rätselvoll, auf daß sie (wie geschrieben steht) ›sehen und doch nicht sehen, hören und doch nicht verstehen, es sei denn, daß sie umkehren und Gott ihnen vergebe‹«. Gemäß TJon Jes 6,9f spricht Jesus davon, daß er nur von denen als Messias erkannt wird, die sich auf seine Person und Botschaft einlassen, indem sie umkehren und glauben[164].

Doch ist dies nur der eine Teil dessen, was Jesus mit dem Hinweis auf das Jonazeichen sagen will:

Auf den Charakter der Zeile 3 als anakoluthisch konstruierten Schwursatz wies ich bereits hin[165]. Damit stellt aber auch Zeile 4 keine eventuell eintretende Möglichkeit dar, also einen Eventualis, sondern ebenso wie Zeile 3 einen, hier negativ gefaßten, anakoluthischen Schwursatz[166]. Mit dieser typisch semitischen Ausdrucksweise[167] liegt eine »relative« oder »dialektische Negation«[168] vor.

Für das jesuanische Verständnis des Logions ist diese Beobachtung von entscheidender Bedeutung. εἰ μὴ τὸ σημεῖον Ἰωνᾶ bezeichnet damit nicht einfach die eventuelle Ausnahme einer ansonsten generellen Zeichenverweigerung, sondern ist eine »in die Form einer Negation oder

---

164 Vgl. *J. Jeremias*, Gleichnisse, 9–14 (Zitat bzw. Übersetzung 13f).

165 S. oben Anm. 113.

166 Vgl. *C. Colpe*, Art. ὁ υἱὸς τοῦ ἀνθρώπου, 452, Anm. 349.

167 אֶלָּא (אֵין) לָא stellt die semitische Umschreibung eines »nur«, »außer« dar (vgl. etwa mSan I,5). Die im Griechischen ungewöhnliche Konstruktion εἰ (οὐκ) . . . εἰ μή (ἀλλά), in der Evangelientradition außer in Lk 11,29 par noch in Mk 2,17 par und Mt 15,24 belegt, erweist sich somit als Semitismus und gibt אֶלָּא (אֵין) לָא . . . (אֵין) לָא wieder.

168 Vgl. unter der Bezeichnung »relative Negation« *A. Kuschke*, Idiom, 263 und *C. Colpe*, Art. ὁ υἱὸς τοῦ ἀνθρώπου, 452, Anm. 349, unter der Bezeichnung »dialektische Negation« *H. Kruse*, Negation, 385–400 und *R. Pesch*, Markus I, 166. Interessant ist dabei der Tatbestand, auf den *H. Kruse*, Negation, 389 aufmerksam macht, »daß sich besonders die atl. Beispiele vor allem um gewisse Themen gruppieren, nämlich die Themen ›sendende Autorität und Gesandter (oder Stellvertreter)‹ . . .«

Ausn(ahme) gekleidet(e)« »feierliche« und »emphatische Zusage«[169]. Mit anderen Worten: Jesus weist zwar die Pharisäerforderung entrüstet ab, kündigt aber gleichzeitig ein Zeichen an, ja droht es an. Er verweist also nicht nur auf die Möglichkeit des glaubenden Sich-Einlassens auf seine Person und seine Botschaft, sondern er droht zugleich mit der zwangsweisen ›Umkehr‹ seiner jetzigen Gegner. Liegt es in der Gegenwart noch im Ermessen des einzelnen, ihn als den zu erkennen, der er in Wahrheit ist, so wird diese Anerkenntnis einst gezwungenermaßen erfolgen[170].

10.   Der Menschensohn und das erneuerte Jonazeichen

Rief Jona unabhängig von seiner Person zur Umkehr, so ist Jesus mehr als Jona. Er tritt auf als die messianische Gestalt, in deren Person und Botschaft sich die Gottesherrschaft proleptisch vorwegereignet. Genau deshalb möchten die Pharisäer Jesus einem ›messianischen Test‹ unterziehen, in dem er seine Messianität erweisen soll. Indem Jesus diesen ›Test‹ radikal ablehnt, gleichzeitig jedoch drohend auf die Zukunft verweist, leugnet er seinen messianischen Anspruch keineswegs, sondern bringt ihn, wenn auch verhüllend, um so entschiedener zum Ausdruck. Erst in Zukunft wird Gott seine wahre Würde, die Jesus jetzt im Rätselspruch andeutet und sie so den Pharisäern bewußt fragwürdig erscheinen läßt, offenbaren[171]. Denn noch ist er Messias in Verborgenheit, als Messias designatus weiß er aber um seine zukünftige Inthronisation[172]. Einst werden ihn daher auch die anerkennen (müssen), die jetzt noch in ihrem Unglauben Zeichen fordern.

Diesen exklusiven Anspruch formuliert Jesus in der (für Außenstehende) rätselhaften Selbstbezeichnung בַּר אֱנָשָׁא. Er bezeichnet damit den ganz bestimmten Menschen Gottes, Gottes messianischen Gesandten[173]. Im Mund Jesu ist בַּר אֱנָשָׁא Chiffre für seine noch nicht offenbare Messianität und also Selbstbezeichnung des Messias designatus. Noch ist er der Menschensohn, aber Gott wird ihn bald als Messias in Macht erweisen; seine offenbare Messianität ist eine futurische. Jesus greift die ihm vorgegebene

---

169   *C. Colpe*, Art. ὁ υἱὸς τοῦ ἀνθρώπου, 452, Anm. 349.

170   Von dieser ›Umkehr‹ betont *H.E. Tödt*, Menschensohn, 49, sie komme »zu spät«. Der Vergleich mit der Situation der Niniviten rechtfertigt dieses Urteil. Denn wären sie auf Jonas Botschaft hin nicht umgekehrt, wären sie dem Gericht Gottes anheimgefallen (Jon 3,4a.10).

171   So wie es Gott ist, der den Pharisäern kein Zeichen gewährt – δοθήσεται ist Passivum divinum –, so ist hier zu übertragen, daß auch jenes zukünftige Ereignis von Gott ausgeht.

172   S. oben S. 62f.69f und unten S. 103–128.138–140.144–151.182–185.234.236. 239f.243f.340.343–365(–367).

173   Zu בַּר אֱנָשָׁא als Selbstbezeichnung Jesu s. vor allem unten S. 160–164.

jüdische Vorstellung von der vorläufigen Verborgenheit des Messias auf, indem er selbst die Funktion des Messias designatus übernimmt. Eben dieses für Jesus charakteristische Selbstverständnis kommt terminologisch in der Selbstbezeichnung בַּר אֱנָשָׁא vieldeutig zum Ausdruck, wird im Messiasgeheimnis sachlich expliziert und findet in der Erwartung Jesu seine schließliche Erfüllung in seiner Inthronisation (Aufstellung) durch Gott. Die dann offenbare Messianität ist das Ziel seiner jetzt noch verborgenen. Wie sich zeigen wird, hat Jesus auch sein Wissen um seine Inthronisation aus der alttestamentlich-jüdischen Messiaslehre übernommen, denn auch dort bleibt es ja nicht bei der Verborgenheit des Messias, vielmehr wird er zuletzt auf dem Zion aufgestellt.

Jesus hat also seine messianische Inthronisation vor Augen, wenn er in Lk 11,30 im Maschal von der Zukunft des Menschensohns spricht bzw. sie denen androht, die jetzt ein Beglaubigungszeichen von ihm verlangen. Dann haben sie ihr Zeichen, allerdings kommt es für alle, die in der Gegenwart den Glauben verweigern, zu spät. Das erneuerte Jonazeichen, das zur Anerkennung Jesu zwingt, ist seine messianische Inthronisation in Jerusalem, die ihn vor aller Welt als den wahren eschatologischen Davididen legitimiert.

Diese Zukunftsgewißheit Jesu, die bereits in den parallelen Vergleichen Lk 17,24.26 par Mt 24,27.37 zum Ausdruck kam[174] und zugleich in weiteren Jesuslogien, wie sich zeigen wird, deutlich belegt ist, erweist sich als konstitutiver Bestandteil des Selbstverständnisses Jesu.

Von hierher ist nun auch klar, warum Jesus in diesen Ankündigungen weder seine Auferstehung noch seine Parusie erwähnt, ja überhaupt nicht im Blick hat. Deshalb nicht, weil er (zunächst) in keiner Weise seinen gewaltsamen Tod in Betracht zieht, denn in Übernahme alttestamentlich-jüdischer Messiaserwartung sieht er nicht seiner Passion, sondern seiner Verherrlichung entgegen[175].

Damit bleibt festzuhalten: Die Selbstbezeichnung בַּר אֱנָשָׁא umschreibt im Mund Jesu die noch verborgene Messianität des Messias designatus. Indem Jesus zugleich die Inthronisation des Menschensohns erwartet, entspricht dies der alttestamentlich-jüdischen Vorstellung von der Inthronisation des Messias und zielt auf seine eigene zukünftige Legitimation als Messias Israels durch Gott selbst. Ist dieser Sachverhalt erst einmal erkannt, bestätigt sich endgültig, daß die Perikope vom Jonazeichen aus der Theologie der Urkirche nicht abgeleitet werden kann. Denn für diese ist die Offenbarung der Messianität Jesu losgelöst von Kreuz, Auferstehung

---

174 S. oben S. 62f.69f. Was dort angesichts der unbekannten konkreten historischen Situation, in die hinein Jesus beide Vergleiche formulierte, nur vermutet werden konnte, bestätigt sich im Licht von Lk 11,29f par.

175 Im weiteren Verlauf der Arbeit wird diese These als solche abgesichert. Zugleich wird deutlich werden, wie es schließlich doch dazu kommt, daß Jesus seinem Tod in Jerusalem entgegengeht (s. unten S. 219.232-234.240f.243-255.288-342).

und Parusie undenkbar. Das bedeutet konkret: In der ursprünglichen Fassung von Lk 11,29f par kommt der historische Jesus zu Wort.

11. Abschließende Bemerkungen

Wenigstens zweierlei sei abschließend noch erwähnt: Matthäus deutet das Jonazeichen im Licht der Osterereignisse und kann somit nicht mehr von einer Inthronisation Jesu unabhängig von dessen Tod und Auferstehung reden. So bezieht er die Inthronisation des Menschensohns in nachösterlicher Perspektive auf die Auferstehung Jesu. Er expliziert seine Interpretation anhand eines alttestamentlichen Belegs, der sich vom Stichwort Ἰωνᾶς her dazu eignete; dieser dient ihm als Schriftbeweis für das Passions- und Ostergeschehen. Die lukanischen Zusätze in Lk 11,30 hingegen präzisieren lediglich die ursprüngliche Aussage, ohne sie inhaltlich entscheidend zu verändern.

Jetzt erklärt sich aber auch, weshalb Markus in Mk 8,11f mit der grundsätzlichen Ablehnung der Zeichenforderung endet: Die messianische Deutung Jesu in Verbindung mit dem Jonazeichen erfolgt für ihn im Aufriß seines Evangeliums zu früh, denn er lüftet das Messiasgeheimnis erst ab Mk 8,27. Die markinische Auslassung ist also durch die theologische Konzeption des Evangelisten bedingt[176].

V.   Exkurs: »Menschensohn« als Chiffre für »Messias« im Neuen Testament

Das bisherige Ergebnis, im Mund Jesu sei die Selbstbezeichnung Menschensohn Chiffre für seine noch nicht offenbare Messianität, wird von allen vier Evangelisten bestätigt und zugleich im übrigen Neuen Testament als richtig vorausgesetzt. Die Evangelisten beweisen dies in ihrer jeweiligen Komposition dadurch, daß sie gemäß der Redeweise Jesu »Menschensohn« notieren, wo sie aus der Sicht des Judentums eigentlich vom Messias hätten reden müssen.

1.   Die markinischen Belege

Mk 8,29–31 par: Petrus bekennt Jesus als Messias (V. 29 par), Jesus greift seine Rede auf, spricht aber vom Menschensohn (V. 31 par).
Mk 9,11–13 par: Elia ist in der jüdischen Tradition der Vorläufer des Messias, Jesus ersetzt »Messias« durch »Menschensohn«.

---

176   Weshalb Markus die Perikope vom Jonazeichen dennoch an ihrem jetzigen Ort in sein Evangelium einfügte, im Anschluß an die Erzählungen von der Sturmstillung, vom Seewandeln und der wunderbaren Speisung, zeigen *O. Betz / W. Grimm*, Wesen, 68–71.

Mk 10,37–45 par: »Wenn du König bist« (Mk 10,37 / Mt 20,21) verweist auf die Zeit des inthronisierten Messias, der im messianischen Reich die Ehrenplätze vergeben soll[177]. Im abschließenden ›Spitzenwort‹ Mk 10,45 par antwortet Jesus prompt mit einem Menschensohnlogion.
Mk 13,14–27 par: Deutlich ist zunächst von der Zeit der eschatologischen Drangsal und der messianischen »Wehen« die Rede. Traditionelle jüdisch-messianische Topoi werden zur Beschreibung dieser ›vormessianischen‹ Zeit verwandt. Zuletzt kommt aber nicht der Messias, sondern der Menschensohn (V. 26f).
Mk 14,61b–62 par: Des Hohenpriester fragt Jesus, ob er der Messias und Gottessohn sei, Jesus beantwortet die ihm gestellt Frage mit einem Menschensohnwort.

2. Die matthäischen Belege

Matthäus gibt sein Verständnis des jesuanischen Terminus Menschensohn als Chiffre für »Messias« schon dadurch kund, daß er die genannten markinischen Belege übernimmt. Zugleich verstärkt er es seinerseits durch weitere entsprechende Belege:
Mt 16,13–16.20: Die Frage, wer der Menschensohn sei, wird mit dem Messiasbekenntnis beantwortet.
Mt 24,26f: Matthäus verknüpft V. 26, der die jüdische Erwartung des Messias aus der Wüste und die des verborgenen Messias als charakteristisch herausstellt[178], mit dem Menschensohnlogion V. 27. Der Menschensohn / Messias designatus, so will Matthäus zum Ausdruck bringen, wird allen offenbar, wenn er als Messias inthronisiert ist.
Mt 25,31–46: Wieder kombiniert und identifiziert Matthäus den Menschensohn (V. 31) redaktionell mit dem Messias, der hier als König bezeichnet wird (V. 34.40.45)[179].

3. Die lukanischen Belege

Wie Matthäus übernimmt auch Lukas die aufgezeigten markinischen Belege, überliefert darüber hinaus jedoch seinerseits zusätzliche:
Lk 17,22–30: Lukas kann die Messiastradition (V. 23) und die Menschensohntradition (V. 22.24–30) ohne weiteres kombinieren, weil »Messias« und »Menschensohn« für ihn identische Größen sind.
Lk 18,31: Das Judentum erwartet in Jerusalem die »Vollendung«, d.h. die Inthronisation des Messias, die Rede ist aber vom Menschensohn.
Lk 22,47–53: Judas ›verrät‹ den Menschensohn (V. 48), die jüdischen Autoritäten sehen in ihm einen Messiasprätendenten (V. 52f).

---

177 Zur Übersetzung und Exegese s. unten S. 106f.
178 S. oben S. 56f.
179 Vgl. *S.E. Johnson*, King Parables, 37–39 und *F. Hahn*, Hoheitstitel, 187f.

Wie stark »Messias« und »Menschensohn« bei Lukas identifiziert sind, zeigen die inhaltlich gleichen Aussagen mit dennoch verschiedenem Subjekt: Die Leidensankündigung »der Menschensohn muß leiden« (Lk 9,22 u.ö.) wird in Lk 24,26f; Apg 3,18; 17,3 und 26,23 wiederholt, jetzt allerdings mit dem Wortlaut »der Messias muß leiden«.

4.   Die johanneischen Belege

Auch für Johannes sind »Menschensohn« und »Messias« identische Größen, sonst könnte er nicht in Joh 4,26 und 9,37 die gleiche Antwort ἐγώ εἰμι, ὁ λαλῶν σοι bzw. ὁ λαλῶν μετὰ σοῦ ἐκεῖνός ἐστιν notieren, obwohl es in 4,25 um den Messias, in 9,35 hingegen um den Menschensohn geht. Eindeutig bezeugt ist diese Gleichsetzung auch in Joh 12,34. Nebeneinander begegnen beide zudem in Joh 1,49 und 51, wo Nathanael Jesus als Sohn Gottes und König Israels bekennt und Jesus auf dieses Bekenntnis mit einem Menschensohnwort antwortet. Zu vergleichen sind auch noch Joh 3,13f und 16f sowie Joh 5,25f und 27, wo das Messiasprädikat »Sohn (Gottes)« (vgl. Joh 1,49) und »Menschensohn« wie Synonyma verwendet werden.

5.   Das übrige Neue Testament

Hier bestätigt sich ebenso die Identität von »Messias (designatus)« und »Menschensohn« im Sprachgebrauch Jesu:
So wie aus dem erhöhten Menschensohn (Mk 13,26 par; Lk 12,40 par u.ö.) der κύριος wird (1Thess 4,15–17; 2Thess 1,7f u.ö.), so entsprechend aus dem Messias der palästinischen Tradition (Apg 3,19f u.ö.) in der Verkündigung vor Nichtjuden (Apg 11,21 u.ö.). Die Identität beider Größen im Mund Jesu wird hier also dergestalt übernommen, daß beide Termini – »Menschensohn« immer, »Messias« öfter, speziell Heiden und Heidenchristen gegenüber – durch κύριος abgelöst werden.
1Petr 1,10f wiederum ersetzt den Menschensohn der synoptischen Leidens- und Auferstehungsankündigungen bei inhaltlich gleicher Aussage durch Χριστός.

Fazit: Überall im Neuen Testament, wo direkt oder indirekt Menschensohntradition aufgenommen wird, ist das Wissen um die jesuanische Selbstbezeichnung Menschensohn als Chiffre für den messianischen Anspruch Jesu vorausgesetzt. Dieser Tatbestand ist um so bemerkenswerter, als nur wenig später bei Ignatius »Menschensohn« als bloße Bezeichnung der Gattung Mensch verstanden wird (IgnEph 20,2) und sodann in Gegenüberstellung zum »Gottessohn« im Sinne der Zweinaturenlehre eine ganz neue Bedeutung erlangt.

VI. Exkurs: Das messianische Selbstverständnis Jesu in der Spannung zwischen Designation und Inthronisation (unabhängig von der Menschensohntradition)

Jesus brachte sein Selbstverständnis als Messias designatus mit der Chiffre בַּר אֱנָשָׁא zum Ausdruck, und die Evangelisten haben sie genau so verstanden. Diesen Sachverhalt möchte ich im folgenden auf eine breitere Basis stellen, indem ich zunächst summarisch die Belege zusammentrage, die unabhängig von den Menschensohnlogien sowie den sogenannten messianischen Hoheitstiteln den messianischen Anspruch Jesu bezeugen und speziell in ihrer Zusammenschau den manchmal versuchten Nachweis des Gegenteils als falsch erweisen. Schon die Tatsache, daß der Messiasglaube der Urkirche aus den Ostererfahrungen nicht einfach ableitbar ist – der Glaube an die Auferstehung Jesu von den Toten impliziert seine Messianität gerade nicht[180] –, beweist, daß die nachösterliche Entfaltung der Messianität Jesu ihre Grundlage und ihre Wurzeln im Wirken des historischen Jesus hat.

Folgende für Jesu Selbstverständnis charakteristische Traditionen und Belege seien hier eigens genannt[181]:
- die Seligpreisungen[182]
- die Sündenvergebung[183]
- die Exorzismen[184]
- die Einlaßbedingungen in die Gottesherrschaft[185]
- die ἦλθον-Worte[186]
- Logien wie Mt 11,5f par; 11,27 par oder Lk 10,23f par[187]
- der Ruf in die Nachfolge[188]

---

180 Vgl. *F. Neugebauer*, Jesus, 14–17 und *J. Jeremias*, Theologie, 243.
181 Die Zusammenstellung erhebt keinen Anspruch auf Vollständigkeit.
182 Zu den authentisch-jesuanischen Seligpreisungen Mt 5,3.4.6 par Lk 6,20b–21 vgl. *H. Schürmann*, Lukas I, 325–332; *ders.*, Zeugnis, 83–88; *W. Grimm*, Verkündigung, 68–77 und *H. Merklein*, Jesu Botschaft, 45–51.
183 Vgl. *J. Jeremias*, Theologie, 115–123 und *L. Goppelt*, Theologie, 177–185, s. außerdem unten S. 195–199.
184 Hier geht es um einen Kampf zwischen dem messianischen Boten Gottes und dem Satan (vgl. *J. Jeremias*, Theologie, 96–99 und *N. Perrin*, Jesus, 64–69).
185 Vgl. *H. Windisch*, Sprüche, 163–192 und *I.H. Marshall*, Origins, 50f.54–57.
186 S. unten S. 207–210.215f[16].337f.
187 Zu Mt 11,5f par vgl. *J. Jeremias*, Theologie, 106f; *W. Grimm*, Verkündigung, 124–130; *R. Riesner*, Jesus, 299–301 und *O. Betz*, Jesu Evangelium vom Gottesreich, 239f (anders, mit dem Hinweis auf nachösterliche Überlieferung, P. Hoffmann, Studien, 192f.198–215), zu Mt 11,27 par *J. Jeremias*, Theologie, 63–67; *W. Grimm*, Verkündigung, 171–177; *ders.*, Jesus, 1–69.95–97 und *R. Riesner*, Jesus, 220–222 (wiederum anders *P. Hoffmann*, Studien, 104–109.118–142, der den sekundären Charakter auch dieses Logions betont), zu Lk 10,23f par *W. Grimm*, Selige Augenzeugen, 172–183 und *ders.*, Verkündigung, 112–124 (*P. Hoffmann*, Studien, 210f plädiert hier seinerseits für authentische Jesustradition).

- die Sammlung des eschatologischen Gottesvolkes[189]
- die Aufhebung absoluter jüdischer Normen, speziell der Halacha[190]
- die Torakritik[191]
- die Stellung zum Sabbat[192]
- die Tempelkritik (Mk 11,15-18 par und 14,58 par; Joh 2,19)[193]
- die Notwendigkeit, nach Jerusalem zu ziehen[194]
- der messianische Einzug in Jerusalem (Mk 11,1-11 par)[195]
- der Tod als ὁ βασιλεὺς τῶν Ἰουδαίων (Mk 15,26 par)[196]
- die Zukunfts- und Gottesgewißheit auch durch den Tod hindurch[197]

Unabhängig von den Menschensohnlogien und den sogenannten christologischen Hoheitstiteln[198] belegen diese Fakten, daß Jesu Anspruch, seine ἐξουσία und seine Gottesgewißheit nur als messianische Vollmacht dessen, der es wagt, an Gottes Stelle zu reden und

188   Indem Jesus in seine Nachfolge ruft, handelt er in Analogie zu Gott, in messianischer Vollmacht an Gottes Stelle, s. unten S. 231-233).
189   Vgl. *O. Betz,* Frage, 158-161; *ders.,* Rolle Israels, 5f; *J. Jeremias,* Theologie, 235-237 und *L. Goppelt,* Theologie, 258-260, s. außerdem unten S. 112f.135-140.
190   Vgl. *J. Jeremias,* Theologie, 201-204 und *L. Goppelt,* Theologie, 140-142.
191   Wenn ich von der Torakritik Jesu spreche, möchte ich von vornherein einem möglichen Mißverständnis vorbeugen: An der grundsätzlichen Treue Jesu zur Tora als solcher (zum alttestamentlich-jüdischen Toraverständnis vgl. *F. Mußner,* Kraft, 13-20) ist festzuhalten. Bei aller Kritik im einzelnen (vgl. etwa Mt 5,21f.27f.31-48 par; Mk 2,27f par oder 7,15 par) wird sie selbst keineswegs abgelehnt, vielmehr der Versuch, den Gotteswillen in ihrem Wortlaut ›dingfest‹ machen zu wollen. Jesus wehrt sich gegen das Einhalten der Tora um der Tora willen, was zur ›Gesetzlichkeit‹ führt und die Tora zum ›tötenden Buchstaben‹ degradiert (vgl. 2Kor 3,6). Zugleich geht es ihm jedoch um so mehr um die Geltung der Tora um Gottes willen. Jesus bringt sie darum auf ihr Vollmaß (Mt 5,17) und erfüllt sie insofern, als er sie wieder an Gott selbst bindet und gerade so den unmittelbaren Gotteswillen verkündigt, den er als der messianische Gesandte Gottes kennt und vermittelt. Vgl. insgesamt *J. Jeremias,* Theologie, 198-201.203f.240-242; *L. Goppelt,* Theologie, 148-156; *M. Hengel,* Jesus und die Tora, 155-172; *H. Merklein,* Jesu Botschaft, 93-128; *ders.,* Jesus, 143-145 und *G. Schwarz,* Und Jesus sprach, 72-79 (zu Mt 5,18 par Lk 16,17). Speziell zu Mt 5,17 und der Authentie dieses Logions vgl. *J. Jeremias,* Theologie, 87-89; *D. Flusser,* Tora, 24-26.30f; *G. Schwarz,* Und Jesus sprach, 48-51 und *O. Betz,* Bergpredigt, 368-375.
192   Vgl. *E. Lohse,* Worte, 79-89 und *W. Grimm,* Verkündigung, 97-101, s. außerdem unten S. 199-203.
193   Zu Mk 11,15-18 par, der sogenannten Tempelreinigung Jesu, vgl. *J. Jeremias,* Jesu Verheißung, 55f; *J. Roloff,* Kerygma, 89-110; *L. Goppelt,* Theologie, 147f; *W. Grimm,* Verkündigung, 196-198; *M. Hengel,* Jesus und die Tora, 168-170 und *H. Merklein,* Jesu Botschaft, 135-139. Zu Mk 14,58 par; Joh 2,19, dem Tempelwort Jesu, s. unten S. 112-144.
194   S. unten S. 105.362.
195   S. unten S. 105f.
196   Vgl. *R. Pesch,* Markus II, 484f.490; *J. Gnilka,* Markus II, 317f.326; *H. Merklein,* Auferweckung, 230 und *K. Müller,* Möglichkeit, 80-82, s. außerdem unten Anm. 563.
197   S. unten S. 105-111.123-125.127.182-185.244.343-365(-367).
198   Neben »Messias« und »Menschensohn« wären an dieser Stelle aufgrund ihrer eindeutig messianischen Bedeutung wenigstens ὁ υἱὸς Δαυίδ (vgl. *G. Dalman,* Worte Jesu,

zu handeln, beschrieben werden kann[199]. Jesus selbst wußte sich als Messias Israels, nur so ist er sachgemäß verstanden[200]. Anders lassen sich weder sein Kreuzestod als solcher noch dessen Deutung als stellvertretender Sühnetod noch die Entstehung der Christologie insgesamt noch das Werden der Kirche überhaupt erklären.

Da Jesus – dies ist ein entscheidendes Ergebnis der bisherigen Untersuchung – seine noch nicht offenbare Messianität im Sinne der Vorstellung des Messias designatus verstand, ist das sogenannte Messiasgeheimnis keine bloße Konstruktion des Markus, sondern spiegelt in seinen Wurzeln eine historische Realität im Leben Jesu. Es liegt begründet im Geheimnis der Sendung Jesu, die als noch verborgene zunächst nur den Glaubenden offenbar ist[201]. Seine schließliche Inthronisation, seine öf-

260–266; *M. Hengel,* Zeloten, 304–306; *F. Hahn,* Hoheitstitel, 242–251, bes. 245f; *O. Michel,* Art. υἱὸς Δαυίδ, 1175–1179; *E. Lohse,* Art. υἱὸς Δαυίδ, 482–492 und *K. Berger,* Messiastraditionen, 3–9), ὁ υἱός (τοῦ θεοῦ) (s. unten S. 175) und ὁ βασιλεὺς Ἰσραήλ bzw. ὁ βασιλεὺς τῶν Ἰουδαίων (s. unten Anm. 563) zu nennen.

199   Vgl. *E. Käsemann,* Problem, 206; *E. Fuchs,* Frage, 156 und *H. Merklein,* Jesus, 151, der Jesus als den »unmittelbaren und unvertretbaren irdischen Repräsentanten des eschatologisch handelnden Gottes« bezeichnet (dort kursiv).

200   Demgegenüber ist es abwegig, Jesu messianisches Selbstverständnis mit dem Argument bestreiten zu wollen, seine Erscheinung stimme mit keinem alttestamentlich-jüdischen Messiasbild überein. Der Einwand verkennt, daß es zur Zeit Jesu überhaupt keine einheitliche jüdische Messiasdogmatik gab, vielmehr die verschiedensten Messiasbilder, die zum Teil miteinander konkurrierten (vgl. *R. Riesner,* Jesus, 298f; *M. Hengel,* Sühnetod, 136; *ders.,* Atonement, 58 und *K. Th. Kleinknecht,* Gerechtfertigte, 173: »Pluralität messianischer Motive«, ferner die knappe Darstellung der alttestamentlich-jüdischen Messiaserwartung bei *E. Zenger,* Jesus, [25–]30–61; *H. Merklein,* Auferweckung, 225–229 und *L. Ruppert,* Messiaserwartungen, 3–14). Insofern ist es keineswegs verwunderlich, daß Jesus in Aneignung und Ablehnung einzelner dieser Erwartungen eine eigene, ihm gemäße und ihm zugleich von Gott gewiesene Messiasvorstellung prägte.

201   Nach dem Urteil mancher Exegeten stellt das sogenannte Messiasgeheimnis eine freie Schöpfung des Evangelisten Markus dar. Dieser habe die Kluft zwischen dem unmessianischen Leben Jesu und dem Messiasglauben der nachösterlichen Kirche mit der Theorie überbrückt, Jesus habe sich zwar als Messias gewußt, seine Würde jedoch bis zu seiner Auferstehung geheimgehalten (vgl. etwa *W. Wrede,* Messiasgeheimnis; *R. Bultmann,* Frage, 2–4 und *ders.,* Theologie, 33f). Diese allzu einfache Sicht der Dinge konnte sich in der neueren Forschung (vgl. den Forschungsüberblick bei *R. Pesch,* Markus II, 36–47 und *J. Gnilka,* Markus I, 167–174) zu Recht nicht durchsetzen. Denn das, was wir als das markinische Messiasgeheimnis bezeichnen, setzt sich traditionsgeschichtlich aus fünf verschiedenen Motiven zusammen. Da ist (a) das Schweigegebot an die Dämonen, (b) das Verbot der Wunderverbreitung, (c) das Schweigegebot an die Jünger betreffs der Messianität Jesu, (d) das Jüngerunverständnis bezüglich der Passion Jesu, (e) die Parabeltheorie. Alle diese unterschiedlichen Motive verwendet Markus im Gefälle seines Evangeliums als Spannungsbogen innerhalb der Gesamtdarstellung.

Die dadurch entstandene markinische Konzeption hinsichtlich der verborgenen Wirksamkeit Jesu läßt sich komprimiert so charakterisieren: Sie gehört letztlich in den Zusammenhang der Verstockung, also des Unglaubens Israels. Markus will erklären, warum das Gottesvolk Jesus nicht als seinen Messias erkannte: deshalb nicht, weil eben dieser Unglaube Jesus ans Kreuz bringt, wo der Menschensohn nichts anderes als den Unglauben Israels (und der Heidenvölker) wegträgt. Somit ist das Messiasgeheimnis ein prädestina-

fentliche Aufstellung als Messias erwartet Jesus als ein zukünftiges, von Gott längst terminiertes Ereignis. Insofern expliziert das Messiasgeheimnis die vorläufige Funktion Jesu als Messias designatus, die in der rätselhaften Selbstbezeichnung בַּר אֱנָשָׁא ihren tiefsten Ausdruck findet. Es bezeugt die offenbare Messianität des Designierten als eine futurische. Wie die Worte der Propheten und die Visionen der Apokalyptiker erst durch ihre spätere Erfüllung bestätigt und als Botschaft Jahwes legitimiert werden mußten, sowenig war auch Jesu Anspruch bereits aus sich selbst heraus gültig, sondern bedurfte ebenso der zukünftigen Bestätigung. Diese Legitimation seiner Person, die an das gottgewirkte Eintreffen seiner Botschaft gebunden war, überließ Jesus jedoch Gott und blieb gerade so, indem er Gott nicht eigenmächtig vorgriff, seiner Sendung treu. Sein Vollmachtsanspruch gründete im Vertrauen auf seine einstige Legitimation durch den, von dem er sich gesandt wußte[202]. Ohne sie wäre er als Falschprophet und Pseudomessias erwiesen. Bis zu ihrem Eintreffen wußte sich Jesus als Messias designatus und sprach von sich als »Menschensohn«, war aber zugleich dessen gewiß, daß Gott bald eingreifen und ihn als Messias ἐν δυνάμει offenbaren würde.

Drei wichtige Belege für die Erwartung der Inthronisation des Designierten sind mit den Menschensohnlogien Lk 11,29f par Mt 12,38–40; Lk 17,24 par Mt 24,27 sowie Lk 17,26 par Mt 24,37 bereits behandelt. In diesem Exkurs möchte ich jedoch nicht auf die noch verbleibenden Menschensohnlogien eingehen, sondern auf jene Worte und Sachverhalte der (authentischen) Jesustradition, die unabhängig vom Vorkommen des Terminus Menschensohn dieselbe Erwartung voraussetzen.

tianisches Geheimnis und als markinische Entsprechung zu Röm 9–11 anzusehen. Paulus sah im Ärgernis des Kreuzes den von Gott bestimmten Weg Jesu, den dieser um des Heils seines Volkes und der Menschen willen gehen mußte. In diesem Sinn betont Markus: Das Messiasgeheimnis führt notwendig zur Passion des Menschensohns, denn in dessen Tod und Auferstehung liegt alles Heil begründet. Gerade als Messias muß er ans Kreuz, um alle zu retten. So erwächst aus der Verstockung Israels, die den Tod des Messias bewirkt, die Universalität des Heils.
Diese theologische Konzeption des Evangelisten dient nun allerdings gegen Wrede und Bultmann in keiner Weise dazu, eine Brücke zu schlagen zwischen dem angeblich unmessianischen Jesus und dem Messiasglauben der Kirche. Ganz im Gegenteil will Markus herausstellen, warum Jesus, gerade weil und obwohl er sich als Messias wußte und als solcher in Israel wirkte, dennoch am Kreuz starb. Historisch gesehen wird man ebensowenig von einer – in Anlehnung an die paulinische Theologie konzipierten – freien markinischen Schöpfung reden dürfen. Denn die erste und eigentliche Wurzel des Messiasgeheimnisses liegt im Geheimnis der Sendung Jesu selbst begründet (vgl. *R. Riesner*, Jesus, 302f; *O. Betz*, Wie verstehen wir das Neue Testament, 23–25 und *P. Stuhlmacher*, Jesus von Nazareth als Christus des Glaubens, 30f). Als der Menschensohn, d.h. als Messias designatus sieht er seiner messianischen Inthronisation erst noch entgegen und erwartet sie als ein zukünftiges Handeln Gottes. So ist es nichts anderes als der messianische Anspruch Jesu auf dem Hintergrund seiner noch nicht offenbaren Hoheit, ja seiner Niedrigkeit, der ihn schließlich ans Kreuz bringt (s. unten S. 219.232–234.240f.243–255.288–342).
202 Vgl. *W. Pannenberg*, Grundzüge, 52–61.

1. Jesu Zug nach Jerusalem

Da ist zunächst Jesu Zug nach Jerusalem überhaupt, dessen Sinn darin besteht, in der Stadt des Tempels und des Messias als Messiasprätendent in Erscheinung zu treten und sich der letzten Entscheidung zu stellen in der Gewißheit, daß Gott sich dort zu ihm und seinem Anspruch bekennen werde[203]. Dies signalisiert auch die sogenannte Tempelreinigung (Mk 11,15-18 par). Mit dieser prophetisch-messianischen Zeichenhandlung nötigt Jesus die jüdischen Führer, speziell die Sadduzäer, endgültig zur Stellungnahme im Blick auf seine Person und Verkündigung[204]. Doch begann Jesu messianische Demonstration bereits mit seinem königlichen Einzug in die Davidsstadt.

2. Jesu Einzug in Jerusalem (Mk 11,1-11)

Mk 11,1-11 par zeigt, daß Jesus in Jerusalem seine messianische Inthronisation erwartet. Sicherlich wurde diese Szene im Verlauf der Evangelienüberlieferung immer stärker messianisch ausgestaltet, doch muß sie schon von Anfang an als messianische Demonstration verstanden werden. Die Akklamation der Begleiter Jesu, ihre Huldigung und Jesu Reiten auf einem (Jung-)Esel konnten im Blick auf Sach 9,9f und Ps 118,26 nur als Einzug des eschatologischen Davididen erscheinen[205]. Bereits bei Jesus selbst stand dieser Sachverhalt im Hintergrund, die Evangelisten haben ihn lediglich konkreter entfaltet[206]. Jesus läßt sich bewußt, ohne jeden Widerspruch – er selbst ist der Initiator des Geschehens – als Messiaskönig feiern, der jetzt endlich zum Zion zieht. Die Menge akklamiert dem einziehenden König, indem sie ihrerseits den Schluß der Hallelsammlung zitiert, die zeitgenössisch mit Vorliebe messianisch-eschatologisch gedeutet wurde[207] und Allgemeingut des Volkes war. Indem Jesus vor den Toren Jerusalems sein Messiasgeheimnis immer weniger zu verbergen sucht, geht er seiner Inthronisation entgegen. Er rechnet damit, daß Gott

---

203 Vgl. *O. Betz*, Albert Schweitzers Jesusdeutung, 138f und *ders.*, Frage, 162.

204 Vgl. die oben Anm. 193 genannte Literatur.

205 Nicht umsonst hat auch die rabbinische Überlieferung Sach 9,9f an zahlreichen Stellen messianisch interpretiert (vgl. *Bill.* I, 842-844). Zu Ps 118,26 bzw. zur Hallelsammlung insgesamt s. im Folgenden. Zum alttestamentlich-jüdischen Hintergrund der Szene vgl. auch *G. Gerleman*, Menschensohn, 49-52.

206 Vgl. dazu *R. Pesch*, Markus II, 182-188, der alle Einwände gegen die Authentie der V. 8-10 (vgl. *E. Lohmeyer*, Markus, 230-233 und *F. Hahn*, Hoheitstitel, 264f) überzeugend widerlegt. Von besonderer Wichtigkeit ist vor allem der Hinweis auf 4QPatr 1-4, wo in der Auslegungstradition von Gen 49,10 von der kommenden Herrschaft Davids die Rede ist.

207 Vgl. *J. Jeremias*, Abendmahlsworte, 247-250 und *R. Pesch*, Markus II, 183-186 (dort jeweils Belege).

sich (im Anschluß an seinen Tod) zu seinem Vollmachtsanspruch bekennt und ihn als Messias ἐν δυνάμει offenbart.

3. Mk 10,37 par Mt 20,21

Eben diese Vorstellung kommt auch in Mk 10,37 par zum Ausdruck, hier allerdings im Mund der Zebedaiden. Die feste Überzeugung beider, daß Jesus ihre Bitte um das Sitzen zur Rechten und Linken erfüllen kann, wenn er will, zeigt, daß sie ihre eigene Erwartung auch bei ihm voraussetzen. Es fragt sich jedoch, was mit ἐν τῇ δόξῃ σου gemeint ist, eine Frage, die im Zusammenhang mit der matthäischen Parallelversion in Mt 20,21[208] beantwortet wird: Es geht um die Herrschaft des Messiaskönigs, der in der Stadt Davids sein Königtum aufrichten wird, und insofern um die »Teilhabe an Regentschaft und Macht des Messias«[209]. Joachim Jeremias verweist zu Recht auf den ἐν τῇ δόξῃ σου / ἐν τῇ βασιλείᾳ σου zugrundeliegenden Semitismus, denn ἐν ist hier nicht lokal, sondern temporal zu verstehen und mit »wenn du König bist« (»verherrlicht bist«) wiederzugeben[210]. Mit gutem Grund exegesiert Walter Grundmann von Lk 22,30 her, einem entsprechenden Beleg, in dem ἐν τῇ βασιλείᾳ μου ebenso in diesem temporalen Sinn gebraucht ist[211] und sich auf den bald inthronisierten Messias bezieht, der mit den zwölf Jüngern das eschatologische Zwölfstämmevolk regiert[212]. Hier wie dort, hier im Mund zweier Jünger, dort im Mund Jesu selbst, geht es um das messianische Reich, das vom Zion aus mit Jesu Aufstellung als Messias Israels durch Gott realisiert werden wird. Dabei setzt Mk 10,37 Lk 22,30a*.b voraus und knüpft daran an[213].
Doch während Jesus in Lk 22,30a*.b mit seiner messianischen Inthronisation als Abschluß seiner Wirksamkeit als Messias designatus noch unab-

---

208   E. Lohmeyer, Markus, 221f hält die matthäische Version wegen ihrer größeren Prägnanz für ursprünglich.

209   K. Berger, Einführung, 226 (dort kursiv, zudem 225f mit alttestamentlich-jüdischen Parallelen), vgl. ferner E. Lohmeyer, Markus, 221f; R. Schnackenburg, Markus II, 107; W. Grundmann, Markus, 291f und J. Gnilka, Matthäus II, 188.

210   J. Jeremias, Theologie, 101, Anm. 8.

211   Zum temporalen ἐν in Lk 22,30a*.b s. unten S. 145f, in Mk 14,25 par Lk 22,15–18 unten S. 350.

212   Vgl. W. Grundmann, Markus, 291f. Er irrt jedoch, wenn er abwägt, ob die erbetenen Ehrenplätze von Lk 22,30a her als Mahlplätze oder von Lk 22,30b her als Thronplätze anzusehen seien, um sich schließlich für die erste Möglichkeit zu entscheiden. Denn eben die Mahlvorstellung ist als sekundärer lukanischer Zusatz zu Lk 22,30a*.b anzusehen, während dort ursprünglich nur von der Teilhabe an der messianischen Regierung die Rede ist (s. unten S. 145f).

213   Vgl. R. Pesch, Markus II, 155f.158f, der im Anschluß an die Parallele Mt 19,28 allerdings fälschlich an das messianische »Gericht« denkt und nicht an die messianische »Herrschaft«. Zu dieser Unterscheidung s. unten S. 147–150.363f.

hängig von seinem Tod rechnete[214], hat er in der historischen Szene Mk 10,35–39 (ohne V. 40) seinen dazwischenkommenden Tod bereits vor Augen und korrigiert daher die Bitte der Zebedaiden um die nach ihm ranghöchsten Plätze im messianischen Reich mit dem Hinweis auf ihre Treue im Martyrium, das in Verbindung mit seinem eigenen Leiden und Sterben auch sie treffen wird.

Mit anderen Worten: Johannes und Jakobus teilen immer noch die ursprüngliche Erwartung ihres Herrn, ohne zugleich an dessen »Offenbarungsfortschritt«[215] – der Weg zur Herrlichkeit führt durch Leiden und Tod – teilzuhaben.

In der exegetischen Diskussion wird durchweg auf die Spannung zwischen der Antwort Jesu auf die Anfrage aus V. 37 in den V. 38f und V. 40 hingewiesen. In den V. 38f bindet er die ranghöchsten Plätze in der Hierarchie der Messiasherrschaft (unmittelbar nach ihm selbst) an Voraussetzungen, die jeder ›Bewerber‹ zu erfüllen hat: an die unbedingte Treue in der Nachfolge gerade auch angesichts des Martyriums. Insofern gewährt er den egoistischen Wunsch der Zebedaiden zwar nicht – eine feste Zusage hinsichtlich ihrer Bitte unterbleibt –, er gibt jedoch zugleich zu verstehen, daß er in der Tat jene Ehrenplätze zu vergeben hat und sie denen zuteil werden läßt, denen sie zustehen. Demgegenüber weist er in V. 40 das Anliegen aus V. 37 grundsätzlich ab mit dem Hinweis, nicht er, sondern Gott allein sei für diese Ehrenplätze und ihre Vergabe zuständig.

Die Vermutung Rudolf Bultmanns, die V. 38f seien deshalb als sekundärer Einschub anzusehen[216], ist in den neueren Kommentaren[217] zu Recht aufgegeben zugunsten einer älteren Szene Mk 10,35–38(–39), an die (die) V. (39–)40 später angefügt wurde(n) – wobei als nachträgliche Anfügung, wie sich zeigen wird, lediglich V. 40, nicht auch V. 39 in Frage kommt.

Innerhalb V. 37 und V. 40 wechselt der Terminus für »links« (V. 37: ἐξ ἀριστερῶν, V. 40: ἐξ εὐωνύμων), zudem ist die gesamte Konstruktion des V. 40 anders als die des V. 37; beides verweist auf verschiedene Verfasser[218]. Dieses Ergebnis wird bestätigt dadurch, daß Mk 10,38f als ursprünglich isolierte Einheit »nicht lebensfähig ist« und für sich genommen »keinen rechten Sinn ergibt«[219]. Zugleich läßt sich ein Motiv für einen sekundären Einschub der V. 38f, der ja doch zu V. 40 in Spannung steht, nicht aufzeigen, während der umgekehrte Vorgang, die sekundäre Anfügung des V. 40 an die V. 35–39, ohne weiteres nachvollziehbar ist. Denn mit V. 40 betont der Redaktor im Blick auf die folgenden V. 41–45 und speziell V. 45, daß rechte Nachfolge im uneingeschränkten Dienst für Gott besteht und nicht in der Spekulation auf irgendwelche Ehrenplätze zuungunsten anderer. So ist unter Umständen auch das Martyrium eine Konsequenz dieses Dienstes und nicht eine Garantie für bestimmte Privilegien, ist nichts anderes als radikale Nachfolge[220]. Deshalb, so V. 40, ist es allein Gottes Sache, Ehrenplätze zu vergeben, und nicht Aufgabe der Jünger Jesu, im verdienstlichen Sinn Lohn für Selbstverständliches zu fordern. Dabei wird wohlgemerkt nicht bestritten, daß es solche Ehrenplätze wirklich gibt.

---

214 S. unten S. 144.151.
215 S. unten S. 234–242.
216 Vgl. *R. Bultmann*, Geschichte, 23.
217 Vgl. *E. Schweizer*, Markus, 124–126; *R. Pesch*, Markus II, 153–160; *J. Gnilka*, Markus II, 98–103 und *W. Schmithals*, Markus II, 466–468.
218 Vgl. *R. Pesch*, Markus II, 159f und *J. Gnilka*, Markus II, 99.
219 Ebd., 99.
220 Vgl. *W. Schmithals*, Markus II, 467f.

Wenn die V. 38f damit die ursprüngliche Antwort auf die Frage der Zebedaiden in den V. 35–37 darstellen, gilt es im folgenden, die Szene Mk
10,35–39 auf ihre Authentie hin zu befragen:
Dadurch, daß hier eine Vorstellung vorliegt, die nachösterlich mit Hilfe
des V. 40 – der seinerseits alte, semitische Tradition spiegelt[221] – in gewisser Weise eingeebnet wurde, ist Authentie wahrscheinlich; eine These,
die sich verifizieren läßt. Da ist zunächst die konkrete Namensnennung
der beiden Bittsteller, die auf ein historisches Geschehen verweist. Daß
sie Jesus mit διδάσκαλε anreden und nicht mit einem der geläufigen nachösterlichen Hoheitstitel, hat als weiteres dementsprechendes Indiz zu gelten. Sodann ist als wichtiges Argument die Tatsache heranzuziehen, daß
die Voraussetzungen des Gesprächs aus sich heraus im dunkeln bleiben[222], wobei allerdings im Kontext der Jesustradition insgesamt mit guten Gründen anzunehmen ist, daß die Zebedaiden an die authentische
Verheißung Lk 22,30a*.b anknüpfen: Dort wird den Zwölfen die Teilhabe an der messianischen Herrschaft von Jesus selbst zugesagt, und im
Anschluß an eben diese Zusage erfolgt die Bitte des Johannes und des
Jakobus an ihren Herrn, daß sie beide nach Jesus die ranghöchsten Plätze
vor den übrigen Jüngern einnehmen möchten. Die messianische Erwartung der Zebedaiden ist deshalb lediglich aus der nachösterlichen Perspektive heraus als »wenig geläutert«[223] abzutun, basiert jedoch zunächst
einmal auf der ureigenen Erwartung und Verheißung Jesu[224], auch wenn
sie hier in egoistisch-überspitzter Weise zutage tritt. Aus der Theologie
der Urkirche ist die Zebedaidenfrage jedenfalls nicht ableitbar, wie ihre
dortige Einebnung (V. 40) zeigt[225].
Ebenso ist die in den V. 38f vorliegende Antwort Jesu als vaticinium ex
eventu nicht nachweisbar. Zum einen wird der hier unzweideutig angekündigte gewaltsame Tod der Zebedaiden mit dem Tod Jesu auf einer
Ebene abgehandelt, ein sicherlich vorösterliches Indiz, denn für die Urkirche ist Jesu Tod einzigartig und unwiederholbar. Zum zweiten stellt
speziell V. 39 eine unerfüllte Weissagung dar, denn nur der Märtyrertod
des Jakobus ist sicher bezeugt (Apg 12,2). Zwar gibt es einige wenige
kirchliche Überlieferungen, die vom Märtyrertod auch des Johannes reden, sie sind allerdings von nur geringem geschichtlichem Wert[226]. Mögli-

221 Vgl. das Passivum divinum ἡτοίμασται, das hier die auf sein semitisches Äquivalent כון zurückweisende Doppelbedeutung »bereiten (bereitstellen)« und »bestimmen«
hat (vgl. *Bill.* I, 838.981–983).
222 Vgl. *R. Pesch*, Markus II, 158f.
223 *R. Schnackenburg*, Markus II, 108.
224 S. oben S. 106f und unten S. 144.151.
225 Matthäus läßt prompt, um die Zebedaiden angesichts ihrer Denkweise zu ent-
lasten, deren Mutter als Fragestellerin auftreten (Mt 20,20f).
226 Sie sind aufgeführt und zugleich als historisch wertlos nachgewiesen bei *R.
Schnackenburg*, Johannes I, 71–73.

cherweise wurden sie überhaupt erst von Mk 10,39 her entworfen, um Jesus die Peinlichkeit einer nicht eingetroffenen Weissagung zu ersparen. Andererseits sind die altkirchlichen Dokumente, nach denen Johannes in hohem Alter in Ephesus eines friedlichen Todes gestorben sein soll, in ähnlichem Maße fragwürdig[227], da sie wiederum vom Interesse geleitet sind, die Autorität des Johannesevangeliums mit Hilfe einer postulierten apostolischen Verfasserschaft hervorzuheben[228]. Zumindest dies wird man festhalten können: Zur Zeit der Entstehung des Markusevangeliums ist Johannes noch am Leben, womit sich V. 39 aus der Sicht des Evangelisten als nicht erfüllte Weissagung erweist. Deshalb stellt das Logion keineswegs eine Bildung der nachösterlichen Gemeinde dar, die Jesus im nachhinein in den Mund gelegt wurde. Es war ihr vielmehr von Jesus vorgegeben und wurde aus diesem Grund überliefert[229]; Lukas hat diesen Anstoß beseitigt, indem er Mk 10,35–40 erst gar nicht in sein Evangelium übernahm.

Jesus selbst sagt beiden Zebedaiden das Martyrium an, weshalb V. 39 zu jenen Logien zählt, nach denen Jesus im Zusammenhang seiner eigenen Passion ein Kollektivleiden auch der Seinen erwartet[230].

Die inhaltliche Aussage der vorliegenden Todesankündigung ist zudem hinsichtlich der Rede von der Todestaufe (V. 38b.39b) weder aus der Johannestaufe noch aus der urchristlichen Tauftheologie ableitbar: Die Johannestaufe wurde bei Josephus und im Neuen Testament nicht als eine Todestaufe im sakramentalen Sinn verstanden, sondern als eine dem Gerichts- und Umkehrruf des Täufers entsprechende prophetische Handlung, die zwar die eschatologische Geisttaufe vorwegereignet und insofern die einzige Möglichkeit darstellt, dem kommenden Gericht zu entfliehen (Mt 3,10 par), dabei jedoch nicht aus sich heraus das Heil vermittelt, sondern an die Früchte der Umkehr (Mt 3,8 par), d.h. an die tatsächlich vollzogene Umkehr gebunden bleibt, wie auch das vorausgehende Sündenbekenntnis der Taufwilligen (Mk 1,5 par) zeigt[231]. Sodann

---

227   Vgl. ebd., 63–71.

228   Der historische Tatbestand erweist den Zebedaiden Johannes meines Erachtens weder als den Verfasser der Kapitel 1–20 des vierten Evangeliums noch als identisch mit dem sogenannten Lieblingsjünger (vgl. dazu *R. Schnackenburg,* Johannes III, 449–464).

229   Gegen *R. Pesch,* Markus II, 159f und *J. Gnilka,* Markus II, 99, die V. 39 ohne jede Begründung als sekundäre Bildung im Anschluß an Mk 10,35–38 postulieren. Zu Recht anders *W. G. Kümmel,* Verheißung, 62f; *V. Taylor,* Markus, 441; *E. Schweizer,* Markus, 124; *J. Jeremias,* Theologie, 233f und *H.F. Bayer,* Predictions, 59–61.85.

230   S. unten S. 249–254.

231   Vgl. *J. Gnilka,* Die messianischen Tauchbäder, 203: »Die Taufe der Umkehr hat die Bedeutung eines Zeichens, das die Umkehrbereitschaft des Täuflings demonstriert, der auf Grund seiner vom Täufer geforderten Umkehr von Gott die Sündenvergebung erhält. Die von Johannes gespendete Taufe gibt dem Umkehrenden die Gewißheit, daß seine Umkehr gültig ist und vor Gott anerkannt wird und damit vor dem kommenden Zorn zu retten in der Lage ist« und *ders.,* Markus I, 45f: »Die Übernahme der Taufe war öffentliche

steht die Taufe in den V. 38f für den Tod Jesu selbst, dem der Tod der Zebedaiden ausdrücklich gleichgestellt wird, während die christliche Taufe als Taufe εἰς τὸν θάνατον Χριστοῦ auf Jesu Tod zurückblickt und ihn soteriologisch im Sinne einer Partizipation an seiner (Heils-)Wirkung deutet[232].

Fazit: Die Szene Mk 10,35–39 basiert als ganze auf einem authentischen Gespräch des historischen Jesus mit den historischen Zebedaiden.

4. Mk 8,29 par

Ebenso verbirgt sich hinter dem Petrusbekenntnis Mk 8,29 par die Hoffnung auf die bald aufgerichtete Messiasherrschaft, in der Jesus als Messias regiert und seine Jünger – Petrus ist lediglich deren Sprecher – mit ihm[233]. Dabei hat Petrus Jesu Leiden und Sterben noch nicht im Blick.

5. Mk 12,9 par

Die schließliche messianische Inthronisation Jesu im Anschluß an seine Passion setzt Jesus in der Parabel von den bösen Weingärtnern (Mk 12,1–9 par) voraus. Dabei bestätigt er die Mitherrschaft seiner Jünger im messianischen Reich. Dieser Sachverhalt findet seinen Ausdruck in V. 9b, wo Jesus hervorhebt, der Weinbergbesitzer werde kommen, die bisherigen Weingärtner zugrunde richten und seinen Weinberg anderen übergeben.

Während der Weinbergbesitzer für Gott steht und sein Weinberg für Israel, stehen die bösen Weingärtner nicht ebenso für Israel, sondern für die

Kundgabe der Buß- und Umkehrbereitschaft«. Die in der Taufe von Gott verheißene Sündenvergebung war dabei »in erster Linie an die Buße und nicht an den Waschungsritus gebunden . . . Die Taufe wäre dann das Siegel auf die Vergebung, die der Täufling für seine Umkehr empfing«, ferner *H. Schürmann*, Lukas I, 156–160; *Jürgen Becker*, Johannes, 38–40 (laut Becker ist die Johannestaufe nicht als Heilszusage zu verstehen, vielmehr lediglich als Möglichkeit, den Getauften vom Anlaß des kommenden Gerichts, seinen bisherigen Sünden, zu befreien, damit er von nun an in der Tat Früchte der Umkehr erbringe; *vielleicht* wird er dann im Gericht Gottes bestehen) und *H. Merklein*, Umkehrpredigt, 116f. Anders *H. Thyen*, Studien, 132f.137f, der die Johannestaufe als »Buße und Vergebung wirkendes eschatologisches Sakrament« (132) und als »wirksames Sakrament« (138) bezeichnet, das auf »das endzeitliche Heil« (133) zielt und das endzeitliche Gericht, die eschatologische Feuertaufe, vorwegnimmt. Nicht von ungefähr muß sich Thyen, um sein Verständnis der Johannestaufe zu rechtfertigen, gegen die Darstellung der Synoptiker und des Johannesevangeliums abgrenzen (138–141). Vgl. ferner, wenn auch weniger eindeutig, *G. Barth*, Taufe, 24–28.35f. *G. Beasley-Murray*, Taufe, 55–58.62f wiederum möchte beide Aspekte miteinander verbinden, wenn er die Taufe des Johannes sowohl als Zeichen der Umkehr, das die zukünftige Errettung erhoffen läßt, als auch als Versiegelung im Blick auf das kommende Gericht bezeichnet.

232 Vgl. *H. Patsch*, Abendmahl, 207–209.
233 Vgl. *W. Grundmann*, Markus, 217f und *R. Schnackenburg*, Markus I, 213–215.

(sadduzäischen) Führer des Volkes, die ihrer von Gott gegebenen Verantwortung für das Volk nicht nachkommen, indem sie Israel wie ihren eigenen Besitz behandeln[234]. Dem entspricht die Beobachtung, daß der Weinberg – im Gegensatz zu einem ähnlichen rabbinischen Gleichnis, in dem der Besitzer nur Dornen und Disteln vorfindet[235] – ausdrücklich Früchte trägt, die aber nicht abgeliefert werden.

Jesus droht das göttliche Gericht somit nicht Israel als ganzem an, so daß es verfehlt wäre, von hierher das Ende der Erwählung Israels behaupten zu wollen; der Weinberg bleibt ausdrücklich derselbe. Die Gerichtsankündigung Jesu gilt vielmehr den Führern des Volkes, wie die Synoptiker in Mk 12,1 par, wo ein Rückbezug zu Mk 11,27 par vorliegt, wie auch in Mk 12,12 par bestätigen. Sie werden von besseren Führern abgelöst, nämlich solchen, die Jesus und seinem messianischen Sendungsauftrag glauben und also Gott die Treue halten.

Dabei denkt Jesus hier wie in Lk 22,28–30 par an seine Jünger, wobei diese gerade nicht als die Führer der christlichen Kirche im Gegensatz zu Israel verstanden sind, sondern umgekehrt als die Repräsentanten des eschatologischen Zwölfstämmevolkes, die zusammen mit Jesus als dem bald inthronisierten Messias Israels dessen Regentschaft übernehmen werden[236].

Bei alldem setzt Jesus in den V. 7f par seinen gewaltsamen Tod fraglos voraus[237].

Insofern erfolgt die spätere Interpretation der Parabel in Mk 12,10f par, wo Gott den von Israels Führern Verworfenen erhöht und als seinen Gesalbten erweist, sachlich völlig zu Recht und in Übereinstimmung mit der Erwartung Jesu selbst. Dem entspricht innerhalb der Parabel die Anspielung an die Josefserzählung (Gen 37,20a), wenn es in V. 7 par heißt: »Auf, töten wir ihn«. Schon dort setzte Gott sein Heilshandeln gerade angesichts der Verwerfung Josefs durch seine Brüder durch (Gen 50,20) und bekannte sich auf wunderbare Weise zu seinem treuen Boten.

234   Vgl. *D. Flusser*, Beispiele, 84f; *W. Grundmann*, Markus, 321.324 und *J. Gnilka*, Markus II, 146f.149. Anders *R. Pesch*, Markus II, 215.220f mit dem Hinweis, der Weinberg symbolisiere die Erwählung, die Weingärtner die Halsstarrigkeit Israels.

235   Vgl. WaR 23 (121d) (zitiert bei *Bill.* I, 873).

236   S. oben S. 106–108 und unten S. 148–151.363f.

237   Eine Rückführung des Kerns der Parabel – strittig ist vor allem V. 5 (par) – einschließlich der Todesankündigung in den V. 7f par auf Jesus selbst ist in der Forschung zwar nicht unumstritten, läßt sich jedoch mit guten Argumenten begründen und wahrscheinlich machen (vgl. *W. Michaelis*, Gleichnisse, 113–125; *M. Hengel*, Gleichnis, 1–39; *J.D. Crossan*, Parable, 451–165; *J.E. Newell / R.R. Newell*, Parable, 226–237; *R. Pesch*, Markus II, 213–222; *ders.*, Abendmahl, 105–107; *S. Ruager*, Reich Gottes, 131–149; *P. Stuhlmacher*, Die neue Gerechtigkeit, 56 mit Anm. 15; *P.Chr. Böttger*, König, 27–32; *J. Ernst*, Markus, 339f.342; *H.F. Bayer*, Predictions, 90–100 und *F. Mußner*, Kraft, 114–116, ferner *J. Jeremias*, Gleichnisse, 67–75, der jedoch fälschlich V. 9 par nicht dem ursprünglichen Bestand zurechnet. Anders, aber nicht überzeugend, *J. Gnilka*, Markus II, 141–149).

6. Das Tempelwort (Mk 14,58 par; Joh 2,19)

Einen weiteren Beleg entbietet das Tempelwort Mk 14,58 par; Joh 2,19[238], das von Jesu Zeitgenossen messianisch interpretiert werden mußte, denn der Tempel(bau) und der Messias gehören untrennbar zusammen[239].

Das Logion, das in seiner vermutlich ursprünglichen Form λύσατε τὸν ναὸν τοῦτον, καὶ διὰ τριῶν ἡμερῶν (bzw. ἐν τρισὶν ἡμέραις)[240] ἄλλον οἰκοδομήσω auf Jesus selbst zurückgeht[241], erscheint in Mk 14,58 par (Mk 15,29 par [Apg 6,14]) im Mund der Gegner Jesu in leicht veränderter Gestalt und insofern als Falschzeugnis, als man ihm unterstellt, er selbst wolle den Tempel in Jerusalem zerstören, während Jesus in einem allgemein gehaltenen Hinweis lediglich seine bevorstehende Zerstörung angekündigt hatte[242]. Demgegenüber deutet die markinische bzw. bereits vormarkinische Einfügung χειροποίητον und ἀχειροποίητον[243] exakt im Sinne Jesu: Während das jetzige, derzeit noch bestehende Heiligtum zerstört werden wird, erbaut Jesus einen neuen, lebendigen Tempel, nämlich die messianische Heilsgemeinde der Endzeit[244]. Diese Spiritualisierung des Tempelbegriffs ist in Mt 16,18 nicht nur in einem weiteren Jesuswort belegt[245], sondern war der jüdischen Umwelt Jesu längst vertraut[246]. Hier ist vor allem das messianische Fragment 4QFlorilegium von entscheidender Bedeutung, in dem die messianische Heilsgemeinde mit einem

---

238   Das Tempellogion ist in Mk 13,2 par; 15,29 par und Apg 6,14 in weiteren Varianten belegt.

239   S. oben S. 76 und unten S. 175.

240   Sowohl διὰ τριῶν ἡμερῶν (Mk 14,58 par) als auch ἐν τρισὶν ἡμέραις (Mk 15,29 par und Joh 2,19) sind Übersetzungsvarianten des semitischen בְּיוֹם הַשְּׁלִישִׁי und verweisen auf ein semitisches Original (vgl. *J. Jeremias*, Drei-Tage-Worte, 221f). Eine dritte Übersetzungsvariante liegt mit τῇ τρίτῃ (ἡμέρᾳ) in Lk 13,32 vor (s. unten S. 120f).

241   Vgl. etwa *O. Michel / O. Betz*, Gott, 9f; *O. Betz*, Felsenmann, 101–103.108–111; *ders.*, Frage, 155–157; *ders.*, Probleme des Prozesses Jesu, 630–632; *E. Schweizer*, Markus, 187f; *A. Strobel*, Stunde, 63–65; *G. Theißen*, Tempelweissagung, 142–159, bes. 142–144; *H. Bietenhard*, Menschensohn, 341f; *S. Kim*, Son of Man, 79f; *H. Merklein*, Jesu Botschaft, 136f; *G. Gerleman*, Menschensohn, 33 und *K. Müller*, Möglichkeit, 78–80.83. Anders *L. Schenke*, Christus, 33–37; *J. Gnilka*, Markus II, 276; *ders.*, Prozeß, 17f und *D. Lührmann*, Markus, 249f. *R. Pesch*, Markus II, 433f wiederum spricht, bedingt durch Mk 14,57.59, von einem Jesus insgesamt fälschlich zugeschriebenen Logion.

242   S. unten S. 176 mit Anm. 557 (Literatur).

243   Für eine sekundäre Einfügung plädieren zu Recht etwa *E. Lohmeyer*, Markus, 326; *O. Michel*, Art. ναός, 888 mit Anm. 14; 890 Anm. 24; *G. Klinzing*, Umdeutung, 203f und *J. Ernst*, Markus, 442. *R. Pesch*, Markus II, 434.443 läßt diese Frage offen.

244   Vgl. *O. Michel / O. Betz*, Gott, 9f und *O. Betz*, Felsenmann, 109f.

245   Zu Mt 16,18 vgl. vor allem ebd., 99–126, bes. 106–111.

246   In Qumran bezeichnet »Das Bild vom Tempel ... stets die Gemeinde« (vgl. ebd., 101f [Zitat 101]), im Neuen Testament ebenso in 1Kor 3,16f und 1Petr 2,5.

Tempel verglichen wird, der im Gegenüber zum Heiligtum in Jerusalem ein Heiligtum *aus*[247] Menschen ist (4QFlor 1,6)[248].

Indem Jesus jedoch die Aufrichtung der messianischen Heilsgemeinde ankündigt, die er selber baut, kann er sich nur als bald inthronisierter Messias gewußt haben, dessen in drei Tagen, d.h. in Kürze erfolgende Inthronisation auch die Sammlung des Volkes des Messias, des eschatologischen Zwölfstämmevolkes, herbeiführt.

Wiederum liefert 4QFlorilegium die genaue Entsprechung zu dem Sachverhalt, den Jesus hier ankündigt: In 4QFlor 1,12f ist ausdrücklich vom Messias ben David die Rede, der (zusammen mit dem Priestermessias) aufsteht (יַעֲמֹד), um Israel zu retten[249]. Mit seiner Aufstellung richtet Gott durch ihn als sein Werkzeug die »gefallene Hütte Davids« (Am 9,11) wieder auf, d.h. er sammelt das Israel der Endzeit[250].

Es ist charakteristisch für die Drei-Tage-Meschalim im Mund Jesu, daß sie keineswegs als buchstäblich-chronologische Zeitangaben aufzufassen sind. Solche spätere Deutung auf die Zeit zwischen Karfreitag und Ostern findet sich erst in den expliziten Auferstehungsankündigungen[251]. Ursprünglich ist diese Interpretation jedoch nicht, wie Lk 13,32 – neben dem Tempelwort das einzige authentisch-jesuanische Drei-Tage-Logion[252] – in sachlicher Übereinstimmung mit zahlreichen alttestamentlich-jüdischen Belegen[253] zeigt. Joachim Jeremias macht auf die Tatsache aufmerksam, daß sowohl im Hebräischen als auch im Aramäischen »ein gebräuchliches Wort fehlt, das unserem ›Zeit‹ im durativen Sinn genau entspricht; man half sich so, daß man für ›Zeit‹ (durativ): ›Tage‹ sagte«[254]. Zugleich, und dies ist im vorliegenden Zusammenhang entscheidend, fehlt »auch für unser

---

247   *E. Lohse*, Texte, 257 übersetzt 4QFlor 1,6 fälschlich mit »unter Menschen« anstatt »aus Menschen«. Wäre wirklich ein Heiligtum »unter« Menschen gemeint, müßte es בְּאָדָם oder בְּתוֹךְ אָדָם heißen.

248   Vgl. auch 1QH 6,26, dazu *O. Betz*, Felsenmann, 104–113.

249   Wieder übersetzt *E. Lohse*, Texte, 257 falsch: Selbstverständlich steht nicht die gefallene Hütte Davids auf, um Israel zu retten, sondern der eschatologische Davidssproß. Hätte Lohse recht, müßte der vorliegende hebräische Text nicht יַעֲמֹד (maskulin: Er [sc. der Messias] steht auf), sondern תַּעֲמֹד (feminin: Sie [sc. die gefallene Hütte Davids] steht auf) lauten. »Israel, die ›gefallene Hütte Davids‹, wird im Auftrag Gottes vom Messias wieder aufgerichtet« (*O. Michel / O. Betz*, Gott, 10).

250   Der entscheidende Unterschied zwischen der qumranischen und der jesuanischen Erwartung ist der, daß man in Qumran radikal partikularistisch dachte, d.h. nicht nur die Heidenvölker, sondern ebenso die große Masse des jüdischen Volkes vom messianischen Heil ausschloß; dies betraf nur die geistliche Größe der Qumrangemeinde selbst (vgl. *O. Betz*, Frage, 145, Anm. 3). Demgegenüber ist die eschatologische Heilserwartung Jesu eine universale. Mit seiner messianischen Inthronisation konstituiert sich nicht nur das Zwölfstämmevolk in seiner Gesamtheit, zuletzt werden auch die Heidenvölker in dieses eingegliedert, um so gemeinsam das eine eschatologische Gottesvolk zu bilden (s. unten S. 135–140).

251   S. unten S. 277–282.

252   S. unten S. 118–122.

253   Vgl. *K. Lehmann*, Tag, 176–181.262–272.287f und *J. Jeremias*, Drei-Tage-Worte, 226f.

254   Ebd., 226 (mit zahlreichen Belegen).

›mehrere, einige, ein paar‹ ein gebräuchliches genaues Äquivalent«[255]; ersatzhalber verwendet man die Dreizahl[256].

Schon im Alten Testament bezeichnet die Drei-Tage-Wendung weniger den dritten Kalendertag, sondern überwiegend »eine unbestimmte, aber nicht allzu lange Zeitspanne«[257], wobei wegen der ja relativen Zeitangabe jeweils »der Kontext . . . zeigen (muß), ob eine kurze oder eine längere Zeitspanne gemeint ist«[258]. Auch im Mund Jesu ist die Drei-Tage-Wendung in diesem Sinn gebraucht und ist zu verstehen als Synonym für »in Kürze«, »in kurzer Zeit«, »bald«; sie bezeichnet einen unbestimmten, aber kurzen Zeitraum[259].

Zugleich konnte Jeremias (mit Hinweis auf Charles H. Dodd[260]) zeigen, daß den jesuanischen Drei-Tage-Worten ursprünglich eschatologische Bedeutung eignet[261] und sie mithin »von der begrenzten, von Gott bestimmten Frist bis zur Weltvollendung« handeln[262]. Dabei unterscheidet Jesus nicht im Sinne der nachösterlichen Systematisierung der Endereignisse zwischen Auferstehung und Parusie, sondern erwartet beides in einem Akt[263]. Daß dieser endgültige »Triumph der Sache Gottes«[264] in der Erwartung Jesu identisch ist mit seiner eigenen messianischen Inthronisation auf dem Zion, wurde bereits deutlich.

7. Mt 8,11–12 par Lk 13,28–29

Die zukünftige messianische Inthronisation Jesu ist auch in Mt 8,11f par Lk 13,28f vorausgesetzt, einem ursprünglich isoliert tradierten Logion, dessen ältere Fassung bei Matthäus überliefert ist[265]. Formal wie inhaltlich trägt das Logion höchst altertümliche Züge und wurzelt in der jüdi-

---

255 Ebd., 226.
256 Vgl. ebd., 226 (mit zahlreichen Belegen) und bereits *J.B. Bauer*, Drei Tage, 354–358.
257 *J. Jeremias*, Theologie, 271.
258 *J. Jeremias*, Drei-Tage-Worte, 226.
259 Vgl. *C.J. Cadoux*, Mission, 286–288.293–295.298f; *K. Lehmann*, Tag, 171f. 179.182f.185 und *J. Jeremias*, Drei-Tage-Worte, 226.
260 Vgl. *Ch.H. Dodd*, Parables, 98–101.
261 Vgl. *J. Jeremias*, Drei-Tage-Worte, 221–229 und *ders.*, Theologie, 271f, ferner *K. Lehmann*, Tag, 185 und *K. Berger*, Auferstehung, 109. Demgegenüber wehrt sich *R. Pesch*, Markus II, 53 bei seiner Erklärung zu Mk 8,31 im Blick auf die dortige Auferstehungsankündigung gegen Jeremias und dessen eschatologische Deutung mit dem Hinweis, μετὰ τρεῖς ἡμέρας ἀναστῆναι eigne keineswegs Maschalcharakter, vielmehr sei die inhaltliche Aussage der Wendung völlig klar: Als nachösterliche Bildung ziele sie auf die Zwischenzeit zwischen Jesu Tod und Auferstehung. Peschs Einwand besteht insofern zu Recht, als mit μετὰ τρεῖς ἡμέρας ἀναστῆναι tatsächlich eine christliche Formulierung vorliegt (s. unten S. 277–282), während *J. Jeremias*, Drei-Tage-Worte, 228f auch sie fälschlich auf Jesus selbst zurückführen möchte. Bezüglich der authentisch-jesuanischen Drei-Tage-Worte Mk 14,58 par; Joh 2,19 und Lk 13,32 ist Peschs Kritik jedoch fehl am Platz (s. oben S. 112–114 und unten S. 118–122).
262 Ebd., 229.
263 Vgl. bereits *Ch.H. Dodd*, Parables, 100f und *J. Jeremias*, Theologie, 253f. 271f.293–295.
264 *J. Jeremias*, Drei-Tage-Worte, 225.
265 Vgl. *N. Perrin*, Jesus, 179 und *W. Grimm*, Verkündigung, 195.

schen Gedankenwelt[266]. Formal gilt dies in V. 11 für das inkludierende πολλοί[267] und für das »einem modal aufzufassenden aram. Imperfekt = ›dürfen‹« entsprechenden Futurum ἀνακλιθήσονται[268]. In V. 12 könnte οἱ υἱοὶ τῆς βασιλείας auf jüdische Ausdrucksweise zurückgehen, nach der בַּר bzw. בֵּן »das Verhältnis der Zugehörigkeit« ausdrücken lassen[269], andererseits ist solche Redeweise auch im Hellenismus beheimatet[270]. Der antithetische Parallelismus der V. 11 und 12 verweist jedoch eher beide und nicht nur V. 11 in den palästinischen Sprachbereich.

Inhaltlich entspricht V. 11 ganz jüdischem Gedankengut: zunächst mit der Erwähnung der Patriarchen Israels überhaupt, die sodann speziell im Zusammenhang des eschatologischen Mahls der Heilszeit genannt werden, wobei der Heilszustand des Gottesvolkes als Tischgemeinschaft mit ihnen beschrieben ist[271]. In V. 12 läßt sich die Vorstellung von der Finsternis in Scheol und Gehinnom anführen[272], doch ist diese ebenso im hellenistischen Raum vorausgesetzt[273]. Die semitische, ja aramäische Herkunft des V. 11 ist demnach erwiesen, während eine solche für V. 12 mit Gründen erwogen, jedoch nicht zwingend erbracht werden kann. Nun läßt sich für die Härte des Drohwortes V. 12 im Judentum keine wirkliche Parallele aufzeigen, so daß es von hierher kaum ableitbar ist[274]. Andererseits ist es als christliche Schöpfung am ehesten verständlich. So findet sich Entsprechendes in der ›jüdischen Selbstverfluchung‹ Mt 27,25[275], die ebenso als christliche Bildung anzusehen ist wie die Bewertung der Juden in Joh 8,44 als »Söhne des Satans«, die dann in Offb 2,9 und 3,9 der »Synagoge des Satans« angehören. Jesus selbst sprach gewiß nicht in einer derartigen Weise von den Juden, was allein schon von seinem Selbstverständnis her als Widerspruch zu seiner Sendung anzusehen wäre, wußte er sich doch gerade zu Israel gesandt – zu dessen Heil. So sehr lag ihm das Heil seines Volkes am Herzen, daß er schließlich stellvertretend für Israel (und für die Heidenvölker) in den Tod ging. Deshalb ist Mt 8,12 als Wort des historischen Jesus undenkbar und steht zudem, wie

---

266 Vgl. *J. Jeremias*, Jesu Verheißung, 47f; *ders.*, Theologie, 236f; *N. Perrin*, Jesus, 178–181; *D. Zeller*, Logion, 222–237 und *W. Grimm*, Verkündigung, 192–196.

267 Vgl. *J. Jeremias*, Theologie, 236 und *W. Grimm*, Verkündigung, 195f, s. außerdem unten S. 117.333.

268 *J. Jeremias*, Theologie, 236.

269 Vgl. *Bill.* I, 476–478 (Zitat 476) und *E. Schweizer*, Matthäus, 139.

270 Vgl. *W. von Martitz*, Art. υἱός, 337.

271 Vgl. *N. Perrin*, Jesus, 179 und *J. Jeremias*, Theologie, 236 sowie die Belege bei *Bill.* II, 225f und *Bill.* III, 195.

272 Vgl. *Bill.* IV/2, 1075–1078.

273 Vgl. *H. Conzelmann*, Art. σκότος, 425f.

274 Vgl. *J. Jeremias*, Theologie, 236 und *W. Grundmann*, Matthäus, 253. Am ehesten ließe sich noch Mt 3,9 par vergleichen.

275 Zum alttestamentlichen Hintergrund von Mt 27,25 vgl. *J. Gnilka*, Matthäus, 458f, zum Verständnis *F. Mußner*, Traktat, 305–310.

unten zu zeigen ist, in Widerspruch zum auch Israel einschließenden Heilswort Mt 8,11 selbst.

Ganz anders ist V. 11 zu beurteilen, nämlich als Heilswort von universaler Bedeutung, das durch jüdische Gedankenwelt geprägt ist und nach Form und Inhalt ein aramäisches Original voraussetzt.

Das Logion geht auf Jesus selbst zurück, denn was hier gesagt ist, widerspricht nicht nur der vorherrschenden Erwartung zur Zeit Jesu, erst recht ist eine Ableitung aus der Theologie des Urchristentums ein unmögliches Unterfangen. Jesus greift in V. 11 die Vorstellung von der eschatologischen Völkerwallfahrt auf, nach der die Heidenvölker, angelockt vom Glanz des unter der Herrschaft des Messias verherrlichten Israel zum Zion strömen, um ihrerseits zusammen mit Israel Jahwe als dem einzigen und wahren Gott zu dienen, d.h. ins alttestamentliche Gottesvolk eingegliedert und damit selbst Israeliten zu werden[276]. Ist dies geschehen, kommt es schließlich zum Freudenmahl des eschatologischen Gottesvolkes aus Juden und Heiden, zum שָׁלוֹם-Zustand der vollendeten Gottesherrschaft. Indem Jesus diese Vorstellung übernimmt und die Völker in die endzeitliche Herrschaft Gottes ausdrücklich einbezieht, steht er im Gegensatz zur vorherrschenden partikularistisch-nationalen Erwartung seiner Zeit, die das Heil Gottes Israel vorbehielt und die Völker letztlich ausschloß[277]. Zugleich steht die vorliegende »zentripetale Vorstellung«[278] in deutlichem Kontrast zum urchristlichen Missionsverständnis, nach dem Missionare ausziehen, um den Völkern das Evangelium zu bringen. Hier jedoch ist es genau umgekehrt: Wie das Licht der Stadt auf dem Berge (Mt 5,14) erstrahlt die Herrlichkeit des messianischen Gottesvolkes bis hin zu den Enden der Erde, um so die Völker zu rufen, die daraufhin herzuströmen. Zugleich ist unter der Voraussetzung, daß Jesus der Völkerwallfahrt entgegensieht, der scheinbare Widerspruch gelöst, daß er sich einerseits allein zu Israel gesandt weiß, andererseits aber die Heidenvölker vom Heil Gottes nicht ausnimmt[279].

Wenn Joachim Jeremias zu Recht betont, daß Mt 8,11 eine »knappe Zusammenfassung der alttestamentlichen Aussage über die eschatologische Völkerwallfahrt zum Gottesberg« darstelle[280], bleibt dennoch zu fragen, ob nicht bestimmte alttestamentliche Schriftaussagen den Hintergrund des Logions bilden und seinen altertümlichen Wortlaut geprägt haben. Daß Jesus zum einen an Jes 25,6–9 anknüpft, gilt als opinio communis, ebenso jedoch dies, daß diese Stelle nicht allein für die konkrete Formu-

---

276   S. unten S. 135–140.
277   Vgl. *J. Jeremias*, Theologie, 237, s. außerdem unten S. 137f.
278   Ebd., 237.
279   Vgl. ausführlich *J. Jeremias*, Jesu Verheißung, 6–63, ferner *G. Lohfink*, Jesus, 28–31.
280   *J. Jeremias*, Jesu Verheißung, 53.

lierung des V. 11 verantwortlich zeichnen kann; man war sich aber nicht einig, welche anderen zusätzlich in Frage kommen[281].

Es ist das Verdienst von Werner Grimm, nicht nur die bisher erwogenen Lösungvorschläge als letztlich nicht begründbar ab-, sondern zugleich Jes 43,5–7 als tatsächlichen Hintergrund neben Jes 25,6–9 nachgewiesen zu haben[282]. Denn ist die Vorstellung vom Mahl der Heilszeit und die von der Anerkennung Jahwes als einzig wahrem Gott durch die Völker aus Jes 25,6–9 übernommen, so enthält Jes 43,5–7 singulär im Alten Testament die beiden anderen ebenso vorliegenden Elemente: das Kommen der Völker als solches sowie ihr Herzuströmen aus den bei Jesus erwähnten Himmelsrichtungen.

Wenn in Mt 8,11 gegenüber Jes 43,5–7 ein Subjektwechsel stattgefunden hat – dort: »... ich führe ... herbei ...«, hier: »Viele werden ... kommen ...« –, dann ist dies nur ein gradueller Unterschied, denn selbstverständlich ist auch bei Jesus letztlich Gott selbst der Initiator alles Geschehens.

Daß Jesus tatsächlich auf Jes 43,5–7 zurückverweist, wird bestätigt durch Mk 10,45 par, wo er ebenso Jes 43, dort die V. 3–7, zugrunde legt[283]. Hier wie dort ist zugleich von den πολλοί die Rede. Sicherlich sind in Jes 43,5–7 ursprünglich die Exulanten gemeint, die jetzt zurückkehren und mit dem übrigen Israel vereint werden, Jesus deutet sie jedoch beide Male auf die Fülle der Heidenvölker, die er zusammen mit den Israeliten als πολλοί charakterisiert. Denn so wie Jesus in Mk 10,45 par sein Leben für alle Menschen dahingibt, für Israel und die Heidenvölker, so bilden beide auch in Mt 8,11 eine Einheit. Die Patriarchen Israels stehen nämlich pars pro toto für ganz Israel, und die Heiden werden gerade so mit Israel verbunden, als sie zusammen mit dessen »Repräsentanten am Tisch des messianischen Freudenmahls sitzen.«[284] Als die Repräsentanten des alttestamentlichen Gottesvolkes sind die Erzväter die »Keimzelle für die Vielen«[285], so daß man Mt 8,11 schließlich auch als »eschatologische Aktualisierung der ... Abrahamsverheißung« (Gen 12,2f und 17,4–7) wird ansehen müssen[286]. Der Segen Abrahams erreicht auf diese Weise alle Völker der Erde, aber nur dergestalt, daß Israel als Ausgangspunkt desselben ausdrücklich festgehalten ist. Somit ist Mt 8,11 trotz seiner Ausrichtung auf das Heil der gesamten Erde »in seinem letzten Grunde ein

---

281 Vorwiegend werden Jes 49,12; 59,19; Mal 1,11 und Ps 106,3 genannt.
282 Vgl. *W. Grimm*, Verkündigung, 194–196, ferner *S. Kim*, Son of Man, 59f.
283 S. unten S. 333.
284 *W. Grimm*, Verkündigung, 196.
285 *H. Flender*, Botschaft, 32.
286 *W. Grimm*, Verkündigung, 196, vgl. *J. Schreiner*, Segen, 1–31 und *O. Betz*, Begegnungen, 16.

Heilswort an Israel«[287], dessen jesuanische Intention durch die sekundäre Zufügung Mt 8,12 nicht weniger als auf den Kopf gestellt wird. Damit bleibt abschließend zu fragen, welche Rolle bei alldem Jesus selbst spielt. Sicherlich ist letztlich Gott der Urheber dieses endzeitlichen Heilsgeschehens. Dies aber nicht ohne den Menschensohn, der bereits während seiner irdischen Wirksamkeit als Stellvertreter Gottes in dessen Auftrag fungierte und in der Erwartung Jesu auch im Anschluß an seine messianische Inthronisation das »Panier« Gottes (Jes 11,10) bleibt, das als dessen Mandatar die Durchsetzung wie die Erhaltung der vollendeten Gottesherrschaft aktiv betreibt. Wenn Jesus von der Sammlung des eschatologischen Zwölfstämmevolkes spricht, dann untrennbar verbunden mit seiner eigenen Aufstellung als Messias Israels auf dem Zion. Er selbst ist es, der als inthronisierter Messias die »zerfallene Hütte Davids« wieder errichtet (Am 9,11), d.h. die Sammlung Israels bewirkt und sodann mit dem Herzuströmen der Heidenvölker schließlich den Bau des endzeitlichen Gottesvolkes in seiner Gesamtheit[288]. So bleibt Jesus auch zuletzt der, der er von Anfang an war: der messianische Stellvertreter Gottes.

8.   Lk 13,31–32

Für das sachgemäße Verständnis dieses Logions im Mund Jesu ist die Erkenntnis grundlegend, daß lediglich die V. 31 und 32 eine ursprüngliche Einheit darstellen, an die der im heutigen Zusammenhang folgende V. 33 sekundär angefügt wurde:
V. 33a mit seinen durchweg lukanischen Vorzugsworten πλήν, δεῖ, σήμερον, αὔριον, πορεύεσθαι und dem als Partizip Medium notierten ἔχειν verweist deutlich auf die Hand des Evangelisten[289], so daß V. 33b als ein zunächst selbständiges Einzellogion[290] erst von Lukas an seinen heutigen Ort gestellt und mit Hilfe der redaktionellen Bildung V. 33a mit den V. 31f parallelisiert worden ist. Dieser formalen Beobachtung treten Gründe inhaltlicher Art zur Seite, denn die V. 32 und 33 sind in ihren sachlichen Aussagen kaum miteinander vereinbar. In V. 32 geht es – wie im folgenden noch genauer zu zeigen ist – letztlich um denselben Sachverhalt wie in Mk 14,58 par; Joh 2,19: Am dritten Tag erfolgt die eschatologische Wende, die Vollendung Jesu, nämlich seine messianische Inthronisation; dann endlich ist er nach seiner dieser vorausgehenden irdischen

---

287   W. Grimm, Verkündigung, 196 (mit Hinweis auf H. Flender, Botschaft, 32), vgl. O. Betz, Begegnungen, 16.

288   S. oben S. 112f und unten S. 134–140.148–151.362–365.

289   Vgl. K.L. Schmidt, Rahmen, 265–267; J. Blinzler, Reisebericht, 85f und O.H. Steck, Israel, 41 mit Anm. 3; 44–46

290   Vgl. W.G. Kümmel, Verheißung, 65 und J. Jeremias, Drei-Tage-Worte, 222–225.

Wirksamkeit am Ziel (τελειοῦμαι). Ganz anders V. 33, wo »der dritte Tag (ἡ ἐχομένη) nicht die Wende bezeichnet, sondern noch zum Auftakt vor der Wende gehört«[291]. Da nun das fragliche τῇ ἐχομένῃ nicht als lukanischer Eintrag in einen ansonsten vorlukanischen V. 33a gelten kann[292], dieser vielmehr als ganzer lukanischen Ursprungs ist, läßt sich die inhaltliche Differenz zwischen V. 32 und V. 33 nicht wegdiskutieren. Jeweils wird Verschiedenes ausgesagt; genau das hat die Peschitta erkannt und darum sekundär auszugleichen versucht[293]. Für die heutige Textgestalt bedeutet dies: Die Vollendung, der Jesus laut V. 32 entgegensieht, hat Lukas in nachösterlicher Perspektive mit Hilfe von V. 33 dergestalt ›konkretisiert‹, daß sie nun auf Jesu Tod in Jerusalem abzielt[294].

Exegesiert man die V. 31f im einzelnen, ergibt sich folgender Befund: »Fuchs« ist im Judentum Bezeichnung für einen verschlagenen[295] Menschen. Speziell im politischen Sprachgebrauch wird derjenige so genannt, der durch unsaubere Machenschaften zur Herrschaft gelangte[296]. Bedenkt man, daß hier das Wortspiel שׁוּעָל – שָׁאוּל impliziert ist[297], dann wird Herodes von Jesus als unrechtmäßiger Herrscher und zugleich als endzeitlicher Saul gekennzeichnet, der dem endzeitlichen David nach dem Leben trachtet. Jesus stellt sich damit seinem Verfolger Herodes (Saul) als noch nicht inthronisierter Messias gegenüber, dem vom im Grunde ohnmächtigen Herodes keine Gefahr droht, denn Gott selbst steht ja auf seiner Seite wie damals auf der Davids. Die Tatsache, daß im Judentum

---

291 Ebd., 222f.

292 So fälschlich *W. Grimm*, Eschatologischer Saul 127f und *ders.*, Verkündigung, 285f, ohne damit die sachliche Differenz zwischen V. 32 und V. 33 zu bestreiten.

293 Vgl. *J. Jeremias*, Drei-Tage-Worte, 223, Anm. 8.

294 Lk 13,33b seinerseits stellt keineswegs eine sekundäre Bildung dar (so fälschlich etwa *K.L. Schmidt*, Rahmen, 265–267; *O.H. Steck*, Israel, 46f und *G. Schneider*, Lukas II, 309f). Es muß vielmehr als wahrscheinlich gelten, daß Lukas mit V. 33b ein authentisches Jesuswort aufgriff (vgl. etwa *W.G. Kümmel*, Verheißung, 65; *E. Lohse*, Art. Σιών, 327f; *J. Jeremias*, Drei-Tage-Worte, 225 und *P. Stuhlmacher*, Das Evangelium von der Versöhnung, 22). Das Logion ist weder aus der Passionstradition ableitbar, noch hat die christliche Gemeinde Jesus als Propheten bezeichnet, da sie in ihm mehr als einen Propheten sah. Was in Mt 11,9 par im Mund Jesu von Johannes des Täufer gilt, gilt für die Urkirche vom Messias erst recht. Bei Jesus selbst hingegen ist dieses Prädikat des öfteren belegt: in Lk 4,24, einer ähnlich sprichwörtlichen Wendung wie Lk 13,33b, ferner in Belegen wie Mk 12,6–8 par; Mt 23,29–31 par; 23,34f par und 23,37a par, die zeigen, daß Jesus die zeitgenössische Vorstellung vom gewaltsamen Geschick der Propheten kannte und sie für sich selbst voraussetzte (s. unten S. 119).

295 Wie bei uns heute galt auch in Palästina die Schläue als Wesensmerkmal des Fuchses, wobei dieses Wesensmerkmal vornehmlich negativ gefaßt ist: Die Schläue des Fuchses intendiert Böses. Von daher ist »Verschlagenheit« der sachlich richtige Ausdruck (vgl. *W. Grimm*, Eschatologischer Saul, 115f).

296 Vgl. ebd., 115f (mit Verweis auf die bei *Bill.* II, 200f genannten Belege).

297 Vgl. *O. Betz*, Frage, 162.

das Gegenüber zum Fuchs der Löwe ist[298], der von Gen 49,9 her das
Sinnbild für den messianischen Herrscher darstellt[299], bestätigt diese
Deutung: Herodes kann die Vollendung des Designierten ebensowenig
aufhalten wie der Fuchs den Löwen. Dieses davidisch-messianische
Schema ist nun verbunden mit dem Hebraismus σήμερον καὶ αὔριον –
τῇ τρίτῃ (ἡμέρᾳ), der aus Ex 19,10f entnommen ist und das dortige
הַיּוֹם וּמָחָר – לַיּוֹם הַשְּׁלִישִׁי bzw. בַּיּוֹם הַשְּׁלִישִׁי wiedergibt[300]. Entscheidend ist
– wie schon im Tempelwort Mk 14,58 par; Joh 2,19[301] – nicht der dritte
Tag im chronologischen Sinn, sondern »die Differenzierung des ›heute
und morgen‹ vom ›dritten Tag‹«[302] im Sinne einer Zweistufenfolge[303].
Inhaltlich ist ein augenblickliches Geschehen (heute) gemeint, das noch
ein wenig (morgen) andauert, dann aber von etwas Neuem, nämlich dem
Geschehen am dritten Tag, abgelöst wird[304]. Das »heute und morgen«
entspricht der Vorbereitung auf die Vollendung am dritten Tag. So wie in
Ex 19 die Vorbereitung auf die Vollendung in der Heiligung des Volkes
bestand[305], so jetzt bei Jesus in der Überwindung der Satansherrschaft
und der Heilung der Menschen.

In Ergänzung zu dieser überzeugenden Interpretation des dritten Tages bei Werner
Grimm und Otto Betz auf dem Hintergrund des Sinaigeschehens möchte ich zusätzlich
noch auf Karl Lehmann verweisen, der nicht nur weiteres Material zum allgemeinen
Sprachgebrauch des Alten Testaments bezüglich dieser Wendung beiträgt[306], sondern vor
allem wertvolle zusätzliche Belege aus Targum und Midrasch, die vom dritten Tag als dem
Tag des heilwirkenden Eingreifens Gottes handeln[307]. Joachim Jeremias, der den eschato-
logischen Charakter der Wendung vom dritten Tag in der Jesustradition hervorgehoben
hat und damit im Blick auf Jesu Zukunftserwartung Wesentliches beitragen konnte, wurde
bereits genannt[308].
Im Alten Testament, im Judentum und in der Jesustradition ist der dritte Tag der Tag des
Eingreifens Gottes, der Errettung aus großer Not, der Heilswende und der Vollendung.
Um die Vollendung geht es auch in Lk 13,31f.

298   Vgl. die Belege bei *Bill.* II, 201.
299   Vgl. etwa 1QSb 5,29; 4QPatr 1-4; 4Esr 11,37; 12,31f und Offb 5,5 sowie *W.
Grimm*, Eschatologischer Saul, 116.
300   Die grundsätzliche Bedeutung des Sinaigeschehens für das Neue Testament und
vor allem für die Jesusüberlieferung hat *O. Betz*, Sinai-Tradition, 89-107 aufgezeigt. Speziell für Mt 5,1-20 vgl. *ders.*, Bergpredigt, 360-375, zur Exegese von Ex 19f in Qumran
ebd., 356-360. Hingegen läßt sich ein hypothetisch möglicher Einfluß von Hos 6,2 auf die
Formulierung von Lk 13,32 letztlich nicht nachweisen (vgl. *K. Lehmann*, Tag, 183f.239f).
301   S. oben S. 112-114.
302   *W. Grimm*, Verkündigung, 288, Anm. 735.
303   Vgl. *W. Grimm*, Eschatologischer Saul, 121f.
304   Vgl. ebd., 121f.
305   Wie wichtig das »heute und morgen« als Zeit der Heiligung in Qumran war, belegt
O. Betz, Sinai-Tradition, 93-107.
306   Vgl. *K. Lehmann*, Tag, 176-181.
307   Vgl. ebd., 262-272.287f.
308   S. oben S. 113f.

Nach alldem ist deutlich, was Jesus[309] mit dem an sich vieldeutigen τελειοῦμαι[310] meint: Sicher nicht seinen Tod, denn diese Deutung ist erstens durch V. 33b eingetragen und ergibt zweitens vom Geschehen um David und Saul her keinen Sinn. Eine andere Erklärung, hier sei angedeutet, daß Jesus bald zum Abschluß seiner Heilstätigkeit in Galiläa komme[311], ist mehr als unbefriedigend; damit ist weder τελειοῦμαι erklärt noch der dritte Tag letztlich ernst genommen. τελειοῦμαι zielt vielmehr auf die Inthronisation Jesu; seine Heilstätigkeit wird dadurch zum Abschluß gebracht, daß er als Messias aufgestellt wird. Wie David in Jerusalem vollendet, d.h. inthronisiert wurde, so jetzt der endzeitliche Davidide. Zum Abschluß der Wirksamkeit Jesu, am dritten Tag, erfolgt die eschatologische Wende, kommt der Designierte zu seiner Vollendung, indem Gott – τελειοῦμαι ist Passivum divinum – ihn aufstellt und öffentlich als seinen Messias legitimiert.

Die Richtigkeit dieses Ergebnisses wird bestätigt durch מלא (pi.), das semitische Äquivalent von τελειοῦν, denn auch dieses zielt auf Einsetzung, Vollendung, Bestätigung und Inthronisation durch Gott[312]. Vor allem 1Kön 8,24 ist hier sehr aufschlußreich: Indem Salomo Davids

---

309   Daß Lk 13,31f auf Jesus selbst zurückgeht, ist kaum zu bestreiten: Dies zeigen der semitische Hintergrund und der Maschalcharakter des Logions, der für Jesus charakteristische Tiervergleich und die Rede vom dritten Tag als charakteristisch-jesuanische Umschreibung für die eschatologische Wende. Zudem beweist die mit V. 33 vorgenommene ›Konkretisierung‹ die Unableitbarkeit von Lk 13,31f aus der nachösterlichen Theologie. Betreffs der Authentie des Logions vgl. neben *W. Grimm*, Eschatologischer Saul, 127.129f; *ders.*, Verkündigung, 290–292 und *J. Jeremias*, Drei-Tage-Worte, 225 ferner *K. Lehmann*, Tag, 236f sowie die dort in Anm. 625 genannten Exegeten.

310   Lukas bezieht den Ausdruck – gegen die Aussageabsicht der vorlukanischen Tradition der V. 31f (vgl. ebd., 235f, anders *J.D.M. Derrett*, Christ, 36.39 [s. unten Anm. 312]) – aufgrund der Verbindung der V. 31f mit V. 33 auf Jesu Tod, Hebr 1,10 ebenso, das Johannesevangelium auf die Sendung Jesu überhaupt (Joh 4,34; 17,4 u.ö.), Hebr 7,28 auf seine Erhöhung, Hebr 10,14 wie auch 12,23 auf die Rechtfertigung der Christen, Jak 2,22 auf die Werke als Vollendung des Glaubens.

311   Vgl. *K.H. Rengstorf*, Lukas, 174f und *W. Grundmann*, Lukas, 288f.

312   Die Septuaginta übersetzt mit τελειοῦν zwar auch תמם, כלה, כלל, שלם und עשׂה (ni.), zumeist jedoch מלא (pi.). Die erstgenannten Begriffe bezeichnen durchweg die Beendigung einer *menschlichen* Sache, מלא (pi.) häufig die Durchsetzung des *göttlichen* Willens. Auch τελειοῦμαι in Lk 13,32 ist ein Passivum divinum und umschreibt Gottes Handeln. In diesem Zusammenhang wird mit מלא (pi.) erstens die Einsetzung in ein bestimmtes Amt Gottes ausgesagt, meist die Einsetzung des Priesters (z.B. Ex 28,41; 29,29.33 und Lev 8,33), zweitens die erfüllte Zeit, die als Vollendung einer Setzung Jahwes beurteilt wird (z.B. Jes 40,2; Jer 25,34 und 29,10, vgl. *M. Delcor*, Art. מלא, 899f), und drittens die Beglaubigung und Legitimation einer Weissagung dadurch, daß Gott die Erfüllung bringt (z.B. 1Kön 2,27; 8,24 und 2Chr 36,21, vgl. ebd., 899).
Unhaltbar ist die Hypothese von *J.D.M. Derrett*, Christ, 36.39, der (das oben bereits erwähnte) שלם als semitisches Original voraussetzt und dieses sodann mit »I shall die« übersetzen möchte. Einziger Beleg für das postulierte Äquivalent in der Septuaginta ist jedoch 2Chr 8,16, und dort ist gerade nicht vom Sterben, sondern vom Abschluß des Tempelbaus die Rede.

Thronnachfolge antritt, wird Gottes Verheißung an David, das Nathan-orakel, erfüllt[313]. Genau in diesem Sinne ist auch τελειοῦμαι in Lk 13,32 zu verstehen. So wie damals der Davidssohn gemäß Gottes Plan als König inthronisiert wurde, so jetzt in Kürze der eschatologische Davidide als Messias Israels.

9.   Mk 9,1 par

Die sogenannten Terminlogien Mk 9,1 par; 13,30 par und Mt 10,23 sind in der neutesta-mentlichen Forschung immer wieder behandelt worden[314]. Nicht selten wurde ihr Wider-spruch zu Mk 13,32 par und zur übrigen Verkündigung Jesu vehement behauptet und ihre Authentie von daher geleugnet; dabei erging dieses Urteil des öfteren aufgrund dogmati-scher Erwägungen bezüglich der Irrtumslosigkeit Jesu. Umgekehrt haben viele Forscher ihre Rückführung auf Jesus entschieden verteidigt, ihre inhaltlichen Aussagen aus dem ge-nannten dogmatischen Vorverständnis heraus jedoch zugleich nach Kräften entschärft und umgebogen, um nur ja keinen Zweifel an der Irrtumslosigkeit Jesu aufkommen zu lassen. Man wird nun aber, plädiert man für ihre Authentie, die Tatsache nicht leugnen können, daß sich die jeweilige Ankündigung Jesu so nicht erfüllt hat.
Ich selbst folge in der grundsätzlichen Debatte, ob und inwieweit die Terminlogien in die Verkündigung Jesu hineinpassen und sich in die Gesamtheit seiner Predigt einfügen, im großen und ganzen den Darlegungen von Hermann Patsch, der nachgewiesen hat, daß die Terminlogien inhaltlich keineswegs im Widerspruch zur übrigen Botschaft Jesu stehen[315]: Jesus weiß die vollendete Gottesherrschaft so unmittelbar nahe, daß ihr Kommen in jedem Fall noch zu seiner Zeit bzw. zur Zeit seiner Generation erfolgt. Bei alledem tastet er Gottes Freiheit jedoch nicht an, sondern behält alle konkreten Entscheidungen Gott selbst vor. Gleichzeitig entgeschichtlicht (entzeitlicht) er seine Ankündigung nicht dadurch, daß er Gottes Handeln in eine unbestimmte und ferne Zukunft verschiebt, womit seiner Bot-schaft die aktuelle, zur Entscheidung und Umkehr drängende Spitze genommen wäre. So hält Jesus in seiner Zukunftsansage trotz der Ablehnung einer genauen Terminangabe (Mk 13,32 par) an der dringlichen Nähe der Gottesherrschaft fest. Ihr Offenbarwerden weiß er mit seiner eigenen Person untrennbar verbunden; darum begrenzt er es auf seine Zeit.
Mit diesen Erwägungen ist keineswegs a priori über die Authentie der Terminlogien ent-schieden. Inwieweit sie auf Jesus zurückgeführt werden können oder nicht, bleibt der je-weiligen Einzeluntersuchung vorbehalten. Umgekehrt bliebe das skizzierte Verständnis der Zukunftserwartung Jesu selbst dann im Kern unangetastet, wenn sich sämtliche Ter-minlogien als urchristliche Bildungen nachweisen ließen, da es sich unabhängig von den Terminlogien auch anderweitig belegen läßt[316].
An dieser Stelle ist nun nicht der Ort, näher auf Mt 10,23 einzugehen[317], zu Mk 9,1 und

---

313   Daß hier in der Tat an das Nathanorakel 2Sam 7,8–16 gedacht ist, zeigt auch 1Kön 1,14, wo Nathan Batsebas Wort vor David, aufgrund der Verheißung Gottes habe er [David] ihr versprochen, Salomo zum König zu machen, bekräftigen will.
314   Zur Auslegungsgeschichte von Mk 9,1 par und Mt 10,23 von den Anfängen bis in die jüngere Zeit vgl. *M. Künzi*, Markus 9,1 und *ders.*, Matthäus 10,23, ferner *H. Patsch*, Abendmahl, 120–122.
315   Vgl. ebd., 106–130.
316   Vgl. ebd., 108–119.127f.
317   Vgl. ausführlich *V. Hampel*, Ihr werdet, 1–31, s. außerdem die summarischen Ausführungen unten S. 168.

13,30 hingegen und ihr Verhältnis zueinander läßt sich folgendes festhalten: Mk 13,30 erweist sich als »eine Ad-hoc-Bildung für die vormk Apokalypse«[318]. Dieses Ergebnis gilt trotz des einleitenden ἀμὴν λέγω ὑμῖν, da das Logion aus Mk 9,1 heraus entwickelt worden ist[319]. Die urchristliche Nachbildung muß jedoch längst vor Markus und relativ früh erfolgt sein, wie der semitische Hintergrund des Logions verrät[320]. Vor allem ist das bei Markus ungebräuchliche μέχρις Übersetzungsvariante zu ἕως in Mk 9,1; beide Termini gehen auf ein aramäisches עַד zurück. Mk 9,1 seinerseits ist damit schon jetzt wenigstens bis auf die palästinische Urkirche zurückzuführen.

Mk 9,1 gelangte erst sekundär, nämlich durch Markus, an seinen heutigen Ort, ist also unabhängig vom Kontext zu interpretieren[321]. Von seiner Genese her reicht es jedoch, wie bereits deutlich wurde, wenigstens bis in die palästinische Urkirche zurück. Auch die Tatsache, daß eine Ankündigung vorliegt, die sich so nicht erfüllt hat, läßt die Entstehung des Logions nur im Mund Jesu oder in der ältesten Gemeindetradition als denkbar erscheinen, da in jüngerer Zeit eine offenkundig unerfüllte Weissagung Jesu niemals in den Mund gelegt worden wäre. Beides wird durch das altertümliche Kolorit des Verses bestätigt: Die Wendung »den Tod nicht schmecken« ist geläufiger jüdischer Ausdruck für »nicht sterben«[322], ebenso ist die »typisch semitische Art der Zeitbestimmung«[323] οὐ μὴ . . . ἕως als Äquivalent des aramäischen עַד . . . לָא in Verbindung mit ἀμήν beachtliches Altersindiz und verweist hier wie in Mk 14,25 par auf Jesus selbst[324]. Der Gebrauch von ראה im Sinne von »erleben« ist traditionell semitisch[325], die Rede vom »Kommen« der Gottesherrschaft, der jüdischen Umwelt Jesu unbekannt, sicher jesuanisch[326]. Gleiches gilt für

---

318   Vgl. *R. Pesch,* Markus II, 306.308f (Zitat 308) und *F. Hahn,* Parusie, 243–245 sowie 253 mit den Anm. 16 und 18.
319   Vgl. ausführlich *R. Pesch,* Naherwartungen, 186–188 und *L. Oberlinner,* Terminworte, 62–64, ferner *R. Schnackenburg,* Markus II, 213; *A. Vögtle,* Das Neue Testament, 100 (anders noch *ders.,* Erwägungen, 321–328); *F. Hahn,* Rede, 243, Anm. 16; *R. Pesch,* Markus II, 308 und *H. Merklein,* Jesu Botschaft, 54. Dies gegen die Hypothese einer umgekehrten Ableitung von Mk 9,1 aus Mk 13,30 bei *N. Perrin,* Jesus, 227–230 und *H. Schürmann,* Lukas I, 551f.
320   Vgl. *K. Beyer,* Syntax, 132f.
321   Vgl. die typisch markinische Anreihungsformel καὶ ἔλεγεν αὐτοῖς, s. außerdem unten S. 282 mit Anm. 208.
322   Vgl. die Belege bei *Bill.* I, 751f sowie LibAnt 48,1. Vergleichbar ist außerdem die jüdische Redewendung »etwas von der zukünftigen Welt schmecken« (vgl. *Bill.* III, 690).
323   *A. Vögtle,* Erwägungen, 326, vgl. *M. Horstmann,* Studien, 61.
324   Zur formalen und inhaltlichen Übereinstimmung zwischen Mk 9,1 und Mk 14,25 und zur Rückführung beider Logien auf den historischen Jesus s. außerdem unten S. 355. Der sekundäre Beleg Mk 13,30 wiederum hat diese Form deshalb beibehalten, weil er eine Nachbildung von Mk 9,1 darstellt.
325   Vgl. *W. Michaelis,* Art. ὁράω, 325f.
326   Vgl. die authentischen Jesusworte Mt 6,10 par Lk 11,2 und Lk 17,20b (zum letzten Beleg s. oben Anm. 6).

ἀμὴν λέγω ὑμῖν[327]. Vor allem ist aber auch die Vorstellung, die hinter ἐληλυθυῖαν εν δυνάμει steht, für Jesus charakteristisch[328]. Gerade die Perfektform ἐληλυθυῖαν läßt erkennen, daß es um das eschatologische Hervortreten der Gottesherrschaft geht[329], also um den Zustand der Endvollendung[330]. In diesen Zusammenhang paßt ἐν δυνάμει hervorragend, indem es das öffentlich sichtbare In-Erscheinung-Treten der Gottesherrschaft von ihrem proleptischen Anbruch in der Gegenwart abhebt und unterscheidet. Dem unscheinbaren Anbruch der Gottesherrschaft in der Person und der Verkündigung Jesu wird ihre sichtbare Offenbarung in Macht gegenübergestellt und damit festgehalten: Sie ist schon da, aber noch nicht ἐν δυνάμει. Diese Aussage entspricht exakt der Spannung zwischen Jesu Funktion als Messias designatus und seiner zukünftigen als offenbarer Messias.

Wenn Jesus zugleich darauf verweist, daß beim Einbruch der Gottesherrschaft in Macht nur noch τινες ὧδε τῶν ἑστηκότων am Leben sind, während die Mehrzahl vorher stirbt, denkt er keineswegs an ein friedliches Sterben; erst recht geht es ihm nicht um eine Reflexion über die Zeit zwischen seiner Auferstehung und Parusie. Vielmehr ist Joachim Jeremias im Recht, der hier – im Sinne der Vorstellung von der vormessianischen Drangsal, der Zeit der messianischen »Wehen« – das Martyrium der Jünger voraussetzt[331], da Jesus in Verbindung mit seiner eigenen Passion zugleich ein Kollektivleiden der Seinen erwartet[332]. Auf dieses zielt er

---

327   Zum einleitenden bzw. responsorischen ἀμήν, das im antiken vorjesuanischen Judentum nicht sicher nachweisbar, jedoch für die Jesusüberlieferung charakteristisch ist, vgl. vor allem *J. Jeremias*, Kennzeichen, 148–152; *ders.*, Theologie, 44f und *ders.*, Art. Amen, 386–391, ferner etwa auch *K. Berger*, Amen-Worte, 4–28 (in der jüdischen Literatur), 29–95 (in den synoptischen Evangelien), 95–117 (im Johannesevangelium) und *R. Pesch*, Autorität, 30–35 (mit dem Schwerpunkt auf Mt 10,32f par Lk 12,8f).

328   Man hat versucht, diese Wendung als markinischen Zusatz auszuscheiden (vgl. etwa *A. Vögtle*, Erwägungen, 327f; *N. Perrin*, Jesus, 228 und *M. Horstmann*, Studien, 61). Dies ist jedoch kaum möglich. Nicht nur, daß Jesus auch sonst vom »Kommen« der Gottesherrschaft handelt und die Verbindung βασιλεία τοῦ θεοῦ – ἐν δυνάμει singulär ist, sondern vor allem, weil die Wendung die markinische Auslegung von Mk 9,1 in Mk 9,2–8 gerade stört und aus diesem Grund von Matthäus und Lukas getilgt wurde (vgl. *R. Pesch*, Markus II, 67 und *H. Schürmann*, Lukas I, 551). Gewiß hat sich Markus diese Schwierigkeit nicht selbst geschaffen.

329   Die Perfektform hat in der Verbindung ἕως ἂν ἴδωσιν τὴν βασιλείαν τοῦ θεοῦ ἐληλυθυῖαν ἐν δυνάμει neben οὐ μὴ γεύσωνται θανάτου die Bedeutung eines Futurum exaktum und besagt, daß τινες nicht sterben werden, weil die Gottesherrschaft vorher ganz sicher gekommen sein wird (vgl. *W.G. Kümmel*, Verheißung, 20).

330   Vgl. ebd., 21; *ders.*, Naherwartung, 464f; *M. Horstmann*, Studien, 61 und *J. Jeremias*, Theologie, 137. In diesem Sinn interpretiert auch Matthäus, wenn er in Mt 16,28 sekundär vom Menschensohn spricht, der als König kommt (vgl. ebd., 101, Anm. 8).

331   Vgl. ebd., 137.

332   Zum Kollektivleiden der Jünger s. unten S. 249–254, zum in diesem Zusammenhang wichtigen Theologumenon von der eschatologischen Drangsal und den messianischen »Wehen« unten S. 254 mit den Anm. 55 und 56.

ab, wenn er betont, beim Einbruch der Gottesherrschaft ἐν δυνάμει seien wenigstens einige seiner Jünger noch am Leben. Wenn das Leiden beginnt, steht die Durchsetzung der Herrschaft Gottes unmittelbar bevor. Doch ehe die endzeitliche θλῖψις ihren Höhepunkt erreicht, tritt die verheißene Wende ein, indem Gott selbst eingreift, seinen Messias inthronisiert und die Gottesherrschaft heraufführt.

Nach all diesen Erwägungen kann man abschließend nicht nur kaum mehr umhin, von einem authentischen Jesuslogion auszugehen[333], mit Mk 9,1 par liegt zugleich ein weiterer Beleg dafür vor, daß Jesus seine künftige Legitimation als Messias erwartete, denn seine Person und das Offenbarwerden der βασιλεία τοῦ θεοῦ sind untrennbar miteinander verbunden. So wie die in Jesu Wirken nur proleptisch vorwegereignete Gottesherrschaft und sein Status als Messias designatus einander entsprechen, so auch die Volloffenbarung der Herrschaft Gottes und seine messianische Inthronisation auf dem Zion[334].

10. Der ›Verrat‹ des Judas

Zum Schluß möchte ich noch auf Judas und seinen ›Verrat‹ verweisen. Ob Judas nun Zelot war oder nicht[335] – für sein Tun gibt es meines Erachtens nur zwei Erklärungsmöglichkeiten[336]:
Als Jesus den Jüngern seinen gewaltsamen Tod ankündigte, war Judas,

333 Neben den genannten Charakteristika des Logions, die auf Jesus selbst verweisen (vgl. etwa auch *W.G. Kümmel*, Verheißung, 20f; *ders.*, Naherwartung, 465; *R. Pesch*, Markus II, 66f; *J. Jeremias*, Theologie, 103.137; *H. Patsch*, Abendmahl, 122f und *L. Goppelt*, Theologie, 107), erscheint der Hinweis sehr beachtenswert, im Mund eines sogenannten urchristlichen Propheten, der die Christen im Blick auf das Ausbleiben der Parusie trösten wolle (so z.B. *R. Bultmann*, Geschichte, 128; *E. Gräßer*, Parusieverzögerung, 136 und *J. Gnilka*, Markus II, 26 mit Anm. 26), erscheine die Wendung τινες ὧδε τῶν ἑστηκότων allzu situationsgebunden, im Mund Jesu hingegen nicht (vgl. *W.G. Kümmel*, Verheißung, 21). Zudem ist hier von der Parusie überhaupt nicht die Rede.

334 S. vor allem oben S. 84.118 und unten S. 128-133.138-140.168-174.362-367.

335 Ἰσκαριώθ (Ἰσκαριώτης) als Transkription des lateinischen *sicarius* (Messerheld, Bandit) aufzufassen, bleibt möglich, die Ableitung von קְרִיּוֹת אִישׁ (Mann aus Kariot) hat aber die höhere Wahrscheinlichkeit für sich, da laut Joh 6,71 bereits der Vater des Judas diesen Beinamen trägt (vgl. *H.-J. Klauck*, Judas, 40-44.137).

336 Daß Judas den Gegnern Jesu lediglich dessen Versteck verraten habe, wie Joh 18,2 betont, ist unwahrscheinlich. Wenn er in Joh 12,6 und Mt 26,15 als geldgierig und als Dieb hingestellt wird, ist diese Verdächtigung als ein späterer Deutungsversuch anzusehen, wie allein schon ein Vergleich von Joh 12,4-8 mit Mk 14,4-7 und von Mt 26,15 mit Mk 14,10f zeigt. Die gegenüber Mk 14,10f sekundäre matthäische Umstellung in Mt 26,15, Judas habe sich zuerst nach Geld erkundigt, ist zudem theologisch bedingt: Sie dient dazu, das grundlegende Zitat aus Sach 11,12f in Mt 27,9f einzuführen. Laut Lk 22,3 (vgl. Joh 6,70f und 17,12b) fährt schließlich der Satan in Judas, womit Judas als Werkzeug Satans gekennzeichnet und – aus der Sicht des Lukas und des Johannes – als ›hoffnungsloser Fall‹ dargestellt (›verteufelt‹) wird (vgl. ebd., 52f.75.87f). Zum Judasproblem insgesamt vgl. ebd., bes. 33-123.137-146, ferner *H.L. Goldschmidt / M. Limbeck*, Verrat, 9-101.

für den diese Ansage einer Preisgabe des Messiasanspruchs Jesu gleich-
kam, von seinem Herrn so abgrundtief enttäuscht, daß er sich von ihm
lossagte und ihn an seine Gegner auslieferte.

In Frage kommt aber eher das folgende Motiv: Weil Jesus nach Meinung
des Judas viel zu lange als Messias designatus abwartend verharrte, wollte
er mit der öffentlichen Bekanntgabe des messianischen Anspruchs Jesu
die Herbeiführung des eschatologischen Prozesses und die Offenbarung
der Messianität Jesu durch Gott beschleunigen[337].

Im ersten Fall blieb für Judas die angekündigte und sehnlich erwartete zukünftige Herrlichkeit des Menschensohns auf der Strecke, im zweiten
handelte er eigentlich aus gutem Willen: Im Glauben an die Erfahrung
›Wenn die Not am größten ist, greift Gott ein!‹ versuchte Judas, Jesus
zum Bekenntnis seiner Messianität zu zwingen. Er hoffte, wenn die jüdischen und vor allem die römischen Führer daraufhin massiv gegen Jesus
vorgingen, sei es endlich soweit, daß Gott Jesus zwangsläufig als seinen
Messias offenbaren werde. Sicherlich kommt eher die zweite der genannten Möglichkeiten in Frage, da nach der ersten der Selbstmord des Judas
unverständlich bliebe, so aber gut erklärt werden kann: Als Judas erkennen mußte, daß Jesus tatsächlich starb, Gott jedoch nicht eingriff, brachte
er sich in tiefster Verzweiflung um. Der Zusammenbruch aller Hoffnung,
verbunden mit seiner Schulderkenntnis, trieb ihn in den Tod.

Auch das Handeln des Judas, dessen Erwartung in gewisser Weise der des
Petrus in Mk 8,29 par und der Zebedaiden in Mk 10,37 par entspricht, ist
somit Beleg dafür, daß Jesus seine Inthronisation zunächst unabhängig
von seinem gewaltsamen Tod erwartete.

11.   Zusammenfassung

Als Messias designatus geht Jesus seiner zukünftigen Inthronisation
durch Gott entgegen, denn Gott, in dessen Sendungsauftrag er steht, wird
sich zu seinem eschatologischen Boten und seinem Wirken bekennen und
ihn als seinen Messias offenbaren.

Dabei ergab sich der aus nachösterlicher Perspektive überraschende Befund, daß Jesus mit seiner Inthronisation als Messias zunächst unabhängig von seinem Tod rechnete. Erst im Verlauf seiner Wirksamkeit, als er
die göttliche Notwendigkeit seines (stellvertretenden Sühne-)Todes erkannte[338], sprach er von seiner Inthronisation auch über sein Leiden und
Sterben hinaus[339].

Im einzelnen: Im Anschluß an die Analyse der Menschensohnlogien Lk
11,29f par Mt 12,38–40; Lk 17,24 par Mt 24,27 und Lk 17,26 par Mt

---

337   Vgl. *M. Machoveč*, Jesus, 192f.
338   S. unten S. 219.232–234.240f.243–255.288–342.
339   S. oben S. 105–111 und unten S. 182–185.244.343–365(–367).

24,37 fragte der obige Exkurs unter vorläufiger Ausklammerung der übrigen Menschensohnüberlieferung nach weiteren Belegen innerhalb der authentischen Jesustradition, nach denen sich Jesus als Messias designatus wußte und als solcher seine zukünftige Inthronisation durch Gott vor Augen hatte. Dabei waren gerade auch die Logien von besonderem Interesse, die von der Inthronisation des Designierten handeln, ohne seinen späteren Tod in Erwägung zu ziehen; die diesen – entsprechend der Jesus vorgegebenen jüdisch-messianischen Erwartung – sogar als undenkbar erscheinen lassen und daher ausschließen.

Neben den drei genannten Menschensohnlogien sind hier in erster Linie Mt 8,11 par und Lk 13,31f zu nennen, außerdem, wie ich noch zeigen werde, Lk 22,28–30 par[340]. Hinzu kommen jene Stellen, nach denen Jesu Jünger auch dann noch an dieser zuvor von Jesus selbst geteilten Erwartung festhielten, als ihr Meister aufgrund eines »Offenbarungsfortschritts« sein Leiden und Sterben als notwendigen Durchgang zu seiner zukünftigen Hoheit längst für unumgänglich hielt: Mk 8,29 par; 10,37 par sowie die Aussagen, die das eigentliche Verratsmotiv des Judas erschließen lassen.

Ob auch das Tempelwort Mk 14,58 par; Joh 2,19 hier einzuordnen ist oder bereits zu der anderen, Jesu Passion mitbedenkenden Kategorie hinzugehört, läßt sich nicht mit Sicherheit entscheiden, doch liegt die erste Möglichkeit vermutlich näher. Denn das Logion, im Mund Jesu auf dem Hintergrund von 2Sam 7,11b–16 entstanden, hat von Haus aus keinerlei Leidensbezug, sondern beschreibt jenes Heiligtum aus Menschen (4QFlor 1,6), das für Jesus identisch ist mit dem Volk des verherrlichten, d.h. inthronisierten Messias, dem eschatologischen Zwölfstämmevolk. Im Verhör vor dem Synhedrium wird es lediglich aufgegriffen.

Von den im Exkurs untersuchten Logien wird man damit lediglich Mk 9,1 par; 11,8–10 par und 12,9 par zu denen zu rechnen haben, die Jesu Todesgewißheit schon voraussetzen: Mk 9,1 par wegen des hier angekündigten Kollektivleidens, das Jesus mit seiner eigenen Passion auch über die Seinen hereinbrechen sah, Mk 11,8–10 par aufgrund der zeitlichen Nähe zu Jesu gewaltsamem Ende, das er in Jerusalem vor Augen hatte. Für Mk 12,9 par bedarf dies im Zusammenhang mit den V. 7f par keiner Frage.

Die Jesuslogien, die von Jesu Zukunft in Herrlichkeit, von seiner messianischen Inthronisation handeln, ohne dabei seine Passion und Auferstehung im Blickfeld zu haben, ja diese Grundtatsachen des christlichen Glaubens geradezu ausschließen, stehen der Zielrichtung der Evangelisten und der Theologie der Urkirche hart entgegen. Es ist daher ein im Grunde erstaunlicher Tatbestand, daß sie nicht einfach übergangen oder wenigstens deutlicher auf Karfreitag und Ostern hin modifiziert und abgeändert wurden.
Gewiß hat man solche Logien nicht erst im nachhinein zu Jesusworten stilisiert, vielmehr

340 S. unten S. 140–151, bes. 144.151.

ist umgekehrt zu erwarten, daß weitere im Verlauf ihrer Traditionsgeschichte getilgt wurden und insofern verlorengingen. Die Vermutung, daß Jesus entsprechende Logien in größerer Zahl prägte, als uns heute überliefert sind, ist zumindest nicht allzu hypothetisch.

VII.   Exkurs: Die Inthronisation (Aufstellung) des Messias

1.   Die Inthronisation (Aufstellung) des Messias als alttestamentlich-jüdische Erwartung

Dieser Exkurs stellt die Kehrseite, den notwendig mitzudenkenden anderen Aspekt der vorläufigen Verborgenheit des Messias (designatus) dar, zu der seine schließliche Inthronisation untrennbar hinzugehört. Ohne sie wäre er nicht wirklich Messias, weil Gott sich offenkundig nicht zu seinem (angemaßten) Anspruch bekennt. Damit wäre jeder Anspruch, Messias designatus zu sein, im nachhinein als falsch erwiesen. Die folgende Untersuchung knüpft deshalb an das im Exkurs »Der verborgene Messias im Judentum« Gesagte an und bildet gleichsam dessen Fortsetzung.

Wie die messianische Hoffnung Israels insgesamt, so hat auch die Erwartung der Inthronisation oder der Aufstellung des Messias ihre traditionsgeschichtliche Grundlage in der davidischen Königstradition und bezeichnet ursprünglich die Einsetzung des designierten Davidssohns in sein königliches Amt, seine Thronbesteigung, seinen Herrschaftsantritt. Ab dann herrscht er als Mandatar Jahwes, als der, an den Jahwe seine ureigene Herrschaft delegiert, über das Jahwevolk. Als Sohn Gottes (2Sam 7,14; 1Chr 17,13; Ps 2,7 und 89,27f) sitzt er zur Rechten Gottes (Ps 110,1f), d.h. vertritt und repräsentiert er Jahwe auf der Erde und steht als der Inthronisierte an Gottes Stelle.

Erst recht gilt das, was bereits für den König Israels galt, für den ersehnten Endzeitkönig, den Messias. Nicht umsonst wurden viele alttestamentliche Stellen, die sich ursprünglich auf den König bezogen, als messianische Weissagungen gelesen und auf den Messias gedeutet. Dies, weil man sehr schnell die unaufhebbare Diskrepanz zwischen der hohen Zusage an den König und der jeweils enttäuschenden Empirie bemerkte und sie nur so überbrücken konnte, daß man die gewaltigen Verheißungen in die Zukunft transformierte und ihre Erfüllung vom zukünftigen Davididen erwartete. Im Messias erkannte das alttestamentliche Israel die Gabe der Gottesherrschaft, die Gott heraufführen wird, um ihre Regierung sodann in die Hand des Messias, seines Sohnes, zu legen.

Nun ist der Messias als der Präexistente und vor allem als der verborgen wirkende Messias designatus im proleptischen Sinn schon das, was er einst sein wird; dies aber nur im Blick auf seine spätere Herrschaftsübernahme, seine Inthronisation, auf die alles ankommt. Erst, wenn Gott ihn aufstellt und ihn als seinen Messias erweist und legitimiert, tritt er als der oben beschriebene Sachwalter Gottes für alle sichtbar in Erscheinung. So wichtig das Schema von Designation und Inthronisation also auch ist, entscheidend ist die Inthronisation. War dies von Anfang an nie anders, so rückte sie bereits in alttestamentlicher Zeit noch stärker in den Mittelpunkt, als es kein regierendes Davidshaus mehr gab. Denn jetzt konnte potentiell jeder Davidide der ersehnte eschatologische Davidssohn sein. Welcher Messiasprätendent der wahre, von Gott erwählte sein würde, mußte nun erst recht seine Aufstellung und damit seine Legitimation durch Gott erweisen. Von daher trat in der jüdischen Erwartung der letzten Jahrhunderte vor Jesus – im Anschluß an die Designation des Davididen Serubbabel durch Haggai und Sacharja bei ausbleibender Inthronisation – der Aspekt der Inthronisation immer mehr in den Blick. Der Aspekt der Designation konnte andererseits so stark vernachlässigt werden, daß er etwa in der brennenden messianischen Hoffnung der Psalmen Salomos überhaupt nicht erwähnt wird, obwohl er aufgrund der Erwartung eines Davididen notwendig mitbedacht ist. Denn wer den Tag der Aufstellung des Messias so nahe weiß wie die Psalmen Salomos, betont zwar selbstverständlich dessen Herrschaftsantritt, muß jedoch zugleich voraussetzen, daß der designierte Davidide bereits verborgen wirksam ist[341], zum Losschlagen aber Gottes Stunde abwartet. Doch ist vom Messias designatus angesichts der nichtdavidischen Hasmonäerherrscher expressis verbis nicht die Rede, vielmehr wird allein die glühende Sehnsucht betont, Gott möge doch bald seinen wahren Herrscher aufstellen, um endlich die bisherige Unrechtsherrschaft zu zerschlagen.

Die Hoffnung auf die baldige Inthronisation des Messias ist in der Erwartung der Zeit unmittelbar vor und nach Jesus aber nicht nur in den Psalmen Salomos, sondern breit gestreut nachweisbar, selbst innerhalb der dynarchischen Messiaserwartung. Wichtige Belege für die Aufstellung des eschatologischen Davididen zu seiner messianischen Herrschaftsübernahme sind in Übereinstimmung mit 2Sam 7,12; Ps 2,6f; 89,27f; 110,1f; Jes 9,6; 11,10; Jer 23,5; Ez 17,22–24 u.a. etwa PsSal 17,21.42; 4QMess ar 1–10[342]; 4QFlor 1,10–13; CD 7,18–20; 12,13 – 13,1; 14,19; 20,1; 4Esr 13,52[343] und Achtzehngebet, 15. Benediktion (babylonische Rezension)[344]. Außerdem ist nochmals auf die Belege zu verweisen, die vom Kommen des Messias, speziell des bislang im Himmel bei Gott verborgenen, jetzt aber zum messianischen Herrschaftsantritt kommenden Messias handeln[345]. Denn auch hier ist es Gott, der ihn auf der Erde of-

---

341 Entsprechendes gilt für Qumran: Obwohl mit 4QMess ar 1–10 nur ein einziger konkreter Beleg für die Unterscheidung von Designation und Inthronisation des Messias vorliegt, ist diese auch sonst unausgesprochen vorausgesetzt (s. oben S. 77f).
342 S. oben S. 77f.
343 Hier wird die Inthronisation des Messias als »Stunde seines Tages« bezeichnet.
344 Zitiert bei *G. Dalman*, Worte Jesu, 303; *W. Staerk*, Gebete, 18 und *Bill.* IV/1, 213.
345 S. oben S. 70f mit Anm. 72.

fenbar werden läßt und inthronisiert, selbst wenn von seiner Aufstellung expressis verbis nicht die Rede ist, vielmehr von seinem Kommen, seinem Erscheinen oder seinem Offenbarwerden. Die Termini sind andere, die Sache ist dieselbe. Jeweils geht es um die von Gott gesetzte und für alle Welt sichtbare Herrschaftsübernahme des Messias.

2.   Gott selbst stellt seinen Messias auf [346]

Daß es Gott selbst ist, der sich seinen Messias kommen läßt, ihn zeugt, ihn aufstellt usw., ist allein schon mit Israels Gottesverständnis gegeben und im Blick auf die Souveränität und Ausschließlichkeit Jahwes selbstverständlich:

Jahwe stellt »sich« (Mi 5,1) »seinen« (Ps 2,2.6) Messias auf, dieser fungiert uneingeschränkt in seinem Auftrag (Ez 21,32). Der Messias will umgekehrt nur das, was Gott will (Jer 30,9 und Hos 3,5)[347]. In allen messianischen Aussagen ist allein Jahwe übergeordnetes Subjekt und Initiator alles Geschehens (Jes 9,6b); das messianische Werk ist sein Werk (Ps 110,1f; Ez 17,22–24; Hag 2,21–23 und Sach 3,8).

Von daher bedarf es kaum noch des ausdrücklichen Hinweises, daß der Messias sich nicht selbst aufstellt – als ginge das überhaupt –, sondern von Jahwe[348] aufgestellt wird[349].

Dieser alttestamentliche Befund wird durch die jüdische Tradition bestätigt, denn auch hier findet man denselben Sachverhalt vor. Immer ist der Messias »mein«/»sein«/»Gottes« Messias: PsSal 18,5.7; äthHen 48,10; 52,4; syrBar 39,7; 72,2; 4Esr 13,32.37; Qaddisch[350]; Qaddisch de-Rabbanan[351] und bBer 29a[352] sowie TJon 1Sam 2,10; 2Sam 22,51; Ez 37,24; Sach 4,7 und 10,4 sowie TPs 18,51 und 85,52. Ebenso »zeugt« Gott laut

---

346   Die Tatsache, daß in der alttestamentlich-jüdischen Erwartung Gott den Messias aufstellt und nicht dieser sich selbst, ist in der exegetischen Literatur so selbstverständlich vorausgesetzt, daß sie zwar oft betont, kaum jedoch ausführlich begründet wird (vgl. nur *O. Betz*, Frage, 163; *J.C. O'Neill*, Silence, 165; *M. Hengel*, Jesus und die Tora, 157 und *S. Ruager*, Reich Gottes, 41).

347   Vgl. die unbedingte Einheit beider auch in Joh 10,30.

348   Selbstverständlich steht es Jahwe frei, sich dabei menschlicher Boten bzw. geschichtlicher Medien zu bedienen. So etwa JustDial 8,6; 49,1 und 110,1, wo Elia kommt und den bis dahin verborgenen Messias offenbart und ihn salbt (s. oben S. 72). Weitere Belege für die Offenbarung des Messias durch Elia sind bei *Bill.* IV/2, 798 aufgeführt. Als ein solcher Bote Gottes verstand sich auch Rabbi Akiba, als er Simon bar Kosiba aufgrund Num 24,17 als den verheißenen Messias begrüßte (yTaan IV,48–51,68d, vgl. *A.S. van der Woude*, Art. χρίω, 514).

349   Folgende Termini verwendet das Alte Testament, um die Aufstellung des Messias durch Gott zu beschreiben: קום (hi.): 2Sam 7,12; Jer 23,5; Ez 34,23 und Am 9,11; עמד: Jes 11,10 und Mi 5,3; שׁית: Ps 132,11; נסך: Ps 2,6; ילד: Ps 2,7 sowie צהה: Jer 33,15.

350   Zitiert bei *G. Dalman*, Worte Jesu, 305; *W. Staerk*, Gebete, 30f und *Bill.* II, 588.

351   Zitiert bei *G. Dalman*, Worte Jesu, 305f; *W. Staerk*, Gebete, 31f und *Bill.* II, 588.

352   Zitiert bei *Bill.* IV/1, 222.

1QSa 2,11f den Messias[353], läßt ihn laut Achtzehngebet, 15. Benediktion (babylonische Rezension)[354]; Habinenu (babylonische Rezension)[355]; Musaphgebet[356] und bBer 29a[357] »aufsprossen« und stellt ihn auf. Überall ist Gott der eigentlich Handelnde und das übergeordnete Subjekt (PsSal 17,44). Letztlich wird man an dieser Stelle nochmals die angeführten Belege für die Verborgenheit des Messias anführen dürfen[358], denn auch hier ist es unausgesprochen immer Gott selbst, der die Zeit der Verborgenheit seines Gesalbten beendet, indem er ihn offenbart und als Messias inthronisiert.

Für die gesamte alttestamentlich-jüdische Tradition[359] bleibt damit fest-

353 Vgl. *O. Michel / O. Betz*, Gott, 11f.
354 Zitiert bei *G. Dalman*, Worte Jesu, 303; *W. Staerk*, Gebete, 18 und *Bill.* IV/1, 213.
355 Zitiert bei *G. Dalman*, Worte Jesu, 304; *W. Staerk*, Gebete, 20 und *Bill.* II, 111.
356 Zitiert bei *G. Dalman*, Worte Jesu, 306; *W. Staerk*, Gebete, 23 und *Bill.* II, 111.
357 Zitiert bei *Bill.* IV/1, 222.
358 S. oben S. 72–78.
359 Wenn *Bill.* I, 954f.1017f auf PesR 15 (17b); PesR 36 (162a) und LeqT 2 (130a) zu Num 24,17 verweist, um zu betonen, es habe auch die Anschauung gegeben, daß sich der Messias von sich aus als solcher erweist, dann ist dies so nicht richtig: PesR 15 (17b) beschreibt, welchen Einwand Israel dem kommenden Messias gegenüber geltend machen wird, wenn er ihnen sagt: »In diesem Monat werdet ihr erlöst werden«. Der Messias widerlegt daraufhin diesen Einwand. Von einem eigenmächtigen In-Erscheinung-Treten und Sich-Bekanntmachen des Messias ist keine Rede. PesR 36 (162a) handelt gerade von der göttlichen Bestätigung des sich auf dem Dach des Tempels offenbarenden Messias. Wenn er dort erscheint und auf sein Licht, das laut Jes 60,1 erstrahlt, verwiesen wird, läßt ausdrücklich Gott das Licht des Messias aufleuchten. In dem Augenblick also, in dem Gott ihn offenbaren will, offenbart er sich selbst. In (dem mittelalterlichen Beleg) LeqT 2 (129b.130a) zu Num 24,17 (zitiert bei *Bill.* II, 298f, Fortsetzung bei *Bill.* I, 96f) gibt sich der Messias tatsächlich mit den Worten »Ich bin der König, der Messias, auf den ihr gehofft habt« zu erkennen. Dennoch liegt keine eigenmächtige Messiasproklamation vor, denn auch dieses Bekenntnis steht im Zusammenhang seiner Offenbarung durch Gott. Nachdem der Messias ben Josef im Kampf gegen Gog und Magog gefallen ist, nimmt Gott selbst Israels Sache in die Hand und führt sie siegreich an ihr Ziel. Zehn Himmelsstimmen geben Israels Weg bis dahin vor, so daß sich am Ende Num 24,17 – das Hervorgehen des Sterns aus Jakob, d.h. die Aufstellung des eschatologischen Davididen – erfüllt. Auf sein Erscheinen zielt das Ganze. Nachdem mit dem Einsturz der Mauern Roms bei folgender Einnahme der Welthauptstadt das Jerichowunder überboten ist – laut JosBell 2,161–163 ein messianisches (Vor-)Zeichen, das Gott hier gewährt –, suchen die Israeliten folgerichtig ihren Gott und David, ihren König. Folgerichtig deshalb, weil per Himmelsstimmen und messianischem Zeichen sein Erscheinen antizipiert ist. Derart von Gott ausgewiesen, beendet nun der bis dahin verborgene Messias die Zeit seiner Verborgenheit und bekennt sich zu der ihm von Gott verliehenen Würde, woraufhin Gott sich seinerseits mit weiteren Himmelsstimmen zu seinem Messias bekennt und ihn samt seinem Volk nach Jerusalem zurückkehren läßt, womit Num 24,17 erfüllt wird. Der seine messianische Würde offenbarende Davidide ergreift somit nicht von sich aus die Initiative, sondern bekennt sich lediglich zu seiner Offenbarung durch Gott. Die drei genannten Belege können von daher nicht als Gegenbelege für die Tatsache herangezogen werden, daß im Alten Testament und im Judentum Gott selbst seinen Messias inthronisiert und ihn als solchen erweist.

zuhalten: Der Messias tritt nicht von sich aus, d.h. eigenmächtig in Erscheinung. Es ist allein und ausschließlich Gott, der ihn aufstellt, denn der Messias ist nichts anderes als Mandatar (Funktionär) Gottes. Jeder Messiasprätendent, der diesen Sachverhalt nicht beachtet, Gottes Stunde nicht abwarten kann und sich eigenmächtig als Messias ausgibt, hat sich damit bereits als falscher Messias disqualifiziert. In ApkEl 31,14–18; 40,4–7; bSan 93b[360]; BHM II,60,16 (אתות המשיח); BHM IV,124,25 (תפלת ר' שמעון בן יוחאי)[361] und äthEsr 78,16 – 79,7[362] stellt sich der Pseudomessias vor mit den Worten: »Ich bin der Messias«. Entsprechend erweist auch im Neuen Testament gerade die Selbstvorstellung »Ich bin der Messias« den, der solches von sich behauptet, als selbsternannten, als falschen Messias (Mk 13,6 par [am deutlichsten Mt 24,5] und Mk 13,21–23 par)[363].

Von vornherein ist damit klar, weshalb Jesus nicht von sich aus seinen Messiasanspruch betont, denn als legitimer Messias designatus kann er, der Menschensohn, nur auf die Stunde warten, in der ihn Gott selbst als Messias offenbart und inthronisiert.

Auch beim Verhör vor dem Synhedrium antwortet Jesus auf die Frage des Hohenpriesters nicht einfach: »Ja, ich bin der Messias«, sondern in verhüllender Form: »Du sagst es«, um sogleich ein Menschensohnwort anzuschließen[364].

3.   Die Inthronisation (Aufstellung) des Messias erfolgt auf dem Zion

Nicht nur die Tatsache, daß Gott seinen Messias aufstellen wird, steht für die messianische Überlieferung des Alten Testaments und des Judentums fest. Ebenso sind wichtige Einzelheiten dieses Geschehens durch die heiligen Schriften längst vorgegeben. Gerade in der glühenden messianischen Erwartung der Zeit unmittelbar vor Jesus kommen sie voll zum Tragen.

So ist das Offenbarwerden des Messias ganz selbstverständlich an den Zion und damit an Jerusalem und den Tempel gebunden; überhaupt kommt alles Heil (auch unabhängig vom Messias) vom Zion[365]. Der Mes-

360 Zitiert bei *Bill.* III, 641.
361 Jeweils zitiert bei *A. Wünsche*, Lehrhallen III, 112.167 und *Bill.* III, 639f.
362 Zitiert bei *J. Halévy*, Teʿezâza Sanbat, 195 und *K. Berger*, Auferstehung, 348, Anm. 384.
363 Weitere frühchristliche Belege ebd., 328, Anm. 303; 353, Anm. 407; 356f, Anm. 425. Im Neuen Testament selbst vgl. noch Joh 5,18; 10,33.36 und 19,7, wo Jesus jeweils getötet werden soll, weil er sich nach der Meinung seiner Gegner mit Gott auf eine Stufe gestellt bzw. von sich aus den Anspruch erhoben habe, Gottes Sohn zu sein.
364 S. unten S. 177–179.
365 Vgl. zunächst die unten S. 136f im Blick auf die eschatologische Völkerwallfahrt genannten Belege, die den Zion als den Hort des Heils voraussetzen, das nun alle Völker erreicht, ferner etwa Ps 48; Jes 62,14; Zeph 3,14–20 und Sach 8,2f.

sias, der Tempel und die Heilige Stadt gehören untrennbar zusammen: Von Anfang an, nachdem David den ehemaligen Jebusiterstaat zur Hauptstadt der beiden Reiche gemacht hatte, war Jerusalem, wie vor allem die Überführung der Lade in die Stadt zeigt, zugleich auch der kultische Mittelpunkt schlechthin[366]. Jahwe wohnt nun auf dem Zion[367]. Gott seinerseits antwortet auf die Ladeüberführung mit der Verheißung an David aus dem Mund Nathans, der die Erwählung des Zion und der davidischen Dynastie verkündigt[368]. Wie vor allem Hartmut Gese zeigen konnte, ist Jahwe damit wieder an einen bestimmten Ort gebunden (wie in ältester Zeit an den Sinai) und zugleich an einen bestimmten Herrscher, der zum Sohn Gottes wird. Denn »Die Gottessohnschaft der Davididen ist . . . die familienrechtliche israelitische Konzeption des Verhältnisses zum nǎhᵃlā-Herrn.«[369] Die Inthronisation des davidischen Königs auf dem Zion und seine Geburt durch Gott sind somit identisch[370], der Zion und die Inthronisation eines Davididen als König und später als Messias Israels sind also untrennbar miteinander verknüpft.

Die in der Folgezeit immer stärker hervortretende zentrale Rolle Jerusalems bzw. des Zion war von hierher bereits vorgegeben und bedurfte nur der Explikation. So wird Jerusalem schließlich zur heiligen Stadt, zur Gottesstadt, in der Gott wohnt, die als unantastbar gilt[371].

Was schon vor dem Exil selbstverständlich war, wird im und nach dem Exil erst recht betont: Jerusalem, Tempel und Zion werden zum Inbegriff der Heilserwartung Israels par excellence. Hier liegen die eschatologischen Hoffnungen begründet[372]. Daß damit auch die Voraussetzungen des Messianismus in Jerusalem liegen, ist ohne weiteres deutlich. Wie der davidische König, so wird auch der eschatologische Davidide auf dem Zion eingesetzt und herrscht von dort aus als Mandatar Jahwes über Israel und schließlich über alle Welt. Deshalb ist die Einheit von Messias,

---

366 Vgl. *W.H. Schmidt*, Glaube, 138.

367 Vgl. etwa Ps 9,12; 48,2–4; 68,17; 99,2.9; 132,13f; Jes 2,2–4; Jer 14,19–21; Ez 43,7; Mi 4,1–3; Joel 4,17 und Sach 8,2f sowie Ps 154 (= Syr. II), 20, dazu *G. Fohrer*, Art. Σιών, 307–309; *E. Lohse*, Art. Σιών, 318f; *W.H. Schmidt*, Glaube, 254f und *B. Janowski*, Mitte, 166.168–190.

368 Vgl. 2Sam 7,8–16; 1Chr 17,7–14; Ps 89,20–38 und 132,11–18.

369 *H. Gese*, Natus ex Virgine, 137f.

370 Vgl. ebd., 136–139 und *ders.*, Messias, 130f. Laut Sir 24,8–12 wird auch die Weisheit auf dem Zion eingesetzt, vgl. *M. Hengel*, Sohn Gottes, 78–80 und *H. Gese*, Johannesprolog, 181–184.

371 Damit ist nicht übersehen, daß die prophetische Verkündigung manchmal gerade das bekämpft, was die Ziontradition betont: das – falsche – Vertrauen auf den Zion und die Unbezwingbarkeit Jerusalems (vgl. *W.H. Schmidt*, Glaube, 259f).

372 Vgl. *G. Fohrer*, Art. Σιών, 311–315; *E. Lohse*, Art Σιών, 324f; *H. Schultz*, Art. Ἰερουσαλήμ, 754 und *W.H. Schmidt*, Glaube, 261f.

Tempel und Jerusalem bzw. die von Messias und Zion eine unauflösliche und als solche für die gesamte messianische Hoffnung konstitutiv[373].
Überall ist sie belegt, im Alten Testament selbst, in der apokalyptischen (einschließlich der qumranischen), der rabbinischen und auch in der christlichen Tradition sowie bei Josephus.
Aus der Vielzahl der Belege greife ich nur einige heraus. Für die alttestamentliche Überlieferung Ps 2,6f; 78,68–71; 110,1f; 132,11–18 und Sach 9,9f, dazu, ohne daß der Zion eigens erwähnt, aber zweifellos vorausgesetzt ist, 2Sam 7,8–16; Jes 9,5f; 11,1.10; Ez 17,22–24 und 1Chr 17,7–14. Belege aus dem jüdischen Schrifttum sind etwa 4QFlor 1,10–13; PsSal 17,21–46 (auch wenn hier der Zion expressis verbis nicht genannt ist); syrBar 40,1–3; 4Esr 13,35; Achtzehngebet, 14. Benediktion (palästinische Rezension)[374] sowie 14. und 15. Benediktion (babylonische Rezension)[375]; bPes 5a Bar; PesK 185a[376]; bSan 98a, wo Jes 59,20, die alttestamentliche Bezugsstelle, die von Jahwes Herrschaft vom Zion aus handelt, messianisch interpretiert wird[377], und PesR 36 (162a)[378]. Von den genannten jüdischen Texten ist 4QFlor 1,10–13 besonders hervorzuheben, wo in Aufnahme von 2Sam 7,11b–14 und Am 9,11 (später auch Ps 2,1f) ausdrücklich betont wird, daß der Davidide von Gott auf dem Zion aufgestellt wird, um die gefallene Hütte Davids wieder aufzurichten, d.h. das Israel der Endzeit zu sammeln, zu retten und zu regieren[379]. Sieht man zunächst noch von den jesuanischen Belegen ab, ist im übrigen Neuen Testament auf Röm 11,26; Hebr 12,22–24 und Offb 14,1 zu verweisen, wobei die erstgenannte Stelle die wichtigste ist; wie bSan 98a hat auch Paulus Jes 59,20 aufgegriffen und messianisch gedeutet.
Schließlich liegt die besagte Verbindung von Messias, Stadt und Tempel bzw. von Messias und Zion auch bei Josephus vor, der allerdings aus verständlichen Gründen den Messias durch das Volk ersetzt: zum einen wegen seiner antimessianischen Tendenz, zum anderen, weil er den jüdischen Messianismus gerade dadurch unterläuft, daß er den römi-

---

373 Daß die Ziontradition auch unabhängig von der Davidtradition weiterexistiert, ist mit alldem nicht bestritten. Dies ist deshalb kaum verwunderlich, weil von Haus aus die Ziontradition und das Königtum Jahwes miteinander verbunden waren. Andererseits ist die Davidtradition ihrerseits aufgrund des Nathanorakels nicht mehr von der Ziontradition zu trennen und existiert nicht mehr unabhängig von ihr.

374 Zitiert bei *G. Dalman*, Worte Jesu, 300; *W. Staerk*, Gebete, 13 und *Bill.* IV/1, 213.

375 Zitiert bei *G. Dalman*, Worte Jesu, 303; *W. Staerk*, Gebete, 18 und *Bill.* IV/1, 213.

376 Jeweils zitiert bei *Bill.* I, 1004.

377 Zitiert bei *Bill.* IV/2, 981, vgl. *H. Schlier*, Römer, 341.

378 Zitiert bei *Bill.* I, 151.

379 S. oben S. 112f.

schen Kaiser Vespasian als Messias proklamiert[380]. Die bei ihm ersatzweise vorliegende Dreiheit Volk – Stadt – Tempel, die er als konstitutiv für die Existenz Israels ansieht, ist belegt in JosBell 2,400; 5,362.416f; 6,97.309.328.349 und 7,379.

Hat man dies alles vor Augen, so ist deutlich, daß Jesus nicht nur das Schema von Designation und Inthronisation des Messias aus der alttestamentlich-jüdischen Überlieferung vorgegeben ist, sondern daß er, wenn er von seiner eigenen Inthronisation spricht, auch konkrete Inhalte der traditionellen Messiashoffnung aufnimmt und für seine Zukunftserwartung voraussetzt. Dies alles geschieht bei Jesus in kritischer Würdigung der unterschiedlichen und zum Teil divergierenden Einzelüberlieferungen, d.h. selektiv: in Übernahme bestimmter und Abweisung anderer Elemente zugleich. Sieht man jedoch im Blick auf die Inthronisation des Messias einmal vom vorausgehenden Tod des Menschensohns ab, so lassen sich an dieser Stelle in der Verkündigung Jesu nahezu keine Züge nachweisen, die grundsätzlich über die entsprechenden Traditionen des Alten Testaments und des Judentums hinausgehen. Der Menschensohn ist hier ganz eingebunden in die messianische Hoffnung seines Volkes. Auch er geht davon aus, daß allein Gott es ist, der seinen Messias offenbart und aufstellt. Desgleichen erwartet er seine Inthronisation auf dem Zion, denn auch für ihn ist das Theologumenon der unauflöslichen Einheit von Messias, Stadt und Tempel Grundvoraussetzung seines Wirkens als Messias designatus in Israel. Allein deshalb sieht er sich vor die Notwendigkeit gestellt, nach Jerusalem zu ziehen und als der eschatologische Davidide in die Davidsstadt Einzug zu halten (Mk 11,1–11 par)[381], denn nur hier, und nirgendwo anders, wird er vollendet (Lk 13,31f)[382]. In Jerusalem, im Tempel (Mk 11,15–18 par und 14,58 par; Joh 2,19)[383], stellt er sich bewußt der letzten Entscheidung und erwartet im Anschluß an seinen Tod die Inthronisation des Menschensohns, seine Aufstellung als Messias ἐν δυνάμει durch Gott.

4. Die eschatologische Völkerwallfahrt zum Zion

Daß Jesus an anderer Stelle die messianische Hoffnung seiner Zeit nur bedingt übernimmt, zeigt – nicht durchweg, aber in den Teilen, die die Völkerwallfahrt zum Zion betreffen – die inhaltliche Füllung der messianischen Herrschaft im Anschluß an die Inthronisation des Messias in der Erwartung Jesu.

---

380 Vgl. JosBell 6,312f, dazu *O. Michel / O. Bauernfeind* im Anmerkungsteil zu Josephus, De Bello Judaico II/2, 190–192 (Exkurs XV).
381 S. oben S. 105f.362.
382 S. oben S. 118–122.
383 S. oben Anm. 193.

Dabei soll es im folgenden nicht um die in der Zeit nach Jesus im Judentum aufkommende Unterscheidung zwischen der messianischen Herrschaftsperiode und der des עוֹלָם הַבָּא ge- hen. Denn Jesus selbst stimmt offenkundig mit der alten, vom Alten Testament und vom älteren nachalttestamentlichen Judentum vertretenen Anschauung überein, nach der die messianische Zeit und die Zeit der absoluten Heilsvollendung identisch sind[384].

a)   Wenn Jesus mit seiner Inthronisation und der damit anhebenden Herrlichkeit des Gottesvolkes Israel die eschatologische Völkerwallfahrt zum Zion erwartet, widerspricht er zwar nicht dem Alten Testament selbst, wohl aber der zeitgenössisch vorherrschenden Auffassung: Gewiß wird man die alttestamentlichen Aussagen vom Gericht Gottes bzw. des Messias über die gottlosen Israeliten wie über die Heiden nicht unterschlagen dürfen[385], doch zielen die eschatologischen Erwartungen des Alten Testaments faktisch nicht nur auf das Heil Israels, sondern auch auf das Heil der Völker. In der offenbaren Gottesherrschaft, die identisch ist mit der Herrschaft des Messias, ist es die Herrlichkeit Jahwes, des Messias bzw. des Israels der Endzeit, die die Heidenvölker herbeiruft, damit nun auch sie den Gott dieses Volkes als den einzigen und wahren anbeten. Sie strömen zum Zion, um ihrerseits Jahwe zu dienen und selbst Israeliten zu werden, indem sie in das Gottesvolk der Heilszeit eingegliedert werden.

Gewiß bleibt mit alldem – ausdrücklich wird ja herausgestellt, daß die Heidenvölker Israeliten werden – die Erwählung des alttestamentlichen Gottesvolkes in Kraft, zugleich jedoch zeigt sich gerade hier besonders deutlich, daß die Heilshoffnung Israels von vornherein nicht nur national konzipiert, sondern von Anfang an auf die gesamte Erde ausgerichtet war, so daß durch Israel in der Tat alle Geschlechter der Erde gesegnet werden (Gen 12,2f und 17,4-7).

Als wichtigste Belege für die erwartete eschatologische Völkerwallfahrt zum Zion seien Jes 2,2-4; Mi 4,1-3; Jer 3,17; Jes 45,22-24; 49,6.22; 55,3b-5; 60,1-3(-9); 66,18-23; Zeph 3,9; Sach 2,14-17; 8,20-23; Ps 22,28-30; 87,1-7 und 98,1-9 genannt, hinzu kommen außerdem die noch in alttestamentlicher Zeit entstandenen Belege Tob 13,11 und 14,6f. Diese Texte sind zu ergänzen durch jene beiden, die ausdrücklich vom inthronisierten Messias als dem die Völker herbeirufenden Panier bzw. als dem Weltenherrscher reden, Jes 11,10 und Sach 9,9f[386]. Und

---

384   S. unten S. 170-172.
385   Vgl. nur Num 24,17-19; Ps 110,1-7; Jes 13,9; 63,1-6; Jer 46,10 und Zeph 1, 14-18.
386   Auch in V. 10a ist mit der Septuaginta (gegen den hebräischen Text) die dritte Person zu lesen, so daß Sach 9,9f insgesamt vom endzeitlichen Handeln des Messias redet (vgl. *H. Gese*, Messias, 135f und *W. Werner*, Jes 9,1-6, 264f [in Anm. 37 mit weiterer Literatur]). Ein vergleichbarer Sachverhalt liegt in Ps 21,10f vor, wo ursprünglich vom König die Rede ist, der in der Kraft Jahwes das Vernichtungsgericht über seine Feinde vollzieht. Die

schließlich darf Jes 25,6–9 nicht fehlen, der Abschnitt, der sozusagen den Schlußstrich unter dieses eschatologisch-universale Heilsereignis zieht: Wenn auch die Heidenvölker ins Gottesvolk der Endzeit eingegliedert worden sind, kommt es zum messianischen Freuden- und Festmahl auf dem Zion[387].

b) In der nachalttestamentlichen Zeit blieb das Motiv der eschatologischen Völkerwallfahrt zum Zion zwar erhalten, jedoch im Vergleich zum Alten Testament in abgeschwächter Weise, zudem relativ selten und vor allem nicht als vorherrschende Erwartung. Die gängige Auffassung ist eindeutig die, daß jedes Volk, das Israel einmal geknechtet hat, der Rache Gottes bzw. des Messias verfällt und vernichtet wird[388] und daß nur die, die mit Israel entweder keine Berührung hatten oder ihm nicht geschadet haben, am Leben bleiben[389]. Lediglich letztere kommen im Sinne der eschatologischen Völkerwallfahrt überhaupt in Betracht. In politischer Hinsicht erwartete man für sie jedoch nahezu einhellig, daß sie Israel gegenüber tributpflichtig und vom Messias unter seinem Joch gehalten werden[390]; im Urteil über ihre religiöse Stellung gibt es nur wenige Belege dafür, daß sich Heiden in der Zeit des Messias zur Wahrheit bekehren, also echte Proselyten und damit gerettet werden[391]. Nur hier kommt der alttestamentlich-universale Zug im Judentum halbwegs zum Tragen. Anders jedoch in der Mehrzahl der Texte, wo die alttestamentliche Hoffnung im Blick auf die Heidenvölker entweder übergangen oder derart umgebogen wird, daß von einer tatsächlichen Universalität des Heils keine Rede mehr sein kann[392]. So heißt es etwa, daß in den Tagen des Messias überhaupt keine Proselyten angenommen würden; nur in der Zeit zuvor sei es möglich, Israelit zu werden, und hier auch nur während der Leidenszeiten Israels, nicht aber in dessen glücklichen Tagen[393]. Die

---

Aussagen und Vorstellungen, die dort laut werden, sind jedoch »so gewaltig, daß man an dieser Stelle schon früh in den Text eingegriffen hat und die dem König gegebenen Gerichtszusagen wieder auf Jahwe zurückbezogen hat« (*H.-J. Kraus,* Psalmen I, 319, vgl. ferner *W. H. Schmidt,* Ohnmacht, 82, Anm. 26: »Sachlich bildet Ps 21,10f. eine Parallele, da hier der hebräische Text die Anrede an den König vielleicht nachträglich in ein Gebet zu Gott verwandelt«).

387 Zur eschatologischen Völkerwallfahrt im Alten Testament vgl. *G. von Rad,* Theologie II, 306–308; *J. Jeremias,* Jesu Verheißung, 48–53 und *H. Wildberger,* Völkerwallfahrt, 62–81. Speziell zu Jes 25,6–9 vgl. *ders.,* Freudenmahl, 274–284.

388 Belege bei *Bill.* III, 144.145–147 (b–d); 154f (ee–ff); *Bill.* IV/2, 880 (s) und 1105–1107 (o–p), vgl. *J. Jeremias,* Jesu Verheißung, 34f.

389 Belege bei *Bill.* III, 144.147 (d).

390 Belege bei *Bill.* I, 84; *Bill.* III, 148 (h) und 149f (l).

391 Belege ebd., 150–152 (m–s) und 853, vgl. ferner PsSal 17,30f; TestBenj 9,2 und 4Esr 13,12f.

392 Vgl. zum Folgenden die grundsätzlichen Ausführungen ebd., 144f.

393 Belege bei *Bill.* I, 929 (r) und *Bill.* III, 153 (v–w).

Traditionen, nach denen man hätte erwarten können, daß sich auch während der messianischen Herrschaft viele Heiden Israel anschließen würden[394], entschärfte man so, daß man die dann kommenden Heiden als »sich aufdrängende Proselyten« bezeichnete und sie nie als echte anerkannte. Sie sollten durch die Übernahme von 30 Geboten in etwa den früheren Fremdlingen gleichgestellt sein, also nicht den Rang eines wirklichen Proselyten einnehmen[395]. Zudem sagte man von ihnen, im Krieg Gogs und Magogs gegen Israel würden sie sowieso wieder abfallen und damit doch im Gehinnom enden[396], so daß letztlich Israel allein das Gottesvolk der vollendeten Heilszeit darstellt[397]. Schließlich gibt es noch die für das Judentum besonders wichtige endgeschichtliche Deutung von Jes 43,3f, nach der die Heiden im Endgericht zugunsten der Vollzahl Israels vernichtet werden[398], womit die alttestamentliche Völkerwallfahrt zum Zion vollkommen negiert ist.

c)   Für Jesus selbst gehört gerade die Erwartung der eschatologischen Völkerwallfahrt in entscheidendem Maß in seine Verkündigung von der kommenden Gottesherrschaft bzw. seiner eigenen messianischen Herrschaft infolge der Inthronisation des Menschensohns hinein. Von hierher löst sich nämlich der scheinbare Widerspruch, daß Jesus sich einerseits nur zu Israel gesandt wußte[399], andererseits aber auch die Heiden ins eschatologische Gottesvolk einschloß. Die entscheidenden Belege sind Mk 11,17; Mt 5,14 und 8,11 par[400], hinzu kommen Mk 10,45 par; 14,24 par und Lk 22, 28–30 par. Dabei stellt Mt 8,11 par die deutlichste direkte Anspielung auf die Völkerwallfahrt dar, wo Jesus das Hinzuströmen der Völker zum Heil Gottes in der Stunde der Weltvollendung ankündigt[401]. Ebenso greift er in Mt 5,14 auf die prophetische Botschaft vom messianischen Freudenmahl auf dem Zion (Jes 25,6–9) zurück. Die Gottesstadt auf dem Weltenberg erleuchtet mit ihrem unübersehbaren Schein das Dunkel der Völker und ruft sie herbei, ihrerseits doch auch teilzuhaben am Mahl der eschatologischen Heilsgemeinde, d.h. in diese eingegliedert

---

394   Belege ebd., 150–152 (m–s).
395   Belege bei *Bill.* I, 927 (b) und *Bill.* III, 153f (aa–cc).
396   Belege ebd., 154f (dd–ff).
397   Belege ebd., 155 (gg).
398   S. unten S. 326–331.333f.
399   Vgl. Mt 10,5b–6; 15,24; 10,23; 8,7 und Mk 7,24–30 par, ferner Röm 15,8: Christus als Diener der Beschneidung. Zu den beiden erstgenannten Belegen s. oben S. 40, Anm. 158, zu Mt 10,23 unten S. 168, zu Mt 8,7 par vgl. *J. Jeremias*, Jesu Verheißung, 25f; *ders.*, Theologie, 161f und *O. Betz*, Begegnungen, 17, zu Mk 7,24–30 par *J. Jeremias*, Jesu Verheißung, 25 und *J. Gnilka*, Markus I, 289–295, zu Röm 15,8 *J. Jeremias*, Jesu Verheißung, 31. Zusammenfassend vgl. *V. Hampel*, Ihr werdet, 24f.
400   Mt 8,12 par stellt gegenüber V. 11 par einen Jesu Heilsverkündigung einschränkenden sekundären Zusatz dar (s. oben S. 115f.118).
401   S. oben S. 116f.

zu werden[402]. Lk 22,28–30 par bestätigt diesen Befund auf eigene Weise. Jesus spricht hier zwar ausschließlich vom Zwölfstämmevolk Israel, das er als inthronisierter Messias zusammen mit seinen zwölf Jüngern regieren wird[403]. Da er jedoch in seiner Verkündigung insgesamt die Heidenvölker vom Heil der Gottesherrschaft nicht ausschließt, sie vielmehr ausdrücklich einbezieht, setzt er in Lk 22,28–30 par ihre Zugehörigkeit zum eschatologischen Zwölfstämmevolk und damit die Völkerwallfahrt zum Zion unausgesprochen voraus. Das Heil für die Völker, das Jesus als Ereignis der Zukunft erwartete, nahm er gegen Ende seiner Wirksamkeit in Israel bereits proleptisch vorweg, als er mit der Tempelreinigung symbolisch allen Völkern die Stätte der einstigen Anbetung Jahwes bereitete (Mk 11,17)[404]; dies unmittelbar vor seinem Tod, den er als stellvertretenden Sühnetod für alle Menschen, Israel wie Heiden, verstand (Mk 10,45 par und 14,24 par) und als solchen im Auftrag des ihn sendenden Gottes zum Heil aller Welt auf sich nahm[405].

Von den genannten Belegen ist die Authentie von Mk 11,17 insofern umstritten, weil ausgerechnet die besagte Wendung »für alle Völker« in den Parallelstellen Mt 21,13 und Lk 19,46 fehlt – meines Erachtens infolge sekundärer Auslassung[406]. Die Authentie von Mt 5,14 und 8,11 par läßt sich hingegen kaum bestreiten, da Jesus dort entgegen dem urchristlichen Missionsverständnis, Missionare in die Welt hinauszusenden, genau umgekehrt denkt und in Aufnahme der zentripetalen Vorstellung der eschatologischen Völkerwallfahrt zum Zion das Herbeiströmen der Völker erwartet. Diese kommen ihrerseits, um in das Gottesvolk der vollendeten Heilszeit eingegliedert zu werden, das für Jesus aus Israel und den Heiden besteht, wie aus den ebenso authentischen Logien Mk 10,45 par und 14,24 par deutlich hervorgeht und in Lk 22,28–30 par vorausgesetzt ist.

Daß im Alten Testament, im Judentum (soweit belegt) und für Jesus selbst allein Gott der Urheber dieses endzeitlichen Geschehens ist, wurde längst deutlich. Ebenso aber auch dies, daß Jahwe die Durchführung jenes Geschehens an den Messias delegiert, der damit als sein Stellvertreter in seinem Auftrag fungiert, so daß eine Konkurrenz zwischen Gott und dem Messias von vornherein ausgeschlossen ist, will man das Amt des Messias nicht gründlich mißverstehen.

So ruft laut Jes 11,10 der inthronisierte Messias die Völker herbei, indem die Herrlichkeit Israels unter seiner Regierung für diese als »Panier«

402 Vgl. *G. von Rad*, Stadt, 214–224; *J. Jeremias*, Jesu Verheißung, 57 und *ders.*, Theologie, 236.
403 S. oben 106–108.111 und unten S. 148–151.363f.
404 Vgl. vor allem *W. Grimm*, Verkündigung, 196–198, ferner *J. Jeremias*, Jesu Verheißung, 55f.
405 S. unten S. 303–342, bes. 320–322.326–334.
406 Vgl. *J. Jeremias*, Jesu Verheißung, 55f; *W. Grimm*, Verkündigung, 196–198; *G. Lohfink*, Jesus, 31 und *J. Gnilka*, Matthäus II, 206.208: »Die Funktion des Tempels ist an ihr Ende gekommen. Aus diesem Grund dürfte E seine Bestimmung, ›Haus des Gebetes für alle Völker‹ (Mk 11,17) zu werden, nicht mehr übernommen haben.«

wirkt, dem sie dann folgen. Entsprechend ist es in Sach 9,9f der Messias, dessen Herrschaft bis zu den Enden der Erde reicht. Ansonsten ist es im Alten Testament immer unmittelbar Jahwe, der als Subjekt des Handelns genannt wird. Die angeführten jüdischen Belege halten sich in etwa die Waage, wenn man sie daraufhin befragt, ob es direkt Gott selbst ist, der die Völker ruft, oder ob er dies indirekt über seinen Mandatar, den Messias, bewerkstelligt. Erst recht gilt für Jesus die völlige Übereinstimmung zwischen seiner eigenen messianischen Herrschaft einerseits und der Herrschaft Gottes andererseits. Inhaltlich ist derselbe Sachverhalt in zweierlei Formulierung wiedergegeben. Denn wie die jeweilige Aussage auch gerade lautet, Jesus setzt immer voraus, daß er als der einst inthronisierte Messias derjenige ist, dem Gott die Regierungsgewalt der vollendeten Heilszeit übertragen wird: Gott herrscht durch seinen Messias[407]. Entsprechend hat Jesus auch dann, wenn er von der eschatologischen Völkerwallfahrt handelt, die Inthronisation des Menschensohns vor Augen, seine zukünftige messianische Aufstellung auf dem Zion.

VIII.   Lk 22,28–30 par Mt 19,28

Obwohl die Fassungen des Logions bei Matthäus und Lukas stark differieren, sollte angesichts der einheitlichen Grundaussage kein Zweifel bestehen, daß es Q entnommen ist[408] und die Abweichungen voneinander auf die Redaktionsarbeit der Evangelisten zurückgehen.
Wie der bei Matthäus und Lukas jeweils verschiedene Textzusammenhang beweist, liegt ein ursprünglich isoliert tradiertes Logion vor, das – bei wiederum anderem Kontext – auch in Offb 3,20f Aufnahme fand. Seine lukanische Umgebung besteht aus Traditionen unterschiedlicher Herkunft, die Lukas im Anschluß an die Abendmahlsüberlieferung zu einem einheitlichen Ganzen zusammenfügte[409]. Die Einordnung an seinen heutigen Ort erfolgte aus zwei Gründen: Zum einen stellt Lukas es wegen des in den Evangelien singulären Begriffs διατιθέναι (V. 29) in den Kontext des Abendmahls und setzt es so in Beziehung zu διαθήκη im Kelchwort V. 20. Zum anderen fügt er es im Blick auf die Frage des Dienens

---

407   S. oben S. 84.118.128–133, vor allem jedoch unten S. 168–174.362–367.
408   Vgl. E. *Klostermann*, Matthäus, 289; E. *Lohmeyer*, Matthäus, 289; *Ph. Vielhauer*, Gottesreich, 67–71; E. *Schweizer*, Menschensohn, 60; G. *Strecker*, Weg, 238, Anm. 3; N. *Perrin*, Jesus, 11; C. *Colpe*, Art. ὁ υἱὸς τοῦ ἀνθρώπου, 450f; D. *Lührmann*, Redaktion, 75.109; S. *Schulz*, Q, 330, Anm. 46; J. *Jeremias*, Theologie, 248 mit Anm. 15; P. *Hoffmann*, Studien, 42; J. *Theisohn*, Richter, 161f und J. *Gnilka*, Matthäus II, 169f. Anders T.W. *Manson*, Sayings, 216 und A.J.B. *Higgins*, Jesus, 109f.
409   Die V. 21–23.24–27.33f sind von Markus übernommen (vgl. Mk 10,41–45 und 14,19–21.29f), jedoch anders als bei Markus erst hier verarbeitet, während 31f.35–38 dem lukanischen Sondergut und 28–30 Q entstammen.

und Herrschens in den vorausgehenden V. 24-27 (par Mk 10,42-45) hier an und entspricht damit sachlich dem in Lk 18 nicht übernommenen Abschnitt Mk 10,35-45, wo eben dieser Zusammenhang vorliegt, den Lukas jetzt nachträgt. Der matthäische Kontext Mt 19,23-28a.29-30 wiederum folgt seiner markinischen Vorlage Mk 10,23-31, die auch in Lk 18,24-30 begegnet. In diese fügt Matthäus V. 28b (ab ὑμεῖς οἱ ἀκολουθήσαντές μοι) eindeutig sekundär ein, wobei ihm die Einleitung V. 28a (bis einschließlich ἀμὴν λέγω ὑμῖν [ὅτι]) bereits markinisch vorgegeben war (Mk 10,29a par Lk 18,29a). Damit ist zugleich die Priorität des matthäischen ἀκολουθήσαντες vor dem lukanischen διαμεμενηκότες μετ᾽ ἐμοῦ gesichert, denn das Logion gelangte per Stichwortverbindung ad vocem ἀκολουθεῖν (V. 21.27.28b) an seinen heutigen Ort[410]. Demgegenüber erweist sich die lukanische Parallelformulierung διαμεμενηκότες μετ᾽ ἐμοῦ ἐν τοῖς πειρασμοῖς μου κἀγώ als redaktionelle Bildung des Evangelisten, deren Zufügung ebenso durch die sekundäre Stellung des Logions bei Lukas bedingt ist wie die lukanische Tilgung der bei Matthäus erhaltenen und ursprünglichen Zahlenangabe »zwölf« Throne in V. 30b. Lukas konnte deshalb nicht mehr von zwölf Thronen sprechen, auf denen die zwölf Jünger sitzen werden, weil Judas im unmittelbaren Textzusammenhang (V. 3f.21-23.47f) als ›Verräter‹ Jesu entlarvt wird und daher seine Beteiligung an der zunächst allen zwölf Jüngern zugesagten herrscherlich-richterlichen Funktion Jesu verspielt hat[411]. Aus

---

410 Vgl. *J. Schmid*, Matthäus, 283; *E. Lohmeyer*, Matthäus, 289; *E. Schweizer*, Matthäus, 251; *J. Dupont*, Logion, 362 und *G. Schmahl*, Zwölf, 30. Anders *J. Theisohn*, Richter, 163, der zwar ebenso betont, daß Matthäus mit jenem Stichwort die V. 27 und 28 miteinander verband, daraus aber die merkwürdige Folgerung zieht, also ginge dieser Begriff in V. 28 auf Matthäus zurück. Dann jedoch läge die besagte Stichwortverbindung ursprünglich gerade nicht vor. Letztlich ist Theisohns (Fehl-)Urteil darin begründet, daß er fälschlich διαμεμενηκότες μετ᾽ ἐμοῦ (Lukas) als ursprünglich ansieht und von daher ἀκολουθήσαντές μοι zu dessen matthäisch-redaktionellem Ersatz erklären muß (vgl. ebd., 164, s. dazu unten Anm. 412). Demgegenüber ist festzuhalten, daß ἀκολουθεῖν nicht nur auch an anderer Stelle in Q belegt ist (vgl. Mt 8,10 par; 8,19 par und 8,22 par), sondern als Wiedergabe von הָלַךְ אַחֲרֵי (aramäisch) bzw. הָלַךְ אַחֲרֵי (hebräisch) zugleich die ursprüngliche Bezeichnung des Nachfolgegemeinschaft darstellt (s. unten S. 230f).

411 Vgl. *W. Grundmann*, Lukas, 405, Anm. 18; *G. Schmahl*, Zwölf, 32; *E. Schweizer*, Matthäus, 254; *J. Theisohn*, Richter, 166; *J. Friedrich*, Gott, 64f; *J. Ernst*, Lukas, 597f und *W. Trilling*, Entstehung, 215-217. Matthäus bietet an dieser Stelle aber nicht nur den ursprünglichen Text, sondern auch die ursprüngliche Wortfolge, wenn er κρίνοντες nicht wie Lukas nach, sondern vor τὰς δώδεκα φυλάς bringt. Da nämlich die lukanische »Zwischenstellung des Verbs zwischen Nomen und zugehörigem Genetiv . . . ein rhetorisches Stilmittel (ist) und . . . gehobener griechischer Redeweise an(gehört)«, erweist sich die lukanische Wortfolge als sekundäre stilistische Verbesserung (*J. Theisohn*, Richter, 166 [mit Hinweis auf *F. Blass / A. Debrunner / F. Rehkopf*, Grammatik, § 473]). Ob ἐπί ursprünglich mit Genitiv (Lukas) oder mit Akkusativ (Matthäus) konstruiert war, ist kaum zu entscheiden, aber auch belanglos, da inhaltlich keinerlei Unterschied vorliegt (vgl. ebd., § 233f und *J. Theisohn*, Richter, 165). Weil ἐπί mit Akkusativ gebräuchlicher ist, entscheide ich mich für die seltenere Version mit Genitiv.

diesem Grund betont Lukas in V. 28 ausdrücklich, die vorausgegangene Bewährung in der Anfechtung sei unabdingbare Voraussetzung zur Teilhabe an der Verheißung der V. 29f. Weil er weiß, daß Nachfolge Durchhaltevermögen erfordert und nur so zu ihrem von Jesus gesetzten Ziel führt, ersetzt er das vorgegebene ἀκολουθεῖν durch die oben genannte eigene Formulierung und definiert damit zugleich das Wesen wirklicher Jesusnachfolge[412]. Wie gefährdet diese ist, zeigen die folgenden V. 31–62.

Im Mittelteil des Logions weichen Matthäus und Lukas deutlich voneinander ab. Lukas begründet die Teilhabe der Jünger an Jesu zukünftiger Herrlichkeit (V. 30) in V. 29 damit, Jesus handle ihnen gegenüber wie sein Vater[413] an ihm. Was Gott ihm aufgrund freier Willensverfügung be-

412   Daß ἐν τοῖς πειρασμοῖς μου einen lukanischen Zusatz darstellt (vgl. *H. Conzelmann*, Mitte, 73; *A. Schulz*, Nachfolgen, 121; *J. Dupont*, Logion, 362; *S. Schulz*, Q, 330; *G. Schmahl*, Zwölf, 30 und *J. Friedrich*, Gott, 57), ist deshalb auch bei *J. Theisohn*, Richter, 163f nicht bestritten, doch versucht er andererseits die Priorität des διαμεμενηκότες μετ' ἐμοῦ gegenüber dem matthäischen ἀκολουθήσαντές μοι zu verteidigen, indem er betont, διαμένειν könne nicht als lukanisch-redaktionelle Ausdrucksweise gelten, da dieser Begriff bei Lukas keinen spezifischen Stellenwert habe (164). Dem ist entgegenzuhalten, daß der Terminus, im Neuen Testament 5mal belegt, allein 2mal bei Lukas begegnet: in Lk 1,22 und 22,28. Auch ist es nicht richtig, einen jeweils unterschiedlichen Gebrauch zu konstatieren, denn διαμένειν hat die Grundbedeutung »bei etwas verharren«, »bei jemandem ausharren«, »bleiben«. So verharrt Zacharias in Stummheit, während die Jünger bei Jesus verharren. Zudem liegt ein Septuagintismus vor, den Lukas hier benutzt, vgl. nur Sir 12,15 (ὥραν μετὰ σοῦ διαμενεῖ) und Sir 22,23b. Zu Recht betont daher die Mehrzahl der Exegeten den lukanischen Charakter der gesamten Wendung (vgl. etwa *R. Bultmann*, Geschichte, 170f; *E. Schweizer*, Matthäus, 252; *C. Colpe*, Art. ὁ υἱὸς τοῦ ἀνθρώπου, 450f; *S. Schulz*, Q, 330 und *G. Schmahl*, Zwölf, 30). Nimmt man zudem die V. 28–30 als eine vom jetzigen Kontext ursprünglich isolierte selbständige Einheit, die einen späteren Tod Jesu und folglich auch den Judasverrat noch nicht voraussetzt (s. unten S. 144.151), dann eignet V. 28 (einschließlich κἀγώ in V. 29) im Blick auf die V. 29f kein eigentlicher Sinn. Erst im Kontext des Judasverrats gewinnen die lukanisch-redaktionellen Formulierungen des V. 28 ihr Eigengewicht: Sie dienen zur Abgrenzung der letztendlich bei Jesus bleibenden späteren Apostel von Judas, der, obwohl ebenso wie diese in die Nachfolge berufen, von ihm abfiel.

413   Zur Bezeichnung Gottes als »Vater« im Alten Testament und im antiken Judentum vgl. vor allem *J. Jeremias*, Abba, 15–33.58–67; *ders.*, Theologie, 67–73 und *J.A. Fitzmyer*, Abba, (16–)20–30, ferner *O. Michel*, Art. πατήρ, 127–129; *P. Fiedler*, Jesus, 98–100 und *R. Feneberg*, Abba, 44–49. Zur Gottesanrede ἀββά bei Jesus und im Neuen Testament vgl. vor allem *J. Jeremias*, Abba, 33–67; *O. Michel*, Art. πατήρ, 129–133 und *J.A. Fitzmyer*, Abba, 28.30–38. Dabei gelangt Jeremias zu dem Ergebnis: ». . . so kann mit aller Bestimmtheit gesagt werden, daß die Anrede Gottes mit Abba in der gesamten jüdischen Gebetsliteratur *ohne jede Analogie* ist . . . Während es in der jüdischen Gebetsliteratur keinen einzigen Beleg für die Anrede Gottes mit Abba gibt, hat Jesus Gott (mit Ausnahme des Kreuzesrufes Mk. 15,34 par.) immer so angeredet. Wir haben es also mit einem völlig *eindeutigen Kennzeichen der ipsissima vox Jesu* zu tun« (59). »Es war etwas Neues und Unerhörtes, daß Jesus es gewagt hat, diesen Schritt zu vollziehen. Er hat so mit Gott geredet, wie das Kind mit seinem Vater, so schlicht, so innig, so geborgen. Das Abba der Gottesanrede Jesu enthüllt das Herzstück seines Gottesverhältnisses« (63). Während Mi-

stimmt habe, gebe er wiederum an die Seinen weiter. Dieser Entsprechungsgedanke findet sich ähnlich auch bei Matthäus, aber in einem
anderen Zusammenhang: Ist es bei Lukas die Linie Gott - Jesus - Jesusjünger, also ein zweifacher Schritt, so bei Matthäus mit Menschensohn
- Jesusjünger nur ein, allein durch αὐτοί bedingter, einfacher.

Beide Evangelisten lassen zudem keinen Zweifel daran, daß Jesu Verheißung auf die eschatologische Zukunft Gottes bezogen ist, was bei Lukas
mit ἐν τῇ βασιλείᾳ μου, bei Matthäus mit ἐν τῇ παλιγγενεσίᾳ zum Ausdruck kommt. Lukas charakterisiert sie als Teilhabe am Mahl der Heilszeit (V. 30a) und als »Richten« des Zwölfstämmevolkes (V. 30b), Matthäus hingegen erwähnt nur letzteres, während ersteres fehlt. An dessen
Stelle bringt er die Aussage vom Menschensohn, der ἐν τῇ παλιγγενεσίᾳ
auf dem Thron seiner Herrlichkeit sitzen wird.

Welcher der Evangelisten steht näher beim Wortlaut der Q-Vorlage?
Der lukanische V. 29 enthält - sieht man vom bereits als redaktionell ausgeschiedenen κἀγώ einmal ab - keinerlei Hinweis auf die gestaltende
Hand des Lukas. Der die Entsprechung zwischen dem Vater und Jesus
(ausdrücklich nicht: und dem Sohn) einerseits und zwischen Jesus und
den Jüngern andererseits herstellende Terminus διατιθέναι (διατίθεμαι
bzw. διέθετο) ist in den Evangelien nur hier belegt. Zwar taucht er im
Neuen Testament noch an wenigen weiteren Stellen auf, jedoch jeweils
in anderer Bedeutung[414]. Vor allem ist die Verbindung mit βασιλείαν

chel und Fitzmyer die Ergebnisse Jeremias' bestätigen, möchte Feneberg nachweisen, daß
Abba zwar vox Jesu darstellt, jedoch nicht ipsissima vox, da bereits im Judentum vor Jesus
die Gottesanrede Abba »keineswegs unvorstellbar« (46), ja belegt sei. Feneberg nennt ei-
nige wenige Belege (TPs 89,27; TJon Mal 2,10 und mTaan III,8), jedoch solche, die auch
Jeremias behandelt, aber mit guten Gründen anders deutet (62f). Bei einer kritischen
Würdigung der vorgetragenen Argumente scheint mir zumindest dies sicher: Selbst wenn
Fenebergs Argumentation - die sehr polemisch vorgetragen wird und einen permanenten
Antijudaismus-Vorwurf beinhaltet (41-44.47f) - hinsichtlich eines entsprechenden Be-
legs aus der Literatur des antiken Judentums zu Recht erfolgte, was allerdings mehr als
fraglich erscheint, bleibt angesichts der Gottesanrede und vor allem der Gebetsanrede
Abba im Mund Jesu bei gleichzeitigem Sohnesbewußtsein (absolutes ὁ υἱός, vgl. dazu bes.
J. Jeremias, Abba, 47-54 und *ders.*, Theologie, 63-67 [zu Mt 11,27 par]) festzuhalten: Mit
אַבָּא bringt Jesus sein einzigartiges Gottesverhältnis zum Ausdruck, formuliert er die Antwort des Sohnes auf das »Ich werde ihm Vater sein, und er wird mir Sohn sein« (2Sam 7,14
par 1Chr 17,13) des Vaters. Meines Erachtens ist das dahinterstehende Selbstverständnis
das des messianischen Gesandten Gottes, der so seine unmittelbare Gottesnähe und zugleich seinen absoluten Gehorsam gegenüber dem ihn sendenden Gott (beides zeichnet
laut *W.H. Schmidt*, Art. Gott, 618f den Messias aus) artikuliert.

414   Außer in Lk 22,29 ist der Begriff noch in Apg 3,25; Hebr 8,10; 9,16.17 und 10,16
notiert. Dabei steht er in Apg 3,25; Hebr 8,10 und 10,16 für כָּרַת בְּרִית und beschreibt den
Bund, den Jahwe einst mit Israel schloß. In Hebr 9,16.17 wiederum geht es um eine testamentarische Verfügung, die im Todesfall wirksam wird. Das heißt: Nirgendwo sonst im
Neuen Testament ist der Ausdruck im Sinne einer autoritativen Verfügung belegt, die
Gott im Blick auf Jesus - und dieser entsprechend im Blick auf seine Jünger - in freier Entscheidung bestimmt hat. Zudem geht es keineswegs um den Tod Jesu oder der Jünger.

singulär. Lukas, der das Logion erst sekundär im Kontext des Todes Jesu überliefert, kann auch aus inhaltlichen Gründen für V. 29 nicht verantwortlich zeichnen. Das zeigt schon die Tatsache, daß die hier vorliegende Aussage – entgegen ihrem heutigen Textzusammenhang – von ihrem Wortlaut her jeden Gedanken an eine mit Jesu Tod zu verbindende testamentarische Verfügung ausschließt und darüber hinaus jeglicher ursprünglichen Beziehung zur Passion Jesu allgemein und zum Terminus διαθήκη in V. 20 speziell widersteht. Dies kann gar nicht anders sein, weil das διατιθέναι Jesu dem des Vaters völlig entspricht. Und so, wie nicht an Gottes Tod gedacht ist, so folglich auch nicht an den Tod Jesu[415]. Wie der Vater ihm aus freiem Entschluß heraus die Herrschaft bestimmte, per autoritativer Verfügung, so bestimmt nun Jesus, daß seine Jünger daran teilhaben sollen. Jeweils liegt eine anderweitig nicht begründbare souveräne Willensverfügung vor, die darauf abzielt – V. 30 expliziert lediglich, was in V. 29 implizit angelegt ist –, daß Jesus seine Jünger zu seinen Tischgenossen und Mitherrschern im Gottesreich erklärt[416]. Wird die Ursprünglichkeit des V. 29 zudem durch das matthäische αὐτοί gestützt, so ist auch die sachliche Übereinstimmung mit Lk 12,32, einem authentischen Jesuslogion[417], beachtlich.

Zum Grundbestand von Q gehört Lk 22,30b, die Verheißung der Partizipation am κρίνειν Jesu, eine Tatsache, die durch Matthäus bestätigt wird und kaum eigens betont werden muß. Anders ist die Sachlage hinsichtlich V. 30a, der Mahlverheißung, sowie der matthäischen Rede vom Sitzen des Menschensohns auf dem Thron seiner Herrlichkeit:
Die Mahlverheißung gilt in der Forschung zu Recht als lukanischer Eintrag in die V. 29.30b[418]. Während diese eine in sich einheitliche Aussage beinhalten, die in Mt 19,28b ihre sachliche Parallele hat, ist V. 30a erst aufgrund der heutigen Stellung des Logions im Kontext der Abendmahlsüberlieferung sekundär eingefügt worden, um beide Traditionen enger miteinander zu verknüpfen. Dabei ist es lukanische Intention zu betonen: Was sich im Abendmahl proleptisch vorwegereignete, findet

---

415   Vgl. *J. Behm*, Art. διατίθημι, 105 und *J. Ernst*, Lukas, 596.
416   Vgl. *J. Behm*, Art. διατίθημι, 105f und *J. Ernst*, Lukas, 597.
417   S. oben S. 39f, vgl. ferner *H. Schürmann*, Zeugnis, 83, Anm. 77, der im Blick auf Lk 12,32 von einer auch dort vorausgesetzten »Herrschaftsübertragung« spricht.
418   Vgl. etwa *W.G. Kümmel*, Kirchenbegriff, 31; *Ph. Vielhauer*, Gottesreich, 68, Anm. 55; *H.E. Tödt*, Menschensohn, 59; *C. Colpe*, Art. ὁ υἱὸς τοῦ ἀνθρώπου, 451 und *W. Grundmann*, Lukas, 403. Anders, unter Berufung auf Offb 3,20f, wo die Verbindung von Mahl und Herrschaft ebenso belegt ist, *J. Theisohn*, Richter, 167–174. Es ist jedoch zu beachten, daß Offb 3,20f als Weiterbildung von Lk 22,28–30 angesehen werden muß und daher zur Rekonstruktion des Wortbestands in Q nicht herangezogen werden sollte. *H. Schürmann*, Jesu Abschiedsrede, 45–50 wiederum spricht von einer zwar sekundären, jedoch bereits vorlukanischen Einfügung.

seine eigentliche Erfüllung erst in der vollendeten Gottesherrschaft. Daß Lukas für V. 30a in der Tat selbst verantwortlich ist, beweist schon die Kombination der Bilder »Thron« und »Mahl«, die im Judentum und bei Jesus auch sonst nicht zusammengehören und in ihren Aussagen nicht gleichzeitig durchführbar sind[419]; zu Recht fehlt die Mahlverheißung bei Matthäus. Für den redaktionellen Charakter des V. 30a spricht aber auch die stilistische Unebenheit im Anschluß des heutigen V. 30 an V. 29, der nicht mehr eindeutig erkennen läßt, ob βασιλείαν oder der folgende ἵνα-Satz als Objekt von διατίθεμαι bzw. διέθετο anzusehen ist. Vergleicht man mit Lk 12,32, war dies ursprünglich βασιλείαν, im heutigen lukanischen Verständnis jedoch der ἵνα-Satz, wodurch βασιλείαν letztlich überflüssig wirkt. Schließlich ist drittens eine formale Beobachtung zu nennen: Während das Verb καθήσεσθε in V. 30b futurisch verwandt wird, formuliert Lukas in V. 30a mit ἔσθητε καὶ πίνητε griechisch richtiger mit ἵνα und Konjunktiv[420]. D (Bezae Cantabrigiensis) hat diese kleine Unkorrektheit folgerichtig beseitigt und liest καθέζησθε, notiert also in Übereinstimmung mit V. 30a den Konjunktiv.

Nun ist bei alldem aber strikt zu beachten, daß der lukanische Eintrag keineswegs den gesamten V. 30a umfaßt, vielmehr ἐν τῇ βασιλείᾳ μου ausdrücklich nicht – ein Tatbestand, der in der bisherigen Forschung kaum Beachtung fand. Weil man nämlich den semitischen Hintergrund dieser Wendung nicht erkannte, konstatierte man eine widersprüchliche Verwendung des Terminus βασιλεία in V. 29 und V. 30a: Dieser sei in V. 29 im Sinne von auszuübender Herrschaft gebraucht, in V. 30a hingegen im Sinne eines Bereichs, zudem werde er dort – singulär in der Evangelientradition – als regnum Christi verstanden[421]. Doch erweist das semitische Original, das ἐν τῇ βασιλείᾳ μου zugrunde liegt, nämlich בְּמַלְכוּתִי, die Hinfälligkeit dieses angeblichen Widerspruchs. Denn wie die temporale Ausrichtung des gesamten Logions, das eine Verheißung im Blick auf die eschatologische Zukunft Gottes beinhaltet, zeigt, ist selbstverständlich auch ἐν τῇ βασιλείᾳ μου nicht plötzlich als lokale, sondern als temporale Aussage aufzufassen. So kann בְּמַלְכוּתִי sachgemäß übersetzt nur lauten: »wenn ich König sein werde«[422], wenn ich verherrlicht, d.h. als Messias inthronisiert bin[423].

Aber nicht nur deshalb, weil mit ἐν τῇ βασιλείᾳ μου ein Semitismus vorliegt, kann Lukas die Wendung nicht einfach redaktionell in seine Q-Vorlage eingetragen haben, sondern auch darum nicht, weil die matthäische

419 Vgl. *S. Schulz*, Q, 332 und *I. Broer*, Israel, 150.
420 Vgl. *H. Schürmann*, Jesu Abschiedsrede, 45 und *C. Colpe*, Art. ὁ υἱὸς τοῦ ἀνθρώπου, 451.
421 Vgl. *S. Schulz*, Q, 332 und *W. Grundmann*, Lukas, 403f.
422 *J. Jeremias*, Theologie, 101, Anm. 8.
423 Zu diesem Semitismus s. bereits oben S. 106 und unten S. 350.

Parallele ἐν τῇ παλιγγενεσίᾳ zeigt, daß wenigstens eine von beiden Formulierungen dort bereits verankert war, wobei nur die lukanische in Frage kommt. Denn im direkten Vergleich beider erweist sich der für den hellenistischen Sprachraum typische matthäische Ausdruck[424], für den ein aramäisches oder hebräisches Äquivalent bislang nicht nachweisbar ist[425], als sekundär[426]. Bei Matthäus bezeichnet παλιγγενεσία, wörtlich »Wieder-Entstehung«, das neu konstituierte, das wiedergeborene Zwölfstämmevolk[427]. Er beschreibt damit dieselbe eschatologische Situation wie Lukas mit ἐν τῇ βασιλείᾳ μου: die Zeit im Anschluß an die Inthronisation des Messias, der dann die Sammlung des messianischen Zwölfstämmevolkes bewirkt[428].

Einzig die bei Matthäus überschüssige Aussage vom Sitzen des Menschensohns auf dem Thron seiner Herrlichkeit bleibt jetzt noch auf ihre hypothetische Ursprünglichkeit hin zu überprüfen. Sie stammt aus der Feder des Evangelisten[429]. Matthäus verwandte die ihm geläufige Wendung, die in äthHen 51,3; 61,8 und 62,2 ihren Ursprung hat[430], bereits in Mt 25,31 redaktionell[431]. Der mögliche Einwand, Matthäus habe sie in 19,28 vorgefunden und von daher auch in 25,31 übernommen, überzeugt keineswegs. Von der lukanischen Fassung her deutet nämlich nichts darauf hin, daß das Logion ursprünglich ein Menschensohnwort gewesen sein könnte. Zugleich läßt sich die sekundäre Einfügung dieses Satzes leicht erklären, denn Matthäus konnte ohne weiteres per Stichwortverbindung ad vocem καθίζειν ἐπὶ θρόνου an den vorgegebenen Wortlaut anknüpfen[432]. Indem Matthäus den in Q notierten lukanischen V. 29 durch den auf dem Thron seiner Herrlichkeit sitzenden Menschensohn ersetzte, blieb der Entsprechungsgedanke aus Lk 22,29, nach dem die Jünger an der zukünftigen Funktion Jesu partizipieren, erhalten, nur haben sie jetzt teil am Amt des Menschensohns. Daß Matthäus sowieso eine Vorliebe für den Terminus Menschensohn hat und ihn auch an anderer Stelle sekundär in ihm vorliegende Tradition einträgt, beweisen neben Mt 25,31 noch 16,28 und 24,30a; desgleichen verfügt er über die Konjunk

424 Vgl. die umfassende Materialsammlung bei *J. Dey*, ΠΑΛΙΓΓΕΝΕΣΙΑ, 3–131.
425 Vgl. *G. Dalman*, Worte Jesu, 145; *Ph. Vielhauer*, Gottesreich, 68; *J. Roloff*, Apostolat, 149 und *J. Theisohn*, Richter, 165.
426 Vgl. *E. Lohmeyer*, Matthäus, 289; *C. Colpe*, Art. ὁ υἱὸς τοῦ ἀνθρώπου, 450; *A. Vögtle*, Das Neue Testament, 164; *W. Grundmann*, Matthäus, 435; *E. Schweizer*, Matthäus, 252 und *J. Theisohn*, Richter, 165.172–174.
427 Vgl. *A. Vögtle*, Das Neue Testament, 165 und *E. Schweizer*, Matthäus, 252.
428 S. oben S. 112f.116–118.134–140 und unten S. 148–151.362–365.
429 Vgl. *H. Schürmann*, Jesu Abschiedsrede, 43f; *C. Colpe*, Art. ὁ υἱὸς τοῦ ἀνθρώπου, 451; *A. Vögtle*, Das Neue Testament, 161; *E. Schweizer*, Matthäus, 252; *J. Theisohn*, Richter, 167f.174.181f; *I. Broer*, Israel, 152.165 und *J. Friedrich*, Gott, 65f.134.
430 Vgl. *J. Theisohn*, Richter, 152–182, ferner *J. Friedrich*, Gott, 124–137.
431 S. oben S. 47 mit Anm. 33.
432 Vgl. *J. Theisohn*, Richter, 167.

tion ὅταν gern redaktionell[433]. Das letztlich entscheidende Argument gegen die Originalität der besagten Wendung ist nun aber mit dem matthäischen Verständnis des Logions insgesamt gegeben, das den Eintrag überhaupt erst ermöglichte. Dieser zeigt umgekehrt um so eindrücklicher, wie Mt 19,28 vom Evangelisten selbst verstanden werden möchte. Während nach der ursprünglichen Intention des Logions, wie sie auch bei Lukas begegnet, zwar vom »richten« der zwölf Stämme Israels die Rede ist, dies aber entsprechend dem semitischen Terminus שׁפט im Sinne von »herrschen«, »regieren« – den Jüngern wird die Mitregentschaft in der vollendeten Gottesherrschaft verheißen[434] –, ist dieser Gedanke bei Matthäus in einseitiger Verengung aufgenommen und sekundär auf das Endgericht bezogen: Der Thron des Menschensohns ist der Gerichtsthron, die Zwölf sind die Beisitzer des Gerichts, das der Menschensohn zu Beginn des neuen Äons vollzieht[435]. Wie schon in Mt 13,41; 16,27 und 25,31 – und gemäß der Intention der Bilderreden des äthiopischen Henochbuches, das vom Menschensohn als dem Endzeitrichter spricht – erscheint der Menschensohn auch hier als Richter, der die Seinen mit der Teilhabe an diesem Amt belohnt. Damit greift Matthäus traditionsgeschichtlich auf die jüdische Vorstellung vom Gericht der Gerechten zurück[436], stellt sie jedoch in Auseinandersetzung mit dem exklusiven Erwählungsanspruch Israels auf den Kopf. Denn wenn es jetzt heißt, daß die Jünger die zwölf Stämme Israels richten werden, dann nehmen bei ihm die Jünger die Rolle ein, die in der jüdischen Tradition den Ältesten Israels beim Gericht über die Heidenvölker zugedacht war[437]. Matthäus betont damit: Die wahrhaft Erwählten sind die Christen und nicht die Juden, auch wenn sie dies glauben; in Wahrheit verfallen sie dem Gericht Gottes ebenso wie die gottlosen Heiden. Wie in Mt 25,31 erweist sich also auch hier die Rede vom Sitzen des Menschensohns auf dem Thron seiner Herrlichkeit als matthäisch-redaktioneller Eintrag in die vorgegebene Tradition, für die sich nach alldem der folgende ursprüngliche Wortbestand ergibt:

ὑμεῖς οἱ ἀκολουθήσαντές μοι,
διατίθεμαι ὑμῖν καθὼς διέτετό μοι ὁ πατήρ μου βασιλείαν,
ἐν τῇ βασιλείᾳ μου
καὶ καθήσεσθε ἐπὶ δώδεκα θρόνων
κρίνοντες τὰς δώδεκα φυλὰς τοῦ Ἰσραήλ.

---

433 Vgl. E. *Schweizer*, Menschensohn, 60, Anm. 16 und H. *Schürmann*, Jesu Abschiedsrede, 43f.

434 S. oben S. 106–108.110f und unten S. 148–151.363f.

435 Vgl. T.W. *Manson*, Sayings, 217; A. *Vögtle*, Das Neue Testament, 160; J. *Jeremias*, Theologie, 259 und I. *Broer*, Israel, 165.

436 Zu dieser Vorstellung vgl. die knappe Zusammenfassung ebd., 155–157; dort findet man neben zahlreichen Belegen auch weiterführende Literatur.

437 Vgl. Chr. *Maurer*, Art. φυλή, 244 (mit Hinweis auf die entsprechenden Belege bei *Bill.* IV/2, 1103f).

Ihr, die ihr mir nachgefolgt seid –
für euch verfüge ich, wie mein Vater für mich verfügt hat, (die Königs-)Herrschaft:
[= an euch delegiere ich die Königsherrschaft, wie sie mein Vater an mich delegiert hat:]
Wenn ich König bin [= als Messias inthronisiert bin],
werdet auch ihr auf zwölf Thronen sitzen
und die zwölf Stämme Israels (mit)regieren.

Geht das Logion auf Jesus selbst zurück? Zumindest ist offenkundig, daß es auf ein zugrundeliegendes semitisches Original verweist, wie angesichts des Fehlens von Gräzismen seine Semitismen, der konstruktionslos vorangestellte Kasus[438] und das temporal zu fassende ἐν τῇ βασιλείᾳ μου / בְּמַלְכוּתִי[439], zeigen. Ebenso ist das vorliegende Gedankengut zutiefst jüdisch: Die Delegation der Königsherrschaft von Gott über Jesus an die Jünger setzt das jüdische Botendenken voraus[440], die Vorstellung von der Teilhabe der Zwölf an der Regierungtätigkeit des Messias ist eine modifizierende Variante der Konzeption des Gerichts der Gerechten, dazu ist die Rede vom zukünftigen Zwölfstämmevolk in der jüdischen Eschatologie verankert[441] und auch dort eng mit der messianischen Erwartung verknüpft[442].

Gegen die Authentie des Logions werden drei Einwände geltend gemacht: Man verweist erstens auf den angeblichen Widerspruch zu Mk 10,35–40 par[443], betont zweitens, der Zwölferkreis stelle eine nachösterliche Konstruktion der urchristlichen Theologie dar, weshalb Lk 22,28–30 par notwendig als Gemeindebildung anzusehen sei[444], und behauptet drittens, die Vorstellung von den Zwölfen als den Repräsentanten des wahren Israel, das sogleich mit der Kirche in eins gesetzt wird, habe sich erst nach Ostern herausgebildet[445].
Doch ist gerade Mk 10,35–40 nicht als Widerspruch, sondern als Stütze für die Authentie von Lk 22,30a*.b anzusehen. Denn der Einwand, der dagegen geltend gemacht wird, bezieht sich ausschließlich auf V. 40, wo davon die Rede ist, daß nur Gott selbst Ehrenplätze zu vergeben habe. Genau dieser erwies sich aber als sekundäre Erweiterung der auf histori-

---

438   Zu diesem Semitismus vgl. *F. Blass / A. Debrunner / F. Rehkopf*, Grammatik, § 466 und *J. Theisohn*, Richter, 164.
439   S. oben S. 145.
440   Zum jüdischen Botendenken s. oben S. 208–210.
441   Vgl. *Chr. Maurer*, Art. φυλή, 242–245 und die rabbinische Belege bei *Bill.* IV/2, 902–910.
442   Vgl. nur PsSal 17,42; 1QM 5,1f und 4Esr 13,12f.39–49. Ohne sein Volk ist der Messias im Grunde nicht vorstellbar (vgl. *O. Betz*, Die heilsgeschichtliche Rolle Israels, 6).
443   Vgl. *H.E. Tödt*, Menschensohn, 59.
444   Vgl. etwa *Ph. Vielhauer*, Gottesreich, 68–71; *G. Schille*, Kollegialmission, 111–148 und *W. Simonis*, Jesus, 61–65.
445   Vgl. *H.E. Tödt*, Menschensohn, 58 und *J. Theisohn*, Richter, 257, Anm. 51.

scher Erinnerung beruhenden Szene Mk 10,35-39. V. 40 hat die
Funktion, V. 37, der seinerseits Lk 22,30a*.b voraussetzt und dort anknüpft, in seiner Erwartung als falsch hinzustellen und im Sinne der nachösterlichen Auffassung zu korrigieren[446]. Mk 10,40 zeigt damit beispielhaft, daß mit Lk 22,30a*.b und Mk 10,37 keine urchristlichen Bildungen
vorliegen.

Das Vorurteil betreffs des Zwölferkreises als einer nachösterlichen Konstruktion sollte nach zahlreichen neueren Arbeiten zu diesem Thema als
erledigt gelten[447]. Mit den Zwölf berief Jesus »den Kreis der Repräsentanten des Zwölfstämmevolkes der Endzeit«[448], das zu sammeln er sich
von Gott gesandt wußte, denn genau dies war, wie deutlich wurde, sein
messianischer Auftrag.

Jenes Zwölfstämmevolk mit der christlichen Kirche gleichzusetzen beruht jedoch auf einem groben Mißverständnis. Zwar ist im Neuen Testament von der Kirche auch als dem wahren Israel die Rede, in Jak 1,1;
Offb 7,4-9 und 14,1-5 sogar als dem Zwölfstämmevolk, dennoch ist von
hierher eine hypothetische Ableitung der Aussage Lk 22,30a*.b aus der
Theologie der Urkirche nicht möglich. Zum einen geht es entsprechend
der alten jüdischen Erwartung der eschatologischen Sammlung der zwölf
Stämme Israels unter Einschluß der zehn verschollenen nicht im übertragenen Sinn um die Kirche, sondern in der Tat - wie in Apg 26,7 - um »die
wirklichen zwölf Stämme, also Gesamtisrael in seiner eschatologischen
Gestalt«[449]. Zum anderen liegt mit Lk 22,30a*.b eine Vorstellung vor,
die in der urchristlichen Theologie nirgendwo belegt ist: Diese weiß zwar
um die Tatsache, daß die ἐκκλησία auf den Aposteln gründet und ruht[450],
niemals aber sind sie als Herrscher oder Richter der Kirche gedacht, erst
recht nicht dann, wie Lk 22,30a*.b voraussetzt, wenn Jesus als Messias inthronisiert ist, d.h. in der vollendeten Gottesherrschaft. In der Sicht der
nachösterlichen Gemeinde »herrschen« nicht die Zwölf über die übrigen
Glaubenden, vielmehr sind es die Glaubenden insgesamt, die jetzt nicht

---

446 S. oben S. 107f.
447 Vgl. vor allem *J. Roloff*, Apostolat, 138-168, bes. 138-150.158-161; *H. Schür-
mann*, Jüngerkreis, 45-60; *J. Jeremias*, Theologie, 224-226; *F. Neugebauer*, Jesus, 10f;
H. Merklein, Jüngerkreis, 65f.91-96; *L. Goppelt*, Theologie, 257-260; *R. Pesch*, Markus
I, 202-209; *J. Gnilka*, Markus I, 141-143; *W. Trilling*, Entstehung, 201-213; *S. Ruager*,
Reich Gottes, 176-188; *R. Riesner*, Jesus, 483-486; *G. Lohfink*, Jesus, 19-22 und *H.-J.
Klauck*, Judas, 33-38(-40), ferner *K.H. Rengstorf*, Art. δώδεκα, 325f; *G. Bornkamm*,
Jesus, 138; *M. Hengel*, Nachfolge, 76; *E. Schweizer*, Markus, 71f; *H. Merklein*, Jünger-
kreis, 65f.91-96; *W. Grundmann*, Markus, 104-106 und *D. Lührmann*, Markus, 70f.
448 *J. Jeremias*, Theologie, 224.
449 *I. Broer*, Israel, 159, vgl. ferner *J. Dupont*, Logion, 371, Anm. 1; *W.G. Kümmel*,
Verheißung, 41; *N.A. Dahl*, Volk Gottes, 158; *W. Grundmann*, Matthäus, 435; *ders.*, Lukas, 405 und *E. Schweizer*, Matthäus, 252. Anders *H.E. Tödt*, Menschensohn, 58 und *J.
Theisohn*, Richter, 257, Anm. 51.
450 Vgl. nur Mt 16,18; 18,18; Joh 20,23 und Offb 21,13f.

die Kirche, also sich selbst, sondern die Ungläubigen »richten«; so in
1Kor 6,2 und Offb 3,21, wo Lk 22,30a*.b gleichsam ›verchristlicht‹ worden ist. Damit wurde Lk 22,30a*.b in der Urkirche nicht nur ›demokratisiert‹ und auf alle Glaubenden ausgeweitet, sondern vor allem auch inhaltlich uminterpretiert, denn aus einer Herrschaftsverheißung ist eine
Gerichtsansage geworden. Sprachlich wurde diese Neuinterpretation
möglich aufgrund der Doppeldeutigkeit des κρίνειν zugrundeliegenden
semitischen Äquivalents שפט, das sowohl »herrschen« als auch »richten«
bedeuten kann[451]. Inhaltlich erfolgte sie unter dem Einfluß der jüdischen
Vorstellung vom Gericht der Gerechten: Jesus als der Gerechte schlechthin partizipiert am Gerichtshandeln Gottes und überträgt sein Richter-
amt auch auf die, die »in Christus« sind. Die Glaubenden »herrschen«
deshalb nicht über die Ungläubigen, sondern »richten« sie; allein dieser
Gedanke hat in der Theologie der Urkirche seinen Platz, wie schon die
Umdeutung von Lk 22,30a*.b in Mt 19,28 beweist.

Resümierend bleibt damit festzuhalten, daß mit dem ursprünglichen
Wortlaut von Lk 22,28–30 par eine im gesamten Neuen Testament singuläre Verheißung an die zwölf Jünger vorliegt, die nicht nur nicht aus der
Theologie des Urchristentums abgeleitet werden kann, sondern ihr sogar
entgegensteht[452]. So redet nur Jesus selbst, und die inhaltliche Aussage
des Logions bestätigt dies. Von Anfang an hatte Jesus die Zwölf im Blick
auf sein messianisches Amt, die Sammlung des eschatologischen Gottesvolkes, berufen. So beteiligt er sie zunächst an seiner Verkündigung[453],
zugleich aber auch, wie Lk 22,30a*.b zeigt, an seiner Herrscherfunktion
im Anschluß an seine messianische Inthronisation.
Daß der historische Jesus zu Wort kommt, beweist ebenso die partikulari-
stische Ausrichtung des Logions allein auf Israel. Gewiß zielt es auf die
Vollzahl der zwölf Stämme und setzt die Restitution Israels in seiner Gesamtheit voraus, aber eben nur Israels. Jesus erwartete in der Tat einerseits die Umkehr ganz Israels[454] und wußte sich als Messias andererseits

451 S. unten S. 363f.
452 Lukas hingegen, der das Logion im Anschluß an die Frage des Dienens und Herrschens (Lk 22,24–27) einordnet, beweist damit, daß er es gemäß seinem ursprünglichen
Sinn als Verheißung der messianischen »Herrschaft« verstand. Auch sein Einschub V.
30a, der Hinweis auf das Mahl der Gottesherrschaft, zeigt, daß er in V. 30b die Teilhabe an
der Regierung des inthronisierten Messias voraussetzt, denn »Gericht« und »Mahl« passen nicht zusammen, wohl aber die messianische »Regierung« und das messianische
»Freudenmahl«.
453 S. unten S. 231. Zur Überlieferung von der Aussendung der Jünger in Mk 6,7–13
par und in Mt 9,37 – 10,1.5–16 par Lk 10,1–12 insgesamt vgl. *F. Hahn,* Verständnis der
Mission, 33–36; *P. Hoffmann,* Lk 10,5–11, 37–53; *M. Hengel,* Nachfolge, 82–89; *J.
Jeremias,* Theologie, 225–231 und *R. Riesner,* Jesus, 453f.
454 Vgl. *J. Jeremias,* Gedanke, 129f.131; *O. Betz,* Die heilsgeschichtliche Rolle
Israels, 5f; *G. Lohfink,* Jesus, 19–22 und *F. Mußner,* Kraft, 116–119.

nur zu Israel und nicht zu den Heidenvölkern gesandt[455]. Zwar schloß er auch letztere keineswegs vom eschatologischen Heil aus, dies jedoch dergestalt, daß er ihre Eingliederung ins messianische Zwölfstämmevolk im Rahmen der eschatologischen Völkerwallfahrt zum Zion erwartete, womit die mit Gottes Erwählung gesetzte Priorität Israels unangetastet blieb[456]. Eine christliche Kirche hingegen, die im Sinne der sekundären Bildung Mt 8,12 par[457] an die Stelle Israels treten würde, hatte Jesus nicht im Blick.

Schließlich wird die Authentie des Logions dadurch bestätigt, daß ausdrücklich *zwölf* Jünger vorausgesetzt sind, die an der messianischen Herrschaft des Inthronisierten beteiligt sein werden, und nicht deren elf. Der ›Verrat‹ des Judas – und damit sein ›Selbstausschluß‹ aus dem Jüngerkreis – stand im ursprünglichen Jesuslogion mit keinem Wort zur Debatte. Er wurde erst durch die lukanische Erweiterung des V. 28 und die gleichzeitige Tilgung des δώδεκα vor θρόνων in V. 30b hineininterpretiert, nachdem Lukas die Verheißung an die Zwölf sekundär in den Kontext der Passion Jesu eingebunden hatte. Läge hingegen insgesamt eine urchristliche Bildung vor, wäre dieser Sachverhalt von vornherein berücksichtigt worden.

Das Logion gibt sich daher nicht nur als ein Wort des historischen Jesus zu erkennen, es stammt sogar aus jener Zeit der Wirksamkeit Jesu, in der ein späterer ›Verrat‹ durch einen seiner erwählten Nachfolger keineswegs im Blickfeld Jesu lag[458]. Man wird sogar noch einen Schritt weitergehen müssen. Nicht nur der ›Judasverrat‹ stand Jesus bei der Formulierung dieser Verheißung an die Zwölf noch nicht vor Augen, sondern ebensowenig sein gewaltsamer Tod überhaupt, wie sich bereits aus der Exegese von Lk 22,29 ergab. Somit gehört Lk 22,28-30 par nach seinem ursprünglichen Wortbestand zu den Jesuslogien, die die messianische Inthronisation Jesu als unmittelbare Folge seiner Wirksamkeit als Messias designatus voraussetzen, ohne mit der Möglichkeit eines vorausgehenden gewaltsamen Todes zu rechnen[459].

455 S. oben Anm. 399.
456 S. oben S. 135-140.
457 S. oben S. 115f.118.
458 So bereits *T.W. Manson*, Ministry, 50, Anm. 1 und *J. Jeremias*, Abendmahlsworte, 94, Anm. 3.
459 Eine Zusammenstellung dieser Logien erfolgte oben S. 126f. Im einzelnen s. oben S. (62f.)69f.96f.106f.110.112-114.116-122.125f.144.151 und unten S. 194[26]. 234-244.340.

IX.   Mt 10,32–33 par Lk 12,8–9 (par Mk 8,38 par)

Die überwiegende Mehrzahl der Exegeten erkennt aufgrund der ›Differenzierung‹ zwischen Jesus und dem Menschensohn in Lk 12,8f die älteste Fassung dieses breit bezeugten Logions[460], während Mt 10,32f ὁ υἱὸς τοῦ ἀνθρώπου sekundär durch ἐγώ ersetzt habe, um an der Identität Jesu mit dem Menschensohn keine Zweifel aufkommen zu lassen. Mk 8,38 par wiederum enthalte zwar nur den zweiten Teil des ursprünglichen Doppellogions, dieser stelle jedoch eine – sicherlich vormarkinische, dennoch aber jüngere – Ausgestaltung von Mt 10,33 par Lk 12,9 unter Verwendung apokalyptischer Motive dar.

Sosehr diese These im Blick auf Mk 8,38 par zu Recht besteht[461], so unsicher ist sie bezüglich der behaupteten Priorität von Lk 12,8f gegenüber Mt 10,32f. Denn wie sich zeigen läßt, haben sowohl Matthäus als auch Lukas ihre Vorlage redaktionell bearbeitet, und trotz Rudolf Peschs ausführlicher Untersuchung[462] sind hier nach wie vor manche Fragen offen.

Lediglich der ursprüngliche Wortlaut der Vordersätze des Doppelspruchs läßt sich eindeutig rekonstruieren, wie Pesch zeigen konnte. Sie lauten bei (wahrscheinlich) voranstehender Einleitungsformel ἀμὴν λέγω ὑμῖν[463]:

πᾶς ὃς ἂν ὁμολογήσῃ ἐν ἐμοὶ ἔμπροσθεν τῶν ἀνθρώπων …

ὃς δ᾽ ἂν ἀρνήσηταί με ἔμπροσθεν τῶν ἀνθρώπων[464].

Die Problematik der Nachsätze bleibt jedoch weiterhin mit vielen Fragezeichen versehen und ist letztlich ungelöst.

Die beiden lukanischen Nachsätze entsprechen einander nicht. Im ersten ist vom Menschensohn die Rede, der sich vor den Engeln Gottes zum Bekenner Jesu bekennt, im zweiten wird bei fehlendem direktem Subjekt in passivischer Wendung gesagt, daß der Verleugner Jesu vor den Engeln Gottes verleugnet werde. Hat Lukas eine ursprünglich parallel formulierte Aussage nachträglich zerstört? Es kann zwar nicht gänzlich ausge-

---

460   In einer Fassung in der ersten Person Singular: Mt 10,32f; 2Tim 2,12; Offb 3,5; IgnSm 10,2; 2Clem 3,2 und JohEvApocr 30,2 (ed. G. Galbiati, zitiert nach *R. Pesch*, Autorität, 26, Anm. 3): »Omnis qui in me crediderit coram hominibus, confitebor et eum in conspectu Patris mei et Angelorum meorum, qui autem me abnegavit coram hominibus, abnegabo eum in conspectu Patris mei et Angelorum meorum«, in einer Fassung mit »Menschensohn«: Lk 12,8f und Mk 8,38 par.

461   Vgl. *M. Horstmann*, Studien, 43–54. Zwar vertrat *W. G. Kümmel*, Verhalten, 216–219 überraschend wieder die Priorität von Mk 8,38, wurde jedoch widerlegt durch *R. Pesch*, Autorität, 35–39. Für jeweils eigenständige und voneinander unabhängige Überlieferung plädieren *R. Riesner*, Jesus, 345–347 und *G. Schwarz*, Menschensohn, 241f.

462   Vgl. *R. Pesch*, Autorität, 25–55.

463   Vgl. ebd., 30–35.

464   Vgl. ebd., 27–29.

schlossen werden, daß er selbst »Menschensohn« sekundär eintrug[465], doch ist dies andererseits nur schwer nachvollziehbar, da V. 10 vermutlich per Stichwortverbindung ad vocem Menschensohn hinter Lk 12,8f zu stehen kam. Ebensowenig darf man jedoch von V. 9 als einer variierenden Abkürzung gegenüber V. 8 sprechen[466], für die man dann auch noch Lukas verantwortlich machen will[467]. Erstens hätte Lukas damit den Sinn des V. 9 nachträglich verdunkelt, zweitens wirkt seine Formulierung gerade ursprünglicher, da semitischer[468], denn das vorliegende Passivum divinum ἀπαρνηθήσεται umschreibt ein Handeln Gottes und bezeichnet Gott als den, der den Verleugner Jesu verleugnet. Der Hinweis, Lukas habe in V. 9 im Blick auf die V. 8 und 10 ein allzu häufiges Vorkommen des Terminus Menschensohn vermeiden wollen und deshalb von sich aus eine Abwechslung herbeigeführt[469], wirkt demgegenüber gekünstelt und unhaltbar – dies erst recht, da der faktische Wortlaut des V. 9 (Wer Jesus verleugnet, den wird Gott verleugnen) noch stärker in Spannung steht zu V. 10 (Wer etwas gegen den Menschensohn sagt, dem wird Gott vergeben) als der des angeblich ursprünglichen V. 9 (Wer Jesus verleugnet, den wird der Menschensohn verleugnen)[470]. Die vorlukanische Tradition sprach somit in V. 8 vom Menschensohn, in V. 9 hingegen im Passivum divinum umschreibend von Gott[471].

Bezüglich der Nachsätze in Mt 10,32f ist die Beobachtung, Matthäus habe nie ein vorgegebenes »Menschensohn« durch eine Formulierung in

---

465 Es besteht die hypothetische Möglichkeit, daß Lukas den Terminus Menschensohn aus Apg 7,55f übernahm. Dort geht es um das Bekenntnis des Stephanus vor Menschen, das ihm sodann im Himmel vom Menschensohn vergolten wird, der sich bereits erhoben hat, um seinen treuen Zeugen zu empfangen. Für eine sekundäre Einfügung plädiert *R. Kearns*, Traditionsgefüge, 13f, Anm. 17.

466 So *W.G. Kümmel*, Verheißung, 38, Anm. 86.

467 Vgl. zuletzt wieder *R. Pesch*, Autorität, 29f. Auf lukanische Redaktion verweist allenfalls ἐνώπιον anstelle von ἔμπροσθεν.

468 Vgl. *Ph. Vielhauer*, Gottesreich, 77.

469 Vgl. *M. Horstmann*, Studien, 43.

470 Vgl. *A.J.B. Higgins*, Menschensohn, 118.

471 Wer gegen dieses Ergebnis Mk 8,38 par als Beweis dafür geltend macht, daß im Verleugnerspruch »Menschensohn« ursprünglich sei (so etwa *H. Schürmann*, Lukas I, 548f und *R. Pesch*, Autorität, 30), schießt zu kurz: Erstens darf man nicht einfach von jüngeren Texten auf ältere schließen; erst recht nicht in diesem Fall. Da nämlich die markinische Tradition eine ältere Fassung des Logions unter dem Einfluß von Dan 7,13f immer stärker apokalyptisch ausschmückt (vgl. *H.E. Tödt*, Menschensohn, 40f; *W. Grundmann*, Markus, 230f; *R. Pesch*, Markus II, 65 und *J. Gnilka*, Markus II, 26), überrascht es keinesfalls, daß in dem isolierten Verleugnerspruch jetzt auch der Menschensohn auftaucht, obwohl er dort ursprünglich nicht stand. Denn hier ist der wiederkommende Jesus mit dem danielischen Menschensohn identifiziert. Zweitens wäre mit gleichem Recht auf 2Tim 2,12; Offb 3,5; IgnSm 10,2; 2Clem 3,2 und JohEvApocr 30,2 zu verweisen, wo das Logion ebenso aufgegriffen, »Menschensohn« aber gerade nicht belegt ist (vgl. *A.J.B. Higgins*, Menschensohn, 118–120).

der ersten Person Singular ersetzt[472], nach wie vor gültig[473], so daß er selbst – trotz des matthäisch-redaktionellen τοῦ πατρός μου τοῦ ἐν τοῖς οὐρανοῖς anstelle von τῶν ἀγγέλων τοῦ θεοῦ[474] – für ein sekundäres »Ich« nicht verantwortlich zeichnet. Speziell in Mt 10,32f wäre dies um so weniger einsichtig, als der Evangelist den Doppelspruch nicht unter Absehung, sondern ausdrücklich im Licht von Mt 10,23 lesen konnte, wo er vom Menschensohn handelt. Insofern wäre es verständlich, wenn Matthäus den Terminus auch in V. 32f eingetragen hätte, eine sekundäre Streichung hingegen erscheint kaum denkbar. Mit anderen Worten: Matthäus fand die Formulierung in der ersten Person – ohne »Menschensohn« – bereits in seiner ihm vorliegenden Tradition vor und übernahm sie von dort.

Unter diesen Umständen kann man nicht umhin, für Mt 10,32f und Lk 12,8f jeweils verschiedene Vorlagen anzunehmen. Es war eine Fassung mit »ich«, eine andere mit »Menschensohn« im Umlauf; beide fanden Eingang ins Neue Testament.

Nach den bisherigen Arbeitsergebnissen ist es nun aber methodisch nicht zulässig, von vornherein der lukanischen Fassung den Vorzug zu geben, nur weil diese angeblich so stark zwischen Jesus und dem Menschensohn differenziert, daß man seit Rudolf Bultmann im Menschensohn immer wieder eine von Jesus zu unterscheidende Gestalt zu erkennen meinte[475]. Im Gegenteil wurde nicht ein einziges Menschensohnlogion jemals anders verstanden als im Sinne der Identität Jesu mit dem Menschensohn, wie ich noch ausführlicher zeigen werde[476]. Gerade die Logien, in denen die postulierte Unterscheidung am stärksten zutage tritt, indem wie in Lk 12,8 das »Ich« Jesu unmittelbar neben »Menschensohn« steht, Mt 19,28 und Mk 8,38 par, gaben sich außerdem als sekundäre Bildungen zu erkennen[477], so daß die Hypothese, der Menschensohn sei ein anderer als Jesus, von hierher erst recht als falsch nachgewiesen wird. Folglich war es überhaupt nicht nötig, »Menschensohn« durch »ich« zu ersetzen, denn warum sollte man einem Mißverständnis vorbeugen wollen, das es in Wahrheit gar nicht gab. Die formale Struktur von Lk 12,8 als solche ist von daher weder Indiz für ein hohes Alter noch für die Priorität gegenüber der matthäischen

---

472　Vgl. *J. Jeremias*, Älteste Schicht, 168–170 und *C. Colpe*, Art. ὁ υἱὸς τοῦ ἀνθρώπου, 444, Anm. 297. Zur Scheinausnahme Mt 16,21 diff Mk 8,31 und zu Mt 5,11f diff Lk 6,22f (die lukanische Fassung mit »Menschensohn« ist sekundär) s. unten S. 212f.

473　Ohne daß damit *J. Jeremias'* These übernommen wird, die Fassung eines Logions in der ersten Person Singular habe in der Evangelientradition *immer* Priorität vor der Parallelfassung mit »Menschensohn«.

474　Die Redeweise »Vater in den Himmeln« stellt eine matthäische Vorzugswendung dar. In den Evangelien ist sie bei Lukas und Johannes nie, bei Markus lediglich 1mal, bei Matthäus jedoch 13mal belegt.

475　Vgl. etwa *R. Bultmann*, Geschichte, 117; *H.E. Tödt*, Menschensohn, 52f; *F. Hahn*, Hoheitstitel, 33.35 und *H. Schürmann*, Lukas I, 549.

476　S. unten S. 159–164.

477　Für die beiden Belege, die man zusätzlich anführen könnte, ergibt sich das gleiche Urteil: für Mk 13,26 par insgesamt (s. unten S. 165–167, in Mt 10,23 für die Wendung ἕως ἂν ἔλθῃ ὁ υἱὸς τοῦ ἀνθρώπου (s. unten S. 168, vgl. zudem ausführlich *V. Hampel*, Ihr werdet, 4–8.15–18).

Parallele ohne »Menschensohn«. Es kann also keiner der voneinander abweichenden Fassungen a priori größere Nähe zu ihrer gemeinsamen (jesuanischen) Wurzel zugestanden werden.

Nun ist es aber aus inhaltlichen Gründen höchst fraglich, ja meines Erachtens nicht möglich, daß bereits Jesus selbst in Lk 12,8 vom Menschensohn sprach:

Bisher erwies sich »Menschensohn« gerade als Bezeichnung des *irdischen Jesus*, der mit diesem Rätselwort seine noch verhüllte Messianität zum Ausdruck brachte. In Lk 12,8 hingegen *wird* er erst zum Menschensohn, der er in der Gegenwart anscheinend noch nicht ist. Hier ist der Menschensohn eine *futurische Größe*, in die Jesus mit dem Einbruch der eschatologischen Wende verwandelt wird[478], während in der Erwartung Jesu der Menschensohn, nämlich er selbst als der noch verborgene Messias designatus, dann als offenbarer Messias von Gott inthronisiert wird. Als solcher ist er gerade nicht mehr Menschensohn, sondern Messias ἐν δυνάμει[479]. Das Menschensohnverständnis, das in Lk 12,8 zutage tritt, ist also grundsätzlich unterschieden vom Verständnis Jesu selbst und geht deshalb nicht auf den historischen Jesus zurück[480].

---

478   Vgl. *O. Michel*, Art. υἱὸς τοῦ ἀνθρώπου, 1161 und *B. Lindars*, Re-Enter, 61f.72.

479   Nicht umsonst fehlt der Terminus Menschensohn als Bezeichnung des erhöhten Christus außerhalb der Jesusüberlieferung im gesamten übrigen Neuen Testament nahezu durchweg. Lediglich in Apg 7,55f wurde er von den Sachparallelen Lk 12,8 und 22,69 her übernommen.

In Offb 1,13 und 14,14 hingegen ist wegen der vorliegenden Bezugnahme auf Dan 7,13f von υἱὸς ἀνθρώπου die Rede (vgl. *E. Lohse*, Menschensohn, 415–420), in Hebr 2,6 wiederum nur innerhalb des dortigen Zitats aus Ps 8,5. Der Autor des Hebräerbriefs entspricht mit υἱὸς ἀνθρώπου aber gerade nicht der spezifische Bedeutung des jesuanischen בַּר אֱנָשָׁא, denn er liest den fraglichen Vers »nicht in messianischer, sondern in eschatologischer Perspektive . . . Der niedrige Mensch ist zur Hoheit ausersehen.« Diesen Gedanken vertieft er sodann, indem er »in seinem Sinne christologisch interpretiert: die Niedrigkeit des *einen* Menschen wird zum Grund seiner Erhöhung, und diese Erhöhung ist die Garantie, daß alle todverfallenen ›Brüder‹ vollendet werden.« Jesus wird auf diese Weise als der ›exemplarische Mensch‹ vorgestellt (vgl. *E. Gräßer*, Menschensohn, 404–414 [Zitate 413]).

480   S. unten S. 165–167. Demgegenüber vertritt *H. Merklein*, Jesu Botschaft, 161–163, der bereits im danielischen Menschensohn den Völkerengel Israels erkennen möchte (158–161), die meines Erachtens unhaltbare, aber doch interessante Deutung, Jesus handle hier vom Menschensohn als dem »*himmlischen Repräsentanten des eschatologischen Heils* (konkret der Gottesherrschaft)« (162). Jesus wäre damit »eine Art irdischer Doppelgänger des himmlischen Menschensohnes: Jesu Aufgabe besteht darin, das Geschehen, das im Himmel bereits verwirklicht ist, auf Erden zu proklamieren und in Gang zu setzen. Der Stellungnahme zum Proklamator dieses Geschehens auf Erden entspricht daher die Stellungnahme des Repräsentanten der himmlischen Realität« (162f). Sowenig der Menschensohn aus Dan 7,13f ein Engelwesen darstellt und erst recht nicht mit dem Völkerengel Israels identifiziert werden kann (s. oben S. 27–30, sowenig ist Jesus dessen irdischer Doppelgänger. Sowohl vom Selbstverständnis Jesu als auch vom Kerygma der Urkirche her ist diese Hypothese kaum verifizierbar und daher abzuweisen.

In der Theologie der Urkirche ist die Einfügung des Terminus Menschensohn jedoch ohne weiteres nachvollziehbar, da sie den fraglichen Begriff
von Dan 7,13f her interpretierte. Und bei Daniel ist der Menschensohn
eine futurische Größe, die das Urchristentum in Übereinstimmung mit
der nachdanielischen jüdischen Apokalyptik als individuelle und zugleich messianische Gestalt ansah. Hatte man Jesus – der Ansatz zu dieser nachösterlichen Entwicklung des Menschensohnbegriffs liegt in der
gleichlautenden jesuanischen Selbstbezeichnung begründet – aber erst
einmal mit jener apokalyptischen Gestalt identifiziert[481], wurde sie auch
in Lk 12,8 eingetragen, um Jesus eindeutig als den einst zum Gericht
(wieder)kommenden κύριος herauszustellen.

Diese sekundäre Einfügung des Menschensohns aus Dan 7,13f bot sich
gerade für Lk 12,8 an: Nicht nur das präpositionale ἔμπροσθεν als »fester
Ausdruck für das Stehen vor dem Richter«[482], das unter anderem in
וּקְדָמוֹהִי aus Dan 7,13 seine Entsprechung hat, legte das sekundäre Ein-
dringen des Menschensohns nahe, auch die Wendung τῶν ἀγγέλων τοῦ
θεοῦ weckte die Erinnerung an den Hofstaat Gottes in Dan 7,10 und
drängte daher ebenso zu seinem Eintrag.

Zwar ist mit alldem noch nicht expressis verbis vom »Kommen« des
Menschensohns die Rede. Diese traditionsgeschichtlich noch jüngere
Stufe ist schließlich in Mk 8,38 par erreicht, doch ist der Sachverhalt als
solcher in Lk 12,8f implizit bereits vorhanden. Die ganze Szene ist zu verstehen als Gerichtsszene, in der die Engel das himmlische Forum bilden,
vor dem sich das Gericht vollzieht, an dem der Menschensohn als Zeuge
(in V. 8 als Fürsprecher, in V. 9 als Belastungszeuge) beteiligt ist[483].

Die Rede vom Menschensohn in Lk 12,8 geht also auf die sekundäre
Deutung einer vorgegebenen Tradition durch die nachösterliche Gemeinde zurück.

Scheidet Lk 12,8 somit als authentisch-jesuanisches *Menschensohn-*
logion aus, so möchte ich dennoch die wahrscheinliche Grundform der
Nachsätze des Doppelspruchs, der auf ein semitisches Original und letztlich auf Jesus selbst verweist, kurz aufzeigen. Sie lautete entsprechend
dem Muster von Lk 12,9:

---

481   Die jesuanische Selbstbezeichnung Menschensohn als Chiffre für seine verborgene Messianität als des Messias designatus wurde damit von der apokalyptischen Menschensohnkonzeption immer mehr verdrängt. Daß Jesus selbst wiederum von Dan 7,13f
gerade nicht abhängig ist, also in den authentischen Menschensohnlogien kein entsprechender Einfluß vorliegt, betonen zu Recht etwa auch *R.E.C. Formesyn*, 20; *P.M. Casey*,
Son of Man, 202.213f; *H. Kraft*, Entstehung, 158–160; *R. Leivestad*, Jesus, 249f und *B.
Lindars*, Jesus, 120.

482   *O. Michel*, Art. ὁμολογέω, 207, Anm. 27.

483   Vgl. ebd., 207, Anm. 27.

ὁμολογηθήσεται ἔμπροσθεν τῶν ἀγγέλων τοῦ θεοῦ . . .
(ἀπ)ἀρνηθήσεται ἔμπροσθεν[484] τῶν ἀγγέλων τοῦ θεοῦ.

Der jeweilige Nachsatz in Lk 12,8f wurde ursprünglich ganz allgemein passivisch formuliert, womit sowohl das Subjekt des Bekennens des Bekenners bzw. des Verleugnens des Verleugners Jesu verhüllt bleibt als auch das Wie des Vorgangs nicht geklärt wird. Der Doppelspruch zielt auf die Zukunft und wirkt dabei angesichts des Fehlens jeglicher spezifisch christlichen Erwartung höchst altertümlich. Man könnte τῶν ἀγγέλων τοῦ θεοῦ als Umschreibung des Gottesnamens ansehen[485], doch erscheint dies unwahrscheinlich wegen der Parallelität von Vorder- und Nachsatz, wo das Bekenntnis bzw. die Verleugnung zunächst vor Menschen, dann vor Gottes Engeln erfolgt, so daß im Vordersatz das irdische, im Nachsatz das himmlische Forum beschrieben wird. Deshalb ist das jeweilige Passiv als Passivum divinum aufzufassen, folglich Gott als Subjekt der Handlung ausgewiesen. Daß diese Vorstellung auf Jesus selbst verweist, belegen die nach Form und Inhalt entsprechenden Logien Lk 14,11 (par Lk 18,14b par Mt 23,12) und Mt 6,14f sowie die authentischen Seligpreisungen Mt 5,3.4.6 par Lk 6,20b–21[486].
Die traditionsgeschichtliche Entwicklung des Doppelspruchs läßt sich damit aufzeigen:
1.   Das ursprüngliche Logion handelt von Gottes Kriterium für sein richterliches Urteil, das vor seinem himmlischen Hofstaat erfolgen wird: Gott bekennt sich zu dem Menschen, der sich seinerseits zu Jesus bekennt, und er verleugnet denjenigen, der Jesus verleugnet.
2.   Aufgrund christologischer Akzentuierung – und also sekundär – nimmt in der Erwartung der nachösterlichen Gemeinde Jesus die Rolle wahr, die zunächst Gott selbst innehatte[487]: Jesus wird zum Bekenner/ Verleugner seines Bekenners/Verleugners; er übernimmt die Funktion des Fürsprechers bzw. des Belastungszeugen – so in der vormatthäischen Fassung von Mt 10,32f.
3.   In einem weiteren Schritt wird von Dan 7,13f her – inhaltlich somit gerade nicht durch die jesuanische Selbstbezeichnung bedingt – der Ter-

---

484   Wie schon im Vordersatz des V. 9 hat Lukas auch im Nachsatz das ihm vorgegebene ἔμπροσθεν (V. 8) mit der speziell bei ihm häufig verwendeten Vokabel ἐνώπιον variiert. In Apg 10,4.31 ist ein derartiger – stilistisch bedingter – Wechsel im Gebrauch der Präpositionen ebenso belegt. Matthäus folgt hier sowohl im Bekenner- als auch im Verleugnerspruch seiner Vorlage, die jeweils ἔμπροσθεν notierte (vgl. *R. Pesch*, Autorität, 28f).
485   Vgl. Lk 15,10.
486   Vgl. *H. Schürmann*, Lukas I, 325–332; *ders.*, Zeugnis, 83–88; *W. Grimm*, Verkündigung, 68–77 und *H. Merklein*, Jesu Botschaft, 45–51.
487   Im Rahmen des jüdischen Botenrechts erfolgt dieser Subjektwechsel völlig zu Recht, wie im Neuen Testament gerade auch Joh 12,48f zeigt.

minus Menschensohn eingetragen, wobei Jesus und der Menschensohn von vornherein identisch sind: Der (wieder)kommende Menschensohn ist der zum Gericht erscheinende κύριος.

4. Beide Varianten, die mit »ich« und die (traditionsgeschichtlich jüngere) mit »Menschensohn«, werden jeweils weitertradiert und weiterentwickelt. Die erste neben Mt 10,32f in den oben bereits genannten Belegen[488], die zweite neben Lk 12,8f in Mk 8, 38 par, wo sie, um den ersten Teil des Doppelspruchs verkürzt, immer stärker von Dan 7,13f her ausgestaltet wird und schließlich expressis verbis vom »Kommen« des Menschensohns – sachlich von dessen Wiederkunft – redet.

Dem entspricht die Tendenz, den Spruch, der ursprünglich die konkrete Verfolgungssituation und die damit verbundenen Konsequenzen vor Augen hat, auf das Leben der Christen allgemein auszuweiten im Sinne einer Stellungnahme zu Jesus im Alltag. Deutlich wird dies im markinischen Terminus ἐπαισχύνομαι, der auf die Missionssituation der Christen verweist[489].

In seiner authentischen Bedeutung bezieht sich das Doppellogion auf die Verfolgung der historischen Jünger Jesu[490]. Sein Sinn ist nicht einfach der: Wer Jesu Ruf in der Gegenwart folgt, darf Vertrauen haben in Gottes Zukunft[491]. Es geht vielmehr um das Bekenntnis zu Jesus, wenn es um das Leben geht[492]. Jesus verlangt von den Seinen ganzen Einsatz und solche Treue, die bis zur Lebenshingabe führt. Dabei hat er das Kollektivleiden seiner Nachfolger im Blick, das im Zusammenhang seiner eigenen Passion auch über die Jünger hereinbrechen wird[493]. Dann gilt es, sich dessen zu vergewissern, was Jesus in Mk 13,13b par formulierte: Wer ausharrt bis ans Ende, wird gerettet werden; zu dem bekennt sich Gott.

---

488   S. oben Anm. 460.
489   Vgl. *M. Horstmann*, Studien, 45 und *R.H. Fuller*, Fondations, 138, Anm. 75.
490   Daß ὁμολογεῖν (wobei das bei Matthäus und Lukas belegte ὁμολογεῖν ἐν im Vordersatz des Bekennerspruchs zudem als Semitismus angesehen werden muß, vgl. *O. Hofius*, Art. ὁμολογέω, 1257f) und ἀρνεῖσθαι wie so oft im Neuen Testament auch hier im forensischen Sinn zu verstehen sind, ist in der Forschung in der Regel anerkannt (vgl. *O. Michel*, Art. ὁμολογέω, 207f; *Ph. Vielhauer*, Gottesreich, 78f; *ders.*, Jesus, 102–104 und *N. Perrin*, Jesus, 212f). So statuiert der Spruch »eine strenge eschatologische Vergeltung nach dem ius talionis« (*Ph. Vielhauer*, Gottesreich, 78): Es geht um die Entsprechung zwischen dem Bekenntnis bzw. der Verleugnung der Jüngerschaft in der Stunde der Verfolgung einerseits und der eschatologischen Verheißung bzw. dem eschatologischen Gericht andererseits.
491   Vgl. *N. Perrin*, Jesus, 217.
492   Vgl. *R. Pesch*, Autorität, 46f.
493   Zum Kollektivleiden der Jünger s. unten S. 249–254. Damit ist zugleich der Einwand, das Doppellogion sei Jesus deshalb abzusprechen, weil die hier vorausgesetzte Drangsalszeit notwendig auf die Zeit nach Ostern verweise, da eine solche zu Jesu Lebzeiten allenfalls mit seiner Passion gegeben und dort nur für Petrus akut geworden sei (vgl. *Ph. Vielhauer*, Gottesreich, 78f und *ders.*, Jesus, 103f), widerlegt.

X. Exkurs: בַּר אֱנָשָׁא - ein anderer als Jesus oder Umschreibung für »ich«?

1. בַּר אֱנָשָׁא - ein anderer als Jesus?

Die Analyse der Menschensohnlogien, die immer wieder zugunsten einer ursprünglichen Unterscheidung zwischen Jesus und dem Menschensohn angeführt werden (Lk 12,8; Mk 8,38 par und Mt 19,28), erwies bereits die Unhaltbarkeit dieser Hypothese. Ausgerechnet sie stellten sich als sekundäre Bildungen heraus. Die nachösterliche Theologie wiederum differenzierte niemals zwischen Jesus und dem Menschensohn, sondern wußte um ihre Identität, wie in der Forschung nicht bestritten wird. Entbehrt die genannte Hypothese damit schon jeder Grundlage in den Texten selbst, ist sie zugleich weder logisch noch überlieferungsgeschichtlich nachvollziehbar:

a) Sie hat die gesamte übrige Jesustradition gegen sich, die nie auf einen anderen, nach Jesus Kommenden verweist. Der Täufer sah sich als Vorläufer des Kommenden (ὁ ἐρχόμενος), Jesus sich selbst als ›gekommenen Kommenden‹. Sein »Erfülleranspruch . . . schließt es aus, daß außer ihm noch einer kommt«[494].

b) Hätte Jesus sich dennoch als Vorläufer eines nach ihm Kommenden gewußt, bliebe unverständlich, weshalb sich nirgendwo im Neuen Testament auch nur die Spur einer urkirchlichen Debatte darüber findet, ob Jesus der Kommende sei oder nicht[495].

c) Zugleich bliebe rätselhaft, warum die Jünger im Anschluß an Jesu Tod unter diesen Umständen nicht zunächst auf den verheißenen Menschensohn warteten[496]. In Wahrheit verkündigten sie Jesus als den auferstandenen Christus.

d) Vorausgesetzt, Jesus hätte einen anderen als kommenden Menschensohn angekündigt, wäre zu fragen, inwiefern er plötzlich mit dieser Gestalt identifiziert werden konnte, und ebenso, wann dies geschehen

---

494 *J. Jeremias,* Theologie ?63, der zugleich betont, Logien wie Mt 11,5f par würden sonst völlig sinnlos. Jesus hätte dann auf die Täuferfrage nach dem Kommenden antworten müssen: »Nein, der bin ich nicht. Ich bin nur sein Vorläufer und sein Prophet«. Vgl. ferner *I.H. Marshall,* Son of Man Sayings, 338f; *W.G. Kümmel,* Verhalten, 220f; *ders.,* Jesus, 176; *M. Müller,* Ausdruck, 77; *R. Riesner,* Jesus, 300–302; *H. Bietenhard,* Menschensohn, 306f (»Wenn Jesus vom ›Menschensohn‹ redet, und wenn dabei für den heutigen Leser der Eindruck entsteht, er rede von einem anderen, dann beruht dieser Eindruck auf Unkenntnis semitischer Redeweise. Wenn man diese Redeweise betrachtet, wird man unbedingt zu der Annahme geführt, daß Jesus sich selber meint, wenn er ›Mensch[ensohn]‹ sagte. Er folgte dabei einem weit verbreiteten indirekten Redestil, den er individuell verwendete« [306]) und *S. Kim,* Son of Man, 7–14.

495 Mt 11,5f par ist hier gerade nicht anzuführen, denn der Zweifel des Täufers ist nur unter der Voraussetzung verständlich, daß Jesus selbst sich für den Kommenden hielt.

496 Vgl. *F. Neugebauer,* Jesus, 16f.

sein soll. Heinz Eduard Tödt, der von der sekundären Umwandlung einer ursprünglich soteriologischen Beziehung zwischen Jesus und dem Menschensohn in eine christologische spricht, antwortet: ».. . von Anfang an«[497]. Dies impliziert wiederum, daß die Identifikation des Menschensohns mit Jesus mit den ersten Auferstehungserscheinungen zusammenfiel[498]. Auch hier muß jedoch festgehalten werden, daß eine sekundäre Gleichsetzung aus den Auferstehungserscheinungen nicht abgeleitet werden kann, denn im Judentum zur Zeit Jesu weiß man zwar um die allgemeine Auferstehung der Toten am Ende der Zeit, kennt aber keine individuelle Auferstehung des Menschensohns oder des Messias; beide werden nicht als Auferstandene erwartet. Somit ist die Folgerung, weil Jesus auferstanden sei, müsse er der Menschensohn sein und komme doch kein anderer nach ihm, unlogisch[499].

Fazit: Weder bei Jesus selbst noch in der Urkirche war die Identität Jesu mit dem Menschensohn jemals umstritten.

2. בַּר אֱנָשָׁא – eine Umschreibung für »ich«?

Damit stellt sich sogleich die Frage, ob mit dem Terminus Menschensohn schon in Jesu Umwelt eine – über den Alltagsgebrauch des Begriffs hinausgehende – Selbstbezeichnung zur Umschreibung eines »Ich« in dritter Person möglich und vorgegeben war[500].

Zunächst einmal bleibt festzuhalten: Der griechische Ausdruck ὁ υἱὸς τοῦ ἀνθρώπου, dem Profangriechischen unbekannt, ist sklavisch-wörtliche Übersetzung des determinierten aramäischen Status constructus בַּר אֱנָשָׁא[501].

---

497   Vgl. *H.E. Tödt,* Menschensohn, 52f (Zitat 53).

498   Vgl. *F. Neugebauer,* Jesus, 14.

499   Vgl. ebd., 14–17 und *J. Jeremias,* Theologie, 243. Ebensowenig führt die Auferweckung Jesu automatisch zum Messiasglauben, wie *M. Hengel,* Sühnetod, 20f.145 zu Recht betont.

500   Vgl. dazu vor allem die Untersuchungen von *G. Dalman,* Worte Jesu, 191–219.383–397; *P. Fiebig,* Menschensohn, 8–121; *E. Sjöberg,* בן אדם, 57–65.91–107; *R.E.C. Formesyn,* Selfdesignation, 1–35; *G. Vermes,* Use/Gebrauch, 310–328; *ders.,* Jesus, 180–182.188–191; *C. Colpe,* Art. ὁ υἱὸς τοῦ ἀνθρώπου, 404–407; *P.M. Casey,* Son of Man, 226–228; *R. Leivestad,* Jesus, 250–255; *H. Bietenhard,* Menschensohn, 265–313; *B. Lindars,* Jesus, 20–24 und *G. Schwarz,* Menschensohn, bes. 3–6.74–77.84f.96f. 154–159.320–325.

501   Vgl. *J. Roloff,* Neues Testament, 124: »... wörtliche – und darum mißverständliche – Übersetzung einer determinierten Status-constructus-Verbindung.« Entsprechend spricht *H. Bietenhard,* Menschensohn, 275 von einer überkorrekten Übersetzung, *G. Schwarz,* Menschensohn, 9 gar von einer »Fehlübersetzung«. Eine Wiedergabe mit ὁ ἄνθρωπος wäre womöglich sachlich angemessen, anderseits jedoch zeigt die vorliegende einheitliche Übersetzung um so deutlicher, daß die determinierte Form für die Jesusworte der Evangelien im Hintergrund stand und für Jesus kennzeichnend war (vgl. *O. Betz,* Jesus und das Danielbuch, 23).

Da בַּר אֱנָשָׁא wie auch בַּר אֱנָשׁ vor dem Zweiten Jüdischen Krieg, also bis ins 2. Jahrhundert n.Chr. hinein, ausnahmslos mit Initial-א geschrieben wurden, während die Form ohne Initial-א erst in der Zeit danach belegt ist[502], verwende ich jeweils die ältere Form בַּר אֱנָשָׁא.

Die der ganzen Wendung geltende Determination wurde jedoch im Verlauf der aramäischen Sprachentwicklung in der Alltagssprache bedeutungslos, so daß schließlich die determinierte und die indeterminierte Form in ihrer jeweiligen Bedeutung fließend ineinander übergehen und eine deutliche Unterscheidung von Gattungs- und Individualbegriff zuletzt nicht mehr vorliegt. Beide finden auf diese Weise sowohl im generischen wie im indefiniten Sinn Verwendung, und da בַּר das zum Kollektiv אֱנָשָׁא - Mensch(heit) - gehörige Individuum bezeichnet, ist die Bedeutung entweder »der Mensch« (generischer Gebrauch) oder »ein Mensch«, »einer«, »jemand« (indefiniter Gebrauch)[503].

Zwar kann sich jemand mit der Wendung בַּר אֱנָשָׁא nach wie vor selbst herausstellen, kann gleichzeitig aber kaum verhindern, daß die Menschen allgemein mitbedacht erscheinen und einbeschlossen sind. Daher schließt בַּר אֱנָשָׁא *jetzt* den Redenden entsprechend unserem deutschen »man« mit ein, bringt jedoch kein betont exklusives »Ich« im Unterschied zu allen anderen mehr zum Ausdruck.

Der aufgezeigte philologische Sachverhalt hinsichtlich der aramäischen Sprachentwicklung ist in der Forschung kaum strittig, fraglich ist jedoch, ob und inwieweit dieser Prozeß zur Zeit Jesu bereits im Gange oder gar nahezu abgeschlossen war[504]. Die Wahrheit liegt vermutlich in der Mitte: Er war bereits im Gange, aber noch nicht zu seinem Abschluß gekommen. Erst nach Jesus kommt es zur Vereinheitlichung der determinierten und der indeterminierten Form, so daß jetzt in der Tat kein Bedeutungsunterschied zwischen beiden mehr vorliegt. Zur Zeit Jesu hingegen werden beide Formen vermutlich - wie im älteren Sprachgebrauch - noch

---

502 Vgl. *J.A. Fitzmyer*, Rezension *M. Black*, 426f; *ders.*, Title, 149-151 und *J. Jeremias*, Theologie, 248, Anm. 19. Kritisch *G. Schwarz*, Menschensohn, 71-73.84.

503 Vgl. *J. Jeremias*, Theologie, 248 (zur entsprechenden Verwendung des hebräischen בֶּן־אָדָם im Alten Testament s. oben S. 28, Anm. 107). Dieselbe Bedeutung eignet jetzt auch der determinierten wie der indeterminierten Form אֱנָשָׁא bzw. אֱנָשׁ ohne voranstehendes בַּר (vgl. *P. Fiebig*, Menschensohn, 20.25.29.44.53-60.119-121, ferner *F. Hahn*, Hoheitstitel, 15 und *C. Colpe*, Art. ὁ υἱὸς τοῦ ἀνθρώπου, 405f).

504 So bestreiten in jüngerer Zeit etwa *C. Colpe*, Art. ὁ υἱὸς τοῦ ἀνθρώπου, 405f; *P.M. Casey*, The Son of Man Problem, 148; *ders.*, Son of Man, 228; *F. Hahn*, Art. υἱός, 927 und *W.G. Kümmel*, Jesus, 155f.160 den Bedeutungsunterschied zwischen dem determinierten und dem indeterminierten Gebrauch des Terminus Menschensohn zur Zeit Jesu, während *S. Kim*, Son of Man, 33-35 und vor allem *H. Bietenhard*, Menschensohn, 266-276 diesen Angleichungsprozeß in die nachjesuanische Zeit datieren (vgl. bes. 272: Zur Zeit Jesu »wird durchaus klar unterschieden zwischen ›Mensch‹, ›ein Mensch‹ und ›der Mensch‹. Dabei ist ›der Mensch‹ jeweils eine konkrete einzelne Person, nicht etwa der Mensch im allgemeinen«).

unterschieden, so daß man eine Differenzierung zwischen »der (einzelne) Mensch« und »ein Mensch« nicht einfach ignorieren darf, sondern damit rechnen muß, daß בַּר אֱנָשָׁא eine konkrete einzelne Person bezeichnet oder doch zumindest *auch* in diesem Sinn verstanden werden *kann*.

Darüber hinaus hat bereits Gustaf Dalman hervorgehoben und betont, mit בַּר אֱנָשָׁא liege vor allem ein Terminus der gehobenen, der feierlichen Sprache vor, eine betonte, gewählte Redeweise, die von der alltäglichen abweiche und eine konkrete Person gegenüber anderen bezeichne. Zwar erfuhr Dalmans Hinweis zu Recht Widerspruch insofern, als er zunächst davon ausging, dieser Ausdruck sei letztlich *nur* in der gehobenen Sprache verwendet worden, nicht hingegen in der gewöhnlichen, der Alltagssprache. In den Nachträgen zur 2. Auflage seines Buches hat er diese einseitige Sicht jedoch modifiziert[505].

Schließlich konnte Geza Vermes aufgrund seiner Untersuchung der palästinischen Pentateuchtargumim und des palästinischen Talmuds den meines Erachtens definitiven Nachweis erbringen: Im palästinisch-galiläischen Aramäisch kann בַּר אֱנָשָׁא sowohl generisch als auch hinweisend auf eine ganz bestimmte Person gebraucht werden. Im zweiten Fall – dieser Sprachgebrauch ist so im babylonischen Talmud nicht belegt – wird בַּר אֱנָשָׁא ähnlich wie הַהוּא גַּבְרָא[506] als Ersatz für ein herausgestelltes »Ich« benutzt. Wurde dies im Blick auf הַהוּא גַּבְרָא sowieso nicht bestritten, so ergibt sich damit: בַּר אֱנָשָׁא ist im palästinisch-galiläischen Aramäisch – also in Jesu (galiläischer) Umwelt – als feierliche Selbstbezeichnung und als Umschreibung eines exklusiven »Ich« in der dritten Person bezeugt[507].

505 Vgl. *G. Dalman,* Worte Jesu, bes. 191–197.210f sowie in den besagten Nachträgen zur 2. Auflage etwa 393, zudem *ders.,* Grammatik, 122. Daß mit »Menschensohn« eine im Aramäischen übliche Umschreibung für »ich« vorliege, betonte erstmals *A. Meyer,* Muttersprache, 97f, ferner *P. Haupt,* Son of Man, 183.

506 Belege bei *P. Haupt,* Hidalgo, 167–170; *R.E.C. Formesyn,* Selfdesignation, 32–34; *G. Vermes,* Use/Gebrauch, 320; *C. Colpe,* Art. ὁ υἱὸς τοῦ ἀνθρώπου, 406, Anm. 18 und *H. Bietenhard,* Menschensohn, 269.

507 Vgl. *G. Vermes,* Use/Gebrauch, 320–328 (mit vielen Belegen), ferner in jüngerer Zeit vor allem *H. Bietenhard,* Menschensohn, 276–313 und auch *G. Schwarz,* Menschensohn, 6.74f (Altes Testament [Hi 16,21]), 75–77.84f (Frühjudentum) sowie 96f.154–159.320–325 (Jesusüberlieferung), wobei Schwarz im Anschluß an *A. Meyer,* Muttersprache, 95f mit Hi 16,21 bereits einen alttestamentlichen (hebräischen) Beleg geltend macht, der als solcher eindeutig sei, sofern man diesen Vers innerhalb seines Kontexts lese. *J. Roloff,* Kerygma, 62, Anm. 38 verweist in diesem Zusammenhang auf einen gewichtigen Unterschied zwischen בַּר אֱנָשָׁא und הַהוּא גַּבְרָא: Während die Bescheidenheitsfloskel הַהוּא גַּבְרָא auch »auf die zweite Person übertragbar ist, bezieht sich bar naša stets auf die erste Person und erscheint in Aussagen, in denen die Person des Sprechers gerade nicht unbetont zurücktritt, sondern umschreibend verhüllt wird«. Entsprechend spricht Paulus in 2Kor 12,1–5 von sich selbst als »einem Menschen«.

Diese Sicht der Dinge wird heute - bei allen unterschiedlichen Nuancen im einzelnen[508] - von der Mehrzahl der Forscher bestätigt[509]. Wichtig erscheint mir die Tatsache, daß keiner dieser Belege eine wie auch immer geartete Beziehung zu Dan 7,13f oder zu den Bilderreden des äthiopischen Henochbuches aufweist, also weder auf eine bestimmte apokalyptische Begrifflichkeit abhebt noch titulare Bedeutung hat. Entsprechendes gilt für den Sprachgebrauch Jesu selbst.

Weder im palästinisch-galiläischen Aramäisch der Umwelt Jesu noch im jüdisch-apokalyptischen Schrifttum noch bei Jesus selbst wurde der Terminus Menschensohn im Sinne eines feststehenden Titels verwandt[510]. In der Jesustradition selbst da nicht, wo die Urkirche in den Logien vom Kommen des Menschensohns Jesu Selbstbezeichnung folgerichtig als Umschreibung seines exklusiven und unvertretbaren »Ich« in der dritten Person übernahm. Folgerichtig deshalb, weil בַּר אֱנָשָׁא als Nicht-Titel gar nicht anders gebraucht und überhaupt nicht mit einem Namen verbunden werden kann. Redeweisen wie »der Menschensohn sprach« oder »ich bin / du bist / er ist der Menschensohn« sind daher unmöglich. Lediglich echte Titel wie etwa »Messias« können sich mit einem Namen verbinden und attributiv oder prädikativ Verwendung finden. In diesem Sinn ist das jesuanische בַּר אֱנָשָׁא in der Tat kein Titel, sondern eine Chiffre, in der die Besonderheit seiner Person und seine einzigartige Vollmacht zutage treten, selbst dort, wo von der Verwerfung und vom Tod des Menschensohns die Rede ist.

Auch in der apokalyptischen Literatur des Judentums kann von einem wirklichen titularen Gebrauch des Terminus Menschensohn nicht die Rede sein. Bei Daniel ist כְּבַר אֱנָשׁ lediglich ein Bild, metaphorische Bezeichnung des eschatologischen Gottesvolkes im Gegen-

508 Während die einen vom unmessianischen Charakter des Terminus Menschensohn sprechen (vgl. *G. Vermes,* Use/Gebrauch, 327f und *G. Schwarz,* Menschensohn, 42. 322), der geradezu die Bescheidenheit des Redenden hervorhebe (vgl. *G. Vermes,* Use/ Gebrauch, 327 und *Ch.H. Dodd,* Mann, 119f), betonen andere, Jesus verwende בַּר אֱנָשָׁא immer dann, wenn er Grundsätzliches über seine Sendung zur Sprache bringe (vgl. *G. Lindeskog,* Rätsel, 156), also »auf sich in seiner Besonderheit aufmerksam machen und etwas Spezifisches von sich aussagen« wolle (*H. Bietenhard,* Menschensohn, 306). Insofern komme in diesem Ausdruck gerade seine einzigartige Vollmacht zu Wort, ja בַּר אֱנָשָׁא sei »in Jesu Mund eine Umschreibung . . . für sein messianisches Selbstbewußtsein« (*O. Betz,* Probleme des Prozesses Jesu, 635).

509 Vgl. im Anschluß an *G. Vermes,* Use/Gebrauch, 320-328 sowie *ders.,* Jesus, 180-182.188-191 vor allem *R.E.C. Formesyn,* Selfdesignation, 25-35; *J. Roloff,* Kerygma, 61f mit den Anm. 38 und 39; *O. Michel,* Menschensohn, 83f; *ders.,* Jesusüberlieferung, 122f; *P.M. Casey,* The Son of Man Problem, bes. 147f; *ders.,* Son of Man, 226-228; *M. Müller,* Ausdruck, 79f; *M. Black,* Jesus, 10; *A.J.B. Higgins,* Son of Man, 26; *R. Leivestad,* Jesus, 250-255; *H. Bietenhard,* 276-313 und *G. Schwarz,* Menschensohn, bes. 6.74-77.84f.96f.154-159.320-325. Anders *C. Colpe,* Art. ὁ υἱὸς τοῦ ἀνθρώπου, 406; *J. Jeremias,* Theologie, 248f, Anm. 21; *J.A. Fitzmyer,* Title, 154; *ders.,* View, 62; *R. Kearns,* Vorfragen I, 94-96; *B. Lindars,* Jesus, 20-24 und *W.G. Kümmel,* Jesus, 157.

510 Vgl. etwa *N.A. Dahl,* Messias, 160f; *G. Vermes,* Use/Gebrauch, 327f; *C. Colpe,* Art. ὁ υἱὸς τοῦ ἀνθρώπου, 425-428; *J. Roloff,* Kerygma, 62 mit Anm. 38; *R. Leivestad,* Exit, 246-248.256-260; *ders.,* Jesus, 234f.248; *M. Müller,* Ausdruck, 66f.77f; *P.M. Casey,* Son of Man, 139; *H. Merklein,* Auferweckung, 244; *F. Hahn,* Art. υἱός, 928 (im Alten Testament und im Frühjudentum, hingegen quasititularer Gebrauch im Neuen Testament) und *G. Schwarz,* Menschensohn, passim, z.B. 9f.324f.

über zu den vier Tieren, also ein Kollektivbegriff[511]. In den Bilderreden des äthiopischen Henochbuches liegt ebensowenig ein Titel vor, vielmehr bezeichnet »Menschensohn« bei Übernahme des Begriffs aus Dan 7,13f das menschliche Aussehen des himmlischen Erwählten[512].

Es ist nur allzu verständlich, warum Jesus zur Umschreibung seines messianischen »Ich« und seiner noch nicht offenbaren Messianität auf בַּר אֱנָשָׁא zurückgreift. Der Terminus bot sich wegen seiner Vieldeutigkeit und Unbestimmtheit bestens an, in verhüllender und doch deklaratorischer Weise auf seinen Sendungsanspruch hinzuweisen, ohne damit dessen Geheimnis offen preiszugeben. Denn alles mögliche konnte man aus בַּר אֱנָשָׁא heraushören: die alltägliche generische oder indefinite Bedeutung, eine Bezeichnung für Israel, ein bloßes »Ich«, apokalyptische Assoziationen, ein Königs- bzw. ein Messiasprädikat.

בַּר אֱנָשָׁא im Mund Jesu ist für Außenstehende ein Rätselwort, das sofort zu der Frage drängt: Wer ist dieser? Für die Seinen hingegen ist בַּר אֱנָשָׁא Hinweis auf die messianische Sendung Jesu, nämlich Chiffre für seine Funktion als Messias designatus[513].
Im Sinne dieses spezifischen Gebrauchs ist בַּר אֱנָשָׁא eine bewußt geheimnisvolle Redeweise des historischen Jesus.

---

511   S. oben S. 23(-27).30-33.36.
512   Vgl. *C. Colpe*, Art. ὁ υἱὸς τοῦ ἀνθρώπου, s. außerdem oben S. 42, Anm. 5.
513   Zu Recht betont *R. Leivestad*, Jesus, 257, daß »Menschensohn« im Mund Jesu »als eine Bezeichnung des Messias *designatus* gemeint ist. ›Der Menschensohn‹ ist [sc. noch] nicht der Messias, sondern der, welcher von Gott ausersehen und dazu bestimmt war, . . . der Messias zu werden«. Dieses Verständnis des jesuanischen בַּר אֱנָשָׁא, das ich bereits in meiner Dissertation vorgelegt hatte – Jesus ist noch בַּר אֱנָשָׁא, aber er wird מְשִׁיחָא (הַמָּשִׁיחַ) –, wurde jedoch vor allem von *O. Betz* in verschiedenen Veröffentlichungen bestätigt: »Jesus hat sich *seit seiner Taufe durch Johannes* als den von Gott *Gesalbten*, den *Messias*, verstanden, aber vor seiner Offenbarung und Inthronisation in Jerusalem als ›*den Menschensohn*‹ bezeichnet« (Jesus und das Danielbuch, 17 [vgl. bereits *ders.*, Jesus in Nazareth, 315]). »Auch das Wort Menschensohn ist in Jesu Mund eine Umschreibung, und zwar für sein messianisches Selbstbewußtsein.« »Jesus hoffte, Gott werde ihn ›zu seiner Rechten‹ setzen . . ., ihn inthronisieren und so eindeutig aller Welt offenbaren«. Mit dem Terminus Menschensohn charakterisiert sich Jesus als »Messias vor seiner Inthronisation« (*ders.*, Probleme des Prozesses Jesu, 635), bezieht also »den Begriff ›Menschensohn‹ auf sich als den noch verborgenen Messias« (*ders.*, Jesus und das Danielbuch, 17). Zur Frage, weshalb schon in vorjesuanischer Zeit der Messias seinen Anspruch nicht von sich aus offenbaren kann, sondern abwarten muß, bis Gott ihn als solchen erweist, s. oben S. 70–79, bes. 79 sowie 128–135, bes. 130–132.

XI.   Mk 13,26 par

Über die eschatologische Rede Mk 13 insgesamt und speziell zu Mk 13,26 erschien in der jüngeren Vergangenheit eine Menge an Literatur[514]. Diesen Untersuchungen möchte ich keinen neuen Beitrag hinzufügen, sondern anhand des nach den bisherigen Ergebnissen notwendig sekundären Menschensohnlogions zusammenfassend darstellen, wie die traditionsgeschichtliche Entwicklung von der jesuanischen Menschensohnkonzeption bis hin zur Vorstellung vom Kommen des Menschensohns in der urchristlichen Theologie verlief.

Daß V. 26 nicht auf Jesus selbst zurückgeführt werden kann, ist in der heutigen Forschung nahezu allgemein anerkannt[515]. Unter dem Einfluß von Dan 7,13f handelt das Logion vom »Kommen« (sachlich: vom »Wiederkommen«) des Menschensohns auf die Erde, wobei der Nachsatz οὕτως ἔσται ὁ υἱὸς τοῦ ἀνθρώπου bzw. בַּר אֱנָשָׁא יְהְוֵא הֲכֵין der (in ihrem Kern) authentischen Menschensohnlogion Lk 17,24.26 par Mt 24,27.37 sowie Lk 11,29f par Mt 12,38–40 in nachösterlicher Perspektive umgedeutet und auf die Parusie Jesu bezogen wurde. Man wird sogar festhalten müssen, daß die urchristliche Reflexion über die jesuanische Selbstbezeichnung בַּר אֱנָשָׁא mit Mk 13,26 par – vergleichbar ist nur noch Mk 14,62bβ par – zu ihrem Höhepunkt kommt und mit der auf dem Hintergrund von Dan 7,13f möglich gewordenen Deutung auf die Parusie des Erhöhten zu ihrer neutestamentlichen Spitzenaussage gelangt.

Ursprünglich-jesuanisch ist diese Interpretation des Terminus בַּר אֱנָשָׁא zwar nicht[516], dennoch ist sie innerhalb des Duktus der neutestamentlichen Theologie konsequent und hat ihre tiefste Wurzel letztlich doch in der Verkündigung Jesu selbst. Wie es zu dieser Entwicklung, die sich nicht unvermittelt, sondern allmählich vollzog, kommen konnte und kommen mußte, möchte ich im folgenden aufzeigen:

1.   Im Mund Jesu war בַּר אֱנָשָׁא Chiffre für seine noch verborgene und erst in Zukunft offenbare Messianität. Im Rätselwort bezeichnete er sich als Messias designatus. Seine offenbare Messianität ist eine futurische, und gerade als der Designierte ist er *vor* seiner Inthronisation »Menschensohn«. Insofern ist בַּר אֱנָשָׁא eine charakteristische Selbstbezeichnung des *irdischen* Jesus. Mit dem Kommen Jesu ist die messianische

---

514   Vgl. die Literaturübersicht bei *R. Pesch*, Markus II, 264–318, bes. 267f.305, ferner *J. Gnilka*, Markus II, 179–216, bes. 199–202; *ders.*, Matthäus II, 327–333; *E. Brandenburger*, Markus 13, bes. 54–65; *R. Kearns*, Traditionsgefüge, 43–52, bes. 50–52 und *D. Lührmann*, Markus, 213–226, bes. 224f.

515   Vgl. stellvertretend *W.G. Kümmel*, Verheißung, 95f; *Ph. Vielhauer*, Gottesreich, 72f; *H.E. Tödt*, Menschensohn, 32f; *C. Colpe*, Art. ὁ υἱὸς τοῦ ἀνθρώπου, 453; *A. Vögtle*, Das Neue Testament, 67–71; *V. Taylor*, Mark, 639f; *R. Pesch*, Markus II, 303–305; *J. Gnilka*, Markus II, 201f.211f; *W. Schmithals*, Markus II, 567–569; *A.J.B. Higgins*, Son of Man, 79; *B. Lindars*, Jesus, 108f; *R. Kearns*, Traditionsgefüge, 50–52 und *G. Schwarz*, Menschensohn, 147–151.

516   S. bereits oben S. 155.

Zeit angebrochen, ist der Messias da. Der eschatologische Davidide, auf dessen Kommen die Juden noch immer voller Sehnsucht warten, kommt nun gerade nicht mehr, sondern ist bereits gekommen. Und weil der Messias als בַּר אֱנָשָׁא schon gekommen ist, wird selbstverständlich auf sein Kommen nicht mehr gewartet.

Hat man diesen Sachverhalt vor Augen, erscheint die urchristliche Rede vom Kommen des Menschensohns als Anachronismus. Zugleich muß jedoch festgehalten werden, daß die Erwartung des Kommens des Menschensohns dennoch in der Erwartung Jesu selbst verwurzelt ist, hat man erst einmal die traditionsgeschichtliche Entwicklung der Menschensohnkonzeption in der Urkirche im Blick, die nach Ostern konsequent vorangetrieben wurde.

2. Jesus hatte seine Inthronisation als Messias angekündigt, seine Legitimation durch Gott vor aller Welt. Diese Ankündigung hat sich bis heute nicht vollständig erfüllt. Zwar hat Gott Jesus von den Toten aufgestellt und sich somit zu seiner Messianität bekannt, aber als Messias ist er trotz Ostern nur den Glaubenden erkennbar, die ihn im Himmel inthronisiert und sitzend zur Rechten Gottes wissen. Die eindeutige Legitimation als Messias vor aller Welt steht jedoch noch aus. Die Urkirche erwartete sie mit der Parusie ihres Herrn. Mit anderen Worten: Die nachösterliche Systematisierung der Endereignisse in Auferstehung und Parusie war ihr zwar nicht expressis verbis von Jesus vorgegeben, ist aber dennoch in Jesu Verkündigung impliziert. Was Jesus in einem einzigen Akt erwartete, wurde für die Urkirche aufgrund der geschichtlich gewordenen Gegebenheiten notwendig in zwei verschiedene Ereignisse aufgetrennt und als Auferstehung und Parusie zu einem unverzichtbaren Kernstück neutestamentlicher Eschatologie. Insofern ist die Hoffnung auf die Parusie durch Jesus selbst abgedeckt.

3. Wieso konnte nun aber Jesu Selbstbezeichnung בַּר אֱנָשָׁא, die doch ursprünglich an den irdischen Jesus gebunden war, in die neue Situation transponiert und übernommen werden? Diese Frage stellt sich um so drängender, als in der gesamten Briefliteratur des Neuen Testaments die Wiederkunft Jesu als παρουσία, ἡμέρα oder ὥρα belegt, vom Menschensohn aber konsequenterweise nicht die Rede ist; im Genitiv erscheint κυρίου oder Χριστοῦ. Lediglich die Evangelien sprechen an einigen Stellen vom wiederkommenden Jesus als dem kommenden Menschensohn, so daß בַּר אֱנָשָׁא dort zu einer futurischen Größe geworden ist. Diese Umprägung wurde durch den Schriftgebrauch der Urkirche ermöglicht, die Jesus auf dem Hintergrund des Alten Testaments verstand. Daß sie gerade auch das Rätselwort בַּר אֱנָשָׁא im Licht der heiligen Schriften zu deuten suchte, konnte nicht ausbleiben – nahezu zwangsläufig stieß sie auf Dan 7,13f. Die jüdisch-apokalyptische Menschensohnspekulation und die verstärkte Übernahme apokalyptischen Gedankenguts durch die Christen machten diese Beziehung unausweichlich. Die Verbindung des

jesuanischen mit dem danielischen »Menschensohn« wird darüber hinaus verständlich, wenn man bedenkt, daß die nachösterliche Erwartung der endgültigen Aufrichtung der Gottesherrschaft kein isoliertes Faktum an sich war, sondern gemäß der jüdischen Tradition immer im Zusammenhang mit dem Endgericht gesehen wurde; und im Kontext von Dan 7,13f ist neben der Aufrichtung der Gottesherrschaft auch vom Gericht die Rede. Zudem stellt der danielische Menschensohn ausdrücklich eine *kommende Größe* dar, die, mit Jesus identifiziert, die Ausdrucksweise vom kommenden Menschensohn als Synonym für den wiederkommenden Jesus nach sich zog. Die Urkirche erkannte und las Dan 7,13f als Schriftbeweis für das zweite Kommen ihres Herrn, das die endgültige eschatologische Wende in Verbindung mit dem Endgericht bringen wird. Die terminologische Entfaltung dieses Sachverhalts führte folgerichtig zur urchristlichen Rede vom kommenden Menschensohn bzw. vom Kommen des Menschensohns.

Fazit: In ihrer Zukunftserwartung steht die Urkirche in Kontinuität zu Jesus selbst, dessen Ankündigungen sie in nachösterlich modifizierter Form übernimmt[517]. Die Kombination dieser Erwartung mit dem Terminus Menschensohn hat zwar ihre traditionsgeschichtliche Wurzel in der Selbstbezeichnung בַּר אֱנָשָׁא, doch ist deren jesuanische Bedeutung nicht beibehalten, sondern durch die futurisch konzipierte danielisch-apokalyptische ersetzt worden.

Die Logien vom Kommen des Menschensohns lassen noch erkennen, daß sich diese Entwicklung nicht schlagartig vollzog, sondern sich allmählich immer stärker durchsetzte, bis schließlich Dan 7,13f teilweise im Wortlaut übernommen wurde. Relativ alt wird Lk 12,8f sein. Lediglich ἔμπροσθεν und τῶν ἀγγέλων τοῦ θεοῦ stellen die Beziehung zu Dan 7 her und ziehen sekundär den Terminus Menschensohn nach sich[518]. Vom Kommen des Menschensohns ist noch nicht die Rede; diese Stufe ist erst später in Mk 8,38 erreicht. Die deutlichsten Anklänge an Dan 7,13f finden sich umgekehrt in Mk 13,26 par und Mk 14,62bβ par, wo Teile der alttestamentlichen Bezugsstelle zitiert werden. Jeweils dazwischen sind die übrigen Menschensohnlogien einzuordnen, die expressis verbis vom Kommen des Menschensohns reden (bzw. sein [zweites] Gekommensein voraussetzen): Mk 8,38 par; Mt 10,23; (13,41;) 16,28; 24,44 par; 25,31; Lk 18,8b (und 21,36). Von diesen sekundären Logien sind jene zu unterscheiden, die im Mund des historischen Jesus von der Zukunft des Menschensohns handeln. Bei der Einteilung der Menschensohnlogien in verschiedene Gruppen ist dieser Tatbestand unbedingt zu beachten[519].

---

517 S. unten S. 365–367.
518 S. oben S. 156.
519 S. unten S. 185–187.

XII.   Mt 10,23

Mit den zuletzt angestellten Erwägungen ist zugleich über das *Menschensohn*logion Mt 10,23 entschieden, denn die Wendung ἕως ἂν ἔλθῃ ὁ υἱὸς τοῦ ἀνθρώπου ist nur als christliche Bildung, nicht aber im Mund Jesu denkbar.

Dieses Urteil betrifft jedoch ausdrücklich nur die zitierten Schlußworte, die ursprünglich entsprechend Mk 9,1 vom Kommen der Gottesherrschaft handelten. Wie schon in Mt 16,28 hat Matthäus auch hier die ihm vorgegebene Rede vom Kommen der Gottesherrschaft durch die vom Kommen des Menschensohns ersetzt[520].

Sieht man hingegen von den zitierten Schlußworten ab, liegt mit Mt 10,23 – wie allein schon das hier vorausgesetzte Kollektivleiden der Jünger, das entgegen der Ankündigung Jesu dann doch nicht eintraf, zeigt – ein authentisches Jesuslogion vor[521].

XIII.   Exkurs: Zum Verhältnis von Menschensohn bzw. Messias und Gottesherrschaft in der Verkündigung Jesu

1.   Menschensohn und Gottesherrschaft

Aus der Beobachtung, daß es im Judentum wie in der Jesustradition sowohl die Hoffnung auf die Gottesherrschaft als auch die Menschensohnerwartung gebe, beides aber relativ unverbunden nebeneinander stehe, zog Philipp Vielhauer die Konsequenz: Beide Erwartungen haben schon in ihrer Genese nichts miteinander zu tun, entstammen verschiedenen religionsgeschichtlichen Voraussetzungen und werden daher zu Recht nie miteinander kombiniert, denn beide schließen einander aus. Bezüglich der Jesustradition bedeutet dies: Jesus verkündigte die nahe Gottesherrschaft, folglich sprach er weder vom Menschensohn noch von einer anderen Mittler- oder Heilsgestalt. Sämtliche Menschensohnworte sind demnach erst in der nachösterlichen Gemeinde entstanden[522].

Ich möchte kurz skizzieren, warum ich diese Position nicht übernehmen kann[523], sondern innerhalb der Verkündigung Jesu die Rede von der Gottesherrschaft und die vom Menschensohn als Einheit sehe:

---

520   Vgl. *V. Hampel,* Ihr werdet, 4–8.15–18.

521   Vgl. ebd., 1–31, bes. 3–11.15–28. Zum Kollektivleiden der Jünger s. unten S. 249–254.

522   Vgl. *Ph. Vielhauer,* Gottesreich, 55–91 und *ders.,* Jesus, 92–140.

523   Zur Auseinandersetzung mit Vielhauer vgl. bereits *H.E. Tödt,* Menschensohn, 298–316; *E. Schweizer,* Menschensohn, 56–58.80f; *F. Hahn,* Hoheitstitel, 27–31; *O. Michel,* Menschensohn, 93–95; *C. Colpe,* Art. ὁ υἱὸς τοῦ ἀνθρώπου, 442f; *J. Jeremias,* Theologie, 254f; *F. Neugebauer,* Jesus, 12f; *J. Zmijewski,* Eschatologiereden, 422–424; *S. Ruager,* Reich Gottes, 30–44 und *C.C. Caragounis,* Son of Man, 232–242 sowie die unten Anm. 527 genannten Exegeten.

a)   Zwar stehen im Judentum die Gottesherrschaft und die Menschensohnerwartung in der Tat relativ unverbunden nebeneinander, doch ist
von hierher allenfalls der Schluß legitim, daß »Jesus diesem Phänomen
insofern (entspricht), als er ebenfalls beides kennt, es aber nicht ausdrücklich verbindet.«[524]

b)   Vielhauers religionsgeschichtliche Voraussetzungen sind so, wie er
sie postuliert, nicht gegeben. Zwar werden beide Traditionen nicht direkt
miteinander kombiniert, stehen aber dennoch in engem Zusammenhang.
In Dan 7 ist die Beziehung eindeutig – derselbe Verfasser spricht vom
Menschensohn und von der Gottesherrschaft –, im äthiopischen Henochbuch (äthHen 49,2; 62,14 u.ö.) behält der Menschensohn seine ihm
von Gott zugedachte Funktion auch in der vollendeten Gottesherrschaft
bei.

c)   Im Neuen Testament findet sich der entsprechende Sachverhalt: In
allen Traditionsschichten der Evangelien ist von der Gottesherrschaft wie
vom Menschensohn die Rede, wobei beides unmittelbar nebeneinander
begegnet (etwa in Mk 8,38 / 9,1; Lk 17,20f / 17,22–30 oder Lk 21,
27f.36 / 21,29–33). Für dieselbe Sachaussage steht einmal »Gottesherrschaft« und einmal »Menschensohn« (etwa in Lk 11,20 / Mk 2,10).
In den Parallelversen Lk 22,28–30 und Mt 19,28 sind »Gottesherrschaft« und »Menschensohn« austauschbare Varianten.

d)   Die palästinische Urkirche brachte beide Größen ohne weiteres mit
Jesus in Verbindung; eine Tatsache, die auch bei Vielhauer vorausgesetzt
ist. Inwiefern jedoch sollte ihr im nachhinein möglich sein, was Jesus
selbst angeblich nicht möglich war?

e)   Jesus sprach ganz sicher von der Gottesherrschaft. Sobald sich also
nur ein einziges Logion von der zukünftigen Hoheit des Menschensohns
als authentisch nachweisen läßt, ist Vielhauers These als unbegründet abgewiesen. Mit anderen Worten: Der historische Befund widerlegt sie, wie
die bisherige Arbeit zeigt, eindeutig.

f)   Nirgendwo bei Jesus wird das Nebeneinander beider Traditionen als
störend empfunden. Zwar versucht auch er in Übereinstimmung mit dem
Alten Testament und mit dem Judentum keine direkte Fusion, dennoch
stehen beide in inhaltlicher und struktureller Parallelität zueinander. Jesus spricht von der eschatologischen Zukunft in »Parallelsymbole(n)«[525]:
vom Messias, von der Zukunft des Menschensohns, von der Gottesherrschaft, von seiner eigenen Vollendung (Lk 13,31f)[526]. Er verkündigt die

524   F. *Neugebauer*, Jesus, 13.
525   C. *Colpe*, Art. ὁ υἱὸς τοῦ ἀνθρώπου, 443.
526   Dabei ist weder die Gottesherrschaft der exoterischen und der Menschensohn der
esoterischen Verkündigung Jesu zuzuordnen (so J. *Jeremias*, Theologie, 254f) noch die
Gottesherrschaft der Heils- und der Menschensohn der Gerichtspredigt Jesu (so O.
Michel, Menschensohn, 93–95).

Gottesherrschaft, die in seinem Wirken als Menschensohn schon angebrochen ist, die aber einst mit seiner Inthronisation als Messias Israels in Macht offenbar werden wird.

2.   Messias und Gottesherrschaft

Insofern sich im Wirken Jesu als בַּר אֱנָשָׁא die Gottesherrschaft bereits proleptisch vorwegereignet[527], gehören »Gottesherrschaft« und »Menschensohn« untrennbar zusammen. Da der Terminus Menschensohn jedoch jesuanische Chiffre für seine noch verborgene Messianität ist und seinen messianischen Anspruch im Rätselwort zum Ausdruck bringt, ist damit zugleich vorausgesetzt, daß auch der Messiasanspruch Jesu und seine Verkündigung von der Gottesherrschaft nicht als einander ausschließende Alternativen anzusehen sind, sondern ebenso eine Einheit bilden. Genau dies wird nun aber manchmal selbst von solchen Forschern bestritten, die Vielhauers These betreffs des Menschensohns ablehnen. Ihre Begründung ist folgende: Da im Judentum das Kommen des Messias stets vor dem Eschaton liege, sei die Heterogenität von Messias und Gottesherrschaft festzuhalten; der national konzipierte Messiasgedanke sei nicht im strengen Sinn eschatologisch orientiert und daher nur auf die Zeit vor dem Eschaton zu beziehen. Entsprechend hätten die jüdischen Gelehrten zwischen der vorausgehenden Messiasherrschaft und der schließlichen Gottesherrschaft unterschieden[528].
In Wahrheit gehört in der Verkündigung Jesu auch sein Messiasanspruch in den Zusammenhang seiner Ansage der Gottesherrschaft:
a)   Bis hin zur Zeit Jesu war die alttestamentlich-jüdische Messiaserwartung nie im exklusiven Sinn national konzipiert. Selbstverständlich ist der Messias der Messias Israels, ist dabei aber zugleich übernational, uni

---

527   Vgl. *H. Merklein*, Jesus, 150–156, bes. 152: »Gottesherrschaft und Person Jesu gehören aufs engste und untrennbar zusammen. Jesus ist nicht nur der Verkündiger, sondern der Repräsentant der Gottesherrschaft. Dies gilt in doppelter Hinsicht. Vom Ursprung des Geschehens der Gottesherrschaft her, das in seinem Auftreten Ereignis wird, ist er der Repräsentant des eschatologisch handelnden und erwählenden Gottes. Auf der anderen Seite, vom Ziel des Geschehens her, ist er der Repräsentant des eschatologisch zu erwählenden Israel. Im Schnittpunkt dieser doppelten Repräsentanz der Gottesherrschaft . . . ist das Selbstverständnis Jesu anzusiedeln, von dem seine Sendung sachlich getragen ist« (vgl. ebenso *ders.*, Jesu Botschaft, 65f.151–154 und *ders.*, Basileia, 207–210), ferner *B. Klappert*, Perspektiven, 70: »Jesus hat im Sinne der ›sich realisierenden Eschatologie‹ die Zukunft der kommenden Herrschaft Gottes in seiner Verkündigung und seiner Gegenwart proleptisch vorweggenommen« (bei Klappert ab »die Zukunft. . .« kursiv) sowie *H. Schürmann*, Jesu ureigenes Todesverständnis, 216: Jesus ist »der eschatologische Repräsentant Gottes und der Gottesherrschaft« und *O. Betz*, Probleme des Prozesses Jesu, 635: »Jesus ist als Menschensohn der von Gott beauftragte, endzeitliche Mensch, der Bote und Bevollmächtigte, der an Gottes Stelle handelt und die befreiende Macht der Gottesherrschaft jetzt schon sichtbar werden läßt«.
528   Vgl. etwa *K. G. Kuhn*, Art. βασιλεύς, 573 und *H. E. Tödt*, Menschensohn, 300f.

versal gedacht, wie speziell die Vorstellung von der eschatologischen Völkerwallfahrt beweist, die die Eingliederung der Heidenvölker ins messianische Zwölfstämmevolk voraussetzt[529]. Es ist also falsch, alternativ zwischen dem Messias als nationaler und dem Menschensohn als universaler Größe zu unterscheiden. Wäre der Menschensohn wirklich im genannten Sinn eine Gegengestalt zum Messias, hätten weder die jüdischen Pseudepigraphen noch das Rabbinat den Messias und den Menschensohn (bzw. den Wolkensohn) identifizieren können. Zudem ist die Menschensohnvorstellung viel zu schwach vorhanden, um als echte Alternative zur messianischen zu erscheinen. Daher ist es nicht möglich, das Verhältnis von Gottesherrschaft und Menschensohn als ein homogenes, das von Gottesherrschaft und Messias hingegen als ein heterogenes zu charakterisieren.

b)   In der rabbinischen Erwartung der Zeit nach Jesus wie auch in der Erwartung der dann erst entstandenen Apokalypsen wird zwar in der Tat zwischen der messianischen Periode und der Gottesherrschaft unterschieden, so daß man von einer vorläufigen und einer absoluten Seligkeit reden kann; beide sind durch das Endgericht voneinander getrennt. Im Alten Testament selbst wie in allen Apokryphen und Pseudepigraphen der Zeit vor, während und unmittelbar nach Jesus gab es diese Unterscheidung jedoch ausdrücklich noch nicht. Dort ist die Gottesherrschaft gleichsam Oberbegriff aller Heilserwartung, so daß sie auch unabhängig vom Messias gedacht werden kann. Umgekehrt steht aber immer die Gottesherrschaft im Hintergrund, wenn vom Messias die Rede ist. Denn der Messias ist der Mandatar Jahwes und gerade die Gabe der Gottesherrschaft, die auf der Erde aufgerichtet wird. Dementsprechend bewirkt letztlich allein Gott den Umschwung von der unheilvollen Gegenwart zur herrlichen Zukunft, doch selbstverständlich ist die Mitwirkung göttlicher Funktionäre (Messias, Elia, Michael, Engel, Fromme) dabei nicht ausgeschlossen. So ist es in allen Schriften der Zeit vor und um Jesus, die den Messias kennen, »natürlich dieser, der die Heilsvollendung in der Zukunft herbeiführt.«[530] Als das im Rahmen meiner Fragestellung Entscheidende bleibt dabei zugleich festzuhalten, daß überall »die messianische Zeit die Zeit der absoluten Heilsvollendung ist.«[531] Nirgendwo ist die Rede davon, daß auf die messianische Zeit noch eine andere, eine noch vollkommenere folgen könnte[532]. Nein, in der messianischen Zeit herrscht Gott durch seinen Mandatar, den Messias, und ist die immerwährende Heilsvollendung der Gottesherrschaft da. Deshalb folgt auf die messianische Herrschaftsperiode keine weitere, denn die Messiasherr-

---

529   S. oben S. 135–138(–140).
530   *Bill.* IV/2, 800.
531   Ebd., 801.
532   Vgl. ebd., 800–806.814f.

schaft und die Gottesherrschaft sind hier ein und dasselbe. Erst in der Zeit nach Jesus kommt es zur oben genannten Unterscheidung zwischen beiden Herrschaftsperioden.

Wie es über die Vorstellung, daß der einzelne Gerechte bereits direkt nach seinem Tod *himmlische* Seligkeit erlangt, zur Erwartung auch der *Heilsvollendung im Himmel* kam, und wie sich daraufhin durch die Verknüpfung dieser neuen Heilsvorstellung mit der alten irdisch-nationalen Eschatologie schließlich die Unterscheidung zwischen der vorläufigen messianischen Herrschaftsperiode und der absoluten Heilsvollendung in der Gottesherrschaft entwickelte, ist im Rahmen dieser Untersuchung nicht von Belang. Ich verweise dazu auf den ausführlichen Exkurs bei (Hermann L. Strack /) Paul Billerbeck: »Diese Welt, die Tage des Messias und die zukünftige Welt«[533].

Dies alles beinhaltet, daß man nicht irgendwelche Schemata an Jesus herantragen darf, die erst in späterer Zeit aufkamen, während man die ihn prägenden Vorstellungen seiner Zeit und vor allem des Alten Testaments übergeht. Wenn dort aber die messianische und die göttliche Herrschaft unauflöslich zusammengehören, sofern vom Messias die Rede ist, darf man Jesus nicht a priori ein messianisches Selbstverständnis absprechen, nur weil er den Anbruch der Gottesherrschaft verkündigte; dies untrennbar verbunden mit seiner eigenen Person. Gerade deshalb ist aufgrund der Denkvoraussetzungen des Alten Testaments und des vorjesuanischen Judentums einzig der umgekehrte Schluß folgerichtig, daß Jesu Botschaft von der sich in seiner Person proleptisch vorwegereignenden und bald vollendeten Gottesherrschaft seinen messianischen Anspruch ausdrücklich impliziert.

Wie eng die Einheit von Messias- und Gottesherrschaft im jüdischen Denken von Anfang an bis hin zu Jesus und über ihn hinaus im Urchristentum ist, möchte ich kurz skizzieren[534]:

a)   Beide Gedankenkreise, der vom Königtum Jahwes und der von der Herrschaft des irdischen Königs, entstanden zu ungefähr gleicher Zeit in Jerusalem. Beide wurden aus kanaanäischen Traditionen entlehnt und entwickelt und bilden schon aufgrund ihrer Genese keinen Gegensatz.

b)   Daß die Herrschaft des irdischen Königs und die Gottesherrschaft von 2Sam 7,8–16 her ganz eng zusammengehören, hat Hartmut Gese nachgewiesen[535]. Der König wird zum Sohn Gottes, zum Mandatar Jahwes auf der Erde. Nie ist er als eigenständiger Herrscher gedacht, sondern er vertritt und repräsentiert Jahwe. Jahwe herrscht durch seinen Sohn[536].

c)   Die messianische Erwartung erwuchs aus der Königstradition. Was von der Einheit der Königsherrschaft und der Gottesherrschaft galt, gilt

---

533   Vgl. ebd., 799–976, bes. 799–844.
534   S. bereits oben S. 84.118.128–133.138–140, außerdem unten S. 362–367.
535   Vgl. *H. Gese*, Natus ex Virgine, 136–139 und *ders.*, Messias, 130f.
536   S. oben S. 128.133, vgl. *W. Zimmerli*, Grundriß, 78f.

ebenso für das Verhältnis der Messiasherrschaft zur Gottesherrschaft. Lag laut 1Chr 17,4; 28,5f; 2Chr 9,8 und 13,8 die Gottesherrschaft in der Hand der Söhne Davids, so jetzt in der Hand des endzeitlichen Davididen. Die Hoffnung auf den Messias ist Hoffnung auf die Manifestation der Gottesherrschaft[537]. Ausdrücklich ist die Wirksamkeit des Messias wie die des Königs ganz in Gottes Handeln einbezogen. In allem messianischen Handeln ist daher Jahwe das übergeordnete »Subjekt und Initiator alles Geschehens«[538]: Er beruft sich seinen Messias, zeugt ihn, läßt ihn sich kommen, stellt ihn auf. Das messianische Werk ist sein Werk.

d) Das zum Alten Testament Gesagte gilt auch um die Zeitenwende. So erwartet man in Qumran den Messias ben David (neben dem Priestermessias), obwohl der Gedanke an die nahe Gottesherrschaft das eigentliche und übergreifende Thema darstellt. Dabei signalisiert der Messias nicht nur die anbrechende Gottesherrschaft und führt aktiv den Umschwung herbei, sondern gehört eindeutig zu dieser hinzu[539], wie auch die Testamente der zwölf Patriarchen zeigen[540]. Hier ist ebenso auf die Bilderreden des äthiopischen Henochbuches zu verweisen, wo etwa in äthHen 49,2 und 62,14 vom Menschensohn/Erwählten das gleiche gesagt wird[541]. Am deutlichsten ist diese Erwartung jedoch in PsSal 17–18 ausgesprochen, wo die Gottesherrschaft und der Messias einander bedingen, wobei der Davidide als ihr Mandatar die eschatologische Herrschaft über das vollendete Gottesvolk ausübt[542].

e) Jesus übernimmt wie selbstverständlich die ihm vorgegebene alttestamentlich-jüdische Erwartung. Als Messias designatus führt er im Auftrag des ihn sendenden Gottes die Gottesherrschaft herauf und ereignet sie zunächst in seiner Person und Botschaft proleptisch vorweg; dies nicht ohne den Hinweis auf ihr endgültiges Kommen, das er in Verbindung mit seiner messianischen Inthronisation erwartet. Dann wird Gott ihm, seinem Mandatar, die Regierung der vollendeten Gottesherrschaft übertragen.

f) Der Hinweis, daß im Anschluß an Jesus auch für die nachösterliche Gemeinde der Messiasanspruch und die Basileiaverkündigung Jesu eine unauflösliche Einheit bilden, ist geradezu überflüssig. Kein anderer als der zur Rechten Gottes sitzende Christus ist derjenige, der einst zu Got-

537 Vgl. *U. Kellermann*, Messias, 15.
538 Vgl. ebd., 31.
539 Vgl. ebd., 92–95.
540 Vgl. ebd., 95–97 sowie bereits *Bill.* IV/2, 802–804.
541 Vgl. ebd., 804–806. Konkret ist zudem noch auf die Hirtenvision äthHen 85–90 zu verweisen, wo der Messias erst im Anschluß an das Gericht Gottes über die Gottlosen geboren wird (90,37) und folglich im Rahmen der Gottesherrschaft seine Funktion ausübt (90,38).
542 Vgl. ebd., 800f und *U. Kellermann*, Messias, 97–102.

tes Stunde mit der Aufrichtung der vollendeten Gottesherrschaft das Friedensreich Gottes heraufführen wird[543].

XIV.   Mk 14,61b-62 par Mt 26,63b-64 par Lk 22,67a.69-70

Nur wenn das Verhör vor dem Synhedrium auf im großen und ganzen historisch glaubwürdiger Überlieferung beruht, ist es überhaupt sinnvoll, nach der möglichen Authentie von Mk 14,61b-62 par zu fragen. Diese positive Grundentscheidung setze ich voraus.

Die vielfach wiederholten Argumente, die immer wieder zugunsten einer späteren Gemeindetradition angeführt werden[544], haben jüngere Untersuchungen trotz diverser Differenzen im einzelnen letztlich übereinstimmend widerlegt. Neben der bereits älteren Studie von Josef Blinzler sind hier vor allem die Arbeiten von Rudolf Pesch, Johannes Friedrich, August Strobel und Otto Betz zu nennen, die Mk 14,53b.55-65 par mit meines Erachtens überzeugenden Gründen als historisch weithin zuverlässige Überlieferung beurteilen[545].

Die exegetische Grundlage zu dieser ›neuen‹ Beurteilung des Verhörs vor dem Synhedrium lieferte Otto Betz längst schon in früheren Veröffentlichungen, als er 2Sam 7,11b-16 als exegetischen Schlüssel zum rechten Verständnis des Geschehensablaufs erkannte und Mk 14,55-65 entgegen einer pseudo-literarkritischen Zerstückelung als durchgängig logische Einheit beurteilte[546].

543   In Apg 8,12 wird die christliche Predigt sogar »formelhaft umschrieben als ›Verkündigung vom Reich Gottes und vom Namen Jesu Christi‹« (*J. Roloff*, Apostelgeschichte, 134). Ebenso sind in Apg 28,23.31 – geradezu als Zusammenfassung der paulinischen Botschaft im Mund des Lukas – der Messias Jesus und die Gottesherrschaft direkt miteinander verbunden. Nicht umsonst ist der gesamten neutestamentlichen Verkündigung jegliche Konkurrenz zwischen Gott und Jesus völlig fremd. Wer von Gott reden will, redet von Jesus, dem Christus (vgl. besonders Joh 10,30).

544   Vgl. die ausführliche Sichtung der Argumente und ihrer Verfechter bei *A. Strobel*, Stunde, 6-21 und *O. Betz*, Probleme des Prozesses Jesu, 614-625. Für literarische Uneinheitlichkeit speziell im Blick auf das Tempelwort (Mk 14,58 bzw. 14,57-59 insgesamt) und das Menschensohnlogion (Mk 14,62b) plädieren neben den dort aufgeführten ferner die unten Anm. 546 genannten Exegeten.

545   Vgl. *J. Blinzler*, Prozeß, 174-229; *R. Pesch*, Markus II, 416-419.424-446; *J. Friedrich*, Gott, 197-206; *A. Strobel*, Stunde, 5-94, bes. 5-21.61-94 (Strobel widerlegt vor allem auch die Hypothese, das Verhör vor dem Hohen Rat sei mit dem jüdischen Strafrecht zur Zeit Jesu nicht zu vereinbaren [46-61]) und *O. Betz*, Probleme des Prozesses Jesu, 565-640, bes. 625-640. Die bei Pesch (übertrieben) betonte Interpretation des Geschehens auf dem Hintergrund der Vorstellung vom leidenden Gerechten darf nicht gegen die Historizität des Verhörs geltend gemacht werden, wie Peschs eigenes Urteil beweist. Mit Hilfe dieser Vorstellung wird lediglich ein historischer Sachverhalt unter dem Einfluß des Alten Testaments nachträglich präzisiert und ausgedeutet, nicht aber überhaupt erst gestaltet.

546   Vgl. *O. Betz*, Frage, 144-146.154-157; *ders.*, Was wissen wir von Jesus, 59-62 und *ders.*, Probleme des Prozesses Jesu, (614-)625-640, wo er zuvor (620-625) die Argumente, die für eine literarische Uneinheitlichkeit geltend gemacht werden, aufgreift und widerlegt. In neueren Arbeiten wie etwa *J. Gnilka*, Prozeß, 17f (der Verfasser wiederholt seine in *ders.*, Markus II, 274-284.286f dargebotene Sicht [vgl. auch *L. Schenke*, Christus,

Sobald man, so Betz, den Davididen, der Jahwe ein Haus bauen wird (2Sam 7,13), eschatologisch interpretierte und auf den Messias bezog, war der Tempelbau nicht nur messianische Pflicht, umgekehrt erhob jeder, der den Tempel bauen zu wollen vorgab, indirekt den Anspruch, der Messias zu sein. Neben 2Sam 7,11b-16 sind hier als wichtigste Belege folgende zu nennen: Am 9,11; Sach 6,12f; 1Chr 17,10b-14; 4QFlor 1,10-13; TJon Jes 53,5: »Und er wird bauen das Haus des Heiligtums, welches entweiht war durch unsere Schuld« und WaR 9 (111a)[547]. Zudem ist an den Tempelausbau durch Herodes zu erinnern, der damit aus politischer Strategie heraus das erledigte, was man vom Messias erwartete; er tat dies, um die Sehnsucht des Volkes nach dem Kommen des Davididen als überflüssig zu erweisen[548]. Folgerichtig stellt der Hohepriester, als Jesus auf den Vorwurf des Tempelwortes schweigt - und damit nach zeitgenössischer Anschauung die Anschuldigung bejaht -, die Messiasfrage[549].

Verständlich ist nun auch, weshalb der Hohepriester seiner Messiasfrage die Wendung ὁ υἱὸς τοῦ εὐλογητοῦ zufügt. Sie stellt gerade keine urchristliche Bildung dar, denn bereits in 2Sam 7,14; Ps 2,7; 89,27f sowie 1Chr 17,13 - und von hierher argumentiert der oberste Priester - ist im Mund Gottes vom Messias als seinem Sohn die Rede. Und diese Verbindung ist in der Zeit unmittelbar vor Jesus nicht nur in 4QFlor 1,10-13 bezeugt, wo 2Sam 7,11b-14 messianisch gedeutet wird, sondern, wie Joseph A. Fitzmyer betont, ebenso in 4QpsDan Aª (4Q 243)[550]. Dort ist »Sohn Gottes« (aramäisch: בְּרֵהּ דִּי אֵל bzw. בַּר עֶלְיוֹן »im Zusammenhang von apokalyptischer (davidischer) Königsmessianologie . . . belegt« und bezeichnet, sofern Fitzmyers Interpretation des leider nur fragmentarisch erhaltenen Texts zu Recht besteht, den eschatologischen Davididen[551]. »Gegen die Verbindung von ›Messias‹ und ›Sohn Gottes‹ im Munde des Hohenpriesters ist also historisch nichts mehr einzuwenden.«[552] Auch die typisch jüdische Umschreibung des Gottesnamens, hier mit τοῦ εὐλογητοῦ, ist ein gewichtiges Indiz für die Ursprünglichkeit der Apposition[553].

33-44] in leicht modifizierter Form und äußert die Vermutung, speziell das Tempelwort [Mk 14,58 bzw. 14,57-59 insgesamt] und das Menschensohnlogion [Mk 14,62b] stellten von derselben Hand sekundär eingefügte nachösterliche Tradition dar) oder *D. Lührmann, Markus,* 251f (Mk 14,57-59 und 14,61b-62 werden auf den Evangelisten zurückgeführt) vermag ich keine über die alten Argumente hinausgehenden zu erkennen. *W. Schmithals, Markus II,* 650-669, bes. 652.661f spricht demgegenüber zwar von einer einheitlich konzipierten Szene, beurteilt sie jedoch zugleich als markinisch-redaktionelle Bildung. Diese unhaltbare Hypothese findet in der exegetischen Forschung zu Recht kaum Beachtung.

547 Zitiert bei *Bill.* I, 160f.

548 Vgl. *U. Kellermann,* Messias, 56.

549 Zum engen Zusammenhang von Tempelwort und Messiasfrage vgl. neben *O. Betz,* Frage, 156f; *ders.,* Was wissen wir von Jesus, 60f und *ders.,* Probleme des Prozesses Jesu, 625-628.633-635 etwa *R. Pesch,* Markus II, 433-437.443; *H. Bietenhard,* Menschensohn, 341f (in Anm. 267 mit Belegen); *S. Kim,* Son of Man, 79f und *G. Gerleman,* Menschensohn, 33f.

550 Vgl. *J.A. Fitzmyer,* Contribution, 90-93.102-107.

551 Vgl. *R. Pesch,* Markus II, 437 (Zitat ebd.); *M. Hengel,* Sohn Gottes, 71f und *O. Betz,* Probleme des Prozesses Jesu, 604, Anm. 104; 633f mit Anm. 195.

552 *R. Pesch,* Markus II, 437, vgl. ferner *O. Betz,* Probleme des Prozesses Jesu, 633f. Anders, mit dem Hinweis auf eine urchristliche Bildung, etwa *V. Howard,* Ego, 132-135 und *J. Friedrich,* Gott, 203.

553 Zu dem Semitismus τοῦ εὐλογητοῦ und seinem Äquivalent הַמְּבוֹרָךְ (הַבָּרוּךְ) vgl. *G. Dalman,* Worte Jesu, 163f; *Bill.* II, 51 und *R. Pesch,* Markus II, 437. Nicht von ungefähr formuliert Jesus in seiner folgenden Antwort entsprechend und umschreibt den Gottesnamen seinerseits mit τῆς δυνάμεως als Wiedergabe von הַגְּבוּרָה bzw. גְּבוּרְתָא (vgl. *G. Dalman,* Worte Jesu, 164f; *Bill.* I, 1006f und *R. Pesch,* Markus II, 438).

Zugleich konnte Betz zeigen, weshalb der Hohepriester in Mk 14,63 Jesu Antwort gerade von 2Sam 7 her als Gotteslästerung auslegen mußte. Wenn es dort in V. 15 heißt: »Meine Gnade wird nicht von ihm weichen« (dieser Sachverhalt begegnet ebenso in Ps 89,22–30.34–38; 132,18 und 1Chr 17,13), dann wird der gefesselte und ohnmächtige Jesus durch die Schrift widerlegt. Falls er seinen Anspruch, Messias und Gottessohn zu sein, dennoch aufrechterhält, stellt er nicht nur die Schrift, sondern auch Gott selbst in Frage und lästert den allmächtigen Gott[554]; nach Dtn 21,22f verdient er dafür die »Hängung an das Holz«[555].

In Mk 14,65 schließlich wird Jes 11,2–4 pervertiert. Wenn es dort heißt, der Messias richte aufgrund seiner Geistbegabung gar nicht erst nach Augenschein und Hörensagen, so soll Jesus jetzt in einem ›messianischen Test‹ bei verbundenen Augen herausfinden, wer ihn geschlagen hat[556].

Mk 14,55–65 stellt nach alldem eine literarische Einheit dar, die das wirkliche Geschehen im großen und ganzen historisch exakt wiedergibt. Sieht man einmal von der redaktionellen Einfügung einzelner Worte und – zunächst – vom fraglichen Menschensohnlogion Mk 14,62b ab, wird man im Gefälle des Texts lediglich zweierlei als sekundär beurteilen und auf den Evangelisten Markus zurückführen müssen: die Wertung des Tempelwortes als Falschzeugnis in V. 57 einerseits sowie V. 59 andererseits. Diese markinische Eintragung erfolgte deshalb, weil Jesus zwar gesagt hatte, der Tempel werde zerstört werden, nicht aber, er selbst werde ihn zerstören[557]. Das Zeugnis der Zeugen stimmt also in seiner zweiten, nicht aber in seiner ersten Hälfte[558]. Markus deutet ihre Aussage deswegen als eine Verleumdung Jesu, vor der er ihn in jedem Fall in Schutz nehmen möchte.

Vergleicht man nun die Darstellung des Verhörs Jesu vor dem Synhedrium bei den Synoptikern, ist die grundsätzliche sachliche Übereinstimmung unbestreitbar. Nicht zu übersehen sind jedoch auch deutliche Abweichungen der Evangelisten untereinander, so daß spätestens hier die synoptische Quellenfrage akut wird:

Daß Lukas bei seiner Darstellung der Passion Jesu insgesamt nicht nur Markus-Stoff, sondern darüber hinaus Sondergut verwendet, das in manchem Detail historisch bessere Informationen enthält, läßt sich meines Erachtens kaum bestreiten[559]. Auch hinsichtlich des Verhörs in Lk

---

554   Vgl. *O. Betz*, Probleme des Prozesses Jesu, 636f.

555   Vgl. *P. Stuhlmacher*, Die neue Gerechtigkeit, 63: »Für die Römer war die Kreuzigung eine grausame Abschreckungsstrafe. Für die Juden der neutestamentlichen Zeit war sie mehr. Für sie war die Kreuzigung eines Gotteslästerers und Gesetzesverächters der Vollzug des Gottesfluches gemäß der Tora«. Zu Dtn 21,22f, der Deutung des »ein Gehängter ist ein Gottesfluch« in 11QTemple 64,6–13 (12: »Denn von Gott und Menschen verflucht sind die, die am Holz hängen«), und der Bedeutung dieser Tradition für das »todeswürdige Vergehen« in Mk 14,63f vgl. *A. Strobel*, Stunde, 81–86.92–94; *P. Stuhlmacher*, Die neue Gerechtigkeit, 63f; *O. Betz*, Probleme des Prozesses Jesu, 606–612; *ders.*, Bedeutung, 329–331 und *H. Merklein*, Bedeutung, 6f.

556   Vgl. *O. Betz*, Probleme des Prozesses Jesu, 637–639.

557   Vgl. *R.A. Hoffmann*, Wort, 130–139; *O. Betz*, Was wissen wir von Jesus, 61f; *ders.*, Probleme des Prozesses Jesu, 632 und *D. Lührmann*, Markus, 249.

558   Zum ursprünglichen Wortlaut und Sinn des Tempelwortes s. oben S. 112–114.

559   Vgl. etwa *A. Schlatter*, Lukas, 140.436–438; *E. Hirsch*, Frühgeschichte II, 267; *E. Bammel*, Erwägungen, 24; *J. Jeremias*, Abendmahlsworte, 92f; *C. Colpe*, Art. ὁ υἱὸς τοῦ ἀνθρώπου, 438f; *W. Grundmann*, Lukas, 388.418f; *J. Ernst*, Lukas, 617f; *G. Schneider*,

22,66–71 kann man keineswegs ausschließlich von lukanisch-redaktioneller Bearbeitung des vorgegebenen Markus-Stoffs sprechen; hier fand zugleich zusätzliche Überlieferung Eingang in die lukanische Berichterstattung.

Dabei ergibt der synoptische Vergleich der Antwort Jesu auf die Frage des Hohenpriesters[560] einen interessanten Befund, denn hier basieren Matthäus und Lukas auf einer gemeinsamen, von Markus unabhängigen Tradition, die bei beiden jeweils eigenständig mit der markinischen Überlieferung kombiniert wurde. Das heißt: Bei Matthäus und Lukas fand neben Markus ebenso Q Verwendung, richtiger: Sonderüberlieferungen, die trotz möglicherweise unterschiedlicher Gestalt im einzelnen bestimmte Aussagen gegenüber Markus gemeinsam haben.

Hier ist zunächst die bei den Seitenreferenten gegenüber Markus gemeinsame Wortfolge καθήμενον/καθήμενος ἐκ δεξιῶν (Markus notiert ἐκ δεξιῶν καθήμενον) zu nennen. Hinzu kommt vor allem das Wissen um eine lediglich indirekte Bestätigung der Frage des Hohenpriesters: Mit σὺ εἶπας übernahm Matthäus diese vom markinischen ἐγώ εἰμι abweichende Antwort Jesu direkt, während sie bei Lukas – bei ihm sind in den V. 67–69 und in V. 70 Frage und Antwort jeweils auf zwei Gesprächsgänge ausgedehnt – notwendigerweise in der pluralischen Lesart ὑμεῖς λέγετε (V. 70) erscheint, da in der lukanischen Schilderung des Verhörs die Synhedristen insgesamt als Frager vorgestellt sind, weshalb sich Jesu Antwort folglich im Plural an sie alle richtet.

Hat man diese beiden Gemeinsamkeiten der Seitenreferenten gegenüber Markus vor Augen[561], wird man den entsprechenden Schluß – der als solcher allerdings noch deutlicher abgesichert werden muß – auch hinsichtlich des Fehlens von Mk 14,62bβ in Lk 22,69 ziehen dürfen: Während die markinische Überlieferung vom Sitzen des Menschensohns zur Rechten Gottes *und* von seinem Kommen mit den Wolken des Himmels spricht, kennt Q lediglich den ersten Teil dieser Doppelaussage. Während nun Lukas die ihm vorliegende Q-Tradition übernimmt, folgt Matthäus seinerseits Markus, allerdings nicht ohne greifbare Erinnerung an Q, wie die Wortfolge καθήμενον ἐκ δεξιῶν beweist.

Verleugnung, 105–139; *A. Strobel,* Stunde, 14–18 und *J.A. Fitzmyer,* Luke II, 1458. Anders *G. Voss,* Christologie, 114–118; *R. Pesch,* Markus II, 407f und (inzwischen auch) *G. Schneider,* Lukas II, 469f.

560   Inwieweit die gegenüber Markus und Lukas zusätzliche Beschwörungsformel in der Frage des Hohenpriesters in Mt 26,63b auf alter Überlieferung basiert, mag offenbleiben. Zumindest entspricht sie alter jüdischer Tradition: Jesus erscheint hier völlig korrekt als Zeuge in eigener Sache; daher die beschwörende Aufforderung an den Zeugen, nur ja die Wahrheit zu sagen (vgl. *Bill.* I, 322–324).

561   Möglicherweise wird man auch die einander entsprechenden Zeitangaben ἀπὸ τοῦ νῦν (Lk 22,69) und ἀπ' ἄρτι (Mt 26,64bα) als Argument für von Markus abweichende gemeinsame Tradition der Seitenreferenten anführen dürfen, doch scheint mir eine jeweils redaktionelle Einfügung wahrscheinlicher (s. unten S. 179 mit Anm. 570).

Die Alternative zu diesem Schluß besteht in der Hypothese, der kürzere Wortlaut der lukanischen Antwort Jesu sei dadurch bedingt, daß Lukas von sich aus ihren zweiten Teil getilgt habe; eine Vermutung, die im folgenden näher zu überprüfen ist, wobei jedoch bereits jetzt deutlich sein dürfte, daß dann die synoptische Quellenfrage in keiner Weise hinreichend erklärt wird.

Umgekehrt ist unter Voraussetzung der genannten Analyse, die zwischen Markus-Stoff und zusätzlicher Überlieferung unterscheidet, jeweils im konkreten Einzelfall zu prüfen, welcher Tradition hinsichtlich möglicher Authentie der Vorzug gebührt.

Der Wortlaut der Messiasfrage stimmt sachlich bei allen drei Synoptikern überein[562]. Markus behält jedoch als einziger die auf ein semitisches Original rückverweisende Umschreibung für »Gott«, τοῦ εὐλογητοῦ, bei und gibt somit die Frage des Hohenpriesters, die zweifellos auf den davidischen Messiaskönig zielt[563], am besten wieder. Umgekehrt kennt Matthäus mit σὺ εἶπας als Antwort Jesu eine ursprünglichere Überlieferung als Markus mit ἐγώ εἰμι[564], wie auch das lukanische ὑμεῖς λέγετε bezeugt[565]. Bei Markus ist die Antwort Jesu nachträglich vereindeutigt. Zwar trifft er damit ihre Intention, nicht aber ihren ursprünglichen Wortlaut. Jesus selbst entspricht mit σὺ εἶπας der alttestamentlich-jüdischen Tradition, daß der Messias sich nicht selber offenbaren darf, vielmehr von Gott als solcher offenbart wird; nur der falsche Messias betont das ἐγώ εἰμι von sich aus[566]. Dabei ist σὺ εἶπας Wiedergabe des aramäischen אַתְּ אֲמַרְתְּ und weder eindeutig als »ja« (»du *sagst* es«) noch als »nein« (»das sagst *du*«) aufzufassen[567]. Jesu Entgegnung bleibt zumindest for-

562   Die Verbindung Messias – Gottessohn ist bei Lukas aufgrund der dort vorliegenden Doppelfrage in Lk 22,67.70 lediglich auseinandergerissen worden.

563   Dies bestätigt das fünffache ὁ βασιλεὺς τῶν Ἰουδαίων im Mund des Pilatus (Mk 15,2.9.12), der Soldaten (Mk 15,18) und im Kreuzestitulus (Mk 15,26), ebenso ὁ βασιλεὺς Ἰσραήλ im Mund der Hohenpriester und Schriftgelehrten (Mk 15,32). Beide Wendungen greifen auf die Frage des Hohenpriesters in Mk 14,61b zurück und bezeichnen den Messias Israels. Während Ἰουδαῖοι die politische Bezeichnung des Gottesvolkes darstellt, ist Ἰσραήλ dessen – vom Alten Testament her vorgegebener – heilsgeschichtlicher Ehrenname. Entsprechend ist ὁ βασιλεὺς τῶν Ἰουδαίων der politische Terminus für den Messias und somit prompt im Zusammenhang der Kreuzigung Jesu durch die Römer belegt, während die jüdischen Führer mit ὁ βασιλεὺς Ἰσραήλ den religiös vollen Namen des Messias aufgreifen.

564   Vgl. *O. Betz*, Probleme des Prozesses Jesu, 634, der zwar vorsichtig formuliert (»vielleicht«), aber letztlich zustimmt.

565   Wenn Lukas im Anschluß an das pluralische ὑμεῖς λέγετε – das dadurch bedingt ist, daß sich Jesu Antwort an das Synedrium als ganzes richtet – mit ὅτι ἐγώ εἰμι fortfährt, hat er die ältere Tradition mit der markinischen Version kombiniert.

566   S. oben S. 132.

567   Auch im rabbinischen Sprachgebrauch kann die besagte Antwort im Sinne von »Wie du gesagt hast, so ist es« und »Das sagst du, nicht ich« gebraucht werden (vgl. *Bill.* I, 990f). Damit folge ich allerdings nicht *O. Cullmann*, Christologie, 118–121, der aus Jesu Antwort letztlich ein Nein (»Das sagst du, nicht ich«) heraushört, da Jesus im folgenden Menschensohnwort die falsche Messiaserwartung des Hohenpriesters durch die richtige

mal in der Schwebe und entspricht insofern dem folgenden Menschensohnwort, in dem Jesus im Unterschied zur Frage nicht einfach vom
Messias, sondern vom Menschensohn spricht und seine Messianität
wiederum nur indirekt zum Ausdruck bringt.

Umstritten ist der weitere Wortlaut der Entgegnung Jesu, wobei die Möglichkeit nicht grundsätzlich ausgeschlossen werden kann, daß Jesus mit
אַתְּ אֲמַרְתְּ endete. Sobald der Hohepriester darin eine Bejahung seiner
Frage erkannte, war Jesu Urteil gesprochen, auch ohne den folgenden
Menschensohnspruch. Ausgehend von der Gesamtverkündigung Jesu ist
es jedoch sehr wahrscheinlich, daß er noch einiges mehr zu sagen hatte;
daß ein Menschensohnwort folgt, paßt ausgezeichnet[568]. Denn auf die
Niedrigkeit des verkannten Messias designatus, der jetzt als Menschensohn vor seinen jüdischen Richtern steht, folgt zuletzt die Inthronisation
des Messias. Jesus war sich dessen gewiß, daß Gott sich zu ihm bekennen
und den Menschensohn als Messias aufstellen würde. Auch der bevorstehende Tod des Menschensohns konnte diese Zukunftsgewißheit nicht
erschüttern[569].

Dieses Wissen Jesu läßt von vornherein erwarten, daß er im folgenden
Menschensohnspruch seine bevorstehende Hoheit denen, die jetzt über
ihn zu Gericht sitzen, feierlich ankündigt. Wie lautete dieser im Mund
Jesu?

In Mk 14,62b par Mt 26,64b sind Bezugnahmen auf zwei alttestamentliche Schriftstellen miteinander kombiniert und damit zwei unterschiedliche Vorstellungen unvermittelt nebeneinandergestellt worden: das
Sitzen des Menschensohns zur Rechten Gottes (Ps 110,1) und sein
Kommen mit den Wolken des Himmels (Dan 7,13)[570]. Während jedoch
die erste Bezugnahme nur als Anspielung bezeichnet werden kann, liegt
mit der zweiten ein teilweise wörtliches Zitat vor.

Von der Verkündigung Jesu her geurteilt, kann das Logion *in dieser Form*
nicht auf Jesus selbst zurückgehen. Jesus formuliert seine Aussagen sonst
nie in präziser Anlehnung an das Alte Testament, vielmehr erweist sich

---

jesuanische korrigiert habe. Jesu Antwort ist letztlich von vornherein im Sinne eines Ja gemeint (vgl. *D. Flusser*, Jesu Prozeß, 134–136). Markus interpretiert mit ἐγώ εἰμι richtig.
Nicht umsonst setzen auch der Hohepriester und (später) Pilatus ein Ja voraus.

568 Es ist charakteristisch für Jesus, mit einem Menschensohnwort zu antworten,
wenn die Messiasfrage an ihn herangetragen wird. Dies war bereits der Fall, als seine Gegner von ihm ein Zeichen forderten, mit dem er seinen messianischen Anspruch beglaubigen sollte (Lk 11,29f par), und ebenso, als Petrus ihn als Messias bekannte (Mk 8,29.31
par).

569 S. oben S. 105–111.123–125.127 und unten S. 182–185.244.343–365(–367).

570 Matthäus sucht diese Ungereimtheit auszugleichen, indem er zur ersten Vorstellung ἀπ' ἄρτι hinzufügt und damit das Sitzen zur Rechten dem Kommen zur Erde zeitlich
verordnet.

solcher Schriftgebrauch als typisch für die Urkirche[571]. Zugleich ergaben die bisher behandelten Menschensohnlogien, daß die Rede vom »Kommen« des Menschensohns (im Sinne von »Wiederkommen«, »Wiederkunft«) nur in der nachösterlichen Theologie verständlich ist, im Mund des historischen Jesus hingegen nicht[572].

Nicht umsonst überliefert Lukas den Spruch anders als Markus und Matthäus ohne Bezug zu Dan 7,13. Er bietet nur den Teil, der an Ps 110,1 anklingt. An zwei Stellen hat Lukas ihn redaktionell bearbeitet: durch die Verdeutlichung der (bei Markus vorliegenden) Umschreibung des Gottesnamens τῆς δυνάμεως[573] mit τοῦ θεοῦ sowie durch die Einfügung der lukanischen Vorzugswendung ἀπὸ τοῦ νῦν (δέ)[574].

Vergleicht man nun den vorlukanischen Text mit dem markinischen abzüglich der Bezugnahme auf Dan 7,13, dann erweisen sich beide als nahezu identisch. Sieht man einmal davon ab, daß Lukas (in Übereinstimmung mit Matthäus) mit καθήμενος ἐκ δεξιῶν gegenüber ἐκ δεξιῶν καθήμενον bei Markus die semitisch richtigere Wortfolge überliefert, unterscheiden sich beide Fassungen lediglich dadurch, daß Lukas ἔσται notiert, Markus und Matthäus hingegen den grammatisch den Akkusativ nach sich ziehenden Terminus ὄψεσθε. Die lukanische Tradition, und also Q, überliefert sicherlich den ursprünglichen Text: Die einfache Kopula ἔσται ist nicht nur schlichter als das visionäre ὄψεσθε der apokalyptischen Schau[575], sondern hat ebenso eine Parallele im ursprünglichen griechischen Wortlaut der authentischen Menschensohnlogien Lk 11,30 par Mt 12,40; Lk 17,24 par Mt 24,27 und Lk 17,26 par Mt 24,37. Sodann stellt ὄψεσθε doch wohl keine Anspielung an Sach 12,10 dar[576], sondern ist durch die sekundäre Kombination des Spruchs mit dem Zitat aus Dan 7,13 bedingt und gibt das dortige וַאֲרוּ . . . חָזֵה הֲוֵית wieder[577]. Schon in Mk 13,26 par wurde es übernommen.

---

571   Vgl. etwa *H.E. Tödt*, Menschensohn, 33 und *J. Gnilka*, Prozeß, 17f.

572   S. vor allem oben S. 155.165f.

573   S. oben Anm. 553.

574   Vgl. Lk 1,48; 5,10; 12,52; 22,18.69 und Apg 18,6. Ansonsten findet sich die besagte Wendung im Neuen Testament nur noch in Joh 8,11 und 2Kor 5,16.

575   Vgl. *C. Colpe*, Art. ὁ υἱὸς τοῦ ἀνθρώπου, 438.

576   So fälschlich *N. Perrin*, Jesus, 204–209 und *E. Schweizer*, Markus, 188. Bei Übereinstimmung nur eines einzigen Wortes – sofern man angesichts נבט im hebräischen Text und ἐπιβλέπειν in der Septuaginta überhaupt von einer Übereinstimmung sprechen kann – ist es meines Erachtens methodisch nicht gerechtfertigt, von einer »Anspielung« zu reden. Dies gilt trotz Joh 19,37 und Offb 1,7, wo in späterer Zeit Sach 12,10 als Schriftbeweis herangezogen wird.

577   Septuaginta und Theodotion geben וַאֲרוּ . . . חָזֵה הֲוֵית mit ἐθεώρουν . . . καὶ ἰδού wieder. Deshalb kann das futurische ὄψεσθε ohne weiteres Dan 7,13 LXX bzw. Theod. voraussetzen, denn »In der hellenistisch-griechischen Koine dient ὄψομαι als Futur für βλέπω und θεωρέω ebenso wie für ὁράω« (*R. Maddox*, Methodenfragen, 151, Anm. 9). Tatsächlich folgt Mk 14,62bβ Dan 7,13 Theod. (bzw. einer Theodotion nahestehenden

Die Gegenprobe bestätigt dieses Ergebnis: Lukas greift aus der ihm vorliegenden Überlieferung nicht nur sämtliche Belege auf, die im Blick auf die Parusie Jesu vom Kommen des Menschensohns handeln, er bietet in Lk 18,8b und 21,36 die entsprechende Vorstellung sogar in eigener Formulierung[578]. Sollte er also ausgerechnet in Lk 22,69 einen solchen Beleg von sich aus einfach gestrichen haben? Gewiß nicht.

Heinz Eduard Tödt behauptet für Lk 22,69 die sekundäre Eliminierung des Parusiegedankens. Seine Begründung lautet: Weil in Mk 14,62b der Akzent auf dem Zitat aus Dan 7,13 liege, habe Lukas dieses streichen müssen, um so sein eigenes Anliegen, die Betonung der sessio ad dexteram Dei, in den Mittelpunkt zu rücken und zu verselbständigen. Dies, um seiner bedrängten Gemeinde mit der Versicherung Trost zuzusprechen, daß die kommende Herrschaft des Menschensohns trotz allem gegenwärtigen Leid bei Gott schon jetzt reale Wirklichkeit sei[579].

Damit hätte Lukas seine Gemeinde jedoch schlecht getröstet. Daß der Auferstandene als der Χριστός und κύριος (nicht: als ὁ υἱὸς τοῦ ἀνθρώπου) im Himmel längst inthroniziert war, stand für das gesamte Urchristentum außer Zweifel. Dennoch wurde die Gemeinde bedrängt. Ihr Trost in dieser Bedrängnis bestand nun gerade im Wissen, daß der bald wiederkommende Herr alle Not beenden und seine Gemeinde um sich sammeln würde[580]. Von daher erbaten die Christen im Gebet das Kommen ihres Herrn.

Diesen Trost konnte Mk 14,62b liefern, Lk 22,69 hingegen für sich genommen nicht.

Lukas folgt vielmehr der ursprünglichen (Q-)Tradition, die die Kombination mit dem Zitat aus Dan 7,13 noch nicht enthielt[581]. Hätte er lediglich einen verkürzten markinischen Text überliefert, wäre zumindest ὄψεσθε beibehalten[582].

Die traditionsgeschichtliche Entwicklung von der (vor-)lukanischen zur markinischen Textgestalt läßt sich leicht nachvollziehen:
Relativ früh wurde Dan 7,13f zur Kernstelle für die nachösterliche Interpretation der jesuanischen Menschensohnlogien[583]. Deshalb lag es nahe, diese Beziehung auch hier herzustellen, zumal gerade in Dan 7,9–14 gleichzeitig jener Gerichtsgedanke vorliegt, den die markinische Überlieferung pointiert hervorheben möchte. Diese Gerichtsansage wird

Übersetzung), wie das übereinstimmende μετὰ τῶν νεφελῶν τοῦ οὐρανοῦ zeigt, während die Septuaginta die Präposition ἐπί notiert. Anders Mk 13,26, der zweite synoptische Beleg, der Dan 7,13 zitiert. Hier liegt angesichts des ἐν νεφέλαις weder Theodotion noch die Septuaginta zugrunde; ob der hebräische Text, sei dahingestellt, denn ἐν als Wiedergabe von עם ist zumindest ungewöhnlich.

578   S. oben S. 51f.
579   Vgl. *H.E. Tödt*, Menschensohn, 95f, ferner *A. Suhl*, Funktion, 55 und *W. Schenk*, Passionsbericht, 234.
580   Vgl. Mk 13,26f par; Lk 12,35–37; 21,27f und 1Thess 4,15–17.
581   Vgl. *Th. Boman*, Jesusüberlieferung, 152; *O. Michel*, Art. υἱὸς τοῦ ἀνθρώπου, 1162; *C. Colpe*, Art. ὁ υἱὸς τοῦ ἀνθρώπου, 438f; *J. Jeremias*, Theologie, 260f und *O. Betz*, Probleme des Prozesses Jesu, 634.
582   Dies zeigt schon die Wortstatistik: Bei Markus findet sich ὁρᾶν 7mal, bei Matthäus 13mal, bei Lukas (Evangelium) 14mal, in der Apostelgeschichte 16mal. Es entspricht somit nicht der lukanischen Tendenz, ὁρᾶν zu streichen oder zu ersetzen.
583   S. oben S. 156–158.165–167.

übernommen, um nicht einfach nur eine nachträgliche Beglaubigung des jetzt noch ohnmächtigen Jesus und damit seinen letztlichen Triumph über seine Gegner zu betonen – so
die (vor)lukanische Überlieferung –, sondern um darüber hinaus das kommende Gericht
über die jüdischen Führer mit all seinen Konsequenzen anzudrohen; dies exakt im Sinne
von Mk 8,38 par und Mk 13,26f par, den beiden entsprechenden bei Markus tradierten
Logien, die vom Kommen des Menschensohns handeln. Die, die in Wahrheit Gott lästern,
sind die Synhedristen. Sie verfallen daher dem Gericht Gottes, wenn der Menschensohn
für alle sichtbar (wieder)kommt. Mit dem bloßen »Sitzen zur Rechten der Kraft« war der
nachösterlichen Gemeinde zu wenig gesagt[584]. Das markinische Logion wurde also aus
dem (vor)lukanischen entwickelt und stellt eine sekundäre Weiterbildung dar.

Der ursprüngliche Wortlaut des Menschensohnlogions im Anschluß an
das אַתְּ אָמַרְתְּ (σὺ εἶπας) Jesu ist demnach folgender (in griechischer
Übersetzung):

ἔσται ὁ υἱὸς τοῦ ἀνθρώπου καθήμενος ἐκ δεξιῶν τῆς δυνάμεως.

Das zugrundeliegende aramäische Original wiederum lautet:

יְהֵוֵא בַּר אֱנָשָׁא יָתֵב מִן יַמִּינָא דִּגְבוּרְתָּא

Was damit vorliegt, ist eine Anspielung an Ps 110,1[585]. Der so redende
Jesus versteht sich selbst als den eigentlichen Adressaten dieses Gottes-
spruchs und kündigt die baldige Erfüllung jener alttestamentlichen Verheißung an: das Sitzen des Menschensohns zur Rechten Gottes[586].

Nun ist Ps 110,1 als meistzitierter Schriftbeweis der Urkirche nicht nur durchgängig im
Neuen Testament aufgegriffen, sondern auch innerhalb der Jesustradition an einer weiteren Stelle, die schon wegen ihrer Rätselhaftigkeit auf Jesus selbst zurückgeht: Mk 12,35–
37 par[587].

584   Vgl. *O. Betz,* Probleme des Prozesses Jesu, 635, der Mk 14,62bβ zu Recht als sekundäre, aber folgerichtige Unterstreichung der Gerichtsdrohung beurteilt. Überhaupt
weisen *K. Berger,* Messiastraditionen, 19, Anm. 72 und *R. Pesch,* Markus II, 438f (jeweils
mit Belegen) darauf hin, daß es zur martyrologischen Tradition hinzugehört, demjenigen,
der den Bekenner und Märtyrer tötet, das Gericht anzudrohen. Und der erhöhte Gerechte
ist an diesem Gericht beteiligt.
585   Da der Wortlaut von Ps 110,1aα im hebräischen Text und in der Septuaginta übereinstimmt, ist es nicht möglich, eine Anspielung an den Septuaginta-Wortlaut zu konstatieren (gegen *Ph. Vielhauer,* Jesus, 117). Denn das Logion Mk 14,62bα par nach seinem
ursprünglichen Wortbestand geht nicht nur insgesamt, wie deutlich wurde, auf aramäische
Überlieferung zurück, auch innerhalb der eigentlichen Anspielung beweist dies die typisch
semitische Umschreibung des Gottesnamens.
586   Auch in der Tradition vom leidenden Gerechten ist das Sitzen zur Rechten Gottes
der Lohn für besondere Gerechte, speziell für Märtyrer (vgl. *R. Pesch,* Passion, 185f und
ders., Markus II, 438). Diese Vorstellung mag ebenfalls auf Jesus eingewirkt haben, dennoch bleibt Ps 110,1 der entscheidende Ausgangspunkt für Jesu Antwort.
587   Es geht nicht an, mit *F. Hahn,* Hoheitstitel, 113–115.259–262; *J. Gnilka,* Markus
II, 169–172 und anderen von einer hellenistisch-judenchristlichen Bildung zu sprechen.
Denn wie *F. Neugebauer,* Davidssohnfrage, 81–108 gezeigt und *R. Pesch,* Markus II, 249–
257 bestätigt hat, geht es in Mk 12,35–37 um die Messiaslehre des Messias selbst. Die
kleine Szene ist zugleich ein Beleg dafür, daß Ps 110,1 zur Zeit Jesu auch von jüdischer
Seite messianisch gedeutet wurde.

Als scheinbar widersprechende Aussagen stehen sich hier gegenüber: a) Der Messias ist Davids Sohn, und der Vater steht über dem Nachkommen. b) David selbst nennt den Messias in Ps 110,1 seinen Herrn (לַאדֹנִי).

Da diese exegetische Aporie in Mk 12,35–37 par ohne Antwort bleibt, betonen Fritz Neugebauer und Rudolf Pesch, sie werde erst vor dem Synhedrium gelöst, indem Jesus die pharisäische Davidssohnmessianologie durch die Menschensohnmessianologie überwinde: Der Davidssohn ist deshalb zugleich Davids Herr, weil er der erhöhte und kommende Menschensohn ist[588].

Diese Auskunft ist jedoch ebensowenig haltbar wie die, daß hier die Davidssohnschaft Jesu bestritten werde. Sobald man nämlich nicht a priori den Menschensohn aus Mk 14,62b par in Mk 12,35–37 par einträgt, ist der genannte Lösungsversuch allein vom vorliegenden Text her durch nichts nahegelegt. Denn hier geht es nicht um den Menschensohn, sondern um den Messias, der zugleich Davidssohn ist.

Wie Otto Betz längst erkannte, liefert wieder 2Sam 7, jetzt V. 14, den Schlüssel zur Lösung der vorliegenden Aporie: ». . . als der endzeitliche, ewig regierende Davidide ist er [sc. der Messias] gleichzeitig der Gottessohn, und darin besteht seine einzigartige, den Vater David überragende Würde.«[589]

Wenn Mk 12,35–37 par damit auch nicht von Mk 14,62b par her ausgelegt werden darf, so ergeben sich umgekehrt im Blick auf die Authentie des ursprünglichen Wortlauts von Mk 14,62bα par zwei wichtige Konsequenzen: Wie seine jüdischen Gegner deutet auch Jesus Ps 110,1 messianisch[590]. Zugleich argumentiert er bezüglich seiner eigenen Messianität in der Tat unter anderem mit Ps 110,1.

Der Terminus Menschensohn ist jedoch von Ps 110,1 her gerade nicht vorgegeben. Was dort ursprünglich vom König Israels gesagt war[591], wird

---

588   Vgl. *F. Neugebauer*, Davidssohnfrage, 84–106 und *R. Pesch*, Markus II, 253–256.

589   *O. Betz*, Frage, 148, vgl. ferner *ders.*, Bedeutung, 327: »Er ist Davids Sohn, aber seine eigentliche Würde besteht in der Tatsache, daß auch Gott ihn wie einen Sohn halten und ihn zu seiner Rechten einsetzen wird (Ps 110,1).« Genau dies ist prompt der Vorwurf des Hohenpriesters vor dem Synhedrium gegenüber Jesus, wenn er die Frage stellt, ob Jesus der Messias und damit der Sohn des Hochgelobten sei. Die Gegner Jesu hatten demnach genau verstanden, was er ihnen verdeutlichen wollte.

590   Wegen des Fehlens messianischer Deutungen in der altrabbinischen Zeit – solche sind erst ab der zweiten Hälfte des 3. Jahrhunderts n.Chr. belegt – vgl. *Bill.* IV/1, 453–465, bes. 452f.458–460. Wenn im Neuen Testament Ps 110,1 durchgängig messianisch verstanden wird, verweist dies auf die entsprechende Deutung im Judentum zur Zeit Jesu. Folgerichtig setzen Jesus und seine jüdischen Gegner in Mk 12,35–37 par voraus, daß in Ps 110,1 vom Messias die Rede sei. Infolge antichristlicher Polemik bricht die Synagoge in den ersten 200 Jahren nach Jesu Tod und Auferstehung jedoch mit dieser Auslegung, indem sie Ps 110,1 nichtmessianisch interpretiert, um sodann ab der zweiten Hälfte des 3. Jahrhunderts, als Judentum und Christentum ohne direkte gegenseitige Beeinflussung nebeneinander existieren, wieder zur traditionellen Auffassung zurückzukehren. Daß die messianische Deutung bereits im vorchristlichen Judentum geläufig ist, zeigen neben Mk 12,35–37 par vor allem auch die Belege aus den Bilderreden des äthiopischen Henochbuches, die vom Sitzen des Menschensohns/Erwählten auf dem Thron seiner Herrlichkeit handeln (äthHen 61,8 und 62,2, vgl. 51,3). Hier steht Ps 110,1 im Hintergrund (vgl. *J. Theisohn*, Richter, 68–98). Nicht von ungefähr betont *D.M. Hay*, Glory, 27–33, die traditionsgeschichtlich älteste Deutung von Ps 110,1 sei die messianische.

591   Vgl. *H.-J. Kraus*, Psalmen II, 925–938; *W. Zimmerli*, Grundriß, 77 und *J. Gnilka*, Matthäus II, 265: »Der Psalm handelt von der Inthronisation des Königs in Jerusalem.«

zeitgenössisch als Verheißung an den Messias verstanden. Wieder tritt damit im Mund Jesu »Menschensohn« an die Stelle, an der eigentlich »Messias« stehen müßte, womit erneut bestätigt wird, was längst deutlich wurde: בַּר אֱנָשָׁא ist jesuanische Chiffre für sein messianisches Selbstverständnis.

Die Situation vor den jüdischen Richtern, die den Messiasanspruch an Jesus herantragen, um sein Bekenntnis zu erzwingen, läßt nahezu zwangsläufig eine Antwort Jesu erwarten, in der er von sich als dem Menschensohn spricht. Denn nirgendwo als vor dem Synhedrium ist offenkundiger, daß er noch בַּר אֱנָשָׁא und seine Messianität noch nicht von Gott bestätigt und beglaubigt ist. Folgerichtig verweist Jesus deshalb auf seine zukünftige Hoheit, die unmittelbar bevorsteht: Bald sitzt der Menschensohn zur Rechten Gottes und ist dann auch vor seinen jetzigen Richtern als Messias und Sohn Gottes ausgewiesen und ins Recht gesetzt. Seine derzeitige Ohnmacht ist kein Gegenbeweis. Gerade sie entspricht dem Heilsplan Gottes, den Jesus gehorsam erfüllt. Die baldige Realisierung der messianischen Verheißung Ps 110,1 wird das, was derzeit noch verborgen ist, eindeutig offenbaren.

In sämtlichen späteren Bezugnahmen der Urkirche auf Ps 110,1 ist die Auferstehung Jesu, bei Lukas zusätzlich die Himmelfahrt, wie Apg 2,32–36 zeigt, vorausgesetzt. Das Sitzen zur Rechten Gottes ist als Thronen im Himmel verstanden; der Erhöhte ist bereits im Himmel inthronisiert[592]. Erst mit der Parusie des κύριος erwartet das gesamte Neue Testament die für alle sichtbare Durchsetzung dieser Herrschaft auch auf der Erde[593]. Von alldem ist nun aber im ursprünglichen Wortlaut des Menschensohnlogions bezeichnenderweise nicht die Rede.

Im Neuen Testament liegt mit Mk 14,62bα die einzige Stelle vor, in der das aus Ps 110,1 vorgegebene »Sitzen zur Rechten Gottes« als *eschatologisches Ereignis* verstanden ist und gerade nicht als ›Zwischenstation‹, die diesem vorausgeht[594]. Bezeichnet die Wendung grundsätzlich eine Machtübertragung, so hier die Delegation endzeitlicher Macht an den jetzt noch ohnmächtigen Menschensohn. Jesus spricht also auch vor dem

---

592 In diesem Sinn hat vermutlich auch Lukas selbst Lk 22,69 verstanden, wie vor allem Apg 2,32–36 nahelegt.

593 Von hierher ist es folgerichtig, daß die in Lk 22,69 vorliegende Tradition in Mk 14,62bβ um das Moment des (Wieder-)Kommens des Menschensohns ergänzt wurde.

594 Vgl. bereits F. Hahn, Hoheitstitel, 128. Eine gewisse Parallele liegt mit äthHen 51,3; 61,8 und 62,2 vor, obwohl dort vom Sitzen zur Rechten Gottes expressis verbis nicht die Rede ist. Der Menschensohn/Erwählte sitzt vielmehr auf »meinem [sc. Gottes] Thron« (51,3) bzw. der Herr der Geister (Gott) setzt ihn auf den Thron seiner Herrlichkeit (61,8 und 62,2), um die Ungerechten zu vernichten und die Gerechten zu sammeln und zu erretten. So sicher keinerlei direkte Abhängigkeit beider Traditionen vorliegt, so gewiß wird nochmals deutlich, daß Ps 110,1 bereits im Judentum vor Jesus eschatologisch-messianisch gedeutet wurde (s. oben Anm. 590).

Synhedrium von seiner messianischen Inthronisation. Bald wird der Menschensohn als Messias offenbar. Zwischen Auferstehung und Parusie wird nicht unterschieden, und die eschatologische Herrschaft des Davididen und Sohnes Gottes findet nicht im Himmel, sondern auf der Erde statt. Auf dem Zion stellt Gott seinen Messias auf[595].

So redet nur Jesus selbst, niemals jedoch die nachösterliche Gemeinde, die aufgrund der geschichtlich gewordenen Tatsachen zwischen Auferstehung und Parusie zu differenzieren genötigt ist, während Jesus beides in einem einzigen Akt erwartete.

Folglich kann das Sitzen zur Rechten Gottes in der Theologie der Urkirche nicht mehr als ein im strengen Sinn eschatologisches Ereignis, sondern lediglich als ›Zwischenstation‹ verstanden werden, auf die die endgültige Durchsetzung der Gottesherrschaft mit der Parusie Jesu erst folgt. Dem trägt der sekundäre Zusatz Mk 14,62bβ par Rechnung und aktualisiert so in nachösterlicher Zeit und Situation das voranstehende authentische Menschensohnlogion[596].

Nach alldem ergibt sich folgendes Fazit: Mk 14,62bα par bestätigt das bisherige Ergebnis nachdrücklich. Im Mund des historischen Jesus ist בַּר אֱנָשָׁא Chiffre für den designierten, aber noch nicht inthronisierten Messias. Zugleich kündigt Jesus seine Inthronisation als unmittelbar bevorstehend an. Darüber hinaus zeigt das Logion, daß auch der Tod des Menschensohns diese Gewißheit nicht erschüttern kann. Unbeirrt hält Jesus an seinem Wissen fest: Gott ist treu, er läßt seinen Gesalbten nicht im Stich[597].

XV. Statt einer Zusammenfassung: Zur Einordnung der Menschensohnlogien

Wichtiger als eine Zusammenfassung dessen, was ich im bisherigen Verlauf der Arbeit immer wieder mehr oder weniger ausführlich betont habe, erscheint mir an dieser Stelle die kritische Überprüfung und Korrektur jener Einteilung der Menschensohnlogien in drei verschiedene Gruppen, die im Anschluß an Rudolf Bultmann in der Forschung durchweg – zumeist unreflektiert – übernommen wurde. Bultmann unterschied

595   S. bereits oben S. 132-135, zudem unten S. 362-365.

596   Vgl. *Th. Boman*, Jesusüberlieferung, 152; *O. Michel*, Art. υἱὸς τοῦ ἀνθρώπου, 1162; *C. Colpe*, Art. ὁ υἱὸς τοῦ ἀνθρώπου, 438f; *J. Jeremias*, Theologie, 260f und *O. Betz*, Probleme des Prozesses Jesu, 634. *R. Pesch*, Markus II, 437-439.443 und *P. Stuhlmacher*, Die neue Gerechtigkeit, 62 wiederum beurteilen auch den zweiten Teil des Menschensohnlogions als authentisch.

597   Somit schlägt Mk 14,62bα par eine Brücke zwischen den Logien von der zukünftigen messianischen Hoheit des Menschensohns und denen von seiner vorausgehenden Passion.

bekanntlich zwischen den Logien (a) vom kommenden, (b) vom leidenden und auferstehenden und (c) vom gegenwärtig wirkenden Menschensohn[598].
Inzwischen sind alle Logien vom kommenden Menschensohn, um mit Bultmann zu reden, abgehandelt. Dabei ließen sich Lk 11,30 par Mt 12,40; Lk 17,24 par Mt 24,27; Lk 17,26 par Mt 24,37 und Mk 14,62bα par Mt 26,64bα par Lk 22,69 (jeweils im Kern) als authentische Jesusworte nachweisen[599]. Doch gerade in diesen ist vom »Kommen« des Menschensohns ausdrücklich nicht die Rede. Erst die nachösterliche Gemeinde spricht unter dem Einfluß von Dan 7,13f vom Kommen des Menschensohns und bezieht es auf die Parusie Jesu. Insofern erfaßt Bultmanns erste Gruppe die Verkündigung des historischen Jesus überhaupt nicht, da der Menschensohn dort nicht kommt, vielmehr als der erwartete Kommende längst gekommen ist. Jesus spricht in den genannten vier Logien aber auch nicht von seinem gegenwärtigen Wirken und erst recht nicht von seinem Leiden und seiner Auferstehung, so daß man sie der zweiten oder der dritten Gruppe zurechnen könnte, sondern von der *Zukunft* des Menschensohns. Mit anderen Worten: Bultmanns erste Gruppe ist als unsachgemäße Schematisierung abzulehnen. Die mögliche Alternativbezeichnung »Die Logien von der Zukunft des Menschensohns« wäre terminologisch sicherlich richtiger, ist aber insofern ebenso sinnlos, weil damit vom Standpunkt der anfänglichen Wirksamkeit Jesu aus logischerweise auch die Logien vom leidenden und auferstehenden Menschensohn einbezogen würden.
Fritz Neugebauer – der bereits die Differenzierung zwischen der zweiten und der dritten Gruppe zu Recht ablehnt, da auch der leidende (und auferstehende) Menschensohn kein anderer ist als der irdisch-gegenwärtige – schlug daher alternativ zu Bultmann vor, zunächst einmal grob zwischen den Logien von der Hoheit und von der Niedrigkeit des Menschensohns zu unterscheiden[600]. Wie er selbst betont, ist diese Einteilung allerdings zu wenig präzise: Mit ihr wären weder die im Wirken Jesu verborgene Hoheit und die vollendete, eschatologische Hoheit des Inthronisierten unterschieden, noch käme die notwendige Differenzierung zwischen der

598 Vgl. *R. Bultmann*, Theologie, 31f.
599 Der ursprüngliche Wortlaut von Lk 22,28–30 par Mt 19,28 geht zwar auf Jesus selbst zurück, doch erwies sich das Vorkommen des Terminus Menschensohn als sekundär (s. oben S. 146f), so daß das Logion als *Menschensohn*wort ausscheidet.
600 Vgl. *F. Neugebauer*, Jesus, 21f. Auch *O. Betz*, Wie verstehen wir das Neue Testament, 30–32 lehnt die von Bultmann vorgegebene Einteilung der Menschensohnlogien ab und unterscheidet seinerseits zwischen Vollmachts- und die Verwerfungsworten. Bei anderer – biblischer – Begrifflichkeit kommt er damit zum sachlich gleichen Ergebnis wie Neugebauer.

Niedrigkeit des Menschensohns allgemein und dem konkreten Leiden und Sterben des Menschensohns speziell adäquat zum Ausdruck[601].

In Weiterführung der Anregungen Neugebauers erscheint mir die folgende Einteilung der Menschensohnlogien, die auch dem Aufbau dieser Studie zugrunde liegt, sowohl inhaltlich sachgemäß als auch terminologisch präzise:

1. Die Logien von der zukünftigen Hoheit des Menschensohns
2. Die Logien von der gegenwärtigen Hoheit des Menschensohns
3. Die Logien von der gegenwärtigen Niedrigkeit des Menschensohns
4. Die Logien vom Leiden und von der Auferstehung des Menschensohns

Anders als bei Bultmann hat man auf diese Weise nicht mehr drei verschiedene, letztlich unverbundene Gruppen vor sich, sondern solche – und zwar deren vier –, die sich durch ein sachliches Nebeneinander auszeichnen: In seiner irdischen Zweideutigkeit ist Jesus der Glauben wirkende und zugleich auf Ablehnung stoßende Menschensohn, weiß sich aber zugleich als der, der einst, sichtbar für alle, von Gott als Messias inthronisiert werden wird. Wie noch zu zeigen ist, gehören auch die Passion und, damit verbunden, die Auferstehung des Menschensohns in diesen Zusammenhang hinein.

Die Untersuchung der Logien von der zukünftigen Hoheit des Menschensohns ergab, daß einige wenige authentische Menschensohnworte in nachösterlicher Perspektive um- und neugestaltet, aktualisiert wurden, so daß sich zwei ›Untergruppen‹ unterscheiden ließen:

1. Die vier genannten und auf Jesus selbst zurückgehenden Logien deuten die eschatologische Hoheit des Menschensohns lediglich an und betonen die Tatsache als solche: Gott offenbart den Menschensohn einst (bald) als seinen Messias.
2. Alle sonstigen Logien von der zukünftigen Hoheit des Menschensohns deuten die jesuanische Selbstbezeichnung in nachösterlicher Perspektive auf dem Hintergrund von Dan 7,13f und handeln im Blick auf die Parusie Jesu vom (zukünftigen) Kommen des Menschensohns. Diese Interpretation vollzieht sich aufgrund einer konsequenten urchristlichen Aktualisierung der authentisch-jesuanischen Menschensohnlogien.

---

601 Vgl. ebd., 42f.

B
Die Logien von der gegenwärtigen Hoheit des Menschensohns

I. Einleitung

Jesus kündigte die zukünftige Hoheit des Menschensohns an, und es wurde deutlich, daß er dabei auf seine messianische Aufstellung abzielt: Gott inthronisiert den Menschensohn als Messias.

Bevor die Synoptiker jedoch von der eschatologischen Hoheit des Menschensohns reden, zeigen sie seine bereits gegenwärtige Vollmacht und Hoheit auf. Der Menschensohn ist bruchstückhaft schon jetzt, was er einst sein wird. Seine einstige Hoheit ist während seiner irdischen Wirksamkeit verborgen gegenwärtig – verborgen insofern, als sie erst in der Zukunft endgültig offenbar wird, in der Gegenwart hingegen mißverständlich und zweideutig bleibt und sowohl Glauben als auch Unglauben nach sich zieht.

Zwei der vier synoptischen Belege von der gegenwärtigen Hoheit des Menschensohns finden sich innerhalb der Streitgesprächsammlung Mk 2,1 – 3,6 par: Mk 2,10 par betont die Vollmacht des Menschensohns zur Sündenvergebung, nach Mk 2,28 par ist der Menschensohn Herr auch über den Sabbat. Der dritte Beleg, Lk 19,10, entspricht sachlich Mk 2,10 par; an die Stelle der Sündenvergebung ist hier der Heilszuspruch des Menschensohns getreten.

Viertens sei schließlich Mt 13,37 wenigstens erwähnt, jene laut opinio communis sekundäre Bildung[1], die darum aus der weiteren Diskussion ausscheidet.

In der Forschung wird des öfteren auch die Authentie der drei erstgenannten Logien bestritten, eine Vermutung, die in der folgenden Einzeluntersuchung zu überprüfen ist.

II. Mk 2,10 par

Der Menschensohnspruch Mk 2,10 bildet den Höhepunkt der Perikope Mk 2,1-12, der Heilung des Gelähmten[2]. Über seine Nichtauthentie ist

---

1 Vgl. stellvertretend *J. Jeremias,* Gleichnisse, 79–84; *ders.,* Deutung, 261–265; *H.E. Tödt,* Menschensohn, 64–68 und *W. Grundmann,* Matthäus, 349f.

2 Mit *I. Maisch,* Heilung, 112–117; *R. Pesch,* Markus I, 149f und anderen gehe ich davon aus, daß die sogenannte vormarkinische Streitgesprächsammlung mit Mk 2,15 begann und mit Mk 3,6 (zum vormarkinischen Charakter von Mk 3,6 s. unten S. 241, Anm. 156)

von vornherein entschieden, wenn die Perikope tatsächlich auf einer ursprünglichen Wundererzählung (V. 1-5a.11f oder V. 1-5.11f) basiert, in
die erst sekundär die Auseinandersetzung Jesu mit den Schriftgelehrten
(V. 5b-10 oder V. 6-10) eingefügt wurde[3]. Die wichtigsten Argumente
gegen die Einheitlichkeit von Mk 2,1-12 sind folgende[4]:

1. der nur mentale und nicht verbale Widerspruch der Schriftgelehrten
in den V. 6-8;

2. das Fehlen einer Reaktion der Schriftgelehrten auf Jesu Antwort,
verbunden mit deren Einbeziehung (πάντες) in das Gotteslob des V. 12b;

3. in V. 5b vermittelt Jesus Gottes Vergebung, in V. 10 vergibt der
Menschensohn von sich aus;

4. die eigentümliche Konstruktion des V. 10 in Verbindung mit dem
harten Übergang zu V. 11;

5. die als Interpolationsschema verdächtige Wendung λέγει τῷ
παραλυτικῷ in den V. 5 und 10;

6. die plötzliche und unvorbereitete Anwesenheit der Schriftgelehrten
in V. 6;

endete. Erst Markus hat die Perikope vom Gelähmten dieser Sammlung vorangestellt, wobei er zugleich die von der Berufung des Levi (Mk 2,13f) zwischen V. 12 und V. 15 einfügte. Der Evangelist übernahm die Erzählung vom Gelähmten aus ihm vorgegebener
Tradition, die er nur geringfügig bearbeitete. *I. Maisch*, Heilung, 12-20 wird mit ihrer Rekonstruktion des vormarkinischen Texts im Recht sein, wenn sie in πρὸς αὐτόν (V. 3), διὰ
τὸν ὄχλον und ἀπεστέγασαν sowie ὅπου ἦν (V. 4a) – im vormarkinischen Text ist τὴν
στέγην als Objekt zu ἐξορύξαντος zu ziehen (*H.-J. Klauck*, Frage, 229 hält demgegenüber
V. 4a insgesamt für redaktionell) – und in εὐθύς (V. 8a) bzw. καὶ εὐθύς (V. 12a) die Handschrift des Evangelisten erkennt. Lediglich die V. 1f hat Markus in größerer redaktioneller
Freiheit ausgestaltet. Die vormarkinische Textfassung lautete (gegen *H.-J. Klauck*, Frage,
228.234, der die V. 1f im ganzen dem Evangelisten zuordnet) vermutlich so: Καὶ εἰσελθὼν
εἰς Καφαρναοὺμ (laut Maisch ist die Ortsangabe allerdings markinisch) ἠκούσθη ὅτι ἐν
οἴκῳ ἐστίν. καὶ συνήχθησαν πολλοί.

3 Die literarische Einheitlichkeit der Perikope wird heute mehrheitlich bestritten. Dabei hat sich die Meinung durchgesetzt, daß das – so postulierte – eingeschobene Streitgespräch zu keiner Zeit für sich allein existiert habe, sondern von Anfang an immer nur zur
Wundergeschichte hinzuerzählt worden sei (vgl. stellvertretend *R. Pesch*, Markus I, 158).
Insofern wäre auch der Menschensohnspruch V. 10, der wohl kaum aus seinem heutigen
Kontext herausgelöst werden kann (anders *J. Gnilka*, Markus I, 97 und *R. Kearns*, Traditionsgefüge, 34, Anm. 99), von vornherein als sekundäre Bildung erwiesen. Für die Einheitlichkeit der Perikope plädieren demgegenüber neben anderen *M. Dibelius*, Formge-
schichte, 63f; *G. Bornkamm*, Rezension J. Sundwall, 656; *R.T. Mead*, Healing, 348-352;
W.G. Kümmel, Theologie, 40; *ders., Jesus*, 167f; *C. Colpe*, Argumentationen, 235f; *K.
Berger*, Exegese, 15.29-31.97; *S. Ruager*, Reich Gottes, 68-72; *W. Schmithals*, Markus I,
150f; *O. Betz*, Wie verstehen wir das Neue Testament, 18-20; *ders., Jesu Lieblingspsalm*,
198f; *O. Hofius*, Vergebungszuspruch, 126, Anm. 54; *B. Lindars*, Jesus, 201, Anm. 39;
C.C. Caragounis, Son of Man, 179-187, bes. 187; *F. Mußner*, Kraft, 112f und *P. Stuhlmacher*, Jesus von Nazareth als Christus des Glaubens, 23f.

4 Faßt man die bei *I. Maisch*, Heilung, 29-33 und *R. Pesch*, Markus I, 151f genannten
Einzelargumente zusammen, hat man alle Einwände gesammelt vorliegen. Ich nenne nur
solche, die als Argumente ernsthaft in Frage kommen.

7. die Akklamation des V. 12b bezieht sich nicht auf die V. 5b–10;
8. das πίστις-Motiv der V. 3–5a ist in den V. 5b–10 verschwunden.

Bei einer genauen Überprüfung dieser acht Argumente erweisen sich nun aber die fünf letztgenannten als wenig stichhaltig und sollten als Belege für einen sekundären Einschub ausscheiden:
Auffälligerweise haben die Seitenreferenten Matthäus und Lukas die angeblich eigentümliche Konstruktion des V. 10 und den angeblich harten Übergang zu V. 11 entgegen ihrer sonstigen Gewohnheit nicht geglättet, sondern beibehalten. Dies zeigt, daß sie an dieser Stelle keine Schwierigkeiten sahen. Zudem ist der überraschende (?) Wechsel des Gesprächspartners in einer Erzählung bis heute durchaus üblich[5]. Als Verstehenshilfe für den Leser der Perikope ist die Wendung λέγει τῷ παραλυτικῷ ebenso verständlich.
Ist der Hinweis auf das sogenannte Interpolationsschema damit schon kaum noch haltbar, so kommt hinzu, daß diese Wendung auch in V. 5 ihr gutes Recht hat: Wenn die Freunde den Gelähmten in »wortlose(r) Bitte und Vertrauensäußerung«[6] vom Dach herablassen, muß Jesus, sofern er das Ganze nicht ignoriert, den Gelähmten ansprechen.
Selbstverständlich ist vorausgesetzt, daß die Schriftgelehrten von Anfang an anwesend sind. Ab V. 6 treten sie jedoch in besonderer Weise in Erscheinung. Eben deshalb werden sie genau hier erwähnt.
In V. 12 ist sehr wohl »von der Reaktion auf das Resultat einer Sündenvergebung die Rede«[7]. Der Lobpreis auf Gott (nicht: auf Jesus) bezieht sich gerade zurück auf die V. 5b und 7, wo in der Tat Gott – Jesus handelt im Namen Gottes – dem Gelähmten Sündenvergebung zueignet[8].
Das sogenannte πίστις-Motiv taucht ebensowenig in den V. 11f wie in den V. 5b–10 ausdrücklich auf[9]. Wenn also die V. 5b(6)–10 von daher als Einschub ausgewiesen sein sollen, wird man konsequenterweise auch die V. 11f als sekundär postulieren müssen.
Können die verbleibenden drei Punkte die Beweislast für die Annahme eines späteren Einschubs der V. 5b(6)–10 tragen?
Argument 1 gewiß nicht: In den V. 6–8 liegt nämlich eine Stilisierung des schriftgelehrten Einwandes durch den vormarkinischen Erzähler vor. Dabei ist zunächst einmal grundsätzlich festzuhalten, daß dieser Protest völlig berechtigt erfolgt und notwendig erfolgen muß[10]. Der Erzähler hat

---

5   *I. Maisch*, Heilung, 29, Anm. 25 zitiert einen zeitgenössischen Beleg aus der Badischen Zeitung (Nr. 114 vom 20. Mai 1969, S. 4).
6   *R. Pesch*, Markus I, 155.
7   *C. Colpe*, Argumentationen, 232, Anm. 5.
8   Zum Passivum divinum s. unten S. 198f.
9   Vgl. *C. Colpe*, Argumentationen, 232, Anm. 5.
10 S. unten S. 194–199.

ihn insofern stilisiert, als er Jesus als καρδιογνώστης in Erscheinung treten läßt, um ihm damit eine Erkenntniskraft zuteil werden zu lassen, die
sonst entweder allein Gott[11] oder – und daran ist hier eher zu denken –
dem Messias zukommt, der laut Jes 11,2–4 kraft seines besonderen Geist-
besitzes auch an sich verborgene Dinge kennt und durchschaut[12]. Der
mentale Einspruch dient also dazu, die messianische Würde Jesu hervorzuheben. Aus diesem Sachverhalt den Schluß zu ziehen, es handle sich bei
den Schriftgelehrten gar nicht um historische Gegner Jesu, sondern lediglich um »Statisten«, die der Erzähler benötige, um das folgende Menschensohnwort besser zur Geltung zu bringen[13], ist unsinnig. Wenn der
Einwand der Schriftgelehrten folgerichtig ist, dann ergibt sich aus solcher
Stilisierung nicht mehr und nicht weniger als dies, daß der Erzähler ihn
im Blick auf die V. 9f, speziell im Blick auf das Menschensohnwort, in
seinem Sinn gestaltet. Anders formuliert: Er gibt schon in den V. 6–8 zu
erkennen, wie er das Menschensohnlogion verstanden wissen möchte:
Der, der wie Gott die Gedanken kennt, darf auch wie Gott Sünden vergeben, und der, der so im Auftrag Gottes an Gottes Stelle handelt, ist der
Messias. Will man als Historiker hinter diese erzählerische Ausgestaltung
zurück, wird man festhalten müssen: Der Protest der Schriftgelehrten erfolgte ursprünglich verbal, und Jesus griff ihren Protest auf.
Argument 2 liefert die wohl beste Erklärung für den postulierten Einschub. Dennoch gibt es mindestens gleich gute Gründe, den fraglichen
Sachverhalt auch bei vorausgesetzter Einheit hinreichend zu erklären:
Unwahrscheinlich ist eine erste Hypothese, die Schriftgelehrten hätten
Jesu Argumentation und Verhalten anerkannt und folglich zusammen
mit allen anderen Gott gepriesen. Sehr viel besser erscheint demgegen-
über die zweite Möglichkeit, den Lobpreis der πάντες in V. 12b mit Gerd
Theißen als erzählerisch integrierten mündlichen Rahmen zu verstehen,
der nicht die Zeugen der Wundertat und der Sündenvergebung im Auge
hat, sondern die Hörer der Missionspredigt, in der dieser Bericht als
Predigttext verwandt wurde[14]. Bedenkt man drittens, daß ähnliche
Abschlußwendungen wie V. 12b öfter als sogenannter Chorschluß
Wundererzählungen abschließen[15], wobei jeweils »das ganze Volk« oder

---

11   Vgl. die entsprechenden Belege bei *R. Pesch*, Markus I, 159, ferner *H.-J. Klauck*,
Frage, 225, der darauf verweist, daß das dreifache »in ihrem Herzen denken« als Stilmittel
zu gelten habe.
12   In keinem Fall liegt sogenannte θεῖος ἀνήρ-Christologie vor (vgl. zuletzt wieder
D.J. Doughty, Authority, 169). Zu dieser Art von Christologie hat *O. Betz*, Concept, 273–
284 alles Nötige längst gesagt, wie auch *R. Pesch*, Markus I, 279–181 grundsätzlich und
H.-J. Klauck, Frage, 231 speziell zu Mk 2,6–8 bestätigen.
13   Vgl. *I. Maisch*, Heilung, 79.
14   Vgl. *G. Theißen*, Wundergeschichten, 165f und *J. Gnilka*, Elend, 198f.
15   Vgl. etwa Mk 5,42; 7,37; Mt 9,33 und Lk 7,17.

»alle« in Erstaunen versetzt werden, dann wird man mit geprägten Wendungen rechnen müssen, bei denen wie hier mit πάντες hyperbolische Redeweise vorliegt, die trotz des Einspruchs der Schriftgelehrten so formuliert werden kann. So werden etwa laut Mk 1,5 par »alle« Bewohner Judäas und »alle« Jerusalemer von Johannes im Jordan getauft, obwohl sich der Hohepriester sicher nicht taufen ließ[16]. Wahrscheinlich bietet die zuletzt genannte Deutemöglichkeit die beste Erklärung, obwohl man auch die zweite nicht wird ausschließen können. Sicher ist zumindest dies: Mit Hilfe von V. 12b ist ein sekundärer Einschub der V. 5b-10 bzw. 6-10 nicht zu begründen.

Das allein verbleibende Argument 3 wiederum erweist sich, wie die Exegese des Menschensohnlogions selbst zeigen wird, als starkes Indiz gerade für die ursprüngliche Einheit von Mk 2,1-12[17].

Können damit die gegen die Einheitlichkeit der Perikope angeführten Argumente nicht beweisen, was sie beweisen sollen, so ist dies noch nicht alles: Die Verfechter einer literarkritischen Aufteilung sind sich nicht einig, ob der postulierte Einschub bereits mit V. 5b oder erst mit V. 6 beginnt[18].

Dabei ist wenigstens die Auftrennung zwischen V. 5a und b unmöglich. Die Vertreter dieser Scheidungshypothese betonen zwar, man könne die V. 5b-10 leicht ausscheiden und erhalte einen bruchlosen Übergang von V. 5a zu den V. 11f, doch ist eine solche Argumentation nur dann legitim, wenn stichhaltige Gründe eine derartige Aufspaltung nahelegen; dies ist aber nicht der Fall. Umgekehrt läßt sich positiv zeigen, daß zumindest V. 5b ursprünglich zur Wundererzählung hinzugehörte:

1.   Wenn der grundsätzliche Zusammenhang von Sünde und Krankheit ebenso wie der entsprechende von Sündenvergebung und Heilung für das Judentum nicht geleugnet werden kann[19], wenn zudem die Verbindung

---

16   Vgl. etwa auch Mk 1,32f par; Mt 4,23f par; Lk 4,14f und Apg 9,35.

17   S. unten S. 198f.

18   Vgl. die Übersicht bei *I. Maisch*, Heilung, 39–48. Darüber hinaus erkennen in der neueren Forschung etwa *J. Gnilka*, Markus I, 96; *D.J. Doughty*, Authority, 162–169 und *D. Lührmann*, Markus, 56–58 in den V. 5b–10 einen sekundären Einschub, während der behauptete Nachtrag laut *R. Pesch*, Markus I, 151–153.158–161; *H.-J. Klauck*, Frage, 232–236.242; *J. Ernst*, Markus, 84f.87; *W. Schrage*, Heil, 204 und *G. Schwarz*, Menschensohn, 110 lediglich die V. 6–10 umfaßt.

19   Vgl. im Alten Testament nur Ps 41,4f; 103,3 und die Hioberzählung, für das Judentum bNed 41a, eine Auslegung von Ps 103,3: »Der Kranke steht von seiner Krankheit nicht auf, bis man [sc. Gott] ihm alle seine Sünden vergeben hat«. Auch bMeg 17b (zitiert bei *Bill.* I, 662f) leitet aus Ps 103,3 einen Zusammenhang und ein zeitliches Nacheinander von Sündenvergebung und Heilung (Erlösung) ab. Weitere rabbinische Belege finden sich ebd., 594f. Ebenso ist innerhalb des Neuen Testaments etwa auf Joh 5,14; 9,2 und 1Kor 11,30 zu verweisen (vgl. *W. Grundmann*, Markus, 78f).

von Sündenvergebung und Heilung für Jesus charakteristisch ist[20], dann ist die ursprüngliche Zusammengehörigkeit des V. 5 im Mund Jesu höchst wahrscheinlich. Umgekehrt ist eine nachträgliche Einfügung des V. 5b kaum möglich, da die urchristliche Theologie in aller Regel nicht Sündenvergebung und Heilung, sondern Sündenvergebung und Glaube, Geistempfang und Taufe miteinander verband.

2. Welches Motiv sollte die nachösterliche Gemeinde bewogen haben, die V. 5b–10 sekundär einzufügen? Rudolf Bultmann erklärt, die Urkirche habe ihr *eigenes Recht* zur Sündenvergebung auf Jesus zurückführen wollen[21]. Dies ist jedoch nicht nachvollziehbar: Nicht nur, daß kaum verständlich wäre, warum die Urkirche, die von Kreuz und Auferstehung herkam, eine solche Rückprojektion ins Leben Jesu vorgenommen haben könnte, vor allem aus sachlichen Gründen läßt sich diese Erklärung nicht aufrechterhalten: Während die Sündenvergebung in Mk 2,1–12 durch das Heilungswunder legitimiert wird, geschah dies in der Urkirche gerade nicht. Wenn man dort von Sündenvergebung sprach, dann immer und ausschließlich im Blick auf den stellvertretenden Sühnetod und die Auferstehung Jesu. Denn trotz Sündenvergebung gab es Leid und Krankheit auch in den christlichen Gemeinden in reichem Maß. Die Juden hätten die Christen zwangsläufig bei den in aller Regel fehlenden Heilungen behaftet, wäre die Verbindung von Sündenvergebung und Heilung, wie sie in der Perikope vom Gelähmten begegnet, für die christliche Sündenvergebung konstitutiv[22].

Ingrid Maisch lehnt Bultmanns Deutung zu Recht ab, behauptet nun aber ihrerseits, die Urkirche habe das Recht *Jesu* zur Sündenvergebung legitimieren wollen, indem sie zum Nachweis der Vollmacht Jesu auf die Vollmacht des Menschensohns verwies[23]. Auch dieser Versuch einer Begründung für die Hypothese, die V. 5b–10 stellten einen sekundären Einschub dar, erweist sich als nicht stichhaltig. Ginge nämlich V. 5b auf das Konto der nachösterlichen Gemeinde, hätte sie in Mk 2,5b–10 singulär und entgegen ihrer eigenen Tendenz die Sündenvergebung an den Menschensohn gebunden. Dies ist aber kaum möglich, da die Urkirche, wollte sie

---

20 Bei Jesus bedeutet »Vergebung . . . Heilwerden des ganzen Menschen, und umgekehrt: Jesu Heilungen implizieren vergebende Zuwendung Gottes« (*L. Goppelt*, Theologie, 182). Die Heilungswunder Jesu schließen also immer auch seinen Vergebungszuspruch ein, in Mk 2,1–12 und Joh 5,1–14 tritt dieser Sachverhalt lediglich explizit zutage. Entsprechend hält Jesus in Übereinstimmung mit dem Alten Testament und dem Judentum am grundsätzlichen Zusammenhang von Sünde und Krankheit fest. Er wehrt sich lediglich gegen eine oberflächliche Aufrechnung beider, wie vor allem Lk 13,2–5 und Joh 9,3 zeigen.

21 Vgl. *R. Bultmann*, Geschichte, 13f und *H.E. Tödt*, Menschensohn, 119.

22 Zur Sündenvergebung in der christlichen Gemeinde vgl. *O. Michel*, Art. Binden und Lösen, 374–377.

23 Vgl. *I. Maisch*, Heilung, 101–104.

Jesu Vollmacht zur Sündenvergebung begründen, in diesem Fall sicherlich vom Gottessohn bzw. Christus gesprochen hätte[24]. Denn für sie hat Jesu Vollmacht zur Sündenvergebung ihren alleinigen Grund in Jesu Kreuz und Auferstehung, und als der Auferstandene ist Jesus als der Gottessohn bzw. Christus der Herr über Sünde, Krankheit und Tod[25], niemals jedoch als der Menschensohn. Angesichts dieses Sachverhalts ist die postulierte Rückprojektion der Vollmacht des Auferstandenen zur Sündenvergebung ins Leben des irdischen Jesus, die dann auch noch mit der Vollmacht des Menschensohns legitimiert wird, aus der Sicht der Urkirche nicht nur überflüssig, sondern theologisch inkonsequent und folglich auszuschließen.

V. 5b muß deshalb in jedem Fall der ursprünglichen Wundererzählung zugerechnet werden.

Damit verbleiben als hypothetisch mögliche Alternativen entweder die Einheitlichkeit der Perikope, oder in den V. 6–10 liegt ein sekundärer Einschub vor, der überhaupt erst aufgrund des V. 5b als vorgegebenem Anknüpfungspunkt an seinem heutigen Ort eingefügt wurde. Allein schon angesichts des bisher Gesagten ist letzteres kaum mehr möglich:

1.   Die Verbindung Menschensohn – Sündenvergebung ist weder aus dem Judentum noch aus dem Urchristentum ableitbar; das Unableitbarkeitskriterium erweist sie als jesuanisch.

2.   Ein konkreter Sitz im Leben für den hypothetischen Einschub ist nicht auszumachen, ja theologisch kaum denkbar, da die nachösterliche Gemeinde ihre eigene Vollmacht zur Sündenvergebung ausdrücklich an den Tod und die Auferstehung des Gekreuzigten bindet und allein von dort herleitet und begründet[26].

3.   Sündenvergebung und Heilung gehören in der ältesten christlichen Gemeinde keineswegs als Einheit zusammen.

Die literarische Einheitlichkeit von Mk 2,1–12 läßt sich jedoch mit weiteren Gründen belegen und verifizieren:

1.   Der Einwand von V. 7 ist folgerichtig und nach jüdischem Verständnis notwendig. Gerade ein Schriftgelehrter konnte an dieser Stelle um seines Glaubens willen nicht schweigen, denn der alttestamentlich-jüdische

---

24   Vgl. *C. Colpe*, Argumentationen, 234, Anm. 12.

25   Vgl. etwa Joh 3,16; Röm 1,3f; 8,3 und Gal 2,10, wo vom Gottessohn, sowie 2Kor 5,18–21 und Gal 3,13f, wo vom Christus die Rede ist.

26   Vgl. etwa Lk 24,47; Apg 3,15–20; 5,30; Röm 3,23–26 und Eph 1,7, zudem *H.-J. Klauck*, Frage, 243f, der dann jedoch fälschlich postuliert, also sei der Kreuzestod Jesu auch hier vorauszusetzen und das Logion infolgedessen eine nachösterliche Bildung. Genau das Gegenteil ist richtig: Gerade die Tatsache, daß Jesus dem Gelähmten Gottes Sündenvergebung zuspricht, ohne daß sein späterer Tod im Blick ist, verweist auf eine Situation im Leben des irdischen Jesus, die nach Kreuz und Auferstehung so nicht mehr möglich ist. Das Ganze steht also in deutlichem *Kontrast zur nachösterlichen Christologie* und verweist insofern auf authentische Jesustradition.

Befund ist eindeutig: Allein Gott kann Sünden vergeben, niemand sonst[27]. Auch für den Messias ist die Erwartung der Sündenvergebung nie belegt, erst recht nicht für den Menschensohn. Wenn Sündenvergebung jedoch ein Prärogativ Gottes ist, Jesus sich aber dennoch anmaßt, selbstherrlich über Gottes Sündenvergebung verfügen zu wollen, lästert er den allmächtigen Gott, denn Jahwe hat die Sündenvergebung an bestimmte Ordnungen gebunden: an die Kultordnung, Jesus hingegen widerspricht dieser Ordnung, indem er sie durchbricht. Deshalb ist V. 7 durchaus nicht als nachträgliche Antithese zu V. 5b und V. 10 konstruiert, sondern im Anschluß an Ps 103,3a ein entrüsteter Kampfruf zur Ehre Gottes. Als solcher ist er im Mund der Schriftgelehrten verständlich und sicher historisch.

Die Frage, ob das antike Judentum einer eschatologischen Heilsgestalt, speziell dem Messias, die *Vollmacht zur Sündenvergebung* zuerkannte, wird in der Forschung zumeist mit einem Nein beantwortet[28], während vor allem Klaus Koch sie bejaht mit dem Hinweis, speziell in TJon Jes 53,4–12 sei von dem in Wort und Tat sündenvergebenden Messias die Rede; in eigener Machtvollkommenheit vergebe der Messias denen, die sich ihm glaubend zuwenden, ihre Sünden[29]. Demgegenüber betont Bernd Janowski, der sich kritisch mit Koch auseinandersetzt, zu Recht, von TJon Jes 53,4–12 her liege es nahe, lediglich »von dem die *göttliche Sündenvergebung* durch seine Interzession *erwirkenden* Messias zu sprechen«[30]. Vor allem Otfried Hofius bestätigt dieses Ergebnis und relativiert Kochs These[31]: Normalerweise ist im Alten Testament und im Judentum die »Gewährung der Sündenvergebung die Antwort Gottes auf die Interzession des Priesters. Nicht anders ist in TargJes 53 der Zusammenhang zwischen der Fürbitte des Messias und der Vergebung Jahwes gesehen.«[32] Jahwe gewährt hier den Sündern die Sündenvergebung »um der Fürbitte des Messias willen« und bleibt damit das alleinige Subjekt der Sündenvergebung: »Nicht der Messias gewährt die Vergebung der Sünden, sondern ausschließlich *Jahwe selbst*.«[33] Ich lasse Hofius mit seinen zusammenfassenden Schlußsätzen selbst zu Wort kommen: »Unsere Überlegungen zu TargJes 52,13–53,12 bestätigen das Urteil Kochs: ›Von allen Taten des Messias wird am nachdrücklichsten sein Wirken zur *Sündenvergebung* herausgestellt‹. Sie bestätigen dagegen nicht die weitergehende Behauptung Kochs, daß der Targum zum

27   Vgl. nur Jes 43,25; 44,22; Ex 34,7 und Ps 103,3, zudem *Bill.* I, 495; *R. Pesch*, Markus I, 158f und *J. Gnilka*, Markus I, 100 sowie vor allem die folgenden Ausführungen und die dort genannten Exegeten. Auch 4QOrNab 1,4 scheidet als vermeintliche jüdische Parallele und als Gegenbeleg aus, denn dort geht es nicht um einen jüdischen Exorzisten, der dem König Sündenvergebung zueignet, sondern um Gott selbst, der dem König auf dessen Gebet hin Sündenvergebung gewährt. Zum ursprünglichen Text, zu seiner Übersetzung und seiner Deutung vgl. vor allem *B. Janowski*, Sündenvergebung, 268–273, ferner *H.-J. Klauck*, Frage, 239f.

28   Zum Forschungsstand vgl. *O. Hofius*, Targum, 215f mit Anm. 1–9 (S. 238) und *H.-J. Klauck*, Frage, 237–240.

29   Vgl. *K. Koch*, Messias, 134–148, bes. 136.147f.

30   Vgl. *B. Janowski*, Sündenvergebung, 274–276 (Zitat 276, Anm. 126), ferner *H.-J. Klauck*, Frage, 238f.

31   Vgl. *O. Hofius*, Targum, bes. 223–226.228–237 mit den hinzugehörigen Anm. 103–122.130–185 (S. 246–253).

32   Ebd., 225.

33   Ebd., 223.

vierten Gottesknechtslied von einem ›sündenvergebenden‹ Messias spreche. Der Targum sagt . . . ein Zweifaches: 1. Der Messias erwirkt und vermittelt durch seine Fürbitte den umkehrwilligen Sündern Israels die Vergebung Ihrer Sünden . . . 2. Er erwirkt und vermittelt sie denen, die sich durch seine Lehre in der Tora unterweisen und zum Tora-Gehorsam anleiten lassen . . . Der Messias *erwirkt* und *vermittelt* die Sündenvergebung, – aber er *wirkt* und *gewährt* sie nicht. Der Vergebende ist nach TargJes 53 vielmehr – wie im ganzen Jesaja-Targum – Jahwe selbst und Jahwe allein. Einen Messias, der die Sünde aus eigener Machtvollkommenheit vergibt und die Sündenvergebung in Wort und Tat spendet, kennt der Targum zum vierten Gottesknechtslied *nicht.*«[34]

In einer weiteren Untersuchung hat Hofius dieses Ergebnis nochmals abgesichert, indem er speziell auch das priesterliche Handeln im Zusammenhang der Sündenvergebung entsprechend bewertete[35]: »Die Erzählung Mk 2,1–12 setzt demnach voraus, daß das antike Judentum grundsätzlich niemandem neben Gott die Macht und das Recht zuerkannt hat, einem Sünder durch das freisprechende Wort die Vergebung seiner Sünden zu gewähren. . . . *Eines* dieser Argumente lautet dahin, daß man im antiken Judentum dem Priester bzw. dem Hohenpriester die Vollmacht zur Sündenvergebung zugeschrieben habe.«[36] Gegen diese Auffassung wendet sich Hofius entschieden[37] und faßt seine Untersuchung so zusammen: »Die Behauptung, daß das antike Judentum dem Priester bzw. dem Hohenpriester die Vollmacht zuerkannt habe, von Sünden loszusprechen, entbehrt jeglicher Quellengrundlage. Wir wissen weder etwas von einem priesterlichen Absolutionsakt gegenüber dem einzelnen noch auch von einem priesterlichen Vergebungszuspruch an die im Tempel versammelte Gemeinde«[38]. »Das freisprechende Wort . . . ist streng und ausschließlich das Wort *Jahwes selbst*«; und der Priester ist »als der Beauftragte Jahwes verstanden, der dem um Vergebung bittenden Sünder in *abgeleiteter* Vollmacht den göttlichen Freispruch ausrichtet«[39]. Dieser wird jedoch nach dem Willen Jahwes durch den priesterlichen »›Stellvertreter Jahwes‹ vollmächtig und gültig proklamiert.«[40] Hier liegt in der Tat die exklusive und unvertretbare Würde des Priesters begründet. Genau hier setzt deshalb auch

---

34   Ebd., 237. Damit bestätigt Hofius nachdrücklich, was bereits *Bill.* I, 495 betonte: Es »ist uns keine Stelle bekannt, in der der Messias kraft eigener Machtvollkommenheit einem Menschen die Vergebung der Sünden zuspricht. Die Sündenvergebung bleibt überall das ausschließliche Recht Gottes«. Auch ist an *H. Thyen*, Studien, 50, Anm. 8 zu erinnern: »Einen Beleg für die endzeitliche Sündenvergebung durch den Messias . . . haben wir [sc. in der frühjüdischen Literatur] nicht gefunden«.

35   Vgl. *O. Hofius*, Vergebungszuspruch, 115–127.

36   Vgl. ebd., 115 (z.B. gegen *E. Lohmeyer*, Markus, 52 und *E. Haenchen*, Weg, 102).

37   Vgl. *O. Hofius*, Vergebungszuspruch, 117–120 (Altes Testament), 120–124 (samaritanische Literatur) und 120.125f (antikes Judentum). Zum antiken Judentum vgl. auch *L. Goppelt*, Theologie, 86: »Die Synagoge . . . spricht die Vergebung der Sünden nicht zu; dies geschah wahrscheinlich auch nicht im damaligen Tempelritual.«

38   *O. Hofius*, Vergebungszuspruch, 125.

39   Ebd., 126, vgl. 119: »Der Freispruch, der dem Sünder die Vergebung bringt, ist *Jahwes eigenes Wort* . . ., wie denn einzig und allein Jahwe selbst es ist, der die Sünden zu vergeben vermag . . . Der Priester kann nicht in eigener Vollmacht Sünden vergeben oder von Sünden lossprechen, sondern er richtet das freisprechende Wort Jahwes als bevollmächtigter Mittler und somit in *abgeleiteter* Vollmacht aus.«

40   Ebd., 122. Hofius bezieht sich an dieser Stelle zwar konkret auf den aaronitischen Hohenpriester der Samaritaner, doch gilt diese Aussage ebenso für das Alte Testament und das antike Judentum insgesamt (vgl. im Blick auf das Alte Testament ebd., 119: »bevollmächtigter Mittler« und 126: »der Beauftragte Jahwes«, im Blick auf Qumran ebd., 125: »durch den Mund des priesterlichen Mittlers«).

die ›berechtigte‹ Empörung über Jesus ein und hat der Vorwurf der Gotteslästerung seine Grundlage.

2. Der postulierte Einschub als ganzer spiegelt nicht nur aramäischen Hintergrund[41], die Antwort der V. 8f ist zugleich typisch jesuanisch: Weder Sündenvergebung noch Heilung sind schwerer oder leichter, sie gehören im Gegenteil untrennbar zusammen. Jesus argumentiert wie die Schriftgelehrten von Ps 103,3 her und entgegnet ihnen im Blick auf Ps 103,3b, sie müßten doch eigentlich wissen, daß das eine ohne das andere undenkbar ist: ohne Sündenvergebung keine Heilung. Die sichtbare Heilung beweist gerade die behauptete Sündenvergebung; das eine wie das andere ist Jesus von Gott gegeben[42]. So hätte die Urkirche kaum argumentieren können.

3. Die Begründung dieser Vollmacht mit dem Hinweis auf die Vollmacht des Menschensohns (V. 10) entspricht dem Sprachgebrauch Jesu, ist jedoch umgekehrt in der urchristlichen Theologie nicht zu erwarten, wie deutlich wurde. Gerade auch die konkrete Formulierung des Menschensohnwortes weist nicht auf die Urkirche, da der für sie typische Bezug zu Dan 7,13f fehlt, obwohl dort in V. 14 von der Vollmacht des Menschensohns die Rede ist[43].

Fazit: Die Perikope Mk 2,1–12 stellt von vornherein eine ursprüngliche Einheit dar, die – trotz der aufgezeigten Stilisierung der V. 6–8 – eine konkrete Begebenheit aus dem Leben Jesu wiedergibt[44].

41 In V. 6 und in V. 8 zeigt dies das eine formale Parataxe umschreibende καί (vgl. *C. Colpe*, Argumentationen, 235, Anm. 14), in V. 9 (a) die Art der Frage nach der jüdisch-exegetischen Regel קַל וָחֹמֶר, die beide Schlüsse umfaßt: a minori ad maius und a maiori ad minus, (b) die Initialstellung des Verbs, (c) das Passivum divinum.

42 Vgl. *S. Ruager*, Reich Gottes, 69f; *O. Betz*, Wie verstehen wir das Neue Testament, 19f; *ders.*, Jesu Lieblingspsalm, 198f; *O. Hofius*, Vergebungszuspruch, 126f und *P. Stuhlmacher*, Jesus von Nazareth als Christus des Glaubens, 23f. Auch τέκνον, die jesuanische Anrede des Gelähmten, verweist auf Ps 103, denn im dortigen V. 13 wird Gott als »Vater« beschrieben, der sich seiner »Kinder« erbarmt. Im Auftrag des Vaters erbarmt sich Jesus dieses kranken Kindes. Zur Bedeutung von Ps 103 für die Botschaft Jesu überhaupt vgl. *O. Betz*, Jesu Lieblingspsalm, 185–201.

43 Gegen *B. Klappert*, Auferweckung, 115 und *O. Betz*, Jesus und das Danielbuch, 16f.25f, die in ἐξουσίαν ἔχει eine freie Anspielung an Dan 7,14 erkennen möchten und daraus folgern (vor allem Klappert), Jesus habe in Mk 2,10 die Funktion des danielischen Menschensohns übernommen und antizipiert. Von der Vollmacht des Menschensohns zur Sündenvergebung ist dort aber gerade nicht die Rede, zudem ist der Zusammenhang ein anderer.

44 Auch der geschilderte Einsatz der vier Träger für den Gelähmten, die das Dach — ein typisch jüdisches Flachdach aus Lehm, auf das man bei manchen Häusern über eine Außentreppe gelangte (vgl. insgesamt *R. Pesch*, Markus I, 154f mit Anm. 12 und *H.-J. Klauck*, Frage, 225 mit Anm. 6 und die dort aufgeführte einschlägige Literatur sowie die bei *Bill.* II, 4 und *H.-J. Klauck*, Frage, 225, Anm. 8 genannten Belege WaR 19 [119a]; bMQ 25a; yEr VIII,1,25b; JosAnt 14,459 und Cicero, Phil 2,45) — aufgraben und den Kranken durch das entstandene Loch hinablassen, ist »hinreichend belegt und muß als realistisch gelten« (ebd., 225).

Unter dieser Prämisse gilt es nun, den Menschensohnspruch (V. 10) zu analysieren, jenes Logion, das im Lauf der Zeit recht unterschiedliche Deutungen erfuhr[45]. Inzwischen herrscht weithin Einigkeit darüber, daß es nicht ursprünglich im generischen Sinn vom Menschen sprach und erst sekundär auf Jesus eingeengt wurde. Es geht nicht »um die Vollmacht . . . eines Menschen unter Menschen, sondern um die Herausstellung eines bestimmten Menschen«[46], um die messianische Vollmacht Jesu, die mit בַּר אֱנָשָׁא zur Sprache kommt. Wie in allen bisher als authentisch erkannten Menschensohnlogien ist בַּר אֱנָשָׁא auch hier eine feierliche, das Geheimnis der Sendung Jesu andeutende und zugleich verhüllende Umschreibung für »ich«.

Nun postuliert allerdings Rudolf Pesch einen Widerspruch zwischen V. 5b sowie V. 9, wo Gott der Vergebende sei[47], und V. 10, wo der Menschensohn selbst vergebe[48]. Daß diese exklusive Trennung – hier vergibt Gott, dort Jesus – unhaltbar ist, zeigen einerseits schon die V. 6f, wo der schriftgelehrte Einspruch entsprechend V. 10 auch schon in V. 5b die Zusage der Sündenvergebung, d.h. die Ausrichtung des göttlichen Freispruchs durch Jesus unterstellt. Andererseits ist Sündenvergebung im Alten Testament wie im antiken Judentum Gottes alleiniges Werk und Privileg, wie deutlich wurde, und Jesus wäre der letzte, der das bestreitet. Dennoch aber erhebt er den souveränen Anspruch, diese Sündenvergebung Gottes zu vermitteln und spricht sie dem Gelähmten von sich aus zu – nicht einfach im Sinne einer bloßen Ansage, »sondern als ein *wirkmächtiges Wort*, mit dem *Jesus selbst in unmittelbarer* göttlicher Vollmacht und *eigener* göttlicher Autorität die Vergebung der Sünden gewährt«[49]. Deshalb erfolgt der Protest der Gegner Jesu folgerichtig: Gott selbst hatte angeordnet, daß die Sündenvergebung an eine ganz bestimmte, von ihm festgesetzte Ordnung gebunden sein sollte (und insofern Gottes Werk blieb): an die Kultordnung. In den Augen der Schriftgelehrten begeht Jesu Gotteslästerung, weil er diese göttliche Ordnung in unerhörter Willkür mißachtet und insofern letztlich die Einzigkeit Gottes. Denn eigenmächtig verfügt er über Gottes Sündenvergebung anders,

---

45   Vgl. nur die Übersicht bei *I. Maisch*, Heilung, 90–101.

46   *O. Michel*, Menschensohn, 93. Ein generisches Verständnis setzt in jüngster Zeit allerdings wieder *R. Kearns*, Traditionsgefüge, 33 mit Anm. 99 (S. 34f) voraus, nicht jedoch *B. Lindars*, Jesus, 44–47, auch wenn er (unsachgemäß) von »generic usage« spricht, dabei aber gerade nicht »any man« meint, sondern ganz bestimmte Menschen, nämlich charismatische Wanderlehrer wie etwa auch Jesus.

47   In der Tat umschreibt ἀφίενται als Passivum divinum das Handeln Gottes: »Gott hat dir (hiermit) deine Sünden vergeben«, vgl. etwa *R. Pesch*, Markus I, 156.158; *J. Gnilka*, Markus I, 99 und *H.-J. Klauck*, Frage, 227.

48   Vgl. *R. Pesch*, Markus I, 156.160f.

49   *O. Hofius*, Vergebungszuspruch, 126.

als Gott festgelegt hatte, ja er nimmt damit das alleinige Recht Gottes für sich selbst in Anspruch.

Jesus jedoch widerlegt diesen Vorwurf, indem er auf die *Vollmacht des Menschensohns* verweist und damit zeigt, daß er nicht im Widerspruch zu Gott steht, sondern gerade im Einklang mit Gott handelt, indem er dessen Willen vollmächtig realisiert und so seinem von Gott bestimmten Auftrag nachkommt. Weil er als בַּר אֱנָשָׁא an Gottes Stelle steht, darf und kann auch er Sünden vergeben, weil er der Menschensohn ist, der von Gott gesandte Messias designatus. Folgerichtig bestätigt die folgende Heilung des Gelähmten von Ps 103,3 her die erfolgte Sündenvergebung, denn das eine wie das andere ist zwar bei den Menschen unmöglich, nicht aber bei Gott, womit wiederum deutlich wird: »Beide Sätze – das Vergebungswort V. 5b und das Heilungswort V. 11 – sind als schöpferische Machtworte verstanden, durch die Jesus selbst wirkt, was er in göttlicher ἐξουσία sagt.«[50] »Mk 2,1–12 setzt deutlich eine Handlungseinheit zwischen Gott und Jesus voraus.«[51]

Abschließend bleibt nach alldem festzuhalten: Erneut tritt mit der Chiffre בַּר אֱנָשָׁא das exklusive und einzigartige Sendungsbewußtsein und also das messianische Selbstverständnis Jesu zutage[52]. Als Messias designatus überbietet er nicht nur die alttestamentliche Kultordnung, sondern redet und handelt er in der Vollmacht Gottes und fungiert ἐπὶ τῆς γῆς als Stellvertreter Gottes, der Gottes Bereitschaft zur Sündenvergebung Wirklichkeit werden läßt[53].

III. Mk 2,28 par

Entgegen zahlreichen anderslautenden Hypothesen hinsichtlich der traditionsgeschichtlichen Genese der Perikope Mk 2,23–28 sollte die ursprüngliche Einheitlichkeit des Streitgesprächs Mk 2,23–26 nicht bestritten werden, während Mk 2,27f demgegenüber als apophthegmatische

---

50 Ebd., 127.
51 Ebd., 126.
52 Die Authentie des Menschensohnlogions läßt sich nach den voranstehenden Überlegungen kaum bestreiten, vgl. etwa *I.H. Marshall*, Son of Man Sayings, 341f; *F.H. Borsch*, Son of Man, 321f; *W.G. Kümmel*, Theologie, 40.72f; *ders.*, Jesus, 167f; *C. Colpe*, Art. ὁ υἱὸς τοῦ ἀνθρώπου, 433; *ders.*, Argumentationen, 234.236; *R. Leivestad*, Exit, 259; *S. Ruager*, Reich Gottes, 70–72; *O. Betz*, Wie verstehen wir das Neue Testament, 18–20; *ders.*, Jesu Lieblingspsalm, 198f; *O. Hofius*, Vergebungszuspruch, 126f; *B. Lindars*, Jesus, 46f; *R. Kearns*, Traditionsgefüge, 33 mit Anm. 99 (S. 34f); *C.C. Caragounis*, Son of Man, 179–187, bes. 187; *F. Mußner*, Kraft, 112f und *P. Stuhlmacher*, Jesus von Nazareth als Christus des Glaubens, 23f.
53 Vgl. *W.G. Kümmel*, Theologie, 72. Laut *C. Colpe*, Art. ὁ υἱὸς τοῦ ἀνθρώπου, 433 vollzieht Jesus hier »die messianische Aktualisierung der Sündenvergebung«.

Erweiterung anzusehen ist[54], »die erst von Markus in diesen Zusammenhang gestellt« wurde[55]. Die V. 27f setzen somit nicht einfach die V. 23–26 fort, bilden nicht die abschließende Deutung des Voranstehenden, sondern stellen einen eigenständigen Gedankengang dar, der zu dem der V. 25f gleichsam in Parallele steht[56]. Die von Haus aus »selbständig tradierte Jüngerbelehrung«[57] Mk 2,27f muß deshalb als sachliche Einheit interpretiert werden[58], die nicht vorschnell mit der Begründung auseinandergerissen werden darf, in V. 28 sei die in V. 27 proklamierte Freiheit der Menschen vom Sabbat sekundär christologisch korrigiert und damit neutralisiert worden; entsprechend hätten Matthäus und Lukas aus Furcht vor einer libertinistischen Auflösung aller Ordnung V. 27 gestrichen und allein V. 28 übernommen[59].

In Wahrheit liegt in V. 28 keine Einengung, sondern die gedankliche Konsequenz aus V. 27 vor. Dies wird deutlich, »sobald man erkennt, daß V. 27 nichts weiter sein will als die Formulierung einer allgemeinen, von Gegnern und Anhängern grundsätzlich akzeptierten Diskussionsbasis, auf der Jesu weiterführende Argumentation aufbaut.«[60] Daß dem so ist, zeigt ein Spruch, der vermutlich auf den Makkabäer Mattathias zurückgeht: »Euch ist der Sabbat übergeben, aber ihr seid nicht dem Sabbat

---

54   Gegen die manchmal proklamierte Einheit der V. 23f.27(–28), in die die V. 25f später eingeschoben worden seien (vgl. etwa *E. Hirsch*, Frühgeschichte I, 14f; *W. Rordorf*, Sonntag, 60f; *E. Schweizer*, Markus, 38f; *H.-W. Kuhn*, Sammlungen, 74–76; *W. Grundmann*, Markus, 89f; *J. Ernst*, Markus, 101f und *D.J. Doughty*, Authority, 169–173), bleibt mit guten Gründen festzuhalten: Die V. 27f wurden sekundär der ursprünglichen Einheit Mk 2,23–26 zugefügt (vgl. etwa *A. Suhl*, Funktion, 82–87; *J. Roloff*, Kerygma, 53–58; *R. Pesch*, Markus I, 179–186; *J. Gnilka*, Markus I, 118–122 und *W. Schmithals*, Markus I, 183–189). Die V. 23–26 sind erstens durch die Stichworte οὐκ ἔξεστιν in 24 und 26 sowie ποιεῖν in 24 und 25 verbunden. Zweitens ist die Exposition 23f in 25f vorausgesetzt, während 27f selbständig tradierbar sind. Drittens ist der zweimalige Plural τοῖς σάββασιν in 23f – der aus einer Fehlübersetzung des aramäischen Status emphaticus שַׁבְּתָא erwuchs (vgl. *J. Jeremias*, Theologie, 17, Anm. 42 und *G. Schwarz*, Und Jesus sprach, 32) – ein gewichtiges Indiz für die Zusammengehörigkeit der Einheit 23–26, denn in 27f ist zweimal im Singular von τὸ σάββατον die Rede, und es wäre höchst erstaunlich, wenn in ein und derselben Tradition zum einen der Plural, zum anderen der Singular gestanden hätte. Da auch in der folgenden Sabbaterzählung (Mk 3,1–6) in den V. 2 und 4 der Plural belegt ist, ergibt sich eine ursprüngliche Doppelerzählung Mk 2,23–26; 3,1–6 (vgl. *J. Jeremias*, Untersuchungen, 242–245).

55   *J. Roloff*, Kerygma, 59.

56   Vgl. ebd., 58.60.

57   Ebd., 59.

58   Vgl. ebd., 58–62; *R. Pesch*, Markus I, 184–186 und *O. Betz*, Jesus und das Danielbuch, 37f.47f.

59   Vgl. *E. Käsemann*, Problem, 207; *H. Braun*, Radikalismus II, 70, Anm. 1; *W. Rordorf*, Sonntag, 65 und *H. Thyen*, Studien, 256.

60   *J. Roloff*, Kerygma, 60.

übergeben« (MekhY 31,13f [109b] und bYom 85b)[61]. Mit diesem Wort legitimierte Mattathias die Verteidigung mit der Waffe gegenüber dem Kampfverbot für den Sabbat[62]. Die rabbinische Interpretation besagte, daß der Sabbat grundsätzlich zur Rettung des Menschenlebens in akuter Lebensgefahr verdrängt werden dürfe[63]. Rudolf Pesch ist sicher im Recht, wenn er hervorhebt, daß Jesu Spruch »mittels chiastischer Anordnung des antithetischen Parallelismus ... größere Präzision (erreicht)« und durch die deutliche Anspielung auf die Schöpfungserzählung der Priesterschrift »grundsätzlicher auf die Schöpfungsordnung (zielt)«[64], dennoch stellt Mk 2,27 letztlich nichts anderes als die jesuanische Formulierung des jüdischen Sabbatverständnisses dar. Wenn Jesus im Sabbat ein Geschenk Gottes für den Menschen sieht, so tut dies die jüdische Sabbatordnung im Anschluß an Ex 20,8-11 und Dtn 5,12-15 ebenso. Auch sie »beansprucht ja gerade, im Dienst dieses Schöpferwillens zu stehen«[65] und will ihn entsprechend seinem Charakter als Wohltat Gottes dem Menschen gegenüber rein erhalten. Indem Jesus den Pharisäern dennoch vorwirft, daß gerade ihre Sabbatkasuistik den Sabbat pervertiert, da sie Sabbatgebot und menschlichen Lebensraum gegeneinander abgrenzt, gegeneinander ausspielt und so das wahre Anliegen des Gebotes Gottes verfälscht, tut er dies jedoch nicht in Mk 2,27, sondern erst in V. 28, während V. 27 mit der jüdischen Anschauung übereinstimmt und lediglich die von beiden Seiten akzeptierte Diskussionsbasis darstellt[66]. V. 28 zeigt dann, daß Jesus diese gemeinsame Basis völlig anders interpretiert und die pharisäische Auslegung verwirft.

Hat man dies erkannt, wird man nicht mehr behaupten können, Jesus proklamiere hier die Autonomie des Menschen[67]. Gerade sie lehnt er ab, indem er in Entsprechung zum alttestamentlichen Sabbatgebot – und auch entsprechend dem ursprünglich richtigen Anliegen der jüdischen Sabbatkasuistik – mit dem Willen Gottes argumentiert und ihn in den Mittelpunkt stellt: Weil Gott das Heil des Menschen will, hat er den Sabbat eingerichtet; nicht um den Menschen zu knechten, sondern als Wohl-

61 Vgl. neben *Bill.* II, 5 etwa *E. Lohmeyer,* Markus, 63; *W. Grundmann,* Markus, 92; *J. Roloff,* Kerygma, 60; *R. Pesch,* Markus I, 184 und *J. Gnilka,* Markus I, 122f.
62 Vgl. 1Makk 2,29-41.
63 Vgl. *Bill.* I, 623-630, ferner *E. Lohmeyer,* Markus, 63 und *W. Grundmann,* Markus, 90f.
64 *R. Pesch,* Markus I, 184.
65 *J. Roloff,* Kerygma, 60.
66 Vgl. ebd., 60 und *O. Betz,* Jesus und das Danielbuch, 50: »Jesus hat in seiner Erklärung Mk 2,27 die alttestamentliche Sabbattora zusammengefaßt, auf einen Nenner gebracht.« Überhaupt wird bis heute angesichts der im einzelnen sicherlich vorhandenen Differenzen die gleichfalls und zuallererst vorliegende grundsätzliche Übereinstimmung, ja die Verwandtschaft Jesu mit den Pharisäern in der Regel viel zuwenig gesehen, vgl. *K. Berger,* Jesus, 237-251.
67 Vgl. *O. Betz,* Jesus und das Danielbuch, 44f.50f.

tat für den Menschen. Die jüdische Sabbatkasuistik mit ihrem ›Zaun‹ von Einzelbestimmungen hingegen hat aus der Wohltat eine Plage werden lassen, so daß letztlich doch der Mensch für den Sabbat da ist. Insofern zieht Jesus in V. 28 seinerseits die wahre, die gottgewollte Konsequenz aus der göttlichen Sabbatordnung: Weil Gott den Sabbat für den Menschen gemacht hat, ist der Mensch folgerichtig Herr des Sabbats. Wie der Mensch als Vollendung der Schöpfung über das gesamte Sechstagewerk Gottes herrscht, so herrscht er auch (καί) über den Sabbat. Und das heißt für Jesus: Nur diejenigen Sabbatordnungen sind dem Willen Gottes gemäß, die dem Menschen dienen. Deshalb läßt er sich von niemand daran hindern, am Sabbat Gutes zu tun, denn gerade so kommt der Sabbat zu seiner wahren Erfüllung und ist, was seinem Wesen entspricht, Abglanz der eschatologischen Erlösung[68].

Aus alldem geht hervor, daß בַּר אֱנָשָׁא in V. 28 ursprünglich eher nicht als Hoheitsbezeichnung Jesu aufzufassen ist, die seine einzigartige Vollmacht betont[69], sondern in Entsprechung zu poetischen Texten des Alten Testaments vom Menschen im generischen Sinn redet. Die semitische Urform des Logions setzt also im synonymen Parallelismus die parallele Abfolge von »Mensch« und »Menschensohn« bei gleicher Bedeutung voraus[70].

Inhaltlich argumentiert Jesus auf der Grundlage von Jes 56,2[71], wo der besagte Parallelismus (bei generischer Bedeutung von בֶּן־אָדָם) und die Sabbatproblematik bereits miteinander verbunden sind, und interpretiert Jes 56,2 in seinem gottgewollten Sinn. Allein schon von diesem alttestamentlichen Hintergrund her wären die V. 27f mißverstanden, wollte man aus ihnen eine grundsätzliche Freiheit des Menschen vom Sabbat herauslesen. Der Sabbat bleibt in Geltung, jedoch nicht als äußerer Zwang, der dem Menschen auferlegt ist, sondern als Geschenk und Wohltat Gottes für die Menschen, die gerade am Sabbat in freier Verantwortung für Gott dasein sollen. Denn der Sabbat ist שַׁבָּת לַיהוָה (Ex 20,10 und Dtn 5,14), dem Menschen gegeben zum besonderen Lob Gottes im Blick auf die eschatologische Erlösung.

Hinter Mk 2,27f kommt die Autorität dessen zum Vorschein, der den Anspruch erhebt, als der messianische Gesandte Gottes den hinter dem Sabbatgebot stehenden ursprünglichen Gotteswillen wahrhaft zu kennen

---

68   Von daher (er)löst Jesus in Lk 13,10–17 den Menschen *gerade* am Sabbat von seinen satanischen Fesseln (vgl. ebd., 51–54.59).

69   So vor allem ebd., 38f.51–54

70   Vgl. *M. Black,* Approach/Muttersprache, 23, Anm. 3; *L.S. Hay,* Son of Man, 74f; *R. Pesch,* Markus I, 185–187; *P.M. Casey,* Son of Man, 229; *W. Grimm,* Ruhetag, 60f; *R. Leivestad,* Jesus, 252; *G. Schwarz,* Menschensohn, 160–165 und *A.Y. Collins,* Origin, 399f. Anders *O. Betz,* Jesus und das Danielbuch, 37–39.

71   Vgl. *O. Betz,* Wie verstehen wir das Neue Testament, 32f und *ders.,* Jesus und das Danielbuch, 39–41.

und zu verwirklichen; es spricht der eschatologische David, der Messias. Wenn Jesus diesen Vollmachtsanspruch sonst mit der Selbstbezeichnung בַּר אֱנָשָׁא zum Ausdruck brachte, dann ist es nur allzu verständlich, daß die nachösterliche Gemeinde das ursprünglich generische בַּר אֱנָשָׁא auch hier als jesuanische Selbstbezeichnung (miß)verstand. Markus selbst deutete das Logion bereits in diesem sekundären Sinn. Seiner Meinung nach ist allein Jesus berechtigt, die allgemeine Maxime V. 27 autoritativ zu interpretieren, so daß jetzt die Vollmacht des Menschensohns an die Stelle der jüdischen Sabbatordnung tritt. Die legitime Freiheit Davids (Mk 2,25f) hat der eschatologische Davidide schon lange. Damit entspricht die markinische Auffassung der urchristlichen Sabbattheologie, die die Freiheit der Christen vom Sabbat christologisch begründet, indem sie auf die messianische Vollmacht Jesu verweist.

Ist von daher etwa doch mit der Möglichkeit zu rechnen, daß bereits Jesus selbst bewußt doppeldeutig formulierte, damit man בַּר אֱנָשָׁא sowohl generisch als auch als verhüllte messianische Selbstbezeichnung verstehen konnte? Diese Doppeldeutigkeit ist im Mund Jesu wohl nicht impliziert. Schon rein formal legt der vorliegende synonyme Parallelismus für V. 27 *und* V. 28 generischen Sinn nahe, eine Tatsache, die durch den alttestamentlichen Hintergrund des Logions bestätigt wird. Aber auch inhaltlich ist die folgerichtige Konsequenz aus V. 27 die, daß ebenso V. 28 die Menschen allgemein im Auge hat. Speziell die merkwürdige Stellung des καί in V. 28 läßt ausschließlich ein generisches Verständnis erwarten: Wie der Mensch über die Schöpfungswerke der ersten sechs Schöpfungstage herrschen soll, so »auch« über das Werk des siebten Tages. Eine verhüllte Selbstbezeichnung ist im בַּר אֱנָשָׁא des V. 28 also ursprünglich nicht enthalten.

Somit bestätigt Mk 2,28 die Rätselhaftigkeit der Chiffre בַּר אֱנָשָׁא im Mund Jesu, deren messianischer Sinn dort, wo er tatsächlich vorliegt, für Außenstehende im dunkeln bleiben muß. Obwohl mit Mk 2,28 ein authentisches Jesuswort vorliegt, scheidet dieses als Beleg für die jesuanische *Selbstbezeichnung* בַּר אֱנָשָׁא aus[72].

IV.   Lk 19,10

Daß Lk 19,1–10 keine ideale Szene darstellt[73], sondern im Kern[74] eine Begebenheit aus dem Leben Jesu wiedergibt, sollte besser nicht bezweifelt werden.

---

72   Im Mund Jesu ist der Terminus Menschensohn in Mk 3,28f par ein weiteres Mal generisch gebraucht, s. unten S. 213f.

73   Gegen *R. Bultmann*, Geschichte, 34.

74   V. 8 ist der ursprünglichen Erzählung sekundär zugewachsen (vgl. ebd., 33f; *H. Braun*, Radikalismus II, 27; *F. Hahn*, Hoheitstitel, 270, Anm. 5; *W. Grundmann*, Lukas,

Ferdinand Hahn möchte die Perikope in der hellenistisch-judenchristlichen Gemeinde entstanden wissen, weil σωτηρία (V. 9) bzw. σῶσαι (V. 10) in einem anderen Sinn gebraucht seien als in der ältesten Tradition. Während beide Termini dort – sieht man einmal vom Erretten aus Krankheit ab – auf die zukünftige Heilsvollendung bezogen seien, so hier auf das irdische Wirken Jesu. Daraus folgert Hahn, hier läge kein »spezifisch palästinisches Denken« vor, »weswegen die Herkunft aus dem hellenistischen Judenchristentum am wahrscheinlichsten ist.«[75]

Solche Argumentation ist unhaltbar. Auch in Lk 19,1–10 geht es selbstverständlich um das eschatologische Heil Gottes, das Jesus Zachäus vermittelt. Daß sich dessen Realisierung bereits in der Gegenwart proleptisch vorwegereignet, ist für Jesus geradezu charakteristisch. Das σῴζειν Jesu ist ganz eng verwandt mit dem εὑρίσκειν in Lk 15; beides wird im Wirken Jesu verwirklicht. Auch ζητῆσαι in V. 10 entspricht dem nachgehenden Suchen aus Lk 15,8: Jesus sucht und rettet das Verlorene. Weshalb diese Denkweise, die in Ez 34, speziell in V. 16, ihren alttestamentlichen Hintergrund hat, nicht palästinisch sein soll, ist mir rätselhaft. Zudem ist der daraus resultierende Schluß auf die Herkunft der Perikope aus der hellenistisch-judenchristlichen Gemeinde willkürlich, denn ohne Zweifel bezog auch sie beide Termini auf das eschatologische Heil.

Positiv läßt sich zeigen, daß in Lk 19,1–10 zumindest die aramäisch sprechende Urkirche zu Wort kommt, wie der aramäische Name Ζακχαῖος / זַכַּאי (der Gerechte), das Passivum divinum in V. 9, die charakteristische Stellung des Zöllners[76], die entsprechende Reaktion und Empörung der Juden[77], die typisch palästinische Verbindung von Tischgemeinschaft und Sündenvergebung[78], die Rede von Zachäus als Sohn Abrahams und die Kombination ἦλθεν ὁ υἱὸς τοῦ ἀνθρώπου bei Initialstellung des Verbs beweisen.

Man darf aber nicht bei der ältesten Gemeinde stehenbleiben, da Lk 19,1–10 auf Jesus selbst hindeutet, wie neben der genannten Verbindung von Tischgemeinschaft und Sündenvergebung gerade auch die enge Beziehung zu den Gleichnissen aus Lk 15 zeigt. Da Lehre und Leben Jesu einander entsprechen, setzt Jesus jetzt in die Praxis um, was er zuvor verbal entfaltet hat.

Strittig ist allerdings, ob das Menschensohnwort V. 10 zum ursprünglichen Kern der Erzählung hinzugehört oder nicht[79], wobei sein vorlukanischer Charakter in der Regel anerkannt ist[80].

358 und *J. Ernst*, Lukas, 513.515). Nicht nur, daß neben dreimaligem Ἰησοῦς in den V. 3, 7 und 9 in V. 8 plötzlich ein absolutes τὸν κύριον steht, ebensowenig fügt sich V. 9 gut an V. 8 an, paßt jedoch im Anschluß an den Vorwurf V. 7. Dies zeigt vor allem αὐτός (dritte Person) in V. 9b, womit Jesus sich in V. 9 an das Volk wendet, d.h. auf V. 7 antwortet, wo das Volk zu Wort kam. Hätte V. 8 bereits von Anfang an zwischen den V. 7 und 9 gestanden, stünde nicht αὐτός, sondern σύ, denn dann müßte sich Jesus in seiner Entgegnung auf das Bekenntnis des Zachäus, das dieser an ihn richtet, ebenso an Zachäus wenden und nicht an das Volk. In der Einleitung des V. 9 ist das dortige πρὸς αὐτόν durch den den Zusammenhang unterbrechenden sekundären Einschub bedingt. Entweder wurde es wegen V. 8 überhaupt erst notiert oder lautete ursprünglich πρὸς αὐτούς. Der sekundäre V. 8 will – sachlich korrekt – herausstellen, daß Umkehr Folgen haben, daß sich der Glaube in der Praxis erweisen muß, daß auf den Indikativ notwendig der Imperativ folgt. Zum in der Forschung umstrittenen, meines Erachtens jedoch authentischen Menschensohnwort V. 10 s. im folgenden.

75   F. Hahn, Hoheitstitel, 45, Anm. 6.
76   Vgl. J. Jeremias, Theologie, 111–113.
77   Vgl. ebd., 120.
78   Vgl. O. Hofius, Tischgemeinschaft, 9–20, bes. 19.

Im Gefälle des Texts ist es meines Erachtens nicht möglich, allein V. 9 als Pointe anzunehmen, denn nur im Zusammenhang mit V. 10 kann V. 9 den Vorwurf aus V. 7 abweisen:

Das Volk regt sich auf, weil Jesus bei einem Sünder eingekehrt ist und ihm somit seine Gemeinschaft anbietet, d.h. Sündenvergebung zuspricht und Heil gewährt. Der Vorwurf ist berechtigt, denn man kann nicht einfach jemandem Heil zueignen, schon gar nicht einem offenkundigen Sünder, der vorher nicht einmal Buße getan hat. Die Situation ähnelt der aus Mk 2,1-12 par. Die Zeugen dieses unglaublichen Vorgangs können so etwas unmöglich einfach hinnehmen, denn was Jesus hier tut, kommt einer Gotteslästerung gleich. Die Feststellung Jesu in V. 9, Zachäus sei Heil widerfahren, da auch er (jetzt) ein Sohn Abrahams, d.h. vor Gott gerechtfertigt sei[81], ist im Mund Jesu lediglich die Bestätigung dessen, was in V. 7 bereits implizit vorausgesetzt ist, die Tatsache nämlich, daß Jesus sich scheinbar eigenmächtig an Gottes Stelle setzt.

Die Begründung für Jesu Handeln erfolgt erst in V. 10, und darum gehört V. 10 zum Geschehen hinzu. Jesu Handeln ist deshalb legitim, weil sein Heilszuspruch in der Vollmacht des Menschensohns erfolgt. Weil er der Menschensohn ist, kann und darf er Sünden vergeben und Gottes Heil realisieren, denn als בַּר אֱנָשָׁא ist er Gottes Stellvertreter auf der Erde.

79   Für ein redaktionelles Schlußwort plädieren etwa *R. Bultmann*, Geschichte, 34 und *G. Schneider*, Menschensohn, 278f, während *E. Arens*, HΛΘON-Sayings, 166-169 und *J. Ernst*, Lukas, 512f.515f von einem zwar redaktionell angefügten, ursprünglich jedoch isoliert tradierten Einzellogion sprechen, das Arens für sehr alt, aber nicht authentisch hält, während Ernst es auf Jesus selbst zurückführt. Ein zum historischen Kern der Zachäus-Perikope hinzugehöriges authentisches Jesuslogion befürworten demgegenüber *I.H. Marshall*, Son of Man Sayings, 342f und *Th. Boman*, Jesusüberlieferung, 167.

80   Vgl. *H.E. Tödt*, Menschensohn, 124; *I.H. Marshall*, Son of Man Sayings, 342f; *Th. Boman*, Jesusüberlieferung, 167; *C. Colpe*, Art. ὁ υἱὸς τοῦ ἀνθρώπου, 456; *E. Arens*, HΛΘON-Sayings, 174-176 und *J. Ernst*, Lukas, 515f. Zwar ist die Behauptung falsch, Lukas habe nachweislich nie von sich aus ein Menschensohnlogion gebildet, wie Lk 6,22; 18,8b; 21,36 und 22,48 zeigen (s. oben S. 51 und unten S. 212.259), dennoch geht Lk 19,10 nicht auf den Evangelisten selbst zurück: (a) Wortstatistisch lassen sich keine explizit lukanischen Vorzugsworte nachweisen, (b) die Verbindung ἦλϑεν ὁ υἱὸς τοῦ ἀνθρώπου ist auch sonst vorlukanisch belegt (Mk 10,45 und Mt 11,19 par Lk 7,34), (c) ζητῆσαι τὸ ἀπολωλός, der Anklang an Ez 34,16 (s. unten S. 207), gibt anders als die Septuaginta (τὸ ἀπολωλὸς ζητήσω) die Wortfolge des hebräischen Texts (אֶת־הָאֹבֶדֶת אֲבַקֵּשׁ) wieder, (d) die Initialstellung des Verbs ist unlukanisch. Auch Mt 18,11 varia lectio, wo Lk 19,10 mit Ausnahme von ζητῆσαι καί wörtlich wiederkehrt, bestätigt den vorlukanischen Charakter des Logions (vgl. auch Lk 9,55f varia lectio).

81   »Sohn Abrahams« bezeichnet zeitgeschichtlich erstens den Israeliten im physischen Sinn als leiblichen Nachkommen Abrahams, zweitens im ethischen Sinn denjenigen Israeliten, der Abrahams Art an sich hat (vgl. *Bill.* II, 251). Von Abraham wiederum heißt es: Er war gerecht vor Gott (vgl. Gen 15,6; die bei *Bill.* III, 186f genannten Belege; Röm 4,3; Gal 3,6 und Jak 2,23). Da für Lk 19,9 nur die zweite Bedeutung in Frage kommt - leiblicher Nachkomme Abrahams war Zachäus vorher wie nachher -, zielt »Sohn Abrahams« hier auf das Gerechtsein vor Gott. V. 9 besagt damit: Zachäus ist heute Heil widerfahren, denn er steht jetzt so vor Gott da, wie Abraham vor Gott dasteht: gerechtfertigt.

Daß V. 10 zur Perikope hinzugehört und deren Höhepunkt darstellt, beweist auch Mk 2,15–17 par, wo eine Lk 19,7.9f entsprechende Tradition vorliegt. Jeweils erfolgt im ἦλθον-Spruch die Begründung des vorausgegangenen Handelns Jesu. Der charakteristische Unterschied zwischen Mk 2,17b par und Lk 19,10 besteht nun aber darin, daß dort mit ἦλθον (und folgendem Infinitiv) vom Ich Jesu die Rede ist, hier jedoch vom Menschensohn.

Ist deshalb das heute meist anerkannte Postulat exegetischer Forschung, ἦλθεν ὁ υἱὸς τοῦ ἀνθρώπου (mit folgendem Infinitiv) sei als eine traditionsgeschichtliche Weiterbildung aus ἦλθον (mit folgendem Infinitiv) anzusehen, auch in Lk 19,10 vorauszusetzen? Ist »Menschensohn« gegenüber dem »Ich« einer Parallelfassung notwendig sekundär[82]? Derart pauschal ist die genannte Hypothese unhaltbar. So sicher es ist, daß »Menschensohn« sekundär an die Stelle eines ursprünglichen »Ich« treten kann[83], wobei es dieses feierlich umschreibt, so sicher ist umgekehrt, daß das Personalpronomen der ersten Person »Menschensohn« zu ersetzen vermag[84]. Daher muß man mit der Möglichkeit rechnen, daß Jesus inhaltliche verwandte Logien zu verschiedener Zeit und Situation einmal mit אֲנָה (ἐγώ) und einmal mit בַּר אֱנָשָׁא (ὁ υἱὸς τοῦ ἀνθρώπου) formulierte, zumal auch das emphatische Ich Jesu ähnlich wie die verhüllende Chiffre Menschensohn auf seine messianische Vollmacht verweist.

Nun ist bezüglich Lk 19,7.9f und Mk 2,15–17 par offenkundig, daß trotz Parallelität in der Sache keine Parallelüberlieferung vorliegt, sondern beide auf je eigenständiger und voneinander unabhängiger Tradition basieren. Daher ist auch nicht einsichtig, a priori von Mk 2,17b par her auch in Lk 19,10 ein ursprüngliches ἦλθον-Wort in der ersten Person vorauszusetzen, es sei denn, solches ließe sich im konkreten Einzelfall begründen. Dies ist im Blick auf Lk 19,10 jedoch unmöglich[85]; im Gegenteil erweist sich »Menschensohn« als ursprünglich:

82   Vgl. vor allem *J. Jeremias,* Älteste Schicht, 164–172.
83   Vgl. Mt 16,13 diff Mk 8,27 (s. unten S. 213); Lk 6,22f diff Mt 5,11f (s. unten S. 212) und Lk 12,8f diff Mt 10,32f (s. oben S. 152–158).
84   Vgl. Mt 16,21 diff Mk 8,31 (s. unten S. 213; Lk 17,25 diff Mk 8,31 par Lk 9,22 (s. unten S. 258f); Lk 22,22b diff Mk 14,21b (s. unten S. 257, Anm. 65) und Lk 22,27 diff Mk 10,45 (s. unten S. 304f.310–313).
85   Wie wenig berechtigt ein solches Verfahren ist, zeigt sich unter anderem daran, daß ausgerechnet *J. Jeremias,* Älteste Schicht, 166 nicht Mk 2,17b als konkurrierende Form ohne »Menschensohn« annimmt, sondern Mt 15,24 (Sondergut) als Urform von Lk 19,10 behauptet, wobei Lk 19,10 angeblich das gemeinsame, aus Ez 34 übernommene Bild von der dem Verderben preisgegebenen Herde Israel universal ausweite. Richtig daran ist lediglich dies, daß Ez 34,16 für Mt 15, 24 und Lk 19,10 den gemeinsamen Hintergrund abgibt; für Mk 2,17b übrigens nicht. Ansonsten ist Mt 15,24 zwar ein in der ersten Person Singular überliefertes Logion, liest aber nicht ἦλθον, sondern ἀπεστάλην. Wäre Lk 19,10 wirklich eine sekundäre Weiterbildung von Mt 15,24, hätte die vorlukanische Tradition kaum in ἦλθον geändert. Innerhalb des lukanischen Sonderguts finden sich für den Termi-

1.　Auch in Mk 2,10 par legitimiert Jesus seine besondere Vollmacht, als Stellvertreter Gottes auf der Erde zu fungieren, mit der seinen Anspruch als Messias designatus umschreibenden Chiffre Menschensohn.

2.　Wenn ἦλθον in charakteristisch jesuanischer Weise das Botenverständnis Jesu zum Ausdruck bringt und ihn als den eschatologischen Gesandten Gottes kennzeichnet, der an Gottes Stelle steht[86], und »Menschensohn« die Vollmacht des Messias designatus umschreibt, dann ist gerade die Verbindung אֱנָשָׁא בַּר אֲתָא (ἦλθεν ὁ υἱὸς τοῦ ἀνθρώπου) im Mund Jesu als Hinweis auf sein messianisches Sendungsbewußtsein katexochen zu erwarten.

3.　Zudem ist die besagte Verbindung in allen wichtigen Traditionen belegt und damit außerordentlich gut bezeugt: vormarkinisch in Mk 10,45, in Q in Mt 11,19 par Lk 7,34 und vorlukanisch in Lk 19,10, wobei alle diese Logien – wie sich zeigen wird – auf den historischen Jesus zurückgehen.

4.　Gerade im Gegenüber zu בַּר אַבְרָהָם ist eher בַּר אֱנָשָׁא als אֲנָה zu erwarten, denn kein anderer als der Menschensohn verfügt über die göttliche Vollmacht, die Abrahamskindschaft zu- oder abzuerkennen. Deshalb ist allein er im wahrsten Sinne des Wortes »vor«, d.h. »mehr als« Abraham (Joh 8,58).

5.　Man hat zu Recht Ez 34 als die alttestamentliche Tradition erkannt, an die Lk 19,10 anknüpft; ζητῆσαι τὸ ἀπολωλός entspricht wörtlich אֶת־הָאבֶדֶת אֲבַקֵּשׁ aus Ez 34,16[87]. Das Logion steht in der Verlängerung der messianischen Hirtentradition des Alten Testaments, die im Mund Jesu sicher historisch ist[88] und sein messianisches Sendungsbewußtsein bestätigt. Gerade Ez 34,23f (ähnlich 37,23f) spricht ausdrücklich vom eschatologischen Davididen, den Gott als den Hirten seiner Herde aufstellt. Als der, der sich von Gott zu den verlorenen Schafen des Hauses Israel gesandt weiß und dieses Hirtenamt mit der messianischen Hirtentradition des Alten Testaments legitimiert, ist Jesus בַּר אֱנָשָׁא. Als der Hirte

---

nus technicus ἀποστέλλειν nämlich sechs Belege (Lk 1,19.26; 4,18; 9,52; 14,32 und 22,35), wobei es jeweils in charakteristischer Weise um eine Sendung im Sinne des jüdischen Botenrechts geht. Der entsprechende Gebrauch von ἦλθον begegnet dort außer in Lk 19,10 nur noch in Lk 12,49f, einem weiteren authentischen Jesuswort (s. unten S. 248f mit Anm. 19). Das heißt: Das lukanische Sondergut redet im Blick auf den Boten (Gottes) in eigener Formulierung vom »Gesandten«, nicht aber vom »Gekommenen«. Lk 19,10 ist deshalb keinesfalls als sekundäre Weiterbildung von Mt 15,24 anzusehen. Jeremias ist aber auch mit seiner Behauptung im Unrecht, in Lk 19,10 werde – anders als in Mt 15,24 – das Bild aus Ez 34 universal ausgeweitet. Denn in Lk 19,10 geht es ausdrücklich ebenso, wie der Kontext zeigt, um ein verlorenes Schaf des Hauses Israel.

86　S. unten S. 208–210.

87　Vgl. *J. Jeremias*, Art. ποιμήν, 492, Anm. 71; *W. Grundmann*, Lukas, 358.360 und *J. Ernst*, Lukas, 513.

88　Dies gilt neben Lk 19,10 zumindest auch für Mt 10, 5b–6; 15,24 und Lk 12,32 (s. oben S. 40 mit Anm. 158).

Israels erweist er sich als Messias[89], und genau diesen Anspruch umschreibt er mit der Chiffre Menschensohn.

Fazit: בַּר אֱנָשָׁא ist im ursprünglichen Wortlaut von Lk 19,10 fest verankert, nicht erst sekundär eingetragen und geht auf Jesus selbst zurück. Wieder erweist sich בַּר אֱנָשָׁא als Selbstbezeichnung Jesu, die den Messias designatus in Verbindung mit אָתָא (ἦλθεν) als den eschatologischen Gesandten Gottes beschreibt, dessen Vollmacht die des Stellvertreters Gottes auf der Erde ist.

V.   Exkurs: Die ἦλθον-Worte Jesu

Bis in die jüngste Zeit hinein stand die neutestamentliche Forschung in bezug auf die ἦλθον-Worte Jesu überwiegend unter dem Verdikt Rudolf Bultmanns, ἦλθον stelle eine Wendung dar, die rückblickend das Wirken Jesu ganzheitlich zusammenfasse und von daher auf die nachösterliche Gemeinde zurückgeführt werden müsse[90]. Dieses Vorurteil, das sich keineswegs auf philologische Gründe berufen kann, ist zwar immer wieder angezweifelt[91], endgültig jedoch erst durch Jan-Adolf Bühner widerlegt worden[92].

Während Joachim Jeremias und Eduardo Arens im Gegenschlag zu Bultmann hinter dem synoptischen ἦλθον eine geläufige jüdische Wendung אֲתָא (בָּא) לְ in der Bedeutung »beabsichtigen«, »wollen«, »eine Aufgabe haben«, »sollen« erkennen wollen[93], wobei der Aspekt der Sendung eines Boten nahezu entfällt, wehrt sich Bühner zu Recht sehr entschieden gegen eine solche »radikale(n) Reduktionshypothese«[94]. Nach einer ausführlichen Materialsammlung alttestamentlicher und jüdischer ἦλθον-Worte[95] kommt er zu folgendem Ergebnis:

Sitz im Leben des ἦλθον ist die Ankunft des Boten beim Adressaten der Botschaft. Es verbindet Sendenden, Boten, Botschaft und Adressaten und ist im Grunde Selbstvorstellung des Boten, die seine Sendung als sol-

---

89   Im Alten Testament ist »Hirte« nie Herrscherbezeichnung für den gegenwärtigen König, sondern immer Bezeichnung des künftigen, des messianischen Davididen (vgl. *J. Jeremias*, Art. ποιμήν, 487f).

90   Vgl. *R. Bultmann*, Geschichte, 167.

91   Vgl. *J. Schneider*, Art. ἔρχομαι, 664f; *J. Jeremias*, Älteste Schicht, 166f; *C. Colpe*, Art. ὁ υἱὸς τοῦ ἀνθρώπου, 434, Anm. 238; *O. Michel*, Ich komme, 123f und *E. Arens*, ΗΛΘΟΝ-Sayings, bes. 82f.87–90 (zu Lk 12,49) sowie 235–237.240–242 (zu Mt 11,18f par).

92   Vgl. *J.-A. Bühner*, Form, 45–68 und *ders.*, Gesandte, 138–152, ferner *W. Grimm*, Verkündigung, 83–87 und *S. Kim*, Son of Man, 40–43.

93   Vgl. *J. Jeremias*, Älteste Schicht, 166f (Belege 167) und *E. Arens*, ΗΛΘΟΝ-Sayings, bes. 261–287.

94   *J.-A. Bühner*, Der Gesandte, 140.

95   Vgl. ebd., 140–145.

che legitimieren soll. »Sendung« und »Kommen« des Boten entsprechen sich insofern, als in der sogenannten »Langform« des Botenselbstberichts mit vorausgehender Botenspruchformel die Aussendung und die aktuelle Ankunft des Boten (Anfangs- und Endpunkt des Botenweges) aufeinander bezogen sind[96].

Das ἦλθον-Wort kann auch innerhalb eines Botenselbstberichts stehen und gehört dann »zum Formenschatz der Botenrede ähnlich wie die bekannte Botenspruchformel«[97]. Im Vergleich zur Langform des Botenselbstberichts stellt der ἦλθον-Spruch eine »Kurzform« dar, die in ihrer grundsätzlichen Funktion, »die Botschaft und den Boten zu legitimieren, mit zunehmender Kürze einen impliziten Charakter gewinnt.«[98] Die Kurzform setzt sich zusammen aus ἦλθον und einer folgenden finalen Bestimmung, wobei die finale Bestimmung den Inhalt der Sendung komprimiert beschreibt[99]; dies in solcher Kürze, daß auf die Autorität des Sendenden nur noch »aus der Situation, der Person des Redenden oder dem Charakter des in der finalen Angabe ausgedrückten Willens... zu schließen (ist)«[100]. Ist also der Bezug zum Sendenden schon wegen der knappen Formulierung des ἦλθον-Spruchs viel weniger direkt als im ausführlichen Botenbericht, in der Botenspruchformel oder einem »Ich bin (bzw. Jahwe hat mich) gesandt«[101], so auch aus einem weiteren Grund: Das ἦλθον-Wort fällt so stark »in die Eigenverantwortung des Boten«, daß »der Sendende... hinter den Boten zurück(tritt)«[102]. Der Bote formuliert in eigenen Worten, aber abgedeckt durch die Vollmacht des Sendenden eine »vorausweisende Zusammenfassung«[103] dessen, was er sodann als eigentliche Botschaft an den Adressaten entfalten wird.

An dieser Stelle muß deshalb noch einmal betont werden, daß im Moment des ἦλθον der Auftrag gerade noch nicht ausgeführt ist und daher von einer zusammenfassenden Rückschau auf die Wirksamkeit des Boten nicht gesprochen werden kann[104]; der Blick ist nach vorn gerichtet, nicht zurück.

96 Vgl. ebd., 145.
97 Ebd., 139.
98 Ebd., 146.
99 Vgl. *W. Grimm,* Verkündigung, 84.
100 *J.-A. Bühner,* Der Gesandte, 146. Daß die johanneische Tradition die synoptischen ἦλθον-Sprüche deshalb nicht in ihrer knappen Form übernimmt, sondern sie durch Zusätze (»zusätzliche Unterstützung des Legitimationsausdrucks«) präzisiert und ihre ursprüngliche Form dabei stark zerdehnt, verwundert nicht (vgl. ebd., 146.147–152 [Zitat 146]).
101 Vgl. ebd., 146.
102 Ebd., 145.
103 Ebd., 146.
104 Vgl. *J.-A. Bühner,* Form, 55 und *W. Grimm,* Verkündigung, 84, ferner im Neuen Testament bes. Lk 12,49f.

Die synoptischen ἦλθον-Worte entsprechen in Struktur und Funktion exakt den alttestamentlich-jüdischen. Sieht man zunächst noch von der (Schein-)Ausnahme Mt 11,19a.b par Lk 7,34 ab[105], sind sie alle infinitivisch konstruiert, wobei die Infinitive die finale Bestimmung ausdrücken und das Wozu des Kommens des Boten beschreiben. Im Mund Jesu sind sie genau wie im Judentum »Legitimationsausweis des Boten, der Gehorsam für seine Botschaft verlangt bzw. sein Verhalten als im Einklang mit seinem Auftrag befindlich erklärt.«[106] Auffallend ist, daß an einigen Stellen bei gleicher infinitivischer Struktur das konkretere ἀπεστάλην anstatt ἦλθον steht[107]. Fragt man daher, welche Form im Mund Jesu ursprünglich ist, kommt nur ἦλθον in Betracht. Das ἦλθον-Wort in seiner eher »verhüllenden«[108] Funktion und seiner »summarische(n) Tendenz«[109] paßt als »nur andeutende Legitimationsaussage« genau in die geschichtlich offene Situation Jesu, »die gekennzeichnet ist durch die Spannung zwischen messianischer Designation und öffentlicher Inthronisation.«[110] Die Tendenz zu ἀπεστάλην hin ist die Folge einer nachträglichen Angleichung an Jes 61,1f, wo von שלח die Rede ist.

Da Jesus auch mit בַּר אֱנָשָׁא seine noch verborgene und erst in Zukunft offenbare Messianität zum Ausdruck bringt, wird von hierher noch einmal deutlich, warum er gerade בַּר אֱנָשָׁא und אֲתָא miteinander verbindet, um so besonders eindrücklich auf sein Selbstverständnis als Messias designatus, als des eschatologischen Gesandten Gottes und des messianischen Stellvertreters Gottes auf der Erde zu verweisen.

VI. Zusammenfassung

Als der eschatologische Gesandte Gottes steht Jesus an Gottes Stelle, und als der Stellvertreter Gottes auf der Erde ist er (noch) בַּר אֱנָשָׁא. Die jesuanische Redewendung אֲתָא בַּר אֱנָשָׁא (ἦλθεν ὁ υἱὸς τοῦ ἀνθρώπου) stellt die Spitzenformulierung dieses Sachverhalts dar, der Jesu spezifischen Vollmachtsanspruch und sein entsprechendes Handeln als Vollmachtsanspruch des Messias (designatus) erweist.

Während die Logien von der zukünftigen Hoheit des Menschensohns auf die messianische Inthronisation Jesu abzielen, zeigen Mk 2,10 par und Lk 19,10, daß Jesus bereits während seiner irdischen Wirksamkeit diese

---

105   S. unten S. 218.

106   *J.-A. Bühner,* Der Gesandte, 147.

107   Vgl. *W. Grimm,* Verkündigung, 83 (von den dort aufgeführten Belegen vgl. vor allem Mk 1,38 mit Lk 4,43).

108   *J.-A. Bühner,* Form, 67.

109   *J.-A. Bühner,* Der Gesandte, 146.

110   Ebd., 147.

messianische Hoheit beansprucht und so vorwegnimmt, was er einst sein
wird; er antizipiert seine zukünftige Herrlichkeit. Im Wirken des Designierten leuchtet die Herrlichkeit des Inthronisierten auf, wird bruchstückhaft Wirklichkeit, bleibt dabei aber der Zweideutigkeit, dem
Schicksal aller Offenbarung, verhaftet, so daß am vollmächtigen Handeln des eschatologischen Gottesboten Glaube wie Unglaube entstehen.
Ja es ist letztlich der Vollmachtsanspruch des Menschensohns, der
ihm schließlich sogar den Tod bringt; die jüdischen Gegner Jesu haben
ihn als Gotteslästerung ausgelegt.

Im Unterschied zu den Logien von der zukünftigen Hoheit des Menschensohns, die von dem eschatologischen Handeln Gottes reden, das
den Menschensohn einst für alle sichtbar als Messias erweisen wird, sind
die Logien von seiner gegenwärtigen Hoheit vom jüdischen Botendenken
geprägt und bringen das Moment zum Ausdruck, das für das Selbstverständnis des Designierten von entscheidender Bedeutung ist: sein Sendungsbewußtsein. בַּר אֱנָשָׁא ist die Chiffre, mit der Jesus seinen messianischen Sendungsanspruch zur Sprache bringt, mit der er sich als derjenige
zu erkennen gibt, der allein dazu berechtigt ist, den wahren Gotteswillen
letztgültig im Sinne dessen auszulegen und zu verwirklichen, der hinter
diesem Willen steht. Denn er kommt von Gott und ist identisch mit dem
»Kommenden« (ὁ ἐρχόμενος), den seine Zeitgenossen so sehnsüchtig erwarteten. Allerdings ist Jesus noch nicht als Messias offenbar und von
Gott als solcher beglaubigt und legitimiert; und als Messias designatus,
der seiner Inthronisation entgegengeht, ist er בַּר אֱנָשָׁא.

C
Die Logien von der gegenwärtigen Niedrigkeit des Menschensohns

I. Einleitung

Von fünf synoptischen Belegen[1] erweisen sich zwei von vornherein als sekundär: Lk 6,22f und Mt 16,13.
1. Mt 5,11f par Lk 6,22f fällt nach Form und Inhalt aus dem Schema der (nach Lukas) ersten drei Seligpreisungen Mt 5,3.4.6 par Lk 6,20b–21, die auf Jesus selbst zurückgehen[2], heraus. Formal ist die zweiteilige Struktur aufgegeben und die straffe Aussage durch eine breit ausladende Schilderung ersetzt, inhaltlich erweist sich die vierte Seligpreisung nach nahezu einhelliger Meinung der Exegeten – zumindest in ihrem heutigen Wortlaut – als sekundäre Bildung: »Die [sc. drei ersten] Seligpreisungen Jesu sind nicht eine Verheißung eschatologischer Belohnung der Frommen . . ., sondern Verheißung einer eschatologischen Notwende.« Jetzt hingegen werden die Adressaten »unmittelbar angesprochen (2. Person), und ihr Bekenntnis zu Jesus wird zum Grund der Seligpreisung.«[3] Erst recht jedoch scheidet das Logion als *Menschensohn*logion aus der Debatte um ein möglicherweise authentisches Jesuswort aus. Denn es bleibt festzuhalten, daß nicht der lukanischen Fassung mit »Menschensohn« der Vorzug vor der mit dem Personalpronomen der ersten Person formulierten matthäischen gebührt. Vielmehr bewirkte genau umgekehrt die Wendung ἐν ἐκείνῃ τῇ ἡμέρᾳ in Lk 6,23 (diff Mt 5,12), die auf den Gerichtstag abhebt, den sekundären Eintrag des als Richter gedachten Menschensohns in Lk 6,22. Bei Matthäus fehlt die besagte Wendung, prompt ist auch vom Menschensohn keine Rede. Matthäus folgt an dieser Stelle dem Wortlaut seiner Q-Vorlage, während sich die Einfügung des Terminus Menschensohn als redaktionell erweist[4].

---

1 Lk 22,48 rechne ich zu den Logien vom Leiden des Menschensohns (s. unten S. 259).

2 Vgl. *H. Schürmann*, Lukas I, 325–332; *ders.*, Zeugnis, 83–88; *W. Grimm*, Verkündigung, 68–77 und *H. Merklein*, Jesu Botschaft, 45–51.

3 *W. Grimm*, Verkündigung, 73 bzw. 68. Zu Mt 5,11f par Lk 6,22f als einer nachösterlichen Bildung vgl. vor allem auch *S. Schulz*, Q, 452–457 und *H. Schürmann*, Lukas I, 332–336. Anders *G. Schwarz*, Und Jesus sprach, 165–173 und *ders.*, Menschensohn, 99–105, der Mt 5,11a.12c par Lk 6,22a.23c einerseits und Mt 5,11b–12b par Lk 6,22b–23b andererseits als zwei ursprünglich selbständige und authentische Jesuslogien nachweisen möchte.

4 Vgl. *O.H. Steck*, Israel, 23f mit Anm. 3; *C. Colpe*, Art. ὁ υἱὸς τοῦ ἀνθρώπου, 446 mit Anm. 308; 451 mit Anm. 344; *A.J.B. Higgins*, Son of Man, 113 und *R. Kearns*, Traditionsgefüge, 14, Anm. 18. Anders – ohne daß inhaltliche Gründe angeführt werden –

2. In Mt 16,13 spricht Matthäus anders als seine markinische Vorlage Mk 8,27 (par Lk 9,18), die vom Ich Jesu handelt, vom Menschensohn. Umgekehrt notiert er in Mt 16,21 die erste Person, wo wiederum Mk 8,31 (par Lk 9,22) in der dritten Person vom Menschensohn redet. Matthäus hat den Terminus Menschensohn aus Mk 8,31 in seinem V. 13 bereits vorweggenommen. Mt 16,13 ist damit innerhalb der synoptischen Menschensohntradition der schlagende Beweis dafür, daß ὁ υἱὸς τοῦ ἀνθρώπου ganz selbstverständlich als Selbstbezeichnung Jesu verstanden wird, als feierliche Umschreibung des jesuanischen Ich in dritter Person. Die V. 13 und 21 zeigen darüber hinaus im Vergleich mit ihren markinischen Parallelen, daß innerhalb der Jesusüberlieferung das emphatische Ich Jesu und seine Selbstbezeichnung Menschensohn austauschbare Größen sind; beide ersetzen einander gegenseitig.

3. Von den verbleibenden Logien scheidet zudem Mk 3,28f par Lk 12,10 (Q) par Mt 12,31f (Kombination aus Markus und Q) als Beleg für die jesuanische Selbstbezeichnung Menschensohn aus, obwohl hier sicherlich ein mit לְבַר אֱנָשָׁא konstruiertes authentisches Jesuswort zugrunde liegt[5], das allerdings im generischen Sinn vom Menschen redet. Erst sekundär wurde das generische לְבַר אֱנָשָׁא als Selbstbezeichnung Jesu mißverstanden[6]. Der ursprüngliche Spruch, dessen Rekonstruktion nicht ganz einfach ist[7], lautete in seinem aramäischen Original etwa so[8]:

Ph. *Vielhauer*, Gottesreich, 57; *H.E. Tödt*, Menschensohn, 114 (»Es läßt sich wohl vermuten, aber nicht beweisen«); *P. Hoffmann*, Studien, 147f.182; *H. Schürmann*, Beobachtungen, 160f mit Anm. 40 und *G. Schneider*, Menschensohn, 273. *G. Schwarz*, Und Jesus sprach, 169 mit Anm. 4 und *ders.*, Menschensohn, 101.105 hält sowohl das lukanische »um des Menschensohns willen« als auch das matthäische »um meinetwillen« für sekundär.

5 Vgl. in jüngerer Zeit etwa *C. Colpe*, Spruch, 63–79, bes. 65–73; *J. Jeremias*, Theologie, 149.249; *R. Pesch*, Markus I, 216–219 und *O. Hofius*, Art., βλασφημία, 530. Anders *H.E. Tödt*, Menschensohn, 109–112; *H. Thyen*, Studien, 256–259; *J. Gnilka*, Markus I, 146f.151f und *J. Ernst*, Markus, 120 (Gnilka und Ernst gelangen zu ihrem Urteil, indem sie – ohne die Argumente der zuerst genannten Exegeten zur Kenntnis zu nehmen – wie schon Thyen von einem »Satz heiligen Rechts« sprechen, den sie der nachösterlichen Gemeindetheologie zuordnen. Zu den sogenannten Sätzen heiligen Rechts vgl. jedoch bereits *K. Berger*, Sätzen, 10–40).

6 Vgl. vor allem den Nachweis bei *C. Colpe*, Spruch, 65–76.

7 Dies zeigt schon die Tatsache, daß die Exegeten hinsichtlich der Markus- oder der Q-Priorität des Logions durchaus geteilter Meinung sind. Die relative Priorität der markinischen Fassung vertreten etwa *G. Dalman*, Worte Jesu, 209; *J. Wellhausen*, Matthäus, 60f; *G. Bornkamm*, Jesus, 195, Anm. 1; *T.W. Manson*, Sayings, 216f; *F. Hahn*, Hoheitstitel, 299f, Anm. 5; *C. Colpe*, Spruch, 65–76; *R. Pesch*, Markus I, 216–218; *J. Gnilka*, Markus I, 146f; *O. Hofius*, Art., βλασφημία, 530 und *J. Ernst*, Markus, 117. Demgegenüber bevorzugen die relative Q-Priorität z.B. *H.E. Tödt*, Menschensohn, 109–112.282–288; *A. Suhl*, Funktion, 100f; *H. Thyen*, Studien, 256–259; *K. Berger*, Amen-Worte, 36–41; *W. Schmithals*, Markus I, 225f und *D. Lührmann*, Markus, 76f.

8 Vgl. die ähnliche Rückübersetzung bei *C. Colpe*, Spruch, 67.70, dort jedoch ohne die einleitende Amen-Formel.

אָמֵין אָמַרְנָא לְכוֹן
דְּכוֹל חוֹבָא וְכוֹל גִּידוּפָא יִשְׁתְּבֵיק לְבַר אֱנָשָׁא
וְכוֹל מִילָה דְּמַלֵּיל עַל רוּחָא דְּקוּדְשָׁא
לָא יִשְׁתְּבֵיק לֵיהּ לְעָלְמַיָּא

Amen, ich sage euch:
Jede Schuld und jede Lästerung wird Gott[9] dem Menschen vergeben.
Jedem aber, der ein Wort gegen den Geist der Heiligkeit redet,
wird Gott in Ewigkeit nicht vergeben.

Auf eine ausführliche Erklärung dieses schwierigen Logions muß ich im Rahmen dieser Arbeit verzichten. Die bereits genannte Untersuchung durch Carsten Colpe scheint mir nach wie vor unübertroffen.

Dennoch sei wenigstens erwähnt, daß in der sekundären lukanischen Formulierung des Logions ein deutlicher Beleg für das Schema Designation – Inthronisation vorliegt, wenn auch anders als bei Jesus selbst im Sinne der nachösterlichen Unterscheidung zwischen der Zeit des irdischen Jesus und des erhöhten, himmlischen Christus, der nun im Heiligen Geist wirksam ist. Demgegenüber sind im ursprünglichen Jesuswort die Zeit des verborgenen und die des in seinem geistbegabten messianischen Gesandten (Jes 11,2; äthHen 62,2) offenbaren Gottes einander gegenübergestellt.

Von den fünf Belegen für die gegenwärtige Niedrigkeit des Menschensohns verbleiben somit allein Mt 11,19a.b par Lk 7,34 und Mt 8,20 par Lk 9,58, deren Authentie im Sinne einer messianischen Selbstbezeichnung Jesu ernsthaft in Frage kommt.

II.   Mt 11,19 par Lk 7,34

Die Perikope Mt 11,16–19 par Lk 7,31–35[10] hat ihren Skopus nicht in der bewußten Gegenüberstellung Jesus – Täufer, sondern in der Ablehnung, die sowohl der Täufer als auch Jesus durch »dieses Geschlecht« erfahren. Die Zeitgenossen Jesu werden mit den haltlosen Vorwänden konfrontiert, mit denen sie der Botschaft der beiden Gottesboten ausgewichen sind[11].

---

9   יִשְׁתְּבֵיק ist Passivum divinum, vgl. *G. Dalman,* Worte Jesu, 183; *C. Colpe,* Spruch, 67 und *J. Jeremias,* Theologie, 149, Anm. 28.
10   Zur Rekonstruktion des ursprünglichen Wortlauts und der vorsynoptischen Form der Perikope vgl. vor allem *R. Riesner,* Jesus, 332–334.
11   Vgl. *H.E. Tödt,* Menschensohn, 106 und *J. Roloff,* Kerygma, 228.

1. Das Gleichnis Mt 11,16f par Lk 7,31f

Zum Verständnis dieses Gleichnisses, dessen jesuanische Herkunft in der Regel nicht bestritten wird[12], ist die Erkenntnis eines ursprünglichen aramäischen Dativanfangs mit לְ grundlegend[13]. Von daher ist ἡ γενεὰ αὕτη nicht mit den zum Spiel auffordernden Kindern zu vergleichen[14], sondern mit denen, die die Aufforderung zum Spiel von sich weisen. Jesus zitiert den Vorwurf der ersteren an die letzteren. Sie schelten ihre Zeitgenossen, die durch nichts zum Spiel zu aktivieren sind, wegen deren Inaktivität; nichts ist ihnen recht, weder das Hochzeitsspiel noch dessen Kehrseite, die Totenklage. In dem ablehnenden Verhalten, das sich jeder Art von Spielaufforderung entzieht, liegt der Vergleichspunkt des Gleichnisses. »Dieses Geschlecht« verhält sich wie eine durch nichts zufriedenzustellende Kinderschar[15].

Wie sich Israel verhält, haben sowohl der Täufer als auch Jesus erfahren müssen. Mit allem sind ihre Gesprächspartner unzufrieden. Der Täufer trat als Asket auf, Jesus als das genaue Gegenteil: Beide erklärt man letztlich für verrückt. Man spielt die Eigenart des einen gegen die des anderen aus und lehnt beide ab.

2. Mt 11,18f par Lk 7,33f – eine nachösterliche Bildung?

Immer wieder hat man mit unterschiedlichen Argumenten versucht, Mt 11,18f par von 16f par abzutrennen und als sekundäre Deutung der Gemeinde abzutun.

Folgende zwei sollte man jedoch nicht bemühen: das bloße Vorkommen von ὁ υἱὸς τοῦ ἀνθρώπου sowie den Hinweis auf das ›rückblickende‹ ἦλθεν[16]. Ernst zu nehmen ist allerdings ein drittes: Mt 11,18f par sei des-

---

12   Vgl. etwa *J. Jeremias*, Gleichnisse, 160–162; *H. Schürmann*, Lukas I, 423–426; *R. Riesner*, Jesus, 332–334 und *G. Schwarz*, Und Jesus sprach, 260–266.

13   Vgl. allgemein *J. Jeremias*, Gleichnisse, 99–102, z.St. *H. Schürmann*, Lukas I, 423, Anm. 111.

14   Wie es der heutige griechische Text nahelegen könnte.

15   Vgl. *H. Schürmann*, Lukas I, 423–425; *E. Schweizer*, Matthäus, 171 und *J. Ernst*, Lukas 252f. Anders *J. Jeremias*, Gleichnisse, 161f, der Mt 11,17 par als Spruch der inaktiven Kinder verstehen will. Diese sitzen am Straßenrand und wollen herrschsüchtig über die anderen Kinder bestimmen. Sie wollen kommandieren und nörgeln herum, weil sich die anderen nicht von ihnen bestimmen lassen. Damit sind jene Nörgler identisch mit »diesem Geschlecht«, das Johannes und Jesus ablehnt. Letztlich laufen die genannten Auffassungen auf dasselbe hinaus: auf die Ablehnung der beiden Boten Gottes durch das Volk. Die Uneinsichtigkeit gegenüber den Gottesboten kommt in Schürmanns Auslegung jedoch besser zum Tragen. Die Aktivität der Boten ist vorgegeben, ihre Zeitgenossen indes verweigern die positive Antwort.

16   Hier ist ἦλθον, der Terminus technicus des jüdischen Botenrechts, bzw. das vollere jesuanische ἦλθεν ὁ υἱὸς τοῦ ἀνθρώπου singulär innerhalb der Jesustradition ohne einen – sonst jeweils folgenden – Infinitiv belegt (zu den ἦλθον-Worten Jesu insgesamt s. oben

halb sekundär, da eine auf ein Gleichnis folgende Deutung auch sonst nicht auf Jesus selbst zurückgeführt werden könne. Solche Argumentation ist hinsichtlich der Gleichnisdeutungen Mk 4,13-20 par und Mt 13,36-43.49f gewiß richtig[17], doch nur deshalb, weil die jeweilige Einzeluntersuchung dies ergibt, nicht aber, weil dies a priori so sein muß. Im Blick auf Mt 11,18f par kommt die Einzeluntersuchung nämlich zum entgegengesetzten Ergebnis:

a)　Der Vorwurf, Jesus sei ein »Fresser und Weinsäufer«, ist so gehässig, daß er als Gemeindebildung undenkbar ist. Die Tendenz der Urkirche ging umgekehrt dahin, solche anstößigen Traditionssplitter zu tilgen.

b)　Die Mahlgemeinschaften Jesu mit offenkundigen Sündern gehören mit zum sichersten Gut der Jesustradition. Von Jesu Gegnern wegen ihrer angeblich verunreinigenden Wirkung als Vergehen schwerster Art gebrandmarkt, in Jesu Augen allerdings als Realisierung seiner Frohbotschaft für *ganz* Israel und als Vorwegnahme des messianischen Freudenmahls angesehen[18], waren es diese Mahlgemeinschaften, die seitens der ›frommen‹ Juden die Schmähbezeichnung φάγος καὶ οἰνοπότης[19] nach sich zogen[20].

c)　Die Tatsache, daß sich Jesus mit dem Täufer auf eine Stufe stellt,

---

S. 208-210, zur hier vorliegenden ›Ausnahme‹ unten S. 218). Doch auch in Mt 11,18f par darf man diese Wendung keinesfalls als Indiz für eine sekundäre Bildung verwerten (so etwa *Ph. Vielhauer*, Jesus, 126 und *P. Hoffmann*, Studien, 228), obwohl in V. 18 par in der Tat auf die Sendung des Täufers zurückgeblickt wird. Sicherlich wird in V. 19a.b par auch die Sendung Jesu rückblickend beurteilt, dieser Rückblick betrifft seine Sendung aber nicht als eine abgeschlossene in dem Sinn, als sei die vorliegende Sicht eine nachösterliche. Der Vorwurf zielt vielmehr nur auf das *bisherige* Auftreten des Menschensohns, ohne dabei den Fortgang seines Wirkens im Blick zu haben. Jesus zieht sozusagen ›Halbzeitbilanz‹. Denn daß eine bestimmte Phase der Wirksamkeit Jesu mit der immer deutlicher werdenden Ablehnung seines Bußrufs durch die Masse und vor allem durch die Führer des Volkes tatsächlich zu Ende ging, damit aber zugleich eine neue, nämlich das Leiden und Sterben des Menschensohns, ins Blickfeld Jesu tritt, wird der weitere Verlauf der Arbeit zeigen. Zudem ergibt auch die folgende Exegese von Mt 11,18f par, daß hier Jesus selbst zu Wort kommt und gerade nicht die christliche Gemeinde, die aus nachösterlicher Sicht Jesu Wirken rückblickend beschriebe. Das Argument mit dem (parallelen) Rückblick auf die bereits abgeschlossene Wirksamkeit des Täufers ist demgegenüber wertlos, weil der Täufer letztlich nur zur Verdeutlichung des Sachverhalts angeführt ist, daß man Jesus auch dann nicht geglaubt hätte, wenn er nicht als Verkündiger der Frohbotschaft Gottes, sondern wie der Täufer als drohender Warner vor dem kommenden Gericht aufgetreten wäre. Die Figur des Täufers als solche ist dabei im Grunde austauschbar (vgl. *H. Schürmann*, Lukas I, 427).

17　Vgl. stellvertretend *J. Jeremias*, Gleichnisse, 75-84.

18　Vgl. *S. Ruager*, Reich Gottes, 156-176.

19　Zur Wurzel und zur konkreten Bedeutung dieses Vorwurfs vgl. *J. Jeremias*, Gleichnisse, 160 und *W. Grundmann*, Lukas, 168.

20　Vgl. *H.E. Tödt*, Menschensohn, 107; *N. Perrin*, Jesus, 134 und *P. Hoffmann*, Studien, 228.

während die Urkirche betont von der Unterordnung des Täufers unter Jesus spricht, weist auf den historischen Jesus.

d) Auch sprachlich führt Mt 11,18f par in den aramäischen Sprachbereich, ist ohne weiteres rückübersetzbar und ergibt in V. 18 par und V. 19a.b par einen antithetischen Parallelismus – eine besondere Vorliebe Jesu[21] –, hier sogar in einem typisch jesuanisch durch Negation herausgestellten Gegensatz[22].

Aus alldem folgt, daß Mt 11,18f par nur auf Jesus selbst zurückgeführt werden kann[23].

3. Mt 11,16–19 par Lk 7,31–35 – eine ursprüngliche Einheit

Es läßt sich zeigen, daß Mt 11,16f par Lk 7,31f und Mt 11,18f par Lk 7,33–35 im Mund Jesu eine ursprüngliche Einheit darstellen[24]:

a) Das Gleichnis ist ohne den konkreten Hinweis auf das Wirken Jesu und des Täufers letztlich nicht verständlich und deshalb isoliert von diesem kaum denkbar[25]. Zudem fehlte sonst unter allen Gleichnissen Jesu einzig Mt 11,16f par die charakteristische eschatologische Schärfe[26]. Was bliebe, wäre lediglich eine vieldeutige, ja nichtssagende Äußerung über eine launisch-lustlose, durch nichts zu begeisternde Kinderschar.

b) Mt 11,16f par und 18f par entsprechen auch formal einander, als nicht nur die V. 18 par und 19a.b par, sondern auch die V. 17a par und 17b par einen antithetischen Parallelismus bilden, wobei ὠρχήσασθε und ἐκόψασθε im Aramäischen mit רַקֵּדְתּוּן und אַרְקֵדְתּוּן einen im Qina-

---

21 Vgl. *J. Jeremias*, Theologie, 24–30.

22 Vgl. die Belege ebd., 26, Anm. 14, ferner *K. Beyer*, Syntax, 278.

23 Vgl. etwa *I.H. Marshall*, Son of Man Sayings, 339f; *F.H. Borsch*, Son of Man, 325f; *J. Jeremias*, Gleichnisse, 160–162; *C. Colpe*, Art. ὁ υἱὸς τοῦ ἀνθρώπου, 434; *ders.*, Argumentationen, 237; *N. Perrin*, Jesus, 133f; *J. Roloff*, Kerygma, 228; *M. Hengel*, Jesus als messianischer Lehrer, 154; *R. Riesner*, Jesus, 332–334 und *W.G. Kümmel*, Jesus, 170. Anders *H.E. Tödt*, Menschensohn, 109 und *H. Schürmann*, Lukas I, 426–429 sowie die oben Anm. 16 genannten Exegeten.

24 Genau dies bestreitet *H. Schürmann*, Lukas I, 425–427, der beide Teile voneinander trennen möchte. Er bejaht die Frage, ob Mt 11,16f par vorösterlich als isoliertes Gleichnis aus sich heraus verständlich sei, und erkennt in diesem ein anklagendes Mahnwort in letzter Stunde an das Volk, das sich weder durch die Frohbotschaft noch durch den Bußruf *Jesu* – ursprünglich war laut Schürmann nur von Jesus die Rede – gewinnen ließ. Die Anwendung Mt 11,18–19a.b par hingegen sei kein mahnender Weckruf mehr, sondern ein Anathema an die, die Gott nicht Recht gaben im Gegensatz zu jenen aus Mt 11,19c par. Deshalb stünden sie jetzt draußen, weil sie nicht erkennen wollten, daß mit Jesus die messianische Heilszeit angebrochen ist.

25 Vgl. *T.W. Manson*, Sayings, 70f; *H.E. Tödt*, Menschensohn, 106; *N. Perrin*, Jesus, 133f und *J. Ernst*, Lukas, 252f.

26 Vgl. *C. Colpe*, Argumentationen, 237, Anm. 19.

Metrum gehaltenen Reim und zudem ein Wortspiel (Paronomasie) ergeben[27].

c)   Die inhaltliche Zuspitzung des Gleichnisses auf Johannes und Jesus ist von vornherein konstitutiv, weil sie bereits im Bild vorgegeben ist: Daß die zum Spiel auffordernden Kinder ausgerechnet Hochzeit und Totenklage spielen wollen, kann kein Zufall sein. Der Blick ist von Anfang an auf Jesus und den Täufer gerichtet; Flötenspiel und Tanz entsprechen der Heilshochzeit, die mit dem Kommen des Bräutigams angebrochen ist, und stehen für die Frohbotschaft Jesu, die Totenklage entspricht der eher düsteren Bußforderung des Täufers, die mit dem kommenden Zorngericht begründet wird[28]. Zugleich ist in Mt 11,18f par, bedingt durch das Bild vom Spiel, nicht wie sonst üblich vom Bußruf des Täufers und von der Frohbotschaft Jesu die Rede, sondern vom Bußleben des Täufers und vom Feste feiernden Jesus. Beide werden ›vorspielend‹ geschildert[29].

d)   Mt 11,18f par und 16f par verhalten sich wie ἦλθον bzw. ἦλθεν ὁ υἱὸς τοῦ ἀνθρώπου und der dazugehörige Infinitiv[30]. Die angebliche Ausnahme des ἦλθεν ὁ υἱὸς τοῦ ἀνθρώπου ohne folgende Infinitiv-Konstruktion erweist sich somit als eine Scheinausnahme, denn die sonst infinitivisch anschließende finale Aussage, die den Inhalt der Sendung des Boten beschreibt, ist hier in Form eines kleinen Gleichnisses vorangestellt. Dieses beschreibt zugleich die Ablehnung der beiden Gottesboten durch »dieses Geschlecht«, das sich gegen ihre Botschaft zur Wehr setzt, indem es ihr nicht folgt.

Es ist deshalb unsachgemäß, von einem Gleichnis und einer folgenden Gleichnisdeutung zu sprechen, vielmehr wird ein gegebener Sachverhalt durch ein vorangestelltes Gleichnis erläutert.

4.   Zur Deutung von Mt 11,16–19 par Lk 7,31–35

Die Erkenntnis, daß das Gleichnis einen vorgegebenen Sachverhalt, nämlich die Ablehnung Jesu wie des Täufers, erläutern will, ist grundlegend zum Verständnis der Perikope.

»Dieses Geschlecht« wehrt sich gegen jeden Boten Gottes, unabhängig davon, ob dieser wie Jesus als Verkündiger der Frohbotschaft oder wie Johannes als Gerichtsprediger auftritt. Unter haltlosen Vorwänden ist man durch nichts zu gewinnen, egal, ob Gott einladend wirbt oder mit

---

27   Vgl. *J. Jeremias*, Gleichnisse, 160, Anm. 1 (mit Verweis auf die syrischen Übersetzungen); *ders.*, Theologie, 35; *M. Black*, Approach/Muttersprache, 161 und *R. Riesner*, Jesus, 333.

28   Vgl. *A. Jülicher*, Gleichnisreden II, 32; *P. Gaechter*, Kunst, 370; *J. Ernst*, Lukas, 253 und sogar *H. Schürmann*, Lukas I, 425 (letztlich widerlegt Schürmann damit selbst seine oben Anm. 24 beschriebene Auffassung).

29   Vgl. ebd., 426.

30   S. oben S. 208–210.

dem Gericht droht. Jesus vergleicht solches gottlose Verhalten mit dem von bösartig-ablehnenden Kindern, die sich durch nichts und niemanden zum Spiel gewinnen lassen, was auch immer gespielt werden soll. Gott, der durch seine Boten zum Spiel, d.h. zur Rückkehr in die Gottesgemeinschaft einlädt, wird abgewiesen und kommt nicht zu seinem Ziel, denn »dieses Geschlecht« ist verstockt. Deshalb steht es »draußen« (Mk 4,11f par), hat sich den Zugang zur Gottesherrschaft selbst verschlossen. Jetzt hat es die Sünde der Väter vollendet (Mt 23,33–36 par), indem es den *letzten* Boten Gottes, Jesus, von sich wies. Der Ruf Gottes ist sinnlos verhallt, ἡ γενεὰ αὕτη hat seine allerletzte Chance verspielt. Israel hat seine Sammlung durch den Messias nicht gewollt (Mt 23,37b par). Die Sendung des Menschensohns, und damit Gott selbst, ist – wenigstens vorläufig – gescheitert.

Dies gilt gleichermaßen für Mt 11,16f par wie für 18f par. Es geht nicht an, beide Perikopenteile auseinanderzudividieren mit dem Hinweis, solches »Anathema« beträfe nur die V. 18f par, die V. 16f par hingegen wollten noch in letzter Sekunde zur Umkehr rufen; erst in V. 18f par sei die Tür, die in den V. 16f par immer noch offenstehe, zugeschlagen[31]. Die Aussage von Mt 11,16–19 par ist völlig einheitlich. Überdrüssigen Kindern gleich, hat sich »dieses Geschlecht« gegen den Menschensohn und also gegen Gott entschieden. Ob Gott das Volk so letztgültig bei seiner Entscheidung behaftet, daß man mit Heinz Schürmann von einem Anathema reden muß, ist allein von Mt 11,16–19 par her nicht zu beurteilen, insgesamt jedoch zu bestreiten. Zwar ist Gott vorläufig gescheitert, doch fällt auf, daß von nun an vom Leiden und Sterben des Menschensohns die Rede ist. Der Heilsplan Gottes geht also trotz Israels Widerstand weiter. Dies aber nicht einfach geradlinig, als sei die Entscheidung des Volkes irrelevant, sondern in einem Neueinsatz. Jetzt führt das Heil über den Tod des Menschensohns[32]. Allein von Mt 11,16–19 par her bleibt allerdings festzuhalten: Zunächst einmal endete die Sendung des Menschensohns mit einem Mißerfolg, zunächst einmal ist Gott nicht zu seinem Ziel gekommen.

Die bisher übergangene Aussage Mt 11,19c par Lk 7,35 bestätigt diesen Sachverhalt. Ursprünglich[33] handelte der kurze Satz von den beiden

---

31 So fälschlich *H. Schürmann*, Lukas I, 425–427 (Zitat 426).

32 S. unten S. 232–234.240f.243–255.288–342.

33 In der lukanischen Deutung dieses kleinen Satzes werden jetzt diejenigen nachgetragen, die trotz der Blindheit der Masse Gott Recht gaben – und damit der Weisheit, die hinter dem Ratschluß Gottes steht. Gemeint sind die Kinder des Heilsplans: die Christen. Sie haben Jesus als ihren Retter erkannt und sind deshalb vor Gott gerechtfertigt (vgl. *H. Schürmann*, Lukas I, 427f und *E. Schweizer*, Matthäus, 168). Matthäus interpretiert anders, wenn er nicht von den Kindern, sondern den Werken der Weisheit spricht. Er sieht in Mt 11,19c die Klammer des gesamten Abschnitts Mt 11,2–19, hat er doch bereits in V. 2 von den Werken des Messias gesprochen. Er will sagen: Trotz der Ablehnung durch das

Menschen, die die Werke tun, die Gott recht geben: »Gott wird gerechtfertigt angesichts seiner Kinder«[34]. Johannes und Jesus erwiesen sich als
die gehorsamen Söhne Gottes, d.h. als seine Boten, die treu ihrem Auftrag nachkamen, doch von Israel verworfen wurden: der Vorläufer des
Messias wie auch der Messias selbst und damit letztlich der sie sendende
Gott.

5. Zur Deutung des Terminus Menschensohn in Mt 11,19a.b par
   Lk 7,34

Die exegetische Diskussion bezüglich בַּר אֱנָשָׁא in Mt 11,19a.b par ergab
einmal mehr die verschiedensten und zum Teil einander ausschließenden
Hypothesen:
Günther Bornkamms Urteil, mit Mt 11,19a.b par läge zwar ein authentisches Jesuswort vor, »Menschensohn« sei allerdings sekundär an die
Stelle eines ursprünglichen »Ich« getreten[35], besteht in seiner ersten
Hälfte zu Recht, ist in seiner zweiten jedoch unhaltbar und methodisch
willkürlich. Das Vorurteil, Jesus selbst habe nur vom kommenden Menschensohn gesprochen, ließ Bornkamm keine andere Wahl[36]. Umgekehrt
liegt Philipp Vielhauer richtig mit seiner These, בַּר אֱנָשָׁא sei dem Logion
von Anfang an beigegeben. Doch zieht er aus dieser sachgemäßen Erkenntnis den unsachgemäßen Schluß, also sei Mt 11,16–19 par insgesamt
Jesus abzusprechen[37]. Auch bei ihm triumphiert das Vorurteil über die
historische Gegebenheit, die dem Vorurteil entgegensteht. Da auch Ru-

---

Volk verwirklicht sich der weisheitliche Plan Gottes aus eigener Kraft und rechtfertigt sich
selbst. Das lukanische τῶν τέκνον wirkt gegenüber dem matthäischen τῶν ἔργον urtümli-
cher, dennoch ist auch die matthäische Wendung sachgemäß. Denn beide sind Übersetz-
zungsvarianten von מַעֲשִׂים, jenem Begriff, der mit »Werke«, »Taten« richtig wiedergegeben ist und damit auch die Werke und Taten Gottes beschreibt. Und Gottes Werke sind
seine Geschöpfe, d.h. seine Kinder (Hinweis von *Otto Betz* [mündlich am 15.5.1979]).
Das lukanische πάντων, das bei Matthäus fehlt, ist sekundär.

34 ἐδικαιώθη ist gnomischer Aorist, der entsprechend palästinischem Sinn mit »gerechtfertigt« und nicht nach griechischem Verständnis mit »verurteilt« wiedergegeben
werden muß (vgl. *A. Schlatter*, Matthäus, 374f; *J. Jeremias*, Gleichnisse, 162 mit Anm. 4
und *C. Colpe*, Art. ὁ υἱὸς τοῦ ἀνθρώπου, 434, Anm. 239). ἀπό geht auf das aramäische
מִן קֳדָם zurück und entspricht dem deutschen »angesichts« (vgl. *J. Wellhausen*, Matthäus,
53 und *J. Jeremias*, Gleichnisse, 162, Anm. 2). ἡ σοφία wiederum steht für »Gott« (vgl.
ebd., 162), wie auch die entsprechende Umschreibung des Gottesnamens in Lk 11,49–
51a im Gegenüber zur Parallelstelle Mt 23,34f, wo Gott direkt zu Wort kommt, bestätigt.
Sinngemäß ist im ursprünglichen Verständnis von Mt 11,19c par mit ἡ σοφία an den
Heilsratschluß Gottes gedacht.

35 Vgl. *G. Bornkamm*, Jesus, 208f. Ein ursprüngliches »Ich« postuliert auch *A.J.B.
Higgins*, Jesus, 122f.

36 Entsprechend betont *H.E. Tödt*, Menschensohn, 108, die Gemeinde habe hier die
Rede vom kommenden Menschensohn auf den irdischen Jesus übertragen.

37 Vgl. *Ph. Vielhauer*, Jesus, 126f.

dolf Bultmann die Möglichkeit ausschließt, daß Jesus von sich als dem
Menschensohn gesprochen haben könne, andererseits aber nicht umhin
kann, von alter Überlieferung sprechen zu müssen, deutet er בַּר אֱנָשָׁא generisch[38]. Diese Deutung ist allerdings für Mt 11,19a.b par abwegig, da
die Pointe des Logions gerade darin besteht, daß nicht irgendwer, sondern speziell Jesus mit dem Täufer parallelisiert wird[39]. Im Gegenüber zu
Johannes ist selbstverständlich ebenso ein Individuum zu erwarten, nämlich Jesus, wie die Gesamtperikope beweist. Da der Name Jesus in einer
solchen Selbstaussage ohne Parallele in der Jesustradition wäre, liegt als
Pendant zum Täufer eine Formulierung in dritter Person nahe[40], und
diese lautet im Mund Jesu בַּר אֱנָשָׁא.
Wenn nach alldem aber nicht mehr bestritten werden kann, daß Mt
11,16–19 par einschließlich בַּר אֱנָשָׁא auf Jesus selbst zurückgeht und Jesus
in Parallele zum Täufer zugleich deutlich von seiner eigenen Person
spricht, dann ist der Schluß zwingend, daß mit בַּר אֱנָשָׁא eine Selbstbezeichnung Jesu vorliegt, ein Synonym für »ich«.

Von daher erscheint Joachim Jeremias' und Carsten Colpes Behauptung, hier läge ursprünglich ein indefiniter Sprachgebrauch vor, insofern haarspalterisch, als bei beiden
letztlich doch ein konkreter einzelner, nämlich Jesus, als weltoffenes Gegenüber zum aske-
tischen Täufer gemeint ist[41]. Der Verweis auf das in Mt 11,19b par angeblich ohne Bedeutungsunterschied folgende, in Wahrheit jedoch eigentlich überflüssige ἰδοὺ ἄνθρωπος
verkennt, daß diese Wendung ebenso wie φάγος καὶ οἰνοπότης aus Dtn 21 stammt und
das dortige לְאִישׁ (V. 18) wiedergibt[42].
Jeremias' und Colpes emphatische Beteuerung ist die Folge ihres Vorurteils, בַּר אֱנָשָׁא
könne im Mund Jesu nicht Selbstbezeichnung zur Umschreibung von »ich« sein, zum
anderen wollen sie der Vorstellung wehren, in authentischen Logien vom sogenannten
gegenwärtig wirkenden Menschensohn tauche der – wie sie meinen – apokalyptische
Titel Menschensohn auf. Die so erreichte »Doppelsinnigkeit«[43] des Ausdrucks in Mt
11,19a.b par bedarf einer solchen Argumentation allerdings nicht. Der Hinweis, daß
בַּר אֱנָשָׁא im Mund Jesu eine bewußt rätselhafte Redeweise darstellt, genügt vollends.

Obwohl die jesuanische Selbstbezeichnung Menschensohn den Messiasanspruch Jesu verhüllend umschreibt, liegt in Mt 11,16–19 par für jüdi-

38   Vgl. *R. Bultmann*, Geschichte, 166.
39   Vgl. *Ph. Vielhauer*, Jesus, 127.
40   Vgl. *C. Colpe*, Art. ὁ υἱὸς τοῦ ἀνθρώπου, 434.
41   Vgl. *J. Jeremias*, Älteste Schicht, 165; *ders.*, Theologie, 249; *C. Colpe*, Art. ὁ υἱὸς
τοῦ ἀνθρώπου, 434 und *ders.*, Argumentationen, 238. Gegen ein solches Verständnis
wendet sich zu Recht *P. Hoffmann*, Studien, 90–92 mit Anm. 46. An dieser Stelle seien
aber auch *P.M. Casey*, Son of Man, 228f und *B. Lindars*, Jesus, 33 wenigstens erwähnt, obgleich man deren Position mit der von Jeremias und Colpe nicht einfach vergleichen kann.
Casey interpretiert das Logion im Sinne einer allgemeinen Aussage über das menschliche
Verhalten, die dann allerdings im übertragenen Sinn auch etwas über Jesus selbst zum
Ausdruck bringt, Lindars denkt an bestimmte Menschen ähnlich wie Jesus, nämlich nichtseßhafte Wanderlehrer.
42   Die Septuaginta liest nicht ἄνθρωπος, sondern τις.
43   *C. Colpe*, Argumentationen, 238.

sche Ohren nicht einfach nur ein unverständliches Rätselwort vor. Wenn sich Jesus im Zusammenhang mit dem Täufer als בַּר אֱנָשָׁא vorstellt, zudem von ihnen beiden als Gekommenen spricht, die hier als die von Gott gesandten, vom Volk aber abgewiesenen Boten Gottes erscheinen, dann denkt ein Jude zur Zeit Jesu zwangsläufig an »den Kommenden« (ὁ ἐρχόμενος), den auch der Täufer verheißen hatte. Mit dem Kommenden kündigte Johannes den Messias an, und Jesus sah in Johannes seinen eigenen Vorläufer, d.h. sich selbst als den messianischen König Israels, auf den der Täufer verwies[44]. In diesem Kontext ist בַּר אֱנָשָׁא zu deuten: Der Kommende ist gekommen, und als der noch nicht Inthronisierte ist er der Menschensohn.

Wieder erweist sich die jesuanische Selbstbezeichnung Menschensohn als Chiffre für die verborgene Messianität des Messias designatus.

III.   Exkurs: ὁ ἐρχόμενος und ὁ ἰσχυρότερος im Mund Johannes des Täufers

Die messianische Gestalt, die Johannes, ohne eine der üblichen jüdischen Messiasbezeichnungen aufzugreifen, als ὁ ἐρχόμενος[45] oder auch als ὁ ἰσχυρότερος[46] bezeichnet, ist eine Richter- und Heilsgestalt zugleich.

Daß Johannes das Kommen Gottes selbst angekündigt und lediglich aus der Scheu heraus, Gott direkt zu benennen, vom Kommenden bzw. Stärkeren gesprochen habe[47], ist unwahrscheinlich, da angesichts solcher Scheu der auffällige Anthropomorphismus ›Gott trägt Sandalen‹ kaum denkbar wäre. Zugleich ist der, der nach Johannes auftreten wird, zwar ranghöher als dieser, dennoch aber nicht grundsätzlich und wesenhaft anders. Auch diese Beobachtung weist von Gott weg[48]. Der Täufer erwartet also einen weiteren, mit ungleich größerer Vollmacht ausgerüsteten Boten Gottes.

Die Deutung auf den eschatologischen Propheten[49] ist ebensowenig haltbar. Nirgendwo in der jüdischen Erwartung wird dieser mit einer

---

44   S. unten S. 222–226
45   Vgl. Mt 3,11; 11,3 par; Joh 1,15.27.30 und Apg 13,25.
46   Vgl. Mk 1,7 par.
47   Vgl. *W. Grundmann*, Markus, 38.
48   Vgl. auch ἔρχεται ἀνήρ in Joh 1,30.
49   Vgl. *F. Hahn*, Hoheitstitel, 393f und *P. Stuhlmacher*, Das paulinische Evangelium, 218–225, der diesen Lösungsversuch in jüngeren Untersuchungen wie etwa *ders.*, Die neue Gerechtigkeit, 44f.52 oder *ders.*, Jesus von Nazareth und die neutestamentliche Christologie, 87 jedoch revidiert hat und nun vom »messianischen Menschensohn« spricht. »Durch die Verkündigung des Täufers Johannes war Jesus mit der Ankündigung des nach Johannes ›Kommenden‹ konfrontiert, der nach Gen 49,10; Ps 118,26 auf den ›Messias‹ gedeutet werden, nach Dan 7,13 aber auch der ›Menschensohn‹ sein kann« (*ders.*, Biblische Theologie, 110).

Feuer- oder Geisttaufe in Verbindung gebracht, auch tritt er nicht als
eine solche Richter- und Vollendergestalt auf.

Einige jüngere Untersuchungen deuten deshalb auf den Menschensohn[50]; dies mit zwei Hauptargumenten: Die Vollstreckung des göttlichen Gerichts, das in den Täuferworten angekündigt werde, sei dem
davidischen Messias – der einzig sonst in Frage kommenden Gestalt –
nie zugeschrieben worden[51]. Zudem habe nur der Menschensohn selbst
das Recht, sich zu definieren, weshalb Johannes ihn nie ausdrücklich so
genannt, wohl aber gemeint habe[52]. Die zweite Begründung ist höchst
willkürlich; mit gleichem Recht könnte man entsprechend auf den Messias verweisen, denn auch dieser taucht im Mund des Täufers expressis
verbis nirgendwo auf. Da nach alttestamentlich-jüdischer Erwartung
Gott selbst den Messias als solchen offenbaren wird, liegt die Deutung auf
den Messias sogar näher. Die erste Behauptung hingegen ist nicht haltbar.
Zwar liegt die Durchführung des allgemeinen Weltgerichts in der rabbinischen Literatur bei Gott selbst, doch kann dies nicht verwundern, da hier
die Tage des Messias und der kommende Äon unterschieden werden und
das Weltgericht nach der überwiegenden Mehrzahl der Belege erst im
Anschluß an die messianische Zeit stattfindet. Andererseits zeigen die
(nicht ganz eindeutigen) Belege bHag 14a und bSan 38a[53], daß man sich
auch den Messias als Weltrichter vorstellen konnte. Daß der Messias im
messianischen Völkergericht, das nach rabbinischer Anschauung dem
Weltgericht vorangeht, im Auftrag Gottes als Richter fungiert, bedarf sowieso keiner Frage[54]. Vor allem in den älteren jüdischen Schriften jedoch,
in deren Vorstellung die messianische Zeit und die Zeit der absoluten
Heilsvollendung identisch sind[55] – weswegen man erst gar nicht auf den
Gedanken kam, zwischen einem messianischen Völkergericht und einem
allgemeinen Weltgericht zu unterscheiden –, ist es neben Gott selbst speziell der Messias, der als Endrichter hervortritt. Dies zeigen die entsprechenden Belege PsSal 17,21–25.29.35; 18,4f; 1QSb 5,24f und 1QpHab
5,4f, dazu äthHen 45,3; 49,3f; 62,2–5 und 62,9–15[56] neben anderen, ja
bereits das Alte Testament; stellvertretend sei Jes 11,3–4 genannt. Der
Messias ist in der alttestamentlich-jüdischen Tradition also durchaus als

---

50 Vgl. *Jürgen Becker,* Johannes, 34–37.105f; *F. Neugebauer,* Davidssohnfrage, 102f;
F. Lang, Erwägungen, 470–473 und *R. Pesch,* Markus I, 84.
51 Vgl. *F. Neugebauer,* Davidssohnfrage, 102.
52 Vgl. ebd., 103.
53 Jeweils zitiert bei *Bill.* IV/2, 1104f.
54 Vgl. ebd., 873 (grundsätzlich) und 874–880 (die dort unter e–q zitierten Belege),
zudem PesR 37 (163a) (zitiert bei *Bill.* II, 249f).
55 S. oben S. 170–172.
56 Die Belege aus den Bilderreden des äthiopischen Henochbuches, die vom
Menschensohn handeln, sind hier zu Recht genannt, s. oben S. 44f einerseits und S. 170f
andererseits.

der eschatologische Richter bezeugt, und auch das Neue Testament erwartet ihn, hier anknüpfend, als solchen[57]. Damit wird man zwar auch weiterhin die Hypothese vertreten dürfen, der Täufer habe den Menschensohn gemeint, als er vom Kommenden bzw. vom Stärkeren sprach, hinreichend absichern läßt sie sich allerdings kaum, da sich die dafür geltend gemachten Argumente als wenig tragfähig herausstellen.

Die traditionelle Auffassung, der Täufer habe mit ὁ ἐρχόμενος den Messias angekündigt[58], erweist sich demgegenüber nach wie vor als die beste. Dies bestätigen die alttestamentliche, die jüdische und die neutestamentliche Messiaserwartung, hier gerade auch Johannes sowie Jesus selbst, und schließlich die Deutung der besagten Täuferlogien in der Evangelientradition. Bereits im Alten Testament ist der Kommende (הַבָּא) nicht nur irgendeine eschatologische Gestalt, sondern speziell der Messias[59]. Man wird in Gen 49,10 (יָבֹא שִׁילֹה) die exegetische Grundlage für das »Kommen« des Messias sehen müssen. Vor allem 4QPatr 1–4 ist ein an dieser Stelle entscheidender Beleg. Hier wird Gen 49,10 dergestalt entfaltet, daß jetzt von der kommenden Königsherrschaft des endzeitlichen Davididen die Rede ist[60]. Überhaupt war zeitgeschichtlich das Moment des Kommens des Messias so verbreitet, daß Johannes Schneider formulieren kann: »In der Messiasdogmatik des Judentums ist der Messias der Kommende«[61].

Auch die Bezeichnung ὁ ἰσχυρότερος ist aus alttestamentlich-messianischen Traditionen ableitbar, denn der Messias regiert in der Stärke Jahwes (Mi 5,3) und besitzt den Geist der Stärke (Jes 11,2). Johannes, selbst Bote Gottes, beschreibt den Messias im Vergleich zu sich als den Stärkeren, d.h. ungleich Bevollmächtigteren. Obwohl Jesus auch gegenüber dem Satan, dem Starken, der Stärkere ist (Mk 3,27 par), ist die Möglichkeit nicht ganz auszuschließen, daß ὁ ἰσχυρότερος im Mund des Täufers eine nachösterliche Kennzeichnung darstellt, während die Rede vom Messias als ὁ ἐρχόμενος auf den historischen Täufer zurückgeht.

---

57   Vgl. Mt 3,11f par; Apg 3,42; 1Kor 4,4f; 2Thess 1,7b–10; 2,8 und 2Tim 4,1.8.

58   Vgl. *J. Schneider*, Art. ἔρχομαι, 666f; *G. Bornkamm*, Jesus, 42; *R. Schnackenburg*, Markus I, 22; ders., Johannes I, 281; *E. Schweizer*, Markus, 17; *E. Arens*, ΗΛΘΟΝ-Sayings, 288–300; *J. Gnilka*, Markus I, 42.47; *W. Schmithals*, Markus I, 80f; *J. Ernst*, Markus, 35 und *O. Böcher*, Art. Johannes der Täufer, 172.176.

59   Vgl. etwa Gen 49,10; Ez 21,32 und Sach 9,9f.

60   Vgl. *R. Pesch*, Markus II, 185.

61   *J. Schneider*, Art. ἔρχομαι, 666. Neben der bereits genannten Stelle 4QPatr 1–4 vgl. als weitere Belege stellvertretend bSan 96b–98a (auszugsweise zitiert bei *Bill.* IV/2, 981–984) und die zur Zeit Jesu vorherrschende Deutung von Ps 118,26 (dazu vor allem *J. Jeremias*, Abendmahlsworte, 247–250 und *R. Pesch*, Markus II, 183f). Auch in Hab 2,3 LXX (ἐρχόμενος ἥξει καὶ οὐ μὴ χρονίσῃ) und Aquila (προσδέχου αὐτόν, ὅτι ἐρχόμενος ἥξει) ist – im Unterschied zu Hab 2,3 MT, wo eine Aussage über die Zeit vorliegt (»denn sie kommt gewiß und bleibt nicht aus«) – mit dem als Person verstandenen Kommenden wohl eine messianische Gestalt im Blick, vermutlich der königliche Messias.

Daß Johannes wirklich den Messias im Blick hatte, wird ebenso durch die
Tatsache erhärtet, daß er in der Wüste auftrat, aus der laut zeitgeschicht-
licher Erwartung der Messias kommen würde[62]. Dort wirkte Johannes
als Elia redivivus, der im Alten Testament zunächst als Vorläufer Gottes
galt (Mal 3,1.23f), später, in der jüdischen Überlieferung, d.h. wirkungsgeschichtlich, aber auch als Vorläufer des Messias[63]. In der letztgenannten Funktion sahen ihn – in Übereinstimmung mit Jesus selbst – zumindest Markus und Matthäus[64]. Jesus hat zugleich das Bild vom Feuer, das
vom Täufer als eschatologisches Gerichtsfeuer angekündigt worden
war[65], in Lk 12,49 aufgenommen: Mit seinem Kommen ist dieses Gericht
schon in der Gegenwart Wirklichkeit geworden, so daß mit seiner Wirksamkeit die messianische Zeit bereits angebrochen ist. Weil der Täufer erkennen muß, daß Jesus sich ganz anders verhält, als er selbst erwartet und
angedroht hatte, zweifelt er schließlich an dessen Messianität (Mt 11,2f
par). Damit erweist sich umgekehrt, daß der Täufer in der Tat an den
Messias dachte, wenn er vom Kommenden sprach, wie auch die folgende
Antwort Jesu zeigt (Mt 11,5f par).
Die Evangelien bestätigen diesen Befund. Alle vier verstehen Jesu Einzug in Jerusalem in Übereinstimmung mit Jesus selbst als messianischen:
Der, der jetzt kommt (ὁ ἐρχόμενος), ist der Messias[66]. Entsprechend ist

---

62 S. oben S. 56f mit Anm. 19.

63 Zu Mal 3,1.23f und seiner Wirkungsgeschichte, zur Funktion des Elia redivivus und
zur ἀποκατάστασις πάντων vgl. vor allem *Bill.* IV/2 779–798 und *J. Jeremias*, Art.
Ἠλ(ε)ίας, 930–936.941–943, ferner *F. Hahn*, Hoheitstitel, 354–356. Vermutlich wußte
sich bereits der historische Täufer als der Vorläufer des Kommenden, d.h. des Messias
(vgl. *O. Böcher*, Art. Johannes der Täufer, 173.176). Ob er sich bereits aufgrund seiner
Kleidung als Elia redivivus zu erkennen gibt, ist in der Forschung umstritten (vgl. im be-
jahenden Sinn *M. Hengel*, Nachfolge, 39f mit Anm. 71 und *R. Pesch*, Markus I, 80–83,
verneinend *Ph. Vielhauer*, Tracht, 49–53; *J. Gnilka*, Markus I, 46f und *H. Merklein*,
Umkehrpredigt, 111 mit Anm. 15), scheint mir aber wahrscheinlich.

64 Vgl. vor allem Mk 1,2; 9,11–13 par (s. unten S. 282–285); Mt 11,10 par und Mt
11,14, zudem – außerhalb der Synoptiker – Offb 11,3–14 sowie insgesamt *J. Jeremias*,
Art. Ἠλ(ε)ίας, 937–943 und *F. Hahn*, Hoheitstitel, 371–380. Nicht ganz eindeutig ist das
Verständnis des Täufers bei Lukas. In Lk 7,27 (par Mt 11,10) stellt er ihn als den Vorläufer
Jesu vor, übernimmt jedoch nicht die entsprechende Sachaussage aus Mk 9,11–13, obwohl er diese Verse kannte (s. unten S. 256, Anm. 62). Zudem scheint Johannes in Lk
1,17 und 1,76 eher als Vorläufer Gottes zu fungieren. Möglicherweise scheut Lukas die
allzu eindeutige Identifikation des Täufers mit dem Elia redivivus, weil er in Apg 3,19–21
die ἀποκατάστασις πάντων, die dieser bewirkt, mit dem wiederkommenden Jesus verbindet (vgl. *R. Pesch*, Apostelgeschichte I, 155f). Im Johannesevangelium schließlich wird
jegliche Gleichsetzung des Täufers mit Elia strikt abgelehnt (Joh 1,21a), vermutlich aufgrund der Frontstellung gegenüber den Täufergemeinden, die dazu führte, den Täufer
selbst abzuwerten und ihm jegliches prophetisch-eschatologische Selbstverständnis
abzuerkennen (Joh 1,21b).

65 Vgl. *E. Schweizer*, Art. πνεῦμα, 396f; *F. Lang*, Art. πῦρ, 943 und *ders.*, Erwägungen 465–473.

66 S. oben S. 105f.

das Μεσσίας ἔρχεται in Joh 4,25 und 7,27f zu deuten. Auch interpretiert Lukas genau richtig, wenn er die Täuferankündigung in Apg 13,25 im messianischen Kontext der V. 22–24.26–37 überliefert.

Fazit: Im Mund des Täufers sind ὁ ἐρχόμενος und ὁ ἰσχυρότερος Bezeichnungen für den erwarteten Messias. Johannes entspricht Jesus insofern, als beide nicht direkt vom Messias reden, denn den Messias zu offenbaren ist Gottes Sache. Johannes spricht deshalb vom Kommenden bzw. vom Stärkeren, Jesus von sich selbst als בַּר אֲנָשָׁא.

IV.   Mt 8,19–20 par Lk 9,57–58

1.   Innerhalb der Komposition des Matthäus und Lukas gelangten die Nachfolgesprüche Mt 8,19–22 par Lk 9,57–62[67] bei nach vorn und hinten verschiedenem Kontext jeweils redaktionell bedingt an ihren heutigen Ort[68]. Wie sich zeigen wird, ist der lukanische Zusammenhang am Anfang des Reiseberichts der sachlich bessere, da solche Nachfolgeforderung im Sinne des »sein Kreuz auf sich nehmen« (Mk 8,34b–35 par), wie sie hier vorliegt, im Grunde erst möglich ist, nachdem Jesus mit Blick auf seine Passion nach Jerusalem zieht[69]. Daß Mt 8,20 par nicht erst sekundär durch V. 19b par und die heutige Verbindung zum Folgenden zu einem Nachfolgespruch wurde[70], sondern von vornherein als solcher konzipiert war, hat Martin Hengel gezeigt: Alle zwei bzw. drei Nachfolgesprüche haben »genau denselben Aufbau« in »zweiteiliger Kompositionstechnik«[71], wobei auf die Frage eines, der zur Nachfolge bereit ist, eine »die Erwartungen des Fragenden zurückweisende Antwort Jesu (folgt)«; ebenso sind »deutliche formale und sachliche Parallelen zur Berufung Elisas durch Elia« gemeinsam[72]. Was Hengel grundsätzlich zum Nachfolgeruf Jesu erarbeitet hat: konkret hinter Jesus hergehen »und sein unsicheres, ja gefährdetes Schicksal mit ihm teilen«, ist auch »der ursprüngliche Sinn des vielfach mißverstandenen Wortes . . . Mt 8,20«[73]. Die vorausgehende Frage V. 19b par und die diese noch verschärfende Antwort Jesu gehören deshalb zusammen, sind nur im Sinne des Nachfol-

---

67   Ob die dritte Sprucheinheit, die nur Lukas überliefert (Lk 9,61f), lukanisches Sondergut darstellt, das vom Evangelisten an dieser Stelle eingefügt wurde, oder ob eine ursprüngliche Dreiheit von Matthäus sekundär verkürzt wurde, kann hier offenbleiben.

68   Vgl. *M. Hengel*, Nachfolge, 2.

69   Vgl. *J. Wellhausen*, Lukas, 47 und *C. Colpe*, Argumentationen, 238, s. außerdem unten S. 232–234.

70   So fälschlich *R. Bultmann*, Geschichte, 27 und *Ph. Vielhauer*, Jesus, 123.

71   *M. Hengel*, Nachfolge, 4.

72   Ebd., 5. Zu den Parallelen der Eliatradition vgl. ebd., 18–20, zudem *K. Löning*, Füchse, 93f.

73   *M. Hengel*, Nachfolge, 60 (das erste der beiden Zitate ist bei Hengel kursiviert).

gethemas zu verstehen[74] und verweisen verhüllend auf die Zukunft Jesu, denn »der Weg des ›Menschensohns‹ (führt) in die völlige Unsicherheit hinein«[75]. Und dem Nachfolgenden »ergeht (es) wie dem Vorangehenden«[76]: Er muß das von Jesus getragene Geschick selbst übernehmen[77]. »Nachfolge bedeutet . . . zunächst die uneingeschränkte Schicksalsgemeinschaft«, denn der Nachfolger »hat sein Schicksal, seine Zukunft in die Hand des Meisters gelegt«[78].

2. Ist der Auslegungsrahmen des Nachfolgespruchs damit abgesteckt, wird zugleich deutlich, daß sich das Logion selbst ohne weiteres ins Aramäische zurückübersetzen läßt[79]:

לְתַעֲלַיָּא אִית לְהוֹן חוֹרִין
וּלְעוֹפַיָּא דִשְׁמַיָּא קִינִּין
וּלְבַר אֱנָשָׁא לֵית לֵיהּ
אָן דְּיַרְכֵּין רֵישֵׁיהּ

Diese Rückübersetzung erweist dreierlei: Zum einen bestätigt sie, daß das Logion in der Tat ursprünglich aramäisch konzipiert war, denn es ergibt sich ein vierzeiliger Dreiheber[80]. Da gerade der Dreiheber »zum Einprägen markanter Worte und Sentenzen (dient)« und in den Worten Jesu »der am häufigsten angewendete Rhythmus (ist)«[81], hat diese Beobachtung zugleich Bedeutung hinsichtlich der Authentie des vorliegenden Spruchs. Des weiteren ist damit von vornherein die methodisch willkürliche Hypothese als falsch erwiesen, aus einer ursprünglichen Formulierung in der ersten Person (»ich«) sei erst sekundär ein Menschensohnwort gebildet worden[82], weil der durchgängige Dreiheber-Rhythmus dann gerade zerstört wäre.

---

74 Vgl. *C. Colpe*, Argumentationen, 239.
75 *M. Hengel*, Nachfolge, 60.
76 *H.E. Tödt*, Menschensohn, 114.
77 Eine Aussage über Jesu Armut und Besitzlosigkeit ist mit Mt 8,20 par nicht beabsichtigt. Möglicherweise besaß Jesus in Kapernaum sogar ein Haus (Mk 2,1 par Mt 9,1, vgl. *Ph. Vielhauer*, Jesus, 124), wenn hier nicht das Haus des Petrus (Mk 1,29 par) gemeint ist. Für ein Haus Jesu sprechen jedoch auch Mt 4,13 und Mk 2,15 par Mt 9,10 (erst die markinisch-redaktionelle Einfügung Mk 2,13f zwischen V. 12 und V. 15 [s. bereits oben S. 188f, Anm. 2] suggeriert einen Hinweis auf das Haus Levis [vgl. Lk 5,29]).
78 *M. Hengel*, Nachfolge, 80.
79 Vgl. bei nur geringfügigen Abweichungen die Rückübersetzungen von *C.F. Burney*, Poetry, 169 und *J. Jeremias*, Theologie, 33, ferner *G. Schwarz*, Menschensohn, 191f.
80 Vgl. *C.F. Burney*, Poetry, 169 und *J. Jeremias*, Theologie, 33. Mit diesem Hinweis verkenne ich durchaus nicht die fraglos vorhandenen Unsicherheiten hinsichtlich aramäischer metrischer Formen, denn anders als in der griechischen Metrik lassen sich vorliegende Hebungen und Senkungen oft nicht eindeutig definieren. Skepsis ist vor allem dann angebracht, wenn vom Rhythmus auf Stimmungen Jesu oder einen postulierten Sitz im Leben geschlossen wird. Im vorliegenden Text ist der Dreiheber-Rhythmus hingegen so deutlich wie selten nachweisbar.
81 *J. Jeremias*, Theologie, 35, vgl. *C.F. Burney*, Poetry, 130.
82 So fälschlich *G. Bornkamm*, Jesus, 209.

3.   Darüber hinaus sind aber auch die meistgenannten Deutungen, die den Terminus Menschensohn zum ursprünglichen Bestand des Logions hinzurechnen, nicht haltbar.

Vor allem nicht die Erklärung Adolf Schlatters, »Menschensohn« stünde hier als Ausdruck der Menschlichkeit Jesu in bewußtem Gegensatz zu »Gottessohn«[83]. Wenn man schon nach einem Kontrast zu »Menschensohn« sucht, ist dieser in den Tieren (Füchse, Vögel) zu finden. Genau dies behauptet Schlatter dann auch auf derselben Seite, womit er seine erste Vermutung selbst widerlegt. Jetzt jedoch postuliert er ebenso falsch eine Verbindung der Füchse und Vögel zu Dan 7,13f, um dann auch den Terminus Menschensohn von dort herzuleiten. Eine Beziehung zu Daniel ist in Mt 8,20 par nun aber durch nichts nahegelegt[84], zumal Füchse und Vögel keine Chaostiere sind.
Ganz abwegig ist auch die Deutung von Thomas W. Manson, nach der die »Füchse« Symbol für die Ammoniter, »Vögel« für die heidnischen Völker ist. Damit wird »Menschensohn« zu einem Kollektivbegriff im Sinne von »everybody is at home in Israel's land except the true Israel«, womit Manson seine korporative Interpretation des jesuanischen בַּר אֲנָשָׁא bestätigt findet[85].
Laut Martin Dibelius spricht Jesus in Kontrast zur Herrlichkeit des himmlisch-apokalyptischen Menschensohns von seiner jetzigen Verborgenheit, die aber wiederum als Auftakt zu seiner zukünftigen Herrlichkeit anzusehen sei und deshalb auf die Zukunft weise[86]. Trotz des relativen Rechts dieser Lösung – die jesuanische Chiffre bezeichnet den noch nicht inthronisierten Messias, den Messias designatus – ist sie in dieser Weise unrichtig. Einmal beruft sich Dibelius zur Begründung seiner These auf den apokalyptischen Menschensohn des äthiopischen Henochbuches, den er zu Unrecht für Jesus voraussetzt[87], zum anderen ist der Menschensohn dort nicht auf der Erde verborgen gedacht, sondern vor seinem Kommen in himmlischer Verborgenheit bei Gott vorgestellt[88]. Außerdem geht es in Mt 8,20 par nicht um die Verborgenheit des Menschensohns, sondern um die Nachfolge, in die der Menschensohn ruft, wen er will. In seine Nachfolge eintreten heißt aber nicht, seine Verborgenheit zu übernehmen, sondern seine Heimatlosigkeit[89], d.h. völlige Unsicherheit und Ungesichertheit[90].
Ein weiterer Lösungsversuch, der vor allem von Rudolf Bultmann vertreten wurde[91], hält das griechische ὁ υἱὸς τοῦ ἀνθρώπου für eine (bewußte) Fehlübersetzung aus dem Aramäischen. Jüdische Spruchweisheit aufnehmend, habe das ursprüngliche Logion im generischen Sinn vom Menschen schlechthin gesprochen und die auf der Erde heimatlosen Menschen den Tieren gegenübergestellt: Im Gegensatz zu Füchsen und Vögeln ist der

83   Vgl. A. Schlatter, Matthäus, 286.
84   Vgl. C. Colpe, Argumentationen, 239, Anm. 24 mit dem Hinweis, eine beabsichtigte Beziehung eines Menschensohnwortes Jesu zu Dan 7,13f wäre ganz anders als hier hergestellt, wie etwa Mk 13,26 par und 14,62 par zeigten.
85   Vgl. T.W. Manson, Sayings, 72f.
86   Vgl. M. Dibelius, Jesus, 86–88.
87   S. oben S. 45–47.
88   Vgl. H.E. Tödt, Menschensohn, 113, s. außerdem oben S. 70f.
89   Vgl. ebd., 113 und C. Colpe, Art. ὁ υἱὸς τοῦ ἀνθρώπου, 435.
90   Vgl. M. Hengel, Nachfolge, 60.
91   Vgl. R. Bultmann, Geschichte, 27. Weitere Vertreter dieser Deutung nennt S. Schulz, Q, 438, Anm. 260, ferner wurde sie jüngst erneut aufgegriffen von R. Kearns, Traditionsgefüge, 33 mit Anm. 98.

Mensch unbehaust[92]. In Wahrheit ist die Annahme eines generischen Verständnisses in allen Belangen unmöglich. Selbst wenn man das Logion aus seinem heutigen Kontext herauslösen könnte, ein allein schon wegen seiner ursprünglichen Verbindung zu Mt 8,19b par illegitimes Unterfangen[93], wäre Bultmanns Hypothese nicht haltbar, denn ein derartiger volkstümlicher Pessimismus und eine solche pessimistische Weltanschauung lassen sich für das Judentum nirgendwo nachweisen[94]: »... weder ist nach profaner jüdischer Weisheit der Mensch heimatlos ..., noch ist Heimatlosigkeit ein generelles Unterscheidungsmerkmal des Menschen vom Tier«[95]. Wenn aber der Gegensatz zur Geborgenheit der Tiere kein naturgegebener ist, sondern ein geschichtlicher[96], kann ein generischer Gebrauch nicht in Frage kommen. Schon aus rein formalen Gründen wäre sonst im Gegenüber zu den Füchsen und Vögeln (jeweils Plural) ebenso בְּנֵי אֲנָשָׁא (Plural) zu erwarten und nicht בַּר אֲנָשָׁא (Singular). Die Heimatlosigkeit des Menschensohns meint konkret die Heimatlosigkeit des ganz bestimmten Menschen Jesus von Nazareth, der seinen Nachfolgern solche Ungesichertheit und Gefährdung gleichermaßen abverlangt[97].

Wenn בַּר אֲנָשָׁא in Mt 8,20 par damit aber wie auch sonst im Mund Jesu (Ausnahmen: Mk 2,28 par und Mk 3,28f par[98]) eine Umschreibung für »ich«, also eine Selbstbezeichnung Jesu darstellt, dann ist auch Carsten Colpes Erklärung überflüssig, »Menschensohn« sei allein in Gegenüberstellung zu den Füchsen und Vögeln entstanden, wobei Jesus völlig unmessianisch von sich als »einem Menschen« gesprochen habe[99]. Indem Colpe die Möglichkeit erwägt, ein ursprüngliches »Ich« Jesu anzunehmen[100], gibt er selbst zu, daß seine Deutung eine Verlegenheitsauskunft ist, bedingt durch sein Vorurteil, nach dem בַּר אֲנָשָׁא keine jesuanische Selbstbezeichnung sein kann[101].

---

92 Wenn *R. Bultmann*, Geschichte, 102, Anm. 2 auf Plutarch, TibGr 9,5 (»Die Tiere haben Höhlen, dagegen die Kämpfer für Italien kein Obdach [φωλεούς])« verweist, um dem »sprichwortartigen Weisheitswort« vom unbehausten Menschen sogar eine ›griechische Parallele‹ zur Seite zu stellen, so ist dies abwegig. Plutarch redet gerade nicht vom Menschen allgemein, sondern spricht »in die ganz bestimmte Situation eines Feldzuges hinein« (*E. Schweizer*, Menschensohn, 72).

93 Vgl. *M. Hengel*, Nachfolge, 4f.60 und *C. Colpe*, Art. ὁ υἱὸς τοῦ ἀνθρώπου, 435.

94 Vgl. *C. Colpe*, Argumentationen, 239, Anm. 23 (mit Hinweis auf *K.G. Kuhn* [Seminar »Messias und Menschensohn« im Wintersemester 1949/50]).

95 *B. Klappert*, Auferweckung, 118f, vgl. *J. Jeremias*, Älteste Schicht, 171, Anm. 35.

96 Vgl. *C. Colpe*, Art. ὁ υἱὸς τοῦ ἀνθρώπου, 435, Anm. 244 und *B. Klappert*, Auferweckung, 119.

97 »Jesus ist nicht heimatlos, weil er kein Haus u(nd) keine um seinen Unterhalt besorgten Freunde gehabt hätte, sondern weil er ... seinem Tod in Jerusalem entgegengeht« (*C. Colpe*, Art. ὁ υἱὸς τοῦ ἀνθρώπου, 435, Anm. 244, vgl. *B. Klappert*, Auferweckung, 119).

98 Zu Mk 2,28 par s. oben S. 199-203, zu Mk 3,28f par oben S. 213f.

99 Laut *C. Colpe*, Art. ὁ υἱὸς τοῦ ἀνθρώπου, 435 (vgl. auch *ders.*, Argumentationen, 239) hat Jesus, wenn er nicht sogar ursprünglich von seinem eigenen Ich sprach, inhaltlich dies sagen wollen: »die Tiere haben ihre Schlupfwinkel, aber ein Mensch wie ich, Jesus, hat keine Stätte für sein Haupt«. *B. Lindars*, Jesus, 30f formuliert (zunächst ähnlich wie Colpe): »a man such as I«, spricht dabei allerdings unsachgemäß von »a generic usage«, denn ein generischer Gebrauch liegt nicht wirklich vor, da Lindars (jetzt im Unterschied zu Colpe) auf bestimmte Menschen abhebt, nämlich nichtseßhafte charismatische Wanderlehrer wie etwa auch Jesus.

100 Vgl. *C. Colpe*, Art. ὁ υἱὸς τοῦ ἀνθρώπου, 435.

101 S. bereits oben S. 221. Laut Colpe besteht zwischen Jesus und dem Menschensohn eine funktionale Gleichstellung, eine dynamische Beziehung, aus der erst die nachösterliche Gemeinde eine statische machte, indem sie beide identifizierte (vgl. ebd., 442f). Von

4.   Anders als im Sinne einer Selbstbezeichnung, die Jesu Funktion als des ganz bestimmten, von Gott gesandten messianischen Menschen hervorhebt, ist בַּר אֱנָשָׁא auch in Mt 8,20 par nicht zu verstehen. Dabei verweist das gesamte Logion einschließlich des Terminus Menschensohn nach Form und Inhalt auf Jesus selbst, indem es seine spezifische Situation voraussetzt und zugleich aus der nachösterlichen Theologie nicht ableitbar ist[102]. Denn das hier vorliegende Verständnis von Nachfolge ist allein im Mund Jesu denkbar und konnte daher nach Ostern nicht unverändert übernommen werden. Dies nicht in erster Linie deshalb, weil Nachfolge als konkretes »hinter Jesus hergehen« (aramäisch הֲלַךְ אֲחוֹרֵי, hebräisch הָלַךְ אַחֲרֵי) nur in der persönlichen Lebensgemeinschaft mit dem irdischen Jesus möglich war[103], sondern vor allem wegen der ausdrücklichen Differenzierung zwischen Nachfolge und Glaube. Entgegen der nachösterlichen Zusammenschau beider Vorstellungskreise sind diese bei Jesus gerade nicht identisch[104]. Jesu Predigt von Gottes Liebe und Gericht gilt allen, sein Ruf in die Nachfolge nur ausgewählten einzelnen[105].

daher kann Colpe den Gebrauch von »Menschensohn« im Mund Jesu außerhalb der sogenannten Logien vom Kommen des Menschensohns nur dann als authentisch gelten lassen, wenn ein ›unmessianischer Gebrauch‹ vorliegt, der nicht das konkrete Ich Jesu zum Ausdruck bringt, sondern indefinite Bedeutung hat: »ein Mensch wie ich« (ebd. 435). Gegen diese gezwungene Deutung vgl. bereits *Ph. Vielhauer,* Jesus, 124f; *B. Klappert,* Auferweckung, 119, Anm. 22; *P. Hoffmann,* Studien, 90f mit Anm. 46 (S. 91f); *F. Neugebauer,* Jesus, 19f und *G. Schwarz,* Menschensohn, 188f.

102   Vgl. etwa *I.H. Marshall,* Son of Man Sayings, 340f; *F.H. Borsch,* Son of Man, 325; *J. Jeremias,* Älteste Schicht, 171; *ders.,* Theologie, 33.250; *M. Hengel,* Nachfolge, 60; *C. Colpe,* Art. ὁ υἱὸς τοῦ ἀνθρώπου, 435; *ders.,* Argumentationen, 238f; *B. Klappert,* Auferweckung, 118f; *W.G. Kümmel,* Jesus, 169f; *M. Black,* Barnāshā, 205 und *C.C. Caragounis,* Son of Man, 175-179. Einzig aufgrund des Vorkommens des Terminus Menschensohn beurteilen *Ph. Vielhauer,* Jesus, 123-125 und *P. Hoffmann,* Studien, 91f, Anm. 46 das Logion als nachösterliche Bildung. *H. Schürmann,* Beobachtungen, 162f hingegen postuliert eine sekundäre Einleitungswendung für die Folgeverse.

103   Obwohl ἀκολουθεῖν (»hinter Jesus hergehen«) innerhalb der Evangelientradition immer mehr zum Synonym für πιστεύειν wird (s. unten Anm. 105), bleibt es mit Ausnahme von Offb 14,4 immer auf den irdischen Jesus bezogen. Folgerichtig spricht Paulus im Blick auf den erhöhten Herrn nicht von »Nachfolge«, sondern von der »Nachahmung« (μιμητής bzw. μιμεῖσθαι) Christi oder davon, daß die Glaubenden »in Christus« (ἐν Χριστῷ) seien.

104   Vgl. *M. Hengel,* Nachfolge, 66.68-70.98, ferner *G. Bornkamm,* Jesus, 136; *R. Schnackenburg,* Johannes II, 241; *H.-W. Kuhn,* Nachfolge, 106f und *G. Lohfink,* Jesus, 42-46.

105   Die urkirchliche Tendenz geht dahin, beide Begriffe immer stärker einander anzunähern. Je größer der Abstand vom irdischen Jesus, desto mehr werden innerhalb der Evangelientradition alle diejenigen zu »Nachfolgern«, die infolge der Verkündigung des *irdischen* Jesus (s. oben Anm. 103) zum Glauben kamen. Im Blick auf diese Personengruppe sind »Glaube« und »Nachfolge« zuletzt identisch und darum austauschbar, am deutlichsten bei Johannes (vgl. Joh 6,35 mit 8,12). Aber bereits bei Markus fand diese Tendenz ihren Niederschlag, wie etwa Mk 10,17-22 zeigt: In dieses ihm vorgegebene Tra-

Glauben soll jeder, hinter Jesus hergehen vor allem die Zwölf[106]. Als
Nachfolger Jesu sind sie als die erwählten Gesandten des Menschensohns
an seiner Predigt beteiligt. In der Teilhabe am Wirken Jesu in Israel partizipieren sie an seinem Auftrag und seiner Vollmacht, sind mit hineingestellt in den »Dienst der Sache des nahen Gottesreiches«, in die Verkündigung vom nahen Heil und Gericht[107]. Hier liegt der eigentliche Zweck
des jesuanischen Rufs in die Nachfolge begründet: Die Nachfolger Jesu
sind die Boten, die Mitarbeiter des Menschensohns, sie sind wie er selbst
Boten Gottes. Der Nachfolgeruf Jesu und die Aussendungsüberlieferung[108] gehören zusammen.

5.   Entscheidend ist nun aber folgendes: Der in die Nachfolge Rufende
ist nicht irgendwer, sondern der von Gott gesandte Messias. Das Stichwort »Messias« ist der entscheidende Schlüssel zum Verständnis des
בַּר אֱנָשָׁא in Mt 8,20 par[109]. Der Nachfolgeruf Jesu erfolgt nämlich unter
Angleichung und gleichzeitiger Überbietung der Eliatradition. Elia handelte ausdrücklich im Auftrag Gottes, als er Elisa berief (1Kön 19,
15f.19-21), Jesus dagegen in eigener Vollmacht, ohne jeden Hinweis
auf eine ihn sendende Autorität. Diesem Handeln Jesu ist nur das Handeln Gottes selbst vergleichbar, etwa bei Prophetenberufungen oder der
Berufung des Mose. Deshalb ist Jesu besondere Vollmacht nur mit dem
Prädikat »messianisch« adäquat erfaßt. Jesus ruft in der ἐξουσία des Messias in die Nachfolge, so, wie im Alten Testament Gott in seinen Dienst

---

ditionsstück der vormarkinischen Sammlung in Mk 10 fügt der Evangelist in V. 21 καὶ
δεῦρο ἀκολούθει μοι ein und macht so aus einem ursprünglichen Lehrgespräch eine Nach-
folgeerzählung (vgl. *R. Pesch*, Markus II, 135-137.140-142). Diese Umgestaltung, die
Markus im Blick auf die Anfügung der V. 28-31 vornahm (vgl. ebd., 141), zeigt, daß bereits Markus nicht mehr streng zwischen Nachfolgern und Glaubenden unterscheidet. Anders Jesus selbst: »Erst als aus dem ›Verkündiger‹ der ›Verkündigte‹ wurde, identifizierte
man ›Nachfolgen‹ und ›Glauben‹, und die Jünger wurden zur glaubenden Gemeinde«
(*M. Hengel*, Nachfolge, 69).

106   Die Zahl der Nachfolger Jesu war nicht ausschließlich auf die Zwölf begrenzt, sondern umfaßt etwa auch Levi, den Jesus in die Nachfolge beruft (Mk 2,13f par Lk 5,27f [an-
ders Mt 9,9, wo statt von Levi von Matthäus die Rede ist]), der dann jedoch in sämtlichen
Jüngerlisten (Mk 3,13-19 par und Apg 1,13) nicht erwähnt ist, oder aber die Jesus begleitenden Frauen (vgl. Lk 8,1-3, ferner Mk 15,40f par und 16,1-8 par) sowie weitere Personen, die nahezu nebenbei in Belegen wie Mk 3,13f par (deutlicher noch in der lukanischen
Parallele Lk 6,13); 4,10 oder 10,32 in den Blick treten (vgl. ebd., 67.91). Zur Historizität
des konkreten Zwölferkreises als dem Kreis der Repräsentanten des eschatologischen
Zwölfstämmevolkes vgl. die oben S. 149, Anm. 447 genannte Literatur.

107   Vgl. *M. Hengel*, Nachfolge, 80f (Zitat 81).

108   Zur Aussendungsüberlieferung Mk 6,7-13 par und Mt 9,37 - 10,1.5-16 par Lk
10,1-12 vgl. die oben S. 150, Anm. 453 genannte Literatur.

109   Vgl. *M. Hengel*, Nachfolge, 74-79, bes. 77f und *ders.*, Jesus und die Tora, 158f,
ferner bereits *G. Kittel*, Art. ἀκολουθέω, 214: »Die Forderung des ἀκολούθει μοι . . . ist
messianische Forderung«. Nachfolge Jesu heißt: ». . . dem Messias nachfolgen«.

berief[110]. Dabei beruft er, wen er will. Nachfolge ist nicht etwas, wozu sich jemand freiwillig meldet, sondern ist das Ergebnis der entsprechenden Aufforderung durch Jesus, den Stellvertreter Gottes auf der Erde. Wie Nachfolge konkret aussieht, bestimmt deshalb auch nicht der Nachfolgende, sondern allein der Vorangehende. Sobald sich der Nachfolger an die Stelle des Vorangehenden setzen will, wird er zum Satan (Mk 8,33 par)[111]; das dortige ὀπίσω μου bringt charakteristisch zur Geltung, was Nachfolge bedeutet.

Daß Nachfolge immer nur die Folge des messianischen Rufs Jesu sein kann, hatte der Nachfolgewillige aus Mt 8,19f par nicht beachtet; er kann gar nicht Nachfolger werden, denn dazu ist er nicht berufen. Daß Nachfolge andererseits uneingeschränkt das ὀπίσω μου einschließt und selbst die Bereitschaft zum Martyrium impliziert (Mk 8,34b–35 par), war wiederum den Zwölfen bis zuletzt immer wieder unklar. Dennoch blieben sie Nachfolger, denn als solche hatte Jesus sie berufen. Der Mann aus Mt 8,19f par hingegen wird folgerichtig abgewiesen[112].

6.   In diesem messianischen Kontext des Nachfolgerufs Jesu wird nun aber auch das charakteristische בַּר אֱנָשָׁא verständlich. Nicht irgendwer ruft in die Nachfolge, sondern der Messias, und als der noch nicht inthronisierte Messias designatus ist Jesus בַּר אֱנָשָׁא. Wie bereits in Mt 11,16–19 par ist auch hier von der zukünftigen Hoheit des Menschensohns nichts zu spüren, im Gegenteil: Jeweils tritt die ganze Niedrigkeit des Menschensohns ins Blickfeld. Ging es in Mt 11,16–19 par um das Scheitern seiner Sendung, so folgt jetzt die geheimnisvolle Aussage über seine Heimatlosigkeit, also über seine Ungesichertheit und sein Schicksal.

Hat Jesus sein zukünftiges Geschick vor Augen und spricht von dem, was ihn und seine Nachfolger in Zukunft erwartet? Der Gegensatz zur Geborgenheit der Tiere ist kein naturgegebener, wie deutlich wurde, sondern ein geschichtlicher; Jesus spricht somit von einem geschichtlichen Geschehen, das seine Ungesichertheit und Gefährdung ausmacht. Zielt er auf seine bevorstehende Passion?

Da Jesus in Mt 8,19b–20 par die Konsequenzen der Nachfolge noch einmal in ihrer ganzen Radikalität deutlich macht, ist diese Vermutung durchaus wahrscheinlich, denn das Schicksal des Nachfolgers trifft zuerst und vor allem den Vorangehenden selbst. Es gibt deshalb nicht nur in der

---

110   Vgl. *M. Hengel*, Nachfolge, 18–20.77f.80–82.98. Hengel betont zu Recht: ». . . das Phänomen der unableitbaren *Vollmacht Jesu* . . . kann nicht besser als ›*messianisch*‹ bezeichnet werden« (77f).

111   Vgl. *R. Pesch*, Markus II, 54f.

112   Gegen diese Deutung der Abweisung des Mannes kann man nicht Mt 8,21f par anführen, denn dort geht es um einen Jünger, der bereits berufen ist, aber in der Gefahr steht, das ὀπίσω μου nicht durchzuhalten (vgl. *E. Schweizer*, Matthäus, 142). Jesus zeigt ihm, daß der Nachfolger nicht eigenmächtig handeln darf, und ruft ihn zurück. Die Nachfolge besitzt Priorität sogar vor der elementarsten menschlichen Pflicht.

gegenwärtigen Forschung zahlreiche Stimmen, die jene Auslegung befürworten[113], bereits Lukas verstand das Logion in diesem Sinn, wenn er es innerhalb seines Reiseberichts überliefert, d.h. dem Zusammenhang des Zuges Jesu nach Jerusalem, der am Kreuz endet, zuordnet. Und wie die in der Sache parallelen Logien Mk 8,34b–35 par beweisen, geht die Tradition vom – wie selbstverständlich vorausgesetzten – Leiden des Nachfolgers über Lukas hinaus auf Jesus selbst zurück[114], so daß die obige Deutung von Mt 8,19b–20 par alle Wahrscheinlichkeit für sich hat. Jesus spricht in verhüllender Weise von seinem bevorstehenden Leiden, das nicht nur ihn, sondern auch seine Nachfolger trifft, die in engster Schicksalsgemeinschaft hinter ihm hergehen.

An dieser Stelle darf jedoch ein weiterer wichtiger Aspekt der Nachfolge Jesu nicht übergangen werden: der zukünftig-eschatologische. Diesen hat Martin Hengel in seiner gründlichen Untersuchung leider vernachlässigt. Indem der Nachfolger uneingeschränkt an der Sendung Jesu Anteil hat, partizipiert er nicht nur an seiner Verkündigung und schließlich an seinem Leiden, sondern ebenso an seiner zukünftigen Hoheit. Auch letzteres hat Jesus den Seinen ausdrücklich verheißen, wie die bisherige Untersuchung ergab: Wenn Gott den Menschensohn einst als Messias aufstellt und dieser von Zion aus seine Herrschaft ausübt, dann sind die Zwölf in exklusiver Weise an seiner Herrschaft beteiligt[115].

Charakteristisch ist, daß die Nachfolger Jesu mit dem Messias herrschen, jedoch mit dem Menschensohn leiden. Denn das Leiden mit dem Menschensohn betrifft die Zeit des – als solcher weithin unerkannten – Messias designatus, die Herrschaft mit dem Messias die Zeit des inthronisierten Menschensohns, der dann als Messias ἐν δυνάμει offenbar ist. Von hierher wird überhaupt erst verständlich, warum speziell die expliziten Leidensankündigungen vom Menschensohn reden, denn im Mund Jesu ist בַּר אֱנָשָׁא gerade nicht identisch mit einer apokalyptischen Herrlichkeitsgestalt, sondern ist verhüllende Chiffre für den noch verborgenen Messias, der zwar um seine einstige Herrlichkeit weiß, zunächst aber in Niedrigkeit seinen ihm von Gott gewiesenen Weg zu Ende geht.

Im Gegenüber zu den Logien von der gegenwärtigen und der zukünftigen Hoheit des Menschensohns handelt Mt 8,19b–20 par zusammen mit Mt 11,16–19 par ausdrücklich von dessen Niedrigkeit, ja in Mt 8,19b–20 par liegt noch eine Steigerung gegenüber Mt 11,16–19 par vor. War dort vom

113 Vgl. *O. Michel*, Art. υἱὸς τοῦ ἀνθρώπου, 1159; *C. Colpe*, Art. ὁ υἱὸς τοῦ ἀνθρώπου, 435, Anm. 244; *B. Klappert*, Auferweckung, 119 und *K. Löning*, Füchse, 99f, indirekt auch *M. Hengel*, Nachfolge, 60 sowie früher bereits *J. Wellhausen*, Lukas, 47 und *J. Schniewind*, Matthäus, 113.
114 Zur Authentie von Mk 8,34b–35 par vgl. die unten S. 248, Anm. 17 genannte Literatur.
115 S. oben S. 106–108.111.148–151 und unten S. 363f.

Scheitern der Sendung des Menschensohns die Rede, so hier von seinem bevorstehenden Leiden. Und das Leiden des Menschensohns – diese These ist im weiteren Verlauf der Arbeit zu begründen – ist die Folge des vorläufigen Scheiterns seiner Sendung. Insofern leitet Mt 8,19b–20 par als Logion von der gegenwärtigen Niedrigkeit des Menschensohns über zu den Logien vom Leiden des Menschensohns und steht in der Funktion eines Brückenkopfes zwischen beiden Gruppen; als Maschal stellt es bereits selbst eine verhüllte Leidensankündigung dar.

V. Exkurs: Das messianische Leiden – ein Offenbarungsfortschritt in der Erwartung Jesu

Der bisherige Verlauf dieser Studie ergab den aus nachösterlicher Sicht höchst merkwürdigen Tatbestand, daß Jesus während der ersten Phase seines Wirkens als Menschensohn bzw. Messias designatus in Israel seine schließliche Inthronisation als Messias ἐν δυνάμει erwartete, ohne dabei in irgendeiner Weise seinen späteren gewaltsamen Tod vor Augen zu haben. Diesen hatte er nicht nur einfach nicht erwähnt, sondern in der Tat auch als hypothetische Möglichkeit überhaupt nicht im Blick. Wieso auch, glaubte er doch, ganz Israel über den Weg des Glaubens und der Umkehr als das eschatologische Gottesvolk sammeln und auf das Kommen der Gottesherrschaft zubereiten zu können. Jesus rechnete zunächst mit einem bruchlosen und unmittelbaren Übergang von seiner verborgenen Wirksamkeit zu seiner Offenbarung und Inthronisation als Messias Israels.

Der folgende Exkurs präzisiert diese Erkenntnis und bildet gleichsam die vertiefende Fortsetzung des bisher Gesagten:

Es ist schlechterdings nicht möglich, daß Jesus seinen gewaltsamen Tod von Anfang an in Betracht zog. Denn wäre das Heil, die Teilhabe an der kommenden Gottesherrschaft, in der Verkündigung Jesu von vornherein auf das Kreuz als eigentliches Heilsereignis ausgerichtet, bliebe völlig unklar,

– warum im breiten Strom der synoptischen Jesustradition nur sowenig[116] davon zu entdecken ist[117];

– warum die synoptische Tradition Jesu Todesgewißheit erst mit dem Bekenntnis des Petrus bei Cäsarea Philippi (Mk 8,27–33 par) beginnen läßt;

– warum die erste Leidensankündigung (Mk 8,31 par) für die Jünger völlig überraschend kommt und ihnen als Novum entgegentritt;

---

116 Zu verweisen ist hier lediglich auf Mk 10,45 par und Mk 14,24 par.
117 Vgl. *H. Schürmann*, Wie hat Jesus, 54 und *W. Marxsen*, Erwägungen, 164.

– warum Jesus seine ganze Kraft und Hingabe daransetzt, Israel möglichst schnell für sich zu gewinnen, bevor es zu spät ist, obwohl er um sein zukünftiges Sterben und dessen Heilsnotwendigkeit weiß[118];

– warum Jesus so tut, als ob das Heil von Glaube und Umkehr in der Gegenwart abhinge, in Wirklichkeit aber erst durch einen zukünftigen Akt ermöglicht wird[119];

– warum Jesus mit der Aussendung der Jünger sogar die Seinen in die Verkündigung der nahen Gottesherrschaft einspannt, sie damit an seinem Heilsangebot an Israel teilhaben läßt, ihnen aber während dieser gesamten Periode seinen Tod als den eigentlichen Heilsfaktor bewußt vorenthält[120];

– warum Jesus denen, die seine Einladung zum Glauben und seinen Ruf zur Umkehr ablehnen, härtestes Gericht androht (Mt 11,21–24 par; 12,41f par und Lk 13,2–5) und sie vom Heil ausschließt[121], das Gericht zuletzt aber nicht sie, sondern sich selbst treffen läßt, indem er stellvertretend für alle, und damit auch für sie, stirbt (Mk 10,45 par und 14,24 par)[122].

Anton Vögtle hat Jesu Selbstverständnis für den Fall, daß dieser von Anfang an auf seinen stellvertretenden Tod ausgerichtet gewesen wäre, treffend karikiert: »... ich weiß ja selbst, daß dieses Bemühen [sc. Jesu Wirken in und sein Werben um Israel] nicht nur keinen Erfolg hat, sondern rein objektiv auch gar nicht genügt. Selbst wenn ihr meine religiössittlichen Forderungen erfüllen würdet, genügte das noch nicht zur Teilnahme am Heil des kommenden Gottesreiches. Denn in Gottes Heilsplan ist eine weitere, und zwar entscheidende Bedingung für eure Heilserlangung vorgesehen, nämlich mein stellvertretendes Sühnesterben, dessen entsündigende und heiligende Kraft ihr euch aneignen müßt«[123].

Daher bleibt in Übereinstimmung mit Karl Rahner, Romano Guardini, Anton Vögtle, Fritz Neugebauer, Willi Marxsen, Heinz Schürmann, Rudolf Pesch und anderen[124] festzuhalten, daß Jesu Heils- und Gerichts-

---

118   Vgl. *A. Vögtle*, Erwägungen, 302–305.

119   Vgl. ebd., 302–304.309f.

120   Vgl. ebd., 303f.310 und *H. Schürmann*, Wie hat Jesus, 55f.

121   Zur Gerichtsverfallenheit Israels bei ausgeschlagener Umkehr in der Verkündigung Johannes des Täufers und Jesu vgl. *H. Merklein*, Jesu Botschaft, 27–36. Merklein spricht hier betont von einer »›anthropologische(n)‹ Prämisse« der Verkündigung Jesu (27.33f). Zur Sache vgl. auch *ders.*, Einzigkeit, 24–27.30–32.

122   S. bereits oben S. 219.232–234, die Ausführungen dieses Exkurses, bes. S. 240, die zusammenfassende Darstellung unten S. 243–245 sowie im einzelnen S. 246–255 und vor allem S. 288–342, bes. 320–322.326–334.

123   *A. Vögtle*, Erwägungen, 310f, vgl. ausführlich *ders.*, Todesankündigungen, 51–113.

124   Neben den Autoren, die innerhalb der Anm. 117–120, 123, 127 und 129 genannt sind, möchte ich wenigstens noch auf *K. Rahner*, Erwägungen, 222–245 und *R. Pesch*, Abendmahl, 103–107 verweisen.

verkündigung während der ersten Phase seiner Wirksamkeit durchaus nicht auf seinen zukünftigen Tod ausgerichtet war[125]. Unabhängig von Kreuz und Auferstehung erwartete Jesus zunächst – im Zusammenhang der Aufrichtung der vollendeten Gottesherrschaft – einen unmittelbaren Übergang seines Wirkens als Menschensohn zu seiner messianischen Inthronisation durch Gott.

Damit werden nicht nur die oben aufgeworfenen Fragen beantwortet, dieses Ergebnis wird ebenso durch die Jesustradition insgesamt bestätigt, die an weiteren Stellen mit einem bruchlosen Übergang von Jesu Wirksamkeit in Israel zu seiner Herrlichkeitsoffenbarung rechnet und einen dazwischenliegenden gewaltsamen Tod des Menschensohns ausschließt. Auf die entscheidenden, bereits behandelten Logien möchte ich an dieser Stelle nur noch einmal verweisen[126], im folgenden jedoch auf diejenigen eingehen, die darüber hinaus von Belang sind:

1.   Jesus spricht immer wieder und in verschiedenen Wendungen so betont von der *Plötzlichkeit des Kommens der Gottesherrschaft* ἐν δυνάμει, daß sein vorausgehender Tod und seine Auferstehung gar nicht mitbedacht sein können. Angesichts solcher Logien wie etwa Mk 9,1 par und Mt 10,23 oder auch Mt 6,10a par sowie solcher Gleichnisse wie z.B. Mt 24,43 par[127] kann man kaum zu einem anderen Ergebnis kommen. Ebenso zeigt die Perikope Mk 11,12–14 par in ihrem ursprünglichen Sinn[128], daß die vollendete Gottesherrschaft nach Meinung Jesu unmittelbar vor der Tür steht: Sie ist da, bevor die Früchte des Feigenbaums reif sind. Wenn Jesus die Seinen an der eigenen Verkündigung von der kommenden Gottesherrschaft beteiligt, um so möglichst schnell ganz Israel zu

---

125   Auch die beliebte Auskunft, Jesu Heilsverkündigung eigne ein antizipatorischer Charakter, weshalb sie von vornherein auf seinen stellvertretenden Sühnetod ausgerichtet sei, von dem her sie überhaupt erst ihre Ratifikation erfahre, ist nach dem Gesagten ausgeschlossen, wie vor allem auch *A. Vögtle*, Grundfragen, bes. (142–145.)148–154.161–165 in der Auseinandersetzung mit *H. Schürmann* und speziell dessen Studie »Jesu ursprüngliches Basileia-Verständnis«, bes. 45.49f zu Recht festhält. Laut Schürmann hatte Jesus die Möglichkeit seines Todesgeschicks von Anfang an vor Augen, da seine grundsätzliche Proexistenz ihn folgerichtig offen sein ließ für diese oder jene Möglichkeit (Gottes). Der definitiven Erkenntnis seines gewaltsamen Todes wurde er jedoch erst gegen Ende seines Lebens gewiß. Den Mißerfolg Jesu, d.h. das irdische Miß-Geschick seiner Sendung, kennzeichnet Schürmann als »notwendiges Ge-Schick der Basileia selbst« (49).

126   Eine Zusammenstellung dieser Logien erfolgte oben S. 126. Im einzelnen s. die Seitenverweise oben S. 151, Anm. 459.

127   Sieht man einmal von Mk 12,1–9 par ab, ist nirgendwo sonst in den Gleichnissen Jesu sein gewaltsamer Tod angedeutet. Die Parabel Mk 12,1–9 par wiederum setzt Jesu Abweisung in Israel voraus, zielt ausdrücklich auf seine Passion und stellt insofern eine Leidensankündigung dar – speziell die V. 7f par –, die in die Zeit kurz vor Jesu Hinrichtung fällt (s. oben S. 110f). Zu Mt 24,43 par s. oben S. 51.

128   Vgl. *H.-W. Bartsch*, Verfluchung, 256–260; *J. Jeremias*, Theologie, 91 und *W. Schenk*, Passionsbericht, 158–166.

erreichen, beweist dies ebenso ihre bedrängende Nähe. Zugleich wird man auf die radikale Ethik der Bergpredigt hinweisen dürfen, die angesichts der Selbstverständlichkeit, mit der Jesus vom unmittelbar bevorstehenden Hereinbrechen der βασιλεία τοῦ θεοῦ spricht, ein noch vorausgehendes Sühneleiden Jesu schwerlich im Blick hat[129]. Gerade die authentischen Seligpreisungen Mt 5,3.4.6 par Lk 6,20b-21 binden das Heil Gottes nicht an einen zukünftigen Tod des Menschensohns[130].

2.   Was von der Plötzlichkeit des Kommens der Gottesherrschaft gilt, gilt ebenso von der *Gerichtsverkündigung Jesu*. Auch hier handelt Jesus davon, daß die Stunde des Gerichts so plötzlich da sein werde (Mt 16,2f; Lk 12,16-20 und 12,58f [par] u.ö.), daß man dieser Drohung die Spitze abbrechen würde, wollte man hinzufügen, allerdings müsse er vorher noch sterben und auferstehen[131].

3.   Entsprechendes zeigt der *Umkehrruf Jesu* insgesamt, von dem her Jesu Weg eben nicht geradlinig ins Leiden führt. Im Gegenteil, erst die unerwartete Ablehnung seines Rufs zur Umkehr bringt ihm den Tod. Hätte Israel seinem Messias geglaubt, hätte er nicht sterben müssen[132].

4.   Des weiteren setzt Jesus in Mk 2,17b par und Lk 15,7 voraus, daß es *Gerechte* gibt - *unabhängig von seiner Wirksamkeit und Person*. Er geht davon aus, daß diese, wie die Gerechten des Alten Testaments, wahrhaft gerecht sind und in der Tat Anteil an der Gottesherrschaft haben, ohne daß er sich um sie kümmern muß[133]. Ihre Gerechtigkeit gilt erst recht unabhängig von Kreuz und Auferstehung Jesu. Als die Gesunden sind sie nicht nur scheinbar gesund, sonst bedürften sie des Arztes ja um so mehr. Weil Jesus aber ganz Israel sammeln will, geht er denen nach, die ihn als den guten Hirten nötig haben: den Sündern. Ebenso hat Jesus die Aussage des jungen Mannes, der von sich behauptete, die Gebote Gottes gehalten zu haben (Mk 10,20 par), ausdrücklich akzeptiert (V. 21 par: »Er gewann ihn lieb«). Damit entspricht er dem Alten Testament und dem Judentum, wo wie selbstverständlich vorausgesetzt wird, daß es Gerechte gibt[134], schließlich ist die Tora erfüllbar und wird von vielen wahrhaft er-

---

129   Vgl. *R. Guardini*, Herr, 43f.104f.108.153f.

130   Vgl. *W. Pannenberg*, Grundzüge, 234 und *H. Merklein*, Jesu Botschaft, 49f.52f.59. Hinsichtlich ihrer Authentie vgl. *H. Schürmann*, Lukas I, 325-332; *ders.*, Zeugnis, 83-88; *W. Grimm*, Verkündigung, 68-77 und *H. Merklein*, Jesu Botschaft, 45-51.

131   Vgl. *F. Neugebauer*, Jesus, 53f.

132   Vgl. *R. Guardini*, Herr, 43f.104f.108.153f und *F. Neugebauer*, Jesus, 55.

133   Vgl. *A. Jülicher*, Gleichnisreden II, 175; *A. Schlatter*, Matthäus, 309; *ders.*, Lukas, 349f; *G. Schrenk*, Art. δίκαιος, 191f; *W. Grundmann*, Markus, 84; *ders.*, Lukas, 307f und *R. Pesch*, Markus I, 166-168. Anders *W. Schmithals*, Markus I, 172f.

134   Vgl. etwa Ps 18,21-25; Gen 7,1 und Mal 3,18 sowie die zahlreichen Belege bei *Bill.* I, 814-816 und *O. Hofius*, Targum, 220f mit den Anm. 77-83 (S. 245), bei letzterem speziell aus dem - hier besonders wichtigen - Jesajatargum.

füllt[135]. Verfehlt sich der Gerechte trotz seines Strebens nach Erfüllung der Weisungen Gottes dennoch, hat Gott den Kult gegeben und damit von sich aus die Wiederherstellung der Gerechtigkeit und der Gemeinschaft mit ihm und den Mitmenschen, d.h. die Rückkehr zur Tora ermöglicht[136]. Gerade deshalb jedoch, weil in der Verkündigung Jesu die Gottesherrschaft allen offensteht, nicht nur den Gerechten, sondern auch den Sündern, kommt es zum Konflikt mit den Gerechten, die sich gegen dieses Heilsangebot Jesu an die Sünder zur Wehr setzen. Weil sie sich damit aber der Sendung des Menschensohns verschließen, gehen sie *jetzt* ihrer Gerechtigkeit verlustig. Erst angesichts der neuen Offenbarung Gottes in Jesus fallen die Gerechten aus ihrer Gerechtigkeit heraus[137], denn indem sie sich dem eschatologischen Gottesboten entgegenstellen, stellen sie sich gegen Gott selbst. Jetzt muß Jesus auch sie zur Umkehr auffordern, der sie jedoch nicht nachkommen; Logien wie Mt 20,13–15; 21,31f und Lk 18,14a sind die Folge. Erst die theologische Reflexion der nachösterlichen Zeit erkennt, daß letztlich jeder auf den stellvertretenden Sühnetod Jesu angewiesen ist.

5.   Auch die Tatsache, daß Jesus im alttestamentlich verordneten *Kult* jene gnädige Gabe Gottes sah, die die Wiederherstellung der zerbrochenen Gemeinschaft mit Gott und der Welt ermöglicht, bestätigt, daß Jesus keineswegs von Anfang an seinen Tod am Kreuz als das für alle entscheidende Heilsereignis schlechthin vor Augen hatte. Denn mit der positiven Stellung Jesu zu Tempel und Altar ist selbstverständlich ebenso der Opferdienst, dessen Ausübung er in Mt 5,23f voraussetzt, bejaht und damit als Sühnemittel akzeptiert. Wie sehr Jesus den Kult geehrt hat, zeigt nicht nur die sogenannte Tempelreinigung (Mk 11,15–18 par)[138], sondern auch dies, daß er von einem geheilten Aussätzigen die Einhaltung der rituellen Vorschrift verlangt (Mk 1,44 par)[139]. Diese grundsätzlich positive Stellung Jesu gegenüber Tempel, Kult und Opfer ist um so mehr zu betonen, da zeitgenössische Tempelkritik nachweisbar ist[140].

---

135   Vgl. etwa Dtn 30,11–14 und Sir 15,15, ferner *Bill.* I, 814–816 und *O. Hofius,* Targum, 220f mit den Anm. 78.80–83 (S. 245). Aus den vielen bei Hofius genannten Belegen sei besonders auf TJon Jes 7,3; 10,21f; 26,2; 33,13f; 53,10 und 57,19 verwiesen. Speziell zu Dtn 30,11–14 und dem Alten Testament vgl. *H.-J. Kraus,* Telos, 59–64.74.

136   Vgl. *O. Hofius,* Targum, 220f mit den Anm. 93–96 (S. 246).

137   Vgl. *A. Schlatter,* Matthäus, 310 und *W. Grundmann,* Markus, 84.

138   Vgl. die oben S. 102, Anm. 193 genannte Literatur.

139   Zu Jesu Stellung gegenüber Tempel und Kultus vgl. *G. Schrenk,* Art. τὸ ἱερόν, 245; *J. Jeremias,* Theologie, 200f; *M. Hengel,* Jesus und die Tora, 168–170 und *H. Merklein,* Jesu Botschaft, 127f.137–139.

140   Vgl. etwa die Tempelkritik in Qumran (z.B. CD 1,3; 1QS 8,5 und 9,6); äthHen 89,73 und 90,28f.

Wenn Jesus in Mt 5,23f die Versöhnung mit dem Bruder vor das Opfer stellt, ist dies allenfalls eine indirekte Tempelkritik gegenüber der Praxis seiner Zeit, nicht jedoch gegenüber dem alttestamentlichen Kultverständnis als ganzem, nach dem Ethik und Kultzulassung längst in einem untrennbaren Verhältnis stehen[141].

Auch Mk 7,15 par ist eher nicht als Ablehnung der biblischen Unterscheidung zwischen rein und unrein schlechthin anzusehen. Das Logion leugnet nämlich nicht grundsätzlich die alttestamentliche Trennung des Heiligen vom Profanen[142], sondern bezieht sich auf diejenigen jüdischen Ritualvorschriften, die so in der Tora keinen Anhalt haben, zumal, wenn das Äußere auf Kosten des Inneren des Menschen in den Vordergrund tritt. Für Jesus, der die jüdische Halacha ablehnt[143], ist das einzige, was den Menschen wirklich verunreinigt – weil es sein Verhältnis zu Gott entscheidend stört und die Gemeinschaft mit ihm aufkündigt – »sein böses Herz und das, was aus ihm an Gedanken, Worten und Werken hervorgeht«[144]. In Mk 7,15 par ist dies konkret die Zungensünde[145]. Wieder geht es um den unauflöslichen Zusammenhang von Kult und Ethik.

Zieht man nach alldem ein Fazit, so kann das Ergebnis nur lauten, daß Jesu Wirksamkeit geprägt ist von einem »Offenbarungsfortschritt«[146]. Dies insofern, als er zu Beginn seines Wirkens seine spätere Passion nicht im Blick hatte. Jesus rechnete vielmehr mit der Annahme seines Heilsangebots, mit seiner Anerkennung als Messias. Gerade deshalb, weil er die Bekehrung des Volkes in seiner Gesamtheit[147] erwartete, erwählte er keinen sogenannten heiligen Rest[148]. Er wähnte das Hereinbrechen der Gottesherrschaft ἐν δυνάμει unmittelbar nahe, daher seine Anstrengung, möglichst schnell ganz Israel zu erreichen; allein von hierher ist die Jüngeraussendung mit all ihren Aufforderungen zur Eile zu verstehen[149]. Mit dem Eintreffen der vollendeten Gottesherrschaft erwartete Jesus den

---

141 Vgl. etwa Ps 15,1–5 und 24,3–5, dazu *J. Jeremias*, Gabe, 107; *ders.*, Theologie, 187f und *H. Thyen*, Studien, 29.38–43.

142 Vgl. *J. Jeremias*, Theologie, 202f; *D. Flusser*, Jesus, 28f; *H. Merklein*, Jesu Botschaft, 96–100 und *ders.*, Jesus, 143. Anders *L. Goppelt*, Theologie, 143f. Zum Problem der äußeren und inneren Reinheit bei Jesus insgesamt vgl. *W.G. Kümmel*, Äußere und innere Reinheit, 117–129.

143 Vgl. *J. Jeremias*, Theologie, 201–204; *L. Goppelt*, Theologie, 140–142 und *M. Hengel*, Jesus und die Tora, 163f.

144 Ebd., 163.

145 Vgl. *J. Jeremias*, Theologie, 202f.

146 Damit greife ich eine Formulierung A. Vögtles auf, der nicht nur von einem »Offenbarungsfortschritt« Jesu spricht, sondern von einem »echten Fortschritt in der Erkenntnis des göttlichen Heilswillens« im Verlauf der Wirksamkeit Jesu. Vögtle seinerseits will mit seiner Untersuchung über Jesu Wissen und Selbstbewußtsein die Überlegungen K. Rahners, der als Dogmatiker für die Annahme eines wirklichen Erkenntnisfortschritts im Leben Jesu plädiert (vgl. *K. Rahner*, Erwägungen, 222–245), exegetisch untermauern (vgl. *A. Vögtle*, Erwägungen, 296–344, bes. 302–311 [Zitat 309]).

147 Vgl. die oben S. 150, Anm. 454 genannte Literatur.

148 Vgl. *J. Jeremias*, Gedanke, 121–132, bes. 129–132; *ders.*, Theologie, 167–174, bes. 174 und *R. Pesch*, Sei getrost, 99f.

149 Vgl. ebd., 133f.227.

unmittelbaren Übergang seines Wirkens als Messias designatus zu seiner Inthronisation als Messias in Herrlichkeit, um als solcher als Mandatar Jahwes die Regentschaft der Gottesherrschaft zu übernehmen[150]. Entsprechend der alttestamentlich-jüdischen Messiaserwartung rechnete er in keiner Weise mit seinem gewaltsamen Tod[151]. Dieser ist angesichts des geschilderten Sachverhalts zu Beginn seiner Wirksamkeit selbst als hypothetische Möglichkeit letztlich undenkbar. Erst im weiteren Verlauf seines Wirkens mußte Jesus erkennen, daß sein messianisches Leiden und Sterben dem göttlichen (Heils-)Willen entsprach.

Die Frage nach dem Zeitpunkt dieses Umschwungs in der Erwartung Jesu, die Frage also, von welchem Augenblick an er seinen gewaltsamen Tod vor Augen hatte, ist legitim, sie läßt sich jedoch anhand der vorliegenden Quellen kaum exakt beantworten, weil die Evangelisten an einer genauen chronologischen Einordnung der einzelnen Jesuslogien und der Ereignisse um Jesus relativ wenig interessiert sind.

Dennoch nennt uns die synoptische Evangelientradition die Szene bei Cäsarea Philippi (Mk 8,27–33 par) als Fixpunkt. Von da an ist die Todesgewißheit Jesu fortwährend bezeugt, während sie vorher letztlich nicht begegnete[152]. Den Jüngern – Petrus ist lediglich der Sprecher aller – tritt sie in der genannten Perikope nicht von ungefähr als Novum, als etwas, womit sie zuvor niemals rechneten, entgegen und löst daher ihren entschiedenen Widerspruch aus.

Gewiß läßt sich anhand der vorliegenden Quellen nicht exakt entscheiden, wie und auf welche Weise Jesus zu seiner neuen Einsicht in den göttlichen (Heils-)Willen gelangte, ob ihm seine Todesgewißheit zunächst nur als Möglichkeit und erst später als Notwendigkeit bewußt wurde oder als plötzliche Einsicht über ihn kam. Doch scheint es mir angesichts der Evangelientradition korrekt, nicht einfach von einer strikten Zweiteilung des messianischen Wirkens Jesu in Israel auszugehen: einer ersten Phase, in der er die Möglichkeit seines gewaltsamen Todes ausschloß, da er mit einem bruchlosen Übergang seiner Wirksamkeit als Messias designatus zu seiner messianischen Inthronisation durch Gott rechnete, die dann plötzlich abgelöst wurde durch eine zweite Phase, in der er mit einem Mal um die göttliche Notwendigkeit seines (dazwischenkommenden) Sterbens wußte. Man wird richtiger von einem »sukzessiven Nacheinander«[153] auszugehen haben, von einer sich in Jesus ab einem bestimmten Moment immer stärker durchsetzenden Erkenntnis in die unbedingte Heilsabsicht Gottes selbst angesichts des Unglaubens Israels gegenüber seiner Person und seinem Sendungsauftrag. Mit der Erkenntnis seines letztlichen Scheiterns bei gleichzeitigem unausweichlichem Gericht Got-

---

150   S. vor allem oben S. 84.118.128–133.138–140.168–174 und unten S. 362–367.
151   S. unten S. 260–269.
152   Zu Mk 3,6 par; Lk 4,28f und 13,31 s. im folgenden.
153   Diese Formulierung verdanke ich *Peter Stuhlmacher* (Brief vom 7.3.1983).

tes an Israel wächst die Einsicht Jesu, daß Gottes Heil nun über den Tod seines Messias führt[154].

Dem entspricht dann auch der Befund der Synoptiker, daß Jesus sich bereits während seiner galiläischen Wirksamkeit die Feindschaft seiner Gegner zuzog, die in Mk 3,6 par; Lk 4,28f und 13,31 sogar darin gipfelt, daß man ihn töten will.
Zugleich möchte ich diesen Hinweis insofern wieder relativieren, als Lk 13,31 innerhalb des Lukasevangeliums nach der Szene bei Cäsarea Philippi (Lk 9,18–22) und zugleich im Verlauf der (letzten) Reise Jesu nach Jerusalem angesiedelt ist.
Lk 4,28f wiederum hat nichts mit einem planvollen Vernichtungswillen aufgrund des messianischen Anspruchs Jesu zu tun, sondern mit Lynchjustiz. Es sind keine theologischen Gründe, die den tödlichen Jähzorn der Nazarener hervorrufen, vielmehr die ihnen von Jesus verweigerte (soziale) Hilfeleistung[155].
Hinsichtlich Mk 3,6 par gilt es zu beachten, daß die Perikope Mk 3,1–6 par die sogenannte vormarkinische Streitgesprächsammlung Mk 2,15 – 3,6 par abschließt[156] und eben darum an ihren heutigen Ort gelangte, obgleich der dortige Hinweis, Jesus verderben zu wollen, im Gefälle des Markusevangeliums – weit vor Mk 8,27–33 – im Grunde ›zu früh‹ kommt[157]. Die Argumentation, von Mk 3,6 par her habe Jesus schon von Anfang an seinen gewaltsamen Tod vor Augen gehabt, ist aber auch aus sachlichen Gründen nicht überzeugend. Schließlich geht die strikte Handlungsabfolge, nach der Jesus zunächst in Galiläa wirkte und erst danach noch etwa eine Woche in Judäa bzw. Jerusalem, auf den stilisierten Aufriß des Markusevangeliums zurück und entspringt somit der gestaltenden Hand des Markus, nicht aber dem historischen Befund, nach dem Jesus sich wiederholt in Judäa (Jerusalem) und dann wieder in Galiläa aufhielt[158]. Da Jesus sich zugleich während des Ver-

---

154 S. bereits oben S. 219.232–234 und unten S. 243–255.288–342.

155 Vgl. *H. Schürmann*, Lukas I, 239f.

156 S. oben S. 188f, Anm. 2. Zum vormarkinisch-traditionellen Charakter speziell von Mk 3,6 vgl. etwa *K. Kertelge*, Wunder, 83f; *J. Roloff*, Kerygma, 63f; *R. Pesch*, Markus I, 188; *W. Thissen*, Erzählung, 79–88; *J. Ernst*, Markus, 105–107 und *O. Betz*, Jesus und das Danielbuch, 68f. Anders vor allem *J. Sauer*, Überlegungen, 186–189.

157 Vgl. etwa auch Mk 12,12, wo Markus seine Parabeltheorie Mk 4,11f nicht durchhält, und bereits Mk 4,33.

158 Laut Joh 2,13 bzw. 23; 5,1 und 7,10 reiste Jesus mehrmals von Galiläa nach Jerusalem, und schon vor seinem öffentlichen Auftreten befand er sich in Judäa, nämlich am Unterlauf des Jordan bei Johannes dem Täufer (Joh 1,29–34) bzw. in dessen Umgebung (Joh 1,35–51). Da in Joh 2,13 bzw. 23, in 6,4 (»Passa . . . war nahe«) sowie in 11,55 (»Passa . . . war nahe«) bzw. 12,1 (»sechs Tage vor dem Passa«) – in diesem Zusammenhang in 18–19 (anläßlich seiner Passion) – ein Passafest vorausgesetzt ist und ebenso mit dem nicht näher bezeichneten Fest in Joh 5,1 auf dieses angespielt sein könnte, wirkt Jesus wenigstens 2 bis 3 Jahre in Israel, mal in Galiläa, mal in Judäa. Aber auch aus den synoptischen Evangelien geht — trotz des stilisierten Zeitraums von einem Jahr öffentlicher Wirksamkeit Jesu: zunächst in Galiläa, dann lediglich abschließend in Jerusalem, nachdem Jesus sich vor seinem öffentlichen Auftreten schon einmal anläßlich seiner Taufe in Judäa aufhielt (Mk 1,9–11 par) — aus bestimmten Bemerkungen hervor, daß Jesus sich mehrmals in Judäa bzw. Jerusalem befand: Schon in Mk 3,7f par (also unmittelbar im Anschluß an den fraglichen V. 6 par) ist er unter anderem in Judäa und Jerusalem derart bekannt, daß ihm auch von dort eine größere Menschenmenge folgt. Außerdem hat Jesus laut Mk 11,11b par und 14,3 par in der Nähe Jerusalems, in Bethanien, bereits Freunde (vgl. auch Joh 11,1–44, bes. V. 36). Und schließlich wollte er laut Mt 23,37b par »wie oft« die »Kinder Jerusalems« sammeln.

laufs seiner Wirksamkeit mit allen entscheidenden Gruppen seiner Zeit in Widerspruch gebracht und nach jüdischem Recht wenigstens dreifach sein Leben verwirkt hatte[159], ist es sehr wahrscheinlich, daß man ihm auch in Galiläa nach dem Leben trachtete, wie etwa auch Lk 13,31 bezeugt. Das Streitgespräch Mk 3,1–6 par wird man deshalb allein aufgrund seiner chronologischen Einordnung im Markusevangelium nur dann mit aller Macht am tatsächlichen Beginn der Wirksamkeit Jesu ansiedeln wollen, wenn man für die Evangelientradition eine historisch genau fixierte Chronologie voraussetzt, was sich vom Quellenbefund her als unmöglich erweist. Außerdem ist es keineswegs nötig, Mk 3,1–6 wegen des Vorkommens der Herodianer in V. 6 zwangsläufig in Galiläa anzusiedeln. Denn zum einen ist nicht abschließend geklärt, wer die Herodianer wirklich waren, zum anderen sind sie außer in Mk 8,15 auch noch in Mk 12,13 par erwähnt, innerhalb der Perikope von der Steuerfrage (Mk 12,13–17 par), und diese spielt ausdrücklich in Jerusalem, also in Judäa; darüber hinaus sind die dort auftretenden Herodianer und Pharisäer sogar Abgesandte des Synhedriums[160].

Erst recht abwegig ist die Hypothese, Jesus habe sich bereits seit seiner Taufe (Mk 1,9–11 par) als leidender Gottesknecht gewußt[161]. Denn selbst dann, wenn die Himmelsstimme bei der Taufe Jesu – was nicht haltbar ist[162] – allein auf Jes 42,1 zurückgegriffen hätte, wäre (erst recht angesichts der zeitgenössischen atomistischen Exegese) der Schluß unzulässig, Jesus habe sich folglich als Gottesknecht von Jes 52,13 – 53,12 verstanden und somit von Anfang an seinen gewaltsamen Tod im Auge gehabt. Richtig ist, daß seine Taufe zu einem Schlüsselerlebnis für Jesus wurde. Er erfuhr hier jedoch nicht seine Erwählung zum Gottesknecht, sondern seine Berufung und Einsetzung in sein messianisches Amt. Gott selbst proklamiert ihn jetzt als Messias und Gottessohn, nachdem Johannes der Täufer zuvor den Kommenden (ὁ ἐρχόμενος) angekündigt hatte[163]. Das folgende öffentliche Auftreten Jesu erweist prompt sein messianisches Sendungsbewußtsein. Gerade die Verknüpfung von Ps 2,7 und Jes 42,1 in der Himmelsstimme (Mk 1,11 par)[164] deutet auf den noch nicht inthronisierten Messias, der als Menschensohn, d.h. als Messias designatus zunächst den Weg der Verborgenheit geht, seiner Inthronisation auf dem Zion entgegen.

VI.   Zusammenfassung und Ausblick

Die bisherige Untersuchung läßt sich wie folgt zusammenfassen: Jesu Vollmacht als des eschatologischen Gesandten Gottes, der auf der Erde

---

159   S. unten S. 247.

160   Laut *W.J. Bennett*, Herodians, 9–14 und *D. Lührmann*, Markus, 67 sind die Herodianer bestimmte Vertreter staatlicher Macht. *O. Betz*, Jesus und das Danielbuch, 66–69 verweist demgegenüber auf 11QTemple 15,9–15 und identifiziert sie mit den Essenern. Weitere Deutungsversuche nennt *W. Thissen*, Erzählung, 80–85.

161   So fälschlich *O. Cullmann*, Christologie, 65–67 und *J. Jeremias*, Theologie, 60–62. Anders *A. Vögtle*, Erwägungen, 314–317.

162   Vgl. *H. Mahnke*, Versuchungsgeschichte, 92f.95–101.

163   Vgl. *O. Betz*, Art. φωνή, 291f.

164   Trotz der handschriftlich schwachen Bezeugung in Lk 3,22 (D it Ju [Cl] Or Meth Hil Aug) gibt es durchaus gewichtige Argumente dafür, daß der dortige Rückgriff allein auf Ps 2,7 eine (Q-)Variante der Himmelsstimme wiedergibt, die als lectio difficilior älter ist als das äußerlich wesentlich besser bezeugte Mischzitat (vgl. *A. Polag*, Christologie, 151–154, ferner *U. Wilckens*, Missionsreden, 177f).

an Gottes Stelle redet und handelt und diesen besonderen Vollmachtsanspruch in der Selbstbezeichnung בַּר אֱנָשָׁא formuliert, erweist sich als die einzigartige Vollmacht des Messias. In Jesus ist der von Israel ersehnte Kommende (ὁ ἐρχόμενος) gekommen (אֲתָא בַּר אֱנָשָׁא / ἦλθεν ὁ υἱὸς τοῦ ἀνθρώπου).

בַּר אֱנָשָׁא ist die Chiffre, mit der Jesus seinen messianischen Anspruch rätselhaft verhüllt und zugleich andeutend zur Sprache bringt, Außenstehenden zunächst verborgen – anders erst Mk 14,61b–62a.bα par –, den Seinen jedoch verständlich. In Übernahme und Weiterentwicklung der zeitgeschichtlich vorgegebenen Erwartung einer Zeit der Verborgenheit des Messias, die seiner Inthronisation (Aufstellung) durch Gott selbst vorausgeht, unterscheidet auch Jesus zwei Phasen seines messianischen Wirkens: Bis zu der Stunde, in der ihn Gott Israel und letztlich aller Welt unzweideutig als Messias offenbart, bleibt sein Vollmachtsanspruch vieldeutig und mißverständlich, zieht Glaube wie Unglaube nach sich. Bis dahin ist er בַּר אֱנָשָׁא, erst dann wird er als Messias Israels inthronisiert. Als Menschensohn ist Jesus bereits, was er einst sein wird, aber verborgen; er ist Messias designatus.

Die Logien von der gegenwärtigen Hoheit des Menschensohns handeln von der Hoheit des Designierten, dessen zukünftige Herrlichkeit sich schon jetzt proleptisch vorwegereignet, die Logien von seiner zukünftigen Hoheit von der Herrlichkeit des Inthronisierten. Bilden die Worte von der gegenwärtigen und der zukünftigen Hoheit des Menschensohns somit eine innere Einheit, so lassen sich andererseits die Logien von der gegenwärtigen Niedrigkeit des Menschensohns nicht mehr bruchlos in den Duktus der Gruppen eins und zwei einordnen; erst recht nicht, weil die Verlängerung der Gruppe drei in die Passion des Menschensohns einmündet. Die Hoheit und der Tod des Menschensohns passen nämlich nicht zusammen und sind zunächst einmal miteinander unvereinbar. Diese Verbindung widerspricht der Jesus vorgegebenen zeitgeschichtlichen Messiaserwartung und zugleich der ursprünglichen Erwartung Jesu selbst.

Nun ist aber aufgrund von Mt 11,16–19 par und Mt 8,19b–20 par kaum zu bestreiten, daß die Niedrigkeit und die Passion des Menschensohns nicht zu trennen sind von der Abweisung seines Heilsangebots sowohl durch Israels Führer als auch durch das Volk nahezu in seiner Gesamtheit. Laut Mt 11,16–19 par verwarf Israel seinen Messias, indem es den Menschensohn abwies und damit die Sendung Jesu zu ihrem – vorläufigen – Scheitern brachte. Und in Mt 8,19b–20 par tritt als Folge dieses Scheiterns das Leiden Jesu in den Blick, indem er jetzt in einem dunklen Hinweis auf seine eigene bevorstehende Passion in einer Art Leidensankündigung vom gefährdeten Schicksal auch seiner Nachfolger spricht. Was in Mt 8,19b–20 par lediglich verhüllt zur Sprache kommt, tritt in den expliziten Leidensankündigungen offen zutage.

Gemäß der alttestamentlich-jüdischen Messiaserwartung ist die einzig zu erwartende und selbstverständliche Folge solcher Abweisung das furchtbare Gericht über die Feinde des Messias, d.h. deren letztliche Verdammnis und Vernichtung. Genau entsprechend lautete ja auch für den Fall der Ablehnung des Heilsangebots Gottes die Gerichtsverkündigung des Täufers und Jesu. Angesichts dieses Tatbestands ergibt jedoch der tatsächliche geschichtliche Sachverhalt völlig überraschend das glatte Gegenteil: Nicht der Tod der Widersacher des Messias ist die Folge, sondern der Tod des Messias selbst.

Indem Israel seinen Messias abweist, tritt neben die Gewißheit der zukünftigen Hoheit des Menschensohns seine Todesgewißheit. Wenn aber die Passion des Menschensohns wirklich die Konsequenz des – vorläufigen – Scheiterns seiner Sendung ist, dann ist die Folgerung zwingend, daß Hoheit und Leiden des Menschensohns im Bewußtsein Jesu in der Tat nicht von Anfang an zusammengehörten. Dann kann die Todesgewißheit Jesu erst im Verlauf seiner Wirksamkeit in sein Blickfeld getreten sein, während die Erwartung seiner messianischen Hoheit die ursprünglich-primäre sein muß. Denn Jesus erwartete zunächst die Annahme seines messianischen Umkehrrufs und Heilsangebots und setzte seine Anerkennung als Messias Israels voraus. Diese Heilshoffnung erfolgte unabhängig von Kreuz und Auferstehung. Erst später, als sich Jesus dessen gewiß wurde, daß Israel wider alles Erwarten seinen Umkehrruf und sein Heilsangebot verwarf und dem Zorngericht Gottes entgegenging, tritt Jesu Todesgewißheit als Folge und Konsequenz des vorläufigen Scheiterns seiner Sendung zu seiner ursprünglich-primären Erwartung hinzu. Erst jetzt stehen die Ankündigung der Inthronisation Jesu als Messias ἐν δυνά-μει nach Beendigung seines Wirkens als Messias designatus einerseits und die Einsicht in die Leidensnotwendigkeit andererseits unmittelbar nebeneinander. Damit ist, wie sich zeigen wird, die ursprüngliche Erwartung Jesu keineswegs aufgegeben oder auch nur relativiert: Die Phase seiner verborgenen Wirksamkeit als Messias designatus ist lediglich um Leiden und Tod erweitert, die folgende messianische Inthronisation bleibt jedoch als unerschütterliche Gewißheit Jesu unangetastet[165].

Kurzum: Als Jesu Umkehrruf nahezu sinnlos verhallt und seine Sendung nach menschlichem Ermessen gescheitert ist, weiß Jesus, daß Gott noch lange nicht gescheitert und mit seinen Möglichkeiten am Ende ist. Ganz sicher kann und wird Gott ein positives Ende herbeiführen, und dies nicht ohne seine Menschen, deren Heil er will.

Sollte von hierher ein Weg zu Mk 10,45 par und 14,24 par führen, d.h. Jesu Tod als ein stellvertretender Sühnetod zugunsten derer zu verstehen sein, die seinen Umkehrruf ablehnten? Wenn die Passion des Menschen-

---

165 S. oben S. 105–111.123–125.127.182–185 und unten S. 343–365(–367).

sohns wirklich als Folge und Konsequenz der Ablehnung seines Umkehrrufs und Heilsangebots unter dem Aspekt der Stellvertretung zu deuten
ist, dann besteht eine unbestreitbare Kontinuität des Todes Jesu zu seinem irdischen Wirken insgesamt, denn zu jeder Zeit verstand er sich als
Stellvertreter: als Stellvertreter Gottes vor den Menschen und zugleich
als Stellvertreter der Menschen vor Gott.

Indem sich Jesus als der eschatologische Gesandte Gottes wußte und als
solcher in absolutem Gehorsam gegenüber dem ihn Sendenden redete
und handelte, mußte er notwendig offen sein für neue Aufträge seines
Herrn. Denn nur als der schlechthin Gehorsame wird der Menschensohn
zum Messias, bleibt er ὁ υἱός, wird er gut (Mk 10,18 par) und kommt zu
seinem von Gott gesetzten Ziel.

D
Die Logien vom Leiden und von der Auferstehung des Menschensohns

I. Einleitung

1. Jesus rechnete mit seinem gewaltsamen Tod

Im Mittelpunkt des urchristlichen Kerygmas steht das Kreuzesgeschehen. Dieses Zentralereignis des Neuen Testaments wird von seinen verschiedenen Autoren je nach Zeit und Situation zwar in vielfältiger Weise interpretiert, wird aber nach einhelliger Meinung als von Gott gesetztes Heilsereignis gedeutet. Angesichts dieses neutestamentlichen Befundes stellt sich die Frage, wie Jesus selbst seinen Tod verstand. Maß er ihm überhaupt irgendwelche Bedeutung bei?

In der jüngeren Vergangenheit wurde diese Frage nicht nur aus historischen Gründen zumeist negativ beantwortet[1], sondern von den Vertretern einer allzu einseitig ausgerichteten Kerygmatheologie als theologisch illegitim, als Gefährdung des Glaubensbegriffs abgetan[2]. Damit war ein Bruch proklamiert zwischen der Verkündigung Jesu selbst und ihrer nachösterlich-biblischen Deutung, ein Bruch, der allerdings den neutestamentlichen Quellen widerspricht. Diese sind sehr wohl der Überzeugung, daß Jesus den Weg ans Kreuz ganz bewußt gegangen sei und seinem Tod grundsätzliche Heilsbedeutung zugemessen habe (Mk 10,45 par und 14,24 par). Zugleich ist es das Kerygma selbst, das gerade nicht auf eine Christusidee, sondern konkret auf die Person Jesu von Nazareth und *seine* Botschaft verweist; so geht es auch nicht um irgendein Kreuz, son-

---

1 Vgl. etwa *R. Bultmann*, Verhältnis, 453–453; *ders.*, Theologie, 31f; *W. Schrage*, Verständnis, 51–53; *W. Marxsen*, Erwägungen, 163 und *E. Jüngel*, Tod, 133.

2 Vgl. etwa *R. Bultmann*, Verhältnis, 453–455 und *W. Schrage*, Verständnis, 53 (vgl. jedoch *H.-G. Link*, Probleme, 343f, der auf eine Korrektur Schrages in dieser Frage verweist und dessen neuere Sicht der Dinge so referiert: »Namentlich W. Schrage wandte ein, daß in den Evangelien das Kreuz Jesu durchaus auch im Lichte der historischen Ereignisse seines Lebens interpretiert wird und demzufolge die theologische Reflexion über die Hingabe Jesu ›bis zum Tod am Kreuz‹ auf einen Anhalt am irdischen Leben Jesu weder zu verzichten braucht noch darf«). *H. Schürmann*, Jesu ureigenes Todesverständnis, 187 (vgl. ferner *ders.*, Wie hat Jesus, 17 und 65, Anm. 173) betont (vor allem) im Blick auf die frühere exegetische Forschung, die lange Jahre unter dem beherrschenden Einfluß Bultmanns stand, zu Recht: »Die Kerygma-Theologie betont gern ihr Desinteresse an der Frage nach dem historischen Jesus aus der Furcht heraus, es solle durch solches Wissen die Legitimität des Kerygmas durch wissenschaftliche Forschung ›erwiesen‹ werden«.

dern um das eine Kreuz von Golgatha[3]. Deshalb ist es kein Zufall, daß die neutestamentliche Forschung der jüngsten Zeit über die allzu unkritische Kritik hinausgegangen ist und die Kontinuität zwischen Jesus und dem Kerygma auch im Blick auf Jesu Tod neu betont[4].

Ganz unabhängig von der Frage, ob die expliziten Todesankündigungen und erst recht die Deutung seines Todes auf Jesus selbst zurückgehen oder nicht, mußte Jesus aus vielerlei Gründen die Möglichkeit seines gewaltsamen Todes zumindest einkalkulieren:

a)   Laut synoptischer Darstellung hatte Jesus nach jüdischem Recht wenigstens dreifach sein Leben verwirkt: α) Ihm wurde der Vorwurf gemacht, er treibe mit Hilfe des Teufels Dämonen aus (Mk 3,22 par; Mt 9,34 und 10,25), d.h. man beschuldigte ihn der Magie. β) Indem er dem Gelähmten aus Mk 2,1-12 par von sich aus Gottes Sündenvergebung zusprach, lästerte er in den Augen seiner Gegner den allmächtigen Gott. γ) Er durchbrach bewußt und wiederholt das Sabbatgebot (Mk 2,23 - 3,6 par; Lk 13,10-17 und 14,1-6)[5].

b)   Das zeitgenössische Theologumenon vom Märtyrergeschick der Propheten[6] wurde laut Mk 12,6-8 par; Mt 23,29-31 par; 23,34f par; 23,37a par und 13,33b von Jesus bejaht.

c)   Das Daseinsverständnis des Gerechten implizierte auch Martyrium und Tod[7].

d)   Das Schicksal des Täufers mußte Jesus warnen, denn schließlich hatte er sich durch seine Taufe zur Botschaft des Täufers bekannt und überhaupt dessen eschatologische Verkündigung in modifizierter Form übernommen[8]. Gerade die Warnung Lk 13,31, Herodes wolle ihn töten, mußte Jesus deshalb unbedingt ernst nehmen.

---

3   Vgl. *J. Jeremias*, Problem, 11-13.18f.

4   Vgl. etwa *J. Jeremias*, Theologie, 263-284; *H. Schürmann*, Wie hat Jesus, 16-65; *ders.*, Jesu ureigenes Todesverständnis, 185-223; *W. Grimm*, Verkündigung, 231-277; *R. Pesch*, Abendmahl, 13-16.69-125; *P. Stuhlmacher*, Existenzstellvertretung, 27-42; *H. Merklein*, Jesu Botschaft, 141-145 und *ders.*, Jesus, 147-150

5   Vgl. *J. Jeremias*, Theologie, 265. Jeremias nennt dort noch zwei weitere, wie er meint, tödliche Vorwürfe: Jesus galt als widerspenstiger Sohn (Mt 11,19 par) und als falscher Prophet (Mk 14,65 par). Vermutlich ist jedoch die Todeswürdigkeit des ersten Vorwurfs zu stark betont, während Mk 14,65 par Jesus weniger als falschen Propheten kennzeichnet, sondern aufzeigt, wie man seinen messianischen Anspruch der Lächerlichkeit preisgibt. Im Blick auf Jes 11,2-4, wo der Messias kraft seiner einzigartigen Geistbegabung erst gar nicht nach Hörensagen und Augenschein richtet, soll Jesus bei verbundenen Augen herausfinden, wer ihn geschlagen hat. Man ›testet‹ gleichsam seine Messianität. Zu den ›todeswürdigen Vergehen Jesu‹ in der jüdischen Literatur vgl. *O. Betz*, Probleme des Prozesses Jesu, 575-580 (Rabbinen) und 580-584 (Josephus).

6   Vgl. *O.H. Steck*, Israel, 60-264(-321).

7   Vgl. ebd., 243-264; *L. Ruppert*, Jesus, 23-28; *ders.*, Feinde, 118-124 und *P. Hoffmann*, Studien, 182-190.

8   Vgl. *E. Fuchs*, Frage, 158; *J. Jeremias*, Theologie, 50-56 und *H. Schürmann*, Wie hat Jesus, 29.

e)   Jesus hatte sich zu allen entscheidenden Gruppen seiner Zeit in Widerspruch gebracht, wie vor allem an seinem Heilszuspruch an die Sünder, seiner eigenen Auslegung des Gotteswillens, seiner Ablehnung der pharisäischen Torainterpretation, der sadduzäischen Kultfrömmigkeit und des jüdischen Leistungsprinzips deutlich wird[9].

Das Zusammenwirken dieser Einzelfaktoren mußte Jesus dazu zwingen, die Möglichkeit eines gewaltsamen Endes seiner Wirksamkeit zumindest in Rechnung zu stellen, wenn nicht sogar als Konsequenz seiner Verkündigung und seines Lebens bewußt einzukalkulieren[10].

Mit alldem ist die Frage, ob Jesus sein Geschick als göttliche Notwendigkeit erkannte und aktiv in sein Verhalten aufnahm, noch keineswegs beantwortet. Eine positive Antwort ist aber grundsätzlich möglich, so daß eine prinzipielle Skepsis gegenüber der Authentie der jesuanischen Leidensankündigungen historisch-kritisch nicht zu rechtfertigen ist. Gewiß erweisen sich viele, ja die überwiegende Mehrzahl aller indirekten und erst recht der direkten Leidensankündigungen[11] als Produkt der nachösterlichen Gemeinde und damit als vaticinia ex eventu. Doch verbleibt umgekehrt ein Kernbestand solcher Logien, die als gesichertes historisches Minimum auf Jesus selbst zurückzuführen sind.

Gilt dies bereits, wie die bisherige Arbeit ergab, für Mk 9,1 par[12]; 10,38f par[13]; 12,7f par[14]; Mt 8,19b–20 par[15] und Lk 13,33b[16], so auch – sieht man an dieser Stelle von den expliziten Leidensankündigungen noch ab – für Mk 8,34b–35 par[17]; 14,7f par[18]; Lk 12,49f[19] und, wie sich zeigen wird,

---

9   Vgl. *J. Jeremias*, Theologie, 142–150; *H. Schürmann*, Wie hat Jesus, 26–33 und *ders.*, Jesu ureigenes Basileia-Verständnis, 44f.

10   Vgl. *H. Schürmann*, Wie hat Jesus, 32f und *ders.*, Jesu ureigenes Basileia-Verständnis, 46–48. *E. Gräßer*, Naherwartung, 93 (in Anm. 224 mit Literaturangaben) betont zu Recht, es gebe »gerade auch unter den kritischen Forschern einen weitreichenden Konsens, daß Jesus sein Ende ganz bewußt in Rechnung gestellt« habe. Demgegenüber – und damit auch im Widerspruch zu den oben Anm. 4 genannten Exegeten – betont *A. Vögtle*, Grundfragen, 165: »Es scheint mir noch nicht gelungen zu sein, Jesu Konzeption eines heilseffizienten Sterbens seiner Gottes- und Gottesreichsbotschaft überzeugend zu- und einzuordnen«.

11   Vgl. die Zusammenstellung bei *J. Jeremias*, Theologie, 269.

12   S. oben S. 122–125.

13   S. oben S. 107–110.

14   S. oben S. 111 mit Anm. 237.

15   S. oben S. 232–234.243.

16   S. oben S. 119, Anm. 294.

17   Ob man mit *R. Pesch*, Markus II, 58–61 Mk 8,34b als der ältesten Fassung den Vorzug gibt oder mit *P. Stuhlmacher*, Achtzehn Thesen, 206f der Parallelfassung aus Q, Mt 10,38 par, Priorität zugesteht, bleibt sich insofern gleich, als das Logion in seinem Kernbestand so oder so auf Jesus selbst zurückzuführen ist, wie beide betonen. Zu diesem Ergebnis gelangen ferner *H. Schürmann*, Lukas I, 540–543; *J. Jeremias*, Theologie, 232 und *J. Gnilka*, Markus II, 22–24.27. Entsprechendes gilt für Mk 8,35 par, vgl. *H. Schürmann*, Lukas I, 543–545; *R. Pesch*, Markus II, 58.61f und *J. Gnilka*, Markus II, 22.24f.27.

für Mk 14,25 par Lk 22,15–18[20]. Hinzu kommen ebenso die (teilweise schon genannten) Logien des im folgenden behandelten Komplexes innerhalb der Jesustradition, den ich im Anschluß an Joachim Jeremias als »Kollektivleiden (der Jünger)«[21] bezeichnen möchte. Weil die hier zur Debatte stehenden Logien von einer Erwartung und Ankündigung Jesu handeln, die sich nicht erfüllt hat, scheiden sie als nachösterliche Bildungen aus.

2. Das Kollektivleiden der Jünger

»Mit seinem eigenen Leiden wußte Jesus das seiner Jünger unlöslich verbunden; ein Kollektivleiden sah er über die Seinen hereinbrechen, eingeleitet durch seine Passion«[22]. Nun lassen sich sicher nicht alle von Joachim Jeremias angeführten Belege[23] auf dieses mit Jesu Passion einsetzende Kollektivleiden der Jünger beziehen[24], doch sind sie umgekehrt durch Mt 8,19b–20 par und 10,32f par zu ergänzen.

Von den bereits behandelten Logien wiesen Mk 8,34b–35 par; 9,1 par; 10,38f par; Mt 8,19b–20 par; 10,23 und 10,32f par in diese Richtung[25]: Die Nachfolger Jesu partizipieren auch am Leiden ihres Herrn (Mk 8, 34b–35 par und Mt 8,19b–20 par). Dabei werden sie nicht nur verfolgt (Mt 10,23 und 10,32f par), sondern mehrheitlich den gewaltsamen Tod erleiden (Mk 9,1 par). Speziell den Zebedaiden hat Jesus die Teilhabe an seinem Martyrium vorausgesagt (Mk 10,38f par).

Zu diesen Belegen kommen nun aber wenigstens noch drei weitere hinzu, nämlich Lk 22,36; Mt 6,13a par und Mk 14,38a par.

---

18   Vgl. *J. Jeremias*, Salbungsgeschichte, 107–115, bes. 114f; *ders.*, Markus 14,9, 115–120; *ders.*, Theologie, 134f; *J. Roloff*, Kerygma, 210–215; *R. Pesch*, Salbung, 267–285; *ders.*, Markus II, 328–336, bes. 333–335 und *J. Gnilka*, Markus II, 221–228, bes. 224–226.

19   Vgl. *E. Arens*, ΗΛΘΟΝ-Sayings, 82f.87–90.344 und *G. Schwarz*, Und Jesus sprach, 288–291 (im Blick auf V. 49), *J. Jeremias*, Gleichnisse, 163f; *H. Patsch*, Abendmahl, 211; *S. Légasse*, Approche, 161–177; *W. Grimm*, Verkündigung, 277–280; *A. Vögtle*, Todesankündigungen, 80–88 und *H.F. Bayer*, Predictions, 61–63.85 (für die V. 49f).

20   S. unten S. 353–356.

21   Vgl. *J. Jeremias*, Theologie, 128.233.271 (mit Verweis auf *Ch.H. Dodd*, Parables, 58f und *T.W. Manson*, Basis, 6).

22   Vgl. *J. Jeremias*, Theologie, 128.

23   Vgl. ebd., 136f.195f.231–234.270f.279f.

24   Auf Logien wie Mt 10,21f par; 10,34 par; 10,35f par; 23,37a par und Mk 14,27f par sollte man sich besser nicht berufen, wohl auch nicht auf Lk 23,31. Lk 22,31–32a wird man möglicherweise als Beleg anführen können (vgl. *J. Ernst*, Lukas, 600, s. außerdem unten Anm. 54), eine eindeutige Interpretation ist jedoch schwierig.

25   Zu Mk 8,34b–35 par s. oben S. 232f, zu Mk 9,1 par S. 124f, zu Mk 10,38f par S. 107.109, zu Mt 8,19b–20 par S. 232f, zu Mt 10,23 S. 168, zu Mt 10,32f par S. 158.

a)   Lk 22,36

Es ist das Verdienst von Hans-Werner Bartsch, die überlieferungsgeschichtliche Problematik der umstrittenen Perikope Lk 22,35–38 unter
Einbeziehung der wissenschaftlichen Diskussion[26] weithin erhellt und zu
einem guten Teil auch gelöst zu haben[27]. Er konnte zeigen, daß eine aus
dem lukanischen Sondergut übernommene Überlieferung vorliegt, die
jedoch stark lukanisch-redaktionell überarbeitet worden ist. Als älteste
Tradition ergibt sich mit dem Schwertwort V. 36 – zu dem V. 38 mit der
Antwort der Jünger und Jesu Reaktion darauf meines Erachtens von Anfang an hinzugehörte – ein eschatologisch ausgerichtetes Logion, das im
Blick auf die Endereignisse formuliert ist und auf die bevorstehende
eschatologische Notzeit abzielt[28].

Lukas selbst zeichnet verantwortlich für den einleitenden V. 35 einschließlich εἶπεν δὲ
αὐτοῖς · ἀλλὰ νῦν in V. 36. Mit dem deutlichen Rückbezug auf die Aussendung der siebzig
Jünger (Lk 10,4) hebt er den Gegensatz zwischen der heilvollen Gemeinschaft mit dem
irdischen Jesus und der nach Jesu Tod folgenden Schwertzeit besonders kraß hervor. Dabei deutet er V. 36 als Hinweis auf die Zeit der Kirche, deren Bedrängnisse er in seiner
Apostelgeschichte ausführlich schildert[29].
Entscheidend ist jedoch die Erkenntnis, daß auch V. 37 mit seinem Zitat aus Jes 53,12b
vom Evangelisten selbst stammt. Obwohl die Einführung des Zitats sowie seine Kommentierung auf die lukanische Redaktion zurückgeht[30], wurde in der Forschung wiederholt behauptet, das Zitat selbst habe Lukas aus der ihm vorgegebenen Tradition übernommen,
weil er sonst im Anschluß an die Septuaginta zitiere, hier jedoch trotz unbestreitbarem
Septuaginta-Einfluß mit μετὰ ἀνόμων anstatt ἐν τοῖς ἀνόμοις nicht nur vom griechischen
Text abweiche, sondern womöglich sogar den hebräischen Text voraussetze[31]. Demgegenüber konnte Bartsch nachweisen, daß das Zitat dort, wo es mit dem Septuaginta-Wortlaut
nicht übereinstimmt, die Handschrift des Evangelisten trägt: Statt ἐν τοῖς ἀνόμοις schreibt
er μετὰ ἀνόμων, weil er Jesus nicht mit jenen ἄνομοι gleichsetzen will, mit denen dieser den
Tod des Gesetzlosen stirbt. Er möchte vielmehr trotz des gemeinsamen Schicksals der drei
Gekreuzigten die Distanz zwischen den beiden Verbrechern und dem sündlosen Jesus
wahren. Und diese Unterscheidung ist mit μετὰ ἀνόμων sachgemäß zum Ausdruck
gebracht: Jesus stirbt mit und neben Gesetzlosen *wie* ein Gesetzloser, aber nicht *als* ein
Gesetzloser[32]. In der lukanischen Konzeption steht V. 37 damit für zweierlei. Zunächst
einmal betont er per Schriftbeweis die Tatsache, daß Jesu Tod dem Willen Gottes gemäß

---

26   Vgl. bes. *H. Schürmann*, Jesu Abschiedsrede, 116–134, der in den V. 35.36.37b.38
vorlukanische Tradition erkennen möchte, die Lukas redaktionell ausgestaltete. Wie sich
zeigen wird, läßt sich dieses Ergebnis vor allem für V. 37b nicht aufrechterhalten.

27   Vgl. *H.-W. Bartsch*, Schwertwort, 190–203.

28   Vgl. ebd., 199, ferner *O. Cullmann*, Staat, 23; *J. Jeremias*, Παῖς (θεοῦ) im Neuen
Testament, 214; *ders.*, Theologie, 279 und *J. Ernst*, Lukas, 603.

29   Vgl. *H. Conzelmann*, Mitte, 73–75.186 und *W. Grundmann*, Lukas, 409.

30   Vgl. *H.-W. Bartsch*, Schwertwort, 197f, ferner *H. Schürmann*, Jesu Abschiedsrede,
124f.129 und *F. Hahn*, Hoheitstitel, 169.

31   Vgl. *H. Schürmann*, Jesu Abschiedsrede, 126–128 und *J. Jeremias*, Theologie,
279f.

32   Vgl. *H.-W. Bartsch*, Schwertwort, 193–196. Für eine lukanisch-redaktionelle
Einfügung plädierte zuvor bereits *M. Rese*, Motive, 154–164.

erfolgte. Zugleich liefert er eine Begründung für V. 36 im Blick auf die Zeit nach Jesu Tod, im Blick auf die Kirche. Die Jünger stehen dabei repräsentativ für die lukanische Gemeinde, für die in ihrer Situation nicht mehr V. 35 gilt (»es mangelt uns an nichts«), sondern V. 36, denn ihre Situation ist die des Kampfes und der Bedrängnis[33]. Lukas hat das Schwertwort also symbolisch verstanden, als Bild für die äußerste Bedrohung[34]. Der Kirche geht es nicht anders als Jesus selbst. So wie er als angeblich Gottloser aus der Gemeinschaft Israels ausgestoßen wurde, so widerfährt sein Schicksal ebenso den Seinen. Auch ihr Leben ist gefährdet (Lk 21,12–17). Und genau dies, so will der Evangelist herausstellen, gehört zum Wesen christlichen Lebens, weshalb es darauf ankommt, diese Existenz anzunehmen und durchzuhalten. Wie sich die Seinen gerade nicht verhalten sollen, zeigt er anhand V. 38a, den er so interpretiert: Die Bereitschaft zum physischen Kampf hieße nichts anderes, als das Wesen des Glaubens mißzuverstehen, denn für den Christen gilt es, jeden Tag neu sein Kreuz zu tragen (Lk 9,23 und 14,27) und so dem Vorbild Jesu gerecht zu werden. In Lk 22, 49–51 sieht Lukas die rechte christliche Haltung bei Jesus selbst beispielhaft verwirklicht.

Mit alldem bezieht Lukas das Schwertlogion zwar zu Recht auf die äußerste Bedrohung und Gefährdung des Lebens der Jünger, denkt dabei aber nicht an ein Kollektivleiden der historischen Jünger in Verbindung mit Jesu eigener Passion – sonst hätte er Jesus eine unerfüllte Weissagung unterstellt –, sondern an die bedrohliche Situation und die bedrängte Existenz der leidenden christlichen Gemeinde in der Zeit der Kirche.

Hält man sich die vorlukanische Überlieferungseinheit Lk 22,36.38 vor Augen, zeigt sich zweierlei: Zum einen gibt sich V. 36 als ein Logion zu erkennen, das sich der Erwartung Jesu selbst ohne weiteres einfügt, während es umgekehrt aus der nachösterlichen Situation nicht ableitbar ist[35]. Zum anderen ist das Schwertwort gerade nicht im Sinne eines zelotischen Kampfrufs zu verstehen[36], wie schon V. 38b beweist. Angesichts der Deutung der Jünger, die V. 36 in V. 38a auf den bevorstehenden messianischen Kampf beziehen, zu dem sie bereit sind[37], »(bricht) Jesus das

33 Vgl. *H. Conzelmann*, Mitte, 73–75.186 und *W. Grundmann*, Lukas, 409.

34 Vgl. *H. Conzelmann*, Mitte, 74; *F. Hahn*, Hoheitstitel, 169f und *W. Grimm*, Verkündigung, 229.

35 Erstens konnte man das Logion leicht im Sinne eines zelotischen Kampfrufs mißverstehen, wie die Reaktion der Jünger beweist. Von daher hat es »im historischen Kontext der Urchristenheit . . . keinen Platz, da die Urchristenheit gerade bemüht war, jede Beziehung zu den Zeloten nicht nur für sich selbst sondern auch für Jesus in Abrede zu stellen.« (*H.-W. Bartsch*, Schwertwort, 199f). Zweitens ist V. 36 als unerfüllte Weissagung anzusehen, denn die hier angekündigte eschatologische Notzeit traf so nicht ein (vgl. *J. Jeremias*, Theologie, 279 und *H.-W. Bartsch*, Schwertwort, 199). Drittens stellt V. 38 das Mißverständnis seitens der Jünger in einer Weise heraus, wie es die nachösterliche Gemeinde bezüglich ihrer Repräsentanten nicht getan hätte (vgl. *J. Jeremias*, Theologie, 279). Von daher plädieren für die Authentie von Lk 22,36 etwa *O. Cullmann*, Staat, 22–24; *F. Hahn*, Hoheitstitel, 169f; *M. Lehmann*, Quellenanalyse, 151; *J. Jeremias*, Theologie, 279; *H.-W. Bartsch*, Schwertwort, 199f; *M. Hengel*, Revolutionär, 17f und *W. Grimm*, Verkündigung, 228. Die Authentie des V. 36 einschließlich des V. 38 betonen *O. Cullmann*, Staat, 22–24 und *J. Jeremias*, Theologie, 279.

36 Vgl. etwa *O. Cullmann*, Staat, 22–24; *F. Hahn*, Hoheitstitel, 170 und *M. Hengel*, Revolutionär, 17f.

37 Vgl. *W. Grundmann*, Lukas, 409.

Gespräch als hoffnungslos ab«[38]. Schonungslos wird das Unverständnis der Jünger, die ihre Lage überhaupt nicht erfaßt haben, herausgestellt[39]. Jesus selbst denkt im Blick auf die tatsächlich bevorstehende eschatologische Notzeit keineswegs an einen Kampf, an dem die Jünger teilnehmen werden[40], sondern »an die kommende Zeit der Verfolgung und des Martyriums«[41], die im Zusammenhang mit seiner Passion auch für die Anhänger Jesu anhebt. Angesichts dessen, was die Jünger erwartet, ist sogar der Mantel, der zugleich als nächtliche Decke diente und nicht einmal dem Ärmsten genommen werden durfte[42], d.h. ist selbst das zum Leben unbedingt Notwendige zweitrangig[43]. Allein entscheidend ist jetzt, ein Schwert zu besitzen. Dabei denkt Jesus nicht an die zur Ausrüstung des jüdischen Wanderers unbedingt dazugehörige Waffe, die dieser zum Schutz gegen Räuber und wilde Tiere benötigte[44]; daß die Jünger solche Waffen längst bei sich trugen, zeigt V. 38 ebenso wie Mk 14,47 par und die Tatsache, daß selbst in den rigorosen Anweisungen der Jüngeraussendung ein solches Verbot nicht enthalten ist. In V. 36 handelt es sich vielmehr um ein für Jesus charakteristisches »paradoxes Bildwort«[45], das auf die kommende »äußerste Bedrohung des Lebens«[46] der Nachfolger Jesu zielt, auf jene θλῖψις, die mit Jesu eigenem Tod unmittelbar bevorsteht. Was dann allein sinnvoll ist, ist die Flucht (Mt 10,23), und was allein entscheidend ist, ist nicht abzufallen von Jesus, sondern durchzuhalten (Mk 13,13b par), bis Gott in Kürze eingreift und seine verheißene Herrschaft errichtet.

b)   Mt 6,13a par Lk 11,4b
Im Blick auf das Kollektivleiden der Jünger ist auch die (ursprüngliche) Abschlußbitte des Unser-Vater-Gebets (Mt 6,13a par Lk 11,4b) formuliert, die mit Joachim Jeremias so übersetzt werden muß: »Laß nicht zu, daß wir der Anfechtung anheimfallen«[47]. Dabei meint πειρασμός (ara-

---

38   *J. Jeremias*, Theologie, 279, vgl. ferner *W. Grundmann*, Lukas, 409f.
39   Vgl. *O. Cullmann*, Staat, 23f und *J. Jeremias*, Theologie, 279.
40   Gegen *H.-W. Bartsch*, Schwertwort, 200f.
41   *W. Grundmann*, Lukas, 409.
42   Vgl. *F. Hahn*, Hoheitstitel, 170 (mit Hinweis auf *Bill.* I, 343f).
43   Vgl. *Bill.* II, 258f.
44   Vgl. *M. Hengel*, Revolutionär, 17.
45   Ebd., 18.
46   *F. Hahn*, Hoheitstitel, 170.
47   *J. Jeremias*, Theologie, 196. Anhand der aramäischen Urform des Unser-Vater-Gebets zeigt Jeremias, daß das Kausativum μὴ εἰσενέγκῃς entsprechend einem jüdischen Morgen- und Abendgebet (vgl. bBer 60b [zitiert ebd., 195f sowie bei *Bill.* I, 422]), an das Jesus möglicherweise direkt anknüpft, permissiven Sinn hat, weshalb die genannte Übersetzung die sachlich richtige sein dürfte (vgl. *J. Jeremias*, Vater-Unser 155.169f und *ders.*, Theologie, 195f, ferner *S. Schulz*, Q, 92 und *O. Betz*, Vaterunser, 71f).

mäisch נְסָיוֹן bzw. נְסָיוֹנָא) wie in Mk 14,38a par die eschatologische Anfechtung, den Abfall in der Endversuchung der eschatologischen Notzeit[48]. Es geht um die »Bewahrung vor dem Abfall«[49], wobei Jesus ausdrücklich nicht beten lehrt, die Anfechtung möge den Seinen »erspart bleiben« – daß sie kommt, steht fest –, sie sollen Gott vielmehr »um die Bewahrung vor dem Erliegen in der eschatologischen Anfechtung«[50], also um ihre Überwindung bitten[51]. Jesus setzt voraus, daß seine bevorstehende Passion auch seine Jünger treffen wird, und angesichts dieser äußersten Bedrohung ihres Glaubens bestürmen sie Gott – im Namen Jesu – um Durchhilfe und Erlösung.

c) Mk 14,38a par
Die Richtigkeit der genannten Interpretation wird bestätigt durch Mk 14,38a par, wo Jesus die Jünger innerhalb der Gethsemaneerzählung noch einmal eindringlich zum Gebet und zur Wachsamkeit angesichts des bevorstehenden πειρασμός auffordert. Denn jetzt ist es soweit: Die eschatologische Anfechtung steht vor der Tür, Jesus muß den Kelch austrinken (V. 36), die Stunde ist da (V. 41). Im Blick auf die herannahende eschatologische Drangsal, in die auch die Jünger hineingerissen werden, hilft nur noch beten, wie Jesus in Lk 22,31–32a für Petrus gebetet hat[52] und die Seinen im Unser-Vater-Gebet beten lehrt: Bewahre uns vor dem Abfall, hilf uns durch diesen allerletzten Kampf hindurch[53].

Abschließend ist nach all diesen Erörterungen von besonderer Bedeutung: Wenn Jesus ein mit seiner eigenen Passion einsetzendes Kollektivleiden seiner Jünger erwartet – nicht nur er wird den Tod erleiden, sondern ebenso die Mehrzahl der Seinen –, dann greift er letztlich auf eine zeitgenössisch geläufige Vorstellung zurück, wie schon die folgende Beobachtung nahelegt. Bei allen messianischen Bewegungen seiner Zeit und deren Vernichtung durch die Römer wurden mit dem Messiasprätendenten auch dessen Anhänger getötet. Daß dies ausgerechnet im Fall

---

48 Vgl. *K.G. Kuhn*, Πειρασμός, 218–221; *J. Jeremias*, Vater-Unser, 169f; *ders.*, Theologie, 195 und *W. Grundmann*, Lukas, 233.
49 *J. Jeremias*, Theologie, 196, vgl. auch *H. Schürmann*, Gebet, 117.
50 *J. Jeremias*, Theologie, 196.
51 Dem trägt die matthäische Version des Unser-Vater-Gebets Rechnung, wenn sie in Mt 6,13b »sondern erlöse uns von dem Bösen« zufügt.
52 Daß Lk 22,31–32a auf alter Tradition basiert, zeigt *H. Schürmann*, Jesu Abschiedsrede, 99–112, vgl. ferner *J. Jeremias*, Sprache, 291f und *G. Schwarz*, Und Jesus sprach, 293–296.
53 Zu Mk 14,38a par vgl. *E. Lohmeyer*, Markus, 317; *M. Dibelius*, Gethsemane, 263; *J. Jeremias*, Theologie, 138; *ders.*, Unbekannte Jesusworte, 72f und *W. Grundmann*, Markus, 401f.

Jesu nicht geschah, ist historisch kaum verständlich[54]. Gegen alle Gewohnheit und entgegen der Ankündigung Jesu blieben die Jünger unbehelligt. Ihre Todesangst im Anschluß an Jesu Tod (Joh 20,19 und Mk 14,50 par) ist bezeichnend für ihre Lage und ihre eigene Einschätzung der Situation.

Traditionell ist die Vorstellung eines Kollektivleidens insofern vorgegeben, als sie im Gefolge des Theologumenons, daß der Herrlichkeit der Gottesherrschaft eine schreckliche Drangsalszeit vorausgeht[55], nahezu selbstverständlich vorausgesetzt werden kann. Speziell in der messianischen Erwartung geht dem Kommen des Messias die Zeit der messianischen »Wehen« voraus[56], in der es für die Glaubenden gilt, »leidend auszuharren bis zur grossen Wende«[57]. Daß Jesu eigene Passion auch das Martyrium und den möglichen Tod seiner Jünger einschließt, liegt meines Erachtens in dieser alttestamentlich-jüdischen Anschauung begründet.

Parallel zur Erwartung Jesu zeigt dies ebenso das Selbstverständnis des Gerechten in der frühjüdischen Zeit, speziell die vielen Beispiele »zelotischer Todesverachtung« sowie das »Martyrium, das die Essener durch die Römer erlitten«[58].

Nach diesen einleitenden Erörterungen zum Problem der Passion des Menschensohns bleibt grundsätzlich festzuhalten, daß Jesus mit seinem gewaltsamen Tod rechnete und ihn gegen Ende seiner Wirksamkeit in Israel vor seinen Jüngern zur Sprache brachte. Ist dies für die angeführten

---

54   Anhand des neutestamentlichen Befundes gibt es eine hypothetisch mögliche Erklärung dafür, daß die Jünger unbehelligt blieben und das erwartete Kollektivleiden ausblieb: Dieses Geschehen, das womöglich den Abfall der schwachen Jünger zur Folge gehabt hätte, wurde von Jesus im allerletzten Moment abgewendet. In Lk 22,31–32a ist die Rede davon, Jesus habe im Blick auf den bevorstehenden πειρασμός für den Glauben des Petrus und letztlich der Jünger insgesamt gebetet. Dieses Gebet wurde erhört: Jesus ging in den Tod, seine Jünger blieben am Leben.

55   Bereits im Alten Testament, im antiken Judentum und auch im Neuen Testament ist der unmittelbare Zusammenhang von der (angesagten) eschatologischen Drangsal und der dann unmittelbar nahen Erlösung belegt. Vgl. etwa Dan 12,1a / 1b–2; AssMos 8 / 9–10; 4Esr 11,37–46 / 12,1–3.31–34; syrBar 69–71 / 72–74; Mk 13,14–23 par / 24–27 par und Mt 10,23a / 23b, ferner die pseudepigraphischen und rabbinischen Belege bei *Bill.* IV/2, 977–986, sodann *O. Betz*, Frage, 163–165 (vor allem mit Belegen aus Qumran) und *M. Hengel*, Zeloten, 251–255 (speziell im Blick auf die zelotische Erwartung).

56   Zum Begriff der messianischen »Wehen« vgl. als alttestamentliche Grundlage etwa Jes 26,17; 66,8; Hos 13,13 und vor allem Mi 4,9f, zudem *Bill.* I, 950, zur Sache aus den in der voranstehenden Anm. 55 genannten Belegen neben Mk 13,14–27 par; Mt 10,23 und syrBar 69–74 bes. (die bei *Bill.* IV/2, 977–986 zitierten) bSan 96b-98b; bShab 118a; MTeh 20 § 4 (88a); 45 § 3 (135a); EkhaR 1,13 (55b) und ShirR 2,13 (100b).

57   *O. Betz*, Frage, 164.

58   Ebd., 165. Was Jesus in Mk 8,35 par verlangt, hätten die Zeloten und ebenso die Qumrangemeinde in ähnlicher Weise vom Halten der Gebote Gottes sagen können. Denn jeder wahrhaft Fromme muß »dazu bereit sein, sein Leben herzugeben, um ein besseres zu empfangen« (ebd., 165 [mit Hinweis auf JosBell 2,152f]). Zur Martyriumsbereitschaft der Zeloten vgl. *M. Hengel*, Zeloten, 261–277.

Bildworte, die maschalartigen Ankündigungen und die indirekten Leidensankündigungen trotz bzw. aufgrund der strengen Sichtung durch die historische Kritik letztlich nicht zu bestreiten, so besteht kein Anlaß, die Möglichkeit, auch die expliziten Todesankündigungen auf Jesus selbst zurückzuführen, a priori zu leugnen. Über die Authentie dieser Logien entscheidet damit die jeweilige Einzeluntersuchung.

3. Zur Struktur der Logien vom Leiden und von der Auferstehung des Menschensohns

Vergleicht man die Logien vom Leiden und von der Auferstehung des Menschensohns in ihrer Gesamtheit, ist einerseits ihre Ähnlichkeit auffallend. So verwundert es kaum, daß die neutestamentliche Forschung immer wieder versucht, den Grundbestand einer einzigen Leidens- und Auferstehungsankündigung herauszuschälen, die erst im Lauf der Zeit auf vielfältige Art und Weise modifiziert und sprachlich verändert worden sei, wie die heutige Variationsbreite besagter synoptischer Ankündigungen bezeuge. Andererseits sind die uns überlieferten Logien so verschieden und vielgestaltig, daß es methodisch fragwürdig erscheint, einfach per Wortstatistik den ursprünglichen Wortlaut einer einzigen Leidens- und Auferstehungsankündigung ermitteln zu wollen, ohne zugleich die Traditionsgeschichte der damit vorausgesetzten Entwicklung deutlich aufzeigen und glaubhaft nachvollziehen zu können[59].

Meines Erachtens ist angesichts der differenzierten Formulierung der verschiedenen Leidens- und Auferstehungsweissagungen die Erkenntnis grundlegend, daß sie in zwei Grundformen überliefert sind[60], die sich ihrerseits wiederum zweifach unterteilen lassen: Da ist erstens jene Grundform, die das göttliche »Muß« der Passion des Menschensohns hervorhebt, unterteilt in die Fassung mit δεῖ (Mk 8,31 par; Lk 17,25 und 24,7) und die mit πῶς bzw. καθὼς γέγραπται (Mk 9,12 par und 14,21a par). Die zweite Grundform, die den Aspekt des Ausgeliefertwerdens des Menschensohns betont, ist untergliedert in die Fassung mit bloßem παραδίδοται (Mk 10,33f par; 14,21b par; Mt 26,2 und Lk 22,48) und die mit παραδίδοται εἰς χεῖράς τινος (Mk 9,31 par; 14,41 par und Lk 24,7). Mk 10,45 par, wo der Tod des Menschensohns explizit gedeutet wird, fällt

---

59 Wie *H.E. Tödt*, Menschensohn, 141f zeigt, führt die bloße wortstatistische Analyse aller verfügbaren Leidens- und Auferstehungsankündigungen zu einem ›Urlogion‹ folgenden Wortlauts: »Der Menschensohn wird ausgeliefert an die Hohenpriester und Schriftgelehrten und getötet und nach drei Tagen auferstehen« (142). Wie ein solcher Satz die genannten Bedingungen erfüllen will, die ihn mit Gründen als ›Urlogion‹ verifizieren könnten, ist mir rätselhaft. Im übrigen erweist eine solche Vorgehensweise die traditionsgeschichtlich jüngste Fassung desto gewisser als die älteste, je öfter sie aufgegriffen und wiederholt wird.

60 Vgl. bereits *F. Hahn*, Hoheitstitel, 52.

aus dem aufgezeigten Schema heraus; das Logion wird unten gesondert behandelt.

4. Die als sekundäre Bildungen wahrscheinlichen Logien vom Leiden und von der Auferstehung des Menschensohns

a)   Zunächst sei auf die Auferstehungsankündigung Mk 9,9f verwiesen, die in aller Regel als markinische Bildung gilt[61]. Die eigentliche Verklärungsperikope endet mit V. 8. Die V. 9–13 hingegen handeln nach der Konzeption des Evangelisten von einem Geschehen im Anschluß an die Verklärung Jesu. Markus will mit Hilfe der V. 9f zeigen, daß die Verklärungsszene auf die Auferstehung Jesu vorausweist und daß Ostern als Datum für den Beginn der öffentlichen Verkündigung der Messianität Jesu zu gelten hat. Diese Deutung und ebenso das Jüngerunverständnis bezüglich der Auferstehungsweissagung stellt der Evangelist in den Dienst seines Messiasgeheimnisses, zugleich ergänzt er die bloße Leidensankündigung Mk 9,12b um eine Auferstehungsankündigung[62].

b)   Mk 10,33f gilt durchweg als ein »ex eventu formuliertes Summarium« der Passion Jesu[63], das Markus in breiter Entfaltung von Mk 9,31 auf dem Hintergrund der tatsächlichen historischen Ereignisse vermutlich selbst verfaßte[64].

---

61   Vgl. etwa *H.E. Tödt*, Menschensohn, 179f.182; *M. Horstmann*, Studien, 73f.106–108; *P. Hoffmann*, Mk 8,31, 200f; *J. Gnilka*, Markus II, 40f und *R. Kearns*, Traditionsgefüge, 16, Anm. 27. Anders *R. Pesch*, Markus II, 69f, dessen Hinweis auf die angebliche Zugehörigkeit von Mk 9,9f zur vormarkinischen Passionsgeschichte allerdings unbrauchbar ist, denn es fehlt jede Begründung für diese Hypothese, die in Form eines Postulats vorgetragen wird.

62   Die lukanische Parallele Lk 9,36b gibt Mk 9,9–13 in stark gekürzter Form wieder. Dabei verwendet Lukas wie schon in der vorausgehenden Erzählung von der Verklärung Jesu keine Sondertradition, sondern basiert auf seiner markinischen Vorlage. Alle vorliegenden Divergenzen gehen auf das Konto der lukanischen Redaktion, wie *H. Schürmann*, Lukas I, 553–567, (zu V. 36b) bes. 563f in Auseinandersetzung mit anderslautenden Meinungen meines Erachtens überzeugend nachgewiesen hat. Wichtig ist bei alldem, daß Lukas nicht nur die V. 9f, sondern die V. 9–13 insgesamt kannte: Für V. 9 zeigt dies Lk 9,36b. Da Lukas aus V. 9 aber nur die Aussage übernahm, daß sich die Jünger über das Geschaute in Schweigen hüllten, entfällt mit dem Hinweis auf die Auferstehung des Menschensohns in V. 9 folgerichtig auch V. 10 (vgl. ebd., 563). Des ausdrücklichen Schweigegebots bedurfte Lukas nicht, weil es bei ihm die Unfähigkeit der Volksmenge, das Geschaute zu begreifen, ist, die den Jüngern automatisch den Mund verschließt (vgl. *J. Ernst*, Lukas, 306). Die Leidensankündigung Mk 9,12b wiederum nahm Lukas mit seinem V. 31 bereits innerhalb der Verklärungserzählung vorweg (vgl. *H. Schürmann*, Lukas I, 559.563), womit feststeht, daß er auch Mk 9,11–13 gekannt haben muß, obwohl er aus diesen Versen nur einen kleinen Ausschnitt übernahm. Zum Motiv für diese radikale Kürzung vgl. ebd., 567.

63   *J. Jeremias*, Theologie, 264.

64   In V. 34 liegt mit der Reihenfolge »verspotten – anspeien – geiseln« zwar eine Abweichung gegenüber der markinischen Abfolge der Passionsereignisse vor (vgl. Mk 14,65

c) Als mögliche authentische Leidensweissagung scheidet nach dem übereinstimmendem Urteil der Exegeten auch Mk 14,21 aus. Das Logion wurde der vormarkinischen Einheit Mk 14,17–20 vom Evangelisten zugefügt[65], wobei allerdings fraglich ist, ob mit V. 21 eine markinische Bildung oder bereits vormarkinische Tradition vorliegt. Zumindest V. 21a erweist sich als redaktionelle Formulierung des Markus, wie Ludger Schenke nach Wortstatistik, Form und Inhalt zeigen konnte[66]. Umstritten bleibt allein V. 21b.c, den Schenke als Bildung der palästinischen Urkirche meint nachweisen zu können[67]. Seine Argumente sind an dieser Stelle jedoch wenig überzeugend[68], so daß diejenigen im Recht sein werden, die wenigstens auch V. 21b dem Evangelisten selbst zuschreiben[69].

---

und 15,15–20), dennoch bleibt fraglich, ob dieser Hinweis ausreicht, um in Mk 10,33f vormarkinische Tradition zu vermuten (so *H.E. Tödt*, Menschensohn, 161f.186f und *C. Colpe*, Art. ὁ υἱὸς τοῦ ἀνθρώπου, 447, doch vgl. *F. Hahn*, Hoheitstitel, 47f und *J. Gnilka*, Markus II, 95–97). Jedenfalls ist der sekundär-redaktionelle Charakter der Leidens- und Auferstehungsankündigung in der Forschung nicht umstritten.

65 Vgl. *E. Lohse*, Geschichte, 45f; *P. Hoffmann*, Mk 8,31, 188f und *A.J.B. Higgins*, Jesus, 50–52. Ähnlich argumentieren *W. Schenk*, Passionsbericht, 188f und *W. Grundmann*, Markus, 385f, die den Weheruf Mk 14,21c als ursprünglichen Abschluß der V. 17–20 beurteilen, V. 21a.b hingegen als markinische Bildung. Für den vormarkinischen Charakter des V. 21 insgesamt plädieren demgegenüber *H.E. Tödt*, Menschensohn, 183; *C. Colpe*, Art. ὁ υἱὸς τοῦ ἀνθρώπου, 449; *R. Pesch*, Markus II, 346.351f und *J. Gnilka*, Markus II, 235f.238. Dabei setzen Tödt, Pesch und Gnilka letztlich ohne Angabe von Gründen eine sekundäre, aber doch vormarkinische Einheit Mk 14,17–21 voraus, während Colpe auf Lk 22,21–23 verweist, wo der Zusammenhang Mk 14,17–21 auch im Sondergut des Lukas belegt sei. Wie *H. Schürmann*, Jesu Abschiedsrede, 3–21 jedoch zeigen konnte und *R. Kearns*, Traditionsgefüge, 18–20, Anm. 42 bestätigt, erweist sich Lk 22,21–23 als lukanische Markus-Redaktion. Schließlich bezeugt auch die von Markus unabhängige Parallele Joh 13,21–26, die Mk 14,17–20 entspricht, V. 21 aber nicht kennt, Mk 14,21 als sekundären Abschluß der Verratsansage durch den Evangelisten.

66 Vgl. *L. Schenke*, Studien, 260–263, ferner *P. Hoffmann*, Mk 8,31, 189–191; *W. Schenk*, Passionsbericht, 188f und *W. Schmithals*, Markus II, 610–612.

67 Vgl. *L. Schenke*, Studien, 241–244.263–267.

68 Vor allem sein Hauptargument, das zweimalige »Menschensohn« direkt hintereinander erweise einen der Belege als traditionell, ist kaum haltbar. Denn im jeweiligen Sachzusammenhang ist »Menschensohn« sowohl in V. 21a als auch in V. 21b zu erwarten, wie Mk 8,31 und 9,12b einerseits, Mk 9,31; 10,33f und 14,41b andererseits zeigen. Dabei hat das wiederholte »Menschensohn« gerade auch angesichts der markinischen Intention seinen guten Grund, denn »durch die Wiederholung werden die ›heterogenen‹ Spruchhälften verbunden, und es wird deutlich gemacht, daß es sich letztlich um ein Geschehen handelt« (*P. Hoffmann*, Mk 8,31, 190). Deshalb übernimmt Matthäus in seiner Parallelstelle Mt 26,24 das doppelte »Menschensohn« wie selbstverständlich, darüber hinaus formuliert er selbst in Mt 24,30 entsprechend. Zudem ist Schenke in seiner Beweisführung nicht konsequent, sonst müßte er angesichts seiner Argumentation auch V. 21b und c als zwei verschiedene, erst sekundär zusammengewachsene Traditionen beurteilen, was er aber nicht tut, obwohl in beiden Versteilen unmittelbar nebeneinander von »jenem Menschen« die Rede ist.

69 Vgl. ebd., 189–191; *W. Schenk*, Passionsbericht, 188f; *A.J.B. Higgins*, Jesus, 50–52; *W. Grundmann*, Markus, 385f und *W. Schmithals*, Markus II, 610–612.

Ganz bewußt stellt Markus in V. 21a und b »Menschensohn – jener Mensch«, »ὑπάγειν – παραδιδόναι«, »göttlicher Heilswille – menschliche Tat«, »Freiwilligkeit – Verrat« als spannungsvolle Gegensätze einander gegenüber, um so das unvorstellbare Faktum des Judasverrats einerseits als Erfüllung der Schrift[70] und damit des göttlichen Heilsplans herauszustellen, ohne dabei andererseits die Verantwortlichkeit des Verräters abzuschwächen. »Der Heilsplan Gottes schließt die Freiheit und Verantwortlichkeit des Menschen nicht aus.«[71] Mk 14,21 ist jedoch keine bloße Ad-hoc-Formulierung ohne jeden Anhalt in der Tradition, ist keine absolut freie markinische Schöpfung. Dies gilt zunächst für V. 21c, denn hier greift Markus, um das οὐαί über den Verräter adäquat zum Ausdruck zu bringen, auf eine bekannte alttestamentlich-jüdische Formulierung zurück[72], die den Fluch über Judas besonders stark betont[73]. In V. 21b wiederum liegt Mk 9,31 zugrunde. Markus übernimmt das dortige ὁ υἱὸς τοῦ ἀνθρώπου παραδίδοται und beschreibt den Verräter als denjenigen, der gleichsam als Werkzeug Gottes, dennoch aber in ureigener Verantwortung den Menschensohn den Menschen ausliefert. Die »angekündigte Auslieferung des Menschensohnes hat also hier ihr menschliches Subjekt gefunden«[74]. Markus hat Mk 9,31 in 14,21b im Blick auf den Tod des Judas redaktionell ausgestaltet.

d)   Mk 14,41b wiederum stellt – wie noch zu zeigen ist – eine Bildung der palästinischen Urkirche im Anschluß an den traditionsgeschichtlichen Kern von Mk 9,31 dar[75].

e)   Eindeutig ist das Urteil bezüglich Mt 26,2. Aus der bloßen Zeitangabe Mk 14,1a entwickelte Matthäus in freier Schöpfung eine explizite Leidensankündigung[76].

f)   Als authentisches Jesuswort kommt ebenso Lk 17,25 nicht in Frage. Alle gegenteiligen Beteuerungen, die in V. 25 wegen der fehlenden Auferstehungsankündigung und der vorliegenden Kurzfassung gegenüber Mk 8,31 par Lk 9,22 einen von dort unabhängigen Einzelspruch erkennen wollen, der wegen seiner Unbestimmtheit das höhere Alter bean-

---

70   Vgl. Ps 41,10 und 55,13–15.

71   *D. Dormeyer*, Passion, 100, vgl. *R. Pesch*, Markus II, 353.

72   Für das Alte Testament vgl. etwa Hi 3,3 und Sir 23,14c, für das Judentum die bei *Bill.* I, 989f genannten Belege.

73   Innerhalb der Evangelientradition ist mit Lk 17,1f par Mt 18,6f (vgl. auch Mk 9,42) ein vergleichbarer Spruch überliefert.

74   *P. Hoffmann*, Mk 8,31, 191. Auch *R. Feldmeier*, Krisis, 221–224 gelangt zu dem Ergebnis: »Zusammenfassend läßt sich feststellen, daß die Auslieferung durch Judas nichts anderes als die Folge der göttlichen Preisgabe ist« (224).

75   S. unten S. 296f, vgl. zudem etwa *R. Pesch*, Markus II, 394 und *J. Gnilka*, Markus II, 263.

76   Vgl. *J. Jeremias*, Theologie, 265. Auch dieses Urteil ist in der Forschung unumstritten.

spruchen könne und als traditionsgeschichtliche Vorstufe zu gelten habe[77], lassen sich nicht aufrechterhalten. Lk 17,25 stimmt nämlich nicht nur fast vollständig mit Lk 9,22a (par Mk 8,31a) überein, zugleich lassen sich alle Abweichungen aus lukanischem Interesse heraus erklären. Diese verweisen als Stileigentümlichkeiten des Lukas auf die gestaltende Hand des Evangelisten, so daß das Urteil, V. 25 stelle einen »Absenker« von Mk 8,31 par Lk 9,22 dar[78], zutrifft. Lukas trägt Lk 9,22 in Gestalt von Lk 17,25 in seine dortige Q-Vorlage ein, muß dabei jedoch wegen des Parusiezusammenhangs dem Kontext Rechnung tragen. Weil »Menschensohn« bereits in V. 24 und V. 26 vorgegeben ist, ersetzt er den Terminus, um andauernde Wiederholungen zu vermeiden, durch αὐτόν (Akkusativ)[79]. Die jüdischen Verwerfungsinstanzen kennzeichnet er durch den abkürzenden Ausdruck ἡ γενεὰ αὕτη, den er schon in Lk 11,30 sekundär zusetzte[80]; mit dieser Formulierung wird die Schuld der jüdischen Führer besonders stark betont. Die Auferstehungsankündigung entfällt erstens wegen des Parusiezusammenhangs, zweitens, weil Lukas an dieser Stelle gerade die Notwendigkeit des Leidens Jesu hervorheben will; folgerichtig tilgt er die hier überflüssige Auferstehungsweissagung[81]. Umgekehrt ist πρῶτον gegenüber Lk 9,22 redaktionell eingefügt, um das der Parusie vorausgehende Leiden des Menschensohns als deren unbedingte Vorbedingung zu unterstreichen; dies in Entsprechung zu Lk 21,9, wo der Evangelist denselben Begriff gegenüber Mk 13,7 zusätzlich notiert.

g) Lk 22,48 wiederum ist als sekundäre Bildung unumstritten, wobei meines Erachtens eine Bildung aus der Hand des Evangelisten selbst vorliegt. Die noch offene Frage aus V. 23 findet nun ihre Beantwortung, zugleich wird die Reaktion Jesu auf den Verrat mit dem Freundeszeichen festgehalten[82].

h) Lk 24,7 schließlich gibt sich als die lukanisch-redaktionell überarbeitete Parallele der Leidensankündigung Mk 14,41b zu erkennen, die der Verfasser des dritten Evangeliums im Anschluß an Lk 22,39–49 (par Mk 14,32–40) nicht übernahm und jetzt – erweitert um eine Auf-

---

77 Vgl. *E. Lohmeyer*, Markus, 165; *W. Michaelis*, Art. πάσχω, 913f; *W.G. Kümmel*, Verheißung, 63f und *ders.*, Theologie, 79f, vorsichtiger *H. Patsch*, Abendmahl, 188f.

78 Vgl. *R. Bultmann*, Geschichte, 163; *H.E. Tödt*, Menschensohn, 151f; *G. Strecker*, Leidens- und Auferstehungsvoraussagen, 57; *A.J.B. Higgins*, Jesus, 78; *G. Schneider*, Menschensohn, 275f und *J. Ernst*, Lukas, 489.

79 Wieder wird »Menschensohn« durch die erste Person Singular ersetzt, hier durch das Reflexivpronomen. S. dazu oben S. 206, Anm. 84, wo ich alle entsprechenden Belege zusammengestellt habe.

80 S. oben S. 91, vgl. ferner Lk 11,50 (diff Mt 23,35) und Apg 2,40.

81 Vgl. *H.E. Tödt*, Menschensohn, 100.151 und *G. Schneider*, Menschensohn, 276.

82 Vgl. *G. Schneider*, Passion, 51–55 und *ders.*, Menschensohn, 271.

erstehungsankündigung – nachträgt[83]. Lukas hält auf diese Weise fest, wie sich Dahingabe, Kreuzigung und Auferstehung Jesu gemäß seiner Voraussage exakt erfüllt haben.

Als Leidens- und Auferstehungsankündigungen, deren Authentie ernsthaft in Frage kommt, verbleiben damit Mk 8,31 par und Mk 9,12b par als Vertreter der Grundform eins, wobei der erstgenannte Text einen Beleg für die Form mit δεῖ bildet, während der zweite πῶς γέγραπται notiert. Als Vertreter der Grundform zwei hingegen bleibt allein Mk 9,31 par übrig, ein Logion, das der Fassung mit παραδίδοται εἰς χεῖράς τινος angehört.

II. Exkurs: Kannte das vorchristliche Judentum einen leidenden und sterbenden Messias?

In den messianischen Texten des Alten Testaments ist von einem Leiden und Sterben des Messias nirgendwo die Rede[84].

Da Jes 52,13 – 53,12 dafür nicht in Frage kommt[85], ist diese Tatsache in der Forschung nahezu unumstritten[86], es sei denn, man nimmt Sach 13,7–9 als Beleg für einen davidischen Märtyrermessias, der in den »Wehen« der Endzeit den Tod erleidet[87]. Zwar wird Sach

83   Gegen *M. Black*, Son of Man, 2f und *J. Jeremias*, Theologie, 268, Anm. 19; 280 liegt mit ἀνθρώπων ἁμαρτωλῶν kein Aramaismus vor, der angeblich auf eine zugrundeliegende Wendung בְּנֵי אֲנָשָׁא רְשִׁעִין verweist, wobei בְּנֵי אֲנָשָׁא im Sinne eines Indefinitpronomens gebraucht sei. Vielmehr hat Lukas ἀνθρώπων und ἁμαρτωλῶν redaktionell nebeneinandergestellt und damit die jeweiligen Objekte der Auslieferung aus Mk 9, 31 par Lk 9,44 und Mk 14,41b kombiniert: Jesus fällt »sündigen Menschen« in die Hände. Das Unerhörte dieser Aussage wird so noch einmal hervorgehoben, obwohl die inhaltliche Bedeutung letztlich dieselbe ist wie in der direkten Vorlage (vgl. entsprechend Joh 9,24f, wo in V. 24 mit ἄνθρωπος ἁμαρτωλός nichts anderes gesagt ist als in V. 25 mit ἁμαρτωλός). Ebenso verweist der gegenüber Mk 14,41b zusätzliche und sachlich eigentlich überflüssige Eintrag des lukanischen Vorzugswortes δεῖ, das einen Akkusativ mit Infinitiv nach sich zieht, auf die redigierende Hand des Evangelisten. Eindeutig auf sein Konto geht schließlich die Anfügung des gegenüber Mk 14,41b überschüssigen V. 7b, der die vorgegebene knappe Leidensankündigung um den präzisierenden Ausdruck σταυρωθῆναι und um eine Auferstehungsankündigung ergänzt. Letztere ist für Lukas an dieser Stelle deshalb so wichtig, weil er gerade auch die Auferstehung Jesu als erfüllte Weissagung herausstellen möchte, um von daher jeden Zweifel an ihr von vornherein auszuschließen. Zum redaktionell-lukanischen Charakter von Lk 24,7 vgl. vor allem *G. Schneider*, Menschensohn, 271f mit Anm. 27, ferner etwa *F. Hahn*, Hoheitstitel, 46, Anm. 1; *J.-W. Taeger*, Mensch, 39f und *J. Ernst*, Lukas, 652f.

84   Die neutestamentlichen ›Schriftbeweise‹, die das Leiden und Sterben Jesu aus dem Alten Testament heraus zu begründen suchen (etwa Lk 24,26f; Apg 3,18 und 1Petr 1, 10f), sind »als ein Postulat an die Schrift herangetragen, das erst viel später durch künstliche Auslegung belegt werden konnte« (*L. Goppelt*, Theologie, 238).

85   Wie im übrigen Deuterojesaja ist der Gottesknecht auch hier identisch mit dem wahren Israel und somit Kollektivbegriff, s. ausführlich unten S. 318f, Anm. 380.

86   Vgl. stellvertretend *W. G. Kümmel*, Theologie, 78 und *L. Goppelt*, Theologie, 238.

87   So *K. Elliger*, Kleine Propheten, 175f; *H. Gese*, Anfang, 228f und *ders.*, Messias, 137.

13,7-9 in Mk 14,27f par so gedeutet und zugleich als Schriftbeweis für Jesu Auferstehung angeführt, jedoch in Abweichung von der ursprünglichen Intention des alttestamentlichen Texts, der keineswegs von einem Martyrium im üblichen Sinn – erst recht nicht von einer Auferstehung – spricht, denn der Tod des Hirten ist »nicht als (individuelles) Martyrergeschick verstanden, sondern ist Anlaß und Beginn der Dezimierung des Volkes. ›Läuterung‹ macht aber noch lange kein Martyrium.«[88] In Sach 13,7-9 begegnet der prophetische Restgedanke in ganz besonders rigoroser Form; dies in Anlehnung an bekannte Vorstellungen, vor allem Ez 5,1-4.12f. Nur ein kleiner Rest des Volkes überlebt die schreckliche Notzeit, die der folgenden Heilszeit vorausgeht. Dabei trifft das Schwert Gottes zuerst den Hirten, dann die Herde. Zuletzt erfolgt die Restitution des Volkes.

Ganz unabhängig von der umstrittenen Frage, ob der Hirte ursprünglich den nichtsnutzigen oder den guten bezeichnete, im heutigen Kontext ist er der von Gott anerkannte Repräsentant Israels, der Leiter der Gemeinde. Und in der nachexilischen Zeit wird man angesichts der theokratischen Verfassung des Judentums sofort an den Hohenpriester denken müssen, der die ehemaligen königlichen Funktionen weitgehend übernommen und die jüdische Gemeinde vor Gott zu vertreten hatte[89]. Das Schwert Gottes trifft also zuerst den amtierenden Hohenpriester, dessen Schicksal das des Volkes einleitet[90].

Es ist von daher kein Zufall, daß Sach 13,7 nirgendwo im Judentum messianisch gedeutet wurde. Rabbinische Zeugnisse für eine solche Auslegung fehlen völlig[91]: Im Talmud und in den Midraschim überhaupt nicht erwähnt, wird der Hirte im Targum mit einem feindlichen König identifiziert[92]. Bereits in Qumran verstand man ihn als bösen Hirten[93].

---

88   K. Berger, Auferstehung, 333, Anm. 325.

89   Sicherlich ist der Ausdruck »Hirte« in vorexilischer Zeit in erster Linie ein Prädikat Jahwes, kann aber auch damals schon die Führer des Volkes meinen, wobei allerdings der jeweils regierende König nie so genannt wird (vgl. *J. Jeremias*, Art. ποιμήν, 486). Erst im Exil (Ez 34,23 und 37,24) wird »Hirte« zur Bezeichnung für den zukünftigen messianischen Davididen. Nachexilisch wiederum, als es kein herrschendes Königshaus mehr gab, bezieht das Alte Testament den Begriff des Hirten – sofern keine Berufsbezeichnung im wörtlichen Sinn vorliegt – vornehmlich auf die Führer des Volkes (etwa Jes 56,11; Sach 10,3 und 11,3-17). Angesichts der theokratischen Verfassung des nachexilischen Judentums sind dies vor allem die Hohenpriester. So innerhalb Sach 9-14 bereits ganz deutlich in Sach 11: Die drei Hirten, die von Gott abgesetzt werden (V. 8), sind drei Hohepriester. Deshalb ist die Deutung des Hirten aus Sach 13,7 auf den amtierenden Hohenpriester die nächstliegende und beste, vgl. *O. Plöger*, Theokratie, 108; *G. Fohrer*, Propheten, 59 und *F.J. Stendebach*, Prophetie, 59. Anders *W. Rudolph*, Haggai, 212-215, der den ursprünglichen Ort der V. 7-9 im Anschluß an Sach 11,14 vermutet und – bedingt durch diese unhaltbare Einordnung (vgl. *M. Sæbø*, Sacharja 9-14, 281f.313) – in Sach 13,7-9 eine messianische Auslegung des vierten Gottesknechtlieds erkennen will. Allein von רֹעִי her deuten hingegen *K. Elliger*, Kleine Propheten, 175f; *H. Gese*, Anfang, 228f und *ders.*, Messias, 137 auf den Messias.

90   Daß der Schwerpunkt von Sach 13,7-9 keineswegs in besonderer Weise auf dem Schicksal des Hirten liegt, zeigt die Tatsache, daß in den V. 8f von ihm überhaupt nicht mehr die Rede ist. Es geht dem Verfasser um den Dreitakt Strafe – Läuterung – Restitution des Volkes. Der Tod des Hirten, nämlich des Hohenpriesters als Führer des Volkes, ist lediglich der Beginn von dessen Dezimierung. Weder von einer Schuld des Hohenpriesters noch erst recht von seinem Sühnetod findet sich im Text auch nur die geringste Spur.

91   Vgl. *E. Sjöberg*, Der verborgene Menschensohn, 265.

92   Vgl. ebd., 265f.

93   Vgl. CD 19,5-11.

Auch Sach 13,7 scheidet als Beleg für ein Leiden und Sterben des Messias innerhalb des Alten Testaments aus[94].

Die Verfechter der Hypothese, diese Verbindung sei dennoch vorchristlich belegt, stützen sich deshalb folgerichtig auf außeralttestamentliche jüdische Texte – zu Unrecht, wie sich zeigen wird.

Bereits im Jahr 1888 ergab eine umfangreiche Untersuchung Gustaf Dalmans, das Judentum zur Zeit Jesu habe einen leidenden und sterbenden Messias nicht gekannt[95]. In der Folgezeit jedoch versuchte Joachim Jeremias in verschiedenen Veröffentlichungen den Nachweis des Gegenteils[96]. Seine Argumente wurden aber bezüglich TJon Jes 52,13 – 53,12 schon von Paul Seidelin[97] und insgesamt von Erik Sjöberg[98] und Martin Rese[99] widerlegt.

Eine zusammenfassende Übersicht ergibt folgenden Befund: Zumindest in der vorchristlichen Zeit und im 1. Jahrhundert n.Chr. läßt sich die Vorstellung vom Leiden und gewaltsamen Tod des Messias ben David nirgendwo nachweisen. Selbst für das 2. Jahrhundert gibt es kaum einen eindeutigen Beleg, erst im 3. Jahrhundert ist sie bei den Rabbinen sicher bezeugt.

Der wohl vorchristliche Text TestBenj 3,8 (nach seiner armenischen Übersetzung) handelt vom leidenden Gerechten und nicht vom Messias[100].

Auch die beiden vermeintlich ältesten rabbinischen Zeugnisse, die Jeremias für ein Leiden des Messias anführt, beweisen gerade nicht, was sie beweisen sollen. Da ist zunächst die angebliche Bezugnahme des Rabbi Jose der Galiläer (vor 135 n.Chr.) auf Jes 53,5 in Sifra 12,10 (120a) zu

---

94   Dies gilt ebenso für Sach 12,10, obwohl der Vers in Joh 19,37 als Schriftbeweis für den Lanzenstich in die Seite des toten Jesus herangezogen wird. In Offb 1,7 hingegen – in Mt 24,30a liegt eher keine Anspielung auf Sach 12,10 vor – geht es bei der Zitierung des alttestamentlichen Wortes um eine apokalyptische Schilderung des Parusiegeschehens. Vom Tod des Messias ist dort keine Rede. Im Judentum deutete man Sach 12,10 zwar eschatologisch, aber ausdrücklich nicht auf das Leiden und Sterben des Messias ben David, sondern auf den im Krieg getöteten Messias ben Josef (Ephraim) (s. unten S. 264f) bzw. auf die Vernichtung des bösen Triebs in der Endzeit (vgl. *Bill.* II, 297–299 und *E. Sjöberg*, Der verborgene Menschensohn, 267).

95   Vgl. *G. Dalman*, Messias, ferner *J. Klausner*, Vorstellungen; *ders.*, Messianic Idea, 246–517 und *Bill.* II, 282f. Über die im Folgenden genannten Exegeten hinaus vgl. ebenso etwa *R. Bultmann*, Theologie, 32f; *E. Fascher*, Jesaja 53, 19; *W.G. Kümmel*, Theologie, 78 und *L. Goppelt*, Theologie, 238f.

96   Seine Argumente sind ausführlich zusammengestellt in *J. Jeremias*, Art. παῖς θεοῦ, 685–698.

97   Vgl. *P. Seidelin*, Ebed Jahwe, 194–231.

98   Vgl. *E. Sjöberg*, Der verborgene Menschensohn, 70–71.247–273.

99   Vgl. *M. Rese*, Überprüfung, 21–41.

100   Vgl. ebd., 24–28, ferner *E. Sjöberg*, Der verborgene Menschensohn, 257–259.

Lev 5,17[101]. Sein zweites Zeugnis gewinnt er auf die Weise, daß er Justins Tryphon mit dem Jose eng verbundenen Rabbi Tarphon identifiziert und folglich in Tryphons Aussagen die Ansichten Tarphons wiederfindet[102]. Jose und Tarphon stützen sich damit gegenseitig, weshalb Jeremias beide zugunsten seiner Hypothese ins Feld führt.

Jedoch erweist sich der erste der beiden genannten Belege eindeutig als eine späte Interpolation.

Er findet sich entgegen allen bekannten Sifra-Ausgaben lediglich in einem vermeintlichen Sifra-Zitat des Raymundus Martini aus dem 17. Jahrhundert n.Chr.[103] und paßt weder zum Charakter von Sifra insgesamt noch erst recht in seinen Kontext[104]. Jeremias zitiert diesen ›Beleg‹ dennoch mit dem Hinweis auf die antichristliche Polemik, die dafür gesorgt habe, daß der fragliche Text in *allen* Sifra-Ausgaben sekundär getilgt worden sei. Der pauschale Hinweis auf antichristliche Polemik reicht nun aber nicht aus, um die postulierte Ursprünglichkeit des Ausspruchs zu begründen. Wenn man sich schon andauernd auf diesen bewußten Gegensatz zum Christentum beruft, aufgrund dessen alles mögliche gestrichen worden sein soll, dann ist mit Rese zu fragen, wie der Tatbestand zu erklären ist, »daß sich gerade für die Zeit vom 1. Jahrtausend v. Chr. bis zum 1. Jahrhundert n. Chr. keinerlei Beweise für eine messianische Deutung der Leidensaussagen in Jes 53 finden lassen, während später doch noch vereinzelte Belege beizubringen sind.«[105] Hätte sich die christliche Kirche wirklich auch nur die geringste Andeutung eines leidenden Messias entgehen lassen? »Die antichristliche Polemik kann sicherlich einiges ausgemerzt haben, aber diese Lücke läßt sich doch nicht mit ihr erklären.«[106]

Zugleich sind Tarphon und Tryphon keineswegs identisch[107], und selbst dann, wenn es so wäre, sollte man sich in diesem Fall auf Justins Dialog mit Tryphon als *jüdisches* Zeugnis nicht berufen. Denn im Gefälle der Argumentation Justins, in deren Verlauf sich der jüdische Gegner der Beweisführung seines christlichen Gesprächspartners beugt, geben sich die Aussagen Tryphons im Blick auf ein geweissagtes Leiden und Sterben des Messias ben David als reine literarische Fiktion Justins zu erkennen.

Justin will als engagierter Christ in jedem Fall den Nachweis erbringen, die Passion des Messias sei in der Schrift angekündigt. Dabei ringt er dem (fiktiven) jüdischen Gegner ein solches Bekenntnis ab, indem er ihm entsprechende Zitate in den Mund legt. Mit dieser

---

101   Vgl. *J. Jeremias*, Art. παῖς θεοῦ, 694 mit Anm. 311: »Wieviel mehr wird dann der König, der Messias, der leidet und sich quält für die Gottlosen, wie geschrieben steht: ›Aber er ist um unserer Missetat willen verwundet‹ (Js 53,5), alle Geschlechter insgesamt gerecht machen! Das ist gemeint mit Js 53,6: ›Aber der Herr warf unser aller Sünde auf ihn‹«.

102   Vgl. ebd., 694f. Jeremias verweist auf JustDial 36,1; 39,7; 49,2; 76,6 - 77,1; 89,1f und 90,1.

103   Vgl. *R. Martini*, Pugio Fidei, 764f.

104   Vgl. *E. Sjöberg*, Der verborgene Menschensohn, 263, ferner *Bill.* III, 230.

105   *M. Rese*, Überprüfung, 40.

106   Ebd., 41.

107   Vgl. *E. Sjöberg*, Der verborgene Menschensohn, 81, Anm. 1; 254 mit Anm. 2.

Methode läßt Justin Tryphon sogar zugeben, im Alten Testament seien etwa die doppelte Parusie Jesu und seine Anbetung als Gott vorgegeben[108].

Während die Mischna nicht einen einzigen derartigen Beleg enthält, finden sich erst in bSan 98a/b einige wenige solcher Überlieferungen vom Leiden, nicht aber vom gewaltsamen Tod des Messias, die um 200 n.Chr. anzusetzen sind[109], weitere, in vermehrter Anzahl, aus der Zeit danach[110]. Dennoch hat man die Wurzel für die Erwartung eines leidenden Messias schon im 2. Jahrhundert zu suchen, in der Folge des Bar-Kosiba-Aufstands, wie Sjöberg zu Recht vermutet. Basierend auf dem alttestamentlichen Motiv vom eschatologischen Angriff der Völker gegen Israel geht die Vorstellung jetzt dahin, selbst der Messias müsse unter den Anfeindungen der Heidenvölker leiden; er leidet mit seinem Volk[111]. Die historische Grundlage dieser Erwartung ist sicherlich die geschichtliche Erfahrung, daß das Auftreten aller Messiasprätendenten, speziell das des Simon bar Kosiba, mit deren Tod endete. Von hierher wird entsprechend dem allgemeinen Leidensverständnis im Rabbinat[112] die Vorstellung des Sühneleidens auch des Messias ermöglicht[113]. Daß dessen Leiden schließlich mit Jes 53 in Verbindung gebracht wurde, konnte kaum ausbleiben, obwohl solche Bezugnahmen relativ spärlich sind, da die Rabbinen in erster Linie auf die messianischen Hoheitsaussagen aus TJon Jes 52,13 – 53,12 zurückgreifen.

Entscheidend wichtig ist jedoch die Tatsache, daß trotz der vereinzelten Zeugnisse vom Leiden des Messias ben David von seinem gewaltsamem Tod nirgendwo die Rede ist. Wenn es um den Tod des Messias geht, dann allein im Blick auf den Messias ben Josef (bzw. Ephraim)[114]. Dessen Tod wurde allerdings nie als Sühnetod verstanden und nie mit Jes 53 verbunden[115]; ein seinem Sterben vorausgehendes Leiden ist ebensowenig belegt[116].

---

108   Vgl. ausführlich ebd., 247–254. Sehr wichtig erscheint mir Sjöbergs Hinweis, daß Justin zwischen dem Glauben an den leidenden und sterbenden Messias einerseits und dem an den schon auf der Erde lebenden, aber noch verborgenen Messias andererseits unterscheidet. Ersteren möchte er als längst geweissagt nachweisen, an letzterem hat er keinerlei persönliches Interesse (vgl. ebd., 247 mit Anm. 3). Für die letztgenannte Vorstellung gilt deshalb die Wertung der erstgenannten als einer bloßen literarischen Fiktion ausdrücklich nicht.

109   Zitiert bei *Bill.* II, 286 (d–e).

110   Vgl. *M. Zobel*, Gottes Gesalbter, 141–150 und *J. Jeremias*, Art. παῖς θεοῦ, 695f mit den Anm. 321–324.

111   Vgl. *E. Sjöberg*, Der verborgene Menschensohn, 255f.

112   Vgl. *Bill.* II, 274–284 und *E. Lohse*, Märtyrer, 9–110.214–219.

113   Vgl. *E. Sjöberg*, Der verborgene Menschensohn, 256.

114   Zu dieser Gestalt vgl. ausführlich *Bill.* II, 292–299, ferner *A.S. van der Woude*, Art. χρίω, 518, Anm. 233.

115   Vgl. *G. Dalman*, Messias, 18.22; *Bill.* II, 297; *E. Sjöberg*, Der verborgene Menschensohn, 258 und *M. Rese*, Überprüfung, 25.27.

116   Vgl. *Bill.* II, 273f und *M. Rese*, Überprüfung, 25.

Der Messias ben Josef (Ephraim) taucht ohne jeden Anhalt in älteren Traditionen um 150 n.Chr. plötzlich auf[117]. Er ist »lediglich als ein Gebilde jüdischer Schriftgelehrsamkeit anzusehen: man schuf ihn, weil ihn Dt(n) 33,17 nahezulegen u(nd) Sach 12,10ff zu fordern schien; auf Traditionen früherer Zeiten hat man ihn nirgends zurückzuführen versucht.« Auch der sterbende Messias ben Josef (Ephraim) ist eine Gestalt, die im Anschluß an die Wirren des Bar-Kosiba-Aufstands, verbunden mit dem Tod des Messiasprätendenten, entstanden ist[118].

Ebenso ergeben die Übersetzungen von Jes 52,13 - 53,12, die Jeremias als Beweis für die vorchristliche Entstehung der Vorstellung vom sühnewirkenden Leiden und Sterben des Messias ben David anführt, für seine Hypothese keinerlei Anhalt. Im Gegenteil: Sie zeigen zwar, daß Jes 52,13 - 53,12 durchaus messianisch verstanden wurde - Jes 52,13-15 bereits in vorchristlicher Zeit -, es sind aber lediglich die königlichen Züge des Gottesknechts auf den eschatologischen Davididen übertragen worden, die Leidenszüge jedoch, die eigentlichen Charakteristika dieser Gestalt, gerade nicht.

Diese Entwicklung, die sich bereits in den Bilderreden des äthiopischen Henochbuches nachweisen läßt[119], ist im Targum offensichtlich auf die Spitze getrieben. Unmißverständlich sind sämtliche Leidensaussagen des heiligen Texts in Herrlichkeitsaussagen umgedeutet worden.

Dabei wurden keineswegs zunächst auch die Leidenszüge messianisch interpretiert und erst aufgrund antichristlicher Polemik in Hoheitszüge umgewandelt, wie Jeremias vermutet. Seine Erklärung stützt sich auf zwei angebliche Leidenszüge, die bis heute als »schwache Spuren« übriggeblieben seien: in TJon Jes 53,3 יְהֵי לְבָסָרְן (er wird zur Verachtung werden) und in TJon Jes 53,12 דִּמְסַר לְמוֹתָא נַפְשֵׁיה (er übergab seine Seele dem Tod)[120]. Rese hat dazu alles Nötige bereits gesagt[121]. Zumal beide Stellen, die sich in ihrem heutigen Kontext sowieso nicht im Sinne eines stellvertretenden Leidens verstehen lassen, sondern im Sinne völliger Pflichterfüllung, wörtliche Wiedergaben des hebräischen Texts darstellen, ist Jeremias' Interpretation in jedem Fall weit überzogen und hinfällig. »Außerdem hätte Jeremias zu erklären, wie bei der damaligen atomistischen Exegese ein ganzes Kapitel zweimal einer durchgehenden Deutung unterworfen werden konnte.«[122]
Der im folgenden aufgegriffene Lösungsversuch Seidelins[123] hat angesichts seiner Berücksichtigung der Eigenart rabbinischer Exegese nach wie vor alle Vorzüge für sich.

Die messianische Deutung von Jes 52,13 - 53,12 begann mit Jes 52,13, einem Vers, der eine solche Auslegung insofern nahelegte, als er sich inhaltlich sowieso ins geläufige Messiasbild einfügen ließ. Den Anknüpfungspunkt zu dieser Interpretation gab der Terminus עַבְדִּי, dessen messianische Bedeutung aus Sach 3,8 eindeutig vorgegeben war und per

---

117 Vgl. *Bill.* II, 292; *M. Rese,* Überprüfung, 25 und *F. Hahn,* Art. Χριστός, 1152.
118 Vgl. *Bill.* II, 294 (Zitate ebd.).
119 Vgl. *M. Rese,* Überprüfung, 28–33.
120 Vgl. *J. Jeremias,* Art. παῖς θεοῦ, 693 mit Anm. 302, ferner *H. Hegermann,* Jesaja 53, 75.92.
121 Vgl. *M. Rese,* Überprüfung, 38.
122 Ebd., 38.
123 Vgl. *P. Seidelin,* Ebed Jahwe, 194–231.

Analogieschluß auf Jes 52,13 (ebenso auf Jes 42,1 und 43,10) übertragen wurde[124].

Diese Lösung bestätigen TanB תולדות § 20 (70a) und MTeh 2 § 9 (14b), wo allein Jes 52,13 jeweils unabhängig vom Kontext – d.h. ohne jeglichen Leidensbezug – messianisch gedeutet wird[125].

Erst aufgrund der vorgegebenen messianischen Interpretation des V. 13 wurde diese Deutung auch auf Jes 52,13 – 53,12 insgesamt ausgedehnt, indem in einem vielschichtigen Prozeß alle Leidenszüge des hebräischen Texts in Herrlichkeitsaussagen umgewandelt, d.h. dem bekannten und in Jes 52,13 vorliegenden Messiasbild angepaßt wurden. In Weiterführung der These Seidelins erscheint mir der Schluß, daß sich diese Ausdehnung in Etappen vollzog, zwingend.

Zunächst griff die messianische Exegese von Jes 52,13 auf Jes 52,14f über. Dies beweisen schon die Bilderreden des äthiopischen Henochbuches, die Jes 52,13–15 in äthHen 46,4f; 55,3f und 62,1–6 offenkundig als Einheit verstehen, unabhängig von Jes 53,1–12 im Sinne des Targums deuten und auf den Menschensohn/Erwählten beziehen[126], d.h. messianisch interpretieren. Entsprechendes gilt nun aber auch für Jesus selbst, der in Mt 13,16f par Lk 10,23f ausschließlich auf Jes 52,13–15 rekurriert[127]. Entgegen der Intention des hebräischen Texts benutzt er diese Verse (losgelöst von Jes 53,1–12) dazu, einen Jubelruf über die mit seiner Wirksamkeit angebrochene messianische Heilszeit zu formulieren[128]. Jesus kann also wie die Bilderreden auf sie zurückgreifen und sie als sachliche Einheit voraussetzen. Das bedeutet jedoch, daß die messianische Deutung von Jes 52,13–15 vorchristlichen Datums ist.

Für Jes 53,1–12 hingegen läßt sich eine entsprechende Deutung in vorchristlicher Zeit mangels eindeutiger Belege nicht nachweisen. Sie entstand vermutlich erst nach Jesus[129], meines Erachtens tatsächlich infolge antichristlicher Polemik, um den Christen die Möglichkeit zu verbauen, Jesu Tod auf dem Hintergrund von Jes 53,1–12 auslegen zu können[130].

124 Vgl. ebd., 227f und *M. Rese*, Überprüfung, 38.
125 Zitiert bei *Bill.* I 483 bzw. *Bill.* III, 18f.
126 Vgl. *W. Grimm*, Verkündigung, 120.
127 Zu Mt 13,16f par Lk 10,23f insgesamt vgl. vor allem *W. Grimm*, Selige Augenzeugen, 172–183 und *ders.*, Verkündigung, 112–124, zu TJon Jes 52,13–15 (ohne 53, 1–12) als Bezugspunkt ebd., 117–122.
128 Vgl. ebd., 121.
129 *K. Koch*, Messias, 118–121 differenziert bei seiner Altersbestimmung des Targums des vierten Gottesknechtlieds leider nicht zwischen TJon Jes 52,13–15 einerseits und 53,1–12 andererseits; entsprechend pauschal lautet sein Ergebnis: »Bis zum Beweis des Gegenteils ist anzunehmen, daß der Prophetentargum mit seiner Hauptmasse seines Materials in vorchristliche Zeit zurückreicht« (120f).
130 Daß es ab 200 n.Chr. auch in der rabbinischen Theologie vereinzelt dazu kam, das vierte Gottesknechtlied als alttestamentliche Grundlage für ein Leiden des Messias zu ent-

Ist Jeremias damit in seinen Einzelargumenten widerlegt[131], so ist ebenso seine Grundthese zu bestreiten, zwar habe das hellenistische Judentum das vierte Gottesknechtlied immer kollektiv auf Israel oder den leidenden

decken, läßt sich am ehesten als Folge der christlichen Argumentation mit Jes 52,13 – 53,12 erklären. Dieser konnte man sich dann doch nicht durchgängig verschließen.

131 *O. Betz,* Frage, 166f hat zusätzlich auf Jub 31,20; TestRub 6,11f; CD 14,19 und MekhY 12,1 (2a) als hypothetisch mögliche Belege für ein Leiden und Sterben des Messias ben David verwiesen. Von diesen sollte man Jub 31,20 von vornherein als nicht beweiskräftig außer acht lassen, während die von Betz zitierte Passage aus TestRub 6,12 einen christlichen Einschub darstellt. Im folgenden Zitat ist dieser Einschub dem ursprünglichen Text in eckigen Klammern beigefügt: »Und (darum) fällt vor seinem Samen nieder, denn [für euch wird er in sichtbaren und unsichtbaren Kriegen sterben] unter euch wird er ein ewiger König sein«. Die christliche Interpolation stammt von demselben Redaktor, der in V. 8 eintrug: »des Hohenpriesters Christus, von dem der Herr gesprochen hat« (vgl. *Joachim Becker,* Testamente, 38f und *ders.,* Untersuchungen, 197–201). CD 14,19 schließlich ist nur unvollständig erhalten. Es ist nicht einmal sicher, ob vom Messias oder von Gott als Subjekt die Rede ist. Betz entscheidet sich aus wortstatistischen Gründen für den Messias, während *B. Janowski,* Sündenvergebung, 278f doch wohl zu Recht für Gott plädiert, wie auch CD 20,34 bestätigt, wo in einer ähnlichen Aussage eindeutig Gott selbst das Subjekt der Sühne ist. Doch selbst dann, wenn es in CD 14,19 der Messias wäre, der »ihre Sünden sühnen wird« (וְיִכַפֵּר עֲוֹנָ[ם]), ist von einem sühnewirkenden Leiden und Sterben des Messias nichts gesagt. Dieser Gedanke wäre mit der Damaskusschrift insgesamt wie mit der Qumranliteratur überhaupt unvereinbar. Allein die Zugehörigkeit zur Gemeinde, verbunden mit einer entsprechenden Ethik, ist in Qumran die Sühnevoraussetzung schlechthin, während die Gottlosen – diejenigen, die nicht der Gemeinde angehören – ausgerottet werden. Über die Gemeinde als solche schafft Gott Sühne für neue Bekehrungswillige (vgl. 1QS 5,6f und CD 2,2–7). Das heißt: Allein »Die Gemeinde versteht sich als eschatologische Priesterschaft, die ein Ort der Sühne ist inmitten der allgemeinen Sünde, gleichsam als Voraustrupp der zukünftig-ewigen Sühne durch den priesterlichen Messias . . ., mit dessen Kommen der endzeitliche Versöhnungstag anbrechen wird« (*U. Wilckens,* Römer I, 239). Die Sühne für Sünden in CD 14,19 bezieht sich also auf die Sünden der Gemeindeglieder, deren Eintritt in die Gemeinde die eschatologische Sühne bereits proleptisch vorwegereignet. Ein Leiden und Sterben des Messias im Sinne des Stellvertretungsgedankens ist dabei ausgeschlossen, wie gerade auch CD 19,10f beweist. Dort, wo in den Zeilen 7–9 Sach 13,7 zitiert ist, wird dieser alttestamentliche Vers, den man auf den stellvertretenden Tod des Messias hätte deuten können, ausdrücklich nicht in diesem Sinn ausgelegt. Es ist vielmehr der Gesalbte aus Aaron und Israel selbst, der das Schwert gegen die Sünder und Untreuen führt, während die Getreuen errettet werden. Genau wie in CD 14,19 sind die Geretteten die Glieder der Gemeinde, die anderen (הַנִּשְׁאָרִים) die Menschen außerhalb derselben. Das Schwert des guten Hirten trifft den bösen einschließlich seiner Gefolgschaft; für sie ergeht keine Sühne, sondern nur für die Qumranfrommen, die errettet werden. Wenn Betz zuletzt auf MekhY 12,1 (2a) (zitiert bei *Bill.* II, 280) verweist, wo David als leidender Regent bezeichnet wird, so ist dieser Beleg als Hinweis auf ein messianisches Leiden unbrauchbar. David erscheint hier nämlich neben Jona, Mose, den Vätern und den Propheten keineswegs als Prototyp des Messias, sondern als Beispiel für den leidenden Gerechten.
Ein weiterer Beleg soll hier nicht unerwähnt bleiben: 4QAhA, ein meines Wissens bislang noch unveröffentlichtes Fragment, in dem der Messias aus Aaron als Leidensgestalt gezeichnet wird, ohne daß in diesem Zusammenhang eine Leidensdeutung erfolgte. Erst recht geht es nicht um ein stellvertretendes Leiden, das womöglich sogar ein Sühnemittel darstellte (vgl. *K. Th. Kleinknecht,* Gerechtfertigte, 152f).

Gerechten gedeutet, das palästinische Judentum dagegen immer auf den Messias[132]. Die zweite Behauptung erweist sich als falsch. Erstens kann sich Jeremias gegen die Ausführungen des Origenes, die Juden hätten Jes 52,13 - 53,12 kollektiv auf das »als eine Person betrachtete Volk, das zerstreut ward u(nd) geplagt worden ist« bezogen, nur mit der unbeweisbaren Vermutung zur Wehr setzen, die Gewährsleute des Origenes seien wohl hellenistische Juden gewesen[133]. Zweitens versteht in Dan 12,3 (וּמַצְדִּיקֵי הָרַבִּים) ein palästinischer Jude Jes 53,11 kollektiv, indem er das dortige יַצְדִּיק צַדִּיק עַבְדִּי לָרַבִּים im Plural auf die Lehrer Israels überträgt. Drittens entstammen allein sechs der neun Belege aus dem Buch der Weisheit Salomos, die Jeremias selbst als Beweis dafür heranzieht, daß diese »hellenistische Schrift« Jes 52,13 - 53,12 auf den leidenden Gerechten gedeutet habe[134], dem Diptychon Weish 2,12-20; 5,1-7. Und wie Lothar Ruppert gezeigt und Karl Th. Kleinknecht bestätigt hat, muß eben dieses als eine ursprünglich hebräisch verfaßte literarische Quelle gelten, als eine aktualisierende Auslegung des vierten Gottesknechtlieds durch das palästinische Judentum; erst später erfolgte im heutigen Kontext von Weish 2-5 eine hellenistische (Um-)Deutung[135]. Schließlich beweist viertens das neutestamentliche Zeugnis, daß in der zeitgenössischen jüdischen Messiaserwartung ein gewaltsamer Tod des Messias - erst recht sein Sühnetod - außerhalb des Möglichen lag[136].

132   Vgl. *J. Jeremias*, Art. παῖς θεοῦ, 682f.
133   Vgl. ebd., 682f (das Zitat aus Origenes, Cels I,55 findet sich ebd., 682).
134   Vgl. ebd., 682.
135   Vgl. *L. Ruppert*, Der leidende Gerechte, 73-105; *ders.*, Jesus, 23f und *K.Th. Kleinknecht*, Gerechtfertigte, 104-110, ferner *G. Dalman*, Messias, 31f; *H.W. Wolff*, Jesaja 53, 46 und *O. Betz*, Jesus und das Danielbuch, 116.
136   Vgl. *M. Hengel*, Mors, 177: »... ein gekreuzigter Messias konnte ... nicht akzeptiert werden« und *H. Merklein*, Auferweckung, 231: »Ein gekreuzigter Messias ist im jüdischen Kontext ein Unding, ein Widerspruch in sich«.
Entsprechend betont auch *B. Janowski*, Sündenvergebung, 251-280, die Erwartung des Leidens und gewaltsamen Todes des Messias, der seinerseits im Sinne einer sühnewirkenden Lebenshingabe verstanden werden müsse, lasse sich nicht einfach aus der alttestamentlich-jüdischen Tradition ableiten. Dennoch bleibt ferner festzuhalten, daß »die Vorstellung des stellvertretenden, für andere Vergebung der Sünden erwirkenden Eintretens des Gerechten und d.h.: der Zusammenhang von menschlicher Interzession und göttlicher Vergebung im vorchristlichen Judentum Palästinas entstanden ist bzw. dort tradiert wurde« (279f). Janowski verweist dabei — über Jes 52,13 - 53,12 selbst und die verstärkt jüdisch-hellenistischen Texte (etwa 2Makk 7,37; 4Makk 6,28f und 17,21f [vgl. zu diesen und weiteren Texten auch *K.Th. Kleinknecht*, Gerechtfertigte, 123-129]) hinaus — vor allem auf 11QTgJob 38,2-3a [zu Hi 42,9b] und Hi 42,9b-10a LXX, wo Gott aufgrund der Fürbitte Hiobs jeweils »um Hiobs willen« dessen Freunden Sündenvergebung gewährt (253-266, vgl. auch *O. Hofius*, Targum, 226f mit Anm. 123-128 [S. 248f] und *K.Th. Kleinknecht*, Gerechtfertigte, 94f) sowie auf TJon Jes 53,4a.12c, wo der Messias angesichts der Schuld der Vielen fürbittend für sie eintritt und dabei »um seinetwillen« die göttliche Vergebung erwirkt (274-276). Speziell zu TJon Jes 52,13 - 53,12 vgl. ferner

Fazit: Ein leidender und sterbender Messias ist dem Judentum zur Zeit Jesu unbekannt.

III. Mk 8,31 par

1. Der ursprüngliche Wortlaut

Der synoptische Vergleich erweist den markinischen Text als Grundlage der Seitenreferenten; sämtliche Abweichungen sind redaktioneller Art[137]. Markus seinerseits entnahm das Logion – sieht man einmal von der kurzen Einleitung ab – seiner Tradition und vermied jeglichen redaktionellen Eingriff.

Ist dies für den ersten Teil des Menschensohnlogions bis einschließlich ἀποδοκιμασθῆναι im großen und ganzen unumstritten[138], so gilt dies ebenso für das im zweiten Teil folgende Begriffspaar ἀποκτανθῆναι καὶ μετὰ τρεῖς ἡμέρας ἀναστῆναι[139], wie ich im folgenden noch ausführlicher zeigen werde. Fraglich ist lediglich die auffällig breite Aufzählung der Ältesten, Hohenpriester und Schriftgelehrten, also der Synhedristen. Anerkannt ist, daß ἀποδοκιμασθῆναι ein Schriftmotiv aus Ps 118,22 aufgreift. Weil dieses aber auch in Mk 12,10f auftaucht, wo der Evangelist in seinem dortigen Rahmenvers 12 die Bauleute aus Ps 118, die jetzt»den Sohn« verwerfen, im Rückgriff auf Mk 11,27 mit den genannten jüdischen Instanzen gleichsetzt, schließen manche Exegeten, Markus sei auch für deren Eintrag in Mk 8,31 verantwortlich[140]. Umgekehrt gibt es jedoch wenigstens gleich gute Argumente für den vormarkinischen Charakter der Verbindung des ἀποδοκιμασθῆναι mit den Synhedristen[141]: Bereits in der jüdischen Tradition ist die Identifikation der Bauleute mit ihnen vorgegeben[142]. Zudem läßt gerade die Tradition vom leidenden Gerechten, die für

O. *Hofius*, Targum, bes. 223-226.228-237 (mit den hinzugehörigen Anmerkungen 103-122.130-185 [S. 246-253]).

Abschließend sei noch einmal M. *Hengel*, Sühnetod, 137 zitiert: »Wir besitzen bisher keinen *eindeutigen* Text aus dem vorchristlichen Judentum, der im Anschluß an Jes 53 vom stellvertretenden Leiden des Messias spricht.«

137   Zum Fehlen des Terminus Menschensohn in Mt 16,21 s. oben S. 213.

138   Vgl. E. *Lohmeyer*, Markus, 164f.167; W.G. *Kümmel*, Verheißung, 63f; *ders.*, Theologie, 79f; W. *Michaelis*, Art. πάσχω, 913f; H.E. *Tödt*, Menschensohn, 150-157.186; L. *Goppelt*, Problem, 68f; E. *Schweizer*, Markus, 93; H. *Patsch*, Abendmahl, 187-189; W. *Grundmann*, Markus, 218; R. *Pesch*, Markus II, 47-50.55 und J. *Gnilka*, Markus II, 12. Demgegenüber vermutet G. *Strecker*, Leidens- und Auferstehungsvoraussagen, 62 in πολλὰ παθεῖν markinische Redaktion, P. *Hoffmann*, Mk 8,31, 178 hingegen in ἀποδοκιμασθῆναι.

139   Vgl. M. *Horstmann*, Studien, 23; H. *Patsch*, Abendmahl, 187f; P. *Hoffmann*, Mk 8,31, 180f; R. *Pesch*, Markus II, 51-53.55 und J. *Gnilka*, Markus II, 12. Anders W. *Schmithals*, Markus I, 384, der den gesamten V. 31 als markinische Bildung bezeichnet.

140   Vgl. M. *Horstmann*, Studien, 25; P. *Hoffmann*, Mk 8,31, 177f und J. *Gnilka*, Markus II, 12.

141   Vgl. H.E. *Tödt*, Menschensohn, 153; H. *Patsch*, Abendmahl, 187f; R. *Pesch*, Passion, 170 und *ders.*, Markus II, 50f.

142   Vgl. die Belege bei *Bill.* I, 876. Zum Verständnis von Ps 118,22 insgesamt vgl. H.F. *Bayer*, Predictions, 100-106(-109).

die vormarkinische Passionsgeschichte von Bedeutung ist, die konkrete Nennung der jüdischen Autoritäten erwarten, denn »Die ›Herrschenden‹ sind in Geschichte und Überlieferung die Gegner, Feinde und Bedrücker des Gerechten«[143]. Ist bereits von hierher die Annahme vormarkinischer Tradition mindestens ebenso wahrscheinlich, so wird diese These durch die für Markus ungewöhnliche Reihenfolge der jüdischen Instanzen[144] abgesichert: Niemals hätte Markus die Ältesten zuerst genannt, denn an ihnen hat er überhaupt kein Interesse. Typisch markinisch wäre allein die Zusammenstellung »die Hohenpriester und Schriftgelehrten« (so in eigener Formulierung in Mk 10,33; 11,18 und 14,1). Spricht der Evangelist hingegen auch von den Ältesten (so außer in Mk 8,31 noch in 11,27; 14,43.53b und 15,1), dann nur deshalb, weil sie ihm von seiner Überlieferung her vorgegeben sind.

Dennoch liegt mit Mk 8,31 in seiner heutigen Form kein ursprünglich einheitliches Logion vor. Dabei wird man nicht nur auf die ausführliche Aufzählung der jüdischen Instanzen verweisen müssen, die innerhalb der verhältnismäßig knappen Leidens- und Auferstehungsankündigung erstaunlich ist und zugleich die lediglich durch καί verbundene Reihung πολλὰ παθεῖν καὶ ἀποδοκιμασθῆναι ... καὶ ἀποκτανθῆναι καὶ μετὰ τρεῖς ἡμέρας ἀναστῆναι auseinanderreißt. Doch selbst dann, wenn man sie beiseite läßt, bleibt die Reihenfolge der drei das Leiden des Menschensohns betreffenden Verben auffallend, denn eigentlich ist πολλὰ παθεῖν erst nach ἀποδοκιμασθῆναι zu erwarten, will man πολλὰ παθεῖν nicht notgedrungen auf die vorausgegangene Wirksamkeit Jesu insgesamt deuten[145]. Wenn πολλὰ παθεῖν aber mit der Mehrheit der Exegeten zu Recht auf den Ausgang Jesu zu beziehen ist und nicht nur einzelne Akte, sondern diesen Ausgang in seiner Gesamtheit meint[146], dann wiederum stößt sich die Wendung mit ἀποκτανθῆναι, dem dritten Verb, das damit als unnötige Wiederholung anzusehen wäre, da πολλὰ παθεῖν selbstverständlich auch den Schlußakt des Tötens umfaßt. Umgekehrt könnte diese Doppelung gerade beabsichtigt sein, sofern πολλὰ παθεῖν und ἀποκτανθῆναι ursprünglich bewußt als Synonyma nebeneinanderstanden. Diese Argumentation verfängt allerdings nur dann, wenn sich die jetzt dazwischenstehende Verwerfungsaussage (mit den verwerfenden Instanzen) als sekundärer Eintrag nachweisen ließe.

Die in der Forschung beliebteste Lösung des Problems setzt einen älteren Kern bis einschließlich ἀποδοκιμασθῆναι voraus, dem der restliche Versteil ab ὑπό zwar vormarkinisch, aber doch sekundär zugewachsen sei. Als Beweis für diese ursprüngliche Kurzformel führt man Mk 9,12b par und Lk 17,25 ins Feld, die man zu frühen, von Mk 8,31 unabhängigen Varianten der postulierten Kurzform erklärt, die zu einer Zeit entstanden seien,

---

143   *R. Pesch*, Markus II, 50f, vgl. *L. Ruppert*, Feinde, 81–85.

144   Vgl. *P. Hoffmann*, Mk 8,31, 177, Anm. 35 und *R. Pesch*, Markus II, 51.

145   Vgl. *P. Hoffmann*, Mk 8,31, 181f; *R. Pesch*, Markus II, 49 und *J. Gnilka*, Markus II, 12.

146   Vgl. *E. Lohmeyer*, Markus, 164f.167; *W. Michaelis*, Art. πάσχω, 913f; *L. Goppelt*, Problem, 68f und *H. Patsch*, Abendmahl, 189, s. außerdem unten S. 272 sowie Anm. 174.

als die jetzige Anfügung an Mk 8,31a noch nicht existierte[147]. Diese Lösung ist mit guten Gründen abzulehnen:

a) Sie beruht letztlich auf einer methodisch unstatthaften Eisegese von Mk 9,12b par und Lk 17,25; unstatthaft deshalb, weil sich diese beiden Logien gegenüber Mk 8,31 als sekundäre Kürzungen erweisen[148].

b) Charakteristischerweise findet sich nirgendwo eine begründete Erklärung dafür, weshalb der postulierte Zusatz hinzugefügt wurde.

c) Die Nennung der jüdischen Instanzen ist, wie deutlich wurde, eng mit ἀποδοκιμασθῆναι verknüpft und im Zusammenhang des Schriftmotivs aus Ps 118,22 vorgegeben. Der genannte Lösungsversuch reißt diese Verbindung jedoch auseinander.

Da nun aber die Mehrschichtigkeit des V. 31 kaum bestritten werden kann, ist eine ursprüngliche Dreiheit πολλὰ παθεῖν – ἀποκτανθῆναι – ἀναστῆναι, die erst sekundär um ἀποδοκιμασθῆναι sowie die dazugehörigen Instanzen erweitert wurde, weitaus zwingender und mit besseren Argumenten zu erhärten[149]:

a) Die Leidens- und die Tötungsaussage sind so allgemein gehalten, daß sie eine bestimmte Deutung der Passion Jesu nicht erkennen lassen[150]. Die Verwerfungsaussage hingegen spezifiziert insofern, als jetzt mit der Schrift argumentiert wird[151].

b) Zugleich wird das zuvor in seinem Sinngehalt noch nicht als ›Schriftnotwendigkeit‹ verstandene δεῖ erst jetzt im genannten Sinn eingeengt, während es unabhängig von der Verwerfungsaussage, also ohne Anspielung an Ps 118,22, in allgemeinerer Bedeutung, nämlich »als Bezeichnung der heilsgeschichtlichen Notwendigkeit, die dem Willen Gottes entspringt«[152], verstanden werden muß[153]. Ursprünglich bezeichnete δεῖ τὸν

---

147 Vgl. *E. Lohmeyer*, Markus, 164f.167; *W. Michaelis*, Art. πάσχω, 913f; *L. Goppelt*, Problem, 68f; *E. Schweizer*, Markus, 93; *H. Patsch*, Abendmahl, 187–189 und *W. Grundmann*, Markus, 218.

148 Zu Mk 9,12b par s. unten S. 282–288, zu Lk 17,25 oben S. 258f.

149 Die theoretisch ebenfalls mögliche dritte Lösung, πολλὰ παθεῖν als sekundären Zusatz anzusehen (vgl. *G. Strecker*, Leidens- und Auferstehungsvoraussagen, 62f), verbietet sich aus den im Folgenden genannten Gründen.

150 Von Jes 53,4.11 ist die Leidensaussage nicht abhängig (gegen *W. Michaelis*, Art. πάσχω, 914). Dies zeigt schon die Tatsache, daß weder die Septuaginta noch Aquila, Theodotion und Symmachus das dortige סבל mit πάσχειν wiedergeben. Beheimatet sind entsprechende Leidens- und Tötungsaussagen der Sache nach allerdings in der Tradition vom leidenden Gerechten sowie vom gewaltsamen Geschick der Propheten (s. unten Anm. 155).

151 Dabei wird Ps 118 insofern modifiziert, als dort – speziell in den V. 17f – von der Errettung des Gerechten aus der Hand seiner Feinde dergestalt die Rede ist, daß Jahwe ihn zwar dem Leiden preisgibt, aber nicht dem Tod (ähnlich etwa Ps 34,20). Jetzt, wie auch sonst im Neuen Testament, errettet Gott Jesus nicht *vor*, sondern *aus* dem Tod. Jeweils wird Ps 118,22 im Blick auf die Auferstehung Jesu gelesen.

152 *H. Patsch*, Abendmahl, 190.

153 Zu δεῖ s. unten S. 273–275.

υἱὸν τοῦ ἀνθρώπου πολλὰ παθεῖν καὶ ἀποκτανθῆναι das Leiden und den Tod des Menschensohns als eine Notwendigkeit, die von Gott her unabänderlich vorgegeben ist, jetzt steht δεῖ entsprechend Mk 9,12b par und 14,21a par in der Bedeutung eines πῶς bzw. καθὼς γέγραπται.

c)   Mit dem sekundären Element ἀποδοκιμασθῆναι ist auch die dazugehörige Aufzählung der jüdischen Instanzen als Nachtrag erkannt und zugleich erklärt, warum die ursprüngliche einfache Reihung der Verben nicht beibehalten wurde.

d)   Daß sich πολλὰ παθεῖν zunächst nicht auf die Ablehnung Jesu während seiner Wirksamkeit insgesamt, sondern auf die Passion im engeren Sinn bezog, wurde bereits deutlich. Der Interpolator des ἀποδοκιμασθῆναι hingegen verstand die Wendung fälschlich im weiteren Sinn und fügte darum seinen Eintrag, nach seinem Verständnis chronologisch richtig, erst nach πολλὰ παθεῖν ein[154]. Matthäus wiederum bemerkte diesen Tatbestand und korrigierte seinerseits die ihm vorliegende Reihenfolge, indem er ἀποδοκιμασθῆναι tilgte, die jüdischen Instanzen jedoch stehenließ.

e)   Der ursprüngliche Wortlaut von Mk 8,31 ergibt nicht nur einen glatten Text in einheitlicher Formulierung, sondern ist auf dem Hintergrund der zeitgeschichtlich längst vollzogenen Kombination der Tradition vom leidenden Gerechten und vom gewaltsamen Geschick der Propheten auch inhaltlich als geschlossene Einheit zu verstehen[155]. Passion und Auferstehung Jesu werden gedeutet als Geschick des leidenden Gerechten, »zu dem Gott sich gerade in seiner tiefsten Erniedrigung bekennt.«[156]

154   Hier liegt das relative Recht der Deutung von πολλὰ παθεῖν auf die Wirksamkeit Jesu insgesamt, wie sie von den oben Anm. 145 genannten Exegeten vertreten wird.

155   Innerhalb der Tradition vom leidenden Gerechten ist πάσχειν geradezu ein Schlüsselbegriff (vgl. *L. Ruppert*, Feinde, 179–227.261–265.271f; *ders.*, Jesus, 65f und *R. Pesch*, Markus II, 49f). Ebenso ist hier ἀποκτείνειν fest verankert, da das Geschick des Gerechten öfter seine Tötung impliziert (vgl. *O.H. Steck*, Israel, 243–264; *L. Ruppert*, Jesus, 23–28 und *ders.*, Feinde, 118–124). Auch der Terminus ἀνιστάναι ist in Rettungsaussagen über den leidenden Gerechten belegt, wenn auch nicht im Sinne seiner Auferweckung von den Toten, sondern des rettenden göttlichen Eingreifens (vgl. *U. Wilckens*, Auferstehung, 61f; *L. Ruppert*, Jesus, 64 und *R. Pesch*, Markus II, 52f). Innerhalb der Tradition vom gewaltsamen Prophetengeschick taucht πάσχειν ebenso auf (vgl. *P. Hoffmann*, Mk 8,31, 181 und *R. Pesch*, Markus II, 50), vor allem jedoch ist ἀποκτείνειν dieser aus deuteronomistischen Vorstellungen entstammenden Tradition eng verhaftet (vgl. *O.H. Steck*, Israel, 243–264 und *P. Hoffmann*, Studien, 158–190, bes. 182–190). Die Auferstehungsaussage hingegen ist hier, sieht man einmal von der Auferstehung des eschatologischen Propheten ab (vgl. *K. Berger*, Auferstehung, 26–40), nicht belegt. Im Urchristentum wiederum ist gerade die »Gegenüberstellung von Tötungs- und Auferweckungsaussage im ›Kontrastschema‹« (*R. Pesch*, Markus II, 53, vgl. *J. Roloff*, Anfänge, 38f) gebräuchlich, wenn es darum geht, Jesu Geschick in knappen Worten zu charakterisieren. Neben den Leidens- und Auferstehungsankündigungen sei hier bes. auf Apg 2,23f; 3,15; 4,10; 5,30 und 10,39f verwiesen.

156   Ebd., 39, vgl. ferner *E. Schweizer*, Erniedrigung, 53–56 und *R. Pesch*, Markus II, 53.

2. Mk 8,31 – eine Bildung des hellenistischen Judenchristentums

Wo entstand der rekonstruierte älteste Wortlaut von Mk 8,31? Läßt er sich gar auf Jesus zurückführen? Letzteres erweist sich als kaum möglich, denn alle Indizien deuten auf ein hellenistisch geprägtes Sprachmilieu und zeigen, daß auch der Kern der sogenannten ersten Leidens- und Auferstehungsankündigung erst in der griechischsprachigen Kirche formuliert wurde.

a) Da ist vor allem der typisch hellenistische Begriff δεῖ, der »im Semitischen keine genaue Entsprechung hat«[157] und kaum ins Aramäische oder Hebräische rückübersetzbar ist[158]. Im außerbiblischen Griechisch bezeichnet δεῖ das Schicksal (Fatum) als die Macht, der sich der Mensch nicht entziehen kann. Dahinter steht der unbiblische Gedanke an eine neutrale »ἀνάγκη-Gottheit, die den Weltlauf bestimmt, weshalb er unter dem δεῖ steht.«[159] Aufgrund des personalen biblischen Gottesverständnisses wurde die Vokabel in jüdisch und christlich geprägten griechischen Kreisen mit einem neuen Inhalt gefüllt. So ist δεῖ jetzt im umfassenden Sinn als Erfüllung des längst feststehenden Gotteswillens verstanden. Diese Erfüllung zieht nun jedoch bei gleichbleibendem Grundprinzip eine zweifache Bedeutung des Begriffs nach sich:
Gemäß seinem älteren Gebrauch wird δεῖ zu einem apokalyptisch-endzeitlichen Terminus, der »das zukünftige kosmische Drama (bezeichnet), das über die Welt hereinbrechen wird«[160], ist also Ausdruck für das im Heilsplan Gottes festgelegte notwendige Kommen dessen, was in Kürze geschieht. So steht δεῖ umfassend für die Endereignisse.
Die zweite und jüngere, jene erste entapokalyptisierende Bedeutung von

---

157 *J. Jeremias,* Theologie, 264, vgl. ferner *W. Grundmann,* Art. δεῖ, 22; *E. Tiedtke / H.-G. Link,* Art. δεῖ, 978f; *H. Patsch,* Abendmahl, 190; *L. Goppelt,* Theologie, 236 und *W. Popkes,* Art. δεῖ, 669: ». . . ein griech(isches) Wort ohne semitisches Äquivalent«. Zu δεῖ in der Septuaginta vgl. *E. Fascher,* δεῖ im Alten Testament, 244–252 und *ders.,* Beobachtungen, 228–254. Im Neuen Testament oft belegt, begegnet δεῖ vor allem in Schreiben hellenistischer Autoren, speziell bei Lukas. Nicht umsonst fehlt der Begriff hingegen in einem jüdisch geprägten Schreiben wie dem Jakobusbrief. Wie unsemitisch δεῖ im Grunde ist, zeigt Lev 5,17, wo der hebräische Text אֲשֶׁר לֹא תֵעָשֶׂינָה deutlich in Spannung steht zu ὦ οὐ δεῖ ποιεῖν in der Septuaginta.

158 Das hebräische עָתִיד und das aramäische עֲתִיד scheiden als mögliche Äquivalente auch dann aus, wenn nicht die übliche Bedeutung »im Begriff sein«, »unmittelbar bereit sein« vorliegt, sondern jene andere im Sinne einer »Gelegenheit (Zeit), die kommen wird« (vgl. etwa bBer 43b; bTaan 10a und bAZ 3b), denn hier wäre als griechisches Äquivalent μέλλειν statt δεῖ zu erwarten. Nicht umsonst wird δεῖ in der Septuaginta nie zur Wiedergabe eines vorliegenden עָתִיד benutzt. Auch außerhalb der Septuaginta ist mir kein entsprechender Beleg bekannt.

159 *W. Grundmann,* Art. δεῖ, 22, vgl. *E. Tiedtke / H.-G. Link,* Art. δεῖ, 978 und *L. Goppelt,* Theologie, 236.

160 *E. Tiedtke / H.-G. Link,* Art. δεῖ, 979, vgl. *W. Popkes,* Art. δεῖ, 670.

δεῖ, die in der christlichen Literatur eindeutig überwiegt, hält daran fest, daß Gottes Wille und der daraus resultierende Heilsplan Gottes unabänderlich sind. Dies aber nicht, weil ein streng determinierter Geschichtsablauf planmäßig abläuft, sondern im Blick auf die Erfüllung der Schrift. Die apokalyptisch-endzeitliche Notwendigkeit ist zur Schriftnotwendigkeit geworden; δεῖ ist jetzt einfach hellenistisches Pendant zu כַּאֲשֶׁר כָּתוּב, Parallelbegriff zu πῶς bzw. καθὼς γέγραπται.

Als Grundstelle und zugleich einziger Beleg innerhalb des jüdisch-apokalyptischen Schrifttums[161] für die erste Bedeutung des biblischen δεῖ gilt Dan 2,28f, wo Gott Nebukadnezar enthüllt, was am Ende der Tage geschehen wird. Und die dortige futurische Aussage מָה דִּי לֶהֱוֵא בְּאַחֲרִית יוֹמַיָּא übersetzen die Septuaginta und Theodotion mit ἃ δεῖ γενέσθαι ἐπ' ἐσχάτων τῶν ἡμερῶν. Folglich stellt δεῖ γενέσθαι die Wiedergabe des aramäischen לֶהֱוֵא dar und versteht hier ein zukünftiges Geschehen als ein von Gottes festliegendem Heilsplan her notwendiges[162]. Im Neuen Testament begegnet dieser Gebrauch außer in Offb 1,1; 4,1 und 22,6 – von Mk 8,31 par einmal abgesehen – nur noch in der synoptischen Apokalypse, nämlich in Mk 13,7 par und 13,10[163]. Anders jedoch als die Belege der Johannesoffenbarung, die den traditionellen Sinn bewahren, zeigen bereits die markinischen, daß δεῖ gegenüber Dan 2,28f LXX / Theod. gleichsam entapokalyptisiert wird: In Mk 13,7 par geht es keineswegs um das notwendig kommende eschatologische Drama selbst. Der Hinweis auf das »es muß so kommen« hat paränetischen Charakter; es geht um Trost für die angefochtene Gemeinde, die sich nicht zu ängstigen braucht, weil »diese Dinge eben nicht unvorhergesehen geschehen.«[164] In Mk 13,10 wird die Heidenmission, ein der Apokalyptik fremder Aspekt, mit δεῖ in den endzeitlichen Zusammenhang hineingestellt. Dieses δεῖ ist jedoch kein apokalyptisch-visionäres mehr, das sich »ohne irdischen Bezugspunkt in die Zukunft richtet«, sondern liegt im Christusgeschehen begründet[165].

---

161   TestNaph 7,1 scheidet als Beleg aus, vgl. *H.E. Tödt*, Menschensohn, 174, Anm. 166.

162   Vgl. *H. Patsch*, Abendmahl, 190.

163   Innerhalb der synoptischen Apokalypse eignet Mk 13,14 par dieser Sinn gerade nicht. Wenn sich der Greuel der Verwüstung hinsetzt, wo er nicht soll (ὅπου οὐ δεῖ), nämlich in den Tempel, an die Stelle Gottes, dann ist die Wendung ganz profan gebraucht im Sinne von »nicht dürfen«. Der Hellenist Lukas wiederum verwendet δεῖ in seiner ganzen ihm griechisch vorgegebenen Bedeutungsbreite: als Ausdruck des Heilswillens Gottes (Lk 24,26) über die Schriftnotwendigkeit (Lk 24,44) bis hin zur Charakterisierung einer Lebensregel (Apg 20,35) oder der Aufforderung zum Glauben (Apg 16,30f). Außer in Übernahme von Mk 13,7 in Lk 21,9 fehlt jedoch gerade der spezifische Gebrauch, der in Dan 2,28f vorliegt.

164   Vgl. *H.E. Tödt*, Menschensohn, 174f (Zitat 175) und *H. Patsch*, Abendmahl, 190.

165   Vgl. *H.E. Tödt*, Menschensohn, 175f (Zitat 176).

In diesem Sinn ist nun auch das δεῖ aus Mk 8,31 par nach seinem ältesten Wortlaut zu verstehen. Es weist gerade nicht als Pendant zu πῶς bzw. καθὼς γέγραπται auf die Erfüllung der Schrift. Solche falsche Wertung basiert zum einen auf dem Fehlschluß, der ursprüngliche Wortlaut habe das in Wahrheit sekundäre ἀποδοκιμασθῆναι enthalten, zum anderen auf dem aus jenem ersten resultierenden, Mk 9,12b par und Lk 17,25 seien als von Mk 8,31 par unabhängige Varianten eines ursprünglichen V. 31a anzusehen, wobei wenigstens Mk 9,12b par die behauptete Deutung des δεῖ bestätige, das dort als πῶς γέγραπται richtig verstanden sei. Während die Untersuchung von Mk 9,12b par und Lk 17,25 den ersten Fehlschluß als falsch erweist[166], hat der zweite sein relatives Recht insofern, als δεῖ *nach* der sekundären Einfügung von ἀποδοκιμασθῆναι tatsächlich als Schrifterfüllung im Blick auf Ps 118,22 verstanden wurde[167], wohl auch von Markus selbst – aber eben erst aufgrund dieses Zusatzes. Nach seinem ältesten Wortlaut besagt Mk 8,31 par lediglich, daß das Geschick des Menschensohns in keiner Weise ein zufälliges ist und lediglich menschlicher Bosheit entspringt. Nein, es unterliegt einer unentrinnbaren göttlichen Notwendigkeit. Der Tod des Menschensohns entspricht Gottes Plan und ist Teil des eschatologischen Dramas, das bei Gott längst beschlossen ist und sich jetzt erfüllt[168]. Diese heilsgeschichtliche Notwendigkeit, dieses ›Gott will es so‹, wird mit δεῖ ausgesagt.

Zusammenfassend bleibt festzuhalten: δεῖ τὸν υἱὸν τοῦ ἀνθρώπου kann »nicht unmittelbar aus dem Aramäischen übertragen« worden sein[169], so daß eine aramäische Vorlage, die im Mund Jesu denkbar wäre, ausscheidet. Im Blick auf den Entstehungsort von Mk 8,31 verweist δεῖ in den Bereich des hellenistischen Judenchristentums.

Wie der hier mit δεῖ ausgesagte Sachverhalt, Gott habe Jesu Tod gewollt und bewirkt, von Jesus selbst oder in der palästinischen Urkirche formuliert worden wäre, zeigt das Passivum divinum und also auf Gottes Handeln verweisende מִתְמְסַר / παραδίδοται in Mk 9,31 par[170] oder etwa auch die seinen Tod als göttliches Geschick umschreibende Wendung βάπτισμα ἔχω βαπτισθῆναι in Lk 12,50, der ein aramäisches אִית לִי טְבִילוּתָא לְמִטְבָּלָא bzw. ein hebräisches טְבִילָה לִי לְהִטָּבֵל zugrunde liegt.

---

166   Zu Mk 9,12b par s. unten S. 282–288, zu Lk 17,25 oben S. 258f.

167   Mit der Einfügung dieses Schriftmotivs wird das Tun der jüdischen Widersacher Jesu als »Höhepunkt aller Verblendung und Verstockung« beschrieben (*M. Horstmann*, Studien, 25, vgl. *K.H. Schelkle*, Passion, 70).

168   Vgl. *E. Lohmeyer*, Markus, 165; *K.H. Schelkle*, Passion, 110; *E. Fascher*, Beobachtungen, 238; *W.J. Bennett*, Son of Man, 128f und *W. Grundmann*, Markus, 218. Anders, im Sinne der Schriftnotwendigkeit, *H.E. Tödt*, Menschensohn, 177; *F. Hahn*, Hoheitstitel, 50f und *J. Gnilka*, Markus II, 16.

169   *L. Goppelt*, Theologie, 236, vgl. *W. Popkes*, Art. δεῖ, 670: ». . . die Formulierung wurzelt wahrscheinlich in der frühen hellenistisch-judenchristl(ichen) Gemeinde«.

170   S. unten S. 298–300(–302).

b)   Entsprechendes wie für δεῖ gilt ebenso für παθεῖν, »ein ausgesprochen griechisches Wort, wofür es im semitischen Sprachbereich keine wirkliche Entsprechung gibt«[171]. Ohne echtes Äquivalent im Alten Testament und in der jüdischen Literatur[172], stellt πάσχειν vermutlich eine griechische Schöpfung dar[173], die erst im Neuen Testament in charakteristischer Weise begegnet[174]. Das mit παθεῖν verbundene πολλά[175] wird man nicht gegen diese Erklärung anführen dürfen. Es liegt nämlich kein Semitismus vor[176], sondern der im Neuen Testament auch sonst belegte adverbiale Gebrauch des Neutrums[177].

c)   Während sich ἀποκτανθῆναι weder für noch gegen das bisher Gesagte geltend machen läßt – ἀποκτείνειν findet in allen Schichten des Neuen Testaments Verwendung –, kommt für die Formulierung der auf

---

171   *F. Hahn,* Hoheitstitel, 51, vgl. ferner *G. Dalman,* Jesus-Jeschua, 117f; *W. Michaelis,* Art. πάσχω, 906–908; *J. Jeremias,* Abendmahlsworte, 156; *M. Horstmann,* Studien, 24f, Anm. 89; *H. Patsch,* Abendmahl, 189 und *J. Gnilka,* Markus II, 12.

172   In der Septuaginta taucht der Begriff 21mal auf, aber zur Wiedergabe ganz verschiedener Vokabeln, ohne daß er einer bestimmten zugeordnet werden könnte (vgl. *W. Michaelis,* Art. πάσχω, 906f und *F. Hahn,* Hoheitstitel, 51, Anm. 5). Ein hebräisches oder aramäisches Äquivalent, das »das leidentliche Verhalten im Gegensatz zum Handeln und Tun bezeichnet . . . fehlt« (*W. Michaelis,* Art. πάσχω, 906). »Auch bei A Θ Σ, die sich im allg(emeinen) enger an HT anzuschließen versuchen, findet sich πάσχω daher nicht« (ebd., 906, Anm. 21). Der Hinweis auf AssMos 3,11, qui multi passus est verweise auf ein semitisches Äquivalent (so *D. Meyer,* ΠΟΛΛΑ ΠΑΘΕΙΝ, 132), reicht zur Bestreitung dieses Befundes nicht aus. Ganz abgesehen von der Frage, ob es ein semitisches Original überhaupt je gab, erweist sich die Wendung als solche als gut griechisch (vgl. *G. Strecker,* Leidens- und Auferstehungsvoraussagen, 63, Anm. 28 [mit griechischen Belegen]; *H. Patsch,* Abendmahl, 189 mit Anm. 298 [S. 336] und *J. Gnilka,* Markus II, 12, Anm. 10).

173   Vgl. *M. Horstmann,* Studien, 24, Anm. 89.

174   Sieht man einmal von wenigen späten Belegen im Hebräerbrief (2,18; 5,8 und 13,12), von der lukanischen Bildung Apg 1,3 und von der lukanischen Eigenformulierung πρὸ τοῦ παθεῖν in Lk 22,15 (vgl. *H. Schürmann,* Paschamahlbericht, 12f; *F. Schütz,* Christus, 28–30 und *J. Jeremias,* Sprache, 286) ab, so taucht πάσχειν in Verbindung mit Jesu Geschick in solchen Logien auf, die formelhaft vom Leiden des Christus handeln (Lk 24,26.46; Apg 3,18; 17,3; 1Petr 2,21.23; 4,1 und Hebr 9,26). Da πάσχειν an allen diesen Stellen die Tötungsaussage ersetzt bzw. stellvertretend für diese steht, zeigt sich, daß der Terminus jeweils Jesu Passion im engeren Sinne, d.h. den konkreten Ausgang seines Lebens beschreibt.

175   Für die Verbindung πολλὰ παθεῖν finden sich im Neuen Testament vier Belege: Mk 8,31 par sowie – abhängig davon – Mk 9,12b und Lk 17,25 mit Bezug auf Jesu Passion, ferner Mk 5,26 im Blick auf eine blutflüssige Frau, die »von vielen Ärzten vieles erlitten hatte«. Profangriechische Belege nennt *G. Strecker,* Leidens- und Auferstehungsvoraussagen, 63, Anm. 28.

176   Nach diesem Verständnis wäre πολλά semitisierender Ausdruck für πάντα.

177   Vgl. *G. Strecker,* Leidens- und Auferstehungsvoraussagen, 62f und *M. Horstmann,* Studien, 24, Anm. 88, deren Sicht durch Mk 5,26 und AssMos 3,11 bestätigt wird. Unabhängig von πάσχειν ist der adverbiale Gebrauch von πολλά etwa in Mk 1,45; 3,12 und 4,2 par belegt.

die Leidensankündigung folgenden Auferstehungsankündigung μετὰ τρεῖς ἡμέρας ἀναστῆναι wiederum nur die hellenistisch-judenchristliche Kirche in Frage, die jene Entwicklung, die ich im folgenden aufzeigen möchte, konsequent zu Ende führt:

α) Die authentisch-jesuanischen Drei-Tage-Meschalim Mk 14,58 par; Joh 2,19 und Lk 13,31f hatten im Mund Jesu eschatologische Bedeutung, sprachen »von der begrenzten, von Gott bestimmten Frist bis zur Weltvollendung«[178] und bezogen sich konkret auf die messianische Inthronisation des Menschensohns auf dem Zion, die in der Erwartung Jesu mit dem endgültigen Kommen der Gottesherrschaft zusammenfiel[179].

β) Dem faktischen Geschehen zwischen Karfreitag und Ostern entstammt die im Urchristentum unumstrittene Zeitangabe »am dritten Tag« als Termin für die Auferstehung Jesu von den Toten[180]. Dieses Datum ergab sich somit unabhängig von den jesuanischen Drei-Tage-Meschalim wie auch vom Alten Testament.

---

178 *J. Jeremias*, Drei-Tage-Worte, 229.

179 Zu den genannten Logien s. bereits oben S. 112–114.120f, zur Sache vor allem oben S. 84.118.128–133.138–140.168–174 und unten S. 362–367.

180 Daß sowohl ἀνιστάναι als auch ἐγείρεσθαι jeweils im passivischen Sinn von Jesu *Auferweckung durch Gott* reden, sollte nicht bestritten werden. Beide Begriffe sind Übersetzungsvarianten (zu den semitischen Äquivalenten s. oben S. 130, Anm. 349), wie schon ihre Austauschbarkeit im Neuen Testament zeigt und der Wortgebrauch der griechischen Übersetzungen des Alten Testaments bestätigt. Ganz deutlich ist dies in Jes 26,19 LXX, wo beide im synonymen Parallelismus nebeneinander belegt sind. Auch in Mk 5,41f par Lk 8,54f werden sie in jeweils gleicher Bedeutung verwendet. Dabei steht ἀνιστάναι insofern dem Semitischen näher, als sowohl das Hebräische wie auch das Aramäische »mit verschwindenden Ausnahmen von der Totenauferweckung stets aktivisch redet« (*J. Jeremias*, Drei-Tage-Worte, 228; als Ausnahme nennt Jeremias in Anm. 22 TCant 7,10). Das aktivische ἀνιστάναι stellt also ein Quasipassiv dar, das von keinem Juden oder Judenchristen jemals im Sinne einer Vollmachtstat Jesu, einer ›Selbstauferstehung‹ Jesu verstanden wurde (so richtig *ders.*, Theologie, 264 mit Anm. 2; *ders.*, Drei-Tage-Worte, 228 und *P. Stuhlmacher*, Bekenntnis, 142f mit Anm. 28), wie dies in der exegetischen Forschung in Verkennung des linguistischen Tatbestands manchmal geschieht (vgl. *H.E. Tödt*, Menschensohn, 172; *F. Hahn*, Hoheitstitel, 49 und *J. Gnilka*, Markus II, 16). Von daher wird man das passivische ἐγείρεσθαι in der Tat als gräzisierende Verdeutlichung des quasipassivischen ἀνιστάναι anzusehen haben (vgl. *J. Jeremias*, Theologie, 264), ohne dabei allerdings den Schluß ziehen zu dürfen, also seien Logien mit ἀνιστάναι immer älter als solche mit ἐγείρεσθαι. So sicher dies bei den expliziten Auferstehungsankündigungen der Fall ist, sofern sich die Parallelstellen im Wortgebrauch unterscheiden, so gewiß bleibt andererseits festzuhalten, daß bereits in den alten Formeln Röm 4,25 (vgl. bes. *P. Stuhlmacher*, Bekenntnis, 140–143) und 1Kor 15,3b–5 (s. unten Anm. 192) ἐγείρεσθαι steht, während in jüngeren Belegen wie etwa in Mk 9,9; 10,34 par Lk 18,33; Lk 24,7.46 und Apg 17,3 von ἀνιστάναι die Rede ist. Überall im Neuen Testament stehen beide Termini synonym nebeneinander (vgl. besonders Apg 10,40f) und bezeichnen immer das eine: Gott hat Jesus von den Toten auferweckt. In Entsprechung zu diesem Tatbestand kommt ja auch niemand auf den Gedanken, aufgrund des ἀνιστάναι in Joh 11,23f sei Lazarus von sich aus auferstanden oder sei die allgemeine Totenauferstehung wegen des ἀνιστάναι in 1Thess 4,16 oder Mk 12,18–27 eine ›Selbstauferstehung‹.

Ein theoretisch denkbarer Einfluß von Hos 6,2 auf die Formulierung der Auferstehungsankündigung in Mk 8,31 par ist meines Erachtens so gut wie ausgeschlossen[181], obgleich diese Stelle in der jüdischen Exegese auf die allgemeine Totenauferstehung bezogen werden konnte[182] und es für die christliche Gemeinde ein leichtes gewesen wäre, eine Beziehung zur Auferstehung Jesu herzustellen. Mk 8,31 par ist deshalb nicht von Hos 6,2 her formuliert, weil eine solche Anlehnung formal wie inhaltlich deutlicher zutage treten würde und müßte: Entgegen der markinischen Ausdrucksweise stehen bei Hosea die beiden Zeitangaben מִיָּמָיִם / μετὰ δύο ἡμέρας und בַּיּוֹם הַשְּׁלִישִׁי / ἐν τῇ ἡμέρα τῇ τρίτῃ im synonymen Parallelismus tautologisch nebeneinander[183]. Der Tag nach zwei Tagen ist der dritte Tag. Läge also in Mk 8,31 Einfluß von Hos 6,2 vor, wäre entweder wie in den Parallelen der Seitenreferenten vom »dritten Tag« die Rede oder es stünde die Wendung »nach zwei Tagen«, nicht jedoch »nach drei Tagen«. Selbst die redaktionelle Änderung bei Matthäus und Lukas ist kaum von Hosea her zu erklären, denn »ein ausgeführter Schriftbeweis mit Hos 6,2 (wird) weder im Neuen Testament noch bei den Apostolischen Vätern oder den ältesten Apologeten geführt«[184]; erst bei Tertullian[185] ist dies der Fall[186]. Der erste und der dritte Evangelist haben ihre Vorlage Mk 8,31 vielmehr deshalb sekundär verändert, weil ihre Formulierung »die für das griechische Empfinden richtigere Ausdrucksweise« darstellt[187], obgleich die markinische Datierung mit der ihrigen sachlich übereinstimmt. Denn seit dem 1. Jahrhundert n.Chr. gab es im Judentum neben der gebräuchlicheren auch eine zweite Zählung, nach der bei der Berechnung eines bestimmten Zeitraums auch angefangene Tage mitgezählt wurden[188]. Im Neuen Testament sind hier neben einigen Auferstehungsankündigungen besonders zwei Belege anzuführen: Mk 14,1, wo μετὰ δύο ἡμέρας den nächsten Tag meint[189], und Mt 27,63f, wo der gleiche Zeitraum in V. 63 in der einen, in V. 64 in der anderen Zählweise datiert wird. Hinsichtlich der Datierung des Ostertages ist deshalb im Neuen Testament immer der dritte Tag gemeint, ob nun μετὰ τρεῖς ἡμέρας, τῇ τρίτῃ ἡμέρᾳ oder auch τῇ μιᾷ τῶν σαββάτων notiert ist.

Kommt aber Hos 6,2 als Schriftvorlage für die Formulierung der Auferstehungsankündigung Mk 8,31 par nicht in Frage – zumal im alttestamentlichen Text selbst nicht von einer Totenauferstehung, sondern von der Wiederherstellung des ›kranken‹ Volkes Israel die Rede ist[190] –, könnte man allenfalls noch an Jon 2,1 denken, wo Jona τρεῖς ἡμέρας καὶ τρεῖς νύκτας im Bauch des Fisches verbringt. Inhaltlich ließe sich im Blick auf Mt 12,40 eine solche Parallele herstellen, da dort das Verschlungensein des Jona ex eventu auf die

---

181 Vgl. *K. Lehmann*, Tag, 183f. Anders *H.E. Tödt*, Menschensohn, 171f und *J. Jeremias*, Drei-Tage-Worte, 228f.

182 Vgl. neben TJon Hos 6,2 die Belege bei *Bill.* I, 747–760, dazu *H.W. Wolff*, Hosea, 150 und *J. Jeremias*, Drei-Tage-Worte, 228f.

183 Vgl. *H.W. Wolff*, Hosea, 150.

184 Ebd., 150.

185 Vgl. die Belege ebd., 150.

186 Trotz des κατὰ τὰς γραφάς in 1Kor 15,3b–5 steht auch dort nicht konkret Hos 6,2 im Hintergrund, sonst wäre entsprechend Hos 6,2 LXX ἀνιστάναι statt ἐγείρεσθαι zu erwarten, stünde das Verb hinter τῇ ἡμέρᾳ τῇ τρίτῃ statt davor und wäre die Drei-Tage-Wendung nicht einfach dativisch, sondern mit ἐν und folgendem Dativ konstruiert.

187 *G. Delling*, Art. ἡμέρα, 953.

188 Vgl. ebd., 952f; *K. Lehmann*, Tag, 165f; *H.K. McArthur*, Third Day, 81–86 und *J. Gnilka*, Markus II, 16.

189 Vgl. *W. Schenk*, Passionsbericht, 144; *W. Grundmann*, Markus, 373; *R. Pesch*, Markus II, 319f und *J. Gnilka*, Markus II, 219.

190 Vgl. *H.W. Wolff*, Hosea, 150f.

Grabesruhe Jesu gedeutet wird, doch ist eine derartige Verbindung sprachlich kaum nach-zuvollziehen[191]; zudem stimmen beide Zeitangaben ja gerade nicht überein. Eine Ableitung des Osterdatums aus dem Alten Testament ist also auszuschließen.

Die buchstäblich-chronologische Zeitangabe erwuchs allein aus dem tatsächlichen Geschichtsverlauf.

γ) Es kommt zu ersten Bekenntnissen im Blick auf die Auferstehung Jesu, die im Zusammenhang mit dem Kreuzesgeschehen als *das* Heils-ereignis schlechthin verstanden wird. So ist etwa in den vorpaulinischen Formeln Röm 1,3f und 10,9 nur von der Auferstehung Jesu, in Röm 4,25 und 1 Kor 15,3b–5[192] von der Verbindung Kreuz – Auferstehung als dem alles entscheidenden Heilsereignis die Rede. Eine irgendwie geartete Begründung für diesen Anspruch erfolgt in jenen ältesten Bekenntnissen jedoch noch nicht[193].

Auffallend ist, daß die Wendung vom dritten Tag in den drei erstgenann-ten Stellen weggefallen ist und nur in 1 Kor 15,3b–5 erhalten blieb. Diese Tatsache, auch in späteren Texten mehrheitlich nachweisbar[194], kann aber kaum verwundern, da eine solche sachlich relativ belanglose Angabe in einem Bekenntnis im Grunde überflüssig ist.

δ) Im Rahmen der theologischen Reflexion und speziell der Auseinan-dersetzung mit Juden wird die Schriftgemäßheit des an sich unglaubli-chen Geschehens der Auferstehung Jesu betont. Dabei ist der älteste Verweis auf die Schriften ein heilsgeschichtlicher und setzt bereits »ein

---

191   Vgl. *U. Wilckens*, Auferstehung, 23f.

192   In der heutigen Diskussion darüber, ob 1 Kor 15,3b–5 im griechischen Sprachraum des hellenistischen Judenchristentums oder bereits in der palästinischen Urkirche entstan-den sei (vgl. die ausführliche Diskussion bei *K. Lehmann*, Tag, 17–157.242–261.277, bes. 147–154.277, ferner *B. Klappert*, Frage, 168–173; *P. Stuhlmacher*, Bekenntnis, 140–143 und *H. Merklein*, Tod, 182f), herrscht inzwischen soviel Einvernehmen, daß die Formel ursprünglich aramäisch konzipiert war und in Jerusalem entstanden ist, daß aber zugleich eine gräzisierende Überarbeitung angenommen werden muß. Im Rahmen dieser Arbeit ist entscheidend, daß sich zumindest die Wendung κατὰ τὰς γραφάς in den V. 3b und 4 als eine nachträgliche Eintragung zu erkennen gibt, als »hellenistisch-judenchristlicher Zu-satz« (*J. Jeremias*, Abendmahlsworte 98, vgl. *ders.*, Artikelloses Χριστός, 214 und *H. Patsch*, Abendmahl, 161–164), für den ein genaues aramäisches oder hebräisches Äqui-valent nicht nachweisbar ist. Zum Hinweis auf ein hebräisches לְפִי (1QS 3,23) als Äquiva-lent zu κατά mit Akkusativ im Sinne von »gemäß« (vgl. *G. Delling*, Auferstehung, 68, Anm. 7) hat *H. Patsch*, Abendmahl, 318, Anm. 86 alles Nötige gesagt: Wirklich stichhaltig wäre nur die Verbindung לְפִי הַכְּתוּבִים, und eben diese ist dem Semitischen unbekannt. Die griechische Wendung wurde aufgrund späterer Reflexion in die alte palästinische Formel eingetragen, als man das heilsgeschichtliche δεῖ im Sinne der Schriftgemäßheit zu inter-pretieren begann.

193   Auch nicht in 1 Kor 15,3b–5, denn der Hinweis κατὰ τὰς γραφάς wurde der älteren palästinischen Überlieferung erst sekundär zugefügt (s. oben Anm. 192).

194   Vom dritten Tag ist in den jüngeren Texten – sieht man einmal von den expliziten Auferstehungsankündigungen ab (zum dortigen Vorkommen s. den folgenden Abschnitt e) – nur noch in Lk 24,46 die Rede.

durch und durch christologisch gedeutetes AT voraus.«[195] Keineswegs ist
zunächst »an irgendwelche bestimmten Schriftstellen gedacht – es handelt sich vielmehr um das ganz allgemeine, grundsätzlich gemeinte Urteil,
daß sich die ganze Passions- und Ostergeschichte Jesu nach dem Willen
Gottes und also ›nach den Schriften‹ vollzogen habe«[196]. Der Anspruch
auf Schriftgemäßheit stand am Anfang[197], eine Begründung dieses Anspruchs per konkretem Zitat und Schriftbeweis fehlte noch und wurde
erst in einem weiteren Schritt[198] vollzogen[199].

ε) Das historische Geschehen des Ostermorgens wird nun aber nicht
nur im Blick auf seine Schriftgemäßheit reflektiert, sondern zugleich unter Rückbesinnung auf den jesuanischen Drei-Tage-Maschal Mk 14,58
par; Joh 2,19. Dabei entdeckt man das Datum des dritten Tages, das zunächst vom tatsächlichen Geschichtsverlauf her vorgegeben, dann aber
als historisch relativ belanglose Angabe verdrängt worden war, neu, indem man es mit Jesu Rede vom dritten Tag als dem eschatologischen
Heilstag verbindet. Der bei Jesus selbst auf die Endvollendung bezogene
dritte Tag wird so auf seine Auferstehung gedeutet und Mk 14,58 par;
Joh 2,19 als Auferstehungsankündigung interpretiert[200]. Von hierher ist
es nun selbstverständlich, daß die als erfüllte Weissagung verstandene
Wendung vom dritten Tag aus den sogenannten Auferstehungsankündigungen Jesu nicht mehr wegzudenken ist.

ζ) Sämtliche Logien vom Leiden *und* von der Auferstehung des Menschensohns in ihrer heutigen kombinierten Form sind im »hellenistischen
Bereich« entstanden[201]. Die Logien (allein) vom Leiden des Menschensohns waren der nachösterlichen Gemeinde durch die – wie noch zu zeigen ist – authentischen Menschensohnworte Mk 9,31 par und 10,45 par

195 *H. Patsch,* Abendmahl, 164.
196 *U. Wilckens,* Auferstehung, 23.
197 Vgl. Lk 24,26f.32.44–46; Apg 17,2; 1Kor 15,3b–5 (in der heutigen Fassung) und
1Petr 1,10f.
198 So etwa in Apg 2,22–36 (Hinweis auf Ps 16,8–11; 132,11 und 110,1) oder Apg
13,26–37 (Hinweis auf Ps 2,7; Jes 55,3b und Ps 16,10).
199 Vgl. *M. Dibelius,* Formgeschichte, 185; *W.G. Kümmel,* Kirchenbegriff, 10; *W.
Schrage,* Verständnis, 71, Anm. 63; *E. Lohse,* Bezüge, 110; *U. Wilckens,* Auferstehung,
23; *H. Patsch,* Abendmahl, 161–165 und *L. Goppelt,* Theologie, 238.
200 Vgl. expressis verbis Joh 2,21f. Demgegenüber wird Lk 13,31f aufgrund der redaktionellen Kombination mit Lk 13,33b zu einem Hinweis auf Jesu gewaltsamen Tod
(s. oben S. 118f).
201 *A. Strobel,* Kerygma, 82, vgl. *F. Hahn,* Hoheitstitel, 52f. Für die von Markus selbst
formulierten Menschensohnlogien Mk 9,9 und 10,33f (s. oben S. 256) sowie für die lukanisch-redaktionell ausgestaltete Parallele der bloßen Leidensankündigung Mk 14,41b in
Lk 24,7 (s. oben S. 259f) bedarf dies kaum einer Frage. Joh 2,19–22 entfällt als Beleg für
die Auferstehung des *Menschensohns* sowieso, zudem sind die entscheidenden V. 21f
johanneischer Kommentar zum Voranstehenden. Damit sind überhaupt nur Mk 8,31 und
9,31 umstritten.

(wie durch weitere authentische Todesankündigungen Jesu) vorgegeben[202]. Natürlich lag ihr auch die Auferstehungstradition vor, doch stand beides zunächst noch »formal unverbunden« nebeneinander[203]. Nun kam es aber in der urchristlichen Theologie, wie bereits deutlich wurde, unabhängig von irgendwelchen Jesusworten oder gar Menschensohnlogien unmittelbar nach Ostern zur untrennbaren Einheit von Kreuz und Auferstehung als dem vom Gott gesetzten Heilsereignis schlechthin. Deshalb lag es auf der Hand, daß irgendwann auch die Logien vom Leiden des Menschensohns um dessen Auferstehung ergänzt wurden. Dies um so mehr, als die Worte vom Leiden des Menschensohns Weissagung darstellten und jetzt auch seine Auferstehung im Lichte des Weissagungsbeweises verstanden werden konnte. Das Heilsgeschehen in Kreuz und Auferstehung wurde damit nicht mehr nur in den Schriften, sondern auch in Jesu Verkündigung verankert.

Diese Weiterführung der älteren Tradition der Leidensankündigung durch die Kombination von Leidens- und Auferstehungsankündigung erfolgte im griechischsprachigen Raum, im Bereich des hellenistischen Judenchristentums, wo bereits die Leidensankündigung Mk 8,31 entstand. Und es läßt sich zeigen, daß die dortige Auferstehungsankündigung traditionsgeschichtlich nicht älter sein kann als diese. Solches wäre sowieso nur dann theoretisch möglich, wenn sich die Auferstehungsankündigung als ursprünglich selbständige Einzeltradition nachweisen ließe, die der Leidensankündigung lediglich sekundär angefügt worden wäre – eine abwegige Vermutung, denn der philologische Nachweis, die Auferstehungsankündigung sei womöglich älter als die Leidensankündigung, erweist sich als unmöglich. Im Blick auf die Auferstehung Jesu ist ἀνιστάναι im Neuen Testament nahezu ausschließlich in jüngeren Texten belegt[204]. Gleiches gilt für die Zeitangabe μετὰ . . . ἡμέρας: Unabhängig von den markinischen Auferstehungsankündigungen findet sie sich nur noch in der markinisch-redaktionellen Bildung Mk 14,1 par Mt 26,2[205] und in Mt 27,63, innerhalb der Grabwächterlegende[206].

Zugleich ist die Hypothese, an die Leidensankündigung Mk 8,31 sei die aus Mk 9,31 vorgegebene Auferstehungsankündigung angefügt worden,

---

202   Zu den Todesankündigungen neben Mk 9,31 par und 10,45 par s. oben S. 248f, zu den besagten Menschensohnlogien selbst unten S. 288–300 bzw. 303–342.

203   Vgl. A. *Strobel*, Kerygma, 82.

204   Vgl. etwa Mk 9,9; 9,31b; 10,34 par Lk 18,33; Mk 16,9; Lk 24,7.46; Apg 10,41; 17,3 und 1Thess 4,14.

205   Vgl. W. *Schenk*, Passionsbericht, 143–148, bes. 148: Mk 14,1 ist »eine redaktionell gestaltete Dublette zu 11,18«, die dazu dient, den »11,18 offenbar verlassenen Traditionsfaden wieder aufzunehmen«, ferner W. *Grundmann*, Markus, 372f und J. *Gnilka*, Markus II, 219f.

206   Vgl. W. *Grundmann*, Matthäus, 565–567 und E. *Schweizer*, Matthäus, 339–341.

nicht zu begründen. Denn die Auferstehungsankündigung in Mk 9,31 ist der dortigen Leidensankündigung sekundär zugewachsen, während die Leidens- und Auferstehungsankündigung Mk 8,31 wie aus einem Guß wirkt, so daß die umgekehrte Folgerung richtig sein wird: Mk 8,31 (nach seinem ältesten Wortlaut) mit seiner Kombination von Leidens- und Auferstehungsankündigung gibt sich als ein einheitliches Logion zu erkennen, um dessen Auferstehungsankündigung die zunächst reine Leidensankündigung Mk 9,31 im nachhinein ergänzt wurde[207].

Wenn damit aber innerhalb der Logien vom Leiden und von der Auferstehung des Menschensohns die Auferstehungsankündigung in Mk 8,31 die traditionsgeschichtlich älteste ist, bedeutet dies zugleich: Sämtliche expliziten Auferstehungsankündigungen stellen vaticinia ex eventu dar, die nicht über das hellenistische Judenchristentum hinaus zurückzuverfolgen, da dort erst entstanden sind.

Fazit: Der rekonstruierte älteste Wortbestand der Leidens- und Auferstehungsankündigung Mk 8,31 gibt sich als ein einheitlich konzipiertes Logion zu erkennen, das im griechischsprachigen Bereich entstand und sich als ein Produkt der hellenistisch-judenchristlichen Kirche erweist.

IV.   Mk 9,12b par

Die vielfältige Problematik des Abschnitts Mk 9,11–13 par kann nicht Gegenstand meiner Untersuchung sein; sie ist im folgenden lediglich insofern von Belang, als sie für V. 12b par von Bedeutung ist.

In der vormarkinischen Tradition folgten die V. 11–13 vermutlich unmittelbar im Anschluß an V. 1[208], wobei V. 11 einen schriftgelehrten Einwand formuliert, der die Aussage von V. 1 scheinbar in Frage stellt (Antinomiefrage), in den V. 12f jedoch inhaltlich aufgelöst wird, indem beide Traditionen in Einklang gebracht werden.

In V. 1 hatte Jesus das unmittelbar bevorstehende Hereinbrechen der Gottesherrschaft ἐν δυνάμει angekündigt, woraufhin in V. 11 im Mund der Jünger die im Blick auf Mal 3,1.23f formulierte schriftgelehrte Frage auftaucht, ob denn Elia schon erschienen sei und die ἀποκατάστασις

---

207   S. unten S. 289, Anm. 235, vgl. ferner *R. Pesch,* Markus II, 100 und *J. Gnilka,* Markus II, 53.

208   Vgl. *R. Bultmann,* Geschichte, 131f; *E. Klostermann,* Markus, 89; *H.E. Tödt,* Menschensohn, 179–183 und *J.M. Nützel,* Verklärungserzählung, 258, Anm. 62. Indem Markus die Erzählung von der Verklärung Jesu an ihrem heutigen Ort in sein Evangelium einfügt, findet die sonst unerfüllte Weissagung V. 1 ihre Erfüllung: Das Sehen der Gottesherrschaft ἐν δυνάμει bezieht sich auf das Verklärungsgeschehen. Zugleich verknüpft der Evangelist die Erwartung des V. 1 mit dem Leiden und der Auferstehung des Menschensohns. Formal erfolgte der Einschub per Stichwortverbindung ad vocem Ἠλίας.

πάντων vollzogen habe[209]. Wenn nicht, kann dann legitimerweise vom
Kommen der Gottesherrschaft gesprochen werden, die Gott mit der
Inthronisation Jesu als des offenbaren Messias herbeiführt?
Faßt man nun die Antwort der V. 12f ins Auge, fällt auf, daß sie in ihrer
heutigen Form »ein Gebilde aus zwei Traditionsschichten« darstellt, das
keine nahtlose Einheit darstellt, sondern im Grunde zwei Antworten
gibt[210]. Da ist einmal V. 12a, wo die Jüngerfrage in positiver Aufnahme
bejaht wird, um dann in V. 13 so beantwortet zu werden: Elia war bereits
da, aber unerkannt, und eben diese Verkennung seiner Identität brachte
ihm den Tod. Dabei fehlt nicht der Hinweis, sein Schicksal sei schriftgemäß erfolgt. Doch da ist zum anderen V. 12b, wo - sieht man von den V.
12a.13 ab - die Erwartung aus V. 11 praktisch verneint wird mit dem
Hinweis, wie denn sonst unter der Voraussetzung von V. 11 vom Menschensohn geschrieben stehen könne, daß er viel leiden und verachtet
werden müsse.
Werner Grimm erkennt in V. 12b die ursprüngliche Antwort auf V. 11,
die er aufgrund seiner Prämisse, mit ἐξουδενηθῇ läge eine Bezugnahme
auf נִבְזֶה aus Jes 53,3 vor, so interpretiert: »Nicht Elia bringt alles wieder
in Ordnung, sondern der Menschensohn durch sein stellvertretendes
Leiden nach Jes. 53.«[211] Die V. 12a.13 hingegen seien sekundär ad
vocem Elia angefügt, um die Überlieferung vom Elia redivivus, den die
Gemeinde mit dem Täufer identifizierte, ebenso festzuhalten[212].
Diese Deutung steht in der Forschung zu Recht singulär da, denn das Gegenteil ist richtig[213], wie sich zeigen läßt: V. 12b ist als sekundärer Einschub in den Zusammenhang der V. 11-12a.13 anzusehen, eingetragen
vom Evangelisten selbst.
Vom Leiden des Menschensohns ist im engeren (V. 11-12a.13) wie im
weiteren Kontext (V. 1-12a.13.14-29) überhaupt nicht die Rede. Umgekehrt ist angesichts des Jesuswortes V. 1 und dem Einwand V. 11 die
Antwort der V. 12a.13 - in Übereinstimmung mit Mt 11,14 - ganz folgerichtig, indem beide Traditionen mit Hilfe einer dritten in Übereinstimmung gebracht werden: Was in V. 1 gesagt ist, gilt selbstverständlich auch
unter Berücksichtigung von V. 11 (Mal 3,1.23f), und zwar deshalb, weil
Elia längst gekommen ist. Man achtete jedoch nicht auf ihn, machte mit
ihm, was man wollte, und eben dies brachte ihm den Tod. Als der escha-

209 Zu Mal 3,1.23f und seiner Wirkungsgeschichte, zur Funktion des Elia redivivus
und zur ἀποκατάστασις πάντων vgl. vor allem *Bill.* IV/2 779-798 und *J. Jeremias*, Art.
Ἠλ(ε)ίας, 930-936.941-943, ferner *F. Hahn*, Hoheitstitel, 354-356.
210 Vgl. *W. Grimm*, Verkündigung, 217, ferner *E. Lohmeyer*, Markus, 182f; *C.
Colpe*, Art. ὁ υἱὸς τοῦ ἀνθρώπου, 457f; *M. Horstmann*, Studien, 134f; *L. Schenke*,
Studien, 252f; *K. Berger*, Auferstehung, 44-47 und *W. Schmithals*, Markus II, 405f.
211 *W. Grimm*, Verkündigung, 217.
212 Vgl. ebd., 216.
213 Vgl. mit Ausnahme von Grimm alle oben Anm. 210 genannten Exegeten.

tologische Vollender kam er deshalb nicht, weil er an der Erfüllung seiner
Aufgabe gehindert wurde. Für die ältere Tradition ist also entscheidend,
daß Elia unerkannt da war, womit Mal 3,1.23f bzw.
Mk 9,11 nicht mehr
gegen Mk 9,1 geltend gemacht werden kann[214], denn genau dieses Lei-
densschicksal des Elia redivivus infolge der Verkennung seiner Identität
entspricht der Schrift (V. 13b) und ist von daher unanfechtbar[215].

Der hier postulierte Tatbestand der Schriftgemäßheit des Leidens des Elia redivivus ist
sicherlich dann nicht gegeben, wenn man darunter eine Entsprechung zu bestimmten
Texten des Alten Testaments versteht. Allenfalls auf 1Kön 19,1-14, eine Situation aus
dem Leben des geschichtlichen Elia, wäre zu verweisen, doch stirbt Elia dort – anders als
der Täufer – gerade nicht.
So eng darf man allerdings den Begriff der Schriftgemäßheit nicht fassen, denn die Vorstellung eines leidenden und sterbenden Elia redivivus ist in nachalttestamentlichen jüdischen
und christlichen Schriften bezeugt[216]. Und im jüdischen Denken ist Schriftauslegung von
»der Schrift« nicht zu trennen, so daß auch apokryphe Schriften bzw. schriftgelehrte
Exegese im weiteren Sinn als Schrift gelten. So verstanden die Juden die mündliche Überlieferung der Rabbinen als von Mose am Sinai gegebenes autoritatives Gotteswort[217].
Der Anspruch von Mk 9,13b besteht damit zu Recht.

Kann man nun aber vom Hereinbrechen der Gottesherrschaft ἐν δυνάμει
reden, dazu vom Elia redivivus, der im Täufer unerkannt kam, litt und
starb, ohne zugleich von Jesus reden zu müssen, der doch der Messias ist?
Gehören der Vorläufer des Messias, der Messias selbst und die vollendete
Gottesherrschaft nicht notwendig zusammen? Und überhaupt: Wenn
man vom eschatologischen Heil handelt, kann man dann von dessen
Voraussetzung, Jesu Tod und Auferstehung, einfach schweigen?
Markus kann das nicht. Er übernimmt die V. 1, 11-12a und 13 aus seiner
ihm vorgegebenen Tradition, übernimmt damit auch deren Intention und
Sachaussage, stellt sie jedoch innerhalb des Duktus seines Evangeliums in
den Kontext des Petrusbekenntnisses (Mk 8,29) und der Passion des
Menschensohns (Mk 8,31-33), denn von Jesu Messianität losgelöst
von seinem messianischen Leiden zu reden ist nach Golgatha unmöglich
– wobei selbstverständlich das Ostergeschehen zum Kreuzesgeschehen

214 Vgl. bereits *H.E. Tödt*, Menschensohn, 181: »Das Leiden des Täufers ist das entscheidende Argument gegen den Einwand der Schriftgelehrten.«
215 Somit kehrt die ältere Tradition den schriftgelehrten Einwand gerade gegen die,
die sich seiner bedienen wollten, und vereinnahmt ihn für die eigene Argumentation. Mk
9,11-12a.13 gibt sich darum am ehesten als ein christlicher Midrasch zu erkennen, der in
Auseinandersetzung mit einer bestimmten, von Mal 3,1.23f herkommenden jüdischen
Messianologie die Übereinstimmung der christlichen Predigt mit der alttestamentlichen
Schriftgrundlage hervorhebt.
216 Vgl. die ausführliche Sichtung des Materials bei *K. Berger*, Auferstehung, 22-101;
299, Anm. 187; 314f, Anm. 246, ferner *J. Jeremias*, Art. Ἠλ(ε)ίας, 941f.
217 Vgl. grundsätzlich *Bill.* IV/1, 446f und *J. Fraenkel*, Mitte, 113-118, im einzelnen
bes. mAv I,1 (zitiert bei *Bill.* III, 444), ferner die bei *Bill.* IV/1, 440f unter den Punkten b
und d sowie die bei Fraenkel zitierten Belege.

hinzugehört, ist es doch die Voraussetzung für das Sitzen des Menschensohns zur Rechten Gottes (Mk 14,62bα) und für sein Kommen in Macht (Mk 13,26 und 14,62bβ) zur Durchsetzung und Aufrichtung der Gottesherrschaft.

Mit dem Gesagten ist der markinische Auslegungsrahmen im Blick auf das Traditionsstück Mk 9,1.11–12a.13 abgesteckt. Nachdem der Evangelist mit der Einfügung der Verklärungsperikope (Mk 9,2–8) und deren redaktioneller Kommentierung (Mk 9,9f) die Auferstehung des Menschensohns als notwendige Bedingung für das Hereinbrechen der Gottesherrschaft bereits eingetragen hat[218], drängt sich ein entsprechender Hinweis auf den Tod des Menschensohns geradezu auf.

Dieser erfolgt mit Mk 9,12b. Sicherlich unterbricht V. 12b den Zusammenhang der V. 11–12a.13, erweist aber um so deutlicher die Intention des Evangelisten. Auf diese Weise verbindet Markus nicht nur die Messianität Jesu, seine Passion, seine Auferstehung und das Kommen der vollendeten Gottesherrschaft zu einer unauflöslichen Einheit, sondern ordnet zugleich das Leiden des Messias und das seines Vorläufers einander zu. Mit dieser Parallelisierung des Leidensweges beider kennzeichnet er »das Schicksal des Täufers als eine Vorausdarstellung des Weges Jesu«[219] und beantwortet damit »die Frage positiv, ob ein Todesleiden, wie er es vom Vorläufer ausgesagt fand, auch vom Menschensohn selbst geschrieben stehe.«[220] Es geht ihm um diese Entsprechung, denn ist das Leiden des Täufers schriftgemäß und zugleich eine Vorausdarstellung des Leidens Jesu, dann ist auch dessen Leiden schriftgemäß. Markus zeigt aber ebenso auf, warum Jesus überhaupt leiden mußte: Weil sich der Widerstand, der den Elia redivivus in den Tod trieb, auch gegen den Menschensohn erhob. Dabei ist in V. 12b nicht an ein stellvertretendes Leiden im Sinne von Jes 52,13 – 53,12 angespielt und damit das Leiden des Menschensohns gegenüber dem Elias letztlich doch überhöht; andernfalls wäre die bei Markus beabsichtigte Parallelisierung zwischen dem Täufer und Jesus gerade nicht ernst genommen.

Allein schon die philologische Prämisse dieser Auslegung, ἐξουδενηθῇ stelle eine Anspielung an נִבְזֶה aus Jes 53,3 dar, das bereits von Aquila, Symmachus und Theodotion (nicht von der Septuaginta) entsprechend wiedergegeben werde, ist kaum zu begründen; es sei denn, man wollte angesichts der (fraglichen) Übereinstimmung eines einzigen Wortes einen derartigen Schluß wagen[221].

218 Der Terminus πρῶτον (V. 11), der vormarkinisch auf das Kommen der vollendeten Gottesherrschaft bezogen war, ist jetzt zeitlich wie sachlich auf das Ostergeschehen, das entscheidende eschatologische Ereignis, umgedeutet (vgl. *M. Horstmann*, Studien, 135).
219 Ebd., 135.
220 *C. Colpe*, Art. ὁ υἱὸς τοῦ ἀνθρώπου, 458.
221 Vgl. *H.E. Tödt*, Menschensohn, 156 mit Anm. 95 und *J. Gnilka*, Markus, 42 mit Anm. 13. Anders *W. Grimm*, Verkündigung, 216f.

Zudem verweist ἐξουδενηθῇ von seinem Wortumfeld her viel stärker auf solche Texte, die
von der Verachtung des (leidenden) Gerechten handeln (z.b. Ps 22,7.25; 69,33; 89,39).
Dort ist der Terminus an charakteristischer Stelle belegt. Vor allem in Ps 89,39 (LXX
88,39) ist von ἐξουδένωσας . . . τὸν χριστοῦ σου die Rede[222]. Die Verbindung zum Geschick des Gerechten liegt daher nahe, eine Beziehung zu Jes 53 hingegen besteht nicht.
Entscheidend – und im folgenden noch näher zu begründen – ist jedoch die Beobachtung,
daß ἐξουδενηθῇ (Mk 9,12b) und ἀποδοκιμασθῆναι (Mk 8,31) als Übersetzungsvarianten
des מאס aus Ps 118,22 anzusehen sind.

Alles in allem stellt V. 12b eine auf den Evangelisten selbst zurückgehende Kurzfassung der Leidensankündigung Mk 8,31 dar, während die
dortige Auferstehungsankündigung bereits in V. 9 vorweggenommen ist.
Schon wegen dieses literarischen Zusammenhangs der V. 9 und 12b ist es
nicht statthaft, in V. 12b eine traditionsgeschichtliche Vorform der Leidensankündigung Mk 8,31 erkennen zu wollen, legt sich doch für V. 12b
von vornherein dasselbe Urteil nahe wie für (die) V. 9(f): markinische
Redaktion[223].
Ist dieses Ergebnis aufgrund der bisherigen Untersuchung längst hinreichend wahrscheinlich gemacht, läßt es sich darüber hinaus mit weiteren
Argumenten erhärten:
Die kürzere Fassung des V. 12b gegenüber Mk 8,31a ist durch die markinische Intention bedingt. Wegen der beabsichtigten Entsprechung zwischen dem Leiden des Täufers und Jesu gleicht Markus seinen V. 12b
möglichst genau an die ihm vorgegebene Tradition der V. 12a.13 an. Alle
demgegenüber überschüssigen Aussagen aus Mk 8,31a, die verwerfenden Instanzen sowie die inhaltlich vorausgesetzte Tötungsaussage, läßt er
konsequent beiseite. Das Wörtchen δεῖ ersetzt er hier wie schon in Mk
14,21 durch γέγραπται, womit er sein eigenes Verständnis des δεῖ in Mk
8,31 verdeutlicht und zugleich parallel zu γέγραπται in V. 13b formuliert.
Diese bewußt herbeigeführte Korrespondenz zwischen der vormarkinischen Tradition und der markinischen Redaktion wird noch verstärkt dadurch, daß Markus aus V. 13b sogar die für ihn in Verbindung mit
γέγραπται untypische Präposition ἐπί übernimmt[224]. Da ἐπί mit dem Akkusativ konstruiert wird, verbleibt der Terminus Menschensohn zwar im
Akkusativ, der in Mk 8,31 durch δεῖ bedingte Akkusativ mit Infinitiv entfällt jedoch. Auch die in V. 12b vorliegende ἵνα-Konstruktion bei stark
verblaßter bzw. ganz verschwundener finaler Bedeutung des ἵνα, die als
Ersatz für einen das Verb ergänzenden Infinitiv oder einen Akkusativ mit

---

222   Vgl. *R. Pesch*, Passion 174 und *ders.*, Markus II, 79f.
223   Vgl. *F. Hahn*, Hoheitstitel, 51f.377; *C. Colpe*, Art. ὁ υἱὸς τοῦ ἀνθρώπου, 457f mit
Anm. 379; *M. Horstmann*, Studien, 135; *K.-G. Reploh*, Markus, 116f; *E. Güttgemanns*,
Fragen, 219f; *L. Schenke*, Studien, 252f und *K. Berger*, Auferstehung, 44.
224   In eigener Formulierung notiert Markus περί statt ἐπί, wie Mk 14,21 zeigt (s. oben
S. 257f).

Infinitiv steht[225], verweist angesichts ihres vor allem bei Markus belegten Gebrauchs auf den Evangelisten selbst[226]. Schließlich ist ebenso der Wechsel von ἀποδοκιμάζειν (Mk 8,31) zur Übersetzungsvariante ἐξουδενοῦν Indiz für die redigierende Hand des Markus.

Beide Termini gehen als Übersetzungsvarianten auf מאס (Ps 118,22) zurück. Wie schon in der Septuaginta sind sie auch im Neuen Testament deckungsgleich und ohne weiteres austauschbar, wie Mk 8,31 und 12,10 einerseits, Mk 9,12b und Apg 4,11 andererseits zeigen. Die letztgenannte Stelle zitiert Ps 118,22 und liest dennoch ἐξουδενθείς. Dieses Ergebnis wird ebenso durch Josephus bestätigt, der ἐξουδενοῦν vor allem dann notiert, wenn es um das negative Verhalten gegenüber einem Boten Gottes geht[227]. Gerade auch von hierher ist ἐξουδενοῦν in Mk 9,12b eher zu erwarten, zumal sich ἐξουδενοῦν gegenüber ἀποδοκιμάζειν im Gefälle der christlichen Überlieferung sowieso durchgesetzt hat[228]. Rudolf Pesch ist daher im Recht, wenn er formuliert: »Offenbar ist ἐξουδενέω für den absoluten Wortgebrauch (ohne Nennung der verwerfenden Instanzen) besser geeignet, überdies für die passio iusti signifikanter.«[229]

Nachdem die Aufzählung der jüdischen Führer entfallen ist, ändert Markus folgerichtig in ἐξουδενοῦν. Erstens ist dieser Terminus für den absoluten Wortgebrauch besser geeignet, zweitens der in der Urkirche ohnehin bevorzugte Begriff, drittens im Blick auf den Kontext und die markinische Intention theologisch angebracht. Da ἐξουδενοῦν nämlich im Zusammenhang der Vorstellung vom leidenden Gerechten deutliche Parallelen aufweist, die Passionsgeschichte aber umgekehrt von dieser Vorstellung her geprägt ist, knüpft Markus mit seiner Änderung gegenüber Mk 8,31 an das Geschick des Gerechten an, wenn er von der »Verachtung« des Menschensohns spricht. Er interpretiert dessen Passion damit so: Der Menschensohn leidet und wird verachtet eben als der leidende Gerechte[230], Gott jedoch bekennt sich zu ihm, indem er ihn von den Toten auferweckt (Mk 9,9f).

---

225 Vgl. *W. Bauer*, Wörterbuch, 765f (ἵνα II, 1, a) und *E. Stauffer*, Art. ἵνα, 324.

226 Bei Markus ist solcher Gebrauch von ἵνα (22 Belege) rund doppelt so häufig belegt wie jeweils bei Matthäus, Lukas und Johannes und auch in den neutestamentlichen Briefen.

227 Vgl. *K. Berger*, Auferstehung, 414, Anm. 590.

228 Sieht man einmal von den Belegen ab, die Ps 118,22 wiedergeben (Mk 8,31 par; 12,10 par und 1Petr 2,4.7) bzw. wiederum von diesen abhängig sind (Lk 17,25 von Mk 8,31 par [s. oben S. 258f]), findet sich ἀποδοκιμάζειν im Neuen Testament nur noch ein einziges Mal: in Hebr 12,17. Hingegen ist ἐξουδενοῦν außer in Mk 9,12b noch an weiteren elf Stellen belegt. Im Verlauf der christlichen Überlieferung hat sich ἐξουδενοῦν also gegenüber ἀποδοκιμάζειν durchgesetzt, wie gerade auch Apg 4,11 zeigt, wo Ps 118,22 zitiert wird und dennoch von ἐξουδενηθείς die Rede ist. Folgerichtig benutzt Markus in Mk 9,12b, wo Ps 118,22 weder zitiert wird noch deutlich im Hintergrund steht – und somit beide Termini verwendbar wären –, das gebräuchlichere ἐξουδενοῦν.

229 *R. Pesch*, Passion, 174.

230 Vgl. ebd., 174 und *ders.*, Markus II, 79f.

Fazit: Mk 9,12b erweist sich als eine vom Evangelisten selbst redigierte Kurzfassung der vormarkinischen Leidensankündigung Mk 8,31a.

V.   Mk 9,31 par

1. Die Leidens- und Auferstehungsankündigung Mk 9,31 par stellt in ihrer *heutigen* Form ein vaticinium ex eventu dar. Wie nämlich bereits innerhalb der Leidensankündigung der Wechsel vom Präsens zum Futur und der Wechsel des Subjekts vom Handeln Gottes zum Handeln der Menschen zeigen, dazu die von Markus unabhängige Parallele Lk 9,44 und ebenso Mk 14,41 par bestätigen, ist allein ὁ υἱὸς τοῦ ἀνθρώπου παραδίδοται εἰς χεῖρας τῶν ἀνθρώπων als traditionsgeschichtliche ›Urform‹ anzusehen[231].

Lk 9,44 setzt in der Tat Sondertradition voraus[232], wie der vom markinischen παραδίδοται abweichende Semitismus (Aramaismus) μέλλει παραδίδοσθαι[233], der gleichfalls vorliegende Semitismus θέσθε ὑμεῖς εἰς τὰ ὦτα ὑμῶν[234] und die fehlende Kontrastaussage töten – auferstehen beweisen[235].

---

231   Abgesehen von *G. Strecker,* Leidens- und Auferstehungsvoraussagen, 66f; *L. Schenke,* Studien, 253f; *P. Hoffmann,* Mk 8,31, 185 und *W. Schmithals,* Markus II, 425f, die Mk 9,31b insgesamt als markinische Bildung abtun – eine unhaltbare Hypothese, wie sich zeigen wird –, ist diese traditionsgeschichtliche Rekonstruktion nahezu allgemein anerkannt, vgl. etwa *W. Popkes,* Christus Traditus, 163f; *J. Jeremias,* Theologie, 267f; *H. Patsch,* Abendmahl, 194f; *B. Klappert,* Auferweckung, 120, Anm. 24; *L. Goppelt,* Theologie, 236; *K. Berger,* Auferstehung, 419f, Anm. 613; *W. Grundmann,* Markus, 257; *R. Pesch,* Markus II, 99f; *J. Gnilka,* Markus II, 53; *J. Ernst,* Markus, 272; *G. Schwarz,* Menschensohn, 280–282 und *R. Kearns,* Traditionsgefüge, 8, Anm. 7; 41–43. *W. Grimm,* Verkündigung, 212–214.219 möchte auch καὶ ἀποκτενοῦσιν αὐτόν dem ursprünglichen Kern zuzurechnen (vgl. früher bereits *C. Colpe,* Art. ὁ υἱὸς τοῦ ἀνθρώπου, 447: »Nicht sicher«), doch sind seine Argumente nicht überzeugend. Durch die sekundäre Anfügung der Kontrastaussage »töten – auferstehen« an die kürzere ›Urform‹ wird der rekonstruierte Maschal vielmehr in das konkrete Geschehen der Passionsgeschichte eingebunden (vgl. *R. Pesch,* Markus II, 100) und geht so seines Maschalcharakters weithin verlustig.

232   Vgl. *A. Schlatter,* Lukas, 106f; *K.H. Rengstorf,* Lukas, 126f; *T. Schramm,* Markus-Stoff, 94f und *H. Patsch,* Abendmahl, 194, vermutend *W. Popkes,* Christus Traditus, 157f.163; *C. Colpe,* Art. ὁ υἱὸς τοῦ ἀνθρώπου, 447 (»vielleicht«) und *I.H. Marshall,* Luke, 393. Anders *H. Schürmann,* Lukas I, 573f und *P. Hoffmann,* Mk 8,31, 171f.

233   Das markinische παραδίδοται und das matthäische/lukanische μέλλει παραδίδοσθαι sind jeweils Übersetzungsvarianten eines auf die nahe Zukunft weisenden aramäischen Partizip מִתְמְסַר (als matthäische/lukanische, nicht aber als markinische Vorlage wäre auch עֲתִיד לְמִתְמְסָרָא denkbar). Dabei erfolgt die griechische Wiedergabe mit μέλλει παραδίδοσθαι sachlich korrekt, da futurisch, während die präsentische mit παραδίδοται als urtümlichere, sachlich jedoch unkorrekte Übersetzung anzusehen ist.

234   Vgl. *W. Popkes,* Christus Traditus, 158. Wenn *H. Schürmann,* Lukas I, 573f und *P. Hoffmann,* Mk 8,31, 171f betonen, mit θέσθε ὑμεῖς εἰς τὰ ὦτα ὑμῶν läge ein Septuagintismus vor, der zu Lasten des Evangelisten selbst ginge, so ist dies sicher falsch. Denn diese

2. Die mit παραδιδόναι verbundenen biblischen Wendungen sind in ihrem jeweiligen Charakter so unterschiedlich und in so großer Bedeutungsbreite belegt[236], daß von einer »παραδιδόναι-Formel«[237] keine Rede sein kann[238]. Erst im Blick auf παραδιδόναι εἰς χεῖράς τινος erscheint die Bezeichnung »Formel« angebracht[239].

Sämtliche im einzelnen recht verschiedenartigen Bedeutungen von παραδιδόναι lassen sich auf drei Grundbedeutungen reduzieren: Erstens ist παραδιδόναι ein Ausdruck der »Polizei- und Gerichtssprache«, der die »Übergabe einer Person« beschreibt, wobei normalerweise ein Ergänzungsbegriff anzeigt, an wen bzw. zu welchem Zweck die Übergabe erfolgt[240]. In dieser Verwendung wird παραδιδόναι häufig »in den jüdischen Prozeß- und Märtyrerakten« gebraucht[241], erscheint nahezu als Terminus technicus in der neutestamentlichen Passionsgeschichte und schließlich als Passionsterminus auch in der Briefliteratur des Neuen Testaments[242].

Zweitens besitzt παραδιδόναι »im Zusammenhang mit Sühneaussagen eine relativ feste Stellung«[243], wo es aufzeigt, wem die Sühne zugute kommt, zum Vorteil wessen das Überliefern erfolgte; »παραδιδόναι . . .

Wendung ist – wie auch ähnliche Formulierungen in Verbindung von τιθέναι mit οὖς bzw. ὦτα – in der Septuaginta gerade nicht belegt (vgl. *F. Horst*, Art. οὖς, 553, Anm. 100 und *W. Popkes*, Christus Traditus, 158, Anm. 427). Um solchen Sachverhalt auszudrücken, spricht die Septuaginta von »in die Seele geben« (ψ 12,3 [= Ps 13,3]), von »ins Herz geben« (Hag 2,15 und Mal 2,2) oder im Plural von »in eure Herzen geben« (Hag 2,18: θέσθε ἐν ταῖς καρδίαις ὑμῶν. Der hebräische Text lautet hier שִׂימוּ לְבַבְכֶם). Jene letztgenannte Septuaginta-Formulierung übernimmt Lukas in der redaktionellen Wendung θέτε οὖν ἐν ταῖς καρδίαις ὑμῶν in Lk 21,14. Lk 9,44 hingegen verweist auf semitische Tradition (vgl. *I.H. Marshall*, Luke, 393), speziell auf וְשִׂים בְּאָזְנֵי, den hebräischen Wortlaut von Ex 17,14 (vgl. *A. Schlatter*, Lukas, 106f und *J. Ernst*, Lukas, 310), den die Septuaginta gerade nicht, wie zu erwarten wäre, mit καὶ θές . . ., sondern mit καὶ δός . . . wiedergibt (vgl. ähnlich Jer 9,19).

235 Genau diese Kontrastaussage erweist sich bei Markus als sekundäre Anfügung, die von Mk 8,31 herkommend in 9,31 ergänzt wurde (zum Motiv s. oben Anm. 231 [Ende]). Und es gibt keinen Grund zur Annahme, Lukas habe sie seinerseits wieder entfernt. Die von Markus unabhängige Sondertradition des Lukas enthielt jenen Zusatz erst gar nicht. Wegen des Fehlens der Kontrastaussage in Lk 17,25 s. oben S. 258f.

236 Vgl. grundsätzlich *W. Popkes*, Christus Traditus, bes. 13–73.134–239.

237 *J. Jeremias*, Art. παῖς θεοῦ, 704.

238 Vgl. *H.E. Tödt*, Menschensohn, 144f und *F. Hahn*, Hoheitstitel, 62.

239 Im Neuen Testament ist παραδιδόναι εἰς χεῖράς τινος in Mk 9,31 par; 14,41 par (als lukanische Parallele ist Lk 24,7 anzusehen [s. oben S. 259f mit Anm. 83]); Apg 21,11 und 28,17 belegt.

240 *H.E. Tödt*, Menschensohn, 145, vgl. zudem die Belege bei *W. Bauer*, Wörterbuch, 1242–1244 (παραδίδωμι 1, a.b), etwa Mk 13,9 par und Mt 5,25 par.

241 *H.E. Tödt*, Menschensohn, 145 (mit Verweis auf *K.H. Schelkle*, Passion, 70f).

242 Vgl. *H. Schlier*, Römer, 136 und *U. Wilckens*, Römer I, 279f.

243 *F. Hahn*, Hoheitstitel, 62.

ὑπέρ«[244] ist charakteristisch für diese zweite Grundbedeutung, die eigentlich als Sonderform der ersten gelten könnte, ist doch auch hier der Gerichtsaspekt grundlegend.

Drittens kennzeichnet παραδιδόναι als Äquivalent von לְ מָסַר, manchmal in Verbindung mit παραλαμβάνειν / קִבֵּל מִן, eine Tradition, die jemandem übergeben, d.h. überliefert wird[245].

Bezüglich des Gebrauchs in Mk 9,31 kommt nur die Grundbedeutung eins in Frage, während die dritte in jedem Fall und die zweite insofern ausscheidet, als eine Explikation im Sinne einer Sühneaussage zum Vorteil für irgendwen gerade nicht vorliegt. Solche Verwendung von παραδιδόναι ist im Neuen Testament erst bei Paulus belegt, wenn zum Teil auch in vorpaulinischen Formeln[246], in Mk 9,31 hingegen noch nicht.

3. Allein schon von diesem Befund her wird man Joachim Jeremias' Vermutung, παραδίδοται in Mk 9,31 und den übrigen Leidensankündigungen dieses Grundmusters verweise auf das vierte Gottesknechtlied[247] – später von ihm selbst zu einem »vielleicht« abgeschwächt[248] –, kaum zustimmen können. Vollends als falsch nachgewiesen wird diese in der Forschung zu Recht abgelehnte Hypothese[249] jedoch durch folgende Gründe: Zunächst einmal sind die in Frage kommenden Belege des hebräischen Texts von Jes 53, die V. 6, 12b und 12c, im Gegensatz zu Mk 9,31 nicht passivisch, sondern aktivisch formuliert; das für die Leidensankündigung so entscheidende Passivum divinum[250] findet seine Entsprechung allenfalls in Jes 53,12b LXX und 12c LXX, doch von dort ist παραδίδοται, wie sich zeigen wird, nicht beeinflußt. Im hebräischen Text des vierten Gottesknechtlieds hat παραδίδοται jedoch selbst dann keine inhaltliche Parallele, wenn man von der in Mk 9,31 konstitutiven, in Jes 53 aber fehlenden passivischen Ausdrucksweise absieht. Ernsthaft in Betracht kämen sowieso nur V. 6 und V. 12c, da die Übersetzung des הֶעֱרָה לַמָּוֶת נַפְשׁוֹ aus V. 12b mit παρεδόθη εἰς θάνατον ἡ ψυχὴ αὐτοῦ (LXX), also παραδιδόναι für ערה (hi.), nur als »eine sehr freie Wiedergabe«[251] bezeichnet werden kann, die für die Leidensankündigung nichts austrägt.

---

244 Vgl. nur ὑπὲρ ἡμῶν (Röm 8,32 und Eph 5,2), ὑπὲρ ἐμοῦ (Gal 2,20) sowie ὑπὲρ αὐτῆς (Eph 5,25). In Röm 4,25 steht διά statt ὑπέρ.

245 Vgl. 1Kor 11,23 und 15,3b, dazu *J. Jeremias,* Abendmahlsworte, 95.195 und *ders.,* Theologie, 275.

246 Vgl. Röm 4,25; 8,32; Gal 2,20 und Eph 5,2.25.

247 Vgl. *J. Jeremias,* Art. παῖς θεοῦ, 704.

248 Vgl. *J. Jeremias,* Παῖς (θεοῦ) im Neuen Testament, 201.

249 Vgl. *H.E. Tödt,* Menschensohn, 147–150; *F. Hahn,* Hoheitstitel, 62f; *W. Popkes,* Christus Traditus, 228.253f; *H. Patsch,* Abendmahl, 194; *W. Grimm,* Verkündigung, 222; *R. Pesch,* Passion 177 (vorsichtiger *ders.,* Markus II, 100: »läßt sich nicht sichern«) und *J. Gnilka,* Markus II, 54.

250 S. unten S. 298 mit Anm. 294.

251 *F. Hahn,* Hoheitstitel, 63.

In V. 6 und V. 12c hingegen erscheint zwar jeweils פגע (hi.) als Äquivalent von παραδιδόναι, doch ist die Verwendung eine völlig verschiedene: In V. 6 steht פגע (hi.) in Verbindung mit der Präposition בְּ und einem folgenden Akkusativ (וַיהוָה הִפְגִּיעַ בּוֹ אֵת עֲוֹן כֻּלָּנוּ) in der Bedeutung »jemanden etwas treffen lassen«, in V. 12c (וְלַפֹּשְׁעִים יַפְגִּיעַ) mit לְ in der Bedeutung »eintreten für«[252]. Beide wiederum haben mit παραδίδοται aus Mk 9,31 so wenig gemeinsam, daß eine Einwirkung des hebräischen Texts des vierten Gottesknechtlieds auf die Formulierung der Leidensankündigung auszuschließen ist.

Als möglicher Hintergrund aus Jes 53 verbleibt damit einzig TJon Jes 53,5, die inzwischen wichtigste Belegstelle Jeremias'[253]. Zwar gibt die aramäische Übertragung אִתְמְסַר בַּעֲוָיָתָנָא מְדָבָּא מֵעֲוֹנֹתֵינוּ mit sogar passivisch wieder, dennoch wird man sich auch dieser Herleitung des παραδίδοται versagen müssen, denn im Targum ist nicht vom Gottesknecht, sondern vom Tempel die Rede, der entweiht und preisgegeben wird[254]. Hinzu kommt ein weiteres: Ist es an sich schon methodisch fragwürdig, vom Gleichklang eines einzigen Wortes her einen Herkunftsnachweis führen zu wollen – zumal man von einer »παραδιδόναι-Formel« nicht reden kann und sich anderweitige Beziehungen formaler und inhaltlicher Art zu Jes 53 nicht aufzeigen lassen –, so wird solches Vorgehen erst recht widerlegt, wenn man sich vor Augen hält, daß Mk 9,31 nicht einfach von παραδίδοται spricht, sondern die charakteristische Wendung παραδίδοται εἰς χεῖράς τινος enthält. Sie jedoch findet sich weder im hebräischen Text des vierten Gottesknechtlieds noch im Targum.

Alles in allem bedeutet dies: Eine Abhängigkeit des παραδίδοται εἰς χεῖράς τινος von Jes 52,13 – 53,12 besteht nicht.

Bereits die vorpaulinische Formel Röm 4,25 enthält nun aber nicht nur

---

252 Vgl. ebd., 63 (in Anm. 1 mit Hinweis auf *L. Köhler / W. Baumgartner*, Lexicon, 751).

253 Vgl. *J. Jeremias*, Theologie, 280f.

254 Dies gibt auch *J. Jeremias*, Theologie, 282, Anm. 79 zu. Er beruft sich jedoch auf seine Hypothese, nach der TJon Jes 52,13 – 53,12 aus Gründen antichristlicher Polemik systematisch überarbeitet worden sei mit dem Ziel, sämtliche Leidenszüge des Gottesknechts umzudeuten, damit sich die Christen nicht auf das vierte Gottesknechtlied berufen könnten. Ursprünglich sei in V. 5 von der Preisgabe des Ebed die Rede gewesen, erst sekundär habe man in die Preisgabe des Tempels geändert (vgl. zu Recht anders *K. Koch*, Messias, 135f). Die Leidensankündigung ihrerseits beziehe sich auf den ursprünglichen Text. Oben S. 265f wurden Jeremias' Erwägungen zu TJon Jes 52,13–53,12 bereits grundsätzlich überprüft, wobei sich TJon Jes 53,1–12, anders als TJon Jes 52,13–15, als nachjesuanisches Produkt zu erkennen gab, das folgerichtig nirgendwo in der Literatur vor Jesus seinen Niederschlag fand. Wenn Jeremias dennoch aus einem angeblich ursprünglicheren Text derartige Folgerungen ableitet, ist nach wie vor mit *P. Volz*, Jesaja II, 185f, Anm. 2 festzuhalten: »Auf alle Fälle ist an den Ausführungen von Joachim Jeremias zu beanstanden, daß er die Quellen ... nicht mit der notwendigen chronologischen Genauigkeit bucht und daß er zu weitgehende Schlüsse aus dem Vorhandenen zieht.«

παραδιδόναι in Verbindung mit einer Sühneaussage (Grundbedeutung 2) und spricht im Passivum divinum von Gott als dem, der die Dahingabe bewirkt, darüber hinaus steht hier in der Tat der griechische Text von Jes 53 im Hintergrund, nämlich Jes 53,12c LXX[255]. Diese Tatsache beweist das traditionsgeschichtlich höhere Alter von Mk 9,31 gegenüber Röm 4,25. Denn sobald die Urkirche Jes 53 als Weissagung auf den Tod Jesu entdeckt hatte, konnte der Rückbezug gerade des παραδίδοται – das innerhalb der Aussagen über die Passion Jesu eine so wesentliche Rolle spielte – auf das dreifache und markante παραδιδόναι des vierten Gottesknechtlieds gar nicht ausbleiben. Folgerichtig las man das jesuanische παραδίδοται nicht nur im Sinne eines Schriftbeweises nach Jes 53, sondern übernahm zugleich auch die dort vorliegende (Sühne-)Deutung einschließlich der entsprechenden Terminologie[256]. Hatte man aber erst einmal Jes 53 als Begründung für die Dahingabe Jesu durch Gott und vor allem für die Deutung dieses unbegreiflichen Geschehens erkannt, gab man sie nicht wieder aus der Hand. Da nun in Mk 9,31 die spätere Verbindung mit den Deutewendungen aus Jes 53 noch nicht vorliegt, folgt daraus: Die Leidensankündigung entstand zu einer Zeit, »in welcher Jesaja als Weissagung auf das messianische Leiden Jesu noch nicht entdeckt war.«[257] Damit erweist sich Mk 9,31 als sehr alt, denn schon Röm 4,25 bekundet als von Paulus bereits vorgefundenes und übernommenes Bekenntnis der hellenistisch-judenchristlichen Gemeinde ein relativ hohes Alter, ist aber jünger als Mk 9,31. Man wird Röm 4,25 als präzisierende Ausdeutung von Mk 9,31 unter dem Einfluß von Jes 53 anzusehen haben[258].

4.   Die Leidensankündigung spiegelt aber nicht nur älteste Tradition, sie kann zudem nicht in der frühen hellenistisch-judenchristlichen Gemeinde entstanden sein. Dies zeigt die Verbindung des παραδίδοται mit ὁ υἱὸς τοῦ ἀνθρώπου[259]. Die vorpaulinische griechischsprachige Gemeinde sowie Paulus selbst reden nämlich im Blick auf die Passion Jesu häufig von Jesus als Χριστός, verbinden Χριστός dabei aber nie mit παρα-

---

255   Vgl. *J. Jeremias*, Art. παῖς θεοῦ, 704, Anm. 397; *H.E. Tödt*, Menschensohn, 149; *F. Hahn*, Hoheitstitel, 63; *E. Käsemann*, Römer, 122; *O. Michel*, Römer, 175; *H. Schlier*, Römer, 136; *U. Wilckens*, Römer I, 279 und *M. Hengel*, Sühnetod, 11. *B. Klappert*, Frage, 170 sowie inzwischen auch *J. Jeremias*, Παῖς (θεοῦ) im Neuen Testament, 200, Anm. 397 und *ders.*, Theologie, 281 verweisen auf TJon Jes 53,5.

256   Vgl. *H.E. Tödt*, Menschensohn, 149.

257   Ebd., 149f.

258   Vgl. *W. Popkes*, Christus Traditus, 258–270, bes. 263–266. Wenn *U. Wilckens*, Römer I, 280, Anm. 909 Popkes' Ergebnis insofern modifiziert, daß man nicht von einer direkten Herleitung sprechen sollte, d.h. daß man traditionsgeschichtlich mit Zwischenstufen zu rechnen habe, wird damit das hohe Alter von Mk 9,31 zusätzlich unterstrichen.

259   Es ist das Verdienst von *H.E. Tödt*, Menschensohn, 146f, diesen Sachverhalt aufgezeigt zu haben.

διδόναι[260], sondern mit ἀποθνῄσκειν[261]. Umgekehrt begegnet παραδιδόναι in Verbindung mit einem christologischen Hoheitstitel nur in Röm 4,24f und 1Kor 11,23 zusammen mit κύριος, dazu in Röm 8,32 mit υἱός. Ansonsten bleibt παραδιδόναι allein dem Menschensohn vorbehalten. Die Kombinationen ὁ υἱὸς τοῦ ἀνθρώπου – παραδιδόναι sowie Χριστός – ἀποθνῄσκειν sind also regelmäßig belegt und nie untereinander vertauscht. Eine solche auffallende »Regelmäßigkeit des Sprachgebrauchs« kann »nicht auf Zufall beruhen; es handelt sich um unvertauschbare Kombinationen.«[262] Da nun in der hellenistisch-judenchristlichen Gemeinde ausschließlich die stereotype Wendung Χριστός – ἀποθνῄσκειν Verwendung fand, ist Heinz Eduard Tödts Folgerung zwingend, es sei »unwahrscheinlich, daß die gleiche Gemeindegruppe auch die andere Kombination bildete: Menschensohn – ausgeliefert, ohne jeweils diese vier Begriffe – mindestens gelegentlich – miteinander auszutauschen.«[263] Deshalb kann die Kombination ὁ υἱὸς τοῦ ἀνθρώπου – παραδιδόναι, die dem hellenistischen Judenchristentum sowie dem Heidenchristentum völlig unbekannt ist, nur im palästinischen Sprachbereich entstanden sein.

Diese These läßt sich aufgrund einer Fülle weiterer philologischer und inhaltlicher Beobachtungen bestätigen:

Da ist zunächst die formelhafte Wendung παραδιδόναι εἰς χεῖράς τινος. Im rein griechischen Sprachraum ist sie nirgendwo nachweisbar[264]. Zwar ist sie auch in der Septuaginta belegt, so daß theoretisch ebenso ein Septuagintismus aus der Feder eines hellenistischen Judenchristen vorliegen könnte[265], doch ist diese Folgerung nicht haltbar: Zum einen gibt die Septuaginta lediglich ihre hebräische Vorlage, nahezu immer נָתַן בְּיָדֵי[266], wörtlich und einzig sachgemäß wieder, zum anderen zeigen die entsprechenden Belege, die Adolf Schlatter zusammengestellt hat, daß die

---

260 Erst in Eph 5,2.25 ist diese Verbindung belegt.

261 Für die Verbindung Χριστός – ἀποθνῄσκειν finden sich im Neuen Testament zwölf Belege (Röm 5,6.8; 6,8.9; 8,34; 14,9; 1Kor 8,11; 15,3; Gal 2,21; Kol 2,20; 1Thess 5,9f und 1Petr 3,18), d.h. elf im Corpus Paulinum, einen im ersten Petrusbrief, hingegen nicht ein einziger in den Evangelien. Von den genannten paulinischen Belegstellen sind 1Kor 15,3b und wohl auch Röm 8,34 (vgl. *H. Schlier*, Römer, 278) traditionell. In bestimmten lukanischen Traditionen ist Χριστός ebenso mit πάσχειν verbunden, vgl. Lk 24,26.46; Apg 3,18; 17,3 und 26,23.

262 *H.E. Tödt*, Menschensohn, 146.

263 Ebd., 147.

264 Vgl. *F. Büchsel*, Art. παραδίδωμι, 172 und *H.E. Tödt*, Menschensohn, 148.

265 Vgl. *G. Strecker*, Leidens- und Auferstehungsvoraussagen, 66; *L. Schenke*, Studien, 254, Anm. 2 und *P. Hoffmann*, Mk 8,31, 172.

266 Statt נתן (33 Belege) werden folgende Vokabeln je 1mal verwandt: סגר, אנה, לשׁן, סכר und תפשׂ. Hinzu kommt noch im aramäischen Text des Alten Testaments יהב (3 Belege).

Formel in Palästina beheimatet ist[267]. Dabei steht παραδιδόναι für das hebräische נתן bzw. das aramäische מסר[268], εἰς χεῖρας für בִּידֵי bzw. לְיָדֵי, womit נָתַן בִּידֵי bzw. מְסַר לְיָדֵי zugrunde liegt. Hat aber bereits das bloße יָד in der juristischen Sprache des Judentums öfter den Sinn von »Verfügungsgewalt«[269], und sind auch נתן und מסר (παραδιδόναι) vorwiegend Termini der Gerichtssprache betreffs der Übergabe einer Person, so erst recht נָתַן בִּידֵי und מְסַר לְיָדֵי (παραδιδόναι εἰς χεῖράς τινος). Es geht darum, daß jemand in die Verfügungsgewalt eines anderen dahingegeben wird.

Die im Folgenden zusammengefaßten Ergebnisse Wiard Popkes' zum Gebrauch von παραδιδόναι im Alten Testament gelten damit um so mehr für παραδιδόναι εἰς χεῖράς τινος: Der fragliche Terminus παραδιδόναι ist vor allem in zwei Motivkreisen belegt, dem des Heiligen Krieges[270] und dem der prophetischen Gerichtsverkündigung[271]. Er kann zwar auch in friedlichem Sinn gebraucht sein, wird jedoch meist in feindlicher Verwendung benutzt und impliziert dann fast immer die Vernichtung des Übergebenen. Innerhalb dieses dominanten Gebrauchs ist es wiederum meist Gott selbst, der als Subjekt des Handelns dahingibt, wobei solche Dahingabe inhaltlich das genaue Gegenteil von »Heil« meint und als Gerichtsgeschehen zu verstehen ist[272]. Bedenkt man zudem, daß die Übergabe fast immer an Menschen erfolgt[273], so wird deutlich, daß letztlich die gesamte Wendung παραδίδοται εἰς χεῖρας τῶν ἀνθρώπων

---

267   Vgl. *A. Schlatter,* Matthäus, 537f, ferner *F. Büchsel,* Art. παραδίδωμι, 172; *H.E. Tödt,* Menschensohn, 148; *W. Popkes,* Christus Traditus, 259, Anm. 700; *J. Jeremias,* Theologie, 268; *J.-A. Bühner,* Der Gesandte, 198 und *R. Pesch,* Markus II, 99f.

268   Während יהב im Aramäischen zumeist für das Simplex διδόναι steht (von 28 Belegen im biblischen Aramäisch übersetzt die Septuaginta 24mal mit διδόναι, 3mal mit παραδιδόναι, 1mal mit ἀποδιδόναι), entspricht מסר deutlich dem Kompositum παραδιδόναι. So laut *W. Popkes,* Christus Traditus, 20–22 an 124 von 162 Vergleichsstellen aus Pentateuch, Ri, 1Sam, 2Sam, 1Kön, 2Kön, Jes, Jer, Ez und Dodekaprophoton im Vergleich mit Targum Jonathan und Targum Onqelos (14mal fehlt ein Äquivalent, 7mal steht נתן, 4mal יהב, 4mal שלם, 8mal weitere Vokabeln). Codex Neofiti bestätigt dieses Ergebnis. Damit differenziert das Aramäische recht deutlich zwischen Simplex und Kompositum, während das Hebräische diese Unterscheidung so nicht kennt.

269   Vgl. etwa Dtn 1,27; 2,30; 3,2f; Jer 38,5; 39,17; Dan 2,38 und 2Chr 28,5, dazu *J.-A. Bühner,* Der Gesandte, 198 und *R. Pesch,* Markus II, 99.

270   Vgl. *W. Popkes,* Christus Traditus, 23 (mit Hinweis auf *G. von Rad,* Krieg, 7): »Jahwe hat die . . . in eure Hand gegeben« und *R. Feldmeier,* Krisis, 216. Zum Heiligen Krieg im Alten Testament vgl. die genannte Studie von Rads, ferner *R. Bach,* Aufforderung, 51–112, bes. 73–112 und *S.-M. Kang,* War, 114–224 (in der Umwelt des Alten Testaments ebd., 11–110), in Qumran *O. Betz,* Jesu Heiliger Krieg, 77–85; *ders.,* Stadt, 33–37 und *M. Hengel,* Zeloten, 279–287, bei den Zeloten ebd., 287–292 und *O. Betz,* Stadt, 26–33.

271   Vgl. *W. Popkes,* Christus Traditus, 23f und *R. Feldmeier,* Krisis, 217.

272   Vgl. *W. Popkes,* Christus Traditus, 25 und *R. Feldmeier,* Krisis, 217f.220.

273   Vgl. *W. Popkes,* Christus Traditus, 24.

aus Mk 9,31 an alttestamentliche Texte anknüpft. Bloßes παραδίδοται εἰς χεῖράς τινος ist vielfältig belegt[274], der vollständige Wortlaut einschließlich des τῶν ἀνθρώπων (bzw. statt dessen τῶν ἁμαρτωλῶν) in fast genauer Übereinstimmung in Hi 16,11 (יַסְגִּי רֵנִי אֵל אֶל עֲוִיל וְעַל־יְדֵי רְשָׁעִים יִרְטֵנִי), Sach 11,6 (וְהִנֵּה אָנֹכִי מַמְצִיא אֶת־הָאָדָם אִישׁ בְּיַד־רֵעֵהוּ) und Jer 38,16 (וְאִם־אֶתֶּנְךָ בְּיַד הָאֲנָשִׁים הָאֵלֶּה [ähnlich Jer 26,24]), dazu ohne נתן / παραδιδόναι in 2Sam 24,14 par 1Chr 21,13 ([אֶפֹּל] וּבְיַד־אָדָם אַל־אֶפֹּלָה). In diesen fünf alttestamentlichen Texten ist die Aussage der Leidensankündigung Mk 9,31 terminologisch wie auch sachlich mehr oder weniger vorgegeben; hier wird die Exegese ansetzen müssen[275].

Ein weiteres Argument für die Entstehung der Leidensweissagung im palästinischen Sprachbereich ist das auffällige, jedoch »in der Tradition fest verankerte Präsens παραδίδοται«. Obwohl eine die (nahe) Zukunft betreffende Ankündigung vorliegt, wird ausdrücklich nicht futurisch formuliert, wie dies sachlich korrekt in der von Markus unabhängigen lukanischen Sondertradition Lk 9,44 geschieht, sondern – nach griechischem Stil und Sprachempfinden unkorrekt – präsentisch. Wie bereits deutlich wurde, sind das markinische παραδίδοται und das matthäische/lukanische μέλλει παραδίδοσθαι jeweils als Übersetzungsvarianten eines auf die nahe Zukunft weisenden aramäischen Partizips anzusehen, dessen griechische Wiedergabe mit μέλλει παραδίδοσθαι inhaltlich richtig im Futur erfolgt, während das präsentische παραδίδοται als urtümlichere, jedoch unzutreffende Übersetzung gelten muß[276]. Letztere erklärt sich dadurch, »daß das Hebräische und Aramäische anders als das Griechische keine temporal unterschiedenen Partizipialformen besitzen. Das Partizip ist atemporal. Seine Zeitsphäre wird durch den Kontext bestimmt.«[277] Nun verwendet vor allem das Aramäische »zur Bezeichnung der nahen Zukunft mit Vorliebe das Partizip«[278], während die griechischen Übersetzer auch »diese futurischen Partizipien oftmals irrig präsentisch wieder(geben), weil das an sich atemporale Partizip im Aramäischen im allgemeinen präsentische Bedeutung hat«[279]. Ein solcher Fall liegt in Mk 9, 31 vor: Dem präsentischen παραδίδοται liegt ein aramäisches Partizip zugrunde[280]. Dies zeigen auch die syrischen Übersetzungen (sy[s.c], sy[p], sy[pal]), die παραδίδοται jeweils partizipial wiedergeben.

---

274 Vgl. nur Jer 38,16; Ez 23,28; Ps 106,41 und Hi 16,11, ferner etwa auch äthHen 48,9; 91,12; 95,3; 1QpHab 5,4 und syrBar 70,9 sowie die Belege bei *A. Schlatter*, Matthäus, 537f.

275 *J. Jeremias*, Theologie, 268.

276 S. oben S. 288 mit Anm. 233.

277 *J. Jeremias*, Abendmahlsworte, 170.

278 *J. Jeremias*, Theologie, 268, Anm. 17, vgl. *ders.*, Abendmahlsworte, 170f (in Anm. 5 mit ausführlichen Literaturangaben).

279 *J. Jeremias*, Theologie, 268, Anm. 17.

280 Vgl. ebd., 268 und *R. Pesch*, Markus II, 99.

Die Leidensankündigung verweist damit auf ein aramäisches Original[281] folgenden Wortlauts[282]:

מִתְמְסַר בַּר אֱנָשָׁא לִידֵי בְּנֵי אֱנָשָׁא

Sofort fällt das Wortspiel בַּר אֱנָשָׁא - בְּנֵי אֱנָשָׁא ins Auge, womit die Entstehung der Leidensweissagung im aramäischen Sprachbereich erneut bestätigt wird. Zwar verneinen Georg Strecker und Paul Hoffmann ein ursprünglich aramäisches Wortspiel mit der lapidaren Auskunft, auch im griechischen Text läge ein Wortspiel ὁ υἱὸς τοῦ ἀνθρώπου - τῶν ἀνθρώπων vor[283], doch ergibt sich im Aramäischen zumindest ein »reineres Wortspiel«[284], da im Griechischen der Parallelismus υἱός - υἱοί bezeichnenderweise fehlt. Vermutlich erkennt man im heutigen Text das postulierte Wortspiel nur deshalb, weil man dessen aramäische Vorlage unbewußt im Blick hat[285].

Den endgültigen Nachweis dafür, daß die Leidensankündigung eine aramäische Urfassung voraussetzt, liefert Mk 14,41b par. Indem dort τῶν ἀνθρώπων aus Mk 9,31 mit dem Ziel der theologischen Präzisierung durch das eindeutigere τῶν ἁμαρτωλῶν ersetzt worden ist, ist das ursprüngliche Wortspiel, das doch gerade ein wesentliches Charakteristikum des Maschals Mk 9,31 darstellte, aufgelöst[286]. Dies wiederum geschah bereits im Bereich der palästinischen Urkirche, denn auch mit

281   »Nun kann zwar auch im Griechischen das Part. Präs. eine relativ zukünftige Handlung bezeichnen, doch hat es dann bestimmte Nuancen (schillernd, charakterisierend, final)« (J. Jeremias, Abendmahlsworte, 170f [mit Hinweis auf F. Blass / A. Debrunner / F. Rehkopf, Grammatik, § 339,2]). Besagte Nuancen sind dort jedoch konstitutiv, sonst ist eine solche Formulierung im Partizip Präsens nicht möglich. Wo sie fehlen, und in Mk 9,31 fehlen sie, liegen jeweils Semitismen vor.

282   Vgl. J. Jeremias, Theologie, 268.

283   Vgl. G. Strecker, Leidens- und Auferstehungsvoraussagen, 66 und P. Hoffmann, Mk 8,31, 172.

284   A. Vögtle, Todesankündigungen, 63, vgl. R. Pesch, Markus II, 99.

285   Überdies bemerkt H. Patsch, Abendmahl, 339, Anm. 342 gegen eine mögliche Entstehung im griechischen Sprachbereich zu Recht, der dort vorauszusetzende »titulare Gebrauch . . ., in dem weder υἱός noch ἄνθρωπος wörtlich genommen sind, kann kein Wortspiel mehr aus sich heraussetzen.« Auch in Mt 9,6.8, von G. Strecker, Leidens- und Auferstehungsvoraussagen, 66, Anm. 35 als Parallele herangezogen, liegt kein Wortspiel vor, sondern eine über Mk 2,10 hinausgehende matthäische Interpretation.

286   Der Hinweis bei H. Patsch, Abendmahl, 195, diese vertiefende Präzisierung sei die Folge davon, daß man das ursprüngliche Wortspiel nicht mehr verstanden habe, ist sicherlich übertrieben. Recht hat er allerdings, wenn er in jener Änderung urchristlichen Sprachgebrauch erkennen möchte, der so kaum auf Jesus zurückgehen kann. Denn in authentischen Jesuslogien begegnet »Sünder« nur dann, wenn Jesus Redewendungen seiner Gegner aufgreift (so in Mt 11,19 par; Mk 2,17 par; Lk 13,2 und 15,7.10). In den drei übrigen Belegen neben Mk 14,41 par, in denen ἁμαρτωλός im Mund Jesu erscheint, Lk 6,32.33.34 (diff Mt 5,46f) ersetzt es sekundär die bei Matthäus erhaltenen und urtümlicheren Termini τελώνης bzw. ἐθνικός. U. Luz, Matthäus I, 306 spricht zu Recht von »sekundären Verallgemeinerungen«. Jesus selbst nennt die, die in ihrer jüdischen Umwelt als Sünder gelten (vgl. J. Jeremias, Zöllner, 293–300 und ders., Jerusalem, 337–347) liebevoll νήπιοι, πτωχοί oder auch μικροί, seine jüdischen Gegner hingegen, die ihn und seinen Umkehrruf abweisen, ὑποκριταί, ὄφεις oder γεννήματα ἐχιδνῶν.

παραδίδοται εἰς χεῖρας τῶν ἁμαρτωλῶν liegt ein aus ihrer jüdischen Umwelt übernommener Sprachgebrauch vor[287]. Wenn sich aber bereits die sekundäre Umformulierung Mk 14,41b, also die ›Kopie‹, als alte semitische Überlieferung zu erkennen gibt, dann erst recht das nochmals ältere Original aus Mk 9,31.

5.   Geht das Logion auf Jesus selbst zurück? In seiner knappen, inhaltlich unbestimmten Aussage ist es als Maschal treffend charakterisiert. Jeremias spricht von einem »apokalyptischen Rätselspruch«[288]. Deutet man בַּר אֱנָשָׁא generisch, ist der Sinn folgender: In den kommenden Wirren der eschatologischen Notzeit wird der einzelne Mensch (der Fromme) der Masse preisgegeben[289]. Alttestamentliches Vorbild wäre etwa Sach 11,6[290], im jüdischen Schrifttum ließe sich TestAbr A 13 (πᾶς ἄνθρωπος ἐξ ἀνθρώπου κριθήσεται) von der Struktur her vergleichen. Von den oben genannten alttestamentlichen Belegen wird man auch Hi 16,11 heranziehen müssen. Zwar liegt dort eine Aussage über Hiob vor, doch steht dieser nicht für eine konkrete geschichtliche Person, sondern als Typos für den Frommen, den leidenden Gerechten allgemein. Kann man die Leidensankündigung von hierher ohne weiteres als weisheitlich geprägte apokalyptische Aussage über das Los des Gerechten interpretieren, so liegt eine zweite Verstehensmöglichkeit viel näher, nach der בַּר אֱנָשָׁא wie auch sonst im Mund Jesu eine feierliche Umschreibung für »ich« in dritter Person darstellt, so daß konkret von Jesu Lebenshingabe die Rede ist. Sofern das Logion auf Jesus selbst zurückgeht, erweist sich nur letzteres als sinnvoll[291]. Denn auch, wenn Jesus von den Wirren der

---

287   Im zeitgenössischen jüdischen Schrifttum gibt es eine Menge solcher Belege, die davon reden, daß die Sünder (einst) in die Hand oder in die Hände der Gerechten bzw. des Messias gegeben werden, um ihre verdiente Strafe zu empfangen (vgl. etwa äthHen 48,9; 91,12; 95,3; 1QpHab 5,4 und syrBar 70,9). Die urchristliche Gemeinde nimmt diese Erwartung ihrer jüdischen Umwelt auf und kehrt sie im Anschluß an Mk 9,31 dergestalt um, daß jetzt der Messias bzw. der Menschensohn in die Hände der Sünder fällt.

288   *J. Jeremias*, Theologie, 268.

289   Vgl. ebd., 268.

290   Vgl. *W. Grimm*, Verkündigung, 220f.254. Bei Grimm ist Sach 11,6 jedoch überinterpretiert, wenn er die feste Verwurzelung des Terminus Menschensohn in den Leidensankündigungen Jesu ausgerechnet hier sowie in הָאָדָם aus Jes 43,4 begründet sehen möchte. Trotz sprachlicher Gemeinsamkeiten notiert Sach 11,6 lediglich הָאָדָם, das zudem durch das folgende אִישׁ unzweideutig in generischer Bedeutung festgelegt ist. In Jes 43,4 wiederum ist das indeterminierte אָדָם als ursprüngliche Lesart anzusehen (s. unten S. 332 mit Anm. 455), so daß die jesuanische Chiffre Menschensohn auch von dort nicht ableitbar ist.

291   Unhaltbar ist die Vermutung, Jesus habe in Mk 9,31 die Ich-Form benutzt und erst die nachösterliche Gemeinde habe »ich« sekundär durch »Menschensohn« ersetzt (so *C. Colpe*, Art. ὁ υἱὸς τοῦ ἀνθρώπου, 447f). Damit wäre nicht nur das Wortspiel בַּר אֱנָשָׁא – בְּנֵי אֱנָשָׁא zerstört, die Urkirche hätte auch eine eindeutige Leidensankündigung zu einem mißdeutbaren Maschal verdunkelt.

eschatologischen Notzeit sprach, hielt er sein eigenes Leiden aus diesen nicht heraus, sondern sah gerade darin den Auftakt zu all dem furchtbaren Geschehen[292].

Mk 9,31 ist damit ganz in die Reihe der als authentisch nachgewiesenen Logien[293] einzuordnen, die alle mehr oder weniger in die für Jesus charakteristische Form des Maschals gekleidet sind und verhüllt von seinem bevorstehenden Schicksal reden. Was dort noch vorsichtig anklang, lediglich dunkel angedeutet wurde, kommt jetzt für die Jünger, denen »Menschensohn« als Selbstbezeichnung Jesu geläufig war, deutlich zum Ausdruck: Der Menschensohn wird preisgegeben, der von Gott gesandte Mensch wird der Verfügungsgewalt der Menschen ausgeliefert, und zwar von Gott selbst, denn מְתְמְסַר / παραδίδοται ist ein Passivum divinum[294] und zeigt an, daß Gott der Urheber dieses Geschehens ist. Der Sinn des Maschals ist also der: »Gott wird (bald) den Menschen (Sing.) den Menschen (Plur.) ausliefern«[295].

Diese Aussage bedeutet für die Jünger nichts anderes als das: Gott läßt seinen Messias fallen. Statt der Inthronisation des Designierten, die Jesus immer wieder angekündigt hatte, die sich jetzt scheinbar als Falschprophetie, als falsche Weissagung erwies, erfolgt in Kürze sein Tod. Der messianische Anspruch Jesu wird durch sein Geschick widerlegt. Mehr noch: Der Messias designatus verfällt Gottes Gericht, denn der von Gott Dahingegebene ist der von Gott Gerichtete.

Jede weiterführende Erklärung Jesu betreffs dieser schockierenden Mitteilung unterbleibt, obwohl sie in den Ohren der Jünger einer Ungeheuerlichkeit, einer Katastrophe gleichkommen mußte, denn sie stellt nicht nur die messianische Erwartung des Alten Testaments und des Judentums

---

292   S. oben S. 249–254.

293   Vgl. die Zusammenstellung dieser Logien oben S. 248f.

294   Diese Erkenntnis ist heute opinio communis, vgl. nur *M.D. Hooker,* Servant, 95; *W. Popkes,* Christus Traditus, 167; *C. Colpe,* Art. ὁ υἱὸς τοῦ ἀνθρώπου, 447; *J. Jeremias,* Theologie, 268; *H. Patsch,* Abendmahl, 195; *W. Grimm,* Verkündigung, 220; *W. Grundmann,* Markus, 258; *R. Pesch,* Markus II, 99; *J. Gnilka,* Markus II, 54; *J. Ernst,* Markus, 271 und *G. Schwarz,* Menschensohn, 282. Schon die Erwägungen zum Gebrauch von παραδιδόναι und erst recht von παραδιδόναι εἰς χεῖράς τινος im Alten Testament zeigten, daß bereits dort in der überwältigenden Mehrzahl der Belege Gott selbst der Urheber der Dahingabe ist (s. oben S. 294). Daß diese Beobachtung konkret im Falle der Leidensankündigung Mk 9,31 zutrifft, beweist (a) die traditionsgeschichtliche Weiterbildung der Leidensankündigung in Röm 4,25 und 8,32, wo von einem Handeln Gottes die Rede ist, (b) das Gott als Urheber der Dahingabe des Menschensohns bezeichnende δεῖ der zweiten Grundform der synoptischen Leidensankündigungen, (c) die alttestamentlich-jüdische Tradition, die Jesus hier aufgreift (vgl. dazu die folgenden Ausführungen auf S. 299). Wenn die Dahingabe des Menschensohns in Mk 14,21 par in Judas ihr menschliches Subjekt findet, so ist auch dort an Gott als dem in letzter Instanz handelnden Urheber der Dahingabe festgehalten (s. oben S. 258).

295   *J. Jeremias,* Theologie, 268, vgl. *R. Pesch,* Markus II, 99.

auf den Kopf, sondern widerspricht auch der ursprünglichen Erwartung Jesu selbst.

Der Messias galt selbstverständlich als Herrscher und Richter der Gottlosen[296]; diese werden nach einer bestimmten apokalyptischen Tradition »in seine Hände gegeben«, damit er sie richte, strafe und vernichte[297]. Jesus hingegen kehrt das Ganze um, indem er die traditionellen Rollen vertauscht. Die Menschen werden nicht in seine Hände gegeben, er vielmehr in die ihren. Der Messias designatus wird in die Verfügungsgewalt der Gottlosen überliefert, und hinter diesem unvorstellbaren Geschehen steht als dessen Urheber Gott. Für einen Juden war solches undenkbar. Ein Messiasprätendent, dem dies widerfuhr, konnte nicht der Messias sein. Die Reaktion des Hohenpriesters beim Verhör vor dem Synhedrium ist typisch und folgerichtig: Weil Jesus seinen messianischen Anspruch trotz seiner offenkundigen Ohnmacht aufrechterhält, erweist er sich laut 2Sam 7,14f par 1Chr 17,13 und Ps 89,22–30.34–38 automatisch als Gotteslästerer.

Die deutliche Anspielung an eine weitere davidische und damit messianische Tradition ist unüberhörbar. Ist es David nach 2Sam 24,14 par 1Chr 21,13 schon schrecklich genug, in die Hände seines Gottes zu fallen, d.h. sterben zu müssen, so ist dies immer noch besser, als in die Hände der Menschen zu fallen, was die schrecklichste Strafe bedeuten würde. Bedenkt man, daß 2Sam 24,14 par 1Chr 21,13 innerhalb des Alten Testaments die einzigen Belege sind, in denen mit וּבְיַד־אָדָם אַל־אֶפֹּלָה (אֶפֹּל) das (παραδίδοται) εἰς χεῖρας τῶν ἀνθρώπων – einschließlich des unpräzisen τῶν ἀνθρώπων – vorgebildet ist, wird man hier die eigentliche ›Vorlage‹ der Leidensankündigung zu sehen haben, wobei diese davidische Tradition im Mund Jesu in »bewußte(r) Antithese« aufgenommen ist[298]: »Der Menschensohn hat gerade das Äußerste zu leiden.«[299]

Bei alldem ist jedoch entscheidend: Obgleich ihn das schrecklichste Gericht Gottes trifft, bleibt Jesus בַּר אֱנָשָׁא und damit Messias designatus. Sein messianischer Anspruch besteht nach wie vor, auch wenn sein Geschick jetzt anders verläuft, als die Jünger und auch er selbst dies ursprünglich dachten. Obwohl jede weiterführende Erklärung unterbleibt, obwohl die Leidensankündigung als Maschal hart im Raum steht, korrigiert Jesus

---

296 Vgl. die oben S. 223 genannten alttestamentlichen und jüdischen Belege, zudem syrBar 70,9. Daß diese Vorstellung auch im Neuen Testament ihren Niederschlag fand, zeigen etwa die oben S. 224, Anm. 57 angegebenen Stellen sowie Mt 19,28bα (s. oben S. 146f).

297 Neben dem Messias sind es die Gerechten (Heiligen, Auserwählten), in deren Hände die Gottlosen übergeben werden (vgl. äthHen 38,5; 48,9; 63,1; 91,12; 95,3 und 1QpHab 5,4). SyrBar 70,9 hingegen spricht ausdrücklich vom Messias, der die Gerechten gleichsam repräsentiert (vgl. *W. Grimm*, Verkündigung, 221f).

298 Vgl. ebd., 220 (zwar mit Fragezeichen, aber bejahend) und *G. Gerleman*, Menschensohn, 31f.

299 *W. Grimm*, Verkündigung, 221.

seinen Anspruch in keiner Weise und bleibt seinem göttlichen Auftrag treu. Der Terminus Menschensohn beweist, daß er auch jetzt noch im Vertrauen auf den ihn sendenden Gott seinen Weg geht und trotz all des Schrecklichen, das ihn erwartet, Gott die Treue hält. Bleibt er aber nach wie vor בַּר אֱנָשָׁא, so gilt auch umgekehrt, daß Gott weiterhin zu ihm steht. Das Warum des Sterbens des Menschensohns und seine weitere Zukunft werden in Mk 9,31 nicht beschrieben, aber der Schritt zu Mk 10,45 ist nicht sehr groß. Zugleich wird sich zeigen, daß Jesus seine messianische Sendung nicht im Tod enden sieht.

Daß Mk 9,31 (in seinem ursprünglichen Kern) auf Jesus selbst zurückgeht, läßt sich nach all dem Gesagten kaum mehr bestreiten, denn Form und Inhalt der Leidensankündigung weisen auf den historischen Jesus: Das Logion, das älteste aramäische Tradition wiedergibt, enthält trotz seiner prägnanten Kürze drei typisch jesuanische Stilmerkmale, nämlich Maschalcharakter, Passivum divinum und Paronomasie[300]. Entsprechend beweisen seine inhaltliche Unbestimmtheit, das Fehlen jeglicher Applikation auf die Gemeinde, der Jesus unverkennbar eigene Gebrauch von בַּר אֱנָשָׁא als (von Daniel und der jüdischen Apokalyptik unabhängiger) Chiffre für seine Funktion als Messias designatus, die schockierende antithetische Anknüpfung an messianische Überlieferungen des Alten Testaments und des Judentums sowie schließlich die Unableitbarkeit des Logions aus dem Judentum und in dieser Form auch aus dem Urchristentum: מִתְמְסַר בַּר אֱנָשָׁא לִידֵי בְּנֵי אֱנָשָׁא ist ipsissima vox Jesu[301].

VI.   Exkurs: Zur Traditionsgeschichte der Logien vom Leiden und von der Auferstehung des Menschensohns

Unter sämtlichen Logien vom Leiden und von der Auferstehung des Menschensohns – Mk 10,45 par, wo der Tod des Menschensohns explizit gedeutet wird, immer noch ausgenommen – erweist sich einzig der ursprüngliche Wortlaut von Mk 9,31 par (ὁ υἱὸς τοῦ ἀνθρώπου παραδίδοται εἰς χεῖρας τῶν ἀνθρώπων, aramäisch מִתְמְסַר בַּר אֱנָשָׁא לִידֵי בְּנֵי אֱנָשָׁא) als authentisches Jesuswort, während alle anderen sekundäre Präzisierungen, Weiterbildungen und nicht zuletzt Auslegungen dieses Maschals darstellen.

Will man den traditionsbildenden Prozeß dieser Entwicklung nachzeich-

300   Vgl. *J. Jeremias,* Theologie, 268 und *R. Pesch,* Markus II, 99f.

301   Vgl. etwa auch *E. Schweizer,* Menschensohn, 68; *O. Michel,* Art. υἱὸς τοῦ ἀνθρώπου, 1160; *J. Jeremias,* Theologie, 268; *H. Patsch,* Abendmahl, 195–197; *L. Goppelt,* Theologie, 237; *W. Grimm,* Verkündigung, 220–222; *R. Pesch,* Passion 177f; *ders.,* Markus II, 99f; *W. Grundmann,* Markus, 257f; *P. Stuhlmacher,* Die neue Gerechtigkeit, 56f; *J. Ernst,* Markus, 271; *W. Popkes,* Art. παραδίδωμι, 44; *K. Th. Kleinknecht,* Gerechtfertigte, 173 mit Anm. 40 und *G. Schwarz,* Menschensohn, 280–282.

nen, wird man an dieser Stelle nicht eigens auf die typischen, jeden Traditionsprozeß begleitenden Gesetzmäßigkeiten eingehen müssen, die lediglich als kleine, konkretisierende Erläuterungen anzusehen sind[302]. Man muß jedoch mit Gründen die Überlieferungsgeschichte aufzeigen können, die, ausgehend vom ›Urlogion‹, sämtliche Varianten, d.h. sämtliche synoptisch vorliegenden Fassungen der Leidensankündigungen Jesu sinnvoll erklärt und verifiziert.

Diese Gegenprobe für die obige Rekonstruktion der jesuanischen Urform der Leidensankündigung sei daher in aller Kürze dargeboten:

1.   Jesus selbst spricht nach vorausgegangenen dunklen und zum Teil auch für seine Nachfolger verhüllten Bild- und Rätselworten in Mk 9,31 par deutlich von seinem bevorstehenden gewaltsamen Tod. Zwar erfolgt auch diese Ankündigung im für Jesus charakteristischen Maschal, so daß sie von Außenstehenden als Aussage über das Geschick des (frommen) Menschen in den Wirren der Endzeit allgemein mißverstanden werden kann, für die Seinen jedoch, denen בַּר אֱנָשָׁא als messianische Selbstbezeichnung Jesu vertraut war, ist ihr wirklicher Sinn klar. Eine Erklärung dafür, warum er, obwohl er doch der Menschensohn ist, sterben muß, gibt Jesus nicht. In schockierender Weise verweist er lediglich auf sein Geschick, zeigt aber durch seine Formulierung (Passivum divinum), daß Gott selbst der Urheber dieses unbegreiflichen Geschehens ist, das als Gerichtshandeln Gottes an seinem Messias verstanden werden muß.

2.   Der entscheidende Hinweis, daß Gott selbst der Urheber dieses Gerichtshandelns an Jesus ist, geht aber sofort verloren, wenn מִתְמְסַר nicht mehr als Passivum divinum erkannt wird. Diese Gefahr wird akut, wenn man nur noch den griechischen Text vor Augen hat, ohne dessen aramäische Vorlage mitzubedenken. Um solchem Mißverständnis zu wehren, wird מִתְמְסַר im Bereich des hellenistischen Judenchristentums nicht einfach sklavisch übersetzt, sondern – sachgemäß – übertragen, indem man מִתְמְסַר mit δεῖ wiedergibt und somit am Gedanken der göttlichen Urheberschaft des Todes des Menschensohns festhält. Denn jenes δεῖ bezeichnet den Heilsplan Gottes, der gemäß dem göttlichen Willen abläuft, so daß δεῖ konkret beinhaltet: Das, was in der Leidensweissagung gesagt ist, liegt von Gott her fest, Gott will es so.

Im Rahmen dieser richtigen Übertragung dessen, was Jesus in aramäischer Sprache ankündigte, wird aus dem für griechische Ohren unpräzisen מִתְמְסַר / παραδίδοται zugleich die ebenso richtige Wiedergabe mit dem formelhaften δεῖ.

3.   Das besagte δεῖ wird dann aber über das einfache »Gott will es so«

---

302   So sind es z.B. ursprünglich die »Menschen« (Mk 9,31), dann die »Sünder« (Mk 14,41) bzw. die »Heiden« (Mk 10,33), in deren Verfügungsgewalt der Menschensohn übergeben wird; oder aus »töten« (Mk 10,34) wird »kreuzigen« (Mt 20,19 und Lk 24,7) usw.

hinaus ausgeweitet und im Rahmen des urchristlichen Schriftbeweises als Erfüllung der Schrift verstanden. Aus der eschatologischen Notwendigkeit las man die Schriftnotwendigkeit heraus, so daß δεῖ jetzt hellenistisches Pendant zu בַּאֲשֶׁר כָּתוּב wird, Parallelbegriff zu πῶς bzw. καθὼς γέγραπται; entsprechend kann δεῖ schließlich direkt durch πῶς bzw. καθὼς γέγραπται ersetzt werden. Sämtliche heutigen synoptischen Leidensankündigungen in der Fassung mit δεῖ sind in diesem Sinn zu lesen, während die traditionsgeschichtliche Vorstufe im ursprünglichen Wortlaut von Mk 8,31 vorliegt.

4.   Diese beiden Grundformen, von denen sich die eine (die Fassung mit δεῖ und die mit πῶς bzw. καθὼς γέγραπται) aus der anderen (der Fassung mit παραδίδοται εἰς χεῖράς τινος) entwickelt hat, erfassen die Leidensweissagungen der Synoptiker in ihrer Gesamtheit. Daß beide gegenüber ihrer jeweiligen Grundform wiederum mehr oder weniger ausgestaltet, erweitert und als vaticinia ex eventu dem tatsächlichen Geschichtsverlauf immer mehr angepaßt wurden, ist selbstverständlich und bedarf keiner näheren Erläuterung.

5.   Daß die meisten Leidensankündigungen mit entsprechenden Auferstehungsankündigungen verbunden wurden, kann ebensowenig verwundern. Die Anfügung letzterer ergibt sich für die Gemeinde aufgrund der Osterereignisse nahezu automatisch, zudem stellen sie die nachösterliche Auslegung dessen dar, was Jesus selbst – wenn auch in anderer Weise – im Anschluß an seinen Tod erwartete[303]. Erstmals ist die Kombination von Leidens- und Auferstehungsankündigung in Mk 8,31 vollzogen.

VII.   Mk 10,45 par – die Deutung des Todes des Menschensohns

1.   Einleitung

Jesus wußte um seinen gewaltsamen Tod. In etlichen Logien kündigte er ihn in der Form des Maschals an, wie die bisherige Untersuchung ergab. Zu einer Deutung dieses unfaßbaren Geschehens kam es bislang jedoch nicht.

Zur Beantwortung der Frage, wie Jesus selbst seinen Tod verstand, welchen konkreten Sinn er seinem Sterben beimaß, das er als ein Gerichtshandeln Gottes an ihm, dem Menschensohn, dem noch nicht inthronisierten Messias designatus beschrieb (Mk 9,31 par), verweist uns die synoptische Tradition auf zwei Logien: Mk 14,24 par, das Kelchwort der Abendmahlsüberlieferung, und Mk 10,45 par.

Daß beide in der neutestamentlichen Wissenschaft höchst umstritten sind und die unterschiedlichen Ergebnisse teilweise konträr einander gegen-

___
303   S. unten S. 357–367, bes. 365–367.

überstehen, kann angesichts der Bedeutung des jeweiligen Ergebnisses und seiner Konsequenzen nicht verwundern. An kaum einer anderen Stelle wird die Exegese so von Vorurteilen bestimmt wie hier.

Die Literatur zu diesem Thema ist nahezu unübersehbar, so daß es im Rahmen dieser Arbeit ein unmögliches Unterfangen wäre, wollte ich alle Einzelheiten der uferlosen Diskussion erneut aufrollen. Angesichts einiger grundlegender neuerer Untersuchungen sowohl zur Abendmahlsfrage (Joachim Jeremias, Hermann Patsch, Rudolf Pesch, Otto Betz)[304] als auch zu Mk 10,45 par (Joachim Jeremias, Werner Grimm, Peter Stuhlmacher)[305] dies aber auch nicht nötig, sieht man einmal von Detailfragen ab. Daß sich die folgenden Erörterungen in erster Linie mit dem Menschensohnlogion Mk 10,45 par beschäftigen, braucht nicht eigens erwähnt zu werden. Die Abendmahlsüberlieferung, speziell Mk 14,24 par, wird nur insofern herangezogen, soweit sie für Mk 10,45 par von unmittelbarer Bedeutung ist. Zudem ist das λύτϱον-Wort, was seine Authentie anbelangt, in höherem Maß umstritten und gilt immer noch weithin als eine Bildung der griechischsprachigen judenchristlichen Gemeinde im Anschluß an Mk 14,24 par[306]. Demgegenüber ist die

---

304 Vgl. *J. Jeremias,* Abendmahlsworte; *H. Patsch,* Abendmahl; *R. Pesch,* Markus II, 354-376; *ders.,* Abendmahl und *O. Betz,* Mahl, 217-251. Jeremias' Untersuchung ist als Standardwerk zur Abendmahlsforschung nach wie vor unentbehrlich. Patschs Arbeit führt in vielen Einzelergebnissen über sie hinaus und ist als kritische Weiterführung anzusehen, wobei vor allem auch berechtigte Einwände gegen Jeremias aufgenommen, überprüft und verarbeitet sind. Pesch informiert über den derzeitigen Stand der Abendmahlsdebatte, trägt wesentliche neue Gesichtspunkte selbst bei und formuliert schließlich ein im großen und ganzen abgewogenes Ergebnis dessen, was wir heute begründet über Jesu letztes Mahl wissen. Grundsätzlich bestätigt er dabei die Untersuchungen von Jeremias und Patsch, indem er die Markus-Priorität gegenüber der paulinischen Abendmahlsüberlieferung in 1Kor 11,23-26 betont, für deren historische Glaubwürdigkeit eintrat und sie in ihrer Substanz auf Jesus selbst zurückführt, der seinen Tod als Sühnetod, als stellvertretende Lebenshingabe ansah – allerdings nicht nur für Israel (so fälschlich *R. Pesch,* Markus II, 360 und *ders.,* Abendmahl, 99f.112), sondern für die Menschheit als ganze (s. unten S. 332-334.341f. Betz untermauert die Priorität der markinischen Abendmahlsüberlieferung, indem er zeigt, wie die sekundäre ›paulinische‹ durch Einwirkung von Ex 11-13 und Jes 53,12 entstand. Gegenüber diesen meines Erachtens schlüssigen Argumenten können die Argumente derer, die – speziell im Blick auf das Kelchwort – die relative Priorität der paulinischen Überlieferung bevorzugen (vgl. etwa *H. Merklein,* Erwägungen, 157-167 und *J. Gnilka,* Markus II, 240-242) nicht bestehen. Zu Recht bestätigen daher auch *W. Haubeck,* Lösegeld, 256-269 und *P. Stuhlmacher,* Biblische Theologie, 98-104 die Ergebnisse der oben genannten Exegeten. *O. Hofius,* Herrenmahl, 204f wiederum »verzichtet... darauf, erneut die Frage nach der ursprünglichen Gestalt der Verba Testamenti und ihrer Überlieferungsgeschichte zu verhandeln« (205); sein Interesse gilt ausschließlich der ›paulinischen‹ Herrenmahlsparadosis selbst sowie ihrem Kontext.

305 Vgl. *J. Jeremias,* Lösegeld, 216-219; *ders.,* Theologie, 277-279; *W. Grimm,* Verkündigung, 231-277; *P. Stuhlmacher,* Die neue Gerechtigkeit, 57-61 und *ders.,* Existenzstellvertretung, 412-427.

306 Vgl. etwa *K. Wengst,* Formeln, 74; *H. Thyen,* Studien, 156-158; *K. Kertelge,* Menschensohn, 234 und *R. Pesch,* Markus II, 162-167.

Beurteilung der Abendmahlsüberlieferung, Jesus selbst habe mit der Deutung seines Todes als Sühnetod an seiner göttlichen Sendung als einer Heilssendung bis in den Tod hinein festgehalten, d.h. seinen Tod als stellvertretende Lebenshingabe verstanden, trotz Gegenstimmen durchaus anerkannt[307].

2.   Mk 10,45 – eine ursprüngliche Einheit?

a)   Die beiden Möglichkeiten

In der Forschung herrscht Einigkeit darüber, daß Mk 10,42b–45a (Mt 20,25b–28a) insgesamt ein älteres Überlieferungsstadium repräsentiert als Lk 22,25–27[308]. Umstritten ist jedoch das Vorkommen von ὁ υἱὸς τοῦ ἀνθρώπου in Mk 10,45a (Mt 20,28a) gegenüber ἐγώ in Lk 22,27, vor allem aber Mk 10,45b (Mt 20,28b), das bei Lukas fehlende λύτρον-Wort. Die beliebteste Erklärung zu Mk 10,45b ist immer noch die, der gemeinsame Grundbestand der markinischen und der lukanischen Tradition bestünde in Mk 10,42b–45a par. Während nun der heutigen markinischen Fassung V. 45b sekundär angefügt worden sei[309], habe Lukas seinerseits eine von Markus unabhängige Sondertradition übernommen[310]. Diese sei zwar im Vergleich mit der markinischen Überlieferung hellenisiert worden[311] und also vom Wortbestand her jünger, doch insofern älter, als

---

307   Vgl. etwa *J. Jeremias*, Abendmahlsworte, 179–195.210–223; *ders.*, Theologie, 274–277; *K. G. Kuhn*, Sinn, 522; *B. Klappert*, Art. δεῖπνον, 674f; *H. Patsch*, Abendmahl, 182; *L. Goppelt*, Theologie, 266f; *W. Grimm*, Verkündigung, 297–300; *H. Schürmann*, Wie hat Jesus, 56–63; *R. Pesch*, Markus II, 354–362; *ders.*, Abendmahl, 90–102.107–111; *O. Betz*, Abendmahlstradition, 52f und *P. Stuhlmacher*, Das Evangelium von der Versöhnung, 22f.

308   Der Stil der markinischen Fassung ist semitischer (s. unten S. 310f.314f), während die lukanische das bessere Griechisch aufweist. Bei Lukas sind mit ἡγούμενοι (Apg 15,22 und Hebr 13,7.17.24) sowie διάκονοι (1Tim 3,8.12) spätere Funktionen (Ämter) innerhalb der Gemeinde vorausgesetzt, zudem ist die Formulierung der Gemeindesituation angepaßt (Bezug zum Abendmahl als dem »Tisch des Herrn« in 1Kor 10,21). Demgegenüber spiegelt die markinische Überlieferung die allgemeine Sozialstruktur der jesuanischen Zeit und trägt zugleich aktuellen politischen Charakter, indem sie die damalige Machtstruktur für die Jünger außer Kraft setzt (vgl. *J. Jeremias*, Lösegeld, 224–227; *E. Lohse*, Märtyrer, 118f und *L. Goppelt*, Theologie, 242).

309   Vgl. etwa *W. Bousset*, Kyrios, 8, Anm. 1; *H.E. Tödt*, Menschensohn, 189; *F. Hahn*, Hoheitstitel, 57; *C. Colpe*, Art. ὁ υἱὸς τοῦ ἀνθρώπου, 451; *J. Jeremias*, Theologie, 279; *H. Patsch*, Abendmahl, 176f; *L. Goppelt*, Theologie, 243; *K. Kertelge*, Menschensohn, 227–229; *J. Gnilka*, Markus II, 100 und *R. Kearns*, Traditionsgefüge, 27, Anm. 85.

310   Vgl. *J. Jeremias*, Theologie, 278f; *H. Schürmann*, Jesu Abschiedsrede, 63–92; *K. Kertelge*, Menschensohn, 229f; *W. Grimm*, Verkündigung, 231 und *P. Stuhlmacher*, Existenzstellvertretung, 35.

311   Vgl. *J. Jeremias*, Lösegeld, 226f; *ders.*, Theologie, 278; *E. Lohse*, Märtyrer, 119; *H.E. Tödt*, Menschensohn, 187; *H. Patsch*, Abendmahl, 174; *K. Kertelge*, Menschensohn, 229 und *P. Stuhlmacher*, Existenzstellvertretung, 36 mit Anm. 31.

sie die sekundäre Zufügung Mk 10,45b noch nicht enthalte. Ursprünglich sei auch das lukanische ἐγώ. Der Terminus Menschensohn trat an seine Stelle, entweder, um Jesu Dienen als Ausdruck seiner Hoheit zu charakterisieren[312], oder gelangte – wie 1Tim 2,5f nahelegen könnte – als Bestandteil des ehemals isoliert tradierten V. 45b an seinen heutigen Ort, indem er aufgrund der Kombination von V. 45a und b nach vorn rutschte, also am Versanfang zu stehen kam, und so ἐγώ verdrängte[313].

Die Alternative zu diesem Lösungsversuch betont die ursprüngliche Einheit von Mk 10,45. V. 45 sei zunächst isoliert von den V. 42b–44 tradiert, dann aber mit Hilfe der Verbindungspartikel γάρ an sie angefügt worden; dies per Stichwortverbindung ad vocem διάκονος (V. 43) – διακονηθῆναι bzw. διακονῆσαι (V. 45)[314].

Zwar ist damit noch nicht erklärt, warum die lukanische Überlieferung ἐγώ statt ὁ υἱὸς τοῦ ἀνθρώπου notiert und Mk 10,45b ausläßt, dennoch zeigt die folgende Untersuchung, daß nur der zweite der genannten Lösungsversuche in Frage kommt.

b) *Mk 10,45 und der Kontext Mk 10,32–44*

Die Analyse des gesamten Komplexes Mk 10,32–45 (Leidens- und Auferstehungsankündigung, Zebedaidenfrage, Nachfolgesprüche) ergibt, daß er sich aus ganz unterschiedlichen Überlieferungsstoffen zusammensetzt, die unter dem übergreifenden Tenor »Nachfolge ist Kreuzesnachfolge« (Mk 8,34b–35) zur heute vorliegenden Komposition gestaltet wurden[315]. Dabei geht nur die Zuordnung der Leidens- und Auferste-

---

312   Vgl. *H.E. Tödt*, Menschensohn, 191–193; *C. Colpe*, Art. ὁ υἱὸς τοῦ ἀνθρώπου, 451 und *K. Kertelge*, Menschensohn, 235.

313   Dieser Schluß wird expressis verbis, d.h. in derart eindeutiger Formulierung in der Forschung zwar nicht gezogen, ist aber dennoch immer dann – wenn auch meist unreflektiert – sachlich vorausgesetzt, wenn von einem zunächst isoliert tradierten Menschensohnlogion Mk 10,45b die Rede ist, hingegen von einem ursprünglichen ἐγώ in Mk 10,45a. So bei *H. Schürmann*, Jesu Abschiedsrede, 91, der unter Heranziehung von 1Tim 2,5f folgenden Wortlaut eines ältesten λύτρον-Wortes rekonstruiert: ὁ υἱὸς τοῦ ἀνθρώπου ἦλθεν δοῦναι τὴν ψυχὴν αὐτοῦ λύτρον ἀντὶ πολλῶν. Ganz unbefangen spricht auch *L. Goppelt*, Theologie, 243, ebenso mit Verweis auf 1Tim 2,5f, von Mk 10,45b als einem zunächst selbständig umlaufenden Menschensohnlogion. Unter dieser Voraussetzung ließe sich dann tatsächlich erklären, wie der Terminus Menschensohn ein ursprüngliches ἐγώ in Mk 10,45a verdrängen konnte, nachdem beide Versteile erst einmal kombiniert worden waren. Bei *H. Patsch*, Abendmahl, 329, Anm. 209 ist diese Entwicklung bewußt angedeutet und im Blick.

314   Diese Lösung vertreten vor allem *H. Thyen*, Studien, 155f; *W. Grimm*, Verkündigung, 232; *R. Pesch*, Markus II, 162.164f; *P. Stuhlmacher*, Existenzstellvertretung, 29; *K.Th. Kleinknecht*, Gerechtfertigte, 192 und *W. Haubeck*, Loskauf, 227f.230. Daß die vorliegende Stichwortverbindung nicht erst auf Markus zurückzuführen ist, wird durchweg anerkannt.

315   Vgl. *H. Patsch*, Abendmahl, 171f (Zitat 171).

hungsankündigung zum Folgenden auf das Konto des Evangelisten, während die Verbindung von Zebedaidenfrage und Nachfolgesprüchen bereits vormarkinisch ist, wie die Übergangsbildung V. 41–42a zeigt[316]. Nimmt man sodann die Nachfolgesprüche in den V. 42b–45 für sich, so wird deutlich, daß auch sie keine ursprüngliche Einheit darstellen. Wenigstens zwischen Mk 10,42b–44 einerseits und Mk 10,45 andererseits wird man als von Haus aus selbständigen Einzeltraditionen unterscheiden müssen, wie Mk 9,33–35 als eigenständige Parallele zu 10,42b–44[317] und 1Tim 2,5f zu V. 45 beweisen.

Ein Vergleich zwischen Mk 9,35b und 10,43f ergibt trotz des typisch palästinischen syn· onymen Parallelismus im zweiten Logion die Priorität des ersten, das dort in seinem primären Kontext Mk 9,33–35 vorliegt[318]. Die sogenannte Jünger- oder Demutsregel geht, wie Rudolf Pesch gezeigt hat, auf Jesus selbst zurück, während die sogenannte Gemeinderegel, zum Doppelspruch erweitert und zugleich in paränetischer Umformulierung an die Gemeinde gerichtet[319], zudem in V. 42b mit einer das zeitgeschichtlich verbreitete Motiv der palästinischen »Armenfrömmigkeit mit ihrem Ressentiment gegen die Mächtigen«[320] aufgreifenden Einleitung versehen, eine Weiterbildung durch die palästinische Urkirche darstellt[321].

Zugleich wurde V. 45 mit καὶ γάρ so »ungeschickt und hart«[322] vom vormarkinischen Redaktor an V. 44 angeschlossen, daß der sprachgewandte Matthäus, der Mk 10,45 ansonsten wortwörtlich übernahm, mit ὥσπερ (Mt 20,28) einen glatteren Übergang schuf[323].

Das heißt: Mk 10,45 wurde ursprünglich isoliert von seinem heutigen Kontext tradiert.

Damit ist zwar noch nicht die ursprüngliche Einheit des V. 45 nachgewiesen, doch ist die öfter behauptete Auffassung widerlegt, die V. 42b–45a stellten eine sachlich geschlossene Einheit dar, dergegenüber V. 45b als Fremdkörper, als Zusatz anzusehen sei, der zur voranstehenden geradlinigen Gedankenführung in deutlicher Spannung stehe: Während das vom Nachfolger Jesu geforderte Verhalten, die übliche Ordnung der Welt umzukehren und im Dienst am Nächsten den Maßstab für wahre Größe zu erblicken (V. 42b–44), anhand des Vorbilds Jesu begründet werde (V. 45a), durchbreche V. 45b diese Entsprechung in auffälliger

316   Vgl. *H.-W. Kuhn*, Sammlungen, 149f.159f und *R. Pesch*, Markus II, 160f.
317   Vgl. *H. Patsch*, Abendmahl, 172 und *R. Pesch*, Markus II, 104f.154.161f.164.
318   Vgl. ebd., 102–105. Anders *H. Patsch*, Abendmahl, 172.
319   Vgl. das dreifache ἐν ὑμῖν, ebenso ἔσται ὑμῶν διάκονος in V. 43 statt ἔσται πάντων . . . διάκονος in Mk 9,35b.
320   *H.-W. Kuhn*, Sammlungen, 178 (mit Hinweis auf äthHen 96,4.8; Lk 1,52f und Jak 2,6), zitiert auch bei *R. Pesch*, Markus II, 161.
321   Vgl. im einzelnen ebd., 101–105.154.161f.164.
322   *H. Thyen*, Studien, 155.
323   Vgl. ebd., 155, Anm. 2.

Weise, als jetzt ein neuer Gedanke ins Blickfeld trete, nämlich die Lebenshingabe Jesu für die Vielen, die nicht ebenso wie sein Dienen Vorbild für die Jünger sein könne. Hier ginge es vielmehr um ein einmaliges Geschehen, das ein für allemal vollzogen und in keiner Weise einer Wiederholung bedürftig sei[324].

Diese Erklärung, die sich zu Unrecht auf die lukanische Textfassung beruft, widerspricht nicht nur der literar- und formkritischen Analyse von Mk 10,42b–45, sondern zugleich dem gesamtbiblischen Befund betreffs dessen, was Jesus und die Apostel von den Glaubenden erwarten. Einmalig und unwiederholbar ist sicherlich die Wirkung des Todes Jesu als Sühnetod für die Vielen, doch zeigen Belege wie Mk 8,34b–35 par; Joh 13,34–38; 15,12f; Eph 5,2; 1Petr 2,19–21; 1Joh 3,16 und andere, daß Nachfolge bzw. Christsein und Leiden zusammengehören, wobei das Leiden ohne weiteres zum Martyrium führen kann. Jesus selbst sah, eingeleitet durch seinen eigenen Tod, ein Kollektivleiden und -sterben über die Seinen hereinbrechen[325]. Auch die Tatsache, daß weder Markus noch Matthäus den ›Bruch‹ zwischen V. 45a und b als solchen empfanden – sonst hätten sie redaktionelle Änderungen vorgenommen –, sei hier wenigstens angemerkt.

Vor allem jedoch wäre deutlich zu zeigen, welches Motiv einen Redaktor bewogen haben könnte, V. 45b, der doch angeblich so schlecht zu seinem heutigen Kontext paßt, ausgerechnet hier anzufügen. Hermann Patsch will V. 45b deshalb ergänzt sehen, weil dieser die Klimax der V. 38f bilde[326]. Vornehmlich Karl Kertelge schließt sich seinem Lösungsversuch an und präzisiert ihn dergestalt, mit V. 45b solle dem Mißverständnis vorgebeugt werden, den Tod der Zebedaiden und Jesu auf eine Stufe zu stellen. Daher betone V. 45b gegenüber den V. 38f noch einmal die Einmaligkeit der besonderen Lebenshingabe Jesu[327]. Dabei ist nicht nur stillschweigend vorausgesetzt, daß der Redaktor eine Schwierigkeit durch eine andere ersetzte, sondern auch dies, daß ihm die Einheit Mk 10,35–45a schon vorgegeben war. Gerade letzteres ist jedoch mit der großen Schwierigkeit belastet, daß die epexegetische Fortführung des V. 45a in V. 45b[328] als Semitismus anzusehen ist und im Blick auf eine hypothetische sekundäre Kombination der beiden Versteile in den palästinischen Sprachbereich verweist, während andererseits der spürbar harte

---

324 Vgl. vor allem *H.E. Tödt*, Menschensohn, 190f und *K. Kertelge*, Menschensohn, 227f.

325 S. oben S. 249–254.

326 Vgl. *H. Patsch*, Abendmahl, 173.

327 Vgl. *K. Kertelge*, Menschensohn, 228.

328 Vgl. *J. Jeremias*, Lösegeld, 226; *ders.*, Theologie, 277; *E. Lohse*, Märtyrer, 118; *W. Grimm*, Verkündigung, 233 und *R. Pesch*, Markus II, 163.

Anschluß des V. 45 an V. 44 mit καὶ γάρ auf hellenistische Redaktion schließen läßt[329]. Insgesamt ist mit gutem Grund zu bestreiten, daß V. 45b als Klimax der V. 38f gedacht war. Dies weniger in Berücksichtigung des relativ großen Abstands zwischen den V. 38f und V. 45b, eine andere und viel bessere Lösung liegt geradezu auf der Hand: V. 45b bildet die ›Klimax‹ von V. 45a, wie schon die enge Verbindung durch das epexegetische καί nahelegt. Der konsequente Lebensdienst Jesu erweist sich in seiner ganzen Radikalität in seiner schließlichen Lebenshingabe, die als Fortsetzung seines Lebensdienstes aus diesem erwächst. Das Sterben Jesu ist der ›Höhepunkt‹, die letztmögliche Steigerung seines Dienstes.

c)   Mk 10,45a und b – ursprünglich selbständige Einzellogien?
Nur dann, wenn sich die obige Argumentation, die redaktionelle Verbindung des V. 45 mit dem Voranstehenden durch καὶ γάρ sei im hellenistischen, die epexegetische Fortführung des V. 45a in V. 45b hingegen im palästinischen Sprachbereich erfolgt, als falsch nachweisen ließe, bestünde nach wie vor die hypothetische Möglichkeit, die ursprüngliche Einheit des V. 45 zu bestreiten. Dies wiederum nur, wenn man zugleich nachweisen könnte, daß V. 45a und V. 45b von Haus aus selbständig tradierte Einzellogien darstellten, die in zwei zeitlich differierenden Schritten an Mk 10,42b–44 bzw. Mk 10, 42b–45a angefügt wurden.
Eine ehemals isolierte Sonderexistenz beider Versteile begründen zu wollen, erweist sich jedoch als ein aussichtsloses Unterfangen.
Dies gilt ohne Zweifel wenigstens für V. 45a[330]. Ein hypothetischer Sitz im Leben dieses für sich genommenen Halbverses läßt sich aus verständlichen Gründen nicht aufweisen. Wer, so ist zu fragen, sollte solche Partikel tradiert haben?[331]
Wie steht es mit V. 45b? Was für V. 45a leicht zu beantworten war, ist hier um so mehr umstritten. Für ein ursprünglich selbständiges λύτρον-Wort wird immer wieder 1Tim 2,5f geltend gemacht, denn dort, wo »jedes in Mk 10,45 vorkommende Wort in hellenistische Terminologie umgesetzt ist«[332], erscheine der Dienstgedanke aus V. 45a bezeichnenderweise nicht[333].

329   S. unten S. 313f.
330   Mit der gegenüber Mk 10,45 sekundären lukanischen Fassung zu argumentieren verbietet sich von selbst. Wohin der Versuch führt, Mk 10,45 aus Lk 22,27 ableiten zu wollen, wird bei *J. Roloff,* Anfänge, 59, Anm. 2 deutlich. Roloff wird dort zu derartigen »Komplikationen und hypothetischen Staffelungen« (*P. Stuhlmacher,* Existenzstellvertretung, 35, Anm. 29) genötigt, daß er sich letztlich selbst widerlegt. Zu den Gründen, die dazu führten, daß Lukas das λύτρον-Wort nicht übernahm, s. unten S. 310–312.
331   Vgl. *H. Thyen,* Studien, 156, Anm. 1, ferner *R. Pesch,* Markus II, 162.
332   *H. Patsch,* Abendmahl, 177. Zu dieser Zug um Zug vorgenommenen Gräzisierung der vorgegebenen semitischen Ausdrucksweise vgl. vor allem *J. Jeremias,* Lösegeld,

Doch liefert 1Tim 2,5f wirklich den postulierten Beweis? Wenn ἄνθρωπος (Χριστὸς Ἰησοῦς) nach nahezu einhelliger Meinung der Exegeten die gräzisierende Wiedergabe des ὁ υἱὸς τοῦ ἀνθρώπου aus Mk 10,45 darstellt[334], was kaum zu bestreiten ist, dann ist damit gerade das Gegenteil bewiesen. Dies nämlich, daß 1Tim 2,5f zwar in der Tat die Dienstaussage aus Mk 10,45 wegläßt, deren Kenntnis aber dennoch voraussetzt, denn vom Menschensohn spricht V. 45 im Versteil a. Nicht umsonst reklamieren Hartwig Thyen und Peter Stuhlmacher 1Tim 2,5f für die ursprüngliche Einheit von Mk 10,45[335]. Will man die gegenteilige Hypothese dennoch retten, ist man gezwungen, gegen den Wortlaut des V. 45 ὁ υἱὸς τοῦ ἀνθρώπου aus V. 45a zu streichen mit dem Hinweis, dieser habe zunächst zum λύτρον-Wort hinzugehört, während in V. 45a wie in Lk 22,27 ein primäres ἐγώ gestanden habe, das erst sekundär aufgrund der späteren Kombination der Versteile a und b durch den nach oben gerutschten Terminus Menschensohn verdrängt worden sei[336]. Solche methodische Willkür wird aber sofort zum Bumerang, erweist sie doch das zweite für die ursprüngliche Selbständigkeit des V. 45b angeführte Argument erst recht als unhaltbar. Dieses postuliert, das Logion entstamme dem Umkreis der urchristlichen Abendmahlstheologie und deute die Gesamtsendung des Menschensohns unter dem Einfluß der Abendmahlsüberlieferung als stellvertretende Lebenshingabe für die Vielen, d.h. als Zueignung der Gabe des Abendmahls[337].

In Wahrheit gibt es für »eine Herleitung. . . aus dem Abendmahlszusammenhang . . . keine wirklich stichhaltige Begründung«, vielmehr besteht lediglich »eine sachliche Verwandtschaft«[338], als Mk 10,45 par und Mk 14,24 par die einzigen synoptischen Belege für die Deutung des Todes Jesu im Mund Jesu selbst darstellen. Beide überschneiden sich terminologisch aber nur in dem einen Wort πολλῶν, ansonsten an nicht einer einzigen Stelle[339]. Ist hier vom charakteristischen Stichwort λύτρον die Rede, so dort vom (Bundes-)Blut Jesu, hier von ἀντὶ πολλῶν, dort von ὑπὲρ πολλῶν, hier von δοῦναι τὴν ψυχὴν αὐτοῦ, dort von τὸ αἷμά μου . . . τὸ

---

226. Der Tatbestand als solcher ist heute allgemein anerkannt, vgl. etwa auch *M. Hengel*, Sühnetod, 11 (»gräzisierende Traditionsvariante«); *W. Haubeck*, Loskauf, 218f und *P. Stuhlmacher*, Jesus von Nazareth und die neutestamentliche Christologie, 84.93.

333 Vgl. *H. Patsch*, Abendmahl, 177 und *L. Goppelt*, Theologie, 243.

334 Vgl. etwa *J. Jeremias*, Lösegeld, 226 und *P. Stuhlmacher*, Existenzstellvertretung, 30: »Dem für die Ohren geborener Griechen dogmatisch mißverständlichen ›Menschensohn‹ entspricht das inkarnatorisch richtige ›Mensch‹«.

335 Vgl. *H. Thyen*, Studien, 156, Anm. 1 und *P. Stuhlmacher*, Existenzstellvertretung, 30.

336 S. oben Anm. 313.

337 Vgl. *H.E. Tödt*, Menschensohn, 189–194; *L. Goppelt*, Theologie, 243 und *K. Kertelge*, Menschensohn, 233.

338 *P. Stuhlmacher*, Existenzstellvertretung, 31.

339 Vgl. ebd., 30f.

ἐκχυννόμενον, zudem ist dort der Menschensohn überhaupt nicht erwähnt. Wenn beide Traditionen aber lediglich das eine Wort πολλῶν gemeinsam haben, und auch dieses nur mit jeweils verschiedenen Präpositionen, darüber hinaus jedoch nicht die geringste terminologische Gemeinsamkeit aufweisen, wird man über die Hypothese, die eine Tradition sei aus der anderen entwickelt worden, keine weiteren Worte mehr verlieren müssen. Anders formuliert: Mk 10,45b ist aus dem Umkreis der urchristlichen Abendmahlstheologie nicht ableitbar[340].

Gleiches gilt, um dies hier schon vorwegzunehmen, für das Stichwort διακονεῖν aus V. 45a, das nicht wenige Forscher aus der Abendmahlsüberlieferung herleiten möchten[341]. Zum einen ist der Begriff im Kontext der Abendmahlsüberlieferung nirgendwo belegt – wie ist er dann von dort ableitbar? Zum anderen versteht Mk 10,45 διακονεῖν in einem umfassenden Sinn, der auf ein ›Aufwarten bei Tisch‹ – so bei Lukas – in keiner Weise eingrenzbar ist. »Dienst« ist hier die Ordnung der von Jesus eingesetzten Lebensgemeinschaft schlechthin, ist ganzer Einsatz, völlige Hingabe aus Liebe zu Gott und zum Nächsten, die, wenn es gilt, auch die Lebenshingabe mit einschließt[342].

Wenn anders aber weder Mk 10,45a noch b als ursprünglich selbständig tradierte Einzellogien nachweisbar sind, zudem auch sachlich ein letztlich nicht auflösbares Ganzes bilden, ist die Einsicht zwingend, daß V. 45 von vornherein als eine Einheit anzusehen ist, die es nicht erlaubt, sie ›literarkritisch‹ in irgendwelche hypothetischen Bestandteile zu zerlegen.

Damit ergibt sich folgendes Fazit: Aufgrund seiner literar- und formkritischen Analyse sowie seiner sachlich zusammengehörigen Aussage erweist sich Mk 10,45 nach Form und Inhalt als eine ursprüngliche Einheit.

d)   Die Gegenprobe: Wie kam es zur lukanischen Textfassung?

Wenn Mk 10,45 als ein von Anfang an einheitlich konzipiertes Logion gelten muß, das gegenüber der lukanischen Parallele Lk 22,27 das höhere Alter aufweist, dann ist in einer Art Gegenprobe zum bisherigen Ergebnis die Frage zu beantworten, was Lukas bewogen haben könnte, den markinischen V. 45b zu streichen und ὁ υἱὸς τοῦ ἀνθρώπου durch ein schlichtes ἐγώ zu ersetzen; sofern die Änderungen überhaupt – was zu überprüfen ist – auf lukanische Redaktionsarbeit und nicht doch auf Sondertradition zurückgehen.

Joachim Jeremias erkannte zunächst in Lk 22,25–27 eine »heidenchristliche Fassung« der Spruchreihe Mk 10,42b–45, die, im Vergleich mit je-

---

340   »Bei einer angeblich aus der urchristlichen Abendmahlsüberlieferung herausgewachsenen christologischen Formulierung sollte man aber erwarten, daß sie die Sprache dieser Überlieferung deutlich reflektiert!« (ebd., 416, vgl. *H. Patsch*, Abendmahl, 179f).
341   So vor allem *J. Roloff*, Anfänge, 50–64, ferner *H.E. Tödt*, Menschensohn, 193f und *K. Kertelge*, Menschensohn, 233f. Anders *H. Thyen*, Studien, 156, Anm. 3; *L. Goppelt*, Theologie, 242 und *P. Stuhlmacher*, Existenzstellvertretung, 31, Anm. 13.
342   Zum traditionsgeschichtlichen Hintergrund des διακονεῖν in Mk 10,45a s. unten S. 335–337.

ner eindeutig gräzisiert, »frei von Semitismen . . . alles hellenistischem Empfinden Fremde (vermeidet)«[343]. Da der Text zugleich unbestreitbare lukanische Stileigentümlichkeiten erkennen läßt[344], wäre insgesamt gegen lukanische Markus-Redaktion nichts einzuwenden, wenn nicht plötzlich im Anschluß an Matthew Black ausgerechnet für V. 27 doch Semitismen geltend gemacht worden wären: Ein Wortspiel רבא - רבע, das für μείζων – ἀνακείμενος gestanden haben soll, die *mi-gadol*-Frage τίς μείζων und das Fehlen einer Kopula[345]. Und weil Lukas in eigener Formulierung Semitismen vermeidet, glaubte man deshalb von Lukas redaktionell überarbeitete Sondertradition annehmen zu müssen, die zudem in der rabbinischen Literatur Parallelen habe[346].

In Wahrheit folgt die lukanische Fassung keiner von Markus unabhängigen Sondertradition, sondern ist »eine lk Transposition von Mk 10,41– 45 in die Abendmahlssituation«, ist lukanische Markus-Redaktion unter Rückgriff auf die Passagen, die Lukas bei seiner Übernahme von Mk 9,33–37 in Lk 9,46–48 ausließ und hier teilweise nachträgt, wie Rudolf Pesch gezeigt hat[347]. Alle in Lk 22,25–27 vorliegenden Semitismen stammen von dort. So ist die für den lukanischen Zusammenhang so entscheidende *mi-gadol*-Frage τίς μείζων einschließlich der fehlenden Kopula aus Mk 9,34 vorgegeben. Allein auf τίς μείζων bezogen sich aber auch die genannten rabbinischen Parallelen. Ebenso wird ἐν μέσῳ αὐτῶν aus Mk 9,36 – in Lk 9,47 in παρ᾽ ἑαυτῷ geändert – mit ἐν μέσῳ ὑμῶν erst jetzt in Lk 22,27 aufgegriffen. Pesch ist völlig im Recht, wenn er zu dem Ergebnis gelangt: »Wir haben es mit einer für die lk Redaktion typischen Verwertung ausgelassener Mk-Stoffe bzw. -Wendungen zu tun«[348]. Dagegen spricht auch nicht das reklamierte Wortspiel רבא - רבע, auf das man sich keinesfalls berufen sollte, da die Rückübersetzung des ἀνακείμενος mit רבע mehr als nur fraglich ist. Denn für die Komposita des Stammes κεῖσθαι im Sinne eines »zu Tisch liegen« notieren die jüdischen Quellen, die als Vergleich in Frage kommen, nicht רבע, sondern סבב (hi.)[349]. Lukas

343   *J. Jeremias*, Lösegeld, 226f, vgl. ferner *E. Lohse*, Märtyrer, 119.

344   Vgl. *H. Schürmann*, Jesu Abschiedsrede, 79–92; *J. Wanke*, Beobachtungen, 65, Anm. 222 und *P. Stuhlmacher*, Existenzstellvertretung, 35f.

345   Vgl. *M. Black*, Approach/Muttersprache, 229; *J. Jeremias*, Theologie, 278f (im Gegensatz zu *ders.*, Lösegeld, 226f) und *P. Stuhlmacher*, Existenzstellvertretung, 35f.

346   Vgl. *J. Jeremias*, Theologie, 278 und *P. Stuhlmacher*, Existenzstellvertretung, 36 (in Anm. 32 mit Hinweis auf *Bill.* II, 257).

347   Vgl. *R. Pesch*, Markus II, 164f, bes. Anm. 51 (Zitat 163), ferner *M. Rese*, Motive, 160–164.

348   *R. Pesch*, Markus II, 165, Anm. 51.

349   Vgl. *Bill.* II, 257; *Bill.* IV/1, 56f und *A. Schlatter*, Matthäus, 277f. Von den zahlreichen Belegen, die sämtlich סבב (hi.) lesen, seien wenigstens mBer VI,6; mPes XX,1; tBer IV,8; tDem V,7 und yBer VI,57,10a genannt. Demgegenüber hat zwar auch רבע die Bedeutung »liegen«, aber die von »zusammenliegen« im geschlechtlichen Sinn, vgl. Lev 18,23; 19,19 und 20,16, zudem die bei *M. Jastrow*, Dictionary II, 1444 genannten jüdischen Belege.

selbst allerdings greift weder auf den einen noch auf den anderen semi-
tischen Terminus zurück. Vielmehr stellt er Jesus mit ὁ ἀνακείμενος re-
daktionell als den Gastherrn des (in seiner Konzeption) vorausgegangenen
Abendmahls heraus und beweist damit, wie sehr er den Dienst Jesu als
Tischdienst verstanden wissen will, den er an die Stiftung des letzten
Mahls bindet[350].

Umgekehrt wurde bereits deutlich, daß der Begriff des Dienstes Jesu in
Mk 10,45 in einem sehr umfassenden Sinn gebraucht ist, nämlich als von
Jesus eingesetzte neue Lebensordnung schlechthin, als völlige Hingabe
an Gott und den Nächsten, die auch vor der Lebenshingabe nicht Halt
macht. Dieser Gedanke scheint bei Lukas lediglich verengt aufgenommen zu sein, so, als realisierte sich Jesu Dienstforderung schon im Tischdienst, indem der Größere dem Geringeren aufwartet. Doch tut man Lukas Unrecht, wenn man nicht gleichzeitig erkennt, daß sich in seiner Konzeption das anscheinend bewußt ausgelassene λύτρον-Wort im unmittelbar vorausgehenden Abendmahl bereits ereignet hat. Ist dies erst einmal
gesehen, läßt sich die sekundäre Tilgung des markinischen V. 45b erklären, ohne daß man Lukas eine theologische Abwertung des Kreuzesge-
schehens unterstellen darf. Sie erfolgt auf dem Hintergrund des Abend-
mahlskontexts. In Anknüpfung an diesen letzten Tischdienst Jesu, in
dessen Verlauf er sich selbst in seiner Person den Seinen als die Gabe des
letzten Mahls hingibt, sieht Lukas die Aussage von Mk 10,45b erfüllt;
eine erneute Zitierung wäre eine unnötige Wiederholung dessen, was
bereits gesagt ist[351].

Auch der Ersatz des markinisch vorgegebenen ὁ υἱὸς τοῦ ἀνθρώπου
durch das lukanisch-redaktionelle ἐγώ ist durch die Transposition des
Logions in die Abendmahlssituation bedingt[352]. Weil die jüdische Passa-
liturgie nirgends mit dem Menschensohn verbunden ist – der Hausvater
steht im Mittelpunkt –, ist schon in der Abendmahlüberlieferung selbst
vom Menschensohn nicht die Rede. Da Jesus während seines Abschieds-
mahls mit den Jüngern die Rolle des jüdischen Hausvaters übernimmt
und zugleich in seiner eigenen Person die Gabe des Abendmahls ist,
spricht er in eben dieser Funktion auch Lk 22,25–27. Indem Lukas ihn in
V. 27 als dienenden Hausvater zu Wort kommen läßt, formuliert er entgegen seiner markinischen Vorlage, die das Logion nicht im Kontext des
Abendmahls überlieferte, in der ersten Person und redet vom Ich Jesu[353].

---

350   Vgl. *J. Wanke*, Beobachtungen, 61 und *R. Pesch*, Markus II, 165, Anm. 54.

351   Vgl. *H. Conzelmann*, Mitte, 187f; *H. Thyen*, Studien, 155, Anm. 6 und *S. Kim*,
Son of Man, 43–45.

352   Vgl. ebd., 44.

353   Überhaupt sei noch einmal auf die Tatsache verwiesen, daß Lukas an vier weiteren
Stellen (dabei ist das Fehlen einer direkten Parallele zum Menschensohnlogion Mk 14,41
nicht berücksichtigt, da Lukas dieses in Lk 24,7 redaktionell überarbeitet nachträgt [s.

Hält man sich die Traditionsgeschichte von Mk 10,45 innerhalb des Neuen Testaments vor Augen, so wird deutlich, daß der Terminus Menschensohn außer in der matthäischen Parallele Mt 20,28 zwar nirgends mehr expressis verbis belegt, dennoch aber nicht einfach verschwunden, sondern hinter anderen Begriffen immer wieder mehr oder weniger stark aufweisbar ist. So in der Rede von Jesus als (ὁ) ἄνθρωπος (Röm 5,15-19; 1Tim 2,5f; Joh 11,50 und 19,5), so an den Stellen, wo ὁ υἱὸς τοῦ ἀνθρώπου im Verlauf der christologischen Entwicklung durch die Sohnes- bzw. die Christusprädikation verdrängt wurde (durch Χριστός in Röm 8,32; Joh 3,16f; 1Joh 4,10 u.ö., durch υἱός in Röm 8,34; 1Joh 2,2 u.ö.). Der Nachhall des ὁ υἱὸς τοῦ ἀνθρώπου aus Mk 10,45 ist nahezu im gesamten Neuen Testament unverkennbar[354].

3. Zur sprachlichen Herkunft von Mk 10,45

Da Mk 10,45 die älteste uns überlieferte Fassung eines von vornherein einheitlich konzipierten Logions darstellt, gilt es nun erstens zu fragen, in welchem Traditionsbereich es seinem heutigen Kontext angefügt wurde, zweitens, ob es als Bildung jenes Redaktors zu gelten hat oder ob dieser ein ihm vorgegebenes, ursprünglich selbständig tradiertes Einzellogion lediglich in seinen heutigen Zusammenhang hineinstellte.

Zuletzt vertrat vor allem Rudolf Pesch erneut die These, Mk 10,45 stelle eine sekundäre Bildung dar, die erst in der griechischsprechenden judenchristlichen Gemeinde entstanden sei mit dem Ziel, das von den Christen geforderte Verhalten unter Verweis auf das Vorbild ihres Herrn zu begründen[355]. Zum Nachweis seiner These argumentiert Pesch unter anderem mit der vormarkinischen Übergangspartikel καὶ γάρ, einem für das Schrifttum des hellenistischen Judentums typischen Anschluß, wenn im Folgenden das Motiv des Vorbilds oder der Nachahmung (Gottes) in

oben S. 259f]) den ihm vorgegebenen Terminus Menschensohn nicht übernimmt: So tilgt er in seiner sekundär-redaktionellen Zusammenfassung von Mk 9,9-13 in Lk 9,36b die Menschensohnworte Mk 9,9 und 9,12 (s. oben Anm. 62). In Lk 22,22b verarbeitet er seine markinische Vorlage, streicht jedoch »Menschensohn« aus Mk 14,21b und notiert δι' οὗ παραδίδοται (s. oben Anm. 65). In Lk 17,25 schließlich greift der dritte Evangelist Lk 9,22 (par Mk 8,31) nochmals auf, ersetzt jedoch das dortige »Menschensohn« jedoch um des Kontexts willen durch den Akkusativ αὐτόν (s. oben S. 258f). Mit Lk 22,27 liegt somit ein fünfter Beleg dafür vor, daß er den Terminus Menschensohn von sich aus entweder ausläßt oder ersetzt.

354 Vgl. W. *Grimm*, Verkündigung, 265-277.

355 Vgl. R. *Pesch*, Markus II, 162-165, ferner K. *Kertelge*, Menschensohn, 234. Zuvor betonten bereits - wenn auch mit anderer Begründung - W. *Bousset*, Kyrios, 7f; R. *Bultmann*, Geschichte, 154 und H. *Thyen*, Studien, 157, das Logion sei »nach der hellenistisch-christlichen Erlösungslehre geformt« (Bousset, Bultmann) und stelle »eine Kritik ›hellenistischer‹ Kreise an der urgemeindlichen Messianologie« (Thyen) dar. Für ein zwar sekundäres, jedoch im palästinischen Sprachbereich entstandenes Logion plädieren etwa E. *Lohse*, Märtyrer, 118f; F. *Hahn*, Hoheitstitel, 57-59; E. *Arens*, ΗΛΘΟΝ-Sayings, 151-156; J. *Gnilka*, Wie urteilte Jesus, 44f; *ders.*, Markus II, 100.104 und A. *Vögtle*, Todesankündigungen, 80.111. Demgegenüber erkennen die unten Anm. 484 genannten Exegeten in Mk 10,45 zu Recht ein authentisches Jesuslogion.

den Blick kommt[356]. Diese Erkenntnis darf nun jedoch nicht zu dem Trugschluß verführen, damit sei V. 45 insgesamt im hellenistischen Sprachraum entstanden. Sie kann lediglich belegen, daß das Logion erst im griechischsprachigen Bereich in seinen heutigen Zusammenhang hineingestellt wurde.

Dieser Befund läßt sich durch eine weitere philologische Beobachtung bestätigen. Die heute vorliegende griechische Stichwortverbindung ad vocem διάκονος (V. 43) – διακονηθῆναι bzw. διακονῆσαι (V. 45) entfällt nämlich bei einer Rückübersetzung ins Aramäische.

Im Blick auf die V. 43f ist sicher, daß das in einer aramäischen Vorlage ebenso zu beachtende δοῦλος aus V. 44 ein ursprüngliches עַבְדָּא voraussetzt, während für διάκονος טַלְיָא sowie שַׁמָּשָׁא, vielleicht sogar טַלְיָא oder das hebräische מְשָׁרֵת theoretisch denkbar wären. Innerhalb des synonymen Parallelismus der V. 43 und 44, wo möglichst sinnverwandte Vokabeln zu erwarten sind, kommt als Parallelbegriff zu עַבְדָּא jedoch letztlich nur טַלְיָא in Frage. Beide sind einander so ähnlich, daß in Gen 18,3 sy[pal] טַלְיָךְ steht, während TPsJ und TO an gleicher Stelle עַבְדָּךְ notieren. Umgekehrt schreibt Jes 53,11b-12 sy[pal] טַלְיָא, wo MT עֶבֶד vorgibt. Daß διάκονος ein zugrundeliegendes טַלְיָא voraussetzt, wird auch durch Mk 9,33–35, eine Parallelüberlieferung zu 10,42b–44, bestätigt. Denn die dortige Anfügung der ursprünglich selbständigen Verse Mk 9,36f an 33–35 geht auf eine aramäische Stichwortverbindung ad vocem טַלְיָא zurück, das gemeinsame Äquivalent der nur im Griechischen verschiedenen Begriffe διάκονος (V. 35) und παιδίον (V. 36.37)[357]. Folglich gilt für Mk 10,45: Das Äquivalent für διακονηθῆναι bzw. διακονῆσαι ist nicht in den Wurzeln der in den V. 43f vorauszusetzenden aramäischen Termini zu suchen, sondern in der Wurzel שׁמשׁ, wie noch zu zeigen ist[358]. Eine aramäische Stichwortverbindung von Mk 10,45 mit den voranstehenden Versen liegt somit nicht vor.

Demgegenüber ist die Vermutung, V. 45 als ganzer sei erst im hellenistischen Sprachbereich konzipiert worden, mit Nachdruck zu bestreiten, denn die »sprachlichen Indizien für eine Herkunft aus dem palästinischen Raum ... sind schlechterdings überwältigend«[359]. Der semitische Hintergrund wird schon formal durch den antithetischen Parallelismus, das epexegetische καί und – indem Gott als Empfänger des Lösegelds absichtlich nicht genannt wird – durch die Meidung des Gottesnamens aufgezeigt[360]. Semitismen sind darüber hinaus ἡ ψυχή als Ausdruck für »das

356   Vgl. *R. Pesch,* Markus II, 162 (mit Verweis auf *A. Schulz,* Nachfolgen, 213–221; *H.D. Betz,* Nachfolge, 94f.130–136 und *H.-W. Kuhn,* Sammlungen, 164–176).

357   Vgl. *M. Black,* Approach/Muttersprache, 218–223, ferner *J. Jeremias,* Παῖς (θεοῦ) im Neuen Testament, 194f.

358   S. unten S. 335–337.

359   *W. Grimm,* Verkündigung, 233, vgl. im Anschluß an *J. Jeremias,* Lösegeld, 224–229 ferner *E. Lohse,* Märtyrer, 118f; *H.E. Tödt,* Menschensohn, 187–189; *F. Hahn,* Hoheitstitel, 57–59; *C. Colpe,* Art. ὁ υἱὸς τοῦ ἀνθρώπου, 458; *L. Goppelt,* Theologie, 243; *W. Grimm,* Verkündigung, 231–258; *J. Gnilka,* Jesus, 44f; *ders.,* Markus II, 100 und *P. Stuhlmacher,* Existenzstellvertretung, 29–42. Anders *H. Thyen,* Studien, 157–160; *K. Kertelge,* Menschensohn, 234 und *R. Pesch,* Markus II, 162–164.

360   Vgl. *F. Büchsel,* Art. λύτρον, 344f und *J. Jeremias,* Lösegeld, 226.

Leben«³⁶¹, δοῦναι τὴν ψυχὴν αὐτοῦ als typisch semitische Umschreibung des griechischen δοῦναι ἑαυτόν³⁶² und Wiedergabe des hebräischen
נָתַן נַפְשׁוֹ³⁶³ bzw. des aramäischen יְהַב (נְתַן) נַפְשֵׁיהּ in der Bedeutung »sein
Leben freiwillig hingeben«³⁶⁴, dazu das die Gesamtheit (»alle«) umfassende inklusive πολλοί³⁶⁵ als Übersetzung des hebräischen רַבִּים bzw. des
aramäischen סַגִּיאִין³⁶⁶. Weiterhin steht ἀντί (»anstelle von« bzw. als alter
Terminus technicus des ius talionis in der Bedeutung »für«³⁶⁷) als charakteristischer Ausdruck des Stellvertretungsgedankens für das hebräische
תַּחַת bzw. das aramäische חֲלָף³⁶⁸, λύτρον für כֹּפֶר bzw. פּוּרְקָן³⁶⁹. Betreffs des
palästinischen Sprachcharakters der infinitivisch die Sendung eines Boten beschreibenden ἦλθον-Worte ist alles Nötige längst gesagt³⁷⁰; ἦλθον –
hier in der Verbindung ὁ υἱὸς τοῦ ἀνθρώπου ἦλθεν – ist Äquivalent von
בוא bzw. אתא.

Nicht von ungefähr läßt sich Mk 10,45 »anstandslos sowohl ins Hebräische als auch ins Aramäische zurückübersetzen«, und dies so eindeutig
wie »nur an wenigen Stellen der synoptischen Tradition«³⁷¹.

361 Vgl. ebd., 226.
362 Vgl. *F. Büchsel*, Art. λύτρον, 343; *J. Jeremias*, Lösegeld, 226 und *F. Blass / A. Debrunner / F. Rehkopf*, Grammatik, § 283,8: »Das Semitische umschreibt das Reflexiv-verhältnis durch נֶפֶשׁ ›Seele‹; daher in der Übersetzung aus dem Semitischen bisweilen τὴν ψυχὴν αὐτοῦ«. Im Neuen Testament vgl. als sinngemäße griechische Wiedergabe bes. 1Tim 2,5f; Tit 2,14 und Gal 1,4, im jüdisch-hellenistischen Schrifttum zudem 1Makk 2,50 mit 1Makk 6,44.
363 Vgl. *A. Schlatter*, Matthäus, 602 (mit rabbinischen Belegen); *W. Grimm*, Verkün-digung, 233.237 und *R. Pesch*, Markus II, 163, Anm. 46. Dabei sind δοῦναι τὴν ψυχὴν αὐτοῦ und θεῖναι τὴν ψυχὴν αὐτοῦ (Joh 10,11.15.17 u.ö.) als Übersetzungsvarianten anzusehen (vgl. *F. Büchsel*, Art. λύτρον, 343 und *R. Schnackenburg*, Johannes II, 372, Anm. 3).
364 Vgl. *F. Büchsel*, Art. λύτρον, 344 und *J. Jeremias*, Lösegeld, 226.
365 Zum inklusiven πολλοί vgl. vor allem *J. Jeremias*, Art. πολλοί, 536–545, ergän-zend *K.G. Kuhn*, Sinn, 513, Anm. 28; *M.D. Hooker*, Servant, 78f; *A. Suhl*, Funktion, 119 und *H. Thyen*, Studien, 160.
366 »Der status emphaticus סַגִּיאִיא ist im palästinisch-jüd(ischen) Aram(äisch) nicht belegt, vielmehr deckt סַגִּיאִין sowohl die determinierte wie die indeterminierte B(e)d(eu)t(un)g« (*J. Jeremias*, Art. πολλοί, 536, Anm. 2).
367 Vgl. *J. Jeremias*, Lösegeld, 226, in Anm. 34 mit Hinweis auf 1Kön 21,2 LXX (= 3Reg 20,2) (ἄλλαγμα ἀντὶ τοῦ ἀμπελῶνος) und JosAnt 14,107 (τὴν δοκὸν αὐτῷ τὴν χρυσῆν λύτρον ἀντὶ πάντων ἔδωκεν).
368 Vgl. ebd., 226. Als Beispiel sei etwa Gen 22,13 genannt.
369 Zu λύτρον als Äquivalent für כֹּפֶר s. unten S. 320–322.326–334, vgl. ferner *P. Stuhlmacher*, Existenzstellvertretung, 33: »... mit *purkān* wird in den Targumen regel-mäßig *kōfær* übersetzt«.
370 S. oben S. 208–210. Speziell im Blick auf Mk 10,45 vgl. (gegen *R. Pesch*, Markus II, 163, der den vorliegenden Sachverhalt verkennt) *P. Stuhlmacher*, Existenzstellver-tretung, 36.
371 Ebd., 32f.

Folgende hebräische[372] bzw. aramäische[373] Vorlage bietet sich an:

בֶּן־הָאָדָם לֹא בָא לְמַעַן יְשָׁרְתוּהוּ כִּי אִם־לְשָׁרֵת
וְלָתֵת אֶת־נַפְשׁוֹ כֹּפֶר תַּחַת רַבִּים

בַּר אֱנָשָׁא לָא אֲתָא דִישְׁתַּמַּשׁ אֶלָּא דִישַׁמֵּשׁ
וּדְיֵיהוֹב נַפְשֵׁיהּ פּוּרְקָן חֲלַף סַגִּיאִין

Obwohl demnach ein palästinisches (aramäisches) Original kaum mehr
zu bestreiten ist, wird in der Forschung immer wieder das Gegenteil vertreten mit dem Hinweis, das Logion stelle einen Schriftbeweis auf dem
Hintergrund von Jes 53,1-12 LXX dar; die aufgezeigten Semitismen
seien nichts anderes als Septuagintismen, entstanden in der griechischsprachigen judenchristlichen Gemeinde[374].
Bereits ein bloßer Vergleich der Texte erweist die Unhaltbarkeit dieses
Postulats. Weder das Menschensohnprädikat noch das infinitivisch kon-
struierte ἦλθεν, erst recht nicht die Kombination ὁ υἱὸς τοῦ ἀνθρώπου
ἦλθεν und ebensowenig die (von ἦλθεν nicht ablösbaren) Infinitive διακονηθῆναι und διακονῆσαι sind aus Jes 53,1-12 LXX ableitbar. Denn
dort geht es anders um ὁ παῖς μου, dessen Dienst mit der Vokabel δουλεύειν beschrieben wird. Vom mit entscheidenden Stichwort λύτρον ist
keine Rede, auch nicht von der Präposition ἀντί. Noch nicht einmal δοῦναι τὴν ψυχὴν αὐτοῦ kann man als Gemeinsamkeit mit Jes 53,12b LXX
(παρεδόθη εἰς θάνατον ἡ ψυχὴ αὐτοῦ) verbuchen, liegen doch Parallelen wie etwa Sir 29,15 (ἔδωκεν γὰρ τὴν ψυχὴν αὐτοῦ ὑπὲρ σοῦ); Ex
21,30; 30,12 und andere bedeutend näher. Damit verbleibt einzig
πολλῶν als gemeinsames Stichwort, aber auch hier besteht die Differenz
der jeweils verschiedenen Präpositionen, die mit πολλῶν verbunden sind:
zum einen ἀντί, zum anderen περί. Man kann somit nicht einmal von einer terminologischen Anlehnung, geschweige denn von einer Abhängigkeit des λύτρον-Wortes von Jes 53,1-12 LXX sprechen.

Nach alldem ergibt sich als jetzt endgültig abgesichertes Zwischenergeb-
nis: Mk 10,45 stellt ein ursprünglich isoliert von seinem heutigen Kontext
tradiertes, von vornherein einheitlich konzipiertes Logion dar, das zwar
erst nach seiner Übersetzung ins Griechische per Stichwortverbindung an
Mk 10,42b-44 angefügt wurde, jedoch im palästinischen Sprachbereich
entstanden sein muß, ohne daß eine sekundäre Bildung im Anschluß und
in Anknüpfung an das Kelchwort der Abendmahlsüberlieferung vorliegt.

372   Vgl. *F. Delitzsch*, Novum Testamentum Hebraice, z.St.
373   Vgl. bereits, trotz einiger Abweichungen, die Rückübersetzung bei *G. Dalman*,
Jesus-Jeschua, 110.
374   Vgl. *H. Thyen*, Studien, 157-160; *K. Kertelge*, Menschensohn, 234 und *R. Pesch*,
Markus II, 162-164.

4. Mk 10,45 - eine Bezugnahme auf Jes 52,13 - 53,12 MT?

Es ist das Verdienst von Werner Grimm, den lang andauernden Disput der neutestamentlichen Forschung, ob mit Mk 10,45 eine Bezugnahme auf den hebräischen Text des vierten Gottesknechtslieds vorliege oder nicht, insofern beendet zu haben, als er die Unmöglichkeit einer solchen Ableitung nicht nur erneut aufzeigte (Ausnahme: das Stichwort πολλοί), sondern zugleich Jes 43,3-4(-7) als eigentliche alttestamentliche Grundlage nachwies[375].

Linguistisch ist die Herleitung des Menschensohnlogions Mk 10,45 von Jes 53 unmöglich: Das λύτρον entsprechende Äquivalent ist eindeutig כֹּפֶר[376] und nicht das in Jes 53,10 belegte אָשָׁם. Nirgendwo wird אָשָׁם mit λύτρον wiedergegeben, was angesichts der unterschiedlichen Bedeutungen beider Begriffe sehr verständlich ist. Wie man die Dinge auch dreht und wendet, »sprachlich (führt) kein Weg von אשם zu λύτρον«[377], denn die Grundbedeutung von אָשָׁם ist »Schuldverpflichtung«, »Pflicht zur Ableistung von Schuld«[378]. Dabei ist אָשָׁם kein Opfer im Sinne eines Sühnopfers, sondern kann allein aufgrund der metaphorischen Verwendung des Begriffs als Opfer bezeichnet werden; dies deshalb, weil es אָשָׁם (Buße) bewirkt. Es geht um den Begriff der »Buße«, nicht der »Sühnung«[379].

Insofern läge eine doppelte Metapher vor, kennzeichnete man die Hingabe des Lebens des Knechts aus Jes 53,10 als אָשָׁם (Opfer). Gerade hier ist deutlich, daß אָשָׁם die Bedeutung »Buße« und nicht »Sühnopfer« hat, denn der Sinn von אָשָׁם an dieser Stelle ist einfach der:

---

375 W. *Grimm*, Verkündigung, 234-258. Die vorausgehende Diskussion dieser Frage war von zwei Extrempositionen gekennzeichnet. Während *J. Jeremias*, Lösegeld, 227f und *ders.*, Theologie, 277f (Zitat 277) eine Abhängigkeit von Jes 52,13 - 53,12 »Wort für Wort« nachweisen wollte, wurde diese von *M.D. Hooker*, Servant, 74-79 und *C.K. Barrett*, Background, 1-18 grundsätzlich bestritten. Die Debatte der Folgezeit bewegte sich zwischen diesen vorgegebenen Polen hin und her und stagnierte insofern, als sie sich darin erschöpfte, das Pro und Contra der philologischen Argumente neu zu betonen oder zu bestreiten. Weil »weder der Jesajatext zitiert noch das Schicksal des Gottesknechtes insgesamt auf Jesus übertragen ist« (*J. Gnilka*, Markus II, 104), war sich die Forschung der letzten Jahre der Fragwürdigkeit der Prämisse, es läge insgesamt eine freie Bezugnahme auf Jes 52,13 - 53,12 vor, wohl bewußt, hielt diese Sicht mangels Alternative jedoch weithin aufrecht (vgl. *K. Kertelge*, Menschensohn, 226.231-239; *R. Pesch*, Markus II, 162-165; *J. Gnilka*, Jesus, 44-47 und *ders.*, Markus II, 103f). Die bislang fehlende Alternative liegt nun mit Grimms Arbeit vor. Nicht umsonst wurde sie von den unten Anm. 453 genannten Exegeten übernommen.

376 So auch *H.W. Wolff*, Jesaja 53, 61 und *J. Jeremias*, Lösegeld, 217-224.

377 *W. Grimm*, Verkündigung, 235, vgl. *M.D. Hooker*, Son of Man, 144f.

378 Vgl. *R. Knierim*, Art. אָשָׁם, 251-257.

379 Zur Scheinausnahme Jes 27,7-9 vgl. *H. Gese*, Sühne, 104f, Anm. 14.

Der Gottesknecht, d.h. Israel bzw. genauer: das wahre Israel[380], »gibt sich als Bußleistung für die Heiden her«[381] und büßt für die Völker. Es geht um Israels stellvertretendes Leiden zugunsten der Bekehrung der Vielen[382]. Dieses Leiden erfolgt deshalb stellvertretend, weil

380   Angesichts des vorliegenden Texts und der Botschaft Deuterojesajas insgesamt kommt meines Erachtens nur die *Kollektivdeutung* des Gottesknechts, und zwar *auf das wahre Israel* in Frage (vgl. angesichts der nahezu uferlosen Literatur vor allem N. *Lohfink,* Israel, 217–229 [speziell im Blick auf den Terminus Israel in Jes 49,3, der nicht als Glosse angesehen werden darf]; *Joachim Becker,* Deutung, 297–299; *D. Michel,* Art. Deuterojesaja, 521–528, bes. 527; *K. Th. Kleinknecht,* Gerechtfertigte, (48-)52–56, bes. 53 und *P. Stuhlmacher,* Jesus von Nazareth und die neutestamentliche Christologie, 93f: »Nach dem hebräischen Text des Deuterojesaja ist mit dem Gottesknecht Israel gemeint, und zwar [wahrscheinlich] die sog. Gola, die durch ihren Schicksalsweg für die Schuld ganz Israels Sühne geleistet hat [vgl. Jes 49,3]«. Anders diejenigen Exegeten, die im Gottesknecht den Propheten selbst erkennen möchten und von daher gezwungen sind, »Israel« in Jes 49,3 als sekundär auszuscheiden, vgl. etwa H.-J. *Hermisson,* Israel, bes. 14f.20f; *ders.,* Lohn, bes. 283.285; *O.H. Steck,* Aspekte I, bes. 376, Anm. 11 und *ders.,* Aspekte II, bes. 36f, die das vierte Gottesknechtlied zudem in nachdeuterojesajanischer Zeit entstanden wissen möchten [ganz anders wiederum *T.N.D. Mettinger,* Ebed-Jahwe-Lieder, 68–76 und *ders.,* Farewell, der grundsätzlich in Abrede stellt, daß es jemals eine eigenständige Gruppe von Gottesknechtliedern gegeben habe; eben dies bestreitet erneut *H.-J. Hermisson,* Voreiliger Abschied, 209–222]. Zur Diskussion insgesamt vgl. auch den ausführlichen Überblick bei *H. Haag,* Gottesknecht, 34–167):

a)   Außerhalb der Gottesknechtlieder steht der Gottesknecht immer für Israel (vgl. nur Jes 41,8f; 44,1f.21 und 45,4, zudem noch 42,19). Eine individuelle Deutung wurde überhaupt erst möglich aufgrund einer unhaltbaren literarkritischen Ausscheidung der Gottesknechtlieder aus dem übrigen Buch.

b)   Jes 49,3 zeigt, daß auch innerhalb der Gottesknechtlieder Israel gemeint ist (»Mein Knecht bist du, Israel, durch den ich mich verherrlichen will«). Wenn manche »Israel« als sekundäre Glosse streichen, beruht dies auf methodischer Willkür und ist literarkritisch nicht zu begründen (vgl. vor allem N. *Lohfink,* Israel, 217–229; insofern »muß die Apposition in 49,3 nicht beschreibend, sondern eingrenzend verstanden werden: ›du bist mein Knecht, [bist] *das* Israel, an dem ich mich verherrlichen will‹« [*D. Michel,* Art. Deuterojesaja, 523]). Auch textkritisch ist der Begriff bestens bezeugt (vgl. ebd., 523: »Textkritische Argumente für eine Streichung gibt es nicht«). So ist auch in den Jesajahandschriften aus Qumran von Israel die Rede, ebenso in den alten Übersetzungen des hebräischen Texts.

c)   Die Septuaginta denkt so selbstverständlich an Israel, wenn vom Gottesknecht die Rede ist, daß sie »Israel« in Jes 42,1 über den hebräischen Text hinaus einfügt. Nicht anders versteht man den Gottesknecht in Qumran (vgl. *O. Betz,* Felsenmann, 100 und *ders.,* Jesus und das Danielbuch, 115f) sowie im ursprünglich hebräisch verfaßten Diptychon Weish 2,12–20; 5,1–7 (s. oben S. 268 mit Anm. 135). Auch Lk 1,54 deutet entsprechend (vgl. *J.-A. Bühner,* Art. παῖς, 12f).

d)   Jede messianische Deutung des Gottesknechts scheidet von Deuterojesajas aktualisierender Eschatologie her und nach der Vergabe des Titels מָשִׁיחַ an Kyros letztlich aus. Deuterojesaja kennt keine auf die Zukunft Israels bezogene königsmessianische Verheißung mehr. Die entsprechenden Verheißungen des Alten Testaments, die חַסְדֵי דָוִד (Ps 89,50), werden demokratisiert, indem sie nun nicht mehr als Zusagen an die Davididen, sondern an das Volk als ganzes interpretiert werden (Jes 55,3b–5, dazu *Joachim Becker,* Deutung, 296f). Weil Israel die Aufgabe des Messias übernommen hat, kann Deuterojesaja überhaupt erst ohne weiteres vom heidnischen Kyros, der Jahwe gar nicht kennt

die Heidenvölker im Anschluß an seine Beendigung, d.h. im Anschluß an die Heimkehr der Exilierten, die sich allein aufgrund des heilschaffenden Eingreifens Jahwes ereignen wird, jetzt auch ihrerseits Jahwe als den einzig wahren Gott erkennen und hinfort ihm dienen.

Diese Deutung des Leidens Israels – es hat den Sinn der schließlichen Bekehrung der Heidenvölker – ist neu gegenüber allen bisherigen Interpretationen, die in ihm die gerechte Strafe für die Sünden des Volkes erkannten (so auch Jes 40,2). Für Deuterojesaja ist sie jedoch keineswegs singulär, sondern durch weitere Texte belegt und abgedeckt. Hier sind vor allem Jes 45,22-24; 49,6 und 55,3b-5 geradezu als ›Fortsetzung‹ von Jes 52,13 –

(Jes 45,5), als Jahwes Hirten und Gesalbten reden, als Jahwes Werkzeug, durch das dieser seinen Plan durchführt (Jes 41,1-4.25; 44,28; 45,1-5 und 48,14-16).

e) Auch in Jes 52,13 – 53,12 liegt eine Kollektivdeutung des Gottesknechts vor. In Form eines geschichtlichen Rückblicks wird eine Sinndeutung der Geschichte Israels vorgenommen, die dem Volk gleichzeitig Zukunft eröffnet:

α) Jes 52,13-15 und 53,11b-12 bilden den Rahmen des vierten Gottesknechtlieds. Es handelt sich um eine Heilsankündigung Jahwes für sein Volk Israel, das hier »mein Knecht« (עַבְדִּי) genannt wird. Der innere Teil, Jes 53,1-11a, überliefert ein staunendes Bekenntnis der Vielen, der Heidenvölker, im Blick auf Israel. Das Kollektiv Heidenvölker spricht im Danklied von einem anderen Kollektiv, nämlich Israel.

β) Die Rede vom Gottesknecht als יוֹנֵק und שֹׁרֶשׁ מֵאֶרֶץ צִיָּה in V. 2 bezieht sich auf Israels Herkunft aus der Wüste.

γ) In den V. 8f ist nicht vom Grab eines einzelnen die Rede. Die Schmach des Sterbens einer ganzen Generation Israels im Exil, im unreinen Land (vgl. Am 7,17), neben Reichen bzw. Übeltätern (= den Babyloniern), wird beschrieben. Im Blick auf diese sind die Exilierten, d.h. ist der Gottesknecht ohne Unrecht und Trug.

δ) In den V. 10-12 wird der Gottesknecht wieder lebend vorgestellt, wobei es hier um die erneute Aufstellung Israels im Sinne von Ez 37,1-14 geht. Bei individueller Deutung hätte man sich dem Problem der Auferstehung von den Toten zu stellen, wobei zu bedenken ist, daß es diese Vorstellung zu damaliger Zeit in Israel noch nicht gab.

ε) Bei individueller Deutung des Gottesknechts müßte man zugleich eine phantastische Märtyrerbiographie erwarten, von der sehr merkwürdig wäre, daß sie verlorengegangen sein soll.

Inhaltlich wird im vierten Gottesknechtlied herausgestellt: Der ins Exil geführte Teil des Volkes Israel leidet und stirbt stellvertretend für alle anderen. Die Exilierten werden von Deuterojesaja angesprochen, auf ihnen ruht alle Hoffnung für die Zukunft Gottes mit seinem Volk. Sie, die die Schuld aller anderen doppelt und dreifach gebüßt haben (Jes 40,2), sind identisch mit dem Gottesknecht, denen wahren Israel. Gerade so erwirkt der Gottesknecht das Heil für alle: für den Rest Israels wie für die Heidenvölker. Dies zeigt Jes 49,5f, wo der Gottesknecht eine Aufgabe an den Gesamtstämmen Israels zu erfüllen hat, dann aber zugleich zum Licht der Heiden wird. Nicht umsonst ist gerade bei Deuterojesaja die Vorstellung von der eschatologischen Völkerwallfahrt zum Zion deutlich belegt (vgl. etwa die unten S. 320 genannten Texte sowie die dortigen Ausführungen.).

f) Jes 49,5f, fälschlich als Argument für die individuelle Deutung herangezogen, weil der Gottesknecht dort zunächst eine Aufgabe an Israel erfüllt – und erst danach ebenso an den Heidenvölkern –, bestätigt noch einmal das Gesagte: Der Gottesknecht Deuterojesajas ist nicht einfach identisch mit Israel als ganzem, sondern mit jenem Teil des Volkes, der in Babylon zum Heil der Vielen den »Tod« erleidet: die Exilierten, der heilige Rest des Volkes (Jes 46,3), das wahre Israel.

381   *H. Gese,* Sühne, 104, Anm. 14.
382   Vgl. *P. Stuhlmacher,* Existenzstellvertretung, 39f.

53,12 zu lesen: Das neu konstituierte Gottesvolk – neu konstituiert aufgrund des stellvertretenden Leidens und ›Sterbens‹ der Exilierten, des Gottesknechts – ruft infolge seiner Herrlichkeit die Heidenvölker herbei, und auch sie kommen zum Zion, um den Gott Israels anzubeten sowie ihrerseits ins eschatologische Gottesvolk eingegliedert und selbst Israeliten zu werden[383]. Was Deuterojesaja hier verkündigt, ist nichts anderes als die Aktualisierung der Tradition von der eschatologischen Völkerwallfahrt zum Zion[384].

Demgegenüber bezeichnet der Wertbegriff כֹּפֶר (λύτρον)[385] eine adäquate Ersatzgabe, zielt auf die »Auslösung des verwirkten Lebens« durch ein »Lebensäquivalent«[386] und »ist das, was für den Preis des Lebens eintritt, für mein Leben einstehen kann«, ist »eine Lebensersatzleistung durch stellvertretende Totalhingabe«[387]. כֹּפֶר kennzeichnet also immer eine »Existenzstellvertretung«[388], den Loskauf des individuellen Lebens um den Preis eines Lebensäquivalents, einer gleichwertigen Ersatzgabe.

Im Blick auf Mk 10,45 bedeutet dies, daß das Lösegeldmotiv keinesfalls vom vierten Gottesknechtslied her interpretiert werden kann – von כֹּפֶר ist dort keine Rede –, sondern auf dem Hintergrund solcher Aussagen, »die כפר in einem übertragenen, religiösen Sinn verwenden«[389]. Laut Grimm kommen für solchen theologischen Gebrauch des Begriffs, in dem es um

---

383   Fraglich erscheint mir allerdings, auch Jes 43,3f entsprechend zu deuten, wie dies bei *H. Gese,* Sühne, 104, Anm. 14 und *P. Stuhlmacher,* Existenzstellvertretung, 38f geschieht. Die Dahingabe der Heidenvölker zugunsten Israels wäre dann zu verstehen als Vernichtung ihrer götzendienerischen Existenz, d.h. sie sind Lösegeld für Israel insofern, als sie sich »von ihren Götzen abwenden, zu Jahwe bekehren und . . . zum Eigentum Israels und seines Gottes (werden)« (ebd., 39). Der Terminus כֹּפֶר wie auch die sachliche Nähe zu Ez 29,17–21 weisen in eine andere Richtung: So wie Nebukadnezar für seine Mühe um Tyrus von Jahwe Ägypten als Ersatz erhält, so erhält Kyros Ägypten, Kusch und Saba als Ersatz für Israel. Jenes kommt frei, diese gehen an seiner Statt in die Knechtschaft (vgl. *P. Volz,* Jesaja II, 37; *K. Elliger,* Deuterojesaja I, 297–299 und *B. Janowski,* Sühne, 169f). Die jüdische Exegese bezog Jes 43,3f vor allem auf das Endgericht: Zugunsten der Apokatastasis Israels werden die Heidenvölker vernichtet (s. unten S. 326–331.333f); der Stellvertretungsgedanke ist auch hier festgehalten.

384   S. oben S. 135–140.

385   Zur Sühnevorstellung und zu כֹּפֶר / כִּפֶּר insgesamt vgl. die entscheidend wichtige Studie von *B. Janowski,* Sühne, bes. 27–102 (Alter Orient), 103–350.354–362 (Altes Testament) und 350–354.362 (Neues Testament bzw. Röm 3,25), zur Bestimmung des alttestamentlichen כֹּפֶר-Begriffs insbesondere 153–174, zu כֹּפֶר als Terminus der theologischen Sprache vor allem 169–174. Vgl. ferner *ders.,* Auslösung, 25–59.

386   *B. Janowski,* Sühne, 157.

387   *H. Gese,* Sühne, 90 bzw. 88.

388   Ebd., 87; *P. Stuhlmacher,* Existenzstellvertretung, 27 (Überschrift), 39.41; *B. Janowski,* Sühne, 157.170.174 und *ders.,* Auslösung, 34.50.56.

389   *W. Grimm,* Verkündigung, 235 (in Anm. 623 mit Verweis auf MekhY 21,30 [93a]: »Beachte: Man gibt nicht Lösegeld für die, welche durch Menschenhand zu Tode gebracht werden sollen, sondern man gibt Lösegeld für die, die durch die Hand des Himmels zu Tode gebracht werden sollen«).

die Auslösung des verwirkten Lebens durch Gott geht – Gott selbst ist der Geber des כֹּפֶר –, lediglich fünf alttestamentliche Stellen in Frage: Spr 21,18; Jes 43,3f; Ps 49,8f; Hi 33,24 und 36,18[390].

Eine Herleitung des Menschensohnlogions Mk 10,45 von Jes 52,13 – 53,12 ist auch wegen des dort in keiner Weise belegten ἀντί ausgeschlossen. Diese Präposition wiederum ist so fest mit λύτρον verbunden, daß sie »an anderen Stellen im Lösegeldbegriff immanent ist«[391], ja daß כֹּפֶר (λύτρον) in Jes 43,3f durch bloßes תַּחַת (ἀντί) aufgenommen wird. Mit anderen Worten: »תחת wird zum Äquivalent von כפר und kann dieses im synonymen Parallelismus membrorum ersetzen.«[392] Grimm konnte zeigen, daß תַּחַת im Sinne eines »anstelle von« für Lösegeldaussagen so konstitutiv ist, daß der explizite Begriff in einigen alttestamentlichen Stellen wegfallen kann, aber unabdingbar in כֹּפֶר mitbedacht ist; vor allem dort, wo nach כֹּפֶר unmittelbar der Genitiv folgt[393]. Wenn כֹּפֶר und תַּחַת aber in dieser Weise einander bedingen, ist der Schluß unausweichlich, »daß das Entscheidende, ja das überhaupt Belangvolle an der כפר-Aussage das ›anstelle von‹, also die Stellvertretung ist.«[394] Konstitutiv an כֹּפֶר ist damit »das Stellvertretungsmoment, das durch ein תחת noch besonders herausgestellt werden kann«[395]; כֹּפֶר »hat die Funktion einer Metapher für ›Stellvertretung‹«[396].

Der Weg des für Mk 10,45 vorauszusetzenden semitischen כֹּפֶר תַּחַת zu der אָשָׁם-Aussage von Jes 53,10 ist damit endgültig verbaut, und bezeichnenderweise wird תַּחַת (ἀντί) dort überhaupt nicht als Präposition vor רַבִּים verwendet.

Für לָרַבִּים aus Jes 53,11 und für בָּרַבִּים aus V. 12a bedarf dies sowieso keiner Frage, denn »weder ל noch ב können zu ἀντί werden«, zudem »kommt den besagten Wendungen in ihrem Kontext eine andere Funktion zu als dem ἀντὶ πολλῶν in Mk. 10,45.« Das תַּחַת aus V. 12b jedoch, auf das man theoretisch verweisen könnte, »ist konjunktional gebraucht und kommt deshalb für Mk. 10,45 nicht in Betracht.«[397]

390 Vgl. ebd., 235, ferner *B. Janowski*, Sühne, 169–174 und *ders.*, Auslösung, 48–54.
391 *W. Grimm*, Verkündigung, 235 (mit Hinweis auf Mk 8,37; 1Tim 2,6; JosAnt 14,107 und 4Makk 6,28f), vgl. ferner *H. Thyen*, Studien, 159: »die Präposition ἀντί (ist) durch den Wortsinn von λύτρον . . . geradezu gefordert«.
392 *W. Grimm*, Verkündigung, 240.
393 Vgl. ebd., 236, Anm. 624 (mit Hinweis auf Ex 21,30; 30,12 [zu beiden Belegen vgl. *B. Janowski*, Sühne, 154–162 und *ders.*, Auslösung, 31–44]; Jes 43,3f und Spr 21,18).
394 *W. Grimm*, Verkündigung, 236, Anm. 624. Entsprechend betont *B. Janowski*, Sühne, 170: »Der zentrale Aussagegehalt des כֹּפֶר-Begriffs liegt, wie das synonyme תַּחַת zeigt, im *Stellvertretungsgedanken*«.
395 *W. Grimm*, Verkündigung, 239.
396 Ebd., 240.
397 Ebd., 236.

Fragt man nach dem tatsächlichen alttestamentlichen Hintergrund für λύτρον ἀντί (כֹּפֶר תַּחַת) aus Mk 10,45 und beschränkt sich dabei, wie das Menschensohnlogion voraussetzt, auf solche alttestamentliche Lösegeld-aussagen, »in denen einerseits Menschen als כפר fungieren, andererseits keine menschlichen Empfänger genannt werden«[398], so ist man ganz be-sonders auf die oben bereits angeführten Stellen Spr 21,18 und Jes 43,3f verwiesen, wo כֹּפֶר und תַּחַת auffällig nebeneinanderstehen[399].

Auch δοῦναι τὴν ψυχὴν αὐτοῦ ist trotz sprachlicher Verwandtschaft nicht aus Jes 53,10 אִם־תָּשִׂים אָשָׁם נַפְשׁוֹ (wenn seine נֶפֶשׁ sich zum אָשָׁם macht) ableitbar[400]. Bei hier und dort inhaltlich unterschiedlichem Kon-text haben Mk 10,45 und Jes 53,10 lediglich den Begriff נַפְשׁוֹ gemeinsam, während δοῦναι zwar in ganz seltenen Fällen Übersetzung von שִׂים sein kann, im Normalfall jedoch נתן (aramäisch יהב) wiedergibt. Erst recht bil-det δοῦναι τὴν ψυχὴν αὐτοῦ, wie deutlich wurde, das griechische Äqui-valent des hebräischen נָתַן נַפְשׁוֹ bzw. des aramäischen נַפְשֵׁיה (נְתַן) יְהַב. Sonst wäre ebenso aus einer zweiten Person maskulin Singular oder einer dritten feminin Singular plötzlich ein Infinitiv geworden[401]. Wichtiger noch als dieses philologische Problem ist jedoch die folgende Tatsache: נָתַן נַפְשׁוֹ) יְהַב] נְתַן [נַפְשֵׁיה) bzw. δοῦναι τὴν ψυχὴν αὐτοῦ bezeichnet übli-cherweise ganz allgemein »den Einsatz des Lebens«[402] und ist geläufiger Ausdruck für »den freiwilligen (Lösegeld-)Tod eines Menschen«[403]. Von hierher ist es sicherlich kein Zufall, daß die Wendung gerade nicht in Jes 52,13 - 53,12, sondern in der Tradition von der Lebenshingabe des Märtyrers sprachlich wie sachlich die nächsten Parallelen hat[404]; wobei nicht übersehen werden darf, daß die jüdischen Märtyrertexte - und da-mit die Vorstellung vom Sühnetod der Gerechten - ihrerseits nicht ein-fach aus dem vierten Gottesknechtslied hergeleitet werden können[405]. Auch δοῦναι τὴν ψυχὴν αὐτοῦ verweist damit auf die für Mk 10,45 längst als grundlegend erkannte כֹּפֶר-Konzeption.

---

398   Ebd., 239, vgl. ferner das Zitat aus MekhY 21,30 (93a) oben Anm. 389.

399   Vgl. ebd., 239.

400   Vgl. gegen *J. Jeremias*, Lösegeld, 227 zu Recht *C.K. Barrett*, Background, 8; *A. Suhl*, Funktion, 119; *G. Dautzenberg*, Leben, 102 und *W. Grimm*, Verkündigung, 237 sowie letztlich auch *R. Pesch*, Markus II, 163f.

401   Vgl. *W. Grimm*, Verkündigung, 237.

402   *R. Pesch*, Markus II, 163 (mit Hinweis auf Sir 29,15 und 1Makk 2,50), vgl. *P. Stuhlmacher*, Existenzstellvertretung, 28.

403   *W. Grimm*, Verkündigung, 237.

404   Vgl. *R. Pesch*, Markus II, 163, ferner *J. Jeremias*, Lösegeld, 221 und *W. Grimm*, Verkündigung, 237. Die Genannten verweisen auf 2Makk 7,37; 4Makk 6,28f und 17,21f (vgl. zu diesen Texten *K.Th. Kleinknecht*, Gerechtfertigte, 125f.128f) und auf die Belege bei *A. Schlatter*, Matthäus, 602.

405   Vgl. *E. Lohse*, Märtyrer, 104–110 und *G. Dautzenberg*, Leben, 102.

Da διακονεῖν in Jes 52,13 - 53,12 ebensowenig vorgegeben ist, vielmehr auf die semitische Wurzel שׁמשׁ zurückgeht[406], verbleibt als einzig möglicher Bezugspunkt das in inklusiver Bedeutung für die Gesamtheit, d.h. für »alle« stehende πολλῶν. Dabei ist sogleich zu betonen, daß allenfalls das bloße πολλῶν, nicht aber ἀντὶ πολλῶν als solcher in Frage kommt, denn ἀντί darf, wie oben gezeigt, von πολλῶν nicht losgelöst werden. Gewiß ist die fünfmalige Wiederkehr von רַבִּים(הָ) in Jes 52,13 - 53,12 auffällig, doch scheidet der adjektivisch gebrauchte Beleg Jes 52,15 von vornherein aus, wenn man nach dem Hintergrund des substantivischen πολλῶν aus Mk 10,45 fragt. Auch wird man die beiden mit Artikel stehenden Belege Jes 53,11 und 12a besser nicht heranziehen, sonst wäre bei direkter Abhängigkeit ebenso im λύτρον-Wort τῶν πολλῶν zu erwarten. Als echte formale Parallelen verbleiben damit die artikellosen Belege Jes 52,14 und 53,12c. Aus rein sachlichen Gesichtspunkten wiederum hätte man lediglich Jes 53,11 und 12c ernsthaft in Erwägung ziehen dürfen, während Jes 52,14.15 und 53,12a wegen ihres andersartigen Inhalts kaum in Frage kommen. Da Jes 53,11 aber bereits ausscheidet, bietet sich innerhalb des vierten Gottesknechtlieds letztendlich allein Jes 53,12c als Vergleichspunkt des πολλῶν aus Mk 10,45 an[407].

Weshalb aber ausgerechnet und nur hier dessen traditionsgeschichtlicher Hintergrund zu suchen sein soll, ist nicht einsichtig, wenn man erst einmal erkannt hat, daß inklusives πολλοί in der jüdischen Tradition auch sonst oft genug belegt ist und einen geläufigen Semitismus darstellt[408]. Der Hinweis, Jes 52,13 - 53,12 sei immer dann vorauszusetzen, wenn πολλοί den

---

406 Anders *J. Jeremias,* Theologie, 278, Anm. 62, der διακονεῖν auf ein verbales עבד (Jes 53,11) zurückführen möchte, das entgegen dem substantivischen עַבְדִּי des hebräischen Texts im genannten Sinn von Septuaginta, Targum Jonathan, Peschitta und Symmachus gelesen worden sei. Doch ist diese Behauptung »reine Spekulation« (*H. Thyen,* Studien, 159), da עבד in der Septuaginta nie mit διακονεῖν, sondern mit dem für den Knechtsdienst des Gottesknechts charakteristischen δουλεύειν wiedergegeben wird, wie auch der von Jeremias herangezogene V. 11 zeigt. Zu שׁמשׁ als wirklicher Entsprechung s. unten S. 335-337.

407 Daß tatsächlich allein Jes 53,12c als möglicher Bezugspunkt für πολλῶν aus Mk 10,45 erwogen werden kann, wird indirekt auch von *J. Jeremias,* Art. πολλοί, 543-545 bestätigt, wenn er für die drei weiteren neutestamentlichen Belege, die artikelloses πολλοί im Zusammenhang des Heilswerkes Jesu verwenden, Mk 14,24; Röm 5,16 und Hebr 9,28, ebenfalls auf Jes 53,12c (bei ihm als Jes 53,12e bezeichnet) und nicht auf die übrigen genannten Stellen verweist. Gegen Jeremias ist allerdings festzuhalten, daß zwar Hebr 9,28 von Jes 53,12c LXX her, nicht jedoch Röm 5,16 von Jes 53,12c MT her interpretiert werden darf. Denn hier ist ἐκ πολλῶν, wie die neueren Kommentare zum Römerbrief zeigen, adjektivisch zu fassen (»von vielen Fehltritten aus«, »von vielen Übertretungen her«), und nicht, wie bei Jeremias, substantivisch. Zum traditionsgeschichtlichen Hintergrund des inklusiven πολλοί in Röm 5,12-21 s. unten Anm. 410, zu Mk 14,24 unten S. 325.

408 Vgl. vor allem *J. Jeremias,* Art. πολλοί, 536-545 sowie *K.G. Kuhn,* Sinn 513, Anm. 28; *M.D. Hooker,* Servant, 78f; *A. Suhl,* Funktion, 119 und *H. Thyen,* Studien, 160 mit zahlreichen Belegen, die noch um JosAs 15,6 zu ergänzen sind.

universalen Charakter des Heilswerkes Jesu umschreibe[409], wird durch
Röm 5,12–21 widerlegt, wo Paulus trotz des fünffachen (vierfachen) inklusiven πολλοί nicht mit dem vierten Gottesknechtlied, sondern mit Gen
3 und der jüdischen Exegese von Gen 3 argumentiert[410]. Daß πολλῶν aus
Mk 10,45 *auch* in Jes 53,12c eine Parallele hat, ist damit nicht bestritten,
vielmehr die Behauptung, zur Erhellung und Erklärung des πολλῶν des
Menschensohnlogions sei notwendig und allein von dieser Stelle auszugehen. Hier liegt meines Erachtens der Trugschluß vieler Exegeten, die so
tun, als sei Mk 10,45 als Erfüllung der Weissagung Jes 53,12c zu verstehen. Beide stehen sich in der Tat inhaltlich nahe und haben dieselbe universale Bedeutung, doch ist zwischen einer sachlichen Entsprechung und
einer expliziten Bezugnahme zu unterscheiden. Eine ausdrückliche Bezugnahme auf Jes 52,13 – 53,12 ließ das λύτρον-Wort jedoch nirgendwo
erkennen, im Gegenteil: Der gesamte V. 45b verwies ansonsten auf die
alttestamentlich-jüdische Konzeption der Existenzstellvertretung, d.h.
auf die im folgenden näher zu untersuchende כֹּ֫פֶר-Konzeption des Alten
Testaments und des Judentums. Von hierher läßt sich auch das universale
πολλῶν erklären, nämlich als eine Mt 8,11 par entsprechende Interpretation von Jes 43,5–7, also dem unmittelbaren Kontext von Jes 43,3f, dem
eigentlichen Bezugspunkt von Mk 10,45b[411].

Zur Erhellung des πολλῶν ist deshalb ein Rückgriff auf Jes 53,12c weder
nötig noch gefordert. Dortiges רַבִּים und πολλῶν bilden lediglich besonders deutliche inhaltliche Parallelen. Zu erwägen ist deshalb allenfalls ein
terminologischer Anklang ohne gleichzeitige Übertragung spezifischer
inhaltlicher Elemente des vierten Gottesknechtlieds.

---

409 Vgl. ebd., 543–545.
410 Innerhalb der Adam-Christus-Typologie Röm 5,12–21 ist das inklusive πολλοί
fünffach (vierfach, wenn man das adjektivische ἐκ πολλῶν in V. 16 nicht berücksichtigt)
belegt, außerdem synonym zu πολλοί an vier weiteren Stellen πάντες – dies alles ausdrücklich im Zusammenhang des Heilswerkes Christi. Dabei steht die jüdische Auslegungstradition von Gen 3 und nicht das vierte Gottesknechtlied im Hintergrund. Wie die Gedankenführung des Apostels insgesamt, so ist auch das fünfmalige (viermalige) πολλοί neben
dem viermaligen πάντες aus der genannten Tradition heraus zu erklären: Paulus sieht »im
Blick auf Gen 3 sogleich auf die universale Folge der Tat Adams, mit dessen Sünde das
Sündigen aller . . . begonnen hat« (*U. Wilckens*, Römer I, 315). Die universale Wirkung
dieser Tat bedingt die entsprechende, ja noch größere Wirkung der Tat des Christus. Daß
das inklusive πολλοί der Adam-Christus-Typologie in dieser jüdischen Auslegungstradition der Erzählung aus Gen 3 und nicht in Jes 52,13 – 53,12 begründet ist, zeigen bereits
entsprechende jüdische Belege wie Sir 25,24; 4Esr 3,7.21; syrBar 23,4; 48,42f; 54,15 und
VitAd 34, zudem in der rabbinischen Literatur TKoh 7,29; TRuth 4,22; SifDev 323
(138b) zu 32,32 und DevR 9 (206a) (jeweils zitiert bei *Bill.* III, 227–230) sowie schließlich
im Neuen Testament 1Kor 15,21f. Insgesamt vgl. vor allem *E. Brandenburger*, Adam, 15–
64.158–180.219–247, ferner *H. Schlier*, Römer, 183–189 und *U. Wilckens*, Römer I,
310f.314–317.322–328.
411 S. bereits oben S. 117, außerdem unten S. 333.

Entsprechendes gilt für πολλῶν in Mk 14,24 par, dem Kelchwort der Abendmahlsüberlieferung. Dies, obwohl immer wieder die Abhängigkeit des ὑπὲρ πολλῶν von Jes 53,12c behauptet wird, die man dadurch zu beweisen sucht, daß man ebenso τὸ ἐκχυννόμενον auf das vierte Gottesknechtlied zurückführen möchte, nämlich auf הֶעֱרָה in V. 12b[412]. Beides ist so nicht haltbar. Obwohl ἐκχεῖν – ἐκχύννειν begegnet in der Septuaginta nicht, sondern nur ein einziges Mal bei Theodotion, ist aber mit ἐκχεῖν nahezu deckungsgleich; beide Begriffe entsprechen dem hebräischen/aramäischen שָׁפַך[413] – hundertneunundreißigmal in der Septuaginta belegt ist, so doch nie als Übersetzung von ערה[414]; in Jes 53,12b LXX steht παρεδόθη. Gleichzeitig ist im hebräischen Text vom Vergießen der נֶפֶשׁ in den Tod die Rede, während in Mk 14,24 der Terminus דָם zu erwarten wäre. Von τὸ ἐκχυννόμενον führt also »keine sprachliche Brücke zu Jes 53,12«, eine Abhängigkeit liegt nicht vor[415]. Außerdem ist ὑπὲρ πολλῶν in Jes 53,12 (wie in Jes 52,13 – 53,12 insgesamt) ebensowenig belegt wie ἀντὶ πολλῶν. תַּחַת in V. 12b ist »eindeutig konjunktional und nicht präpositional verwendet«[416]. לָרַבִּים in V. 11 und בָּרַבִּים in V. 12a wiederum kommen auch nicht in Frage, denn »beide Formen stehen in einem anderen Zusammenhang als das ὑπὲρ πολλῶν von Mk. 14,24.«[417] Der traditionsgeschichtliche Hintergrund des ὑπὲρ πολλῶν ist somit nicht im vierten Gottesknechtlied zu finden.

Bedenkt man nun aber mit Werner Grimm, wie die Septuaginta Jes 43,3f übersetzt, nämlich כֹּפֶר mit ἄλλαγμα und תַּחַת im synonymen Parallelismus mit ὑπέρ, dann wird von hierher ohne weiteres deutlich, daß ὑπὲρ πολλῶν letztlich genau denselben Sinn haben dürfte wie ἀντὶ πολλῶν bzw. wie λύτρον/ἄλλαγμα ἀντὶ πολλῶν, kann doch תַּחַת einfach verkürzend für כֹּפֶר תַּחַת stehen. Das bedeutet aber nichts anderes als dies, daß auch ὑπέρ auf Jes 43,3f verweist und traditionsgeschichtlich denselben Bezugspunkt hat wie ἀντί in Mk 10,45[418].

Damit verbleibt im Kelchwort der markinischen Abendmahlsüberlieferung allenfalls das bloße πολλῶν, um eine Abhängigkeit von Jes 53,12c zu postulieren. Eine solche einfach zu behaupten, um sodann bestimmte Folgerungen zu ziehen, wäre jedoch methodische Willkür, denn das zu πολλῶν aus Mk 10,45 bereits Gesagte gilt hier selbstverständlich ebenso.

Abschließend bleibt festzuhalten: Eine irgendwie geartete Abhängigkeit des Menschensohnlogions Mk 10,45 von Jes 52,13 – 53,12 liegt nicht vor. Dies gilt auch für πολλῶν, wo man zwar von einem terminologischen Gleichklang bei jeweils entsprechender universaler Bedeutung des Begriffs, nicht aber von einer expliziten inhaltlichen Bezugnahme sprechen kann, die für die Auslegung von konstitutiver Bedeutung wäre[419].

---

412 Vgl. *H. W. Wolff*, Jesaja 53, 66; *J. Jeremias*, Abendmahlsworte, 170.218 und *E. Lohse*, Märtyrer, 124.

413 Vgl. *J. Jeremias*, Abendmahlsworte 218 (der so richtig, aber inkonsequent rückübersetzt) und *H. Patsch*, Abendmahl, 182.

414 Vgl. *H. Kosmala*, Hebräer, 174f und *H. Patsch*, Abendmahl, 182.

415 Ebd., 182, vgl. *H. Thyen*, Studien, 162f; *W. Grimm*, Verkündigung, 297; *R. Pesch*, Markus II, 359 und *ders.*, Abendmahl, 96.

416 *W. Grimm*, Verkündigung, 297.

417 Ebd., 298.

418 Vgl. ebd., 298.

419 Zum gleichen Ergebnis im Blick auf πολλῶν kommt letztlich auch *W. Grimm*, Verkündigung, 237, der zwar terminologisch unrichtig von einer »Bezugnahme«, die »möglich« sei, spricht, im eigentlichen Sinn jedoch nur einen sprachlichen Anklang bzw. Gleichklang meint. Charakteristischerweise spielt das vierte Gottesknechtlied in seiner

5. Mk 10,45 und die alttestamentlich-jüdische Lösegeldkonzeption

Die folgende Untersuchung beschäftigt sich nicht mit der Lösegeldkonzeption Israels in all ihren vielfältigen Einzelheiten, sondern fragt allein nach solchen Vorstellungen, die zum sachgemäßen Verständnis des λύτρον bzw. des λύτρον ἀντί aus Mk 10,45 von entscheidender Bedeutung sind.

Laut Joachim Jeremias müssen die Belege, die hier in Frage kommen, folgende Bedingungen erfüllen: Es muß sich »um Lösegeld für verwirktes Leben« handeln, zugleich ausschließlich »um an Gott gezahltes Lösegeld«[420]. Damit scheiden von vornherein die Stellen aus, die kein an sich verwirktes Leben lösen oder lediglich das profane Leben betreffen; auch die jüdische Anschauung, nach der jedes Sterben Sühnkraft besitzt[421], bleibt ohne Berücksichtigung. Die nach Anwendung dieses Rasters verbleibenden alttestamentlich-jüdischen Lösemittel hat Jeremias sorgfältig zusammengestellt: Geld, gute Taten, die Gottlosen, die Weisen, die Bindung Isaaks, die Gerechten, das Leben der Märtyrer und die Heidenvölker[422]. Obwohl er dabei nachdrücklich auf die Tatsache aufmerksam machte, daß alle genannten Lösemittel mit Ausnahme der Heidenvölker nicht das Endgericht betreffen, sondern nur das Leben in dieser Welt[423], fand jene entscheidende Beobachtung in der Folgezeit nicht die nötige Beachtung. Wenn man nach den traditionsgeschichtlichen Voraussetzungen des als stellvertretenden Sühnetod gedeuteten Sterbens Jesu fragte, verwies man daher auf alles mögliche, nur nicht auf die in Jes 43,3f bezeugte stellvertretende Hingabe der Heidenvölker zugunsten Israels. Die Neuentdeckung von Jes 43,3f blieb Werner Grimm vorbehalten[424], dessen profunde Erkenntnisse ich in den folgenden Ausführungen wiedergebe, um sie im großen und ganzen zu übernehmen.

Dadurch, daß Grimm über Jeremias hinausging und von Mk 10,45 her ein drittes Raster an die hypothetisch möglichen Bezugstexte des Menschensohnlogions anlegte, verringerten sich diese nochmals. Es geht nämlich nicht nur um ein Lösegeld für verwirktes Leben, das zudem an Gott gezahlt wird, ebenso müssen es Menschen (bzw. ein Mensch) sein,

---

folgenden Auslegung von Mk 10,45 keine Rolle. Identisch sind lediglich die Dimension und die Weite der verschiedenen πολλοί, die damit jeweils der typisch jüdischen Bedeutung des inklusiven רַבִּים entsprechen.

420   *J. Jeremias*, Lösegeld, 217.
421   Vgl. *E. Lohse*, Märtyrer, 9–110.214–219.
422   Vgl. *J. Jeremias*, Lösegeld, 217–224.
423   Vgl. ebd., 219.222–224. So zitiert er etwa yQid I,10,61d: »Was du sagst, (gilt) in dieser Welt, aber für die kommende Welt (gilt): die Mehrzahl der Verdienste erwirbt das Paradies« (219) und betont darüber hinaus: »Im Endgericht, das wird immer wieder ausgesprochen, gibt es kein Lösegeld« (222); »... von einer Ausnahme nur wissen unsere Aussagen: für Israel werden die Heidenvölker als Lösegeld dahingegeben« (223).
424   Vgl. *W. Grimm*, Verkündigung, 238–255.

die als כֹּפֶר fungieren[425]. Im Blick auf das Alte Testament gelangt Grimm zu dem Ergebnis: »Bei Anlegung strenger Maßstäbe trifft das nur für Spr. 21,18 und Jes. 43,3f zu.«[426]

Hingegen kommen Hi 33,24 und 36,18 als wirkliche Parallelen nicht in Betracht. Hi 33,24 handelt von einem Todkranken, der am Leben bleiben darf, weil Gott einen Engel, der als Fürsprecher für ihn eintritt, als Lösegeld akzeptiert[427]. Damit liegt dieser Stelle ein anderer Stellvertretungsgedanke zugrunde als in Spr 21,18; Jes 43,3f und Mk 10,45, wo das Schema von Erwählung und Verwerfung konstitutiv ist, während der Stellvertreter hier, der angelus intercessor, kein »von Gott verworfener, sondern ein mit besonderer Vollmacht ausgestatteter Fürsprecher« ist[428]. Hi 36,18 bezieht sich auf 33,24 zurück mit der Warnung, die Fürsprache des Mittlerengels nicht zu mißbrauchen[429].

Spr 21,18:   כֹּפֶר לַצַּדִּיק רָשָׁע וְתַחַת יְשָׁרִים בּוֹגֵד

Jes 43,3f: כִּי אֲנִי אֲנִי יְהוָה אֱלֹהֶיךָ קְדוֹשׁ יִשְׂרָאֵל מוֹשִׁיעֶךָ
               נָתַתִּי כָפְרְךָ מִצְרַיִם כּוּשׁ וּסְבָא תַּחְתֶּיךָ
               מֵאֲשֶׁר יָקַרְתָּ בְעֵינַי נִכְבַּדְתָּ וַאֲנִי אֲהַבְתִּיךָ
          וְאֶתֵּן[430] אָדָם[431] תַּחְתֶּיךָ וּלְאֻמִּים תַּחַת נַפְשֶׁךָ

In Spr 21,18 und Jes 43,3f ist rein sprachlich »das Nebeneinander von כפר und תחת auffällig«[432]. Beide Termini stehen charakteristisch im synonymen Parallelismus nebeneinander, wobei תַּחַת jeweils כֹּפֶר ersetzt. Sachlich ist für beide Stellen grundlegend, daß »nicht die Vorstellung des Lösegelds im eigentlichen Sinn, sondern der Stellvertretungsgedanke das Entscheidende ist«[433]: »Lösegeld« steht für »Stellvertretung«. Jeweils »(treten) Menschen an die Stelle von Menschen«, wobei »die Menschen, die als ›Lösegeld‹ fungieren, negativ qualifiziert sind«[434]: in Spr 21,18 die Gottlosen, in Jes 43,3f die Heidenvölker. Sie sterben einerseits für die Gerechten (Spr 21,18), andererseits für die Israeliten (Jes 43,3f), denen sie dadurch das Leben ermöglichen. Das Motiv Jahwes für dieses Stellvertretungsgeschehen, das ganz allein von ihm ausgeht, »ist die leidenschaftliche Liebe zu den von ihm Erwählten ... M.a.W.: In Jes. 43,3f und Spr. 21,18 geht es um den leidenschaftlich liebenden Gott, dessen Liebe zwei Seiten hat: die Erwählung der einen zum Leben, die Verwerfung der

---

425   Vgl. ebd., 239.
426   Ebd., 239.
427   Vgl. *J. Jeremias*, Lösegeld, 218f; *W. Grimm*, Verkündigung, 241f und *B. Janowski*, Sühne, 149f.171.174.
428   *W. Grimm*, Verkündigung, 242.
429   Vgl. ebd., 242 und *B. Janowski*, Sühne, 150.
430   1QIsᵃ liest אֶתֵּן.
431   1QIsᵃ liest הָאָדָם. Zu אָדָם als besserer Lesart s. unten Anm. 455.
432   *W. Grimm*, Verkündigung, 239f.
433   Ebd., 240, s. bereits oben S. 321.
434   Ebd., 240.

anderen zum Tode.«[435] Wie einseitig und parteiisch diese erwählende und damit zugleich verwerfende Liebe Jahwes ist, der die von ihm Verworfenen sein Strafgericht nicht nur für die eigenen Sünden, sondern stellvertretend auch für die der von ihm Erwählten treffen läßt, zeigt sehr schön ShemR 11,2 (108a) zu 8,19, wo die Aussage von Jes 43,3f und auch Spr 21,18 so kommentiert wird[436]:

»Die Schrift lehrt, daß Israel Züchtigungen mit dieser Plage verdient hätte, daß aber der Heilige, gepriesen sei er!, die Ägypter als Lösegeld für sie bestimmte.«

Jahwe »vollzieht also stellvertretend die Strafe, die die Israeliten verdient hätten, an den Ägyptern und macht sie so zu Israels Lösegeld«[437]. Das heißt: Die Erwählten werden, obgleich sündig, verschont, statt dessen werden die Verworfenen stellvertretend für sie bestraft.

Wer danach fragt, wie Jes 43,3f und Spr 21,18 im Judentum gedeutet und ausgelegt wurden, wird Ps 49,8f[438] unbedingt mit aufgreifen müssen, die Schriftgrundlage für die Anschauung, daß sämtliche Lösemittel (Ausnahme: die Heidenvölker) ausschließlich das Leben in dieser Welt betreffen, von Gott im Endgericht also nicht mehr anerkannt werden.
Ps 49,8f lautet nach seinem ursprünglichen Wortbestand[439]:

אָח לֹא־פָדֹה יִפְדֶּה אִישׁ לֹא יִתֵּן לֵאלֹהִים כָּפְרוֹ
וְיֵקַר פִּדְיוֹן נַפְשׁוֹ וְחָדַל לְעוֹלָם

Ursprünglich denkt Ps 49,8f einfach an den Tod als das Ende des irdischen Daseins. Niemand kann dem Tod entrinnen, auch nicht durch die Zahlung eines Lösegelds. Nichts und niemand kann den Menschen an dieser Stelle auslösen[440]. Entsprechend interpretiert auch PRE 34[441]. Eine zweite jüdische Auslegung deutet auf das Israel der Wüstenzeit, das in Sünde fiel und sein Leben verwirkt hatte. Wegen Ps 49,8f sieht Mose daraufhin keine

435   Ebd., 240.
436   Zitiert nach *J. Jeremias,* Lösegeld, 219.
437   Ebd., 219.
438   Dabei kann in diesem Zusammenhang offenbleiben, ob V. 9 schon zum ursprünglichen Text des Psalms hinzugehörte oder erst im nachhinein hinzugefügt wurde. Die Sachaussage des V. 9 ist implizit bereits in V. 8 vorausgesetzt. Entsprechend übersetzen TPs 49,8f und Ps 49,8f LXX.
439   Die textkritischen Fragen im Blick auf die V. 8f sind folgende: a) Mit 8MSS lesen manche אַךְ statt אָח: Keiner kann je sich selbst loskaufen (vgl. *H.-J. Kraus,* Psalmen II, 516f), doch bezeugen sowohl TPs 49,8 wie auch Ps 49,8 LXX אָח als ursprüngliche Lesart. b) Im elohistischen Psalter steht יְהוָה statt אֱלֹהִים. c) Statt נַפְשָׁם bezeugen TPs 49,9 und Ps 49,9 LXX die bessere Lesart וּפְשׁוֹ; der hebräische Text bezieht das Suffix auf עֲקֵבַי in V. 6b (vgl. ebd., 517 und *B. Janowski,* Sühne, 172, Anm. 343).
Interessant ist darüber hinaus die Beobachtung, daß כֹּפֶר (V. 8) und פִּדְיוֹן (V. 9) im synonymen Parallelismus praktisch deckungsgleich nebeneinanderstehen. TPs 49,8f liest jeweils פּוּרְקָן.
440   Vgl. *W. Grimm,* Verkündigung, 241 und *B. Janowski,* Sühne, 171-174.
441   Vgl. *W. Grimm,* Verkündigung, 241.243.

Möglichkeit eines Lösegelds für Israel, das es zahlen könnte, doch Gott begnügt sich mit einem kleinen materiellen Lösegeld (Ex 30,13), »das gewissermaßen als Lösegeld für das von Ps. 49,8f geforderte Lösegeld fungiert.«[442]

Wirkungsgeschichtlich entscheidend wurde die am häufigsten belegte Deutung von Ps 49,8f auf das Endgericht[443]. Nach dieser Anschauung, so wird immer wieder betont, gibt es im Endgericht für die Sünder kein Lösegeld. Dort versagen alle Lösemittel, die noch im irdischen Leben galten; der Tod eines Menschen zieht eine unaufhebbare Grenze, die niemand überspringen kann.» Wer mit seinen Sünden stirbt, hat den ewigen Tod zu erwarten.«[444] Dann retten weder die Abrahamsohnschaft noch die eigenen Verdienste noch die der Väter[445].

Wie Mk 8,37 par zeigt, hat Jesus diese Deutung von Ps 49,8f nicht nur gekannt, sondern auch bejaht[446]. Doch zugleich hat er in Mk 10,45 die grundsätzliche Aussage von Mk 8,37 durchkreuzt und aufgehoben, zumindest jedoch von Grund auf relativiert.

Grimm weist nun darauf hin, daß eben dieser Tatbestand schon in der jüdischen Theologie genau entsprechend vorgegeben war, denn auch »Das Rabbinat kennt eine große Ausnahme von dem für das Endgericht geltenden Grundsatz Ps. 49,8f«[447]. Gibt es an sich im Endgericht kein Lösemittel, so doch ein einziges: die Heidenvölker. Sie sind Lösegeld für Israel. Damit »die eschatologische Rettung nicht nur eine begrenzte Zahl frommer Israeliten erfaßt, sondern Israel gerade in seiner Gesamtheit unversehrt beläßt«, damit Jahwes erlösende Liebe »auch diejenigen Israeliten erfaßt, die an sich der ewigen Hölle verfallen wären«, »ordnet Jahwe das stellvertretende Leiden der Heidenvölker an, ... die Verwerfung der Völker.«[448] Sie gibt er in den Tod und ermöglicht so Israel das Leben; ihre Vernichtung bedeutet Israels Errettung.

---

442 Ebd., 243 (in Anm. 650 mit Belegen).
443 Vgl. ebd., 243f mit den Anm. 651 und 652. Grimm nennt folgende Belege, die ausdrücklich auf Ps 49,8f basieren: ÄthHen 98,10; TPs 49,8f; MekhY 21,30 (93b); SifDev 329 (139b) zu 32,39; MTeh 46 § 1 (136b); 49 § 3 (139b) und 146 § 2 (267b). Hinzu kommen solche Belege, die Ps 49,8f nicht unmittelbar zitieren, jedoch unausgesprochen voraussetzen. Grimm verweist auf 4Esr 7,102–105.106–115 und syrBar 85, 12f. Zu erwähnen ist zusätzlich äthHen 27,1–4.
444 Ebd., 243.
445 Vgl. *J. Jeremias*, Lösegeld, 222f und *W. Grimm*, Verkündigung, 243.
446 Vgl. *J. Jeremias*, Lösegeld, 222; *W. Grimm*, Verkündigung, 242f; *P. Stuhlmacher*, Existenzstellvertretung, 41 und *W. Haubeck*, Loskauf, 242f. Anders *G. Dautzenberg*, Leben, 72–80, der im Sinne eines Hinweises auf die Nichtigkeit des irdischen Reichtums deutet. Gemeint ist jedoch: Auch der Gewinn der gesamten Welt reicht nicht aus, um als Lösegeld für verwirktes Leben zu fungieren. Daß Jesus dabei an das Endgericht denkt, darf man allein schon wegen der zeitlichen Nähe von äthHen 98,10 und MekhY 21,30 (93b) voraussetzen (vgl. *W. Grimm*, Verkündigung, 243).
447 Ebd., 245.
448 Ebd., 246f.

Diese Exegese – mit dem Ergebnis einer schließlichen Apokatastasis Israels – wurde der jüdischen Theologie ermöglicht durch die Kombination der beiden auf das Endgericht bezogenen Grundsatzaussagen Ps 49,8f einerseits und Jes 43,3f andererseits. Hieß es bei Deuterojesaja, daß Jahwe aus brennender Liebe zu seinem Volk Völker und Menschen für das Leben Israels dahingibt, so ergab die Kombination mit Ps 49,8f nichts anderes als dies: Die Aussage von Ps. 49,8f gilt nur für die Heidenvölker, nicht aber für Israel, denn Jahwe verwirft die Heidenvölker an seines Volkes Statt. In »der eschatologischen Situation des Endgerichts . . . (gibt) es für die Völker nicht nur kein Lösegeld . . ., sondern die Völker selbst (werden) als Lösegeld für Israels Rettung eingesetzt«[449]. Als Hauptbelege für diese jüdische Lehre zitiert Grimm MekhY 21,30 (93b); ShemR 11,2 (108a) zu 8,19 und SifDev 333 (140a) zu 32,43[450].

MekhY 21,30 (93b):
Für die Völker gibt es kein Lösegeld; die Schrift sagt lehrend: »Einen Bruder kann keiner loskaufen. Keiner kann Gott ein Lösegeld für sich darbieten. Zu teuer wäre das Lösegeld für ihr Leben« (Ps 49,8). Geliebt sind die Israeliten, denn der Heilige, gepriesen sei er!, gibt die Völker der Welt an ihrer Statt hin als Sühne für ihr Leben, wie es heißt: »Ich gebe Ägypten als Lösegeld für dich hin. Warum? Weil du teuer bist in meinen Augen, wertvoll und ich dich liebe, gebe ich Menschen hin an deiner Statt und Völker statt deines Lebens« (Jes 43,3f).

ShemR 11,2 (108a) zu 8,19:
(Und ich will eine Erlösung setzen zwischen meinem und deinem Volk) Die Schrift sagt, daß Israel eigentlich Züchtigungen mit dieser Plage verdient hätte, daß aber der Heilige, gepriesen sei er!, die Ägypter als Lösegeld für sie bestimmte. Und auch in der Zukunft bringt der Heilige, gepriesen sei er!, die Heidenvölker und wird sie in den Gehinnom werfen statt Israels. Denn es heißt: »Ich bin Jahwe, dein Gott, der Heilige Israels, dein Helfer. Ich gebe als Lösegeld für dich hin Ägypten, Kusch und Saba an deiner Stelle« (Jes 43,3).

SifDev 333 (140a) zu 32,43:
(Und er entsündigt sein Land, sein Volk) Woher kannst du behaupten, daß das Hinabfahren der Gottlosen zum Gehinnom eine Sühne für Israel in der zukünftigen Welt ist? Weil geschrieben steht: »Und ich gebe als Lösegeld für dich Ägypten, Kusch und Saba hin. Weil du teuer bist in meinen Augen, wertvoll und ich dich liebe, darum will ich Edom an deiner Stelle hingeben« (Jes 43,3f).

In diesen und anderen entsprechenden Texten[451] ist die Verwerfung der Völker als die radikale Konsequenz der Erwählung Israels besonders

---

449   Ebd., 247.
450   Vgl. ebd., 245f.
451   Grimm zitiert und kommentiert zahlreiche weitere jüdische Belege, wobei vor allem PesR 11 (42a.45b) und BemR 2 (138a) einerseits sowie bBer 62b andererseits hervorzuheben sind: In den erstgenannten Texten wird betont, daß Israel ebenso den Gehinnom betritt wie die Heidenvölker. Doch während diese dort umkommen, kann Israel ihn unter

deutlich ausgeprägt und kommt das exklusive Selbstverständnis Israels
kraß zum Ausdruck. Zusammenfassend lasse ich Grimm selbst zu Wort
kommen:
»Wo im Judentum vom Lösegeld im Endgericht die Rede ist, argumentiert man mit Ps. 49,8f und mit Jes. 43,3f. Wichtig ist, daß man auf Ps.
49,8f und Jes. 43,3f auch dann zu sprechen kommt, wenn eigentlich eine
ganz andere atl. Lösegeldstelle auszulegen ist. D.h.: Der jüdische Schriftgelehrte, der mittels der Lösegeldvorstellung Aussagen über Rettungs-
möglichkeiten im Endgericht machen will, muß notwendigerweise mit
Ps. 49,8f und Jes. 43,3f argumentieren.«[452]
Wird somit die grundsätzliche Aussage Ps 49,8f durch Jes 43,3f in gewisser Weise aufgehoben, als jetzt die große Ausnahme zum Grundsatz hin-
zutritt und diesen relativiert, und wird Ps 49,8f zugleich in Mk 8,37 par
aufgenommen und wiederum genau entsprechend durch Mk 10,45 par
relativiert, dann ist von vornherein zu erwarten, daß Mk 10,45 seinerseits
auf Jes 43,3f Bezug nimmt. Dies erst recht, da V. 45b sowieso auf die alttestamentlich-jüdische Konzeption der Existenzstellvertretung verweist.

6. Der philologische Nachweis: Mk 10,45 – eine Bezugnahme auf Jes
    43,3-4(-7)

»Der philologische Nachweis bedarf nach dem bisher Gesagten keines
großen Aufwandes mehr«, Werner Grimm hat ihn im großen und ganzen
längst erbracht[453].
Aus Jes 43,3f ist das für λύτρον vorauszusetzende Äquivalent כֹּפֶר entnommen, ebenso das ἀντί genau entsprechende תַּחַת, so daß die für das
Menschensohnlogion charakteristische Wendung λύτρον ἀντί exakt das
תַּחַת . . . (תַּחַת כֹּפֶר bzw. תַּחְתֶּיךָ . . . כָפְרְךָ) der deuterojesajanischen Vorlage

Berufung auf Jes 43,2 (»Wenn du durchs Feuer gehst, sollst du nicht verbrannt werden,
und die Flamme wird dich nicht versengen«) wieder verlassen (vgl. ebd., 249, ferner *Bill.*
IV/2, 1068, Anm. 2). In bBer 62b wiederum wird Jes 43,3f im Zusammenhang mit Ps
49,8f zwar nicht im eschatologischen Sinn ausgelegt, dennoch ist dasselbe Prinzip von Erwählung und Verwerfung vorausgesetzt, wenn Rabbi Eleazar am Leben bleibt und ein
Heide an seiner Statt an einem Schlangenbiß stirbt (vgl. *W. Grimm,* Verkündigung, 248).
Mit Offb 3,9 und Joh 11,49-52 hingegen werden ebenso zwei christliche Belege angeführt.
In Offb 3,9 wird genau wie in der rabbinischen Exegese Jes 43,3f auf die Erwählung Israels
bei gleichzeitiger Verwerfung Nicht-Israels gedeutet. Nur steht »Israel« jetzt für die christliche Gemeinde, der alle anderen, auch die Juden, gegenüberstehen (vgl. ebd., 250f). In
Joh 11,49-52 tritt Jesus als der eine an die Stelle aller anderen und geht für sie in den Tod,
damit sie am Leben bleiben (vgl. ebd., 251-253 und *ders.,* Preisgabe, 141-143).
   452 *W. Grimm,* Verkündigung, 247.
   453 Vgl. ebd., 253-255 (Zitat 253), ferner *P. Stuhlmacher,* Existenzstellvertretung,
37f; *ders., Die neue Gerechtigkeit, 57-60; M. Hengel,* Atonement, 72f; *B. Janowski,* Auslösung, 54-57; *S. Kim,* Son of Man, 38-45.49-59; *K.Th. Kleinknecht,* Gerechtfertigte,
171f; *W. Haubeck,* Loskauf, 240-248 und *H. Seebass,* Gerechtigkeit, 122f.

aufgreift. Da beide Begriffe in den griechischen Übersetzungen des Alten Testaments nirgendwo mit λύτρον und ἀντί wiedergegeben werden, kommt nur der hebräische Text als Hintergrund in Betracht[454].

Die Rede vom Menschensohn in Mk 10,45 ist selbstverständlich nicht erst durch אָדָם in Jes 43,4 provoziert[455], sondern von der Gesamtintention des Logions her vorgegeben[456]. Doch ungeachtet dieser Tatsache »(findet) die auffällige Wendung vom Menschensohn, der sein Leben dahingeben will, . . . in dem *weˀættēn ˀādām* Jahwes eine interessante Entsprechung: Der Menschensohn von Mk 10,45 nimmt die Stelle der Menschen ein, die Jahwe als Lösegeld für Israels Leben . . . dahingeben will«[457].

Die Tatsache, daß die alttestamentliche Vorlage als Subjekt Jahwe selbst hat, die neutestamentliche Entsprechung hingegen den Menschensohn, ist sachgerecht und der Bedeutung des Terminus im Mund Jesu gemäß, denn als Menschensohn redet und handelt Jesus als der messianische Gesandte Gottes an Gottes Stelle und fungiert als dessen Stellvertreter auf der Erde.

Aufgrund der jeweils verschiedenen Subjekte wird aus der alttestamentlichen Formulierung in der ersten Person Singular (V. 3: נָתַתִּי, V. 4: וְאֶתֵּן) notwendig eine in der dritten Person Singular. In Mk 10,45 findet sich nun aber in der dortigen Akkusativ-mit-Infinitiv-Konstruktion nicht einfach nur der bloße Infinitiv δοῦναι, wie eigentlich zu erwarten wäre, sondern – »in der Formulierung an einen z.Z. Jesu üblichen Sprachgebrauch angeschlossen«[458] – die vollere Wendung δοῦναι τὴν ψυχὴν αὐτοῦ als Wiedergabe eines נָתַן נַפְשׁוֹ. Da נֶפֶשׁ das Individuellste im menschlichen Wesen bezeichnen (kann), nämlich sein Ich«, und dadurch öfter »zu einem Synonym des Personalpronomens« wird[459] – so »(bedeutet) נַפְשִׁי an vielen St(ellen) nichts anderes als Ich u(nd) וֹ נַפ Er«[460] –, ist δοῦναι τὴν

---

454   Vgl. *W. Grimm*, Verkündigung, 253.

455   Im artikellosen אָדָם ist die ursprüngliche Lesart zu sehen, nicht etwa in הָאָדָם (so 1QIsᵃ), das womöglich noch entsprechend Joh 11,50 einen bestimmten Menschen im Auge hätte. MT und 1QIsᵇ überliefern die richtige Lesart, die durch sämtliche Bezugnahmen der jüdischen Quellen auf Jes 43,3f bestätigt wird. So auch durch bBer 62b und SifDev 333 (140a) zu 32,43, die אָדוֹם statt אָדָם notieren und so die in V. 3 begonnene Reihe der Heidenvölker fortsetzen; durch MekhY 21,30 (93b), wo der Parallelbegriff אֲדָמוֹת lautet; durch TJon Jes 43,4 mit der Übertragung »Völker – Königreiche«; durch Jes 43,4 LXX mit πολλοὺς ἀνθρώπους; durch Aquila, Theodotion und Symmachus mit ἀνθρώπους und schließlich auch durch Offb 3,9 mit διδῶ ἐκ τῆς συναγωγῆς τοῦ σατανᾶ.

456   S. unten S. 337–339.

457   *P. Stuhlmacher*, Existenzstellvertretung, 37.

458   *W. Grimm*, Verkündigung, 253.

459   *E. Jacob*, Art. ψυχή, 617. Dabei verweist Jacob auf »Gn 27,25: ›daß meine נֶפֶשׁ (dh ich) dich segne‹ und Jer 3,11: ›Das untreue Israel hat seine נֶפֶשׁ gerechtfertigt‹ (dh hat sich selbst als gerecht erwiesen).« Vor allem ist aber Jes 43,4b selbst zu vergleichen, wo im synonymen Parallelismus תַּחְתֶּיךָ und תַּחַת נַפְשֶׁךָ einander gegenüberstehen.

460   *E. Lohse*, Art. ψυχή, 634 (mit etwa 20 entsprechenden Belegen).

ψυχὴν αὐτοῦ im Sinne eines »sich selbst geben«[461] die durch den genannten Subjektwechsel bewirkte, völlig sachgemäße Wiedergabe des deuterojesajanischen נָתַתִּי bzw. וְאָתֵּן; dies erst recht, weil in Jes 43,4b selbst
von תַּחַת נַפְשֶׁךָ (... וְאָתֵּן) die Rede ist.

All das bedeutet: Mit Ausnahme des πολλῶν folgt der gesamte Wortlaut
von Mk 10,45b Jes 43,3f; dies teils in wörtlicher Übernahme, teils in
unübersehbarer Anlehnung.

Das die Empfänger der Existenzstellvertretung des Menschensohns bezeichnende πολλῶν wiederum stellt trotz des terminologischen Gleich-
klangs mit Jes 53,12c und trotz derselben inhaltlichen Bedeutung des Begriffs hier und dort dennoch keine explizite inhaltliche Bezugnahme auf
das vierte Gottesknechtlied im Sinne einer erfüllten Weissagung dar[462].
Es spiegelt vielmehr – in Entsprechung zur universalen Weite des inklusiven רַבִּים aus Jes 53,12c – die jesuanische Deutung der auf Jes 43,3f direkt
folgenden V. 5–7, wie sie genauso schon in Mt 8,11 par vorliegt[463] und
hier nun erneut entfaltet wird. Dabei geht Jesus über den ursprünglichen
Sinn der alttestamentlichen Aussage hinaus, ja kehrt ihn in gewisser
Weise um, indem er die Herzuströmenden nicht auf die Diasporajuden
(die verschleppten und verschollenen Stämme des Nordreichs Israel) begrenzt, die nach der Heimführung der Exilierten ebenfalls zurückkehren,
sondern in die aus allen Himmelsrichtungen Kommenden ausdrücklich
auch die Fülle der Heidenvölker mit einbezieht. Jesus interpretiert Jes
43,5–7 im Blick auf die eschatologische Völkerwallfahrt zum Zion[464];
schließlich eignet seinem Tod Existenzstellvertretung für alle Menschen,
für Israel und die Heidenvölker.

7.   Die inhaltliche Aussage von Mk 10,45b
     (Konkretion des bisherigen Ergebnisses)

Im Endgericht, so wußte die schriftgelehrte jüdische Exegese im Blick auf
Ps 49,8f, gibt es für die Sünder kein Lösegeld. Dort versagen sämtliche
Lösemittel, die noch im irdischen Leben galten, bis auf eins – dank Jes
43,3f. Indem man Jes 43,3f und Ps 49,8f miteinander kombinierte, erkannte man in der Jesajastelle die eine große Ausnahme des Psalmwortes.
Das heißt: Gibt es im Endgericht an sich kein Lösemittel, so gibt es doch
ein einziges: die Heidenvölker. Sie sind Lösegeld für Israel. Dies, so lehr-
ten die Juden, hat mit der übergroßen Liebe Jahwes zu seinem erwählten
Volk zu tun. Er gibt sich nicht zufrieden mit einer begrenzten Zahl frommer Israeliten, er will auch diejenigen bei sich haben, die an sich der Hölle

461   S. oben S. 315 mit Anm. 362.
462   S. oben S. 323–325.
463   S. oben S. 117.
464   S. oben S. 135–140.

verfallen wären. Darum ordnet Jahwe das stellvertretende Leiden, die Verwerfung der Heidenvölker an. Sie gibt er in den Tod und ermöglicht so ganz Israel das Leben; ihre Vernichtung bedeutet Israels Heil. Die Verwerfung der Heidenvölker ist von daher die radikale Konsequenz der exklusiven Errettung Israels. Die alttestamentliche Erwartung der Völkerwallfahrt zum Zion wird hier gänzlich negiert.

An dieser Stelle fährt Jesus mit aller Macht dazwischen, denn solchen Hochmut jüdischer Theologie bei gleichzeitiger Verachtung der Heidenvölker macht er nicht mit. Nicht, daß er die Erwählung Israels durch Jahwe leugnete, im Gegenteil. Mit allen ihm zur Verfügung stehenden Mitteln suchte er ja gerade Israel für Jahwe zu gewinnen, wollte er das Volk auf das Kommen Gottes vorbereiten, das messianische Gottesvolk der Endzeit sammeln und erwartete die Umkehr Gesamtisraels. Ganz Israel sollte gemäß seiner Erwählung leben; das war Jesu ausdrückliches Ziel. Doch Israel verschloß sich seinem Ruf zur Umkehr, seinem Heilsangebot, es verwarf seinen Messias und also Gott selbst. Damit geht Israel dem Gericht Gottes entgegen und ist unrettbar verloren. Da retten keine Heidenvölker. Da rettet allenfalls einer, er selbst, der Menschensohn, der Messias Israels. Darum nimmt Jesus die Stelle derer ein, die Jahwe laut jüdischer Lehre für Israels Leben preisgibt. Und damit rettet er Israel wirklich, weil ihn in der Tat Jahwe dahingibt, als das (einzige) Lösegeld, das er wirklich akzeptiert. Indem der Menschensohn als der messianische Stellvertreter Gottes auf Erden im Auftrag des ihn sendenden Gottes an die Stelle der Heidenvölker tritt, die ihrerseits zuvor an die Stelle Israels traten, tritt er an die Stelle aller, an die Israels und der Heidenvölker. Darum eignet allein seinem Tod Existenzstellvertretung für alle Menschen.

Hier liegt die Spitze, das absolut Neue der jesuanischen Interpretation von Jes 43,3f in Kombination mit Ps 49,8f gegenüber der jüdischen Exegese. Unter strikter Beibehaltung des Prinzips von Erwählung und Verwerfung ist jetzt allein der Menschensohn der von Gott Dahingegebene und Verworfene, womit zugleich die Erwählung aller anderen, der Menschheit aus Israel und den Heidenvölkern, gewährleistet ist.

Aus der von Israels exklusivem Erwählungsdenken her geglaubten ἀποκατάστασις Ἰσραήλ bei gleichzeitiger Verwerfung der Heidenvölker wird aufgrund der stellvertretenden Lebenshingabe des Menschensohns eine im Wort Jesu begründete ἀποκατάστασις πολλῶν[465].

---

465   Mk 10,45 par kann jedoch nicht einfach als jesuanische Lehre einer endgültigen Errettung aller Menschen unabhängig von ihrem Glauben geltend gemacht werden, wie dies bei *W. Grimm*, Verkündigung, 258–277 geschieht. Grimm spricht ausdrücklich von einer »radikalen Apokatastasis-Verkündigung Jesu« (276), die in der Folgezeit innerhalb der neutestamentlichen Theologie – gerade auch bei Paulus und Johannes – einer illegitimen »Erweichung« (276) zum Opfer gefallen sei; dies dergestalt, daß man das im Tod Jesu objektiv bewirkte Heil nachträglich an den Glauben gebunden und damit subjektiviert habe. Eine derartige philosophische Heilslehre wird man Jesus sowenig wie dem gesamten

8. Der traditionsgeschichtliche Hintergrund von Mk 10,45a

Werner Grimm vermutet auch für diesen Satzteil Jes 43 als Vorlage, und zwar die V. 22-25. Speziell in V. 23b und V. 24b möchte er die für Mk 10,45a charakteristische Antithetik des »sich nicht dienen lassen, sondern dienen« wiedererkennen, wenn es dort heißt: . . . לֹא הֶעֱבַדְתִּיךָ בְּמִנְחָה אַךְ הֶעֱבַדְתַּנִי בְּחַטֹּאותֶיךָ[466]. Es ist allerdings höchst fraglich, ob Gott sich hier wirklich, wie Grimm unterstellt, »zum Ebed des Menschen machen (läßt)«[467]. Schon der Zusammenhang von Jes 43,22-25 erweist diese Deutung als überzogen, zumal die zugrundeliegende Übersetzung des zweimaligen עבד (hi.) doch sehr fragwürdig erscheint. In V. 23b steht הֶעֱבַדְתִּיךָ im Parallelismus membrorum als Synonym zu הוֹגַעְתִּיךָ, womit zu übersetzen ist: »Mit Speisopfern habe ich dich nicht beschwert, habe dich nicht bemüht um Weihrauch.«[468] In V. 24b stehen הֶעֱבַדְתַּנִי und הוֹגַעְתַּנִי einander gegenüber und ergeben folgenden Sinn: »Nein, du hast mich belästigt mit deinen Sünden, mir Mühe gemacht mit all deiner Verschuldung.«[469] Es geht nicht darum, daß Gott zum Diener der Sünder wird, sondern um die Aussage, daß Israel Gott nicht verherrlicht und verehrt, ihm vielmehr umgekehrt viel Kummer und Mühe bereitet und ihm zur Last wird durch seine gottlosen Taten. Der Gesamtzusammenhang erweist diese Interpretation als richtig. Entscheidend gegen Grimm spricht ebenso, daß διακονεῖν überhaupt nicht auf ein Äquivalent עבד verweist. עבד hat in den griechischen Übersetzungen der alttestamentlich-jüdischen Schriften vor allem drei Entsprechungen, nämlich, wenn עבד in kultischer Bedeutung verwendet ist, entweder λατρεύειν oder (seltener) λειτουργεῖν, ansonsten nahezu immer δουλεύειν, nirgendwo jedoch διακονεῖν.

Neuen Testament unterstellen dürfen. Überall geht es um die Rechtfertigung aus Glauben. Ein objektiviertes, auch gegen den Willen des Menschen in jedem Fall durchgesetztes, geradezu übergestülptes Heil stand zu keiner Zeit im Blickfeld Jesu. Immer folgt auch bei ihm der objektiven Heilstatsache die subjektive Heilsaneignung im Glauben. Jeder Heilszuspruch Jesu impliziert automatisch ein neues Sein, einen Herrschaftswechsel, die Lebensgemeinschaft zwischen ihm und dem zum Glauben überwundenen Menschen, folglich aber auch ein daraus resultierendes Leben mit dem neuen Herrn, das sich in einer entsprechenden Ethik niederschlägt. Ansonsten ist Jesu Heilszuspruch (noch) nicht zu seinem Ziel gekommen. Angesichts der Tatsache, daß die Gemeinschaft mit Gott, in die Jesus den Menschen hineinstellt, eine personale ist, ein persönliches Liebesverhältnis, kann dies kaum anders sein. Wenn Christen für ihre nichtchristliche Umwelt dennoch guter Hoffnung sein dürfen, daß zuletzt alle zum Glauben kommen und damit das Heil erlangen, das Jesus stellvertretende Lebensgabe für alle verwirklichte, ist dies eine biblisch begründete Hoffnung (nicht: Lehre), die im Ergebnis mit Grimms Lehre übereinstimmt.

466   Vgl. ebd., 255f, ferner *S. Kim*, Son of Man, 51.
467   *W. Grimm*, Verkündigung, 255.
468   Vgl. *W. Zimmerli*, Gott, 42-44 (Zitat 42).
469   Vgl. ebd., 42-44 (Zitat 42).

Zu Recht hat daher Peter Stuhlmacher im Anschluß an Gustaf Dalman neu begründet, daß διακονεῖν aus Mk 10,45 auf die aramäische Wurzel שמש zurückgeht[470]. Zu dieser Rückübersetzung gelangte er formal über die Beobachtung, daß διακονεῖν aus V. 45a in den wichtigsten syrischen Übersetzungen des Neuen Testaments (sy^{s.c}, sy^p, sy^{pal}) mit שמש wiedergegeben wird[471], inhaltlich über einen Vergleich von Mk 10,45 mit der apokalyptischen Menschensohnüberlieferung, wobei sich hier mit dem dienenden, dort mit dem herrschenden Menschensohn ein unüberhörbarer und bewußter Gegensatz ergibt, der nur als polemische Ablehnung der apokalyptischen Tradition erklärt werden kann[472]. Den Beweis für seine These sieht Stuhlmacher darin, daß die Wurzel שמש im Alten Testament nur ein einziges Mal belegt ist, und dies ausgerechnet innerhalb der Visionsschilderung Dan 7,1–14, dort in V. 10[473]. Das hebräische Äquivalent des aramäischen שמש erkennt er unter Berufung auf Franz Delitzsch[474] in שרת, wobei er gleichzeitig auf Ps 103,21 verweisen kann, wo parallel zum Dienst der vielen Tausend Engel in Dan 7,10 »von den Engeln als den Dienern = *mᵉšartīm* Jahwes« die Rede ist[475]. Die Schwierigkeit, daß die »Wiedergabe beider Verbformen mit *diakonein* . . . nicht dem Sprachgebrauch der Septuaginta (entspricht)«, löst Stuhlmacher mit dem Hinweis auf die »vielfältige Verwendung des Verbums bei Josephus«, der διακονεῖν unter anderem auch für die jüdische Lebenshaltung vor Gott, den Priesterdienst am Volk, die Lebensbestimmung Samuels und die Nachfolge Elisas verwendet[476]. Von hierher kommt er zu dem Ergebnis: »Der Menschensohntitel und das Verbum *diakonein* = *šrt/šmš* gehören in Mk 10,45 (Mt 20,28) sehr eng zusammen und stehen in unübersehbarem Gegensatz zur biblisch-jüdischen Menschensohnüberlieferung.«[477]
Zu diesen richtigen Beobachtungen scheint mir eine konkretisierende Anmerkung nötig: Gewiß hat Stuhlmacher recht, wenn er mit Grimm zu dem Ergebnis kommt, in Mk 10,45 sei die alttestamentlich-jüdische Menschensohnüberlieferung im polemischen Sinn aufgegriffen und gerade so abgewiesen[478]. Doch wird man ihm kaum zustimmen können, wenn er in der seiner Meinung nach nicht zufälligen Verbindung der Be-

---

470　Vgl. G. *Dalman*, Jesus-Jeschua, 110 und *P. Stuhlmacher*, Existenzstellvertretung, 34f.

471　Vgl. ebd., 33 (in Anm. 18 mit Hinweis auf *J.A. Emerton*, Notes III, 334f).

472　Vgl. *P. Stuhlmacher*, Existenzstellvertretung, 34f.

473　Vgl. ebd., 34.

474　Vgl. *F. Delitzsch*, Novum Testamentum Hebraice, z.St.

475　Vgl. *P. Stuhlmacher*, Existenzstellvertretung, 34f (Zitat 34).

476　Vgl. ebd., 35, in den Anm. 24–27 jeweils mit entsprechenden Belegen: JosAnt 18,280; 10,72; 5,344 und 8,354.

477　Ebd., 35.

478　Vgl. *W. Grimm*, Verkündigung, 256f.

griffe ὁ υἱὸς τοῦ ἀνθρώπου und διακονεῖν (שׁמשׁ) eine bewußte terminologische Anknüpfung an die danielische Menschensohntradition erkennen will. Diese Verbindung liegt nämlich in Dan 7,10 nicht vor, denn vom
Menschensohn ist dort noch keine Rede; erst in den V. 13f taucht er, jetzt
herbeikommend, auf. Umgekehrt wäre von den V. 13f her eine möglicherweise beabsichtigte Kombination der besagten Stichworte in Mk
10,45 allenfalls dann gegeben, wenn man gerade nicht שׁמשׁ, sondern פלח
als Äquivalent für διακονεῖν vorauszusetzen hätte. פלח, auch in TPsJ Ex
20,9 in der Bedeutung »dienen«, »arbeiten« belegt, könnte von Dan
7,14.27 her, wo die Völker dem Menschensohn bzw. dem Volk der Heiligen des Höchsten dienen, in Frage kommen. Dennoch scheidet der
Terminus im Blick auf Mk 10,45 eher aus. Er wird sonst zumeist im
kultischen Sinn verwendet, und nicht von ungefähr geben die griechischen Bibelübersetzungen Dan 7,14.27 mit λατρεύειν oder mit δουλεύειν
wieder. Daher bleibt es in Übereinstimmung mit den syrischen Übersetzungen des Neuen Testaments dabei: Das aramäische Äquivalent des
griechischen διακονεῖν in Mk 10,45a lautet שׁמשׁ. Da ὁ υἱὸς τοῦ
ἀνθρώπου im Jesuslogion außerdem mit ἦλθεν verbunden und diese Verbindung gerade nicht in der apokalyptischen Menschensohnüberlieferung, sondern im jüdischen Botenrecht beheimatet ist[479], bedeutet dies
zugleich: Obwohl in Mk 10,45 die danielische wie die apokalyptische
Menschensohnüberlieferung insgesamt sachlich abgewiesen wird, darf
man nicht von einer bewußten terminologischen Anspielung des διακονεῖν an שׁמשׁ aus Dan 7,10 sprechen[480]. Was vorliegt, ist eine eher zufällige
Überschneidung eines einzigen Wortes.

Die Frage nach dem traditionsgeschichtlichen Hintergrund von Mk
10,45a läßt sich dennoch ohne weiteres beantworten. Denn so sicher, wie
sich für V. 45a eine konkrete Schriftgrundlage nicht aufzeigen läßt – weder für διακονεῖν noch für ὁ υἱὸς τοῦ ἀνθρώπου ἦλθεν –, so sicher verweist ὁ υἱὸς τοῦ ἀνθρώπου ἦλθεν in den Bereich des jüdischen Botenrechts. Sowohl das Rätselwort ὁ υἱὸς τοῦ ἀνθρώπου als auch der dortige
Terminus technicus ἦλθον (ἦλθεν), erst recht jedoch die Kombination
beider Begriffe, stellt im Mund Jesu eine charakteristische, seine Sendung
durch Gott und seinen messianischen Anspruch andeutende Redeweise
dar. Immer wieder wurde dieser Befund im Verlauf der Arbeit deutlich.
Den Seinen verständlich, Außenstehenden hingegen höchst mißverständlich besagt ὁ υἱὸς τοῦ ἀνθρώπου ἦλθεν: Mit Jesus ist der lang ersehnte Messias gekommen, ist jetzt endlich da, aber nicht als der inthronisierte, sondern als der noch verborgen wirkende Messias designatus, der

---

479 Zu ἦλθον, dem Terminus technicus des jüdischen Botenrechts, s. oben S. 208-
210, speziell zu ἦλθεν ὁ υἱὸς τοῦ ἀνθρώπου S. 206-208.215f[16].218. Zum Sendungsbewußtsein Jesu als solchem vgl. auch oben S. 198f zu Mk 2,10.
480 Vgl. W. *Haubeck*, Loskauf, 237f.

seiner Inthronisation und damit seiner öffentlichen Legitimation durch Gott erst entgegengeht. ὁ υἱὸς τοῦ ἀνθρώπου ἦλθεν ist Hinweis auf die göttliche Autorität dessen, der das folgende λύτρον-Wort spricht. Derjenige, der sein Leben stellvertretend für Israel und die Heidenvölker dahingibt, ist nicht irgendwer, der in eigener, angemaßter Vollmacht redet und handelt, sondern der Menschensohn, der von Gott gesandte messianische Mensch und eschatologische Bote, auch jetzt, wo vom Tod des Menschensohns die Rede ist. Entgegen seiner ursprünglichen Erwartung[481], aber gemäß dem Willen des ihn sendenden Gottes geht Jesus ans Kreuz. Weil er jedoch der Menschensohn ist, deshalb ist auch sein gewaltsamer Tod ein einzigartiger: ein von Gott seinem Messias auferlegter stellvertretender Sühnetod zugunsten der Menschheit, wobei die Existenzstellvertretung des von Gott Erwählten das Heil aller anderen ermöglicht und bewirkt. ὁ υἱὸς τοῦ ἀνθρώπου – hier speziell in Verbindung mit ἦλθεν – beweist, daß es alles andere als gleichgültig ist, wer hier sein Leben läßt, weshalb die Person Jesu nicht austauschbar ist gegen eine andere. So wie Jahwe im Alten Testament Sühne als göttliche Möglichkeit eröffnete, zugleich aber auch festlegte, wie sich diese Möglichkeit zu konkretisieren habe, so auch hier. Gott gibt nicht nur irgendeinen Menschen zum Heil der Welt dahin, sondern legt zugleich in exklusiver Einseitigkeit fest, wer dieser eine ist. Es ist kein anderer als der Menschensohn, der designierte, aber noch nicht inthronisierte Messias.

Auch in Mk 10,45a kommt somit Jesu messianisches Selbstverständnis zur Sprache, und erst dadurch wird die Aussage des V. 45b in ihrer für die jüdische Umwelt Jesu unfaßbaren Wucht pointiert enthüllt. Denn dies, daß der Messias Gottes im Auftrag Gottes stirbt, stellt für jüdische Ohren ein Novum dar, etwas, was weit über die alttestamentlich-jüdische Messiaserwartung hinausgeht, ja diese auf den Kopf stellt; nicht nur die apokalyptischen Menschensohnüberlieferung, sondern die gesamte messianische Hoffnung. Es ist bezeichnend, daß der aufgezeigte Sachverhalt auch der ursprünglichen Erwartung Jesu selbst entgegensteht und erst als Ergebnis des Verlaufs seiner Wirksamkeit zutage tritt.

Eine konkrete alttestamentliche Bezugsstelle für Mk 10,45a ist also nicht nachweisbar, dennoch bleibt festzuhalten: Das ἦλθεν der für Jesus charakteristischen Verbindung ὁ υἱὸς τοῦ ἀνθρώπου ἦλθεν hat seinen Grund in der alttestamentlich-jüdischen Botenlehre, wo es das autoritative Wort des Gesandten einleitet, während ὁ υἱὸς τοῦ ἀνθρώπου als Subjekt des ἦλθεν die besondere messianische Sendung des hier redenden eschatologischen Gesandten und seinen göttlichen Ursprung bezeugt. Dabei stellt die jesuanische Selbstbezeichnung בַּר אֱנָשָׁא wie sonst in den authentischen Menschensohnlogien ein bewußt vieldeutiges Rätselwort

---

481   Eine Zusammenstellung dieser Logien erfolgte oben S. 126f. Im einzelnen s. die Seitenverweise oben S. 151, Anm. 459.

dar, das Jesu Anspruch andeutend und verhüllend zugleich zur Sprache bringt.

9. Mk 10,45 – ein authentisches Jesuslogion

Daß in Mk 10,45 Jesus selbst zu Wort kommt, kann angesichts des Gesagten kaum mehr bestritten werden, sondern als historisches Urteil von hoher Wahrscheinlichkeit gelten. Umgekehrt ist Mk 10,45 als nachösterliche Bildung letztlich undenkbar, denn das ursprünglich selbständig tradierte, von vornherein einheitliche Logion

– ist in allen Belangen einschließlich des Terminus Menschensohn älter als die lukanische Parallelfassung;

– kann weder als ein Produkt hellenistisch-judenchristlicher noch erst recht heidenchristlicher Theologie angesehen werden. Da auch eine Ableitung aus Jes 52,13 – 53,12 LXX nicht in Frage kommt, muß Mk 10, 45 wenigstens bis auf die älteste palästinische Urkirche zurückgeführt werden;

– ist als palästinische Bildung im Anschluß an die Abendmahlsüberlieferung ebensowenig diskutabel wie im Anschluß an Jes 52,13 – 53,12 MT und TJon;

– basiert auf Jes 43,3–4(–7) als alttestamentlichem Bezugspunkt, wobei es diesen entgegen seiner üblichen zeitgenössischen Deutung geradezu auf den Kopf stellt, indem das exklusive jüdische Erwählungsbewußtsein inklusive der Erwartung einer eschatologischen Apokatastasis Gesamtisraels auf Kosten der Heidenvölker abgewiesen und durch die Ansage einer Apokatastasis der Menschheit als ganzer auf Kosten des Menschensohns ersetzt wird;

– steht nicht nur dem jüdischen Erwählungsbewußtsein, sondern ebenso der gesamten jüdischen Messiaserwartung einschließlich der apokalyptischen Menschensohnhoffnung hart entgegen und ist folglich aus dem Judentum unableitbar;

– steht in der Verlängerung der als authentisch erkannten Jesuslogien, die vom Tod Jesu handeln, ohne allerdings eine Deutung desselben einzuschließen. Bisher war lediglich die Rede davon, daß der Tod des messianischen Gesandten Gottes als Dahingabe durch eben diesen Gott zu verstehen sei (Mk 9,31 par). Erst jetzt wird sein gewaltsamer Tod – dem Kelchwort der Abendmahlsüberlieferung sachlich entsprechend – als Existenzstellvertretung, als stellvertretender Sühnetod des einen zugunsten aller anderen gedeutet;

– ist als Bildung der palästinischen Urkirche aus zwei Gründen abzulehnen: Erstens spielt Jes 43,3–4(–7) »im urchristlichen Schriftbeweis keine tragende Rolle«[482], obwohl sich »Mk. 10,45 mit Jes. 43 als Hin-

---

tergrund und Kontext ... als Ausgangspunkt, Mitte und Norm der biblischen Aussagen über die Bedeutung des Todes Jesu (erweist)«[483]. Zweitens widerspricht das Menschensohnlogion der Gesamttendenz der wirklich nachösterlichen Reproduktionen, Weiterbildungen und Neubildungen von Menschensohnworten im Bereich der palästinischen Kirche. Während nämlich Mk 10,45 zur apokalyptischen Menschensohntradition und damit speziell auch zu Dan 7,13f in unübersehbarem Gegensatz steht, indem genau das Gegenteil dessen gesagt wird, was dort überliefert ist, suchte und fand die Theologie der palästinischen Urkirche ihrerseits die Lösung betreffs des ihr von Jesus vorgegebenen Rätselwortes Menschensohn ausdrücklich in Dan 7,13f. Sie formulierte ihre eigenen Menschensohnlogien terminologisch wie sachlich in Anlehnung an diese Schriftstelle, ja sie benutzte Dan 7,13f als Schriftbeweis für die Erwartung der Parusie des Menschensohns schlechthin. Von daher kann die Divergenz und Diskrepanz zwischen Mk 10,45 einerseits und den nachösterlichen Menschensohnworten andererseits nicht auf ein und dieselbe Gemeinde zurückgeführt werden. Mk 10,45 ist damit aber auch aus der Theologie der palästinischen Urkirche nicht ableitbar und geht deshalb folgerichtig auf Jesus selbst zurück[484].

10.   Zur Einordnung von Mk 10,45 in den Duktus der übrigen authentischen Menschensohnlogien und der bisherigen Untersuchung als ganzer

Wird der Anspruch eines jeden Messiasprätendenten nicht automatisch durch seinen gewaltsamen Tod widerlegt? Nicht nur dem vorchristlichen Judentum war die Vorstellung eines leidenden und sterbenden Messias unbekannt, auch Jesus selbst rechnete keineswegs vom Beginn seiner Wirksamkeit an mit seinem gewaltsamen Tod. Unabhängig von Kreuz und Auferstehung erwartete er im Zusammenhang der Umkehr Israels einen bruchlosen Übergang seines Wirkens als Menschensohn, d.h. als Messias designatus, zu seiner Herrlichkeitsoffenbarung. Ein zwischenzeitliches Leiden und Sterben lag nicht in seinem Blickfeld. Wieso auch, denn der Messias herrscht; ein hingerichteter Messias ist kein Messias.

---

483   W. Grimm, Verkündigung, 276.
484   Die Authentie des Menschensohnlogions Mk 10,45 betonen vor allem W. Grimm, Verkündigung, 257f; P. Stuhlmacher, Existenzstellvertretung, 35-38.41f; ders., Die neue Gerechtigkeit, 57-60; M. Hengel, Atonement, 72f; B. Janowski, Auslösung, 54-57; S. Kim, Son of Man, 38-45.49-59; K.Th. Kleinknecht, Gerechtfertigte, 171-173.192; W. Haubeck, Loskauf, 231-248; H. Seebass, Gerechtigkeit, 122f und C.C. Caragounis, Son of Man, 190-193. Entsprechend lautete bereits das Urteil im Blick auf die Lösegeldaussage V. 45b bei C. Colpe, Art. ὁ υἱὸς τοῦ ἀνθρώπου, 458; J. Jeremias, Theologie, 277-279 und H. Patsch, Abendmahl, 177-180. Anders die oben Anm. 355 genannten Exegeten.

Innerhalb dieses Spannungsbogens zwischen Designation und Inthronisation ließen sich die Logien von der gegenwärtigen Niedrigkeit des Menschensohns zwar noch verständlich machen, zugleich aber doch nicht mehr ohne weiteres in den Duktus der Logien von der gegenwärtigen und der zukünftigen Hoheit des Menschensohns einordnen. Denn einerseits gehört zum Charakter der Verborgenheit und der Zweideutigkeit des messianischen Wirkens Jesu mit hinzu, daß die Reaktion des Volkes zumindest teilweise eine ungläubig-abweisende sein könnte. Andererseits jedoch sind es gerade jene Logien, die zur Passion des Menschensohns hinführen. Und genau diese scheint zur ursprünglichen Erwartung Jesu in einem unauflöslichen Widerspruch zu stehen. Demgegenüber ergibt der Quellenbefund, daß Jesus ab einem bestimmten Zeitpunkt seine Inthronisation und seinen Tod nebeneinanderstellte, ohne das eine gegen das andere auszuspielen.

Die Fragestellung, wie es plötzlich zu Jesu Wissen um seinen gewaltsamen Tod kommen konnte, erbrachte nun die entscheidende Erkenntnis: Die Logien von der gegenwärtigen Niedrigkeit des Menschensohns laufen mit der jesuanischen Einsicht parallel, daß sein gnädiges Heilsangebot an Israel, daß sein Ruf zur Umkehr wider alles Erwarten nahezu sinnlos verhallt. Wenn aber die Abweisung Jesu unmittelbar zu den Leidens- und Todesankündigungen überleitet, ja Mt 8,20 par selbst schon als indirekte Todesweissagung gelten muß, dann ist es das vorläufige Scheitern der Sendung Jesu, das die Möglichkeit seines Sterbens eröffnet und dieses zuletzt in der Tat nach sich zieht. Der Tod des Menschensohns ist die Folge des letztlichen Mißerfolgs seiner Wirksamkeit in Israel.

Indem jedoch der Unglaube des Volkes, die Abweisung des messianischen Gesandten Gottes, wider Erwarten nicht die Verwirklichung der Gerichtsdrohung über die Feinde des Messias, d.h. deren schließliche Verdammnis zur Folge hat, indem vielmehr genau umgekehrt seine Widersacher am Leben bleiben und statt dessen er selbst im Auftrag Gottes stirbt, ist der Sachverhalt implizit bereits da, der im Menschensohnlogion Mk 10,45 nur noch expliziert wird: Der Tod Jesu ist ein stellvertretender Sühnetod zugunsten derer, die seinen Ruf zur Umkehr und sein Heilsangebot ablehnten und von daher dem Gericht Gottes bzw. des Messias verfallen wären. Der Menschensohn stirbt anstelle Israels, der zum Messias Designierte für sein Volk, um es zu retten. Jesus hält damit die heilbringende Intention seiner vorausgegangenen irdischen Wirksamkeit in ganzer Kontinuität selbst im Tod aufrecht und bleibt gerade so seiner göttlichen Sendung treu. Sein Tod ist nichts anderes als die letzte und tiefste Konsequenz seiner Sendung insgesamt. Diese galt von vornherein dem Heil Israels, und an ihr hielt er fest, obwohl sich das Heil Gottes nun anders durchsetzen sollte, als er selbst ursprünglich erwartete.

Darüber hinaus geht es in Mk 10,45 jedoch um die Ansage des universalen Heils, des Heils aller Menschen und nicht nur Israels. Gewiß wußte sich Jesus speziell zu Israel gesandt, er eröffnete aber zugleich denen das Heil, von denen er glaubte, daß sie im Anschluß an seine messianische Inthronisation im Rahmen der eschatologischen Völkerwallfahrt zum Zion herbeiströmen würden, um ihrerseits dem Gott Israels als dem einzigen die Ehre zu geben und so faktisch Israeliten zu werden: den Heidenvölkern. Damit ist zwar das zeitgenössische exklusive Erwählungsdenken Israels negiert, der Heilswille Jahwes im Blick auf seine gesamte Schöpfung aber erfüllt. Denn Jesus geht nicht nur anstelle Israels in den Tod, sondern zugleich anstelle der Heidenvölker und realisiert gerade so die Abrahamverheißung (Gen 12,2f und 17,4–7). Stellvertretend für Israel wird er den Völkern zum Zeugen der Herrlichkeit Jahwes.

Doch ist das λύτρον-Wort mit alldem sachlich wirklich voll in den Duktus der übrigen Menschensohnlogien Jesu integriert? Sicher führt Mk 10,45 die gedankliche Linie der Niedrigkeits- und Leidensaussagen Mt 11,19a.b par; 8,20 par und Mk 9,31 par zu Ende und erklärt die göttliche Notwendigkeit des gewaltsamen Sterbens Jesu in unüberbietbarer Tiefe. Dennoch ist die Diskrepanz zwischen der zunächst unabhängig von seinem Tod erwarteten zukünftigen Herrlichkeit des Menschensohns als des inthronisierten Messias einerseits und seinem faktischen Ende als vermeintlicher Pseudomessias andererseits trotz Mk 10,45 (und Mk 14,24 par) nur dann wirklich aufgelöst, wenn der Tod des messianischen Gottesboten nicht alles ist, was er auf sich zukommen sah, sondern lediglich eine letzte Etappe, gleichsam ein notwendiger Durchgang zu jenem Ziel, das er schon von Anfang an als göttliche Bestimmung vor Augen hatte: seine Inthronisation als offenbarer Messias vor aller Welt durch den Gott, in dessen Auftrag er zuvor selbst vor seinem gewaltsamen Tod nicht zurückschreckte.

Erst wenn sich aufzeigen läßt, daß Jesus auch seinen Leidensweg im Bewußtsein seines schließlichen Triumphes – den er als solchen in den Logien von der zukünftigen Hoheit des Menschensohns zum Ausdruck brachte – antrat und zu Ende ging, ist die Kontinuität aller jesuanischen Menschensohnworte in der Tat gegeben.

E
Die Zukunftserwartung Jesu im Anschluß an seinen Tod

I. Einleitende Vorbemerkungen

Der letzte Teil der Untersuchung stellt die Frage nach der Zukunftserwartung Jesu im Anschluß an seinen Tod. Dabei geht es um folgende
theoretisch mögliche Alternativen:

1. Die von Jesus zunächst angekündigte eschatologische Hoheit des
Menschensohns in Gestalt seiner messianischen Inthronisation erwies
sich angesichts seines Leidens und Sterbens als eine nur vorläufige
Gewißheit, die dann aber in Wahrheit durch den faktischen Verlauf der
Geschichte widerlegt wurde: An die Stelle der Inthronisation trat der
gewaltsame Tod des Menschensohns.

2. Jesus hielt seine Zukunftsgewißheit auch angesichts seines stellvertretenden Sühnetodes aufrecht und erwartete seine Inthronisation im
Anschluß an diesen.

Der gesamtbiblische Befund erweist allein die zweite Antwort als richtig, es sei denn, man
wollte sich die Hypothese zu eigen machen, sämtliche eschatologischen Entwürfe der neutestamentlichen Briefliteratur wie der Evangelien selbst hätten keinerlei Anhalt an der
Verkündigung Jesu und beruhten auf einer sogenannten Apokalyptisierung des Christentums, was immer man darunter verstehen mag. Die zentralen Aussagen über die Auferstehung Jesu, seine Erhöhung zur Rechten Gottes, seine Parusie und seine Beteiligung am
Endgericht hingen dann entgegen dem Anspruch ausdrücklich aller neutestamentlicher
Texte als von Jesus losgelöste urchristliche ›Entwürfe‹ in der Luft. Historisch wäre das
Werden der nachösterlichen Eschatologie und damit letztlich der Christologie insgesamt
in keiner Weise verstehbar und erst recht nicht im Glauben nachvollziehbar. Anders, wenn
Jesus selbst an seiner ursprünglichen Zukunftsgewißheit auch durch den Tod hindurch
festhielt und sie als zukünftiges Handeln Gottes an seinem Messias verkündigte. Nur
dann sind die nachösterlichen Reflexionen über die Zukunft des Christus, seiner Gemeinde und seiner Welt als aktualisierende Umsetzung der Erwartung Jesu, als Explikation
dessen, was bei Jesus implizit bereits vorgegeben war, traditionsgeschichtlich aufweisbar
und als folgerichtig einsichtig zu machen.

Die erstgenannte Hypothese wird schon durch den bisherigen Verlauf
der Arbeit als falsch erwiesen, ließen sich doch einige authentische Jesusworte aufzeigen, die Jesu Wissen um seine messianische Inthronisation
als neues Handeln Gottes im Anschluß an seinen Tod voraussetzen und
in einem Fall sogar ausdrücklich betonen:

Da sind zunächst alle die Logien, die vom Kollektivleiden Jesu und der
Seinen handeln; dies unter dem Blickwinkel, nicht abzufallen von Jesus

und die eschatologische Drangsal durchzuhalten, denn in Kürze greift Gott ein und errichtet seine Herrschaft, indem er seinen Messias inthronisiert. Vorab sind hier Mt 6,13a par; Mk 14,38a par und Lk 22,36 zu nennen, die unter dem Aspekt des Ausharrens bis zum Ende (Mk 13,13b par) überhaupt erst konzipiert wurden[1]. Gleiches gilt ebenso für Mt 10,23 und 10,32f par nach ihrem ursprünglichen Sinn wie auch für Mt 8,19b–20 par und Mk 8,34b–35 par. Vor allem aber darf Mk 10,38f par in diesem Zusammenhang keinesfalls fehlen, wo Jesus die Erwartung der eschatologischen Mitherrschaft der Zebedaiden dergestalt korrigiert, daß er auf die Voraussetzung jener Mitherrschaft verweist: das in Treue zu Jesus erlittene Mitleiden und Mitsterben im Martyrium. Auch Mk 9,1 par spricht von der Leidenszeit vor der endgültigen Aufrichtung der offenbaren Gottesherrschaft, die nur wenige der Jesusjünger überleben werden[2].

Unabhängig vom Kollektivleiden ist sodann auf Mk 11,8–10 par zu verweisen, wo Jesus unmittelbar vor seinem Tod die messianische Huldigung durch die ihn begleitende Volksmenge widerspruchslos über sich ergehen läßt, ja diese geradezu provoziert. Sicherlich rechneten diejenigen, die ihn hier als den einziehenden messianischen König feiern – sieht man einmal von seinen Jüngern ab –, nicht im mindesten mit seinem bevorstehenden gewaltsamen Ende, für Jesus selbst ist dieses Wissen aufgrund der zeitlichen Nähe zu seiner Hinrichtung jedoch vorauszusetzen. Indem er die besagte Huldigung nicht von sich weist, sondern durch sein Schweigen als solche rechtfertigt, wird man auch Mk 11,8–10 par zu jenen Belegen rechnen können, die Jesu Wissen um seine auf seinen Tod folgende Inthronisation bezeugen. Dies gilt erst recht für Mk 12,7–9 par, wo Jesus zunächst von seinem gewaltsamen Tod spricht, darüber hinaus jedoch ein erneutes Handeln (Kommen) Gottes ankündigt: Gott wird die Regentschaft über das eschatologische Israel anderen übertragen, nämlich Jesus und den Zwölfen, die an der Herrschaft ihres Herrn, des dann als Messias inthronisierten Jesus, beteiligt sind (Lk 22,30a*.b par und Mk 10,37 par)[3].

Setzen die bisher genannten Logien Jesu Zukunftsgewißheit mehr oder weniger deutlich voraus, so proklamiert Jesus diese im Menschensohnwort Mk 14,62bα par expressis verbis und unüberhörbar: Der jetzt noch ohnmächtige Menschensohn wird in Kürze vor aller Welt, speziell aber vor seinen Richtern als der inthronisierte Messias von Gott selbst ins

---

1   S. oben S. 250–254.

2   Zu Mk 8,34b–35 par s. oben S. 232f, zu Mk 9,1 par S. 124f, zu Mk 10,38f par S. 107.109, zu Mt 8,19b–20 S. 232f, zu Mt 10,23 S. 168 und zu Mt 10,32f par S. 158.

3   Zu Mk 10,37 par s. oben S. 106–108, zu Mk 11,8–10 S. 105f, zu Mk 12,7–9 par S. 110f und zu Lk 22,30a*.b par S. 148–151, ferner insgesamt unten S. 363f.

Recht gesetzt. Dessen ist sich Jesus trotz seines seinen Anspruch scheinbar widerlegenden Todes im Blick auf Gottes Treue völlig gewiß[4].
Diese ausdrückliche Ansage seiner messianischen Inthronisation im Anschluß an seinen von Gott selbst bewirkten stellvertretenden Sühnetod ist
ebenso eindeutig wie in Mk 14,62bα par auch im sogenannten eschatologischen Ausblick Mk 14,25 (Mt 26,29) par Lk 22,15-18 bezeugt. Diesen
gilt es im Folgenden auf seine Authentie und damit auf seine Verwertbar-
keit für meine Fragestellung hin zu untersuchen.

II. Der eschatologische Ausblick Mk 14,25 (Mt 26,29) par Lk 22,15-18

1. Lk 22,15-18 – von Markus unabhängige Sondertradition

Wer nach dem ältesten Wortlaut des eschatologischen Ausblicks fragt, ist
neben Mk 14,25 auf Lk 22,15-18 verwiesen[5] und hat sich zunächst mit
der vielbehandelten Frage nach dem Charakter der lukanischen Überlieferung auseinanderzusetzen. Entscheidet man sich für lukanische Markus-Redaktion, ist zugleich über die Priorität des markinischen Logions
entschieden, erkennt man jedoch auf lukanische Sondertradition, ist man
zu einem Einzelvergleich beider Überlieferungen genötigt.
Die kritische Sichtung der Argumente beider Seiten[6] läßt meines Erachtens nur die letztgenannte Möglichkeit in Betracht kommen. Ich folge damit jener Sicht der Dinge, wie sie in differenzierender Anknüpfung an
Vorarbeiten Hermann Patsch dargelegt und nachgewiesen hat[7]. Zwar
läßt sich nicht bestreiten, daß Lk 22,15-18 Lukanismen aufweist[8], doch
berechtigt diese Beobachtung keineswegs zu dem Schluß Rudolf Peschs,
die lukanische Überlieferung als ganze entbiete nichts anderes als sekundär ausgestaltete Markus-Redaktion[9]. Denn so gewiß Lukas seine

---

4   S. oben S. 179.182-185.
5   Mt 26,29 ist als redaktionelle Bearbeitung der markinischen Vorlage allgemein anerkannt (vgl. *R. Pesch*, Abendmahl, 24f), während das Logion in 1Kor 11,26 mit ἄχρι οὗ
ἔλθη »in urchristlich christologisch-eschatologischer Transformation erscheint« (ebd.,
35). Mt 26,29 und 1Kor 11,26 fallen im Rahmen meiner Fragestellung somit aus.
6   Vgl. den Überblick über die heutige Forschungssituation bei *H. Patsch*, Abendmahl,
89-102 und *R. Pesch*, Abendmahl, 26-31.
7   Vgl. *H. Patsch*, Abendmahl, 89-102.131-142. Als wichtigste Vorarbeiten sind *H.
Schürmann*, Paschamahlbericht, 1-74; *J. Jeremias*, Abendmahlsworte, 153-157.174-
176.199-210 und *F. Hahn*, Motive, 352-374 zu nennen.
8   Vgl. *H. Schürmann*, Paschamahlbericht, 3-46 und *J. Jeremias*, Abendmahlsworte,
156f.177.
9   Vgl. *R. Pesch*, Abendmahl, 26-31 (weitere Vertreter dieser Hypothese sind dort
genannt).

ihm überkommene Tradition stilistisch verbessert hat, sowenig darf man übersehen, daß Pesch auch da von Lukanismen spricht, wo in Wirklichkeit Stileigentümlichkeiten der lukanischen Sonderquelle vorliegen[10]. Vor allem aber finden sich im lukanischen Text zahlreiche Semitismen, die über Markus hinausgehen und daher weder von dort übernommen noch lukanisch-redaktionell formuliert sein können[11]. Ein semitischer Kern der lukanischen Tradition, die ein entsprechendes Original voraussetzt, läßt sich deshalb kaum in Abrede stellen.

Die wichtigsten Ergebnisse hinsichtlich Lk 22,15-18 lassen sich wie folgt zusammenfassen:

a)   In Lk 22,15-18 ist uns eine Überlieferung erhalten, die auf historischer Erinnerung beruht. Sie hält fest, was bei Markus erst wieder durch sekundäre Rahmung betont werden mußte: Jesu letztes Mahl mit den Seinen war ein Passamahl.

b)   Jesus selbst feierte dieses letzte Mahl nicht mit, sondern fastete und begründete sein Fasten im Blick auf die kommende Gottesherrschaft[12]. Diesen Verzicht sprach Jesus zweimal aus: vor dem Beginn der Gesamtmahlzeit (V. 15f) und - nachdem er mit dem Bechersegen das Amt des jüdischen Hausvaters übernommen hatte, was ihn an sich zur Teilnahme verpflichtet hätte[13] - vor dem Trinken des Qiddusch-Bechers (V. 17f)[14]. Gegenüber der markinischen Kurzform, die nur das Wort zum Wein wie-

---

10   Dies zeigt deutlich ein Vergleich zwischen der zum Teil sehr pauschalen Qualifizierung einzelner Begriffe (»in gebotener Kürze«) bei *R. Pesch,* Abendmahl, 28f (Zitat 28) und den sorgfältigen Wortstatistiken bei *H. Schürmann,* Paschamahlbericht, 3-46 sowie *J. Jeremias,* Abendmahlsworte, 154f. Lediglich ἀπὸ τοῦ νῦν stellt mit *R. Pesch,* Fischfang, 73f und *ders.,* Abendmahl, 29 gegen *J. Jeremias,* Abendmahlsworte, 155, Anm. 6 einen Lukanismus und nicht eine Stileigentümlichkeit des lukanischen Sonderguts dar, wie auch *H. Schürmann,* Paschamahlbericht, 35f zu Recht betont.

11   Vgl. ebd., 3-46; *J. Jeremias,* Abendmahlsworte, 155f; *M. Black,* Approach/ Muttersprache, 230-233 und *H. Patsch,* Abendmahl, 91f. Während man im Blick auf V. 16 immer noch eine hypothetische Parallelbildung zu V. 18 behaupten könnte, formuliert in Angleichung an diesen, scheitert diese Erklärung spätestens an den Semitismen in V. 15 und V. 17.

12   Zum Verzicht Jesu vgl. ausführlich *J. Jeremias,* Abendmahlsworte, 199-210 (mit weiterer Literatur), ferner vorsichtig bejahend *H. Patsch,* Abendmahl, 131-139, deutlich *H. Seebass,* Gerechtigkeit, 120f.

13   So bPes 105b: »Der, welcher den Lobspruch über den Becher des Segens spricht, muß hinterher davon trinken« (vgl. *Bill.* IV/1, 59f [Zitat 59]).

14   Vgl. *H. Patsch,* Art. ποτήριον, 341: »Kann man - was wahrscheinlich ist - für die Abendmahlsworte Jesu eine Passamahlzeit als Rahmen ansetzen, handelt es sich bei dem Becher Lk 22,17 um den ersten (Qiddusch-)Becher, über dem mit einem Lobgebet der Seder eingeleitet wird (Pes 10,2), beim Kelch des ›Deuteworres‹ um den dritten Becher (Pes 10,7), den ›Becher des Lobspruchs‹ [. . . bBer 51a; JosAs 8,11 . . .] nach der Hauptmahlzeit, über den Jesus das Lobgebet spricht (Mk 14,23 par. Lk 22,20a / Mt 26,27 / 1Kor 11,25a; vgl. 10,16)«.

dergibt, erweist sich die doppelte Verzichterklärung gemäß der lukanischen Tradition als ursprünglich[15].

c) Lukas überliefert den doppelten eschatologischen Ausblick an seinem historisch richtigen Ort. Hingegen gibt sich die markinische Reihenfolge, die den (verkürzten) eschatologischen Ausblick erst im Anschluß an das Mahl gesprochen sein läßt, als sekundär zu erkennen[16].

2. Der ursprüngliche (semitische) Wortlaut des eschatologischen Ausblicks

a) Unter der Prämisse, daß Mk 14,25 einerseits und Lk 22,15-18 andererseits voneinander unabhängige Überlieferungen darstellen, erfolgt nun ein Vergleich zwischen Mk 14,25 und der direkten lukanischen Parallele Lk 22,18 im Blick auf den ältesten rekonstruierbaren Wortlaut dieses Logions:

Dabei verdient das markinische ἀμὴν λέγω ὑμῖν den Vorzug vor dem lukanischen λέγω γὰρ ὑμῖν, denn im jüngeren Stadium der Überlieferung neigt diese dazu, vorgegebenes ἀμήν zu tilgen oder zu ersetzen[17]. Ebenso ist der »barbarische«[18] griechische Ausdruck οὐκέτι οὐ μή (Markus) in οὐ μή (Lukas) gemildert und zugleich um ἀπὸ τοῦ νῦν ergänzt worden. Das »griechisch unmögliche πίνειν ἐκ«[19] mit der folgenden – griechisch genauso unannehmbaren – Angabe des Getränks im Genitiv bei Markus[20] ist bei Lukas sprachlich korrekter mit πίνειν . . . ἀπό wiedergegeben[21]. Auch »die semitisierende Markuswendung ἕως τῆς ἡμέρας ἐκείνης fin-

---

15   Die markinische Kurzform hat ihren Grund darin, »daß die Gemeindeüberlieferung am Passalamm nicht mehr interessiert war und seine Erwähnung deshalb . . . wegfallen lassen konnte« (*H. Patsch*, Abendmahl, 94). Zudem macht die sekundäre Stellung der Verzichterklärung, wie sie bei Markus vorliegt (s. unten Anm. 16), die Auslassung des ersten Teils des Doppellogions verständlich.

16   Die umgekehrte Reihenfolge in der markinischen Tradition »entspricht der Liturgie des Gemeindemahles. Dieses schließt mit dem eschatologischen Ausblick auf das Kommen des Herrn« (*L. Goppelt*, Theologie, 263 [mit Hinweis auf 1Kor 11,26]). In der sekundären markinischen Reihenfolge spiegelt sich also der Einfluß der nachösterlichen Abendmahlsfeier.

17   Vgl. insgesamt die oben S. 124, Anm. 327 genannte Literatur, speziell z.St. *H. Schürmann*, Paschamahlbericht, 14-16 und *J. Jeremias*, Abendmahlsworte, 157.

18   Ebd., 157, vgl. *R. Pesch*, Abendmahl, 29.

19   *J. Jeremias*, Abendmahlsworte, 157.

20   Vgl. ebd., 175: »Im Griechischen führt ἐκ bei πίνειν das Gefäß ein, aus dem getrunken wird; der Trank wird im Akk. oder im Gen. part. eingeführt . . . Dagegen ist im Hebräischen und Aramäischen die Einführung des Getränkes mit מן geläufige Redeweise.« Jeremias nennt zahlreiche Belege, *W. Schenk*, Passionsbericht, 192 und *R. Pesch*, Abendmahl, 85 stimmen ihm zu. Hinter πίνειν ἐκ steht als hebräisches/aramäisches Original שָׁתָה מִן / שְׁתָא מִן.

21   Vgl. *J. Jeremias*, Abendmahlsworte, 157.

det sich bei Lukas nicht«[22] und ist dort durch ἕως οὗ ersetzt[23]. Umgekehrt bildet das markinische ὅταν αὐτὸ πίνω καινόν einen Überschuß gegenüber Lukas: Während Lukas im Anschluß an ἕως οὗ mit ἡ βασιλεία τοῦ θεοῦ ἔλθῃ fortfährt, stehen jene vier Worte bei Markus zwischen ἕως τῆς ἡμέρας ἐκείνης und dem hier lautenden ἐν τῇ βασιλείᾳ τοῦ θεοῦ. Damit besteht die Möglichkeit, daß ὅταν αὐτὸ πίνω καινόν einen sekundären Einschub in den vorgegebenen Wortlaut darstellt. Betreffs der beiden βασιλεία-Wendungen gebührt der markinischen der Vorzug vor der lukanischen, denn letztere stellt lediglich eine lukanische oder vorlukanische Variation zum mit Markus übereinstimmenden ἐν τῇ βασιλείᾳ τοῦ θεοῦ aus Lk 22,16 dar; der Ausdruck wird in V. 18 aus stilistischen Gründen nicht einfach wiederholt – wie auch ἕως ὅτου nicht –, sondern durch einen auch sonst geläufigen[24] und sachlich entsprechenden ersetzt.

b)   Damit zeigt sich, daß Mk 14,25 gegenüber Lk 22,18 in allen Belangen den älteren Wortlaut enthält, sieht man einmal von der des sekundären Einschubs verdächtigen Wendung ὅταν αὐτὸ πίνω καινόν ab. Ergab sich aber bereits für den Kern von Lk 22,15–18 die Notwendigkeit der Annahme eines zugrundeliegenden semitischen Originals[25], so gilt dies für Mk 14,25 erst recht. Nahezu das ganze Logion ist von Semitismen erfüllt, »macht einen altertümlichen Eindruck«[26] und »ist in allen Einzelheiten aus jüdischen Vorstellungen erwachsen«[27]:
ἀμὴν λέγω ὑμῖν geht auf das hebräische אָמֵן אֲנִי אֹמֵר לָכֶם bzw. das aramäische אָמֵין אָמְרָנָא לְכוֹן zurück, während die auffällige Häufung von Negationen οὐκέτι οὐ μή als ungeschickte Übersetzung eines hebräischen לֹא עוֹד,

---

22   Ebd., 157.

23   Mit ἕως οὗ liegt in der Tat eine »lk Vorzugswendung« (*R. Pesch*, Abendmahl, 29) vor. Dabei ist allerdings zu beachten, daß Lukas gegenüber ἕως ὅτου aus V. 16 lediglich aus stilistischen Gründen ändert, um Wiederholungen zu vermeiden (vgl. *H. Schürmann*, Paschamahlbericht, 38). Demgegenüber zählt ἕως ὅτου zu den Spracheigentümlichkeiten der lukanischen Sonderquelle (vgl. ebd., 19f und *J. Jeremias*, Abendmahlsworte, 155 mit Anm. 5. Anders *R. Pesch*, Abendmahl, 29), denn außer dort (Lk 12,50; 13,8 und 22,16) ist dieser Ausdruck im lukanischen Schrifttum nirgendwo und im Neuen Testament insgesamt nur noch in Mt 1,25 sowie in Joh 9,18 belegt.

24   Vgl. Lk 11,2 und 17,20.

25   Möglicherweise formulierte Jesus seine Abendmahlsworte nicht in Aramäisch, sondern in Hebräisch. Zur Ursprache der Abendmahlsüberlieferung vgl. *G. Dalman*, Jesus-Jeschua, 116–166 (zu Mk 14,25 vor allem ebd., 164); *J. Jeremias*, Abendmahlsworte, 189–191; *M. Black*, Approach/Muttersprache, 238f und *R. Pesch*, Abendmahl, 51–53. Faßt man diese Untersuchungen zusammen, wird man für die älteste Gemeinde sowohl mit einer hebräischen wie einer aramäischen Überlieferung zu rechnen haben. Damit ist durchaus die Möglichkeit gegeben, daß Jesus seine Abendmahlsworte in der lingua sacra prägte, also in Hebräisch.

26   *W. Schenk*, Passionsbericht, 191.

27   *E. Lohmeyer*, Markus, 304.

לֹא oder אֵין bzw. eines aramäischen (אֵין) לָא תּוּב gelten muß[28]. Die ungriechische Konstruktion πίνειν ἐκ verweist auf מִן שָׁתָה bzw. מִן שְׁתָא[29], τὸ γένημα τοῦ ἀμπέλου auf פְּרִי הַגֶּפֶן bzw. פִּרְיָא דְּגוּפְנָא. Als stehender Ausdruck für »Wein« ist letztere (hebräische) Wendung ein typischer Semitismus[30], der zur Zeit Jesu als »feste liturgische Formel beim Bechersegen« allgemein gebräuchlich war[31]. Wie ἐκείνης zeigt, muß auch für ἕως τῆς ἡμέρας ἐκείνης ein hebräisches/aramäisches Original עַד הַיּוֹם הַהוּא bzw. עַד יוֹמָא הַהוּא vorausgesetzt werden. Denn gerade das in Mk 14,25 par Lk 22,18 (ursprünglich) folgende ἐν τῇ βασιλείᾳ τοῦ θεοῦ beweist, daß ἐκείνης hier nicht emphatisch als Hinweis auf einen ganz bestimmten Tag[32] verstanden werden kann[33], sondern ohne jede Betonung steht[34]. Als griechische Wiedergabe eines »pleonastisch gesetzten aramäischen oder hebräischen Demonstrativpronomen(s)«[35], das ein gänzlich unbetontes Korrelativ des Personalpronomens darstellte, muß ἐκείνης »geradezu als Fehlübersetzung bezeichnet werden«[36]. Schließlich ist auch ἐν τῇ βασιλείᾳ τοῦ θεοῦ unbestreitbar ein Semitismus, da τῇ βα-

---

28   Vgl. *J. Jeremias*, Abendmahlsworte, 174, der darauf verweist, daß οὐκέτι οὐ μή in der Septuaginta 11mal belegt ist und dabei 5mal עוֹד לֹא, 4mal לֹא und 1mal אֵין wiedergibt; für den verbleibenden Beleg Tob 6,7 liegt ein hebräisches Äquivalent nicht vor. In diesem Zusammenhang betont Jeremias, daß der Übersetzer bei seiner Übersetzung des semitischen Originals ins Griechische zu viel zu starken Ausdrücken gegriffen und es insofern ungeschickt wiedergegeben habe. Demgegenüber möchte *W. Schenk*, Passionsbericht, 191f οὐκέτι, das im Markusevangelium 7mal belegt sei und ein markinisches Vorzugswort darstelle, auch in Mk 14,25 dem Evangelisten selbst zuschreiben, der so die an sich schon deutliche Verneinung οὐ μή noch einmal habe verstärken wollen. Nun ist οὐκέτι bei Markus sicherlich häufiger notiert als etwa bei Matthäus und Lukas, jedoch in der besagten Verbindung, die griechisch total überladen ist, gerade nicht. Deshalb halte ich es kaum für möglich, daß Markus jenes »barbarische« Griechisch selbst geformt haben soll. Zudem gehören gerade die Häufung der Negationen und die Amen-Formel als Kennzeichen des prophetischen Stils zusammen (s. oben S. 123 und unten S. 355). Doch selbst dann, wenn Schenk wider Erwarten recht hätte, wäre als Äquivalent für οὐ μή ebenso das hebräische עוֹד לֹא bzw. לֹא vorauszusetzen. *F. Blass / A. Debrunner / F. Rehkopf*, Grammatik, § 431,1, Anm. 7 und *R. Pesch*, Abendmahl, 84f bestätigen die Deutung Jeremias'.

29   S. oben Anm. 20.

30   Vgl. *E. Lohmeyer*, Markus, 304; *J. Jeremias*, Abendmahlsworte, 176; *W. Schenk*, Passionsbericht, 192; *R. Pesch*, Abendmahl, 85 und *J. Gnilka*, Markus II, 246.

31   Vgl. *J. Jeremias*, Abendmahlsworte, 176. Als Belege nennt er stellvertretend für viele mBer VI,1; tBer IV,3 und bPes 103a.106a. *R. Pesch*, Abendmahl, 85 stimmt ihm zu.

32   In biblischer Terminologie bezeichnet ἡ ἡμέρα ἐκείνη zwar öfter den Gerichtstag, so etwa in Mk 13,32 par und Lk 17,31, wird aber entsprechend Mk 14,25 z.B. auch in Mk 2,20 par ohne Gerichtsbezug verwendet.

33   Dies zeigt schon die Verknüpfung von ἕως τῆς ἡμέρας ἐκείνης mit ἐν τῇ βασιλείᾳ τοῦ θεοῦ, ferner die Übersetzung des ursprünglichen Wortlauts des Logions unten S. 351.

34   Vgl. *J. Jeremias*, Abendmahlsworte, 176.

35   Ebd., 176 (in Anm. 1 mit weiterführender Literatur), ferner *M. Black*, Approach/Muttersprache, 96 (». . . im Deutschen [genügt] ein Artikel. . ., um auszudrücken, was gemeint ist. So z.B. Mk 14,25: . . . ›bis zu *dem* Tage‹«) und *R. Pesch*, Abendmahl, 85.

36   *J. Jeremias*, Abendmahlsworte, 176.

σιλεία in Verbindung mit dem hier temporal zu fassenden ἐν[37], das einem semitischen בְּ entspricht[38], keineswegs als lokale Angabe mißverstanden werden darf: Die βασιλεία ist, wie auch die lukanische Tradition mit ἕως οὗ ἡ βασιλεία τοῦ θεοῦ ἔλθη bestätigt, nicht als räumliche Größe vorgestellt, sondern hat genau wie ihr hebräisches/aramäisches Äquivalent מַלְכוּת dynamische Bedeutung[39]. Überhaupt ist »die temporale Ausrichtung des ganzen Logions evident«[40] (οὐκέτι, ἕως, ὅταν), so daß sich auch ἐν τῇ βασιλείᾳ τοῦ θεοῦ letztlich nur als temporale Angabe verstehen läßt[41], die mit »wenn Gott seine Herrschaft aufgerichtet haben wird«[42] sachgemäß wiedergegeben ist. Entsprechendes bezeugt Lk 22,16 mit ἕως ὅτου πληρωθῇ ἐν τῇ βασιλείᾳ τοῦ θεοῦ – bis dann, wenn Gott[43] seine Herrschaft vollendet, d.h. endgültig herbeigeführt haben wird[44]. Diese Interpretation wird ebenso bestätigt durch die authentischen Jesuslogien Lk 22,30a*.b und Mk 10,37 par, wie die Exegese ergab[45], womit sich die Möglichkeit nahelegt, daß das temporale ἐν τῇ βασιλείᾳ τοῦ θεοῦ nicht nur als Semitismus, sondern auch als charakteristische Spracheigentümlichkeit Jesu anzusehen ist.

Für den ältesten rekonstruierbaren Wortlaut von Mk 14,25 par Lk 22,18 ergibt sich damit folgendes:

Der Vergleich des beiden Logien gemeinsamen Textbestands, für den eine gegenseitige literarische Abhängigkeit auszuschließen ist, erweist den markinischen in allen Belangen als den älteren; dessen durchgängig nachweisbare Semitismen lassen sich nur unter der Voraussetzung eines semitischen Originals hinreichend verständlich machen. Für dieses legt sich folgender hebräische bzw. aramäische Wortlaut nahe[46]:

---

37   Zum temporalen griechischen ἐν vgl. *F. Blass / A. Debrunner / F. Rehkopf*, Grammatik, § 200 mit dem Hinweis, daß der temporale Dativ auf die Frage »wann« ohne ἐν nur den Zeitpunkt bezeichne, mit ἐν hingegen Zeitpunkt und Zeitraum.

38   Zum temporalen semitischen בְּ (laut *F. Rosenthal*, Grammar, 34 ist der Gebrauch von בְּ im Semitischen »local and temporal«) vgl. die alttestamentlichen Belege bei *W. Gesenius*, Handwörterbuch[17], 79f (unter A, 5) sowie 81 (unter C) bzw. Handwörterbuch[18], 119 (unter I, 2). Als besonders schönes Beispiel für die Entsprechung des jeweils temporalen hebräischen בְּ und des griechischen ἐν sei auf Esr 9,5 verwiesen: וּבְמִנְחַת הָעֶרֶב קַמְתִּי wird in der Septuaginta mit καὶ ἐν θυσίᾳ τῇ ἑσπερινῇ ἀνέστην wiedergegeben. Im Deutschen ist sachgemäß zu übersetzen: Während des (zur Zeit des) Abendopfers stand ich auf.

39   Vgl. *J. Jeremias*, Theologie, 101–105.

40   *W. Schenk*, Passionsbericht, 192.

41   Vgl. *J. Jeremias*, Abendmahlsworte, 176 und *W. Schenk*, Passionsbericht, 192.

42   *J. Jeremias*, Abendmahlsworte, 176, vgl. *ders.*, Theologie, 101, Anm. 8 und *W. Schenk*, Passionsbericht, 192.

43   Das passivische πληρωθῇ stellt ein Passivum divinum dar, vgl. *J. Jeremias*, Abendmahlsworte, 155 und *H. Patsch*, Abendmahl, 91.

44   Vgl. ebd., 134.

45   Zu Lk 22,30a*.b s. oben S. 145f, zu Mk 10,37 par S. 106.

46   Zur hebräischen Rückübersetzung vgl. auch *F. Delitzsch*, Novum Testamentum Hebraice, z.St., zur aramäischen (trotz aller Unterschiede) *G. Dalman*, Jesus-Jeschua, 164.

אָמֵן אֹמֵר אֲנִי לָכֶם
לֹא־אֶשְׁתֶּה עוֹד מִפְּרִי הַגֶּפֶן
עַד הַיּוֹם הַהוּא בְּמַלְכוּת הָאֱלֹהִים

אָמֵין אָמַרְנָא לְכוֹן
דְּתוּב לָא אֶשְׁתֵּי מִפְּרְיָא דְגוּפְנָא
עַד יוֹמָא הָהוּא בְּמַלְכוּתָא דְּאַלָהָא

Amen, ich sage euch:
Ich werde nicht mehr trinken von der Frucht des Weinstocks
bis zum Tag der Gottesherrschaft
(= bis zu dem Tag, an dem Gott seine Herrschaft aufgerichtet haben wird).

c) Wie steht es nun aber mit der des sekundären Zusatzes verdächtigen Wendung ὅταν αὐτὸ πίνω καινόν, die Markus über Lukas hinaus überliefert?

Für alte semitische Tradition findet man nicht einen einzigen Anhaltspunkt. Im Gegenteil stellt das prädikative καινόν »einen ausgesprochenen Gräzismus« dar[47], der im Hebräischen wie im Aramäischen nicht nur höchst ungewöhnlich wäre[48], sondern zugleich »kaum nachzuahmen« ist[49]. Wenigstens im Blick auf καινόν ist somit ein redaktioneller Eintrag zu vermuten. Dann allerdings wird man auch ὅταν αὐτὸ πίνω als sekundär zu beurteilen haben, denn ohne καινόν eignet diesen drei Worten im Zusammenhang des Logions keine sachliche Aussagekraft mehr. Ein »neues« Trinken im Gegenüber zum jetzigen Nicht-Trinken anzusagen ist im heutigen Text beabsichtigt, weshalb gerade καινόν für die gesamte Wendung konstitutiv ist; was für καινόν gilt, gilt auch für sie. Ebenso erweist sich das akkusativische αὐτό als typisch griechisch, denn eine semitische Vorlage hätte genau wie in V. 25a die Präposition מִן verwendet und – zudem in umgekehrter Wortfolge – אֶשְׁתֶּה מִמֶּנּוּ bzw. אֶשְׁתֵּי מִינֵּיהּ notiert und wäre angesichts der sklavischen Übersetzung des gesamten Logions – wiederum entsprechend V. 25a – im Griechischen nahezu zwangläufig mit πίνω ἐκ αὐτοῦ (Genitiv) wiedergegeben worden. Der griechische Redaktor hingegen formulierte seinen Einschub so, wie es bei nicht vorhandener Vorlage zu erwarten ist: stilistisch korrekt, d.h. mit Akkusativobjekt[50] und in unsemitischer, dafür aber griechisch exakter Wortstellung.

---

47   *J. Gnilka,* Markus II, 243.

48   Vgl. *J. Jeremias,* Abendmahlsworte, 177.

49   *G. Dalman,* Jesus-Jeschua, 164. Entsprechend betont *M. Black,* Approach/ Muttersprache, 235: πίνω καινόν »ist im Aramäischen unmöglich und kann kaum ursprünglich gewesen sein«.

50   S. oben Anm. 20. Fehl am Platz sind damit die Erwägungen zu αὐτό bei *K. Berger,* Amen-Worte, 55: Weil sich αὐτό nicht auf die »Pflanze« des Weinstocks beziehen könne, da man diese nicht trinke, sondern allenfalls »von« ihr trinke, liege eine Bezugnahme auf ποτήριον in V. 23 vor. Daß τὸ γένημα aber auch im Griechischen nicht nur »Gewächs«,

Wenn damit aber innerhalb der Wendung ὅταν αὐτὸ πίνω καινόν mit dem prädikativen καινόν, dem Akkusativ αὐτό und der Wortfolge πίνω καινόν drei deutliche Gräzismen nachweisbar sind, dann ist der Schluß folgerichtig: Die gegenüber der lukanischen Überlieferung sowieso überschüssigen Worte ὅταν αὐτὸ πίνω καινόν wurden erst im griechischen Sprachbereich, d.h. sekundär in die alte semitische Tradition des V. 25 eingefügt.

3. Die urchristliche Entfaltung der traditionsgeschichtlichen ›Urform‹ des eschatologischen Ausblicks

Der aus dem gemeinsamen Textbestand von Mk 14,25 und Lk 22,18 heraus rekonstruierte älteste Wortlaut der Verzichterklärung im Blick auf die Frucht des Weinstocks ist literarkritisch nicht weiter zerlegbar; die traditionsgeschichtliche Urform dieses Logions ist damit erreicht[51].

»Pflanze«, sondern – vor allem in der Verbindung mit ἄμπελος – ebenso »Frucht« bedeutet, zeigt bereits Jes 32,12 LXX. Da Jesus also von der »Frucht des Weinstocks« (»Wein«) zunächst nicht mehr trinkt, später aber neu davon trinken wird, bezieht sich der Akkusativ αὐτό, griechisch völlig korrekt konstruiert, selbstverständlich auf τὸ γένημα τοῦ ἀμπέλου, nicht jedoch auf ποτήριον in V. 23.

51   Demgegenüber betonen *K. Berger,* Amen-Worte, 55 und *J. Gnilka,* Markus II, 243 den sekundären Charakter des gesamten ὅταν-Satzes einschließlich des ἐν τῇ βασιλείᾳ τοῦ θεοῦ. Ursprünglich stelle dieser ein Traditionsstück anderer Herkunft dar und sei hier angefügt worden, um aus einer ursprünglichen Todesankündigung eine Vorhersage eines künftigen Mahls Jesu mit den Seinen zu gestalten. Für seine Sicht der Dinge bemüht Berger die folgenden drei Argumente: (a) αὐτό könne sich nicht auf τὸ γένημα τοῦ ἀμπέλου, sondern nur auf ποτήριον aus V. 23 zurückbeziehen; (b) οὐκέτι οὐ μή betone allein den Verzicht, d.h. die Todesankündigung Jesu, nicht aber die Aussage des ὅταν-Satzes; und schließlich (c): »... ›jener Tag‹ als punktueller terminus ad quem und ›in der Basileia Gottes‹ als durative Erstreckung der Heilszeit (sind) sachlich nicht zur Deckung zu bringen, da der Gerichtstag von der Zeit des himmlischen Gastmahls zeitlich und funktional verschieden ist«. Zum ersten Argument wurde bereits in der voranstehenden Anmerkung alles Nötige gesagt. Zum zweiten bleibt folgendes festzuhalten: Auch wenn sich οὐκέτι οὐ μή zunächst einmal auf das zeitlich begrenzte Nicht-Trinken Jesu bezieht, dann doch nicht, ohne das Ende jener Begrenzung mit vor Augen zu haben. Bergers Hypothese wäre allenfalls dann akzeptabel, wenn er – was er aber nicht tut – bereits ἕως τῆς ἡμέρας ἐκείνης zur Erweiterung hinzurechnen würde, denn schon diese Wendung steht einer angeblich reinen Todesankündigung hart entgegen. Nicht umsonst stützt sich Gnilka lediglich auf Bergers drittes Argument, doch auch dies zu Unrecht: Die Tatsache, daß ἐκείνης auf ein ursprünglich unbetontes, pleonastisch gesetztes Demonstrativpronomen zurückgeht, hätte es Berger schon verwehren müssen, ἕως τῆς ἡμέρας ἐκείνης von vornherein auf das Endgericht zu beziehen. Ebenso ist ihm die ursprüngliche Bedeutung von ἐν τῇ βασιλείᾳ τοῦ θεοῦ als Wiedergabe von בְּמַלְכוּת הָאֱלֹהִים bzw. בְּמַלְכוּתָא דֶּאֱלָהָא entgangen. Sind beide Wendungen aber erst einmal als Semitismen, d.h. entsprechend ihrem authentischen Sinn erkannt, ist dem Hinweis auf zwei einander ausschließende Zeitangaben jede Grundlage genommen. Gnilka argumentiert zu Recht wesentlich vorsichtiger, wenn er betont, mit jener zweiten Angabe sei die erste lediglich präziser entfaltet worden. Letztlich hat damit auch er Bergers Argumentation abgelehnt, obwohl er dessen Ergebnis inkonsequenterweise übernimmt.

Dabei ist vorausgesetzt, daß diese Verzichterklärung nur die eine Hälfte des eschatologischen Ausblicks darstellt, der um die vorausgehende Ansage eines vorläufigen Verzichts auf Essen zu ergänzen ist. Sie ließe sich parallel zum Trinkverzicht rekonstruieren, doch ist dies im Rahmen meiner Fragestellung nicht nötig, da sich beide Worte sachlich entsprechen. Am Anfang stand somit eine doppelte, jeweils bis zum Anbruch der offenbaren Gottesherrschaft zeitlich begrenzte Verzichterklärung Jesu. Da diese Verzichterklärung unmittelbar vor bzw. während seines letzten Mahls mit den Seinen erfolgte, hatte er dabei seinen sicheren Tod vor Augen.

Daraus folgt: Die befristete Verzichterklärung ist – wie noch ausführlicher zu entfalten ist – als eine Todesankündigung zu verstehen, in der sich jedoch zugleich Zukunftsgewißheit erkennen läßt.

Durch die Einfügung des vormarkinischen ὅταν αὐτὸ πίνω καινόν wird aus dieser Gewißheit auch durch den Tod hindurch eine emphatische Ansage eines »neuen« Essens und Trinkens Jesu in der in Kürze vollendeten Gottesherrschaft.

Eine weitere Stufe ist schließlich mit dem matthäischen Eintrag μεθ᾽ ὑμῶν in Mt 26,29 erreicht, nämlich der explizite Ausblick auf die neue, die eschatologische Mahlgemeinschaft Jesu mit seinen Jüngern.

Diese aufgezeigte urchristliche Entfaltung des eschatologischen Ausblicks ist nicht nur in sich konsequent und folgerichtig, sondern auch durch die Verkündigung Jesu selbst abgedeckt. Denn die Vorstellung vom Mahl der Vollendung ist eine zeitgeschichtlich gängige Metapher zur Beschreibung der endzeitlichen Messias- und Gottesgemeinschaft[52], die Jesus aufgriff und in seine Verkündigung von der Gottesherrschaft aufnahm[53]. Es bleibt allerdings die Frage, inwieweit diese Explikation des eschatologischen Ausblicks nicht nur durch andere Jesusworte, sondern auch durch ihre konkrete Ausgangsform wirklich abgedeckt ist.

4. Die Intention des eschatologischen Ausblicks

Daß die doppelte, zeitlich befristete Verzichterklärung, die im unmittelbaren Kontext der Deuteworte des Abendmahls ihren ursprünglichen Ort hat und also den bevorstehenden gewaltsamen Tod des Menschensohns voraussetzt, als Todesprophetie zu verstehen ist, wird in der For-

---

52   Vgl. Jes 25,6 und äthHen 62,14, zudem die zahlreichen Belege bei *Bill.* IV/2, 1146f.1154–1159 und *A. Schlatter,* Matthäus, 278. Im Neuen Testament sind zusätzlich Mt 8,11 par; Lk 14,15–24 par; 20,30a und Offb 19,7.9 zu vergleichen.

53   Vgl. Mt 8,11 par (s. oben S. 115–117) und wohl auch – in seinem ursprünglichen Kern – Lk 14,15–24 par.

schung der Gegenwart in der Regel anerkannt[54]. Entscheidend bei alldem ist aber dies, daß Jesu Blick selbst angesichts seines Todes auf die
kommende Gottesherrschaft gerichtet bleibt, die er unmittelbar nahe und
mit seinem Tod verbunden weiß; seine Passion und deren eschatologische Aufrichtung sind nicht voneinander zu trennen[55]. Ich übernehme
gern eine Formulierung Ferdinand Hahns, der den eschatologischen
Ausblick Jesu zutreffend als Einheit von »Todesankündigung und Vollendungsverheißung«[56] charakterisiert. Von einer »Auferstehungsgewiß-
heit«[57] in dem Sinn, als ginge es hier um die nachösterlich selbstverständliche Ereignisfolge Tod – Auferstehung – Parusie, ist dabei gerade nicht
die Rede. Lediglich die *Aufstellung* des getöteten Jesus ist sachlich vorausgesetzt. Was vorliegt, ist eine Todesprophetie, verbunden mit einem
inhaltlich nicht näher erläuterten Hinweis auf das schließliche Erleben
der offenbaren Gottesherrschaft. Es fehlt jede Erklärung darüber, was
dann im einzelnen sein und welche Rolle Jesus dort einnehmen wird; erst
recht erfährt man nichts von einer erneuerten Gemeinschaft Jesu mit den
Seinen. Allein dies wird gesagt, daß der Tod des Menschensohns nicht alles ist, was ihm bevorsteht, sondern gleichsam der letzte Schritt vor der

---

54   Vgl. nur *J. Jeremias*, Abendmahlsworte, 209f; *K. Berger*, Amen-Worte, 55f; *R. Schnackenburg*, Markus II, 249f; *W. Schenk*, Passionsbericht, 193; *R. Pesch*, Markus II, 360–362; *ders.*, Abendmahl, 79f.101f; *H. Merklein*, Erwägungen, 172; *ders.*, Jesu Botschaft, 139.144f; *ders.*, Jesus, 150; *J. Gnilka*, Markus II, 243; *H. Schürmann*, Jesu ureigenes Todesverständnis, 210–213 und *J. Ernst*, Markus, 415.417f.

55   Vgl. vor allem *R. Schnackenburg*, Markus II, 249: »Sein Tod dient der Herbeiführung des von ihm verkündigten Gottesreiches«; *H. Merklein*, Erwägungen, 172: »(1) Jesus rechnet mit seinem baldigen, gewaltsamen Tod (Todesprophetie). Trotz der damit gegebenen Infragestellung des eschatologischen Boten und seiner eschatologischen Botschaft hält Jesus (2) an der Geltung seiner Botschaft von der hereinbrechenden Basileia
fest: über seinen Tod hinaus verheißt er das Neutrinken des Bechers in der (wohl bald hereinbrechenden) Basileia (Vollendungsverheißung). Dies bedeutet, daß Jesus seinem Tod
eine positive Deutung gibt und ihn als einen notwendigen Schritt im eschatologischen, auf
die Basileia hinzielenden Handeln Gottes versteht«; *ders.*, Jesu Botschaft, 144f: »Es [sc.
das Logion Mk 14,25 par] ist Todesprophetie und in ihr zugleich Vollendungsverheißung«
(145); *ders.*, Jesus, 150: »Jesus proklamiert noch im Angesicht seines Todes seine Botschaft von der Gottesherrschaft und gibt seiner Gewißheit Ausdruck, daß er selbst trotz
seines Todes am vollendeten Heilsmahl der Gottesherrschaft teilnahmen werde« und *H. Schürmann*, Jesu ureigenes Todesverständnis, 210–213: Jesus bleibt nicht im Tod, ist er
doch am eschatologischen Mahl der Gottesherrschaft beteiligt; er weiß also um seine
schließliche Bestätigung durch Gott: Jesus als »der Repräsentant der Basileia, der eschatologische Heilbringer (stirbt) in der Erwartung der . . . Bestätigung Gottes im Vollzug der
Präsentation dieser Basileia« (213). Ferner sei etwa auch verwiesen auf *J. Jeremias*,
Abendmahlsworte, 209.251f (»Anbruch der Heilszeit«, »Stunde des Anbruchs der
Vollerfüllung« [209]); *R. Pesch*, Markus II, 361; *ders.*, Abendmahl, 101f und *J. Ernst*,
Markus, 415.417f.

56   *F. Hahn*, Motive, 340.

57   So allzu eindeutig im Sinne der nachösterlichen Systematisierung der Endereignisse
R. Pesch, Markus II, 361; *ders.*, Abendmahl, 101 und *J. Gnilka*, Markus II, 243.246.

Vollendung der βασιλεία τοῦ θεοῦ. Über ihr Kommen ist sich Jesus gewiß, und er weiß zugleich, daß er sie trotz seines vorausgegangenen Todes *aktiv erleben und miterleben* wird. Nur bis zu ihrem Kommen gilt seine zeitlich begrenzte Verzichterklärung, danach nicht mehr.

Zusammenfassend bleibt festzuhalten: Im eschatologischen Ausblick ist sachlich die Rede von einer Todesankündigung Jesu bei gleichzeitiger Zukunfts- und Vollendungsgewißheit, wobei der eigentliche Akzent dieser prophetischen Ankündigung auf letzterem liegt.

Die Terminologie des eschatologischen Ausblicks sowie seine formale Zugehörigkeit zu einer bestimmten Gattung prophetischer Ankündigungen, den »Vorhersagen über das Erleben der Heilsvollendung«[58], bestätigen das Gesagte nachdrücklich: Zunächst ist der Doppelspruch »Mit der Amen-Formel . . . als prophetische Vorhersage gekennzeichnet, die auf apokalyptischer Einsicht, auf Offenbarungswissen basiert. Auch die Häufung der Negationen kennzeichnet den prophetischen Stil«[59]. Wichtiger noch als diese terminologische Anlehnung an prophetische Vorbilder ist jedoch, daß der eschatologische Ausblick von seiner Struktur her speziell den nahezu völlig gleich aufgebauten Sprüchen von »Vorhersagen über das Nicht-Sterben von besonderen Personen (Gerechten, Jüngern)«[60] entspricht, darüber hinaus aber auch bestimmten, mit diesen eng verwandten Logien, die statt vom Nicht-Sterben von der Überwindung der Gegenwart durch die verheißene Erlösungszeit handeln. Sie alle halten stereotyp die Form ein: ». . . negierte futurische Aussage mit einer Terminangabe im nachfolgenden Nebensatz, die sich auf eine Heilsverheißung bezieht«[61]. Vor allem die Entsprechung zu Mk 9,1 par ist dabei bemerkenswert, da jeweils ein »prophetisches und majestätisches Wort in der gleichen Stilform«[62] vorliegt, dazu ein solches, das inhaltlich über den Tod Jesu hinausblickt und Jesu Zukunftsgewißheit dergestalt zum Ausdruck bringt, daß auf die vollendete Gottesherrschaft verwiesen wird[63].

---

58   Vgl. dazu *V. Hampel*, Ihr werdet, 15-18.

59   *R. Pesch*, Abendmahl, 101, vgl. *ders.*, Markus II, 58f.361.

60   *R. Pesch*, Abendmahl, 79.

61   Vgl. ebd., 79.101 (Zitat 79) und *ders.*, Markus II, 66.355f.360f. Die wichtigsten Belege, die das Nicht-Sterben bestimmter Personen voraussagen, sind Mk 9,1 par; Mk 13,30 par; Lk 2,26; Jub 16,16 und TestIsaak 2,12. Von den Logien, die von der gegenwärtige (Drangsals-)Zeit ablösenden Erlösungszeit handeln, sind neben Mk 14,25 par Lk 22,16.18 vor allem Mt 10,23 und Mt 23,39 par hervorzuheben. Demgegenüber kommen (weitere) zeitlich begrenzte Verzichterklärungen wie etwa 1Sam 14,24; Ps 132,3-5 oder Apg 23,12.14.21 wegen der fehlenden Heilsverheißung als vergleichbare Belege letztlich nicht in Betracht. Einzig das Gelübde des Jakobus (Hieronymus, De viris illustribus 2 [zitiert bei *R. Pesch*, Markus II, 356, Anm. 1]) bildet insofern eine Ausnahme, als es von Mk 14,25 abhängig ist.

62   *R. Schnackenburg*, Markus II, 250.

63   Speziell zu Mk 9,1 par s. oben S. 123-125, insgesamt vgl. *V. Hampel*, Ihr werdet, 15-18.24-27.

5. Die Authentie des eschatologischen Ausblicks

Nicht nur deshalb, weil der eschatologische Ausblick dem authentischen Jesuslogion Mk 9,1 par sachlich zur Seite steht, kommt in ihm Jesus selbst zu Wort. Dies zeigen die im folgenden genannten Punkte:

a)   Zur Verkündigung Jesu von der Gottesherrschaft insgesamt besteht keinerlei Widerspruch.

b)   Die Todes- und erst recht die Vollendungsprophetie sind im für Jesus charakteristischen Maschal zum Ausdruck gebracht.

c)   Jeder Bezug auf die für die Urkirche so entscheidende erneuerte Gemeinschaft der Seinen mit dem auferstandenen und wiederkommenden Jesus fehlt.

d)   Überhaupt findet sich von der nachösterlichen Systematisierung der Endereignisse in Auferstehung und Parusie keine Spur, vielmehr geht es ganz unbestimmt um die Vollendungsgewißheit Jesu, die sachlich seine Aufstellung, d.h. seine Inthronisation zwar voraussetzt, ohne sie jedoch auch nur andeutungsweise zu erhellen.

e)   Das Doppellogion wurde in seiner eigentlichen Intention bezeichnenderweise nicht in die urchristliche Abendmahlsliturgie aufgenommen.

f)   Ebensowenig knüpft es an vorgegebene Vorstellungen des Judentums an, ist also weder aus dem Judentum noch aus dem Urchristentum ableitbar.

Aus alldem folgt: Der eschatologische Ausblick geht auf den historischen Jesus zurück[64].

Im Rahmen meiner speziellen Fragestellung nach solchen Logien, die Jesu Zukunftsgewißheit auch über seinen Tod hinaus ausdrücklich festhalten und sogar speziell betonen, erweist sich der eschatologische Ausblick damit als ein weiterer entscheidender Beleg[65].

---

64   Vgl. stellvertretend *J. Jeremias*, Abendmahlsworte, 153–157.174–176.199–210; *G. Bornkamm*, Jesus, 148; *H. Patsch*, Abendmahl, 89–102.131–142; *W. Schenk*, Passionsbericht, 191–193; *A. Vögtle*, Todesankündigungen, 79f.88f.101.111; *R. Pesch*, Markus II, 360–362; *ders.*, Abendmahl, 101f; *F. Hahn*, Stand, 557; *ders.*, Verständnis des Opfers, 69; *H. Merklein*, Erwägungen, 172–174; *ders.*, Jesu Botschaft, 139.144f; *ders.*, Jesus, 149f; *H. Schürmann*, Jesu ureigenes Todesverständnis, 210–213 und *L. Oberlinner*, Todeserwartung, 130–134.

65   Mk 14,27f par und 16,7 par lassen sich kaum als authentische Jesuslogien verifizieren, so daß sie als zusätzliche Belege nicht herangezogen werden können (vgl. *R. Pesch*, Markus II, 379–384.534–539 und *J. Gnilka*, Markus II, 252–255.338f.343f). Dieses Urteil gilt vermutlich auch für Mt 23,39 par (vgl. *O.H. Steck*, Israel, 48–58.238f; *P. Hoffmann*, Studien, 171–180 und *J. Gnilka*, Matthäus II, 304–307), doch gibt es hier auch beachtliche Gegenargumente (vgl. *R. Riesner*, Jesus, 337–339).

III. Die Zukunftserwartung Jesu im Anschluß an seinen Tod

1. Jesus erwartete im Anschluß an seinen gewaltsamen Tod nichts anderes als das, was er im Verlauf seiner Wirksamkeit in Israel von Anfang an glaubte und verkündigte. Hatte er die zukünftige messianische Inthronisation des Menschensohns bereits verheißen (bzw. angedroht), als die Möglichkeit seines stellvertretenden Sühnetodes noch nicht in seinem Blickfeld lag, so blieb er seiner sichtbaren Bestätigung durch Gott ebenso gewiß, als er später um die göttliche Notwendigkeit seines Sterbens wußte und den ihm von seinem Vater gewiesenen Weg konsequent zu Ende ging.

Mit dieser inzwischen längst hinreichend begründeten These ist damit abschließend der Nachweis geführt, daß ein Bruch innerhalb der Verkündigung Jesu allgemein und innerhalb seiner Menschensohnlogien speziell nicht nur nicht auszumachen, sondern auszuschließen ist. Ein solcher hätte vorgelegen, wenn Jesus seine ursprüngliche Gewißheit um seine zukünftige messianische Inthronisation angesichts seines schließlichen Todes aufgegeben hätte; nur dann müßte man Jesu anfängliche Erwartung in der Tat als Illusion bezeichnen, die durch den tatsächlichen Verlauf der geschichtlichen Wirklichkeit als Falschprophetie erwiesen wäre. Dies ist allerdings, wie deutlich wurde, nicht der Fall, so daß auch die beiden authentischen Menschensohnlogien, die vom Tod des Menschensohns handeln, Mk 9,31 par und Mk 10,45 par, in den Duktus der übrigen Menschensohnworte sachlich voll integriert sind. Das von Gott gesetzte Ziel des Menschensohns, seine messianische Inthronisation, blieb in der Erwartung Jesu nachweisbar von Anfang an dasselbe, auch wenn der Weg zu diesem Ziel anders verlief, als Jesus zunächst glaubte.

Die aufgezeigte Kontinuität aller authentisch-jesuanischen Menschensohnlogien ist von daher zutiefst begründet im Heilswillen Gottes, der in jedem Fall zu seinem Ziel kommt: nicht nur mit seinem Messias, sondern ebenso – durch das Mittel des von Gott beschlossenen Weges des Messias – mit Israel und schließlich allen Menschen. Denn dazu hatte Gott seinen Messias gesandt, um endlich den längst verheißenen שָׁלוֹם-Zustand herbeizuführen, den Heilszustand der vollendeten Gottesherrschaft.

2. Was erwartete Jesus nun konkret im Anschluß an seinen Tod und was nicht?

a) Jesus hatte seine ἀνάστασις angekündigt, hatte dabei aber gut jüdisch seine *Aufstellung,* seine messianische Inthronisation durch Gott vor Augen. Um sie wußte er bereits, als sein gewaltsamer Tod noch nicht in seinem Blickfeld lag, und an dieser Erwartung hielt er später auch angesichts seiner Passion fest. Selbst durch den Tod hindurch würde Gott sich zu dem Menschensohn, seinem Messias designatus, bekennen und ihn als solchen vor aller Welt offenbaren. Jesus setzt somit seine *Aufstellung aus dem Tod* voraus.

Dennoch hat die Urkirche die jüdisch-jesuanische Erwartung von der Aufstellung des Messias im Blick auf Jesus modifiziert und weitergeführt. Zunächst einmal insofern, als sie sie unter Rückgriff auf die Tradition von der Auferstehung der Toten auslegte und zu folgendem Ergebnis kam: Was sich einst im Zusammenhang der allgemeinen Totenauferstehung an allen Menschen ereignen wird, hat Gott an Jesus schon vollzogen und damit proleptisch vorwegereignet.

Die Urkirche hat die jüdisch-jesuanische Vorstellung von der Aufstellung des Messias zugleich dergestalt modifiziert, als der Messias Jesus von Nazareth nun nicht auf dem Zion, sichtbar vor aller Welt, inthronisiert wurde, sondern infolge seiner Erhöhung zunächst ›nur‹ im Himmel[66]. Dort sitzt er zur Rechten Gottes, womit gesagt ist: Seine Einsetzung in Macht ist längst schon erfolgt, Gott hat ihm alle Macht übertragen. Auf der Erde ist diese Tatsache noch nicht als solche offenbar, wenigstens nicht eindeutig für alle, denn lediglich seine glaubende Gemeinde erkennt und anerkennt ihren Herrn jetzt schon als den, der er in Wahrheit ist. Im Judentum ist das Sehen das Kennzeichen der messianischen Zeit, die somit nicht mehr vom Glauben abhängig ist, im Christentum hingegen wird die messianische Herrschaft Jesu zunächst geglaubt und noch nicht geschaut. Das Sehen bzw. das Schauen im jüdischen Sinn, d.h. die universale Durchsetzung seiner Herrschaft steht als Ereignis der Zukunft noch aus. Hier spricht die Urkirche von der Parusie, von der Wiederkunft Jesu.

b)   Wenn Jesus selbst von seiner *Aufstellung* sprach, rechnete er weder mit seiner *Auferstehung* und seiner *Parusie* als zwei zeitlich voneinander unterschiedenen eschatologischen Geschehnissen noch mit seiner *Erhöhung,* d.h. seiner Inthronisation im Himmel[67].

Immer wieder ergab der Verlauf der Untersuchung, daß Jesu Erwartung nicht einfach identisch war mit der nachösterlichen, aufgrund der geschichtlichen Tatsachen notwendig gewordenen Systematisierung der Endereignisse in Auferstehung und Parusie. In Gestalt seiner messianischen Inthronisation (Aufstellung) erwartete er beides vielmehr in einem einzigen Akt[68]. Daß die urchristliche Theologie die angekündigte Inthro-

---

66   Vgl. nur Mt 28,18; Apg 2,30–36; 3,19–21; Eph 1,20–22 und Hebr 1,3.

67   Ich unterscheide bewußt zwischen »Erhöhung« und »Entrückung«. Während Entrückung ein Hinwegnehmen durch Gott meint – speziell ein Hinwegnehmen in den Himmel –, ist mit Erhöhung (in den Himmel) eine Entrückung in Verbindung mit einer Einsetzung des Entrückten in eine bestimmte Machtstellung (Inthronisation) bezeichnet (vgl. *F. Hahn,* Hoheitstitel, 126 mit Anm. 3).

68   Damit ist nicht gesagt, daß sich etwa in den beiden synoptischen Apokalypsen Mk 13 par und Lk 17,22–37 par lediglich Überlieferungen der nachösterlichen Gemeinde fänden. Für Lk 17,22–37 par wurde dies im Verlauf der Arbeit bereits deutlich (s. oben S.

nisation des Menschensohns unter der Erfahrung der Osterereignisse zwangsläufig zum einen auf die Auferstehung Jesu und zum anderen auf seine Parusie bezog, wurde ebenso deutlich. Für Jesus selbst hingegen lag eine Parusie (Wiederkunft) nicht im Blick, denn das, was die Urkirche in Vollendung seiner Auferstehung als Parusie erwartete, sah Jesus im Zusammenhang seiner Inthronisation erfüllt. Ebensowenig wie mit seiner Parusie rechnete Jesus mit dem, was wir heute seine Auferstehung nennen und darunter seine Erhöhung zur Rechten Gottes verstehen, d.h. seine leibliche Aufnahme in den Himmel bei gleichzeitiger Herrschaftsübernahme.

Anders deutet Joachim Jeremias. Er geht zwar zu Recht davon aus, daß die Unterscheidung zwischen Auferstehung und Parusie erst der nachösterlichen Christologie entstammt, während Jesus selbst mit seiner Herrlichkeitsoffenbarung in einem einzigen Akt rechnete[69]. Doch zieht er aus diesem zutreffenden Befund die überraschende Folgerung, im Gegensatz zur urchristlichen Parusieerwartung, die als Bewegung ›von oben nach unten‹ gedacht ist – der Erhöhte kommt aus dem Himmel zur Erde –, habe der historische Jesus seine göttliche Beglaubigung gemäß Dan 7,13f und äthHen 70-71 als eine Bewegung ›von unten nach oben‹ erwartet. Daher gelangt Jeremias zu dem Ergebnis, »daß die älteste Vorstellung die war, daß die Offenbarung des Menschensohns in der Form einer Entrückung zu Gott erfolgen würde.«[70] Zur Begründung seiner Anschauung verweist er auf die

59-70). Ebenso läßt sich innerhalb der eschatologischen Rede Mk 13 par authentische Jesustradition nachweisen (vgl. nur *F. Hahn*, Parusie, 240-266; *R. Pesch*, Markus II, 264-318 und *J. Gnilka*, Markus II, 179-216). Es ist jedoch gerade das authentische Gut, das nicht dafür geltend gemacht werden kann, Jesus selbst habe zwischen seiner Auferstehung und seiner Parusie unter2chieden und damit eine mehr oder weniger lange Zeit zwischen beidem angekündigt. Wo dies der Fall ist, kommt die urchristliche Entfaltung der eschatologischen Erwartung Jesu zu Wort.
Auch Mk 14,9 par läßt sich vermutlich auf Jesus selbst zurückführen, allerdings nur in seinem auf die Einleitung »Amen, ich sage euch« folgenden ursprünglichen Kern: ». . . auch das, was sie getan hat, wird man (die Engel) sagen (vor Gottes Richterstuhl), damit er ihrer (gnädig) gedenke« (*J. Jeremias*, Theologie, 135, Anm. 42). Demgegenüber wurde der sekundär eingefügte ὅπου ἐάν-Satz erst im hellenistischen Sprachbereich, möglicherweise von Markus selbst, formuliert und das Logion aufgrund dieses Einschubs entschatologisiert. Während primär ein streng eschatologisches Verständnis vorauszusetzen ist, ist sekundär davon die Rede, daß die Tat der Frau von den christlichen Verkündigern erzählt wird: in der Zeit zwischen Jesu Auferstehung und Parusie (vgl. *ders.*, Markus 14,9, 115-120 und *ders.*, Theologie, 134f, ferner *J. Gnilka*, Markus II, 225f. *R. Pesch*, Salbung, 279f und *ders.*, Markus II, 334-336 stimmt der genannten eschatologischen Deutung im Grunde zu, interpretiert jedoch auch den als sekundär ausgeschiedenen Nebensatz eschatologisch und deutet die Verkündigung des Evangeliums auf die mit der in letzter Stunde ergehenden Proklamation der Gerichtsengel im Endgericht. *J. Gnilka*, Markus II, 225f lehnt diese Interpretation zu Recht als unhaltbar ab).
Zu den sekundären Bildungen Mk 14,27f par; 16,7 par und Mt 23,39 par wiederum, die man hypothetisch ebenso als Gegenbelege geltend machen könnte, vgl. die oben Anm. 65 genannte Literatur.
  69 Vgl. *J. Jeremias*, Theologie, 271f (in Anm. 31 mit Hinweis auf *Ch.H. Dodd*, Parables, 100f).
  70 *J. Jeremias*, Theologie, 261.

Menschensohnlogien Mk 13,26; Lk 22,69; Joh 3,13f und 12,23, dazu auf Lk 13,32 und 24,26, um sogleich zu folgern, wenn ἐρχόμενος ἐν νεφέλαις in Mk 13,26 als Bewegung zu Gott hin verstanden werden müsse, dann ebenso die Rede vom Kommen des Menschensohns insgesamt. Jedoch allein schon die Belege für seine Hypothese widerlegen sie. Die authentischen Jesuslogien Lk 13,32 und 22,69 sind für seine Behauptung unbrauchbar, wie deutlich wurde[71], erst recht aber beweisen die nachösterlichen Bildungen vom Kommen des Menschensohns – und zu diesen gehört auch Mk 13,26 – das Gegenteil dessen, was Jeremias aus ihnen herauslesen möchte. Sie handeln von der Parusie des auferstandenen und erhöhten Menschensohns, den die Urkirche vom Himmel her erwartet, damit er die Gottesherrschaft vollende. Es geht dort nicht um eine Vision des erhöhten Menschensohns, sondern um seine für alle objektiv sichtbare Wiederkunft zu Heil und Gericht. Ebensowenig können Lk 24,26; Joh 3,13f und 12,23 als Belege angeführt werden, denn auch sie stellen urchristliche Bildungen dar[72], die unter dem Eindruck der erlebten Auferstehung und der geglaubten Parusie des Menschensohns überhaupt erst entstanden sind. Weiterhin ist Jeremias' Deutung aus den im folgenden genannten Gründen abzuweisen.

Da ist zum einen das Verhalten der Jünger. Daß Jesus ihnen als seine auch durch den Tod hindurch aufrechterhaltene Zukunftsgewißheit keineswegs seine Erhöhung in den Himmel angekündigt hatte, beweist ihre Reaktion – wie auch die Reaktion der Jesus nahestehenden Frauen – im Anschluß an seinen Tod. Sie erwarteten gerade nicht in freudiger Zuversicht Jesu Erhöhung, sondern verhielten sich wie Menschen, deren vorherige Hoffnung bitterer Enttäuschung gewichen ist. Da ist keinerlei Hoffnung zu bemerken, daß mit Jesus auch weiterhin zu rechnen sei, keine Spur mehr von irgendwelchem Glauben.

Neben diese grenzenlose Enttäuschung tritt zum anderen der Tatbestand, daß sowohl die Jünger als auch die Frauen mit einer Auferstehung Jesu im nachösterlichen Sinn in der Tat nicht gerechnet haben, wie die Ostererzählungen der Evangelien – entgegen den expliziten Auferstehungsankündigungen[73] und damit entgegen der Tendenz auch der Evangelisten – historisch zutreffend betonen.

Trotz aller historischen Unsicherheiten, die im Blick auf die Ostererzählungen der Evangelien – zur Debatte stehen hier Mk 16,1–8 par; 16,11–14; Mt 28,17; Lk 24,12.17b.21–25.36–43 und Joh 20,1f.3–10.11–15 – nicht einfach ignoriert werden dürfen, spiegelt sich zumindest in der immer wiederkehrenden Aussage, daß die Jünger wie die Frauen mit einer angeblichen Auferstehung Jesu nichts anfangen konnten und selbst entsprechenden Nachrichten den Glauben verweigerten, glaubwürdige Überlieferung. Nicht umsonst wird der Unglaube der Frauen und vor allem der späteren Führer der Kirche gerade von der Gemeindegruppe tradiert, in der sie lebten und wirkten. Ohne die historische Zuverlässigkeit dieser Tatsache wäre solches nicht möglich gewesen.

71   Zu Lk 13,32 s. oben S. 118–122, zu Lk 22,69 S. 179.182–185.

72   Zu den johanneischen Belegen vgl. *R. Schnackenburg*, Johannes I, 404–409 und *ders.*, Johannes II, 477.479f. Lk 24,26 mit seiner pointierten Betonung der Schrifterfüllung (V. 25.27) stellt eine reflektierende Weiterbildung der Leidens- und Auferstehungsankündigungen nach dem Grundmuster von Mk 8,31 dar.

73   Zu den expliziten Auferstehungsankündigungen, die sich sämtlich als sekundäre Bildungen erwiesen, s. oben S. 277–282.

Zudem basieren von den genannten Texten wenigstens zwei auf guter historischer Erinnerung: Nach Joh 20,1f[74] sucht Maria von Magdala allein[75] das Grab Jesu auf, »sieht, daß das Grab aufgebrochen worden ist, kehrt... um und alarmiert Petrus, da sie überzeugt ist, daß der Leichnam Jesu geraubt worden ist«[76]. Sieht man einmal von der sekundär-johanneischen Erwähnung des Lieblingsjüngers ab, den Johannes gemäß seiner Gesamttendenz, aber auch deshalb einbrachte, um den in den V. 3–10 folgenden Wettlauf zum Grab vorzubereiten[77], klingt der Bericht »sehr plausibel; er ist schlicht und frei von jeder Tendenz«[78]. Sodann verdient Lk 24,12 den Vorzug vor der Wettlauferzählung Joh 20,3–10. Petrus läuft allein zu Jesu Grab, »stellt fest, daß das Grab tatsächlich leer ist... und läuft nach Hause zurück«[79], wobei sachlich vorausgesetzt ist: Er kehrt ungläubig, ohne zu verstehen, was da passiert sein könnte, zurück[80]. Der trotz seiner lukanischen Stilisierung auf alter, vorlukanischer Tradition basierende V. 12[81], dessen historische Zuverlässigkeit schon dadurch gesichert ist, daß hier das Versagen des ersten Führers der Urgemeinde ohne jede deutende und auf diese Weise abschwächende Erklärung schonungslos zur Sprache kommt[82], hat in Joh 20,3–10 eine sekundäre legendarische Ausgestaltung erfahren[83]. Läßt man diese legendarische Schicht – die Erwähnung des johanneischen Lieblingsjüngers neben Petrus, den Wettlauf beider zum Grab sowie den ausdrücklichen Hinweis auf den Glauben des Lieblingsjüngers im Kontrast zum Unglauben des Petrus[84] – einmal beiseite, ergibt sich derselbe Befund wie zu Lk 24,12: Petrus sieht das leere Grab, doch er versteht dies alles nicht. Über Lukas hinaus betont Joh 20,9 ausdrücklich, daß Petrus im Blick auf Jesu Auferstehung dem Unglauben verhaftet blieb, entgegen der Ankündigung der Schrift[85].

Dieser Sachverhalt widerlegt endgültig die Hypothese, Jesus habe den Seinen seine Erhöhung angekündigt, seine Inthronisation im Himmel. Dann hätten sie nicht derart resignieren dürfen, sondern zwangsläufig anders, nämlich hoffnungsvoll reagieren müssen.

Nein, Jesus erwartete, sichtbar vor aller Welt, die Legitimation seines Anspruchs als Messias designatus, die Inthronisation des Menschensohns, seine Aufstellung als Messias in Macht hier auf der Erde, auf dem Zion – und damit verbunden den Anbruch der vollendeten Gottesherrschaft.

74   Vgl. vor allem *P. Benoit*, Marie-Madeleine, 141–152.
75   Zu οἴδαμεν (erste Person Plural) vgl. *J. Jeremias*, Theologie, 289, Anm. 20.
76   Ebd., 289.
77   Vgl. *R. Schnackenburg*, Johannes III, 364f, ferner *J. Jeremias*, Theologie, 289, Anm. 21.
78   Ebd., 289.
79   Ebd., 290.
80   Vgl. *W. Grundmann*, Lukas, 441 und *J. Ernst*, Lukas, 654.
81   Vgl. *J. Jeremias*, Abendmahlsworte, 143f; *ders.*, Theologie, 290; *J. Muddiman*, Note, 542–548; *F. Neirynck*, Historic Present, 548–553; *W. Grundmann*, Lukas, 439f und *J. Ernst*, Lukas, 650f.654.
82   Anders Mk 14,27 par: Um das Versagen der Jünger insgesamt und des Petrus im besonderen abzumildern, ja zu erklären, verweist die nachösterliche Gemeinde auf die Schrift, in der dieses Versagen bereits angekündigt sei.
83   Vgl. *R. Mahoney*, Disciples, 224–226 und *W. Grundmann*, Lukas, 440.
84   Vgl. *R. Schnackenburg*, Johannes III, 358–371.
85   Zum Charakter von V. 9 – der in seinem heutigen Zusammenhang in einer gewissen Spannung zu V. 8 (der Lieblingsjünger glaubte) steht – als Bestandteil der vorjohanneischen Quelle vgl. ebd., 369f.

Beides traf *so* nicht ein, wider alle Überzeugung und glaubende Gewißheit der Jünger Jesu und seiner übrigen Begleiter. Darüber verzweifelten sie: an ihrem bisherigen Glauben und – damit – an ihrem Herrn selbst.

c)   Will man nun Jesu Zukunftserwartung im Anschluß an seinen Tod positiv-konkret beschreiben, steht man vor folgender Schwierigkeit: An keiner Stelle innerhalb der authentischen Jesustradition finden sich systematische Betrachtungen darüber, wie sich Jesus die in unmittelbarer Folge[86] auf seinen gewaltsamen Tod erwartete offenbare Gottesherrschaft, seine eigene Funktion innerhalb derselben und die der Seinen bzw. der Menschheit als ganzer im einzelnen vorstellte. Jesus spekulierte eben nicht über das, was einst sein würde. Von daher sind wir Heutigen, wollen wir seine Zukunftserwartung dennoch näher beschreiben, zu einer besonders vorsichtigen und nüchternen Betrachtungsweise angehalten. Das gilt zunächst einmal dann, wenn man die wenigen und jeweils punktuellen Hinweise innerhalb der Jesustradition systematisierend zusammenträgt. Dies gilt jedoch erst recht dort, wo man die der jesuanischen Sicht der Dinge zugrundeliegende alttestamentlich-jüdische Messiaserwartung, die im Verlauf der vorliegenden Untersuchung herausgearbeitet wurde, auch dort behutsam verwertet, wo Jesus nicht expressis verbis auf sie verwies – über Selbstverständlichkeiten redet man bekanntlich nicht –, sie aber dennoch voraussetzte.

Zunächst steht man vor dem Faktum, daß Jesus ganz bewußt nach Jerusalem zieht; dies nicht als irgendwer, sondern als der messianische König Israels[87]. Was will er dort? Zieht er in die Davidsstadt, weil es nicht angeht, daß ein Prophet außerhalb Jerusalems umkommt (Lk 13,33b)? Gewiß auch darum, aber insbesondere deshalb, weil gemäß der alttestamentlich-jüdischen Messiaserwartung der Messias, die Stadt und der Tempel eine unauflösliche Einheit bilden. Jerusalem und der Zion sind vom Messias nicht zu trennen, denn in der Gottesstadt, in der Gott auf seinem heiligen Berg, in seinem Haus wohnt, wird der Messias aufgestellt. Der inthronisierte Messias herrscht vom Zion aus. Hier, zur Rechten Gottes, ist sein von Gott bestimmter Ort, von wo er als Gottes Stellvertreter die Herrschaft über Israel und die Welt ausübt. Jesus, der im Anschluß an seinen stellvertretenden Sühnetod seiner messianischen Aufstellung entgegensieht, erwartet sie zwangsläufig in Jerusalem. Nicht umsonst zieht er als Messiasprätendent in die Davidsstadt ein.

Die messianische Inthronisation des Menschensohns und der Anbruch der offenbaren Gottesherrschaft fallen zusammen, das messianische

---

86   Zur Drei-Tage-Wendung, die als Synonym für »in Kürze«, »in kurzer Zeit«, »bald« einen zwar unbestimmten, aber doch relativ kurzen Zeitraum bezeichnet, s. oben S. 112–114.120f.

87   S. oben S. 105f.

Friedensreich wird errichtet, der שָׁלוֹם-Zustand der Gottesherrschaft endlich verwirklicht. In keiner Weise sieht Jesus einen Gegensatz zwischen der Gottes- und der Messiasherrschaft; beide sind für ihn geradezu Synonyma. So wie Jesus bereits während seiner irdischen Wirksamkeit im Auftrag und entsprechend dem Willen des ihn sendenden Gottes redete und handelte, so auch im vollendeten Gottesreich. Selbstverständlich ist seine messianische Herrschaft überhaupt erst durch die Herrschaft Gottes bedingt und bewirkt, selbstverständlich errichtet er sein eschatologisches Reich selbst, aber in diesem Reich regiert Gott gemäß seinem eigenen und souveränen Ratschluß durch seinen Mandatar, den Messias, an den er seine ureigene Herrschermacht delegiert. Wie schon während seines irdischen Wirkens wird Jesus auch dann ganz vom Willen Gottes abhängig sein, denn er ist und bleibt der Sohn des Vaters und mit diesem völlig eins: Gott und der Messias bilden eine willensmäßige, eine funktionale Einheit. Insofern bedingen die Inthronisation des Menschensohns und die Aufrichtung der offenbaren Gottesherrschaft einander: Gott herrscht durch seinen Sohn, den inthronisierten Messias[88].

Indem die Jünger Jesu im vollendeten Gottesreich auf zwölf Thronen sitzen und zusammen mit dem Messias die zwölf Stämme Israels »richten« (Lk 22,30a*.b par; Mk 10,37 par und 12,9 par), partizipieren sie an seiner Herrschaft[89]. Wie diese konkret aussehen wird, ist zwar nirgendwo ausgeführt, doch zu erschließen, wenn man erst einmal erkannt hat, daß »herrschen« und »richten« auf eine gemeinsame semitische Wurzel שפט zurückgehen und zwei Aspekte einer Sache zur Sprache bringen.[90]

In seiner Grundbedeutung bezeichnet שפט »ein Handeln, durch das die gestörte Ordnung einer (Rechts-)Gemeinschaft wiederhergestellt wird.«[91] Diese Rückführung einer gestörten Ordnung in den שָׁלוֹם-Zustand[92] erweist sich zunächst als ein »richtendes« Handeln. Es schließt zweierlei ein: ein richterliches Urteil über die Ursache der gestörten Ordnung, zugleich aber ein Zurechthelfen, ein Aufrichten des Unschuldigen, indem diesem Recht verschafft wird. Das Ziel solchen Richtens ist also letztlich immer das »Aufrichten« (der Ordnung) einer Gemeinschaft, d.h. deren Heil. Der Aspekt »herrschen«, »regieren« ergibt

---

88 Zum Verhältnis von Gottesherrschaft und Messiasherrschaft in der Verkündigung Jesu und deren alttestamentlich-jüdischen Voraussetzungen s. vor allem oben S. 88.108.128–133.138–140.168–174.

89 Zu Lk 22,30a*.b par s. oben S. 148–151, zu Mk 10,37 par oben S. 106–108 und zu Mk 12,9 par S. 110f.

90 Vgl. *G. Liedke*, Art. שפט, 1001f und *J. Gnilka*, Matthäus II, 170f, vor allem aber *H. Niehr*, Herrschen, bes. 1–14 (Forschungsgeschichte), 25–78 (Alter Orient), 79–312, bes. 84–126(.172–178) (Altes Testament) und 313–337 (Qumran). Folgende Belege für שפט in der Bedeutung »herrschen«, »regieren« seien stellvertretend genannt: 1Sam 8,5f; 1Kön 3,9; Spr 8,15f; Ps 2,10; Dan 9,12; 2Chr 1,10f; PsSal 17,21.26.29 und 4Q 511,10,10 (vgl. zum letztgenannten Beleg DJD VII, 226).

91 *G. Liedke*, Art. שפט, 1001.

92 Vgl. *G. von Rad*, Theologie I, 382–384; *H.H. Schmid*, Gerechtigkeit, 68 und *G. Liedke*, Art. שפט, 1001f.

sich nun ganz folgerichtig, da שׁפט als »Wiederherstellung der Ordnung einer Gemeinschaft ... nicht nur als einmaliges Handeln, sondern auch als andauernde Tätigkeit, als stete Bewahrung des šālōm zu verstehen (ist)«[93]. Nicht umsonst »herrschen« die alttestamentlichen »Richter« (שׁפטים), indem sie מִשְׁפָּט durchsetzen, d.h. die göttliche Ordnung bewahren und, wo sie gestört ist, wiederherstellen. Was im Alten Testament bereits für die Richter und ebenso für den König gilt, gilt erst recht für den Messias, der aufgrund seiner einzigartigen Geistbegabung wie kein anderer dazu prädestiniert ist, מִשְׁפָּט durchzusetzen und gerade so den שָׁלוֹם-Zustand der Gottesherrschaft zu garantieren[94].

Jenes שׁפט, jene herrscherlich-richterliche Funktion, zielt im Mund Jesu auf die stetige Bewahrung des שָׁלוֹם-Zustands in der vollendeten Gottesherrschaft. Denn gerade dadurch, daß der Messias die Einhaltung des מִשְׁפָּט, der objektiven Rechtsnorm Gottes, garantiert, ist die Unversehrtheit der Welt, wie sie dort gegeben sein wird, überhaupt gewährleistet und das ewige Friedensreich Gottes in seinem Bestand gesichert. In Lk 22, 30a*.b bezieht sich שׁפט konkret auf das restituierte eschatologische Gottesvolk, das sich Jesus nach dem Vorbild des alten Zwölfstämmevolkes Israel gestaltet denkt. Und Jesus weiß sich zusammen mit seinen zwölf Jüngern, den Repräsentanten dieses Volkes, als Garant für dessen ewiges Heil.

Dem Jahwevolk der Endzeit, das Jesus vor Augen hat, gehört nun aber nicht allein das alttestamentliche Israel an, sondern ebenso die Heidenvölker, die im Rahmen der eschatologischen Völkerwallfahrt zum Zion in dieses eingegliedert werden. Nicht aufgrund einer spezifischen Missionstätigkeit Israels strömen sie herzu, vielmehr bedingt durch den sie lockenden Glanz des Gottesvolkes, das mit seinem Messias an der Spitze als »Panier für die Völker« (Jes 11,10) dasteht, um schließlich zusammen mit den Heidenvölkern Jahwe als den einen und wahren Gott zu verehren[95]. So ist das universale Gotteslob das Ziel und die Erfüllung alles Heilshandelns Jahwes.

Dieses allumfassende Gotteslob in der vollendeten Gottesherrschaft schließt auch die Toten ein. Nicht nur, daß Jesus mit der allgemeinen Totenauferstehung rechnete[96], die in Mt 8,11 par geschilderte eschatologische Mahlgemeinschaft betrifft ausdrücklich beide, die Lebenden und die inzwischen auferstandenen Toten. Abraham, Isaak und Jakob stehen stellvertretend für alle anderen, deren Auferstehung er in Mk 12,18–27

93   Ebd., 1002.
94   Vgl. etwa Jes 9,5f; 11,1–5 und Jer 23,5f.
95   S. oben S. 135–140.
96   Diese Erwartung war Jesus zeitgenössisch längst vorgegeben (vgl. *P. Stuhlmacher,* Auferweckung, 146–150; *G. Stemberger,* Art. Auferstehung, 443–450 und *O. Schwankl,* Sadduzäerfrage, 143–300), wie neben zahlreichen anderen Belegen etwa Jes 26,19; Dan 12,2; 2Makk 7,1–42 (vgl. dazu bes. *U. Kellermann,* Himmel, 9–99 [weitere frühjüdische Belege ebd., 99–109]); 12,43–45; PsSal 3,12; äthHen 51,1f; 91,10; 92,3; TestBenj 10, 6–8; 4Esr 7,32.37f; syrBar 50,2 und mSan X,1 zeigen.

par ebenso voraussetzt[97]. Speziell die Jünger, die das von Jesus angekündigte Kollektivleiden wie er selbst nicht überleben sollten[98], müssen
notwendig auferstanden sein, sonst könnten sie an Jesu messianischer
Herrschaft nicht teilhaben.

An dieser Stelle ist der Versuch einer näheren Beschreibung dessen, was
Jesus im Anschluß an seinen Tod erwartete, meines Erachtens abzubre-
chen. Obwohl man angesichts des Gesagten von einer systematischen
Darstellung der Erwartung Jesu sicherlich nicht sprechen kann, ließen
sich doch deren grobe Linien aufzeigen.

Abschließend möchte ich noch einmal auf das Ereignis hinweisen, das die offenbare Gottesherrschaft in Jesu Augen zu einem universalen Heilsereignis werden läßt. Es ist der
stellvertretende Sühnetod des Menschensohns zugunsten aller Menschen (Mk 10,45 par
und 14,24 par). Hier liegt die Tatsache begründet, daß Jesus nicht nur hinter den für die
alttestamentlich-jüdische Eschatologie unverzichtbaren Gerichtsschilderungen an den
Feinden des Messias bzw. Gottes weit zurückbleibt, sondern ein zukünftiges Gericht im
unmittelbaren Zusammenhang seines eigenen Todes überhaupt nicht mehr erwähnt. Weil
Jesus sich für alle – Israel, Heidenvölker, Freunde, Feinde, Lebende und Tote – dahingibt
und so allen das eschatologische Heil Gottes eröffnet, darum ist das von Jesus erwartete
Gotteslob in der vollendeten Gottesherrschaft wahrhaft total und universal.

IV. Die Zukunftserwartung Jesu in der Theologie der Urkirche

Ein Vergleich der die Zukunft betreffenden Ankündigungen Jesu mit der
faktisch gewordenen geschichtlichen Wirklichkeit nötigt zu dem Schluß:
Die Erwartung Jesu hat sich *so* nicht erfüllt. Die für alle sichtbare Aufrichtung der Gottesherrschaft wie auch die messianische Inthronisation
des Menschensohns vor aller Welt blieben aus, der alte Äon lief weiter.
Hier liegt die Verzweiflung der Jünger Jesu im Anschluß an seinen Tod
begründet. Die Ankündigungen ihres Herrn, auf die sie sich fest verlassen
hatten, trafen *so* wider Erwarten nicht ein. Von daher wurden sie
zunächst an Jesus irre.

Die Ostererfahrungen, die Erscheinungen des Auferstandenen und die
Tatsache des leeren Grabes, widerfuhren den Jüngern deshalb völlig
überraschend, ohne daß sie sich zunächst erklären konnten, wie dies alles
zu verstehen und zu deuten sei. Damit ist zugleich gesagt, daß die christliche Rede von der Auferstehung Jesu von den Toten nicht in erster Linie

---

97 Zu Mk 12,18–27 par vgl. neben *R. Pesch,* Markus II, 229–236; *J. Gnilka,* Markus
II, 156–162 und anderen vor allem *O. Schwankl,* Sadduzäerfrage, 68–587, bes. 301–465,
wo Schwankl die Perikope ausführlich analysiert, und 501–587, wo er – wie bereits Pesch
und Gnilka – die Frage nach ihrer Authentie positiv beantwortet. Zu diesem Ergebnis gelangt ferner *P. Hoffmann,* Art. Auferstehung, 450–452, der zudem weitere entsprechende
Belege der synoptischen Jesusüberlieferung nennt.
98 S. oben S. 249–254.

ein Ergebnis theologischer Reflexion darstellt. Am Anfang stand die Erfahrung des Ostergeschehens, erst danach setzte das reflektierende Verstehen dieses Geschehens ein[99].

Die Jünger Jesu erlebten Ostern als die *Aufstellung* ihres Herrn *im Himmel,* denn ihre Begegnungen mit dem auferstandenen Jesus widerfuhren ihnen als wiederholtes Erscheinen des dort längst Inthronisierten[100]. Diese Gewißheit wurde ihnen geradezu entgegen der Ankündigung Jesu und entgegen ihrer eigenen Erwartung zuteil. Jesus selbst hatte seine *Aufstellung* und damit die göttliche Legitimation seiner messianischen Herrschermacht *auf der Erde,* offenbar für alle, auch für seine Gegner, verheißen, nicht lediglich im Himmel, auf der Erde hingegen verborgen, nur im Glauben sichtbar.

Und doch hat sich mit alldem die Erwartung Jesu bestätigt und erfüllt, wenn auch anders, als Jesus und seine Jünger zunächst meinten. Denn Gott *hat* den Menschensohn von den Toten auferweckt und sich damit zu seiner Messianität bekannt. Er *hat* ihn in der Tat als Herrscher zu seiner Rechten aufgestellt. Er hat somit die Ankündigungen und die Verheißung Jesu eingelöst, wenn auch noch nicht vollständig. Und das, was noch aussteht – dessen waren sich die zuvor verzweifelten, unter dem Eindruck der Ostererfahrung jedoch getrösteten Jünger völlig gewiß –, würde ebenso sicher eingelöst wie alles andere: in der Zukunft[101]. Stand die weltweite Legitimation des Messias Jesus durch Gott noch aus, so erwarteten sie diese mit der Parusie des Erhöhten. Mit dem (Wieder-)Kommen ihres im Himmel längst inthronisierten Herrn wird all das, was bisher nur im Glauben erkennbar ist, vor aller Welt offenbar. Und mit dem Offenbarwerden der messianischen Würde, Hoheit und Herrschermacht Jesu kommt es zugleich zu dem Ereignis, dem Jesus selbst unmittelbar im Anschluß an seinen gewaltsamen Tod entgegensah: zum Anbruch der vollendeten Gottesherrschaft, zu jenem eschatologischen Friedensreich, in dem Gott herrscht durch seinen Mandatar, den Messias.

Abschließend bleibt festzuhalten: Was der historische Jesus in einem einzigen Geschehen erwartete, ist in der Theologie der Urkirche aufgrund der geschichtlich notwendig gewordenen Differenzierung und Systemati-

---

99   Die Reflexionsgrundlage schlechthin war das Alte Testament, vgl. nur Apg 2,14–36 und 13,22–37.

100   Vgl. Lk 24,51 im Zusammenhang mit Apg 1,2f. Jesus wird in den Himmel erhöht und erscheint von dort, um wieder dorthin zurückzukehren (vgl. *O. Betz,* Art. Entrückung, 688).

101   Erst die »von Gott verursachte *Erfahrung*« der Auferweckung Jesu (*H. Merklein,* Auferweckung, 224) »schuf eine völlig neue Situation; denn nun konnte und mußte auch nach Karfreitag … an Jesus und seiner eschatologischen Botschaft festgehalten werden. … die bleibende Geltung des eschatologischen Anspruchs Jesu … war durch die Auferweckung *definitiv* geworden« (ebd., 232).

sierung in Auferstehung und Parusie in zwei verschiedene Ereignisse aufgetrennt und damit zeitlich auseinandergerissen worden.

Dennoch ist die urchristliche Rede von der Parusie des Auferstandenen und Erhöhten, formuliert auf dem Hintergrund des Ostergeschehens, letztlich durch die Verkündigung Jesu abgedeckt und insofern völlig zu Recht ein unverzichtbares Kernstück neutestamentlicher Theologie. Was die Urkirche mit der Parusie ihres Herrn erwartet, ist im Grunde nichts anderes als das Festhalten an dem, was Jesus selbst erwartete, ist die nachösterliche Aktualisierung der jesuanischen Ansage der heilvollen Zukunft Gottes, inhaltlich begründet in der ipsissima vox des Menschensohns.

.

Schluß

Liegen die Grundlagen des christlichen Glaubens in der Person und Botschaft Jesu von Nazareth begründet? Wurzeln die zentralen biblischen Aussagen über den Christus Jesus in ihm selbst? Das war die Ausgangsfrage.

Die vorliegende Untersuchung beantwortet diese Grundsatzfrage in Auseinandersetzung mit der bisherigen Forschung anhand der auf den historischen Jesus zurückgehenden Menschensohnlogien positiv.

Mit der Chiffre בַּר אֱנָשָׁא greift Jesus ganz bewußt ein vieldeutiges Rätselwort auf, um damit sein messianisches Selbstverständnis und seinen messianischen Sendungsauftrag verhüllend und andeutend zugleich zur Sprache zu bringen. In Anknüpfung an die zeitgeschichtlich vorgegebene Erwartung einer Zeit der Verborgenheit des Messias, die seiner Offenbarung, seiner Inthronisation durch Gott vorausgeht, unterscheidet Jesus zwei Phasen seiner messianischen Wirksamkeit: die Zeit seiner verborgenen und die Zeit seiner offenbaren Messianität. Bis zu seiner Inthronisation – d.h. seiner endgültigen Legitimation durch Gott selbst, verbunden mit seiner weltweiten öffentlichen Anerkennung als Messias – wirkt er als Messias designatus in Israel; und als solcher bezeichnet er sich als בַּר אֱנָשָׁא. Mit dem Terminus Menschensohn charakterisiert Jesus sich somit als noch verborgener, als verborgen wirkender Messias, der seiner Herrlichkeitsoffenbarung erst entgegensieht. Danach ist er gerade nicht mehr Menschensohn, sondern Messias in Macht. Bis dahin jedoch bleibt seine Messianität verhüllt, sein messianischer Anspruch insofern zweideutig, als er Glaube wie Unglaube nach sich zieht. Die Hoheit des Designierten leuchtet zunächst immer nur bruchstückhaft auf und antizipiert, was einst sein wird und wer er einst sein wird.

Als בַּר אֱנָשָׁא, d.h. als der, der die kommende Gottesherrschaft in messianischer Vollmacht verkündigt und vorwegereignet, lädt Jesus ein zu dem Gott, der über den Weg des Glaubens und der Umkehr nichts anderes will als das Heil seiner Welt. Weil Jesus weiß, daß Gott in jedem Fall zu seinem Ziel kommen wird, erwartet er die Umkehr Israels, muß jedoch das Unbegreifliche erkennen, daß sein messianischer Ruf, sein gnädiges Heilsangebot, nahezu sinnlos verhallt. Israel verwirft seinen Messias, indem es den Menschensohn verwirft, und scheint damit dem furchtbaren Gericht des in seinem Heilswillen abgewiesenen Gottes ausgeliefert. Dieses trifft aber gerade nicht Israel, sondern den Menschensohn selbst. Im Auftrag des ihn sendenden Gottes, der sich in seinem Heilswillen nicht abweisen läßt, stirbt Jesus nun für die, die sein Heilsangebot ablehnten, und ermöglicht durch seine stellvertretende Lebenshingabe allen das Heil: Israel und den Heidenvölkern.

Im Anschluß an seinen Tod sieht Jesus im Zusammenhang seiner messianischen Inthronisation dem Anbruch der vollendeten Gottesherrschaft entgegen. Als der, an den Gott auch dann seine ureigene Herrschermacht delegiert, gewährleistet er die von Gott gewollte Unversehrtheit der Welt, den שָׁלוֹם-Zustand, und sichert den ewigen Bestand der eschatologischen Friedensherrschaft Gottes.

Dabei erwartet Jesus in einem einzigen Akt, was die Urkirche unter dem Erleben des Ostergeschehens in Auferstehung und Parusie, also in zwei verschiedene Ereignisse, aufzutrennen genötigt war: Nachdem Jesus im Himmel als Messias inthronisiert ist und als der Lebendige zur Rechten Gottes sitzt, d.h. dort längst seine Herrschaft ausübt, steht lediglich deren sichtbare Anerkennung durch alle Welt noch aus; die apostolische Verkündigung erwartet sie in Gestalt der Parusie des Auferstandenen als Ereignis der Zukunft.

Damit liegen aber das messianische Selbstverständnis Jesu insgesamt wie auch die Deutung seines gewaltsamen Todes als eines stellvertretenden Sühnetodes und die Erwartung seiner darauffolgenden Inthronisation einerseits und die entsprechende Deutung all dessen in der urkirchlichen Theologie andererseits auf einer Linie. Die apostolische Verkündigung stellt letztlich nichts anderes dar als die aktualisierte Übertragung der ipsissima vox Jesu in die neue, nachösterliche Situation.

Der oft postulierte Bruch zwischen der Botschaft des historischen Jesus und dem urchristlichen Kerygma erweist sich somit als unbegründet, denn die Urkirche bezeugt den im Christus Jesus zu seinem Ziel gekommenen Heilswillen Gottes und lädt – in Übereinstimmung mit Jesus selbst, ja in seinem Namen – dazu ein, jetzt schon einzustimmen in das einst universale Gotteslob der vollendeten Gottesherrschaft.

Literatur

Albertz, R., Der Gott des Daniel. Untersuchungen zu Daniel 4–6 in der Septuagintafassung sowie zu Komposition und Theologie des aramäischen Danielbuches (SBS 131), Stuttgart 1988

Altjüdische liturgische Gebete, hg. von *W. Staerk* (KIT 58), Bonn 1910

Apocalypsis Baruch syriace → Baruch

Die Apostolischen Väter, hg. von *F.X. Funk*, neu bearbeitet von *K. Bihlmeyer*, mit einem Nachtrag von *W. Schneemelcher* (SQS II/I, Teil 1), Tübingen ³1970

Die Apostolischen Väter. Griechisch-deutsch, eingeleitet, hg., übertragen und erläutert von *J.A. Fischer* (SUC 1), München/Darmstadt ⁹1986

Arens, E., The HΛΘON-Sayings in the Synoptic Tradition. A historiocritical Investigation (OBO 10), Freiburg (Schweiz) / Göttingen 1976

The Assumption of Moses → Himmelfahrt Moses

Bach, R., Die Aufforderung zur Flucht und zum Kampf im alttestamentlichen Prophetenspruch (WMANT 9), Neukirchen-Vluyn 1962

Der Babylonische Talmud → Talmud

Bacher, W., Die Agada der babylonischen Amoräer. Ein Beitrag zur Geschichte der Agada und zur Einleitung in den babylonischen Talmud, Frankfurt ²1913; Nachdruck Hildesheim 1967

–, Die Agada der palästinischen Amoräer, Bd. I: Vom Abschluß der Mischna bis zum Tode Jochanans. 220–279 nach der gew. Zeitrechnung, Straßburg 1892; Nachdruck Hildesheim 1965; Bd. II: Die Schüler Jochanans. Ende des 3. u. Anfang des 4. Jahrhunderts, Straßburg 1896; Nachdruck Hildesheim 1965; Bd. III: Die letzten Amoräer des heiligen Landes. Vom Anfange des 4. bis zum Anfange des 5. Jahrhunderts, Straßburg 1899; Nachdruck Hildesheim 1965

–, Die Agada der Tannaiten, Bd. I: Von Hillel bis Akiba. Von 30 vor bis 135 nach der gew. Zeitrechnung, Straßburg ²1903; Nachdruck Berlin 1965; Bd. II: Von Akiba's Tod bis zum Abschluß der Mischna. 135 bis 220 nach der gew. Zeitrechnung, Straßburg 1890; Nachdruck Berlin 1966

Balz, H.R., Methodische Probleme der neutestamentlichen Christologie (WMANT 25), Neukirchen-Vluyn 1967

–, Art. τέσσαρες κτλ., in: ThWNT VIII (1969), 127–139

Bammel, E., Erwägungen zur Eschatologie Jesu (StEv 3 = TU 88), Berlin 1964, 3–32

Barrett, C.K., The Background of Mark 10:45, in: New Testaments Essays. Studies in Memory of T.W. Manson, ed. by *A.J.B. Higgins*, Manchester 1959, 1–18

Barth, G., Die Taufe in frühchristlicher Zeit (Biblisch-Theologische Studien 4), Neukirchen-Vluyn 1981

Bartsch, H.-W., Jesu Schwertwort. Lukas XXII. 35–38. Überlieferungsgeschichtliche Studie, NTS 20 (1973/74), 190–203

–, Die ›Verfluchung‹ des Feigenbaumes, ZNW 53 (1962), 256–260

Apocalypsis Baruch syriace, ed. *A.M. Ceriani* (MSP V/2), Mailand 1871 [deutsch → A.F.J. Klijn]

Die griechische Baruch-Apokalypse [deutsch → W. Hage]

Bauer, J.B., Drei Tage, Biblica 39 (1958), 354–358

Bauer, W., Griechisch-Deutsches Wörterbuch zu den Schriften des Neuen Testaments und der übrigen urchristlichen Literatur, 6., völlig neu bearbeitete Auflage im Institut für neutestamentliche Textforschung/Münster unter besonderer Mitwirkung von *V. Reichmann*, hg. von *K. Aland / B. Aland,* Berlin / New York 1988.

Baumgartner, W., Ein Vierteljahrhundert Danielforschung, ThR 11 (1939), 59–83.125–144.201–228

Bayer, H.F., Jesus' Predictions of Vindication and Resurrection. The provenance, meaning and correlation of the Synoptic predictions (WUNT II/20), Tübingen 1986

Beasley-Murray, G., Die christliche Taufe. Eine Untersuchung über ihr Verständnis in Geschichte und Gegenwart, Kassel 1968

Becker, Joachim, Die kollektive Deutung der Königspsalmen [1977], in: Studien zum Messiasbild im Alten Testament (Stuttgarter Biblische Aufsatzbände 6), hg. von *U. Struppe,* Stuttgart 1989, 291–318

–, Die Testamente der zwölf Patriarchen (JSHRZ III/1), Gütersloh ²1980, 15–163

–, Untersuchungen zur Entstehungsgeschichte der Testamente der zwölf Patriarchen (AGJU 8), Leiden 1970

Becker, Jürgen, Johannes der Täufer und Jesus von Nazareth (BSt 63), Neukirchen-Vluyn 1972

Behm, J., Art. διατίθημι, in: ThWNT II (1935), 105f

Bennett, W.J., The Herodians of Mark's Gospel, NT 17 (1975), 9–14

–, »The Son of Man must . . .«, NT 17 (1975), 113–129

Benoit, P., Marie-Madeleine et les disciples au tombeau selon Joh 20,1–18, in: Judentum – Urchristentum – Kirche (FS J. Jeremias), hg. von *W. Eltester* (BZNW 26), Berlin ²1964, 141–152

Bentzen, A., Daniel (HAT 19), Tübingen ²1952

Berger, K., Die Amen-Worte Jesu. Eine Untersuchung zum Problem der Legitimation in apokalyptischer Rede (BZNW 39), Berlin 1970

–, Die Auferstehung des Propheten und die Erhöhung des Menschensohnes. Traditions-geschichtliche Untersuchungen zur Deutung des Geschickes Jesu in frühchristlichen Texten (StUNT 13), Göttingen 1976

–, Das Buch der Jubiläen (JSHRZ II/3), Gütersloh 1981, 273–575

–, Einführung in die Formgeschichte (UTB 1444), Tübingen 1987

–, Exegese des Neuen Testaments (UTB 658), Heidelberg ²1984

–, Jesus als Pharisäer und frühe Christen als Pharisäer, NT 30 (1988), 231–262

–, Die königlichen Messiastraditionen des Neuen Testaments, NTS 20 (1973/74), 1–44

–, Zu den sogenannten Sätzen heiligen Rechts, NTS 17 (1970/71), 10–40

Bet ha-Midrasch. Sammlung kleinerer Midraschim und vermischter Abhandlungen aus der ältesten jüdischen Literatur, Teile 1–6, hg. von *A. Jellinek,* Teile 1–4, Leipzig 1853–1857, Teile 5–6, Wien 1873–1877; Nachdruck (in zwei Bänden) Jerusalem ³1967

Betz, H.D., Nachfolge und Nachahmung Jesu Christi im Neuen Testament (BHTh 37), Tübingen 1967

Betz, O., Albert Schweitzers Jesusdeutung im Licht der Qumrantexte [1962], in: *ders.,* Jesus. Der Messias Israels, ö 127–139

–, Die Bedeutung der Qumranschriften für die Evangelien des Neuen Testaments [1985], in: ebd., 318–332

–, Begegnungen mit Jesus. Sieben Abschnitte aus dem Matthäus-Evangelium. Zur 40. Bibelwoche 1977/78, Gladbeck 1977

–, Bergpredigt und Sinaitradition. Zur Gliederung und zum Hintergrund von Matthäus 5–7, in: *ders.,* Jesus. Der Messias Israels, 333–384

–, The Concept of the so-called »Divine Man« in Mark's Christology [1972], in: ebd., 273–284

–, The Eschatological Interpretation of the Sinai-Tradition in Qumran and in the New Testament, RdQ 6 (1967–69), 89–107

-, Felsenmann und Felsengemeinde. Eine Parallele zu Mt 16,17-19 in den Qumran-psalmen [1957], in: *ders.*, Jesus. Der Messias Israels, 99-126

-, Die Frage nach dem messianischen Bewußtsein Jesu [1963] in: ebd., 140-168

-, Die heilsgeschichtliche Rolle Israels bei Paulus, ThBeitr 9 (1978), 1-21

-, Jesu Evangelium vom Gottesreich [1983], in: *ders.*, Jesus. Der Messias Israels, 232-254

-, Jesu Heiliger Krieg [1958], in: ebd., 77-98

-, Jesu Lieblingspsalm. Die Bedeutung von Psalm 103 für das Werk Jesu [1984], in: ebd., 185-201

-, Jesus. Der Messias Israels. Aufsätze zur biblischen Theologie (WUNT 42), Tübingen 1987

-, Jesus in Nazareth. Bemerkungen zu Markus 6,1-6 [1978], in: ebd., 301-317

-, Jesus und das Danielbuch, Bd. II: Die Menschensohnworte Jesu und die Zukunftser-wartung des Paulus (Daniel 7,13-14) (Arbeiten zum Neuen Testament und Judentum 6/II), Frankfurt a.M. / Bern / New York 1985

-, »Kann denn aus Nazareth etwas Gutes kommen?« Zur Verwendung von Jesaja Kap. 11 in Johannes Kap. 1 [1973], in: *ders.*, Jesus. Der Messias Israels, 387-397

-, Das Mahl des Herrn bei Paulus, in: *ders.*, Jesus, der Herr der Kirche. Aufsätze zur bibli-schen Theologie, Bd. II (WUNT 52), Tübingen 1990, 217-251 (erweiterte Fassung von: *ders.*, Die paulinische Abendmahlstradition 1. Korinther 10.11 und die Passahpe-rikope Exodus 11-13, in: Festschrift für F. Lang zum 65. Geburtstag, hg. von *O. Bayer / G.-U. Wanzeck*, masch. Tübingen 1978, 51-71).

-, Das Problem des Wunders bei Flavius Josephus im Vergleich zum Wunderproblem bei den Rabbinen und im Johannesevangelium [1974], in: *ders.*, Jesus. Der Messias Israels, 398-419

-, Probleme des Prozesses Jesu, in: ANRW II: Principat, Bd. 25/1: Religion (Vorkon-stantinisches Christentum: Leben und Umwelt Jesu; Neues Testament [Kanonische Schriften und Apokryphen]), hg. von *W. Haase*, Berlin / New York 1982, 565-647

-, Stadt und Gegenstadt. Ein Kapitel zelotischer Theologie [1978], in: *ders.*, Jesus. Der Messias Israels, 25-38

-, Das Vaterunser. Sieben Abschnitte über Matthäus 6,9-13. Zur 42. Bibelwoche 1979/80, Gladbeck 1979

-, Was wissen wir von Jesus?, Stuttgart/Berlin 1965

-, Wie verstehen wir das Neue Testament?, Wuppertal 1981

-, Art. δύναμις, in: TBLNT II (1970), 922-926

-, Art. Entrückung II. Biblische und frühjüdische Zeit, in: TRE IX (1982), 683-690

-, Art. φωνή, in: ThWNT IX (1973), 272-294

Betz, O. / Grimm, W., Wesen und Wirklichkeit der Wunder Jesu. Heilungen - Rettungen - Zeichen - Aufleuchtungen (Arbeiten zum Neuen Testament und Judentum 2), Frank-furt a.M. / Bern / Las Vegas 1977

Beyer, K., Semitische Syntax im Neuen Testament, Bd. I: Satzlehre, Teil 1 (StUNT 1), Göttingen ²1968

The Bible in Aramaic → Targum

Biblia Hebraica, ed. *R. Kittel*, Textum Masoreticum curavit *P. Kahle*, Stuttgart ⁷1951

Biblia Hebraica Stuttgartiensia. Editio funditus renovata, ed. *K. Elliger* et *W. Rudolph*, Textum Masoreticum curavit *H.P. Rüger*, Stuttgart 1967/1977

Bietenhard, H., »Der Menschensohn« - ὁ υἱὸς τοῦ ἀνθρώπου. Sprachliche, religionsge-schichtliche und exegetische Untersuchungen zu einem Begriff der synoptischen Evan-gelien. I. Sprachlicher und religionsgeschichtlicher Teil, in: ANRW II: Principat, Bd. 25/1: Religion (Vorkonstantinisches Christentum: Leben und Umwelt Jesu; Neues Testament [Kanonische Schriften und Apokryphen]), hg. von *W. Haase*, Berlin / New York 1982, 265-350

-, Der tannaitische Midrasch Sifre Deuteronomium. Mit einem Beitrag von *H. Ljungman* (Judaica et Christiana 8), Bern / Frankfurt a.M. / Nancy / New York 1984

(Strack, H.L./)Billerbeck, P., Kommentar zum Neuen Testament aus Talmud und Midrasch, Bd. I: Das Evangelium nach Matthäus, München ⁹1986; Bd. II: Das Evangelium nach Markus, Lukas und Johannes und die Apostelgeschichte, München ⁸1983; Bd. III: Die Briefe des Neuen Testaments und die Offenbarung Johannis, München ⁸1985; Bd. IV/1–2: Exkurse zu einzelnen Stellen des Neuen Testaments, in zwei Teilen, München ⁸1986; Bde. V–VI: Rabbinischer Index / Verzeichnis der Schriftgelehrten. Geographisches Register, hg. von *J. Jeremias* in Verbindung mit *K. Adolph,* München ⁶1986

Binder, H., Das Gleichnis von dem Richter und der Witwe. Lukas 18,1–8, Neukirchen-Vluyn 1988

Bittner, W.J., Gott – Menschensohn – Davidssohn. Eine Untersuchung zur Traditionsgeschichte von Dan 7,13f., FZPhTh 32 (1985), 343–372

–, Jesu Zeichen im Johannesevangelium. Die Messias-Erkenntnis im Johannesevangelium vor ihrem jüdischen Hintergrund (WUNT II/26), Tübingen 1987

Black, M., Die Apotheose Israels: eine neue Interpretation des danielischen »Menschensohns«, in: Jesus und der Menschensohn, 92–99

–, An Aramaic Approach to the Gospels and Acts, Oxford ³1967 = *ders.,* Die Muttersprache Jesu. Das Aramäische der Evangelien und der Apostelgeschichte (BWANT 115), Stuttgart/Berlin/Köln/Mainz 1982 (Übersetzung mit identischen Seitenzahlen; zitiert als Approach/Muttersprache)

–, Aramaic Barnāshā and the Son of Man, ET 95 (1984), 200–206

–, Jesus and the Son of Man, JSNT 1 (1978), 4–18

–, Die Muttersprache Jesu → *ders.,* Approach

–, The »Son of Man« Passion Sayings in the Gospel Tradition, ZNW 60 (1969), 1–8

Blass, F. / Debrunner, A., Grammatik des neutestamentlichen Griechisch, bearbeitet von *F. Rehkopf,* Göttingen ¹⁶1984

Blinzler, J., Der Prozeß Jesu, Regensburg ⁴1969

–, Der »Reisebericht« im Lukasevangelium [1954], in: *ders.,* Aus der Welt und Umwelt des Neuen Testaments. Gesammelte Aufsätze, Bd. 1, Stuttgart 1969, 62–93

Böcher, O., Art. ἔρημος, in: TBLNT III (1971), 1440–1443

–, Art. Johannes der Täufer, in: TRE XVII (1988), 172–181

Boecker, H.J., Die Anfänge des Königtums, in: *ders. / H.-J. Hermisson / J.M. Schmidt / L. Schmidt,* Altes Testament (Neukirchener Arbeitsbücher), Neukirchen-Vluyn ³1989, 38–47

–, Die Beurteilung der Anfänge des Königtums in den deuteronomistischen Abschnitten des 1. Samuelbuches. Ein Beitrag zum Problem des »deuteronomistischen Geschichtswerks« (WMANT 31), Neukirchen-Vluyn 1969

Böttger, P.Chr., Der König der Juden – das Heil für die Völker. Die Geschichte Jesu Christi im Zeugnis des Markusevangeliums (NStB 13), Neukirchen-Vluyn 1981

Boman, Th., Die Jesusüberlieferung im Lichte der neueren Volkskunde, Göttingen 1967

Bonwetsch, G.N., Die Bücher der Geheimnisse Henochs. Das sogenannte slavische Henochbuch (TU 44/2), Leipzig 1922

Bornkamm, G., Jesus von Nazareth (UB 19), Stuttgart/Berlin/Köln/Mainz ¹⁴1988

–, Rezension von J. Sundwall, Die Zusammensetzung des Markusevangeliums, Gn. 12 (1936), 651–657

–, Art. λικμάω, in: ThWNT IV (1943), 283–285

Borsch, F.H., The Son of Man in Myth and History (NTLi), London 1967

Bousset, W., Kyrios Christus. Geschichte des Christusglaubens von den Anfängen des Christentums bis Irenäus (FRLANT 4), Göttingen ⁵1967

–, Die Religion des Judentums im späthellenistischen Zeitalter (HNT 21), hg. von *H. Greßmann,* Tübingen ⁴1966

Bowman, J., The Background of the Term »Son of Man«, ET 59 (1948), 283–288

Brandenburger, E., Adam und Christus. Exegetisch-religionsgeschichtliche Untersuchung zu Röm 5,12-21 (1Kor 15) (WMANT 7), Neukirchen-Vluyn 1962

–, Himmelfahrt Moses, in: *ders.*, Himmelfahrt Moses / *U.B. Müller*, Die griechische Esra-Apokalypse / *A.F. Klijn*, Die syrische Baruch-Apokalypse (JSHRZ V/2), Gütersloh 1976, 57-84

–, Markus 13 und die Apokalyptik (FRLANT 134), Göttingen 1984

–, Das Recht des Weltenrichters. Untersuchungen zu Matthäus 25,31-46 (SBS 99), Stuttgart 1980

Braude, W.G., The Midrash of Psalms, Vol. I-II (YJS 13), New Haven 1959

–, Pesikta Rabbati, Vol. I-II (YJS 18), New Haven 1968

Braun, H., Spätjüdisch-häretischer und frühchristlicher Radikalismus. Jesus von Nazareth und die essenische Qumransekte, Bd. I: Das Spätjudentum, Tübingen ²1969; Bd. II: Die Synoptiker (BHTh 24 I/II), Tübingen ²1969

Brekelmans, C.H.W., The Saints of the Most High and their Kingdom, OTS 14 (1965), 305-329

Broer, I., Das Ringen der Gemeinde um Israel. Exegetischer Versuch über Mt 19,28, in: Jesus und der Menschensohn, 148-165

Brox, N., Der erste Petrusbrief (EKK XXI), Zürich/Braunschweig / Neukirchen-Vluyn ³1989

Büchsel, F., Art. λύτρον, in: ThWNT IV (1943), 341-351

–, Art. παραδίδωμι, in: ThWNT II (1935), 171-174

Bühner, J.-A., Der Gesandte und sein Weg im 4. Evangelium. Die kultur- und religionsgeschichtlichen Grundlagen der johanneischen Sendungschristologie sowie ihre traditionsgeschichtliche Entwicklung (WUNT II/2), Tübingen 1977

–, Zur Form, Tradition und Bedeutung der ἦλθον-Sprüche, in: Das Institutum Judaicum der Universität Tübingen 1971-72, Tübingen 1972, 45-68

–, Art. παῖς, in: EWNT III (1983), 11-14

Bultmann, R., Die Frage nach dem messianischen Bewußtsein Jesu und das Petrusbekenntnis [1919/20], in: *ders.*, Exegetica. Aufsätze zur Erforschung des neuen Testaments, hg. von *E. Dinkler*, Tübingen 1967, 1-9

–, Die Geschichte der synoptischen Tradition, Göttingen ⁹1979, mit Ergänzungsheft, bearbeitet von *G. Theißen / Ph. Vielhauer*, Göttingen ⁵1979

–, Reich Gottes und Menschensohn, ThR 9 (1937), 1-35

–, Theologie des Neuen Testaments, Tübingen ⁹1984

–, Das Verhältnis der urchristlichen Christusbotschaft zum historischen Jesus [1960], in: *ders.*, Exegetica. Aufsätze zur Erforschung des Neuen Testaments, hg. von *E. Dinkler*, Tübingen 1967, 445-469

Burchard, Chr., Joseph und Aseneth (JSHRZ II/4), Gütersloh 1983, 577-733

Burney, C.F., The Poetry of Our Lord, Oxford 1925

Buttenwieser, M., Die hebräische Elias-Apokalypse und ihre Stellung in der apokalyptischen Literatur des rabbinischen Schrifttums und der Kirche, Leipzig 1897

Cadoux, C.J., The Historic Mission of Jesus, London ²1957

Caragounis, C.C., The Son of Man. Vision and Interpretation (WUNT 38), Tübingen 1986

Carmignac, J., Un texte messianique araméen, RdQ 5 (1965), 206-217

Casey, M., The Corporate Interpretation of ›One Like a Son of Man‹ (Dan VII,13) at the Time of Jesus, NT 18 (1976), 167-180

Casey, P.M., Son of Man. The Interpretation and Influence of Daniel 7, London 1979

–, The Son of Man Problem, ZNW 67 (1976), 147-154

Charles, R.H., A Critical and Exegetical Commentary on the Book of Daniel, Oxford 1929

Childs, B.S., Biblische Theologie und christlicher Kanon, in: Jahrbuch für Biblische Theologie, Bd. 3: Zum Problem des biblischen Kanons, hg. von *I. Baldermann u.a.*, Neukirchen-Vluyn 1988, 13-27

Clementz, H., Des Flavius Josephus Jüdische Altertümer. Übersetzt und mit Einleitung und Anmerkungen versehen, Berlin/Wien 1923; Nachdruck Wiesbaden 1979

Cohn, L. u.a., Philo von Alexandria. Die Werke in deutscher Übersetzung, Bde. I–VI, Breslau 1909–1938; Nachdruck Berlin 1962; (Index-)Bd. VII, hg. von *W. Theiler*, Berlin 1964

Collins, A. Y., The Origin of the Designation of Jesus as »Son of Man«, HThR 80 (1987), 391–407

Collins, J.J., The Son of Man and the Saints of the Most High in the Book of Daniel, JBL 93 (1974), 50–66

Colpe, C., Neue Untersuchungen zum Menschensohn-Problem, ThRv 77 (1981), 353–372

–, Der Spruch von der Lästerung des Geistes, in: Der Ruf Jesu und die Antwort der Gemeinde. Exegetische Untersuchungen (FS J. Jeremias), hg. von *E. Lohse / Chr. Burchard / B. Schaller*, Göttingen 1970, 63–79

–, Traditionsüberschreitende Argumentationen zu Aussagen Jesu über sich selbst, in: Tradition und Glaube. Das frühe Christentum in seiner Umwelt (FS K.G. Kuhn), hg. von *G. Jeremias / H.-W. Kuhn / H. Stegemann*, Göttingen 1971, 230–245

–, Art. ὁ υἱὸς τοῦ ἀνθρώπου, in: ThWNT VIII (1969), 403–481

Conzelmann, H., Die Mitte der Zeit. Studien zur Theologie des Lukas (BHTh 17), Tübingen ⁶1977

–, Art. σκότος κτλ., in: ThWNT VII (1964), 424–446

Crossan, J.D., The Parable of the Wicked Husbandmen, JBL 90 (1971), 451–465

Cullmann, O., Die Christologie des Neuen Testaments, Tübingen ⁵1975

–, Der Staat im Neuen Testament, Tübingen ²1961

Dahl, N.A., Der gekreuzigte Messias, in: Der gekreuzigte Jesus und der kerygmatische Christus, hg. von *H. Ristow / K. Matthiae*, Berlin, ²1961, 149–169

–, Das Volk Gottes. Eine Untersuchung zum Kirchenbewußtsein des Urchristentums (SNVAO.HF 2), Oslo 1941; Nachdruck Darmstadt 1963

Dalman, G., Aramäische Dialektproben. Herausgegeben unter dem Gesichtspunkt neutestamentlicher Studien. Mit deutsch – englischem Wörterverzeichnis, Leipzig ²1927; Nachdruck in: *ders.*, Grammatik des jüdisch-palästinischen Aramäisch und Aramäische Dialektproben, Teil II, Darmstadt 1960

–, Grammatik des jüdisch-palästinischen Aramäisch. Nach den Idiomen des palästinischen Talmud, des Onkelostargum und Prophetentargum und der Jerusalemer Targume, Leipzig ²1905; Nachdruck in: *ders.*, Grammatik des jüdisch-palästinischen Aramäisch und Aramäische Dialektproben, Teil I, Darmstadt 1960

–, Jesus-Jeschua. Die drei Sprachen Jesu, Jesus in der Synagoge, auf dem Berge, beim Passahmahl, am Kreuz, Leipzig 1922; Nachdruck Darmstadt 1967

–, Der leidende und sterbende Messias der Synagoge im ersten nachchristlichen Jahrtausend (SIJB 4), Berlin 1888

–, Die Worte Jesu. Mit Berücksichtigung des nachkanonischen jüdischen Schrifttums und der aramäischen Sprache erörtert, Bd. I: Einleitung und wichtige Begriffe. Mit Anhang: A. Das Vaterunser, B. Nachträge und Berichtigungen, Leipzig ²1930; Nachdruck Darmstadt 1965

Dautzenberg, G., Sein Leben bewahren. Ψυχή in den Herrenworten der Evangelien (StANT 14), München 1966

Degenhardt, H.-J., Lukas. Evangelist der Armen. Besitz und Besitzverzicht in den lukanischen Schriften. Eine traditions- und redaktionsgeschichtliche Untersuchung, Stuttgart 1965

Deichgräber, R., Zur Messiaserwartung der Damaskusschrift, ZAW 78 (1966), 332–347

Deissler, A., Der »Menschensohn« und »das Volk der Heiligen des Höchsten« in Dan 7, in: Jesus und der Menschensohn, 81–91

Delcor, M., Art. מלא, in: THAT I (1971), 897–900

Delitzsch, F., [Novum Testamentum Hebraice] Die Schriften des Neuen Testaments aus dem Griechischen ins Hebräische übersetzt, Leipzig 1877; Nachdruck London 1976

Delling, G., Die Bedeutung der Auferstehung Jesu für den Glauben an Jesus Christus. Ein exegetischer Beitrag, in: Die Bedeutung der Auferstehungsbotschaft für den Glauben an Jesus Christus, hg. von *F. Viering*, Gütersloh 1968, 65–90

–, Art. ἡμέρα B–D, in: ThWNT II (1935), 949–956

Dequekker, L., The »Saints of the Most High« in Qumran and Daniel, OTS 18 (1973), 111–133

Derrett, J.D.M., The Lucan Christ and Jerusalem: τελειοῦμαι (Lk 13,32), ZNW 75 (1984), 36–43

Dey, J., ΠΑΛΙΓΓΕΝΕΣΙΑ. Ein Beitrag zur Klärung der religionsgeschichtlichen Bedeutung von Tit. 3,5 (NTA 17/4), Münster 1937

Dietzfelbinger, Chr., Pseudo-Philo: Antiquitates Biblicae (Liber Antiquitatum Biblicarum) (JSHRZ II/2), Gütersloh ²1979, 89–271

Dibelius, M., Die Formgeschichte des Evangeliums, hg. von *G. Bornkamm*, Tübingen ⁶1971

–, Gethsemane [1935], in: *ders.*, Botschaft und Geschichte. Gesammelte Aufsätze, Bd. 1: Zur Evangelienforschung, hg. von *G. Bornkamm*, Tübingen 1953, 258–271

–, Jesus (SG 1130), Berlin ⁴1966

Dodd, Ch.H., Die Grundlagen der christlichen Theologie, EvTh 12 (1952/53), 443–455

–, Der Mann, nach dem wir Christen heißen (Gestalten und Programme 5), Limburg 1975

–, The Parables of the Kingdom, London ¹³1953

Donner, H., Adoption oder Legitimation? Erwägungen zur Adoption im Alten Testament auf dem Hintergrund der altorientalischen Rechte, OrAnt 8 (1969), 87–119

Dormeyer, D., Die Passion Jesu als Verhaltensmodell. Literarische und theologische Analyse der Traditions- und Redaktionsgeschichte der Markuspassion (NTA 11), Münster 1974

Doughty, D.J., The Authority of the Son of Man (Mk 2,1 - 3,6), ZNW 74 (1983), 162–169

Dupont, J., Le logion des douze trônes (Mt 19,28; Lc 22,28–30), Biblica 45 (1964), 355–392

[Elia-Apokalypse] Die Apokalypse des Elias. Eine unbekannte Apokalypse und Bruchstücke der Sophonias-Apokalypse. Koptische Texte, Übersetzung, Glossar, ed. *G. Steindorff* (TU 17/3a), Leipzig 1899 [deutsch → W. Schrage]

Elliger, K., Das Buch der zwölf Kleinen Propheten, 2. Teil: Nahum, Habakuk, Zephanja, Haggai, Sacharja, Maleachi (ATD 25), Göttingen ⁸1982 (Kleine Propheten)

–, Deuterojesaja, 1. Teilband: Jesaja 40,1 - 45,7 (BK XI/1), Neukirchen-Vluyn ²1989

Emerton, J.A., The Origin of the Son of Man Imagery, JTS 9 (1958), 225–242

–, Some New Testament Notes III: The Aramaic Background of Mark. X,45, JThS 11 (1960), 334–335

Ernst, J., Das Evangelium nach Lukas (RNT [3]), Regensburg 1977

–, Das Evangelium nach Markus (RNT [2]), Regensburg 1981

Die Esra-Apokalypse (IV. Esra), Teil I: Die Überlieferung, hg. von *B. Violet* (GCS 18), Leipzig 1910 [deutsch → J. Schreiner]

The Fourth Book of Ezra. The Latin Version, ed. by *R.L. Bensley* (TaS III/2), Cambridge 1895

Farmer, W.R., Maccabees, Zealots, and Josephus, New York 1956

Fascher, E., Theologische Beobachtungen zu δεῖ, in: Neutestamentliche Studien (FS R. Bultmann), hg. von *W. Eltester* (BZNW 21), Berlin 1954, 228–254

–, Theologische Beobachtungen zu δεῖ im Alten Testament, ZNW 45 (1954), 244–252

–, Jesaja 53 in christlicher und jüdischer Sicht (AVTRW 4), Berlin 1958

380 *Literatur*

Feldmeier, R., Die Krisis des Gottessohnes. Die Gethsemaeerzählung als Schlüssel der Markuspassion (WUNT II/21), Tübingen 1987

Feneberg, R., Abba – Vater. Eine notwendige Besinnung, Kirche und Israel 3 (1988), 41–52

Feuillet, A., Le Fils de l'homme de Daniel et la tradition biblique, RB 60 (1953), 170–202.321–346

Fiebig, P., Der Menschensohn. Jesu Selbstbezeichnung mit besonderer Berücksichtigung des aramäischen Sprachgebrauchs für »Mensch«, Tübingen/Leipzig 1901

Fiedler, P., Jesus und die Sünder (Beiträge zur biblischen Exegese und Theologie 3), Frankfurt a.M. / Bern 1976

Fitzmyer, J.A., Abba and Jesus' Relation to God, in: A cause de l'evangile. Etudes sur les Synoptices et le Acts (FS J. Dupont) (LeDiv 123), Paris 1985, 15–38

–, Another View of the »Son of Man« Debate, JSNT 4 (1979), 58–68

–, The Contribution of Qumran Aramaic to the Study of the New Testament [1973/74], in: *ders.*, A Wandering Aramean. Collected Aramaic Essays (SBLMS 25), Missoula, Mont. 1979, 85–113

–, The Genesis Apokryphon of Qumran Cave I. A Commentary (BibOr 18), Rom ²1971

–, The Gospel According to Luke. Introduction, Translation and Notes, Vol. I: I–IX (AncB 28), Garden City, NY ²1981; Vol. II: X–XXIV (AncB 28A), Garden City, NY 1985

–, The New Testament Title »Son of Man« Philologically Considered, in: *ders.*, A Wandering Aramean. Collected Aramaic Essays (SBLMS 25), Missoula, Mont. 1979, 143–160

–, Rezension M. Black, An Aramaic Approach to the Gospels and Acts, Oxford ³1967, CBQ 30 (1968), 417–428

Flender, H., Die Botschaft Jesu von der Herrschaft Gottes, München 1968

Flusser, D., Jesu Prozeß und Tod [1968], in: *ders.*, Entdeckungen im Neuen Testament, Bd. I: Jesusworte und ihre Überlieferung, hg. von *M. Majer*, Neukirchen-Vluyn 1987, 130–163

–, Jesus und die Synagoge [1971], in: *ders.*, Bemerkungen eines Juden zur christlichen Theologie, München 1984, 10–34

–, Die Tora in der Bergpredigt [1973], in: *ders.*, Entdeckungen im Neuen Testament, Bd. I: Jesusworte und ihre Überlieferung, hg. von *M. Majer*, Neukirchen-Vluyn 1987, 21–31

–, Zwei Beispiele antijüdischer Redaktion bei Matthäus [1975], in: ebd., 78–96

Fohrer, G., Die Propheten des Alten Testaments, Bd. 6: Die Propheten seit dem 4. Jahrhundert, Gütersloh 1976

–, Art. Σιών κτλ. A, in: ThWNT VII (1964), 291–318

Formesyn, R.E.C., Was there a Pronominal Connection for the »Bar Nasha« Selfdesignation?, NT 8 (1966), 1–35

Fraenkel, J., Die »Mitte des Tanach« aus der Sicht des Rabbinischen Judentums, in: Mitte der Schrift? Ein jüdisch-christliches Gespräch. Texte des Berner Symposions vom 6.–12. Januar 1985, hg. von *M. Klopfenstein u.a.* (Judaica et Christiana 11), Bern / Frankfurt a.M. / New York / Paris 1987, 97–118

Freimark, P. / Krämer, W.-F., Die Tosefta, Seder Zeraim, Demai – Schebiit. Übersetzt und erklärt (RT I/1 [Fasc. 2]), Stuttgart/Berlin/Köln/Mainz 1971

Friedlander, G., Pirke de Rabbi Eliezer, London 1916; Nachdruck New York 1965

Friedrich, J., Gott im Bruder? Eine methodenkritische Untersuchung von Redaktion, Überlieferung und Tradition in Mt 25,31–46 (CThM A/7), Stuttgart 1977

Fuchs, E., Die Frage nach dem historischen Jesus, in: *ders.*, Gesammelte Aufsätze, Bd. 2: Zur Frage nach dem historischen Jesus, Tübingen ²1965, 143–167

Fuller, R.H., The Foundations of the New Testament Christology, London 1965

Gaechter, P., Die literarische Kunst im Matthäusevangelium (SBS 7), Stuttgart o.J. (1965)

Georgi, D., Weisheit Salomos (JSHRZ III/4), Gütersloh 1980, 389–478

Gerleman, G., Der Menschensohn (Studia Biblica 1), Leiden 1983

Gese, H., Anfang und Ende der Apokalyptik, dargestellt am Sacharjabuch [1973], in: ders., Vom Sinai zum Zion, 202–230

–, Die Bedeutung der Krise unter Antiochus IV. Epiphanes für die Apokalyptik des Danielbuches, ZThK 80 (1983), 373–388

–, Der Johannesprolog [1975], in: ders., Zur biblischen Theologie, 152–201

–, Der Messias [1975], in: ebd., 128–151

–, Natus ex Virgine [1971], in: ders., Vom Sinai zum Zion, 130–146

–, Die Sühne [1975], in: ders., Zur biblischen Theologie, 85–106

–, Vom Sinai zum Zion. Alttestamentliche Beiträge zur biblischen Theologie (BEvTh 64), München ²1984

–, Zur biblischen Theologie. Alttestamentliche Vorträge, Tübingen ³1989

Gesenius, W., Hebräisches und Aramäisches Handwörterbuch über das Alte Testament, bearbeitet von *F. Buhl*, Berlin/Göttingen/Heidelberg ¹⁷1915; Nachdruck 1962

–, Hebräisches und Aramäisches Handwörterbuch über das Alte Testament, unter verantwortlicher Mitarbeit von *U. Rüterswörden* bearbeitet und hg. von *R. Meyer / H. Donner*, Lfg. 1: א–ג, Berlin / Heidelberg / New York / London / Paris / Tokyo ¹⁸1987

Gnilka, J., Das Elend vor dem Menschensohn (Mk 2,1–12), in: Jesus und der Menschensohn, 196–209

–, Das Evangelium nach Markus, 1. Teilband: Mk 1 – 8,26 (EKK II/1), Zürich/Braunschweig / Neukirchen-Vluyn ³1989; 2. Teilband: Mk 8,27 – 16,20 (EKK II/2), Zürich/ Braunschweig / Neukirchen-Vluyn ³1989

–, Das Matthäusevangelium, I. Teil: Kommentar zu Kap. 1,1 – 13,58 (HThK I/1), Freiburg/Basel/Wien 1986; II. Teil: Kommentar zu Kap. 14,1 – 28,20 und Einleitungsfragen (HThK I/2), Freiburg/Basel/Wien 1988

–, Die messianischen Tauchbäder und die Johannestaufe, RdQ 3 (1961), 185–207

–, Der Prozeß Jesu nach den Berichten des Markus und Matthäus mit einer Rekonstruktion des historischen Verlaufs, in: Der Prozeß gegen Jesus. Historische Rückfrage und theologische Deutung, hg. von *K. Kertelge* (QD 112), Freiburg/Basel/Wien 1988, 11–40

–, Wie urteilte Jesus über seinen Tod?, in: Der Tod Jesu. Deutungen im Neuen Testament, hg. von *K. Kertelge* (QD 74), Freiburg/Basel/Wien 1976, 13–50

Goldschmidt, H.L. / Limbeck, M., Heilvoller Verrat? Judas im Neuen Testament, Stuttgart 1976

Goldschmidt, L., Der Babylonische Talmud, Bde. I–XII, Berlin 1929–1936, mit Index-Bd., hg. von *R. Edelmann*, Kopenhagen 1959; Nachdruck Basel 1980

Goppelt, L., Der erste Petrusbrief (KEK XII/1), Göttingen ¹⁽⁸⁾1978

–, Theologie des Neuen Testaments, 1. Teil: Jesu Wirken in seiner theologischen Bedeutung, 2. Teil: Vielfalt und Einheit des apostolischen Christuszeugnisses, hg. von *J. Roloff*, Göttingen ³1980

–, Zum Problem des Menschensohnes. Das Verhältnis von Leidens- und Parusieankündigungen [1963], in: ders., Christologie und Ethik. Aufsätze zum Neuen Testament, Göttingen 1968, 66–78

Gräßer, E., Beobachtungen zum Menschensohn in Hebr 2,6, in: Jesus und der Menschensohn, 404–414

–, Die Naherwartung Jesu (SBS 61), Stuttgart 1973

–, Das Problem der Parusieverzögerung in den synoptischen Evangelien und in der Apostelgeschichte (BZNW 22), Berlin / New York ³1977

Grimm, W., Der Dank für die empfangene Offenbarung bei Jesus und Josephus, in: Das Institutum Judaicum der Universität Tübingen 1971–72, Tübingen 1972, 69–78

-, Eschatologischer Saul wider eschatologischen David. Eine Deutung von Lc. xiii 31ff., NT 15 (1973), 114-133
-, Jesus und das Danielbuch, Bd. I: Jesu Einspruch gegen das Offenbarungssystem Daniels (Mt 11,25-27; Lk 17,20-21) (Arbeiten zum Neuen Testament und Judentum 6/I), Frankfurt a.M. / Bern / New York / Nancy 1984
-, Die Preisgabe eines Menschen zur Rettung des Volkes. Priesterliche Traditionen bei Johannes und Josephus, in: Josephus-Studien. Untersuchungen zu Josephus, dem antiken Judentum und dem Neuen Testament (FS O. Michel), hg. von O. Betz / K. Haacker / M. Hengel, Göttingen 1974, 133-146
-, Der Ruhetag. Sinngehalte einer fast vergessenen Gottesgabe (Arbeiten zum Neuen Testament und Judentum 4), Frankfurt a.M. / Bern / Las Vegas 1979
-, Selige Augenzeugen. Lk 10,23f. Alttestamentlicher Hintergrund und ursprünglicher Sinn, ThZ 26 (1970), 172-183
-, Die Verkündigung Jesu und Deuterojesaja (Arbeiten zum Neuen Testament und Judentum 1), Frankfurt a.M. / Bern ²1981 (1. Auflage unter dem Titel: Weil ich dich liebe. Die Verkündigung Jesu und Deuterojesaja, Frankfurt a.M. / Bern 1976)
Grundmann, W., Das Evangelium nach Lukas (ThHK 3), Berlin ¹⁰1984
-, Das Evangelium nach Markus (ThHK 2), Berlin ⁹1984
-, Das Evangelium nach Matthäus (ThHK 1), Berlin ⁶1986
-, Art. δεῖ κτλ., in: ThWNT II (1935), 21-25
Guardini, R., Der Herr. Über Leben und Person Jesu Christi, Aschaffenburg ⁵1948
Güttgemanns, E., Offene Fragen zur Formgeschichte des Evangeliums (BEvTh 54), München ²1971

Haacker, K., Die Stiftung des Heils. Untersuchungen zur Struktur der johanneischen Theologie (AzTh I/47), Stuttgart 1972
Haag, H., Der Gottesknecht bei Deuterojesaja (EdF 233), Darmstadt 1985
-, Art. בֶּן־אָדָם, in: ThWAT I (1973), 682-689
Habicht, Chr., 2. Makkabäerbuch (JSHRZ I/3), Gütersloh ²1979, 165-285
Haenchen, E., Der Weg Jesu. Eine Erklärung des Markus-Evangeliums und der kanonischen Parallelen, Berlin ²1968
Hahn, F., Die alttestamentlichen Motive in der urchristlichen Abendmahlsüberlieferung, EvTh 27 (1967), 337-374
-, Christologische Hoheitstitel. Ihre Geschichte im frühen Christentum (FRLANT 83), Göttingen ⁴1974
-, Die Rede von der Parusie des Menschensohnes Markus 13, in: Jesus und der Menschensohn, 240-266
-, Das Verständnis der Mission im Neuen Testament (WMANT 13), Neukirchen-Vluyn 1963
-, Das Verständnis des Opfers im Neuen Testament, in: Das Opfer Jesu Christi und seine Gegenwart in der Kirche (Dialog der Kirchen 3), hg. von K. Lehmann / E. Schlink, Freiburg (Schweiz) / Göttingen 1983, 51-91
-, Zum Stand der Erforschung des urchristlichen Herrenmahls, EvTh 35 (1975), 553-563
-, Art. υἱός, in: EWNT III (1983), 912-937, bes. 927-935 (»Menschensohn«)
-, Art. Χριστός κτλ., in: ebd., 1147-1165
Halévy, J. →Teʿezâza Sanbat
Hammershaimb, E., Das Martyrium Jesajas, in: *ders.*, Das Martyrium Jesajas / *N. Meisner*, Aristeasbrief (JSHRZ II/1), Gütersloh 1973, 15-34
Hampel, V., »Ihr werdet mit den Städten Israels nicht zu Ende kommen«. Eine exegetische Studie über Matthäus 10,23, ThZ 45 (1989), 1-31
Hanhart, R., Die Heiligen des Höchsten, in: Hebräische Wortforschung (FS W. Baumgartner), hg. von B. Hartmann u.a. (VT.S 16), Leiden 1967, 90-101

von Harnack, A., Lehrbuch der Dogmengeschichte, Bd. I: Die Entstehung des kirchlichen Dogmas, Tübingen ⁴1909; Nachdruck Darmstadt 1983

–, Sprüche und Reden Jesu. Die zweite Quelle des Matthäus und Lukas (Beiträge zur Einleitung in das Neue Testament 2), Leipzig 1907

Hatch, E. / Redpath, H.A., A Concordance to the Septuagint and the other Versions of the Old Testament (including the Apocryphal Books), Vol. I: A–I, Oxford 1897; Vol. II: K–Ω, Oxford 1897; Vol. III: Supplement, Oxford 1906; Nachdruck (in zwei Bänden) Graz 1975

Haubeck, W., Loskauf durch Christus. Herkunft, Gestalt und Bedeutung des paulinischen Loskaufmotivs, Gießen/Basel / Witten 1985

Hauck, F., Das Evangelium des Lukas (ThHK 3), Leipzig 1934

Haufe, G., Das Menschensohnproblem in der gegenwärtigen wissenschaftlichen Diskussion, EvTh 26 (1966), 130–141

Haupt, P., Hidalgo and Filius Hominis, JBL 40 (1921), 167–170

–, The Son of Man = hic homo = ego, ebd., 183

Hay, D.M., Glory to the Right Hand. Psalm 110 in Early Christianity (SBLMS 18), Nashville, Tenn. 1973

Hay, L.S., The Son of Man in Mark 2,10 and 2,28, JBL 89 (1970), 69–75

Hegermann, H., Jesaja 53 in Hexapla, Targum und Peschitta (BFChTh.M 56), Gütersloh 1954

Hengel, M., The Atonement. A Study of the Origins of the Doctrine in the New Testament, London 1981

–, Gewalt und Gewaltlosigkeit. Zur »politischen Theologie« in neutestamentlicher Zeit (CwH 118), Stuttgart 1971

–, Das Gleichnis von den Weingärtnern Mc 12,1–12 im Lichte der Zenonpapyri und der rabbinischen Gleichnisse, ZNW 59 (1968), 1–39

–, Jesus als messianischer Lehrer der Weisheit und die Anfänge der Christologie, in: Sagesse et religion. Colloque de Strasbourg (Oct. 1976), Paris 1979, 147–188

–, Jesus und die Tora, ThBeitr 9 (1978), 152–172

–, Mors turpissima crucis. Die Kreuzigung in der antiken Welt und die »Torheit« des »Wortes vom Kreuz«, in: Rechtfertigung (FS E. Käsemann), hg. von *J. Friedrich / W. Pöhlmann / P. Stuhlmacher,* Tübingen/Göttingen 1976, 125–184

–, Nachfolge und Charisma. Eine exegetisch-religionsgeschichtliche Studie zu Mt 8,21f und Jesu Ruf in die Nachfolge (BZNW 34), Berlin 1968

–, Der Sohn Gottes. Die Entstehung der Christologie und die jüdisch-hellenistische Religionsgeschichte, Tübingen ²1977

–, Der stellvertretende Sühnetod Jesu. Ein Beitrag zur Entstehung des urchristlichen Kerygmas, IKaZ 9 (1980), 1–25.135–147

–, War Jesus Revolutionär? (CwH 110), Stuttgart ²1976

–, Die Zeloten. Untersuchungen zur jüdischen Freiheitsbewegung in der Zeit von Herodes I. bis 70 n.Chr. (AGSU 1), Leiden ²1976

[Henoch]

The Books of Enoch. Aramaic Fragments of Qumrân Cave 4 → Qumran

Das Buch Henoch. Äthiopischer Text, ed. *J. Flemming* (TU 22/1), Leipzig 1902

Das Buch Henoch [grHen], ed. *J. Flemming / L. Radermacher* (GCS 5), Berlin 1901

Das Buch Henoch [slHen] [deutsch → G.N. Bonwetsch]

The Ethiopic Version of the Book of Enoch . . . together with the fragmentary Greek and Latin Versions, ed. by *R.H. Charles,* Oxford 1906

Hermisson, H.-J., Bund und Erwählung, in: *H.J. Boecker / H.-J. Hermisson / J.M. Schmidt / L. Schmidt,* Altes Testament (Neukirchener Arbeitsbücher), Neukirchen-Vluyn ³1989, 222–243

–, Israel und der Gottesknecht bei Deuterojesaja, ZThK 79 (1982), 1–24

–, Der Lohn des Knechts, in: Die Botschaft und die Boten (FS H.W. Wolff), hg. von *Jörg Jeremias / L. Perlitt*, Neukirchen-Vluyn 1981, 269-287

–, Voreiliger Abschied von den Gottesknechtsliedern, ThR 49 (1984), 209-222

Herrmann, S., Geschichte Israels in alttestamentlicher Zeit, München ²1980

–, Die Königsnovelle in Ägypten und Israel. Ein Beitrag zur Gattungsgeschichte in den Geschichtsbüchern des Alten Testaments [1953/54], in: *ders.*, Gesammelte Studien zur Geschichte und Theologie des Alten Testaments (TB 75), München 1986, 120-144

Higgins, A.J.B., Jesus and the Son of Man, London 1964

–, »Menschensohn« oder »ich« in Q: Lk 12,8-9 / Mt 10,32-33 ?, in: Jesus und der Menschensohn, 117-123

–, The Son of Man in the Teaching of Jesus (MSSNTS 39), Cambridge 1980

[Himmelfahrt Moses] The Assumption of Moses, ed. by *R.H. Charles*, London 1897 [deutsch → E. Brandenburger]

Hirsch, E., Frühgeschichte des Evangeliums, Bd. I: Das Werden des Markus-Evangeliums, Tübingen ²1951; Bd. II: Die Vorlagen des Lukas und das Sondergut des Matthäus, Tübingen 1941

Hoffmann, P., Lk 10,5-11 in der Instruktionsrede der Logienquelle, in: *R. Pesch / P. Hoffmann / E. Gräßer / G. Dautzenberg*, EKK.V 3, Zürich/Einsiedeln/Köln / Neukirchen-Vluyn 1971, 37-53

–, Mk 8,31. Zur Herkunft und markinischen Rezeption einer alten Überlieferung, in: Orientierung an Jesus. Zur Theologie der Synoptiker (FS J. Schmid), hg. von *P. Hoffmann / N. Brox / W. Pesch*, Freiburg/Basel/Wien 1973, 170-204

–, Studien zur Theologie der Logienquelle (NTA 8), Münster ²1982

–, Art. Auferstehung I/3. Neues Testament, in: TRE IV (1979), 450-467

Hoffmann, R.A., Das Wort Jesu von der Zerstörung und dem Wiederaufbau des Tempels, in: Neutestamentliche Studien (FS G. Heinrici), hg. von *A. Deißmann / H. Windisch* (UNT 6), Leipzig 1914, 130-139

Hofius, O., Herrenmahl und Herrenmahlsparadosis. Erwägungen zu 1Kor 11,23b-25 [1988], in: *ders.*, Paulusstudien (WUNT 51), Tübingen 1989, 203-243

–, Jesu Tischgemeinschaft mit den Sündern (CwH 86), Stuttgart 1967

–, Kennt der Targum zu Jes 53 einen sündenvergebenden Messias?, in: Freundesgabe für Peter Stuhlmacher zum 50. Geburtstag, masch. Tübingen 1982, 215-254

–, Vergebungszuspruch und Vollmachtsfrage. Mk 2,1-12 und das Problem priesterlicher Absolution im antiken Judentum, in: »Wenn nicht jetzt,wann dann?« (FS H.-J. Kraus), hg. von *H.-G. Geyer u.a.*, Neukirchen-Vluyn 1983, 115-127

–, Art. βλασφημία κτλ., in: EWNT I (1980), 527-532

–, Art. ὁμολογέω κτλ., in: EWNT II (1981), 1255-1263

Holm-Nielsen, S., Die Psalmen Salomos (JSHRZ IV/2), Gütersloh 1977, 49-112

Hooker, M.D., Jesus and the Servant. The Influence of the Servant Concept of Deutero-Isaiah in the New Testament, London 1959

–, The Son of Man in Mark. A Study of the Background of the Term »Son of Man« and its Use in St. Mark's Gospel, London 1967

Horowitz, Ch., Übersetzung des Talmud Yerushalmi, hg. von *M. Hengel / J. Neusner / P. Schäfer*, Bd. I/1: Berakhot (Segenssprüche), Tübingen 1975

Horst, F., Art. οὖς κτλ., in: ThWNT V (1954), 543-558

Horstmann, M., Studien zur markinischen Christologie (Mk 8,27 – 9,13) (NTA 6), Münster ²1973

Howard, V., Das Ego Jesu in den synoptischen Evangelien. Untersuchungen zum Sprachgebrauch Jesu (MThSt 14), Marburg 1975

Jackson, D., A Survey to the 1967-1981 Study of the Son of Man, RestQ 28 (1985/86), 67-78

Jacob, E., Art. ψυχή κτλ. B, in: ThWNT IX (1973), 614-629

Janowski, B., Auslösung des verwirkten Lebens. Zur Geschichte und Struktur der biblischen Lösegeldvorstellung, ZThK 79 (1982), 25–59

–, »Ich will in eurer Mitte wohnen«. Struktur und Genese der exilischen *Schekina*-Theologie, in: Jahrbuch für Biblische Theologie, Bd. 2: Der eine Gott der beiden Testamente, hg. von *I. Baldermann u.a.*, Neukirchen-Vluyn 1987, 165–193

–, Sühne als Heilsgeschehen. Studien zur Sühnetheologie der Priesterschrift und zur Wurzel KPR im Alten Orient und im Alten Orient (WMANT 55), Neukirchen-Vluyn 1982

–, Sündenvergebung »um Hiobs willen«. Fürbitte und Vergebung in 11QtgJob 38,2f. und Hi 42,9f. LXX, ZNW 73 (1982), 251–280

Janssen, E., Testament Abrahams, in: *A.H.J. Gunneweg*, Das Buch Baruch. Der Brief Jeremias / *E. Janssen*, Testament Abrahams / *N. Walter*, Fragmente jüdisch-hellenistischer Exegeten: Aristobulos, Demetrius, Aristeas (JSHRZ III/2), Gütersloh ²1980, 193–256

Jastrow, M., A Dictionary of the Targumim, the Talmud Babli and Yerushalmi, and the Midrashic Literature, Vol. I: מ-א, New York 1967; Vol. II: ת-נ New York 1967

Jeremias, G., Der Lehrer der Gerechtigkeit (StUNT 2), Göttingen 1963

Jeremias, J., Abba, in: *ders.*, Abba, 15–67

–, Abba. Studien zur neutestamentlichen Theologie und Zeitgeschichte, Göttingen 1966

–, Die Abendmahlsworte Jesu, Göttingen ⁴1967

–, Die älteste Schicht der Menschensohnlogien, ZNW 58 (1967), 159–172

–, Artikelloses Χριστός. Zur Ursprache von I Cor 15,3b–5, ZNW 57 (1966), 211–215

–, Die Deutung des Gleichnisses vom Unkraut unter dem Weizen (Mt 13,36–43) [1962], in: *ders.*, Abba, 261–265

–, Die Drei-Tage-Worte der Evangelien, in: Tradition und Glaube. Das frühe Christentum in seiner Umwelt (FS K.G. Kuhn), hg. von *G. Jeremias / H.-W. Kuhn / H. Stegemann*, Göttingen 1971, 221–229

–, Der Gedanke des »Heiligen Restes« im Spätjudentum und in der Verkündigung Jesu [1949], in: *ders.*, Abba, 121–132 (mit Ergänzungen und Berichtigungen)

–, Die Gleichnisse Jesu, Göttingen 101984

–, Jerusalem zur Zeit Jesu. Eine kulturgeschichtliche Untersuchung zur neutestamentlichen Zeitgeschichte, Göttingen ³1969

–, Jesu Verheißung für die Völker (Franz Delitzsch-Vorlesungen 1953), Stuttgart ²1959

–, Kennzeichen der ipsissima vox Jesu [1954], in: *ders.*, Abba, 145–152

–, »Laß allda deine Gabe« (Mt. 5,23f.) [1937], in: ebd., 103–107

–, Das Lösegeld für Viele (Mk 10,45) [1947/48], in: ebd., 216–229

–, Markus 14,9 [1952/53], in: ebd., 115–120 (neubearbeitet)

–, Neutestamentliche Theologie. Erster Teil: Die Verkündigung Jesu, Gütersloh ²1973

–, Paarweise Sendung im Neuen Testament [1959], in: *ders.*, Abba, 132–139

–, Παῖς (θεοῦ) im Neuen Testament, in: ebd., 191–216

–, Das Problem des historischen Jesus [1960], in: *ders.*, Jesus und seine Botschaft, Stuttgart ²1982, 5–19

–, Die Salbungsgeschichte Mk. 14,3–9 [1936], in: *ders.*, Abba, 107–115

–, Die Sprache des Lukasevangeliums. Redaktion und Tradition im Nicht-Markusstoff des dritten Evangeliums (KEK Sonderband), Göttingen 1980

–, Unbekannte Jesusworte, Gütersloh ⁴1965

–, Untersuchungen zum Quellenproblem der Apostelgeschichte [1937], in: *ders.*, Abba, 238–255

–, Das Vater-Unser im Licht der neueren Forschung [1962], in: ebd., 152–171

–, Zöllner und Sünder, ZNW 30 (1931), 293–300

–, Zur Geschichtlichkeit des Verhörs vor dem Hohen Rat [1950/51], in: *ders.*, Abba, 139–144

–, Zwischen Karfreitag und Ostern. Descensus und Ascensus in der Karfreitagstheologie des Neuen Testamentes [1949], in: ebd., 323–331

-, Art. Amen I. Biblisch-theologisch, in: TRE II (1978), 386–391
-, Art. Ἠλ(ε)ίας, in: ThWNT II (1935), 930–943
-, Art. Ἰωνᾶς, in: ThWNT III (1938), 410–413
-, Art. Μωυσῆς, in: ThWNT IV (1943), 852–878
-, Art. παῖς θεοῦ, in: ThWNT V (1954), 653–713
-, Art. ποιμήν κτλ., in: ThWNT VI (1959), 484–501
-, Art. πολλοί, in: ebd., 536–545
Jesus und der Menschensohn (FS A. Vögtle), hg. von *R. Pesch / R. Schnackenburg*,
     Freiburg/Basel/Wien 1975
Johannis Evangelium apocryphon [arabisch – lateinisch], ed. *G. Galbiati*, Mondori 1957
Johnson, S.E., King Parables in the Synoptic Gospels, JBL 74 (1955), 37–39
Joseph et Aséneth. Introduction, texte critique, traduction et notes, ed. *M. Philonenko*
     (StPB 13), Leiden 1968 [deutsch → Chr. Burchard]
[Josephus]
Flavii Iosephi Opera, Bde. I–VI und Index-Bd., ed. *B. Niese*, Berlin ²1955
Flavius Josephus, De Bello Judaico. Der Jüdische Krieg. Griechisch und Deutsch, hg. und
     mit einer Einleitung sowie mit Anmerkungen versehen von *O. Michel / O. Bauernfeind*,
     Bd. I: Buch I–III, München/Darmstadt 1959; Bd. II/1: Buch IV–V, München/Darm-
     stadt 1963; Bd. II/2: Buch VI–VII, München/Darmstadt 1969; Bd. III: Ergänzungen
     und Register, München/Darmstadt 1969
Des Flavius Josephus Jüdische Altertümer [deutsch → H. Clementz]
[Jubiläenbuch] Maṣḥafa Kūfālē or the Ethiopic Version of the Hebrew Book of Jubilees
     otherwise known among the Greeks as ἡ λεπτὴ Γένεσις, ed. by *R.H. Charles*, Oxford
     1895 [deutsch → K. Berger]
Jüdische Schriften aus hellenistisch-römischer Zeit, Bde. I–V (in Lfg.), hg. von *W.G.
     Kümmel*, Gütersloh 1973ff
Jülicher, A., Die Gleichnisreden Jesu, Bd. II: Auslegung der Gleichnisreden der drei ersten
     Evangelien, Tübingen ²1910; Nachdruck (Bde. I–II in einem Band) Darmstadt 1976
Jüngel, E., Paulus und Jesus. Eine Untersuchung zur Präzisierung der Frage nach dem
     Ursprung der Christologie (HUTh 2), Tübingen ⁶1986
-, Tod (GTB Siebenstern 339), Gütersloh ³1985
[Justin] Die ältesten Apologeten. Texte mit kurzen Einleitungen, hg. von *E.J. Goodspeed*,
     Göttingen 1914; Nachdruck 1984 [JustDial = S. 90–265]

Käsemann, E., An die Römer (HNT 8a), Tübingen ⁴1980
-, Das Problem des historischen Jesus, in: *ders.*, Exegetische Versuche und Besinnungen.
     Gesammelte Aufsätze, Bd. I, Göttingen ⁶1975, 187–214
Kaiser, O., Einleitung in das Alte Testament. Eine Einführung in ihre Ergebnisse und
     Probleme, Gütersloh ⁵1984
Kang, S.-M., Divine War in the Old Testament and in the Ancient Near East (BZAW 177),
     Berlin / New York 1989
Kautzsch, E., Die Apokryphen und Pseudepigraphen des Alten Testaments, Bd. I: Die
     Apokryphen des Alten Testaments, Tübingen 1900; Nachdruck Darmstadt 1975; Bd.
     II: Die Pseudepigraphen des Alten Testaments, Tübingen 1900; Nachdruck Darmstadt
     1975
Kearns, R., Das Traditionsgefüge um den Menschensohn. Ursprünglicher Gehalt und älte-
     ste Veränderung im Urchristentum, Tübingen 1986
-, Vorfragen zur Christologie, Bd. I: Morphologische und Semasiologische Studie zur
     Vorgeschichte eines christologischen Hoheitstitels, Tübingen 1978; Bd. II: Überliefe-
     rungsgeschichtliche und Rezeptionsgeschichtliche Studie zur Vorgeschichte eines chri-
     stologischen Hoheitstitels, Tübingen 1980; Bd. III: Religionsgeschichtliche und Tra-
     ditionsgeschichtliche Studie zur Vorgeschichte eines christologischen Hoheitstitels,
     Tübingen 1982

Kellermann, U., Auferstanden in den Himmel. 2. Makkabäer 7 und die Auferstehung der Märtyrer (SBS 95), Stuttgart 1979

–, Messias und Gesetz. Grundlinien einer alttestamentlichen Heilserwartung. Eine traditionsgeschichtliche Einführung (BSt 61), Neukirchen-Vluyn 1971

Kertelge, K., Der dienende Menschensohn (Mk 10,45), in: Jesus und der Menschensohn, 225–239

–, Die Wunder Jesu im Markusevangelium. Eine redaktionsgeschichtliche Untersuchung (StANT 23), München 1970

Kim, S., »The ›Son of Man‹« as the Son of God (WUNT 30), Tübingen 1983

Kittel, G., Art. ἀκολουθέω, in: ThWNT I (1933), 210–215

–, Art. ἔρημος κτλ., in: ThWNT II (1935), 654–657

Klappert, B., Die Auferweckung des Gekreuzigten. Der Ansatz der Christologie Karl Barths im Zusammenhang der Christologie der Gegenwart, Neukirchen-Vluyn ²1974

–, Perspektiven einer von Juden und Christen anzustrebenden gerechten Weltgesellschaft, FrRu 30 (1978), 67–82

–, Zur Frage des semitischen oder griechischen Urtextes von 1. Kor XV, 3–5, NTS 13 (1966/67), 168–173

–, Art. δεῖπνον, in: TBLNT II (1970), 667–678

Klauck, H.-J., Die Frage der Sündenvergebung in der Perikope von der Heilung des Gelähmten (Mk 2,1–12 parr), BZ 25 (1981), 223–248

–, Judas – ein Jünger des Herrn (QD 111), Freiburg/Basel/Wien 1987

Klausner, J., The Messianic Idea in Israel from Its Beginning to the Completion of the Mishnah, London 1956

–, Die Messianischen Vorstellungen des jüdischen Volkes im Zeitalter der Tannaiten. Kritisch untersucht und im Rahmen der Zeitgeschichte dargestellt, Berlin 1904

Kleinknecht, K. Th., Der leidende Gerechtfertigte. Die alttestamentlich-jüdische Tradition vom ›leidenden Gerechten‹ und ihre Rezeption bei Paulus (WUNT II/13), Tübingen ²1988

Klijn, A.F.J., Die syrische Baruch-Apokalypse, in: E. Brandenburger, Himmelfahrt Moses / U.B. Müller, Die griechische Esra-Apokalypse / A.F. Klijn, Die syrische Baruch-Apokalypse (JSHRZ V/2), Gütersloh 1976, 103–191

Klinzing, G., Die Umdeutung des Kultus in der Qumrangemeinde und im Neuen Testament (StUNT 7), Gütersloh 1971

Klostermann, E., Das Markusevangelium (HNT 3), Tübingen ⁵1971

–, Das Matthäusevangelium (HNT 4), Tübingen ⁴1971

Knierim R., Art. אשׁם, in: THAT I (1971), 251–257

Koch, K., Die Bedeutung der Apokalyptik für die Interpretation der Schrift, in: Mitte der Schrift? Ein jüdisch-christliches Gespräch. Texte des Berner Symposions vom 6.–12. Januar 1985, hg. von M. Klopfenstein u.a. (Judaica et Christiana 11), Bern / Frankfurt a.M. / New York / Paris 1987, 185–215

– (unter Mitarbeit von T. Niewisch / J. Tubach), Das Buch Daniel (EdF 144), Darmstadt 1980

–, Messias und Sündenvergebung in Jesaja 53 – Targum. Ein Beitrag zu der Praxis der aramäischen Bibelübersetzung, JSJ 3 (1972), 117–148

Köhler, L., Theologie des Alten Testaments, Tübingen ⁴1966

Köhler, L. / Baumgartner, W., Lexicon in Veteris Testamenti Libros (mit Supplement-Bd.), Leiden ²1958

Kosmala, H., Hebräer – Essener – Christen. Studien zur Vorgeschichte der frühchristlichen Verkündigung (StPB 1), Leiden 1959

Kraeling, C.H., Anthropos and Son of Man. A Study in the Religious Syncretism of the Hellenistic Orient (OSCU 25), New York 1927

Kraft, H., Die Entstehung des Christentums, Darmstadt, ²1986

388 Literatur

Kraus, H.-J., Die Psalmen, 1. Teilband: Psalmen 1–59 (BK XV/1), Neukirchen–Vluyn
⁶1989; 2. Teilband: Psalmen 60–150 (BK XV/2), Neukirchen–Vluyn ⁶1989
–, Das Telos der Tora. Biblisch-theologische Meditationen, in: Jahrbuch für Biblische
Theologie, Bd. 3: Zum Problem des biblischen Kanons, hg. von *I. Baldermann u.a.*,
Neukirchen–Vluyn 1988, 55–82
Kruse, H., Die »Dialektische Negation« als semitisches Idiom, VT 4 (1954), 385–400
Kümmel, W.G., Äußere und innere Reinheit des Menschen bei Jesus, in: *ders.*, Heils-
geschehen und Geschichte, Bd. 2: Gesammelte Aufsätze 1965–1977 (MThSt 16),
Marburg 1978, 117–129
–, Jesus der Menschensohn? (SbWGF XX/3), Stuttgart 1984, 147–188
–, Kirchenbegriff und Geschichtsbewußtsein in der Urgemeinde und bei Jesus, Göttingen
²1968
–, Die Naherwartung und die Verkündigung Jesu [1964], in: *ders.*, Heilsgeschehen und
Geschichte. Gesammelte Aufsätze, Bd. 1: 1933–1964 (MThSt 3), Marburg 1965,
457–470
–, Der persönliche Anspruch Jesu [1980], in: *ders.*, Dreißig Jahre Jesusforschung (1950–
1980) (BBB 60), Königstein/Ts. / Bonn 1985, 330–374
–, Die Theologie des Neuen Testaments nach seinen Hauptzeugen (NTD Ergänzungsrei-
he 3), Göttingen ⁵1987
–, Das Verhalten Jesus gegenüber und das Verhalten des Menschensohns. Markus 8,38
par und Lukas 12,8f par Matthäus 10,32f, in: Jesus und der Menschensohn, 210–224
–, Verheißung und Erfüllung. Untersuchungen zur eschatologischen Verkündigung Jesu
(AThANT 6), Zürich ³1956
Künzi, M., Das Naherwartungslogion Markus 9,1 par. Geschichte seiner Auslegung. Mit
einem Nachwort zur Auslegungsgeschichte von Markus 13,30 par. (BGBE 21), Tübin-
gen 1977
–, Das Naherwartungslogion Matthäus 10,23. Geschichte seiner Auslegung (BGBE 9),
Tübingen 1970
Kuhn, H.-W., Ältere Sammlungen im Markusevangelium (StUNT 8), Göttingen 1971
–, Enderwartung und gegenwärtiges Heil. Untersuchungen zu den Gemeindeliedern von
Qumran mit einem Anhang über Eschatologie und Gegenwart in der Verkündigung
Jesu (StUNT 4), Göttingen 1966
–, Nachfolge nach Ostern, in: Kirche (FS G. Bornkamm), hg. von *D. Lührmann / G.
Strecker*, Tübingen 1980, 105–132
–, Art. ἀμήν, in: EWNT I (1980), 166–168
Kuhn, K.G., Konkordanz zu den Qumrantexten, Göttingen 1960
–, Nachträge zur »Konkordanz zu den Qumrantexten«, RdQ 4 (1961), 163–234
–, Πειρασμός – ἁμαρτία – σάρξ im Neuen Testament und die damit zusammenhängenden
Vorstellungen, ZThK 49 (1952), 200–222
–, Der tannaitische Midrasch Sifre zu Numeri. Übersetzt und erklärt (RT II/3), Stuttgart
1959
–, Über den ursprünglichen Sinn des Abendmahls und sein Verhältnis zu den Gemein-
schaftsmahlen der Sektenschrift, EvTh 10 (1950/51), 508–527
–, Art. βασιλεύς B.C, in: ThWNT I (1933), 563–573
Kuschke, A., Das Idiom der »relativen Negation« im Neuen Testament, ZNW 43 (1950/
51), 263
Kutsch, E., Die Dynastie von Gottes Gnaden. Probleme der Nathanweisagung in 2. Sam 7
[1961], in: Studien zum Messiasbild im Alten Testament (Stuttgarter Biblische Auf-
satzbände 6), hg. von *U. Struppe*, Stuttgart 1989, 107–126
Kvanvig, H.S., Roots of Apocalyptik. The Mesopotamien Background of the Enoch
Figure and of the Son of Man (WMANT 61), Neukirchen–Vluyn 1988

Lang, F., Erwägungen zur eschatologischen Verkündigung Johannes des Täufers, in:

Jesus Christus in Historie und Gegenwart (FS H. Conzelmann), hg. von *G. Strecker,* Tübingen 1975, 459–473

-, Art. πύρ, in: ThWNT VI (1959), 927–948

Lebram, J., Art. Daniel/Danielbuch und Zusätze, in: TRE VIII (1981), 325–349

Légasse, S., Approche de l'épisode préévangélique des fils des Zébédée (Marc. X. 35–40 par.), NTS 20 (1973/74), 161–177

Lehmann, K., Auferweckt am dritten Tag nach der Schrift (QD 38), Freiburg/Basel/Wien 1968

Lehmann, M., Synoptische Quellenanalyse und die Frage nach dem historischen Jesus (BZNW 38), Berlin 1970

Leivestad, R., Der apokalyptische Menschensohn als theologisches Phantom, ASTI 6 (1967/68), 49–105

-, Exit the Apocalyptic Son of Man, NTS 18 (1971/72), 243–267

-, Jesus – Messias – Menschensohn. Die jüdischen Heilandserwartungen zur Zeit der ersten römischen Kaiser und die Frage nach dem messianischen Selbstbewußtsein Jesu, in: ANRW II: Principat, Bd. 25/1: Religion (Vorkonstantinisches Christentum: Leben und Umwelt Jesu; Neues Testament [Kanonische Schriften und Apokryphen]), hg. von *W. Haase,* Berlin / New York 1982, 220–264

Leqach Tob mit Kommentar von *A.M. (Katzenellenbogen von) Padua,* Wilna 1884

Levy, J., Chaldäisches Wörterbuch über die Targumim und einen grossen Theil des rabbinischen Schriftthums, Bde. I–II, Leipzig ³1881; Nachdruck Köln 1959

-, Wörterbuch über die Talmudim und Midraschim, Bde. I–IV, Berlin ²1924; Nachdruck Darmstadt 1963

Liber Antiquitatum Biblicarum → Pseudo-Philo's Liber Antiquitatum Biblicarum

Liddell, H.G. / Scott, R., A Greek – English Lexicon (Revised by *H.S. Jones / R. McKenzie*), Oxford ⁹1940; Nachdruck 1968; with an Supplement, ed. by *E.A. Barber,* Oxford 1968

Liedke, G., Art. שׁפט, in: THAT II (1976), 999–1009

Lindars, B., Jesus Son of Man. A Fresh Examination of the Son of Man Sayings in the Gospels in the Light of Recent Research, London 1983

-, Re-Enter the Apocalyptic Son of Man, NTS 22 (1975/76), 52–97

Lindeskog, G., Das Rätsel des Menschensohnes, StTh 22 (1968), 149–176

Link, H.-G., Gegenwärtige Probleme einer Kreuzestheologie. Ein Bericht (Herausgebertagung der EvTh [12.–14. Oktober 1972] in Grafrath bei Fürstenfeldbruck), EvTh 33 (1973), 343f

Löning, K., Die Füchse, die Vögel und der Menschensohn (Mt 8,19f par Lk 9,57f), in: Vom Urchristentum zu Jesus (FS J. Gnilka), hg. von *H. Frankemölle / K. Kertelge,* Freiburg/Basel/Wien 1989, 82–102

Lohfink, G., Wie hat Jesus Gemeinde gewollt? Zur gesellschaftlichen Dimension des christlichen Glaubens, Freiburg/Basel/Wien ⁷1987

Lohfink, N., Beobachtungen zur Geschichte des Ausdrucks עַם יהוה, in: Probleme biblischer Theologie (FS G. von Rad), hg. von *H.W. Wolff,* München 1971, 275–305

-, »Israel« in Jes 49,3, in: Wort, Lied und Gottesspruch. Beiträge zu Psalmen und Propheten (FS J. Ziegler), Bd. II (fzb 2), hg. von *J. Schreiner,* Würzburg/Stuttgart 1972, 217–229

-, Welches Orakel gab den Davididen Dauer? Ein Textproblem in 2Kön 8,19 und das Funktionieren der dynastischen Orakel im deuteronomistischen Geschichtswerk, in: Studien zum Messiasbild im Alten Testament (Stuttgarter Biblische Aufsatzbände 6), hg. von *U. Struppe,* Stuttgart 1989, 127–154

Lohmeyer, E., Das Evangelium des Markus (KEK 2), Göttingen ⁸⁽¹⁷⁾1967; mit Ergänzungsheft, bearbeitet von *G. Saß,* Göttingen ³1967

-, Das Evangelium des Matthäus, hg. von *W. Schmauch* (KEK Sonderband), Göttingen ²1958

Lohse, E., Die alttestamentlichen Bezüge im neutestamentlichen Zeugnis vom Tode Jesu Christi, in: Zur Bedeutung des Todes Jesu, hg. von F. Viering, Gütersloh 1967, 97–112
–, Die Geschichte des Leidens und Sterbens Jesu Christi, Gütersloh ²1967
–, Jesu Worte über den Sabbat, in: Judentum – Christentum – Kirche (FS J. Jeremias), hg. von W. Eltester (BZNW 26), Berlin ²1964, 79–89
–, Märtyrer und Gottesknecht. Untersuchungen zur urchristlichen Verkündigung vom Sühnetod Jesu Christi (FRLANT 46), Göttingen ²1963
–, Der Menschensohn in der Johannesapokalypse, in: Jesus und der Menschensohn, 415–420
–, Die Texte aus Qumran → Qumran
–, Art. Σιών κτλ. B–D, in: ThWNT VII (1964), 318–338
–, Art. υἱὸς Δαυίδ, in: ThWNT VIII (1969), 482–492
–, Art. ψυχή C II, in: ThWNT IX (1973), 633–635
Lohse, E. / Schlichting, G., Die Tosefta, Seder Zeraim, Berakot – Pea. Übersetzt und erklärt, (RT I/1 [Fasc. 1, Hefte 1–3]), Stuttgart/Berlin/Köln/Mainz 1956–1958
Lührmann, D., Das Markusevangelium (HNT 3), Tübingen 1987
–, Die Redaktion der Logienquelle (WMANT 33), Neukirchen-Vluyn 1969
Lust, J., Daniel 7,13 and the Septuagint, EThL 54 (1978), 62–69
Luz, U., Das Evangelium nach Matthäus, 1. Teilband: Mt 1–7 (EKK I/1), Zürich/Braunschweig / Neukirchen-Vluyn ²1989

Machoveč, M., Jesus für Atheisten, Stuttgart/Berlin ³1973
Maddox, R., The Function of the Son of Man according to the Synoptic Gospels, NTS 15 (1968/69), 45–74
–, Methodenfragen in der Menschensohnforschung, EvTh 32 (1972), 143–160
Mahnke, H., Die Versuchungsgeschichte im Rahmen der synoptischen Evangelien. Ein Beitrag zur frühen Christologie (Beiträge zur biblischen Exegese und Theologie 9), Frankfurt a.M. / Bern 1978
Mahoney, R., Two Disciples at the Tomb. The Background and Message of Joh 20,1–10 (TW 6), Bern / Frankfurt a.M. 1974
Maier, J., Die Tempelrolle vom Toten Meer, München 1978
Maisch, I., Die Heilung des Gelähmten. Eine exegetisch-traditionsgeschichtliche Untersuchung zu Mk 2,1–12 (SBS 52), Stuttgart 1971
Mandelkern, S., Veteris Testamenti Concordantiae hebraicae atque chaldaicae, Leipzig ²1937; Nachdruck Graz 1955
Manson, T.W., The Church's Ministry, London 1948
–, The New Testament Basis of the Doctrine of the Church, JEH 1 (1950), 1–11
–, The Sayings of Jesus, London ⁸1971
Marshall, I.H., The Gospel of Luke. A Commentary on the Greek Text (The New International Greek Testament Commentary), Exeter 1978
–, The Origins of New Testament Christology, Downers Grove, Ill. 1976
–, The Synoptic Son of Man Sayings in Recent Discussion, NTS 12 (1965/66), 327–351
Martini, R., Pugio Fidei adversus Mauros et Judaeos, cum observationibus J. de Voisin et introductione J.B. Carpzovi, Leipzig 1687; Nachdruck Farnborough 1967
von Martitz, W., Art. υἱός A, in: ThWNT VIII (1969), 335–340
Das Martyrium Jesaias [deutsch → E. Hammershaimb]
Marxsen, W., Erwägungen zum Problem des verkündigten Kreuzes, in: ders., Der Exeget als Theologe. Gesammelte Aufsätze, Gütersloh 1968, 160–170
Mashafa Küfälē → Jubiläenbuch
Maurer, Chr., Art. φυλή, in: ThWNT IX (1973), 240–245
McArthur, H.K., »On the Third Day«, NTS 18 (1971/72), 81–86
Mead, R.T., The Healing of the Paralytic – A Unit?, JBL 80 (1961), 348–352
Meissner, B., Babylonien und Assyrien, Bd. I: Babylonien, Heidelberg 1920

[Mekhilta]
Mechilta d'Rabbi Ismael, ed. *J.H. Weiss*, Wien 1865
Mechilta d'Rabbi Ismael cum variis lectionibus et adnotationibus, ed. *H.S. Horovitz* (Frankfurt 1931), neu bearbeitet von *I.A. Rabin*, Jerusalem ²1960
Mekilta de Rabbi Ishmael. A critical edition on the basis of the MSS and early editions with an English translation, introduction and notes, Vol. I–III, ed. by *J.Z. Lauterbach*, Philadelphia ²1949 [deutsch → J. Winter / A, Wünsche]
Merklein, H., Die Auferweckung Jesu und die Anfänge der Christologie (Messias bzw. Sohn Gottes und Menschensohn) [1981], in: *ders.*, Studien, 221–246
–, Basileia und Ekklesia. Jesu Botschaft von der Gottesherrschaft und ihre Konsequenzen für die Kirche [1986], in: ebd., 207–220
–, Die Bedeutung des Kreuzestodes Christi für die paulinische Gerechtigkeits- und Gesetzesthematik, in: ebd., 1–106
–, Die Einzigkeit Gottes als die sachliche Grundlage der Botschaft Jesu, in: Jahrbuch für Biblische Theologie, Bd. 2: Der eine Gott der beiden Testamente, hg. von *I. Baldermann u.a.*, Neukirchen-Vluyn 1987, 13–32
–, Erwägungen zur Überlieferungsgeschichte der neutestamentlichen Abendmahlstraditionen [1977], in: *ders.*, Studien, 157–180
–, Die Gottesherrschaft als Handlungsprinzip. Untersuchungen zur Ethik Jesu (fzb 34), Würzburg, ³1984
–, Jesu Botschaft von der Gottesherrschaft. Eine Skizze (SBS 111), Stuttgart ³1989
–, Jesus, Künder des Reiches Gottes [1985], in: *ders.*, Studien, 127–156
–, Der Jüngerkreis Jesu, in: Die Aktion Jesu und die Re-Aktion der Kirche. Jesus von Nazareth und die Anfänge der Kirche, hg. von *K. Müller*, Würzburg/Gütersloh/Wien 1972, 65–100
–, Studien zu Jesus und Paulus (WUNT 43), Tübingen 1987
–, Der Tod Jesu als stellvertretender Sühnetod. Entwicklung und Gehalt einer zentralen neutestamentlichen Aussage [1985], in: ebd., 181–191
–, Die Umkehrpredigt bei Johannes dem Täufer und Jesus von Nazaret [1981], in: ebd., 109–126
–, Zur Entstehung von der urchristlichen Aussage vom präexistenten Sohn Gottes [1979], in: ebd., 247–276
Mettinger, T.N.D., Die Ebed-Jahwe-Lieder. Ein fragwürdiges Axiom, ASTI 11 (1978), 68–76
–, A Farewell to the Servant Songs. A Critical Examination of an Exegetical Axiom, Lund 1983
Metzger, M., Königsthron und Gottesthron. Thronformen und Thronordarstellungen in Ägypten und im Vorderen Orient im dritten und zweiten Jahrtausend vor Christus und deren Bedeutung für das Verständnis von Aussagen über den Thron im Alten Testament, Bd. I: Text (AOAT 15/1), Neukirchen-Vluyn 1985
Meyer, A., Jesu Muttersprache. Das Galiläische Aramäisch in seiner Bedeutung für die Erklärung der Reden Jesu und der Evangelien überhaupt, Freiburg i.Br. / Leipzig 1896
Meyer, D., ΠΟΛΛΑ ΠΑΘΕΙΝ, ZNW 55 (1964), 132
Meyer, R., Art. λαός D, in: ThWNT IV (1943), 39–49
Michael, J.H., The Sign of John, JThS 21 (1920), 149–151
Michaelis, W., Die Gleichnisse Jesu. Eine Einführung, Hamburg ³1956
–, Art. ὁράω κτλ., in: ThWNT V (1954), 315–368
–, Art. πάσχω, in: ebd., 903–923
Michel, D., Art., Deuterojesaja, in: TRE VIII (1981), 510–530
Michel, O., Der Brief an die Hebräer (KEK 13), Göttingen ⁷⁽¹³⁾1975
–, Der Brief an die Römer (KEK 4), Göttingen ⁵⁽¹⁴⁾1978
–, »Ich komme« (Jos. Bell. III,400), ThZ 24 (1968), 123–124
–, Der Menschensohn. Die eschatologische Hinweisung. Die apokalyptische Aussage.

Bemerkungen zum Menschensohn-Verständnis des N.T., ThZ 27 (1971), 81-104
-, Der Menschensohn in der Jesusüberlieferung, ThBeitr 3 (1971), 119-128
-, Art. Binden und Lösen, in: RAC II (1954), 374-377
-, Art. ναός, in: ThWNT IV (1943), 884-495
-, Art. ὁμολογέω κτλ., in: ThWNT V (1954), 199-220
-, Art., πατήρ, in: EWNT III (1983), 125-135
-, Art. υἱὸς Δαυίδ, in: TBLNT III (1971), 1175-1179
-, Art. υἱὸς τοῦ ἀνθρώπου, in: ebd., 1153-1166
Michel, O. / Betz, O., Von Gott gezeugt. Aus dem Institutum Judaicum Tübingen, in: Judentum - Urchristentum - Kirche (FS J. Jeremias), hg. von W. Eltester (BZNW 26), Berlin ²1964, 3-23
Midrasch Aggadat Bereschit, ed. S. Buber, Krakau 1903; Nachdruck Jerusalem 1973
Midrasch Bemidbar (Numeri) Rabba, Ausgabe Venedig 1545
Midrasch Bemidbar Rabba, in: Midrasch Rabba, ed. M.A. Mirkin, Vol. IX-X
Midrasch Bereschit (Genesis) Rabba, Ausgabe Venedig 1545
Midrasch Bereschit Rabba, Bde. I-IV, hg. von J. Theodor, bearbeitet und ergänzt von Ch. Albeck, Berlin 1912/1927/1931/1936; Nachdruck Jerusalem ²1965
Midrasch Bereschit Rabba, in: Midrasch Rabba, ed. M.A. Mirkin, Vol. I-IV
Midrasch Debarim (Deuteronomium) Rabba, Ausgabe Venedig 1545
Midrasch Debarim Rabba, in: Midrasch Rabba, ed. M.A. Mirkin, Vol. XI
Midrash Debarim Rabbah, ed. by S. Liebermann, Jerusalem ²1964
Midrasch Echa Rabbati. Sammlung agadischer Auslegungen der Klagelieder, ed. S. Buber, Wilna 1899; Nachdruck Hildesheim 1967
Midrasch Esther Rabba, Ausgabe Lemberg 1861
Midrasch Rabba, Vol. I-XI, ed. M.A. Mirkin, Tel Aviv 1956-1967
Midrasch Qohelet Rabba, Ausgabe Lemberg 1861
Midrasch Ruth Rabba, Ausgabe Lemberg 1861
Midrasch Schemot (Exodus) Rabba, Ausgabe Venedig 1545
Midrasch Schemot Rabba, in: Midrasch Rabba, ed. M.A. Mirkin, Vol. V-VI
Midrasch Tanchuma, Bde. I-II, Ausgabe Wien 1863
Midrasch Tanchuma, Bde. I-II, ed. S. Buber, Wilna 1885; Nachdruck Jerusalem 1964
Midrasch Tehillim (Schocher Tob), ed. S. Buber, Wilna 1892; Nachdruck Jerusalem 1966 [deutsch → A. Wünsche; englisch → W.G. Braude]
Midrasch Wayiqra (Leviticus) Rabba, Ausgabe Venedig 1545
Midrasch Wayiqra Rabba, in: Midrasch Rabba, ed. M.A. Mirkin, Vol. VII-VIII
Midrash Wayyikra Rabbah. A Critical Edition based on Manuscripts and Genizah Fragments with Variants and Notes, Vol. I-V, ed. M. Margulies, Jerusalem 1953-1960
Die Mischna. Text, Übersetzung und ausführliche Erklärung, hg. von G. Beer / O. Holtzmann, Gießen 1912ff, fortgeführt von K.H. Rengstorf / L. Rost, Berlin 1956ff
Montgomery, J.A., A Critical and Exegetical Commentary on the Book of Daniel, Edinburgh ²1950
Morgenthaler, R., Die lukanische Geschichtsschreibung als Zeugnis. Gestalt und Gehalt der Kunst des Lukas, Bd. I: Gestalt (AThANT 14), Zürich 1949; Bd. II: Gehalt (AThANT 15), Zürich 1949
-, Statistik des neutestamentlichen Wortschatzes, Zürich 1958
Moule, C.F.D., Neglected Features in the Problem of the »Son of Man«, in: Neues Testament und Kirche (FS R. Schnackenburg), hg. von J. Gnilka, Freiburg/Basel/Wien 1974, 413-428
Moulton, W.F. / Geden, A.S., A Concordance to the Greek Testament, Edinburgh ⁴1963; Nachdruck 1970
Mowinckel, S., He That Cometh, Oxford 1956
Muddiman, J., A Note of Reading Luke XXIV. 12, EThL 48 (1972), 542-548
Müller, K., Der Menschensohn im Danielzyklus, in: Jesus und der Menschensohn, 37-80

-, Menschensohn und Messias. Religionsgeschichtliche Vorüberlegungen zum Menschensohnproblem in den synoptischen Evangelien, BZ 16 (1972), 159-187; BZ 17 (1973), 52-66

-, Möglichkeit und Vollzug jüdischer Kapitalgerichtsbarkeit im Prozeß gegen Jesus von Nazaret, in: Der Prozeß gegen Jesus. Historische Rückfrage und theologische Deutung, hg. von *K. Kertelge* (QD 112), Freiburg/Basel/Wien 1988, 41-83

Müller, M., Über den Ausdruck »Menschensohn« in den Evangelien, StTh 31 (1977), 65-82

Müller, U.B., Messias und Menschensohn in jüdischen Apokalypsen und in der Offenbarung des Johannes (StNT 6), Gütersloh 1972

Mußner, F., Die Kraft der Wurzel. Judentum – Jesus – Kirche, Freiburg/Basel/Wien ²1989

Neirynck, F., The Uncorrected Historic Present in Lk. XXIV. 12, EThL 48 (1972), 548-553

Neophyti I. Targum Palestinense → Targum

Neugebauer, F., Die Davidssohnfrage (Mark xii. 35-7 parr.) und der Menschensohn, NTS 21 (1974/75), 81-108

-, Jesus und der Menschensohn. Ein Beitrag zur Klärung der Wege historischer Wahrheitsfindung im Bereich der Evangelien (AzTh I/50), Stuttgart 1972

Newell, J.E. / Newell, R.R., The Parable of the Wicked Tenants, NT 14 (1972), 226-237

Niehr, H., Herrschen und Richten. Die Wurzel špt im Alten Orient und im Alten Testament (fzb 54), Würzburg 1986

Noth, M., Das Geschichtsverständnis der alttestamentlichen Apokalyptik, in: *ders.,* Gesammelte Studien zum Alten Testament (TB 6), München ²1960, 248-273

-, Die Heiligen des Höchsten, in: ebd., 274-290

-, Zur Komposition des Buches Daniel, in: *ders.,* Gesammelte Studien zum Alten Testament II (TB 39), München 1970, 11-28

Novum Testamentum Graece cum apparatu critico curavit *Eberhard Nestle,* novis curis elaboraverunt *Erwin Nestle* et *Kurt Aland,* Editio vicesima quinta, Stuttgart ²⁵1963

Novum Testamentum Graece, post *Eberhard Nestle* et *Erwin Nestle* communiter ediderunt *Kurt Aland, Matthew Black, Carlo M. Martini, Bruce M. Metzger, Allen Wikgren,* apparatum criticum recensuerunt et editionem novis curis elaboraverunt *Kurt Aland* et *Barbara Aland* una cum *Instituto studiorum textus Novi Testamenti Monasteriensi (Westphalia),* Stuttgart ²⁶1979

Nützel, J.M., Die Verklärungserzählung im Markusevangelium (fzb 6), Würzburg 1973

Oberlinner, L., Die Stellung der »Terminworte« in der eschatologischen Verkündigung des Neuen Testaments, in: Gegenwart und kommendes Reich (FS A. Vögtle), hg. von *P. Fiedler / D. Zeller,* Stuttgart 1975, 51-66

-, Todeserwartung und Todesgewißheit Jesu. Zum Problem einer historischen Begründung (SBB 10), Stuttgart 1980

Ökumenisches Verzeichnis der biblischen Eigennamen nach den Loccumer Richtlinien, bearbeitet von *J. Lange,* Stuttgart ²1981

Oepke, A., Art. λάμπω κτλ., in: ThWNT IV (1943), 17-28

O'Neill, J.C., The Silence of Jesus, NTS 15 (1968/69), 153-167

Origines, Werke, Bd. I: Die Schrift vom Martyrium. Buch I-IV gegen Celsus, hg. von *P. Koetschau* (GCS 2), Leipzig 1899

Otto, R., Reich Gottes und Menschensohn. Ein religionsgeschichtlicher Vergleich, München ³1954

Pannenberg, W., Grundzüge der Christologie, Gütersloh ⁶1982

Patsch, H., Abendmahl und historischer Jesus (CThM A/1), Stuttgart 1972

-, Art. ποτήριον, in: EWNT III (1983), 339-341

Perlitt, L., Bundestheologie im Alten Testament (WMANT 36), Neukirchen-Vluyn 1969

Perrin, N., Was lehrte Jesus wirklich? Rekonstruktion und Deutung, Göttingen 1967

Pesch, R., Das Abendmahl und Jesu Todesverständnis (QD 80), Freiburg/Basel/Wien 1978

–, Die Apostelgeschichte, 1. Teilband: Apg 1–12 (EKK V/1), Zürich/Einsiedeln/Köln / Neukirchen-Vluyn 1986

–, Das Markusevangelium, I. Teil: Einleitung und Kommentar zu Kap. 1,1 – 8,26 (HThK II/1), Freiburg/Basel/Wien ⁴1984; II. Teil: Kommentar zu Kap. 8,27 – 16,20 (HThK II/2), Freiburg/Basel/Wien ³1984

–, Naherwartungen. Tradition und Redaktion in Markus 13, Düsseldorf 1968

–, Die Passion des Menschensohnes. Eine Studie zu den Menschensohnworten der vormarkinischen Passionsgeschichte, in: Jesus und der Menschensohn, 166–195

–, Der reiche Fischfang Lk 5,1–11 / Jo 21,1–14. Wundergeschichte – Berufungserzählung – Erscheinungsbericht, Düsseldorf 1969

–, Die Salbung Jesu in Bethanien (Mk 14,3–9). Eine Studie zur Passionsgeschichte, in: Orientierung an Jesus (FS J. Schmid), hg. von *P. Hoffmann / N. Brox / W. Pesch,* Freiburg/Basel/Wien 1973, 267–285

–, »Sei getrost, kleine Herde« (Lk 12,32). Exegetische und ekklesiologische Erwägungen, in: Krise der Kirche – Chance des Glaubens. Die »kleine Herde« heute und morgen, hg. von *K. Färber,* Frankfurt a.M. 1968, 85–118

–, Über die Autorität Jesu. Eine Rückfrage anhand des Bekenner- und Verleugnerspruchs Lk 12,8f par., in: Die Kirche des Anfangs (FS H. Schürmann), hg. von *R. Schnackenburg / J. Ernst / J. Wanke,* Freiburg/Basel/Wien 1978, 25–55

Pesch, W., Zur Formgeschichte und Exegese von Lk 12,32, Biblica 41 (1960), 25–40

Pesikta de Rav Kahana. According to an Oxford Manuscript with variants . . . with commentary and introduction, Vol. I–II, ed. by *B. Mandelbaum,* New York 1962

Pesikta Rabbati. Midrasch für den Fest-Cyclus und die ausgezeichneten Sabbathe, ed. *M. Friedmann,* Wien 1880; Nachdruck Tel Aviv 1963 [englisch → W.G. Braude]

Philonis Alexandrinis Opera quae supersunt, Bde. I–VI, ed. *L. Cohn / P. Wendland,* Berlin 1896–1915; Indices (Bd. VII), ed. *J. Leisegard,* Berlin 1926–1930; Nachdruck 1962 [deutsch → L. Cohn u.a.]

Sefer Pirqe de Rabbi Eliezer, ed. *D. Luria,* Warschau 1852; Nachdruck Jerusalem 1963 [englisch → G. Friedlander]

Plöger, O., Das Buch Daniel (KAT 18), Gütersloh 1965

–, Theokratie und Eschatologie (WMANT 2), Neukirchen-Vluyn ³1968

Polag, A., Die Christologie der Logienquelle (WMANT 45), Neukirchen-Vluyn 1977

Popkes, W., Christus Traditus. Eine Untersuchung zum Begriff der Dahingabe im Neuen Testament (AThANT 49), Zürich 1967

–, Art. δεῖ, in: EWNT I (1980), 668–671

–, Art. παραδίδωμι, in: EWNT III (1983), 42–48

Porteous, N.W., Das Danielbuch (ATD 23), Göttingen ⁴1985

Procksch, O., Theologie des Alten Testaments, Gütersloh 1950

Die Psalmen Salomos, ed. *O. von Gebhardt* (TU 13/2), Leipzig 1895 [deutsch → S. Holm-Nielsen]

Pseudo-Philo's Liber Antiquitatum Biblicarum, ed. *G. Kisch* (PMS 10), Notre Dame 1949 [deutsch → Chr. Dietzfelbinger]

[Qumran]

The Books of Enoch. Aramaic Fragments of Qumran Cave 4, ed. by *J.T. Milik,* Oxford 1976

The Dead Sea Scrolls of St. Mark's Monastary, ed. by *M. Burrows,* Vol. I: The Isaiah Manuscript and the Habakkuk Commentary, New Haven 1950; Vol. II: The Manual of Discipline, New Haven 1951

The Dead Sea Scrolls of the Hebrew University, ed. *E.L. Sukenik,* Jerusalem 1954

The Genesis Apokryphon of Qumran Cave I → Fitzmyer, J.A
Qumran Cave 1, ed. by *D. Barthélmy* / *J.T. Milik* (DJD I), Oxford 1955
Qumran Cave 4, I (4Q 158 - 4Q 186), ed. by *J. Allegro* (DJD V), Oxford 1968
Qumrân Grotte 4, II, I. Archéologie, ed. *R. de Vaux*, II. Tefillin, Mezuzot et Targums (4Q
128 - 4Q 157), ed. *J.T. Milik* (DJD VI), Oxford 1977
Qumrân, Grotte 4, III (4Q 482 - 4Q 520), ed. *M. Baillet* (DJD VII), Oxford 1982
Le targum de Job de la grotte XI de Qumrân, édité et traduit par *J.P.M. van der Ploeg* /
A.S. van der Woude, avec la collaboration de *B. Jongeling*, Leiden 1971
Un texte messianique araméen de la grotte 4 de Qumrân, ed. *J. Starcky*, TICP 10 (1964),
51-66
Die Tempelrolle vom Toten Meer → J. Maier
The Temple Scroll [Hebrew Edition], Vol. I-III, ed. *Y. Yadin*, Jerusalem 1977
Die Texte aus Qumran. Hebräisch und Deutsch. Mit masoretischer Punktation, Überset-
zung, Einführung und Anmerkungen, hg. von *E. Lohse*, Darmstadt ⁴1986

von Rad, G., Der Heilige Krieg im Alten Israel, Göttingen ⁵1969
-, Die Stadt auf dem Berge, in: *ders.*, Gesammelte Studien zum Alten Testament (TB 8),
München ⁴1971, 214-224
-, Theologie des Alten Testaments, Bd. I: Die Theologie der geschichtlichen Überlie-
ferungen Israels, München ⁸1982; Bd. II: Die Theologie der prophetischen Überliefe-
rungen Israels, München ⁸1984
-, Art. δόξα C, in: ThWNT II (1935), 240-245
Rahner, K., Dogmatische Erwägungen über das Wissen und Selbstbewußtsein Christi, in:
ders., Schriften zur Theologie, Bd. V: Neuere Schriften, Einsiedeln/Zürich/Köln
³1968, 222-245
Reallexikon für Antike und Christentum. Sachwörterbuch zur Auseinandersetzung des
Christentums mit der antiken Welt, hg. von *Th. Klauser u.a.*, Stuttgart 1950ff
Rehkopf, F., Die lukanische Sonderquelle. Ihr Umfang und Sprachgebrauch (WUNT 5),
Tübingen 1959
Rendtorff, R., Das Alte Testament. Eine Einführung (Neukirchener Arbeitsbücher),
Neukirchen-Vluyn ³1988
Rengstorf, K.H., Das Evangelium nach Lukas (NTD 3), Göttingen ¹⁷1978
-, Art. δώδεκα κτλ., in: ThWNT II (1935), 321-328
Reploh, K.-G., Markus - Lehrer der Gemeinde (SBM 9), Stuttgart 1969
Rese, M., Alttestamentliche Motive in der Christologie des Lukas (StNT 1), Gütersloh
1969
-, Überprüfung einiger Thesen von Joachim Jeremias zum Thema des Gottesknechtes
im Judentum, ZThK 60 (1963), 21-41
Riesner, R., Jesus als Lehrer. Eine Untersuchung zum Ursprung der Evangelien-Überlie-
ferung (WUNT II/7), Tübingen ³1988
Rießler, P., Altjüdisches Schrifttum außerhalb der Bibel, Freiburg/Heidelberg ⁴1979
Roloff, J., Anfänge der soteriologischen Deutung des Todes Jesu (Mk. X. 45 und Lk. XXII.
27), NTS 19 (1972/73), 38-64
-, Apostolat - Verkündigung - Kirche. Ursprung, Inhalt und Funktion des kirchlichen
Apostelamtes nach Paulus, Lukas und den Pastoralbriefen, Gütersloh 1965
-, Die Apostelgeschichte (NTD 5), Göttingen ¹⁽¹⁷⁾1981
-, Das Kerygma und der irdische Jesus. Historische Motive in den Jesus-Erzählungen der
Evangelien, Göttingen ²1973
-, Neues Testament (Neukirchener Arbeitsbücher), Neukirchen-Vluyn ⁴1985
Rordorf, W., Der Sonntag. Geschichte des Ruhe- und Gottesdiensttages im ältesten
Christentum (AThANT 43), Zürich 1962
Rosenthal, F., A Grammar of Biblical Aramaic (PLO 5), Wiesbaden ⁵1983

Rowley, H.H., Apokalyptik. Ihre Form und Bedeutung zur biblischen Zeit, Einsiedeln/ Zürich/Köln ³1965

Ruager, S., Das Reich Gottes und die Person Jesu (Arbeiten zum Neuen Testament und Judentum 3), Frankfurt a.m. / Bern / Las Vegas 1979

Rudolph, W., Haggai – Sacharja 1–8, 9–14 – Maleachi (KAT XIII/4), Gütersloh 1976

Ruppert, L., Jesus als der leidende Gerechte? Der Weg Jesu im Lichte eines alt- und zwischentestamentlichen Motivs (SBS 59), Stuttgart 1972

–, Der leidende Gerechte. Eine motivgeschichtliche Untersuchung zum Alten Testament und zwischentestamentlichen Judentum (fzb 5), Würzburg/Stuttgart 1972

–, Der leidende Gerechte und seine Feinde. Eine Wortfelduntersuchung (fzb 6), Würzburg 1973

–, Die alttestamentlich-jüdischen Messiaserwartungen in ihrer Bedeutung für Jesus und seine Zeit, MThZ 35 (1984), 1–16

Sæbø, M., Sacharja 9–14. Untersuchungen zu Text und Form (WMANT 34), Neukirchen-Vluyn 1969

Schaller, B., Das Testament Hiobs (JSHRZ III/3), Gütersloh 1979, 301–387

Sauer, G., Jesus Sirach (Ben Sira) (JSHRZ III/5), Gütersloh 1981, 481–644

Sauer, J., Traditionsgeschichtliche Überlegungen zu Mk 3,1–6, ZNW 73 (1982), 183–203

Schelkle, K.H., Die Passion Jesu in der Verkündigung des Neuen Testaments, Heidelberg 1949

–, Die Petrusbriefe / Der Judasbrief (HThK XIII/2), Freiburg/Basel/Wien ⁵1980

Schenk, W., Der Passionsbericht nach Markus. Untersuchungen zur Überlieferungsgeschichte der Passionstraditionen, Gütersloh 1974

Schenke, L., Der gekreuzigte Christus. Versuch einer literarkritischen und traditionsgeschichtlichen Bestimmung der vormarkinischen Passionsgeschichte (SBS 69), Stuttgart 1974

–, Studien zur Passionsgeschichte des Markus. Tradition und Redaktion in Mk 14,1–42 (fzb 4), Würzburg/Stuttgart 1972

Schille, G., Die urchristliche Kollegialmission (AThANT 48), Zürich 1967

Schimanowski, G., Weisheit und Messias. Die jüdischen Voraussetzungen der urchristlichen Präexistenzchristologie (WUNT II/17), Tübingen 1985

Schlatter, A., Der Evangelist Matthäus. Seine Sprache, sein Ziel, seine Selbständigkeit, Stuttgart ⁷1982

–, Das Evangelium des Lukas. Aus seinen Quellen erklärt, Stuttgart ³1975

Schlier, H., Der Römerbrief (HThK VI), Freiburg/Basel/Wien ²1979

Schmahl, G., Die Zwölf im Markusevangelium. Eine redaktionsgeschichtliche Untersuchung (TThSt 30), Trier 1974

Schmid, H.H., Gerechtigkeit als Weltordnung (BHTh 40), Tübingen 1968

Schmid, J., Das Evangelium nach Matthäus (RNT 1), Regensburg ⁵1965

Schmidt, K.L., Der Rahmen der Geschichte Jesu. Literarkritische Untersuchungen zur ältesten Jesusüberlieferung, Berlin 1919; Nachdruck Darmstadt 1964

Schmidt, L., Deuteronomistisches Geschichtswerk, in: *H.J. Boecker / H.-J. Hermisson / J.M. Schmidt / L. Schmidt*, Altes Testament (Neukirchener Arbeitsbücher), Neukirchen-Vluyn ³1989, 101–114

Schmidt, W.H., Alttestamentlicher Glaube in seiner Geschichte, Neukirchen-Vluyn ⁶1987

–, Kritik am Königtum, in: Probleme biblischer Theologie (FS G. von Rad), hg. von *H.W. Wolff*, München 1971, 440–461

–, Die Ohnmacht des Messias. Zur Überlieferungsgeschichte der messianischen Weissagungen im Alten Testament [1969], in: Studien zum Messiasbild im Alten Testament (Stuttgarter Biblische Aufsatzbände 6), hg. von *U. Struppe*, Stuttgart 1989, 67–88

–, Art. Gott II. Altes Testament, in: TRE XIII (1984), 608–626

Schmithals, W., Das Evangelium nach Markus, Bd. I: Kapitel 1 – 9,1 (Ökumenischer Taschenbuchkommentar zum Neuen Testament 2/1) (GTB Siebenstern 503), Gütersloh/Würzburg ²1986; Bd. II: Kapitel 9,2 – 16 (Ökumenischer Taschenbuchkommentar zum Neuen Testament 2/2) (GTB Siebenstern 504), Gütersloh/Würzburg ²1986

Schnackenburg, R., Der eschatologische Abschnitt Lukas 17,20–37 [1970], in: *ders.,* Schriften zum Neuen Testament. Exegese in Fortschritt und Wandel, München 1971, 220–243

–, Das Evangelium nach Markus, 1. Teil (Geistliche Schriftlesung. Erläuterungen zum Neuen Testament für die Geistliche Lesung 2/1), Düsseldorf ⁵1988; 2. Teil (Geistliche Schriftlesung. Erläuterungen zum Neuen Testament für die Geistliche Lesung 2/2), Düsseldorf ³1984

–, Das Johannesevangelium, I. Teil: Einleitung und Kommentar zu Kap. 1–4 (HThK IV/1), Freiburg/Basel/Wien ⁶1986; II. Teil: Kommentar zu Kap. 5–12 (HThK IV/2), Freiburg/Basel/Wien ⁴1985; III. Teil: Kommentar zu Kap. 13–21 (HThK IV/3), Freiburg/Basel/Wien ⁵1986; IV. Teil: Ergänzende Auslegungen und Exkurse (HThK IV/4), Freiburg/Basel/Wien 1984

Schneider, G., Das Evangelium nach Lukas, Bd. II: Kapitel 11–24 (Ökumenischer Taschenbuchkommentar zum Neuen Testament 3/2) (GTB Siebenstern 501), Gütersloh/Würzburg ²1984

–, Der »Menschensohn« in der lukanischen Christologie, in: Jesus und der Menschensohn, 267–282

–, Parusiegleichnisse im Lukas-Evangelium (SBS 74), Stuttgart 1975

–, Die Passion Jesu nach den drei älteren Evangelien (BiH 11), München 1973

–, Präexistenz Christi. Der Ursprung einer neutestamentlichen Vorstellung und das Problem ihrer Auslegung, in: Neues Testament und Kirche (FS R. Schnackenburg), hg. von *J. Gnilka,* Freiburg/Basel/Wien 1974, 399–412

–, Verleugnung, Verspottung und Verhör Jesu nach Lk 22,54–71. Studien zur lukanischen Darstellung der Passion (StANT 22), München 1969

Schneider, J., Art. ἔρχομαι, in: ThWNT II (1935), 662–672

Schniewind, J., Das Evangelium nach Matthäus (NTD 2), Göttingen ¹³1984

Schrage, W., Die Elia-Apokalypse (JSHRZ V/3), Gütersloh 1980, 193–288

–, Heil und Heilung im Neuen Testament, EvTh 46 (1986), 197–214

–, Das Verständnis des Todes Jesu Christi im Neuen Testament, in: Das Kreuz Jesu Christi als Grund des Heils, hg. von *F. Viering,* Gütersloh 1967, 49–89

Schramm, T., Der Markus-Stoff bei Lukas. Eine literarkritische und redaktionsgeschichtliche Untersuchung (MSSNTS 14), Cambridge 1971

Schreiner, J., Segen für die Völker in der Verheißung an die Väter, BZ 6 (1962), 1–31

–, Das 4. Buch Esra (JSHRZ V/4), Gütersloh 1981, 289–412

Schrenk, G., Art. δίκαιος, in: ThWNT II (1935), 184–193

–, Art. τὸ ἱερόν, in: ThWNT III (1938), 230–247

Schubert, K., Die Messiaslehre in den Texten von Chirbet Qumran [1957], in: Qumran, hg. von *K.E. Grözinger u.a.* (WdF 410), Darmstadt 1981, 341–364

Schürmann, H., Beobachtungen zum Menschensohn-Titel in der Redenquelle [1975], in: *ders.,* Gottes Reich, 153–182

–, Das Gebet des Herrn als Schlüssel zum Verstehen Jesu, Freiburg/Basel/Wien ⁴1981

–, Gottes Reich – Jesu Geschick. Jesu ureigener Tod im Licht seiner Basileia-Verkündigung, Freiburg/Basel/Wien 1983

–, Jesu Abschiedsrede Lk 22,21–38. 3. Teil einer quellenkritischen Untersuchung des lukanischen Abendmahlberichtes Lk 22,7–38 (NTA XX/5), Münster ²1977

–, Jesu ureigenes Basileia-Verständnis [1982], in: *ders.,* Gottes Reich, 21–64

–, Jesu ureigenes Todesverständnis. Bemerkungen zur »impliziten Soteriologie« Jesu [1980], in: *ders.,* Gottes Reich, 185–223

–, Der Jüngerkreis Jesu als Zeichen für Israel [1963], in: *ders.,* Ursprung und Gestalt. Erörterungen und Besinnungen zum Neuen Testament, Düsseldorf 1970, 45–60

–, Das Lukasevangelium, I. Teil: Kommentar zu Kap. 1,1 – 9,50 (HThK III/1), Freiburg/
Basel/Wien ³1984

–, Der Paschamahlbericht Lk 22,(7–14.)15–18. 1. Teil einer quellenkritischen Untersuchung des lukanischen Abendmahlberichtes Lk 22,7–38 (NTA XIX/5), Münster ²1968

–, Wie hat Jesus seinen Tod bestanden und verstanden? Eine methodenkritische Besinnung, in: *ders.*, Jesu ureigener Tod. Exegetische Besinnungen und Ausblick, Freiburg/
Basel/Wien ²1975, 16–65

–, Das Zeugnis der Redenquelle für die Basileia-Verkündigung Jesu. Eine traditionsgeschichtliche Untersuchung [1981], in: *ders.*, Gottes Reich, 65–152

Schütz, F., Der leidende Christus. Die angefochtene Gemeinde und das Christuskerygma
der lukanischen Schriften (BWANT 89), Stuttgart/Berlin/Köln/Mainz 1969

Schultz, H., Art. Ἰερουσαλήμ κτλ., in: TBLNT II (1970), 752–757

Schulz, A., Nachfolgen und Nachahmen. Studien über das Verhältnis der neutestamentlichen Jüngerschaft zur urchristlichen Vorbildethik (StANT 6), München 1962

Schulz, S., Q – Die Spruchquelle der Evangelisten, Zürich 1972

Schunk, K.D., 1. Makkabäerbuch (JSHRZ I/4), Gütersloh 1980, 287–373

Schwankl, O., Die Sadduzäerfrage (Mk 12,18–27 parr). Eine exegetisch-theologische Studie zur Auferstehungserwartung (BBB 66), Frankfurt a.M. 1987

Schwarz, G., Jesus »der Menschensohn«. Aramaistische Untersuchungen zu den synoptischen Menschensohnworten Jesu (BWANT 119), Stuttgart/Berlin/Köln/Mainz 1986

–, »Und Jesus sprach«. Untersuchungen zur aramäischen Urgestalt der Worte Jesu
(BWANT 118), Stuttgart/Berlin/Köln/Mainz 1985

Schweizer, E., Erniedrigung und Erhöhung bei Jesus und seinen Nachfolgern (AThANT
28), Zürich ²1962

–, Das Evangelium nach Markus (NTD 1), Göttingen ⁶⁽¹⁶⁾1983

–, Das Evangelium nach Matthäus (NTD 2), Göttingen ⁴⁽¹⁶⁾1986

–, Der Menschensohn. Zur eschatologischen Erwartung Jesu [1959], in: *ders.*, Neotesta-
mentica. Gesammelte Aufsätze, Zürich 1963, 56–84

–, Art. πνεῦμα κτλ. E, in: ThWNT VI (1959), 394–453

Schwertner, S. → Theologische Realenzyklopädie. Abkürzungsverzeichnis

Seebass, H., Gerechtigkeit Gottes. Zum Dialog mit Peter Stuhlmacher, in: Jahrbuch für
Biblische Theologie, Bd. 1: Einheit und Vielfalt Biblischer Theologie, hg. von *I. Baldermann u.a.*, Neukirchen-Vluyn 1986, 115–134

Seidelin, P., Der Ebed Jahwe und die Messiasgestalt im Jesajatargum, ZNW 35 (1936),
194–231

Septuaginta. Id est Vetus Testamentum graece iuxta LXX interpres, ed. *A. Rahlfs,* Vol. I:
Leges et historicae, Stuttgart ⁸1965; Vol. II: Libri poetici et prophetici, Stuttgart ⁸1965

Seybold, K., Die Königserwartung bei den Propheten Haggai und Sacharja [1972], in:
Studien zum Messiasbild im Alten Testament (Stuttgarter Biblische Aufsatzbände 6),
hg. von *U. Struppe,* Stuttgart 1989, 243–252

Die Oracula Sibyllina, ed. *J. Geffcken* (GCS 8), Berlin 1902; Nachdruck Leipzig 1967

Sibyllinische Weissagungen. Urtext und Übersetzung, hg. von *A. Kurfass,* München 1951

Sifra, der älteste Midrasch zu Levitikus, ed. *M. Friedmann,* Breslau 1915; Nachdruck
Jerusalem 1967

Sifra de be Rav. Ha Sefer Torat Kohanim, ed. *J.H. Weiß,* Wien 1862; Nachdruck New
York 1947 [deutsch → J. Winter]

Simonis, W., Jesus von Nazareth. Seine Botschaft vom Reich Gottes und der Glaube der
Urgemeinde, Düsseldorf 1985

Siphre ad Deuteronomium H.S. Horovitzii schedis usis cum variis lectionibus et adnotationibus, ed. *L. Finkelstein,* Berlin 1939; Nachdruck New York 1969 [deutsch → H.
Bietenhard]

Siphre D'be Rab. Fasciculus primus: Siphre ad Numeros adjecto Siphre zutta, ed. *H.S.
Horovitz,* Leipzig 1917; Nachdruck Jerusalem ²1966 [deutsch → K.G. Kuhn]

Sjöberg, E., בן אדם und בר אנש im Hebräischen und Aramäischen, AcOr 21 (1950/51), 57–65.91–107

–, Gott und die Sünder im palästinischen Judentum nach dem Zeugnis der Tannaiten und der apokryphisch-pseudepigraphischen Literatur (BWANT 79), Stuttgart/Berlin/ Köln/Mainz 1938

–, Der Menschensohn im äthiopischen Henochbuch (SHVL 41), Lund 1946

–, Der verborgene Menschensohn in den Evangelien (SHVL 53), Lund 1955

Sperber, A., → [Targum] The Bible in Aramaic

Staerk, W. → Altjüdische liturgische Gebete

Starcky, J. → [Qumran] Un texte messianique araméen de la grotte 4 de Qumrân

Stauffer, E., Art. ἵνα, in: ThWNT III (1938), 324–334

Steck, O.H., Aspekte des Gottesknechts in Deuterojesajas »Ebed-Jahwe-Liedern«, ZAW 96 (1984), 372–390

–, Aspekte des Gottesknechts in Jes 52,13 – 53,12, in: ZAW 97 (1985), 36–58

–, Israel und das gewaltsame Geschick der Propheten. Untersuchungen zur Überlieferung des deuteronomistischen Geschichtsbildes im Alten Testament, Spätjudentum und Urchristentum (WMANT 23), Neukirchen-Vluyn 1967

–, Weltgeschehen und Gottesvolk im Buche Daniel [1980], in: *ders.,* Wahrnehmungen im Alten Testament. Gesammelte Studien (TB 70), München 1982, 262–290

Stemberger, G., Art. Auferstehung I/2. Judentum, in: TRE IV (1979), 443–450

Stendebach, F.J., Prophetie und Tempel. Die Bücher Haggai – Sacharja – Maleachi – Joel (Stuttgarter Kleiner Kommentar – Altes Testament 16), Stuttgart 1977

Strecker, G., Die Leidens- und Auferstehungsvoraussagen im Markusevangelium [1967], in: *ders.,* Eschaton und Historie. Aufsätze, Göttingen 1979, 52–75

–, Der Weg der Gerechtigkeit. Untersuchungen zur Theologie des Matthäus (FRLANT 82), Göttingen ³1971

Strobel, A., In dieser Nacht (Lk 17,34). Zu einer älteren Form der Erwartung in Lk 17,20–37, ZThK 58 (1961), 16–29

–, Kerygma und Apokalyptik. Ein religionsgeschichtlicher und theologischer Beitrag zur Christusfrage, Göttingen 1967

–, Die Passa-Erwartung als urchristliches Problem in Luk 17,20f, ZNW 49 (1958), 157–196

–, Die Stunde der Wahrheit. Untersuchungen zum Strafverfahren gegen Jesus (WUNT 21), Tübingen 1980

Stuhlmacher, P., Achtzehn Thesen zur paulinischen Kreuzestheologie [1976], in: *ders.,* Versöhnung, 192–208

–, Das Bekenntnis zur Auferweckung Jesu von den Toten und die biblische Theologie [1973], in: *ders.,* Schriftauslegung auf dem Weg zur biblischen Theologie, Göttingen 1975, 128–166

–, Biblische Theologie als Weg der Erkenntnis Gottes. Zum Buch von Horst Seebass: Der Gott der ganzen Bibel, in: Jahrbuch für Biblische Theologie, Bd. 1: Einheit und Vielfalt Biblischer Theologie, hg. von *I. Baldermann u.a.,* Neukirchen-Vluyn ²1988, 91–114

–, Das Evangelium von der Versöhnung in Christus. Grundlinien und Grundprobleme einer biblischen Theologie des Neuen Testaments, in: *P. Stuhlmacher / H. Claß,* Das Evangelium von der Versöhnung in Christus, Stuttgart 1979, 13–54

–, Existenzstellvertretung für die Vielen: Mk 10,45 (Mt 20,28) [1980], in: *ders.,* Versöhnung, 27–42

–, Jesu Auferweckung und die Gerechtigkeitsanschauungen der vorpaulinischen Missionsgemeinden, in: ebd., 66–86

–, Jesus als Versöhner. Überlegungen zum Problem der Darstellung Jesu im Rahmen einer biblischen Theologie des Neuen Testaments [1975], in: ebd., 9–26

–, Jesus von Nazareth als Christus des Glaubens, in: *ders.,* Jesus von Nazareth – Christus des Glaubens, Stuttgart 1988, 11–46

–, Jesus von Nazareth und die neutestamentliche Christologie im Lichte der Heiligen Schrift, in: Mitte der Schrift? Ein jüdisch-christliches Gespräch. Texte des Berner Symposions vom 6.–12. Januar 1985, hg. von *M. Klopfenstein u.a.* (Judaica et Christiana 11), Bern / Frankfurt a.M. / New York / Paris 1987, 81–95
–, Die neue Gerechtigkeit in der Jesusverkündigung, in: *ders.*, Versöhnung, 43–65
–, Das paulinische Evangelium, Bd. I: Vorgeschichte (FRLANT 95), Göttingen 1968
–, Versöhnung, Gesetz und Gerechtigkeit. Aufsätze zur biblischen Theologie, Göttingen 1981
Suhl, A., Die Funktion der alttestamentlichen Zitate und Anspielungen im Markusevangelium, Gütersloh 1965
Swain, J. W., The Theory of the Four Monarchies, CP 35 (1940), 1–21
[Syrische Bibelübersetzungen]
The Curetonian Version of the Four Gospels, with the Readings of the Sinai Palimpsest, Vol. I–II, ed. by *F.C. Burkill,* Cambridge 1904
The New Testament in Syriac, ed. by *The British and Foreign Bible Society,* London 1905–1920; verschiedene Nachdrucke
The Old Syric Gospels, or Evangelion da-Mepharreshe, ed. by *A. Smith Lewis,* London 1910
The Palestinian Syriac Lectionary of the Gospels, re-ed. from two Sinai Mss. and from P. de Legarde's Ed. of the ›Evangeliar Hierosolymitanum‹ by *A. Smith Lewis / M. Dunloo Gibson,* London 1899
Vetus Evangelium Syrorum et exinde excerptum Diatessaron Tatiani, ed. *J. Ortiz de Urbina* (Biblia Polyglotta Matritensia 6), Madrid 1967

Taeger, J.-W., Der Mensch und sein Heil. Studien zum Bild des Menschen und zur Sicht der Bekehrung bei Lukas (StNT 14), Gütersloh 1972
[Talmud]
Der Babylonische Talmud mit Einschluß der vollständigen Mišhnah, Bde. I–IX, hg. und übersetzt von *L. Goldschmidt,* Den Haag 1933–1935 [deutsch → L. Goldschmidt]
Talmud Jeruschalmi, Ausgabe Krakau 1609
Talmud Jeruschalmi, Ausgabe Krotoschin 1866; Nachdruck Berlin 1920; Nachdruck Jerusalem 1969 [deutsch → A. Wünsche; Berakhot deutsch → Ch. Horowitz]
[Targum]
The Bible in Aramaic. Based on Old Manuscripts and printed Texts, ed. by *A. Sperber,* Vol. 1: The Pentateuch according to Targum Onkelos, Leiden 1959; Vol. 2: The Former Prophets according to Targum Jonathan, Leiden 1959; Vol. 3: The Latter Prophets according to Targum Jonathan, Leiden 1962; Vol. 4A: The Hagiographa. Transition from translation to Midrash, Leiden 1968; Vol. 4B: The Targum and the Hebrew Bible, Leiden 1973
Neophyti I. Targum Palestinense, MS de la Bibliotheca Vaticana (mit ausführlicher Einleitung und spanischer, französischer [R. Le Déaut] und englischer [M. McNamara / M. Maher] Übersetzung), Bde. I–V (Texte y Estudios 7–11), ed. *A.D. Macho,* Madrid/Barcelona 1968–1978
The Targum of Isaiah, ed. by *J.F. Stenning,* Oxford 1949
Taylor, V., The Gospel According to St. Mark, London ²1966
Teʿezâza Sanbat. Texte Ethiopien publié et traduit (Bibliothèque de l'Ecole pratique des Hautes Etudes. Sciences historiques et philologiques 137), ed. *J. Halévy,* Paris 1902
The Testament of Abraham, ed. by *M.R. James* (TSt II/2), Cambridge 1892 [deutsch → E. Janssen]
[Die Testamente der zwölf Patriarchen] The Greek Versions of the Testaments of the Twelve Patriarchs. Edited from nine MSS together with the variants of the Armenian and Slavonic Versions and some Hebrew Fragments, ed. by *R.H. Charles,* Oxford 1908; Nachdruck Hildesheim 1960 [deutsch → Joachim Becker]

Theisohn, J., Der auserwählte Richter. Untersuchungen zum traditionsgeschichtlichen Ort der Menschensohngestalt der Bilderreden des Äthiopischen Henoch (StUNT 12), Göttingen 1975

Theißen, G., Die Tempelweissagung Jesu. Prophetie im Spannungsfeld von Stadt und Land [1976], in: *ders.,* Studien zur Soziologie des Urchristentums (WUNT 19), Tübingen ³1989, 142-159

-, Urchristliche Wundergeschichten. Ein Beitrag zur formgeschichtlichen Erforschung der synoptischen Evangelien, Gütersloh ⁵1987

The Temple Scroll → Qumran

Theologische Realenzyklopädie. Abkürzungsverzeichnis, zusammengestellt von *S. Schwertner,* Berlin / New York 1976

Theologische Realenzyklopädie, hg. von *G. Krause / G. Müller,* Bde. Iff, Berlin / New York 1977ff

Theologisches Begriffslexikon zum Neuen Testament, Bde. I-III, hg. von *L. Coenen / E. Beyreuther / H. Bietenhard,* Wuppertal ³1972

Theologisches Handwörterbuch zum Alten Testament, hg. von *E. Jenni / C. Westermann,* Bd. I: אָב - מָתַי, München/Zürich ⁴1984; Bd. II: נָאַם - תַּרְפִּים, München/Zürich ³1984

Theologisches Wörterbuch zum Alten Testament, Bde. Iff, hg. von *G.J. Botterweck / H. Ringgren,* Stuttgart/Berlin/Köln/Mainz 1973ff

Theologisches Wörterbuch zum Neuen Testament, Bde. I - X/2, begründet von *G. Kittel,* hg. von *G. Friedrich,* Stuttgart/Berlin/Köln/Mainz 1933-1979

Thissen, W., Erzählung der Befreiung. Eine exegetische Untersuchung zu Mk 2,1 - 3,6 (fzb 21), Würzburg 1976

Thyen, H., Studien zur Sündenvergebung im Neuen Testament und seinen alttestamentlichen und jüdischen Voraussetzungen (FRLANT 96), Göttingen 1970

Tiedtke, E. / Link, H.-G., Art. δεῖ, in: TBLNT II (1970), 978-980

Tödt, H.E., Der Menschensohn in der synoptischen Überlieferung, Gütersloh ⁵1984

The Tosefta, Vol. I-IV, ed. by *S. Liebermann,* New York 1955-1973

Die Tosefta, Seder Zeraim. Hebräisch, hg. von *K.-H. Rengstorf* (RT I/1), Stuttgart/Berlin/Köln/Mainz 1983 [Berakhot - Pea deutsch → E. Lohse / G. Schlichting; Demai - Schebiit deutsch → P. Freimark / W.-F. Krämer]

Traub, H., Art. οὐρανός C-E, in: ThWNT V (1954), 509-536

Trilling, W., Zur Entstehung des Zwölferkreises. Eine geschichtskritische Überlegung, in: Die Kirche des Anfangs (FS H. Schürmann), hg. von *R. Schnackenburg / J. Ernst / J. Wanke,* Freiburg/Basel/Wien 1978, 201-222

Uhlig, S., Das Äthiopische Henochbuch (JSHRZ V/6), Gütersloh 1985, 461-780

Vermes, G., Jesus the Jew. A Historian's Reading of the Gospel, London 1973

-, The Use of בר נש / בר נשא in Jewish Aramaic [1965], in: *M. Black,* Approach, Appendix E, 310-330 = Der Gebrauch von בר נש / בר נשא im Jüdisch-Aramäischen [1965], in: *M. Black,* Muttersprache, Anhang E, 310-330 (Übersetzung mit identischen Seitenzahlen; zitiert als Use/Gebrauch)

Vielhauer, Ph., Gottesreich und Menschensohn in der Verkündigung Jesu [1957], in: *ders.,* Gesammelte Aufsätze zum Neuen Testament (TB 31), München 1965, 55-91

-, Jesus und der Menschensohn. Zur Diskussion mit Heinz Eduard Tödt und Eduard Schweizer [1963], in: ebd., 92-140

-, Tracht und Speise Johannes des Täufers, in: ebd., 47-54

Vita Adae et Evae, ed. *W. Meyer* (ABAW.PP 14/3), München 1878, 185-250

Vögtle, A., Exegetische Erwägungen über das Wissen und Selbstbewußtsein Jesu [1964], in: *ders.,* Das Evangelium und die Evangelien. Beiträge zur Evangelienforschung, Düsseldorf 1971, 296-344

-, Grundfragen der Diskussion um das heilsmittlerische Todesverständnis Jesu [1984],

402 Literatur

in: *ders.*, Offenbarungsgeschehen und Wirkungsgeschichte. Neutestamentliche Bei-
träge, Freiburg/Basel/Wien 1985, 141-167
-, Das Neue Testament und die Zukunft des Kosmos, Düsseldorf 1970
-, Der Spruch vom Jonazeichen [1954], in: *ders.*, Das Evangelium und die Evangelien.
Beiträge zur Evangelienforschung, Düsseldorf 1971, 103-136
-, Todesankündigungen und Todesverständnis Jesu, in: Der Tod Jesu. Deutungen im
Neuen Testament, hg. von *K. Kertelge* (QD 74), Freiburg/Basel/Wien 1976, 51-113
Volz, P., Die Eschatologie der jüdischen Gemeinde im neutestamentlichen Zeitalter. Nach
den Quellen der rabbinischen, apokalyptischen und apokryphen Literatur, Tübingen
²1934; Nachdruck Hildesheim 1966
-, Jesaja. Zweite Hälfte. Kapitel 40 - 66. Übersetzt und erklärt (KAT IX/2), Leipzig
1932; Nachdruck Hildesheim 1974
Voss, G., Die Christologie der lukanischen Schriften in Grundzügen (SN 2), Paris/Brügge
1965

Wanke, J., Beobachtungen zum Eucharistieverständnis des Lukas auf Grund der luka-
nischen Mahlberichte (EThSt 8), Leipzig 1973
Weimar, P., Daniel 7. Eine Textanalyse, in: Jesus und der Menschensohn, 11-36
Weiß, J., Die drei älteren Evangelien (SNT 1), hg. von *W. Bousset*, Göttingen ⁴1929
Wellhausen, J., Das Evangelium Lucae, Berlin 1904; Nachdruck in: *ders.*, Evangelien-
kommentare, Berlin / New York 1987 [459-600]
-, Das Evangelium Matthaei, Berlin ²1914; Nachdruck in: ebd. [177-320]
Wengst, K., Christologische Formeln und Lieder des Urchristentums, Gütersloh ²1974
Werner, W., Jes 9,1-6 und Jes 11,1-9 im Horizont alttestamentlicher Messiaserwartung
[1982], in: Studien zum Messiasbild im Alten Testament (Stuttgarter Biblische Auf-
satzbände 6), hg. von *U. Struppe*, Stuttgart 1989, 253-270
Wilckens, U., Auferstehung. Das biblische Auferstehungszeugnis historisch untersucht
und erklärt (GTB Siebenstern 80), Gütersloh ⁴1988
-, Der Brief an die Römer. 1. Teilband: Röm 1-5 (EKK VI/1), Zürich/Einsiedeln/Köln
/ Neukirchen-Vluyn ²1987
-, Gottes geringste Brüder - zu Mt 25,31-46, in: Jesus und Paulus (FS W.G. Kümmel),
hg. von *E.E. Ellis / E. Gräßer*, Göttingen 1975, 363-383
-, Die Missionsreden der Apostelgeschichte. Form- und traditionsgeschichtliche Unter-
suchungen (WMANT 5), Neukirchen-Vluyn ³1974
-, Art. σοφία κτλ. C, in: ThWNT VII (1964), 497-510
Wildberger, H., Das Freudenmahl auf dem Zion. Erwägungen zu Jes. 25,6-8, in: *ders.*,
Jahwe und sein Volk. Gesammelte Aufsätze zum Alten Testament (TB 66), München
1979, 274-284
-, Die Völkerwallfahrt zum Zion. Jes II,1-5, VT 7 (1957), 62-81
Windisch, H., Die Sprüche vom Eingehen in das Reich Gottes, ZNW 27 (1928), 163-192
Winter, J., Sifra. Halachischer Midrasch zu Leviticus, Breslau 1938
Winter, J. / Wünsche, A., Mechiltha. Ein tannaitischer Midrasch zu Exodus. Erstmalig ins
Deutsche übersetzt und erläutert. Mit Beiträgen von Professor Dr. *L. Blau*, Leipzig
1909
Wolff, H.W., Dodekapropheton 1. Hosea (BK XIV/1), Neukirchen-Vluyn ⁴1990
-, Jesaja 53 im Urchristentum, Berlin ³1952; Nachdruck Gießen/Basel 1984
van der Woude, A.S., Die fünf syrischen Psalmen (einschließlich Psalm 151), in: *E. Oßwald*,
Das Gebet Manasses / *A.S. van der Woude*, Die fünf syrischen Psalmen (einschließlich
Psalm 151) (JSHRZ IV/1), Gütersloh ²1977, 29-47
-, Art. χρίω κτλ. C I-II.IV.VI, in: ThWNT IX (1973), 500-502.508-511.512-518
Wrede, W., Das Messiasgeheimnis in den Evangelien. Zugleich ein Beitrag zum Verständ-
nis des Markusevangeliums, Göttingen ³1963
Wrege, H.-T., Die Überlieferungsgeschichte der Bergpredigt (WUNT 9), Tübingen 1968

Wünsche, A., Aus Israels Lehrhallen, Bd. III: Kleine Midraschim zur jüdischen Eschatologie und Apokalyptik, Leipzig 1909; Nachdruck Hildesheim 1967

–, Bibliotheca Rabbinica. Eine Sammlung alter Midraschim. Zum ersten Male ins Deutsche übertragen, Bde. I–V, Leipzig 1880–1885; Nachdruck Hildesheim 1967

–, Der Jerusalemische Talmud in seinen haggadischen Bestandteilen. Zum ersten Male ins Deutsche übertragen, Zürich 1880; Nachdruck Hildesheim 1967

–, Midrasch Tehillim, oder Haggadische Erklärung der Psalmen. Nach der Textausgabe von Salomon Buber zum ersten Male ins Deutsche übersetzt und mit Noten und Quellenangaben versehen, Bd. I, Trier 1892; Bd. II, Trier 1983; Nachdruck (in einem Band) Hildesheim 1967

Zeller, D., Das Logion Mt 8,11f / Lk 13,28f, BZ 15 (1971), 222–237

Zenger, E., Jesus von Nazaret und die messianischen Hoffnungen des alttestamentlichen Israel [1980], in: Studien zum Messiasbild im Alten Testament (Stuttgarter Biblische Aufsatzbände 6), hg. von *U. Struppe*, Stuttgart 1989, 23–66.

Zimmerli, W., Ezechiel. I. Teilband: Ezechiel 1–24 (BK XIII/1), Neukirchen-Vluyn [2]1979

–, Gott schafft Neues. Deuterojesaja. Zur 41. Bibelwoche 1978/79, Gladbeck 1978

–, Grundriß der alttestamentlichen Theologie, Stuttgart/Berlin/Köln/Mainz [5]1985

Zimmermann, H., Das Gleichnis vom Richter und der Witwe (Lk 18,1–8), in: Die Kirche des Anfangs (FS H. Schürmann), hg. von *R. Schnackenburg / J. Ernst / J. Wanke*, Freiburg/Basel/Wien 1978, 79–95

Zobel, M., Gottes Gesalbter. Der Messias und die messianische Zeit in Talmud und Midrasch (Bücherei des Schocken Verlags 90/91), Berlin 1938

Zmijewski, J., Die Eschatologiereden des Lukas-Evangeliums. Eine traditions- und redaktionsgeschichtliche Untersuchung zu Lk 21,5–36 und Lk 17,20–37 (BBB 40), Königstein/Ts. / Bonn 1972

Stellenregister (Auswahl)

Altes Testament

Genesis

3	324
6,1–4	68[68]
7,1	237[134]
7,13	65[56]
12,2f	117.136.342
17,4–7	117.136.342
18,3	314
27,25	332[459]
49,9	120
49,10	105[206].222[49].224

Exodus

17,14	289[234]
19,10f	120
20,8–11	201
20,10	202
21,30	316.321
30,12	316.321
34,29–35	46

Leviticus

5,17	273[157]

Numeri

24,17	130[348].131[359]

Deuteronomium

5,12–15	201
5,14	202
21,18	221
21,22f	176
30,11–14	238[135]

Richter

5,31	46
8,22f	75[91]

1. Samuel

8,5f	363[90]
8,6f	75[91]
9,1–17	75[91]
10,1	75[91]
10,19	75[91]
11,12–15	75[91]
12,12.17.19	75[91]
16,1–13	74.77
16,12	78

2. Samuel

2,1–4	74.77
5,1–3	74.77
7,8–16	75[92].133[368].134.172f
7,11b–16	74–76.174–176
7,11b–14	134
7,14f	299
7,14	128f.143.175
7,15	176
24,14	295.299

1. Könige

1,14	122[313]
3,9	363[90]
8,24	121
19,1–14	284
19,15f.19–21	231
22,19	17f

Jesaja

2,2–4	133[367].136
6,1–13	17f.20
8,14	38
9,5f	75[91].134.364[94]
9,6	129f
10,34	73[87]
11,1–5	44.364[94]
11,1	73[87].134
11,2	214.224
11,2–4	78.176.191.223.247[5]
11,6–8	62[45]
11,10	118.129.134.136.139f. 364
25,6–9	116f.137f
25,6	353[52]

26,17	254[56]
26,19	364[96]
32,12 LXX	352[50]
40,3	56[19]
42,1	266.318[380]
43,3f	138.317.320[383].321f.324f.326–334.339f
43,4	297[290].332f
43,5–7	117.324.333(.339f)
43,10	266
43,22–25	335
43,23b	335
43,24b	335
45,22–24	136.319
49,3	318[380]
49,5f	319[380]
49,6	136.319
49,22	136
52,13 – 53,12	260.265–268.317.319[380].319f.322–325.339
52,13–15	265f.319[380]
52,13	265f
52,14	323
52,15	323
53,1–12	266.316
53,1–11a	319[380]
53,2	319[380]
53,3	283.285
53,4	271[150]
53,5	262f
53,6	290f
53,8f	319[380]
53,10	317.321f
53,11	268.271[150].321.323
53,11b–12	314.319[380]
53,12	303[304]
53,12a	321.323.325
53,12b	250.290.316.325
53,12c	290–293.323–325.333
54,9	67f
55,3b–5	136.318[380].319
56,2	202
59,20	134
60,1–3(–9)	136
61,1f	210
66,8	254[56]
66,18–23	136

Jeremia

3,11	332[459]
3,17	136
14,19–21	133[367]

23,5f	364[94]
23,5	129
30,9	130
38,16	295

Ezechiel

1,4–28	17f
1,26	34f
5,1–4.12f	261
17,22–24	129f.134
17,23	38[150]
21,32	130.224[59]
29,17–21	320[383]
34,16	204–207
34,23f	207
37,1–14	319[380]
43,7	133[367]

Hosea

3,5	130
6,2	120[300].278
13,11	75[91]
13,13	254[56]

Joel

4,17	133[367]

Amos

9,11	113.118.134.175

Jona

2,1–11	88
2,1	89.91.278f

Micha

4,1–3	133[367].136
4,9f	254[56]
5,1	130
5,3	224

Habakuk

2,3	224[61]

Zephanja

3,9	136

Haggai

2,21–23	76.130

Sacharja

2,14–17	136
3,8	76.130.265
4,14	76

6,12f	76.175
8,2f	133[367]
8,20-23	136
9,9f	105.134.136f.140. 224[59]
11,6	295.297
12,10	180.262[94]
13,7-9	260-262
13,7	267[131]

Maleachi

3,1	225.282-284
3,18	237[134]
3,19	45f
3,23f	225.282-284

Psalmen

2,2	74[91].130
2,6f	129.134
2,6	74[91].130
2,7	74[91].128.175
2,10	363[90]
9,12	133[367]
18,4f	223
18,21-25	237[134]
21,10f	136[386]
21,10	45f
22,28-30	136
41,4f	192[19]
48,2-4	133[367]
49,8f	321.328-331.333f
68,17	133[367]
78,68-71	134
80,1-20	35
80,16b	35[136]
80,18	35f
87,1-7	136
89,20-38	75[92].133[368]
89,22-30.34-38	176.299
89,27-30	74[91]
89,27f	129.175
89,39	286
89,50	318[380]
98,1-9	136
99,2.9	133[367]
102,13.18	20
103,3	192[19].195.197
103,21	336
110,1f	74[91].128-130.134
110,1	44.179f.182-184
118,17f	271[151]
118,22	269.271.275.286f

118,26	105.222[49].224[61]
132	75[92]
132,11-18	133[368].134
132,13f	133[367]
132,18	176

Hiob

16,11	295.297
16,21	162[507]
33,24	321.327
36,18	321.327
42,9b-10a LXX	268[136]

Sprüche

8,15f	363[90]
8,22-36	43f
21,18	321f.327f

Daniel

1-12	14f[33.34]
2,4b - 7,28	13-15.22f.31-33
2,19-23	37f
2,28f	274
2,31-45	33
2,34f	38
2,39f	15
2,44f	15.38
2,44	33
3,33	15
4,18	38[150]
4,9	38[150]
4,31b	15
6,27	15
7	7-9.23
7,1b	13
7,2aβ-7bα. 11b	9-16
7,2aβ-14	8-13
7,7bβ-8	9.11.15f.31
7,9f	10.12f.16-22.30
7,10	336f
7,11a	12f
7,11b	9f.12f.17.30
7,12	13.17.30
7,13f	16f.21-23.27-33.36f. 42.44.47f.155[480].156- 158.163.165-167. 228.337.340.359
7,13	179-182.222[49]
7,14	22.39.197.337
7,15-28	13.16[39].23-27.29.31f.
7,17	26
7,18	26.39

7,21f	13³².25
7,22	39
7,25	25f
7,27	26.39.337
7,28bβ	13
8,17	28f
9,12	363⁹⁰
12,1f	254⁵⁵
12,2	27⁹⁹.364⁹⁶
12,3	268

Esra

9,5	350³⁸

1. Chronik

17,4	173
17,7-14	75⁹².133³⁶⁸.134
17,10b-14	175
17,13	128.143.175f.299
17,14	74⁹¹
21,13	295.299
28,5f	75⁹¹.173

2. Chronik

1,10f	363⁹⁰
9,8	75⁹¹.173
13,8	173

Apokryphen des Alten Testaments

1. Makkabäer

2,50	315³⁶²
2,57	75⁹²
6,44	315³⁶²

2. Makkabäer

7,1-42	364⁹⁶
7,37	268¹³⁶.322⁴⁰⁴
12,43-45	364⁹⁶

3. Makkabäer

6,8	88¹⁴⁶

Sirach

15,15	238¹³⁵
24,8-12	133³⁷⁰
25,44	324⁴¹⁰
29,15	316
45,25	75⁹²

Tobit

13,11	136
14,6f	136

Weisheit Salomos

2,12-20;	
5,1-7	268.318³⁸⁰

Neues Testament

Matthäus

2,1	60
3,8 par	109
3,10 par	109
3,11 par	78.222⁴⁵
4,13	227⁷⁷
5,3.4.6 par	101¹⁸².157.212.237
5,11f par	212
5,14	116.138f
5,17	102¹⁹¹
5,23f	238f
5,46f par	296²⁸⁶
6,10a par	236
6,13a par	252f.344
8,7	138³⁹⁹

8,11f par	114-118
8,11 par	60.114-118.138f.333.353⁵².⁵³.364
8,12 par	115f.118.151
8,19f par	226f.232-234.243.248f.344
8,20 par	226-234.341f
8,21f par	232¹¹²
9,1 par	227⁷⁷
9,9	231¹⁰⁶
10,5b-6	40¹⁵⁸
10,23	168.122.236.249.252.254⁵⁵.⁵⁶.344.355⁶¹
10,32f par	152-158.249.344
10,38 par	248¹⁷

11,2f par	78.225
11,3 par	78.222[45]
11,5f par	101.159[494].225
11,7–14 par	57[19]
11,10 par	225[64]
11,14	225[64]
11,16–19 par	214–222.232f.243
11,19a.b par	210.220–222.342
11,19c par	219f
11,21–24 par	235
11,25–27 par	37f
11,27 par	101
12,28 par	82
12,31f par	213f
12,38–40 par	79–98
12,40 par	89f
12,41f par	80[108].235
13,16f par	101.266
13,36–43.49f	216
13,37	188
13,40–43.49f	45–47
13,41	51.147
15,24	40[158].95[167].206f[85]
16,2f par	237
16,13 par	213
16,18	112
16,21 par	213
16,27	147
16,28	51
17,2	46
19,28 par	138–151
19,28	154.159
19,28bα	38.47.146f
20,21 par	106f
22,1–10 par	353[52.53]
23,12	157
23,29–31 par	119[294].247
23,34f par	119[294].220[34].247
23,37a	119[294].247
23,39 par	355[61].356[65]
24,5 par	132
24,23 par	53–56
24,26	53–57
24,27 par	58–63
24,28 par	57f
24,30a	262[94]
24,37 par	63–70
24,38–39a par	64–67
24,39b	65f
24,43 par	51.236
24,44 par	51
25,31	47.51.146f
26,2 par	258.281

26,29 par	345[5].353
26,63f par	174–185
26,63b	177[560]
26,64a par	177–179
26,64bα par	179–185
26,64bβ par	177.179f.184[593].185
27,15	115
27,63f	278.281

Markus

1,2–5 par	56[19]
1,2 par	225[64]
1,5 par	109
1,7 par	78.222[46]
1,9–11 par	242
1,11 par	242
1,44 par	238
2,1–12 par	188–199
2,1 par	227[77]
2,5b par	189f.192–194.198f
2,6–8 par	190f
2,7 par	194f
2,10 par	188f.198f.210f
2,12b par	189.191f
2,13f par	189[2].227[77].231[106]
2,15 – 3,6 par	188f[2].241
2,15–17 par	206
2,15 par	227[77]
2,17 par	95[167]
2,17b par	206.237
2,23–26 par	199f
2,27	199–203
2,28 par	199–203
3,1–6 par	241f
3,6 par	241f
3,7f par	241[158]
3,13–19 par	231[106]
3,13f par	231[106]
3,27 par	224
3,28f par	213f
4,10	231[106]
4,11f par	95
4,13–20 par	216
4,32par	38[150]
5,41f par	277[180]
7,15 par	239
8,11f par	79–86.98
8,27–33 par	240
8,27 par	213
8,29 par	110
8,31 par	213.234.258–260.269–282.286f.302.313[353].360[72]

8,34b–35 par 232f.248f.307.344
8,35 par 254[58]
8,37 par 329.331
8,38 par 152–154.156.158f
9,1 par 122–125.236.248f.
282–284.344.355f
9,9–13 par 225[64].256.282–285.
313[353]
9,9f par 256.286f
9,9 280[201]
9,12b par 256.260.270f.275.
282–288
9,31 par 258.260.281f.288–
301.357
9,33–37 par 311
9,33–35 par 306.314
9,34 par 311
9,35b par 306
9,36f par 314
9,36 par 311
10,21 par 230f[105]
10,32 231[106]
10,33f par 256.280[201]
10,35–39 par 107–110.148f
10,37 par 106f.148f.344.350.363
10,38f par 107–110.248f.307f
10,40 par 107f.148f
10,41–42a par 306
10,42b–45 304–308.310f
10,43f par 306.314
10,45 par 117.138f.244.300.
302–342.357.365
10,45a par 335–339
11,1–11 par 105f
11,8–10 par 344
11,12–14 par 236
11,15–18 par 102[193].105
11,17 138f
12,6–8 par 119[294].247
12,7–9 par 236[127].344
12,7f par 111.248
12,9 par 110f.344.363
12,10f par 269
12,18–27 par 364f
12,35–37 par 182f
13 par 358f[68]
13,6 par 132
13,7 par 274
13,10 274
13,13b par 158.252.344
13,14–27 par 254[55.56]
13,14 par 38.274[163]
13,19 par 38

13,21–23 par 132
13,21 par 53–56
13,26 par 165–167.181[577].360
13,30 par 122f.355[61]
13,32 par 38[144].122
14,1 par 258.278.281
14,7f par 248.249[18]
14,9 359[68]
14,17–20 par 257
14,21 par 257f.298[294]
14,21b par 313[353]
14,23 par 351f[50]
14,24 par 138f.244.302–304.
309f.323[407].325
14,25 par 249.345–356.365
14,27f par 261.356[65]
14,27 par 361[82]
14,38a par 253.344
14,41b par 258–260.296f
14,47 par 252
14,55–65 par 174–176
14,57 176
14,58 par 112–114.175f.277.280
14,59 176
14,61b–62 par 174–185
14,61b par 175
14,62a par 177–179
14,62bα par 179–185.344.360
14,62bβ par 165.167.177.179f.
184[593].185
14,63 par 176
14,65 par 176.247[5]
15,26 par 102[196]
16,7 par 356[65]

Lukas
1,17 225[63]
1,54 318[380]
1,76 225[63]
2,26 355[61]
3,8a par 109
3,10 par 109
3,16a par 78.222[45]
3,22 242[164]
4,28f 241
6,13 par 231[106]
6,20b–21 par 101[182].212.237
6,22f par 212
6,32–34 par 296[286]
7,19 par 78.222[45].225
7,22f par 101.159[494].225
7,24–28 par 57[19]
7,27 par 225[64]

7,31–35 par	214–222.232f.243	15,7	237
7,34 par	210.220–222.342	15,8	204
7,35 par	219f	17,20a	52[6]
9,22 par	258f	17,20b–21	52f[6]
9,36b par	256[62].313[353]	17,21a	53[6].53–57
9,44	288f.295	17,22	58f
9,46–48	311	17,23	53–57.62[47]
9,57f par	226f.232–234.243.	17,24 par	52f.57–63
	248f.344	17,25	258f.270f.275.313[353]
9,58 par	226–234.341f	17,26 par	63–70
9,59f par	232[112]	17,27 par	64–67
9,61f	226[67]	17,28f	63.65f
10,13–15 par	235	17,30 par	65f
10,18	60[31]	17,37a	57f
10,21f par	37f	17,37b par	52.57f
10,22 par	101	18,8b	51f
10,23f par	101.266	18,14b	157
11,2b par	236	19,1–10	203f
11,4b par	252f.344	19,7	205f
11,20 par	82	19,8	203f[74]
11,29f par	79–98	19,9	204–206
11,30 par	90–98	19,10	204–208.210f
11,31f par	80[108].235	20,18 (par)	38
11,47f par	119[294].247	21,36	51f
11,49–51a par	119[294].220[34].247	22,15–18 par	249.345–356
12,8f par	152–158.249.344	22,16 par	350.355[61]
12,8	154.159	22,18 par	347–352.355[61]
12,10 par	153.213f	22,22b par	313[353]
12,16–20	237	22,25–27	304.310–312
12,32	39f.145	22,27	304.308[330].310–313
12,39 par	51.236	22,28–30 par	138–151
12,40 par	51	22,29	142–144
12,49f	207[85].248.249[19]	22,30a	353[52]
12,49	225	22,30a*.b	106.108.144–151.344.
12,50	275		350.363f
12,54–56 par	237	22,31–32a	249[24].253.254[54]
12,58f (par)	237	22,35–38	250f
13,2–5	193[20].235	22,36	250–252.344
13,28f par	114–118.138f.333.	22,37	250f
	353[52.53].364	22,38	250–252
13,28 par	115f.118.151	22,48	259
13,29 par	60	22,66–71	176f
13,31f	118–122.277	22,67a.69f par	174–185
13,31	85[132].241f.247[5]	22,69 par	179–185.360
13,32	360	22,70 par	177–179
13,33a	118f	24,7	259f.280[201]
13,33b	118.119[294].221.247f.	24,12	361
	362	24,26	360
13,34a par	119[294].247	24,46	279[194]
13,35b	355[61].356[65]	24,51	366[100]
14,11	157		
14,15–24 par	353[52.53]	**Johannes**	
14,27 par	248[17]	1,15.27.30	78.222[45]

1,21	225[64]	11,30	192[19]
2,19	112-114.277.280	15,3b-5	278[185].279
2,21f	280[200.201]	15,21f	324[410]
3,13f	360		
4,25	78.226	**2. Korinther**	
5,1-14	193[20]	12,1-5	162[507]
5,14	192[19]		
5,18	132[363]	**Galater**	
7,27f	72.226	1,4	315[362]
7,41f	72		
9,2	192[19]	**Epheser**	
9,3	193[20]	5,2	307
9,24	260[83]		
10,33.36	132[363]	**Philipper**	
11,49-52	331[451]	2,10f	2
11,50	332[455]		
12,23	360	**Kolosser**	
12,48f	157[487]	1,15-20	2
13,34-38	307		
15,12f	307	**1. Timotheus**	
19,7	132[363]	2,5f	305.308f.315[362]
19,37	180[576].262[94]		
20,1f	361	**Titus**	
20,3-10	361	2,14	315[362]
20,9	361		
		Hebräer	
Apostelgeschichte		2,6	155[479]
1,2f	366[100]	9,28	323[407]
1,13	231[106]	11,7	68f
2,14-36	366[99]	12,22-24	134
3,19-21	225[64]		
4,11	287	**1. Petrus**	
5,36	78	2,19-21	307
7,55f	153[465].155[479]	3,19-20a	68
13,22-37	366[99]		
13,25	78.222[45].226	**2. Petrus**	
26,7	149	2,5	68
Römer		**1. Johannes**	
1,3f	279	3,16	307
4,24f	293		
4,25	277[180].279.291f.298[294]	**Offenbarung**	
5,12-21	324	1,7	180[576].262[94]
5,16	323[407]	1,13	155[479]
8,32	293.298[294]	2,9	115
10,9	279	3,9	115.331[451].332[455]
11,26	134	3,20f	140.144[418]
15,8	138[399]	3,21	150
		11,3-14	225[64]
1. Korinther		12,6.14	57[19]
6,2	150	14,1	134
11,23	293	14,14	155[479]
11,26	345[5].353	19,7.9	353[52]

Pseudepigraphen

Assumptio Mosis
3,11   276[172]
8-10   254[55]

Syrische Baruch-Apokalypse
23,4   324[410]
39,7   130
40,1-3   134
48,42f   324[410]
50,2   364[96]
53,1.8-11   62
54,15   324[410]
69-74   254[55.56]
70,9   299[297]
72-74   62[47]
72,1f   62
72,2   130
85,12f   329[443]

Elia-Apokalypse
31,14-18   132
40,4-7   132

4. Esra
3,7.21   324[410]
7,32.37f   364[96]
7,97   46
7,102-115   329[443]
11,37 - 12,3 254[55]
12,31-34   254[55]
13,12f   148[442]
13,32   130
13,35   134
13,37   130
13,39-49   148[442]
13,50   57[19]
13,52   72[77].129

Äthiopischer Esra
78,16 - 79,7   132

Äthiopisches Henochbuch
27,1-4   329[443]
39,7   70[72]
45-57.58-69   41-47
45,3   223
46,1f   42
46,4f   266
48,6   70[72]
48,10   44f.130

48,4   45
49,2   169.173
49,3f   223
51,1f   364[96]
51,3   47.146.183[590].184[594]
52,4   44f.130
54,6   46
55,3f   266
56,5-8   41
61,8   47.146.183[590].184[594]
62,1-6   266
62,2-5   223
62,2   47.146.183[590].184[594].
            214
62,7   70[72]
62,9-15   223
62,14   169.173.353[52]
70-71   29.41.71[74].359
85-90   173[541]
90,37   173[541]
91,10   364[96]
92,3   364[96]
98,10   329[443.446]
104,2   46

Jubiläenbuch
7,20-39   68[68]
16,16   355[61]
31,20   267[131]

Liber Antiquitatum Biblicarum
42,10   72[77]

4. Makkabäer
6,28f   268[136].322[404]
17,21f   268[136].322[404]

Martyrium Jesajas
2,8-11   56[19]

Psalmen Salomos
3,12   364[96]
17-18   173
17,4   75[92]
17,21-46   134
17,21-25   223
17,21   129.363[90]
17,26   363[90]
17,29   223.363[90]
17,35   223

17,42	129.148[442]
17,44	131
18,5.7	130

Syrische Psalmen
Ps 154 (Syr
  II),20   133[367]

Sibyllinen
1,128f.150–
  198   68[68]

Testament Abrahams (TestAbr)
Rez. A 13   48[38].297
Rez. B 11   48[38]

Testamente der zwölf Patriarchen

Ruben
  6,8   267[131]
  6,12   267[131]
Benjamin
  3,8   262
  10,6–8   364[96]

Testament Isaaks
  2,12   355[61]

Vita Adae et Evae
34   324[410]

Qumrantexte

Gemeinderegel (1QS)
  5,24f   223
  8,13f   56[19]
  9,19f   56[19]

Gemeinschaftsregel (1QSa)
  2,11f   131

Damaskusschrift (CD)
  7,18–20   129
  12,13 – 13,1   129
  14,19   129.267[131]
  19,7–11   267[131]
  20,1   129
  20,34   267[131]

Loblieder (1QH)
  6,26   113[248]
  11,11f   40[160]

Kriegsrolle (1QM)
  5,1f   148[442]

Habakuk-Kommentar (1QpHab)
  5,4f   223

Patriarchensegen (4QPatr)
  1–4   105[206].224

Florilegium (4QFlor)
  1,1–13   75[92]
  1,6   112f
  1,10–13   129.134.175
  1,12f   113

4QMess ar
  1–10   77f.129

Daniel-Apokryphon (4QpsDan Aᵃ)
    175

4QOrNab
  1,4   195[27]

4QAhA
    267[131]

4Q 511,10,10
    363[90]

Hiobtargum (11QTgJob)
  38,2–3a   268[136]

Tempelrolle (11QTemple)
  64,6–13   175

Rabbinische Literatur

Mischna

Sanhedrin (mSan)
X,1   364[96]

Pirqe Avot (mAv)
V,2   68

Jerusalemer Talmud

Berakot (yBer)
II,12,5a   72[80].73

Taʿanit (yTaan)
IV,48–51,68d   130[348]

Qidduschin (yQid)
I,10,61d   326[423]

Babylonischer Talmud

Berakot (bBer)
29a   130f
60b   252[47]
62b   330f[451].332[455]

Schabbat (bShab)
118a   254[56]

Pesachim (bPes)
5a Bar   134
49b   56[19]
105b   346[12]

Megilla (bMeg)
17b   192[19]

Chagiga (bHag)
14a   223

Nedarim (bNed)
41a   130[19]

Sanhedrin (bSan)
38a   223
93b   132
96b–98a   224[61].254[56]
98a/b   264
98a   73[82].134

Midraschim

Mekhilta de Rabbi Yischmaʿel (MekhY)
12,1 (2a)   267[131]
21,30 (93a)   320[389]
21,30 (93b)   329[443.446].330.332[455]

Sifra
12,10 (120a)   262f

Sifre Devarim (SifDev)
323 (138b)   324[410]
329 (139b)   329[443]
333 (140a)   330.332[455]

Bereschit Rabba (BerR)
38 (18b)   68[68]

Schemot Rabba (ShemR)
1,31 (67b)   73[82]
11,2 (108a)   328.330

Wayyiqra Rabba (WaR)
9 (111a)   72[81].175

Bemidbar Rabba (BemR)
2 (138a)   330f[451]

Devarim Rabba (DevR)
9 (206a)   324[410]
11 (207c)   46

Tehillim (= Schocher Ṭov) (MTeh)
2 § 9 (14b)   266
20 § 4 (88)   254[56]
45 § 3 (135a)   254[56]
46 § 1 (136b)   329[443]
49 § 1 (139b)   329[443]
146 § 1 (267b)   329[443]

Schir ha-Schirim (ShirR)
2,13 (100b)   254[56]

Rut Rabba (RutR)
2,14 (132b)   56[19]

Ekha Rabba (EkhaR)
1,13 (55b)   254[56]
1,16 (58b)   72[80]

Qohelet Rabba (QohR)
1,9 (9b)   56[19]

Ester Rabba (EstR)
3,6 (94b)   38[148]

Pesiqta de Rav Kahana (PesK)
185a   134

Pesiqta Rabbati (PesR)
11 (42a.45b)   330f[451]
15 (17b)   131[359]
36 (161–162b)   70[72]
36 (162a)   131[359].134

Tanchuma (Tan)
שמות 61b   73[82]

Tanchuma ed. Buber (TanB)
בלק § 14 (70b) 68
תולדות § 20
(70a) 266

Aggadat Bereschit (AgBer)
23 (20a) 73[82]

Beth ha-Midrasch (BHM)
II,54,19 73[82]

II,60,16 132
IV,124,25 132

Pirqe de Rabbi Eli'ezer (PRE)
10 88[146]

Leqach Ṭov (LeqT)
2 (129b) 73[82]
2 (130a) 131[359]

Targumim

Targum Pseudo-Jonathan (TPsJ)

Exodus
20,9 337

Targum Jonathan zu den Propheten (TJon)

1. Samuel
2,10 130

2. Samuel
22,51 130

Jesaja
6,9f 95
43,4 332[455]
52,13 – 53,12 43[10].195.264.265–267.
339
52,13–15 265f
52,13 265f
53,1–12 266
53,3 265
53,4–12 195f
53,4 268[136]

53,5 175.291.292[255]
53,12 265
53,12c 268[136]

Ezechiel
37,24 131

Sacharja
4,7 131
10,4 131

Targumim zu den Hagiographen

Psalmen (TPs)
18,51 130
49,8f 328[438.439].329[443]
80,18 35136
85,52 131

Ruth (TRuth)
4,22 324[410]

Kohelet (TKoh)
7,29 324[410]

Jüdische Gebete

Achtzehngebet
129.131.134

Habinenu
131

Musaphgebet
131

Qaddisch
130

Qaddisch de-Rabbanan
130

Stichwortregister (Auswahl)

Deutsch

Abba 142f[413]
Abendmahlsüberlieferung 303f.309f.325.346f
Ablehnung Jesu 214f.218-220.235.237.243f.341
Amen, responsorisches 123f.347f
Apokalyptik und Jesus 37f.336f.339f
Apokatastasis 328-330.333f.339.341f.365
Auferstehung Jesu
    Auferweckung durch Gott 277[180]
    Erfahrung der Osterzeugen 358.360-362.365f
    Erwartung Jesu → ἀνάστασις (bei Jesus)
    ›gegen‹ die Erwartung der Osterzeugen 360-362.365
    Genese der Auferstehungsankündigungen 279-282
Auferstehung der Toten 364f

Danielbuch, Entstehung 14f[33.34]
Drangsal, eschatologische 76f.124f.250.252-254.343f
Drei-Tage-Worte 112-114.120f.277.280
dritter Tag (= eschatologischer Heilstag) 113f.120f.277.280

Einheit Gott – Messias → Gott(esherrschaft) und Messias
Elia redivivus 225.282-285
Endgericht 167.299.326.328-334.363f

Gerechte 237f
Gericht (Verwerfung) als Heilsereignis 297-300.326-334.341f.365
Gerichtsverkündigung Jesu 110f.218-220.235.237.243f
Gott(esherrschaft) und Messias 74f[91].84.118.128-133.138-140.168-174.362-367
Gottesherrschaft und Menschensohn 168-170
Gottesknecht 318f[380]
Gottesvolk, eschatologisches 23-27.31-33.36.39f.112f.116-118.134-140.148-151.
    363-365

Herrschaft Israels 25-27.30-32.36.137f

Inthronisation → Messias, Inthronisation (AT/Judentum bzw. Jesus)

Jerusalem/Zion 97.105.118.121.132-140.185.277.358.361f (s. auch
    Völkerwallfahrt, eschatologische)
Johannes der Täufer 77f.222-226.285

Kollektivleiden 107.109.124f.158.168.232f.249-254.343f.365
Kult, Jesu Stellung zum 195.198f.238f

Lösegeld(konzeption) → λύτρον

Menschensohn
  Ablehnung der apokalyptischen Menschensohnüberlieferung   39f.336f.339f
  ein anderer als Jesus?   152.154f.159-160(-164)
  austauschbar mit »ich«   153-158.212f.257[65].258f.310-312
  Daniel ›contra‹ Jesus   155-158.165-167
  Engel?   27-30.155[480]
  generischer Gebrauch   161f(.198).202f.213(.221.228f.297)
  Gottesherrschaft → Gottesherrschaft und Menschensohn
  Inthronisation → Messias, Inthronisation (AT/Judentum bzw. Jesus)
  Königsprädikat   35f
  Kollektivbegriff (Dan 7) → Menschensohn, Synonym für Israel
  Kollektivbegriff (Jesus)   39f
  kommender → Parusie Jesu / des Menschensohns
  Leiden und Sterben → Tod Jesu
  Messiasprädikat (AT/Judentum)   35[136].44f.47f.164
  Parusie → Parusie Jesu / des Menschensohns
  Qumran   40[160]
  Richtergestalt?   30.42f[8].43
  Scheitern   218-220.232-234.240f.243-245.341
  Selbstbezeichnung Jesu → Umschreibung für »ich« / Selbstbezeichnung Jesu
  Stellvertreter Gottes   102f.199.205.207f.210.232.245.332.334.362
  Synonym für Israel   23.30-33.36
  Titel?   32.42[5].163f
  Umschreibung für »ich« / Selbstbezeichnung Jesu   96.155.160-167.198.221.229f.
    297f
  Urkirche   155-158.165-167
  Vollmacht   102.104.193-199.205.207f.210f.231f.242f.338
Messias
  ben Joseph (Ephraim)   264f
  Davidssohn   74-76(-78).102f[198].113[249].121f.128-1- 30.134f.173.183.203
  designatus (AT/Judentum)   70-79
  designatus (Jesus)   96f.101-103.158.155.164-166.184f.210f.243f.298-300
  Designation → Messias designatus
  Gottesherrschaft → Gott(esherrschaft) und Messias
  Herrschaft   62.74-78.128-130.140.170-172.184f.299.358.362-364
  Hirte Israels   40[158].207f
  Inthronisation (AT/Judentum)   62.74-79.128-140
  Inthronisation (Jesus)   62f.69f.96f.103-107.110-114.118-122.124-127.135.138-
    140.145f.150f.184f.343-345f.357-365
  Leiden und Sterben (AT/Judentum)   260-269.298f
  Leiden und Sterben (Jesus) → Tod Jesu
  Mitherrschaft der Jünger   106-108.110f.142-151.363f
  Richter   223f
  Sohn (Gottes)   128.133.142f[413].172.175.183-185.363
  Sündenvergebung   195-199.205
  Tempelbau   76.112f.175
  Verborgenheit → Messias designatus
  Verfolgung (Messiasprätendenten)   73.79.84f
  Zeichen als Legitimation   83f.95f
Messiasdogmatik (AT/Judentum)   44.103[200]
Messiasgeheimnis   103f

Nachfolge   226-233
   im Unterschied zu »Glaube«   230f
Nathanverheißung   74-76.133.174-176.183

Parusie Jesu / des Menschensohns   51.59.165-167.181.184-187.340.358-360.366f
   als unjesuanische Redeweise → ἀνάστασις (bei Jesus)

Sabbat   200-203
(Existenz-)Stellvertretung   (298f.)320-322.326-334.338.341
Seligpreisungen   212.237
Sitzen zur Rechten Gottes   128.166.182-185.358f.362
Sohn (Gottes) → Messias, Sohn (Gottes)
Sohn Davids → Messias, Sohn Davids
Sündenvergebung   188-199.268[136]

Taufe des Johannes   109f
Tempelreinigung   102[193].105.139
Tempelzerstörung   73.112.176
temporales ἐν (בְּ)   106.145f.350
Terminlogien   122-123(-125).168
Tod Jesu   103f[201].219.232-234.240f.243-260.269-342.353-356
   nicht von Anfang an im Blick   69f.97.106f.112-114.116-122.125-128.144.151.
   194[26].234-244.338.340
Tora, Jesu Stellung zur   102[191]

›Verrat‹ des Judas   125f
Völkerwallfahrt, eschatologische   116f.135-140.151.320.333f.342.364

Wehen, messianische   99.124f.254
Wüste als Ort des Heils   56f[19].225

Zeichenforderung   81-85.95
Zion → Jerusalem/Zion
Zwölferkreis   106.108.111.148-151.363f

Griechisch

ἀνάστασις (bei Jesus): Inthronisation (»Auferstehung« und
   »Parusie« als ›Einheit‹)   (62f.69f.97f.)114.166.184f.354-367
δεῖ / πῶς/καθὼς γέγραπται   271-275.286.301f
ὁ ἐρχόμενος   78.222-226.243
ἦλθον-Worte   206-210.215f[16].315.337f
ὁ ἰσχυρότερος   78.222.224.226
λύτρον   315.317-322.326-331.333f
πολλοί (inklusiv)   115.117.315.323-325.333f

Hebräisch

כֹּפֶר   320-322.326-334
   Heidenvölker als כֹּפֶר für Israel   326-331.333f
   Jesus als כֹּפֶר für Israel und die Heidenvölker   331-334.339.341f.365
שׁפט   147-150.363f